2009 年

财政规章制度选编

（下）

山东省财政厅 编

经 济 科 学 出 版 社

目　录

一、综合管理类

二、税政管理类

三、预算管理类

四、国库管理类

五、行政政法财务类

六、教科文财务类

七、经济建设财务类

八、农业财务类

九、社会保障类

十、企业财务类

十一、金融与国际合作类

十二、基层财政管理类

十三、会计管理类

十四、行政事业资产类

十五、投资评审类

十六、注册会计师管理类

十七、政府采购监督管理类

十八、农村综合改革类

九、社会保障类

国务院办公厅关于转发人力资源社会保障部财政部城镇企业职工基本养老保险关系转移接续暂行办法的通知

2009 年 12 月 28 日　国办发〔2009〕66 号

各省、自治区、直辖市人民政府，国务院各部委、各直属机构：

人力资源社会保障部、财政部《城镇企业职工基本养老保险关系转移接续暂行办法》已经国务院同意，现转发给你们，请结合实际，认真贯彻执行。

附件：城镇企业职工基本养老保险关系转移接续暂行办法

附件：

城镇企业职工基本养老保险关系转移接续暂行办法

人力资源社会保障部　财政部

第一条　为切实保障参加城镇企业职工基本养老保险人员（以下简称参保人员）的合法权益，促进人力资源合理配置和有序流动，保证参保人员跨省、自治区、直辖市（以下简称跨省）流动并在城镇就业时基本养老保险关系的顺畅转移接续，制定本办法。

第二条　本办法适用于参加城镇企业职工基本养老保险的所有人员，包括农民工。已经按国家规定领取基本养老保险待遇的人员，不再转移基本养老保险关系。

第三条　参保人员跨省流动就业的，由原参保所在地社会保险经办机构（以下简称社保经办机构）开具参保缴费凭证，其基本养老保险关系应随同转移到新参保地。参保人员达到基本养老保险待遇领取条件的，其在各地的参保缴费年限合并计算，个人账户储存额（含本息，下同）累计计算；未达到待遇领取年龄前，不得终止基本养老保险关系并办理退保手续；其中出国定居和到香港、澳门、台湾地区定居的，按国家有关规定执行。

第四条　参保人员跨省流动就业转移基本养老保险关系时，按下列方法计算转移资金：

（一）个人账户储存额：1998 年 1 月 1 日之前按个人缴费累计本息计算转移，1998 年 1 月 1 日后按计入个人账户的全部储存额计算转移。

（二）统筹基金（单位缴费）：以本人 1998 年 1 月 1 日后各年度实际缴费工资为基数，按 12% 的总和转移，参保缴费不足 1 年的，按实际缴费月数计算转移。

第五条　参保人员跨省流动就业，其基本养老保险关系转移接续按下列规定办理：

（一）参保人员返回户籍所在地（指省、自治区、直辖市，下同）就业参保的，户籍所在地的相关社保经办机构应为其及时办理转移接续手续。

（二）参保人员未返回户籍所在地就业参保的，由新参保地的社保经办机构为其及时办理转移接续手续。但对男性年满 50 周岁和女性年满 40 周岁的，应在原参保地继续保留基本养老保险关系，同时在新参保地建立临时基本养老保险缴费账户，记录单位和个人全部缴费。参保人员再次跨省流动就业或在新参保地达到待遇领取条件时，将临时基本养老保险缴费账户中的全部缴费本息，转移归集到原参保地或待遇领取地。

（三）参保人员经县级以上党委组织部门、人力资源社会保障行政部门批准调动，且与调入单位建立劳动关系并缴纳基本养老保险费的，不受以上年龄规定限制，应在调入地及时办理基本养老保险关系转移接续手续。

第六条 跨省流动就业的参保人员达到待遇领取条件时，按下列规定确定其待遇领取地：

（一）基本养老保险关系在户籍所在地的，由户籍所在地负责办理待遇领取手续，享受基本养老保险待遇。

（二）基本养老保险关系不在户籍所在地，而在其基本养老保险关系所在地累计缴费年限满10年的，在该地办理待遇领取手续，享受当地基本养老保险待遇。

（三）基本养老保险关系不在户籍所在地，且在其基本养老保险关系所在地累计缴费年限不满10年的，将其基本养老保险关系转回上一个缴费年限满10年的原参保地办理待遇领取手续，享受基本养老保险待遇。

（四）基本养老保险关系不在户籍所在地，且在每个参保地的累计缴费年限均不满10年的，将其基本养老保险关系及相应资金归集到户籍所在地，由户籍所在地按规定办理待遇领取手续，享受基本养老保险待遇。

第七条 参保人员转移接续基本养老保险关系后，符合待遇领取条件的，按照《国务院关于完善企业职工基本养老保险制度的决定》（国发〔2005〕38号）的规定，以本人各年度缴费工资、缴费年限和待遇领取地对应的各年度在岗职工平均工资计算其基本养老金。

第八条 参保人员跨省流动就业的，按下列程序办理基本养老保险关系转移接续手续：

（一）参保人员在新就业地按规定建立基本养老保险关系和缴费后，由用人单位或参保人员向新参保地社保经办机构提出基本养老保险关系转移接续的书面申请。

（二）新参保地社保经办机构在15个工作日内，审核转移接续申请，对符合本办法规定条件的，向参保人员原基本养老保险关系所在地的社保经办机构发出同意接收函，并提供相关信息；对不符合转移接续条件的，向申请单位或参保人员作出书面说明。

（三）原基本养老保险关系所在地社保经办机构在接到同意接收函的15个工作日内，办理好转移接续的各项手续。

（四）新参保地社保经办机构在收到参保人员原基本养老保险关系所在地社保经办机构转移的基本养老保险关系和资金后，应在15个工作日内办结有关手续，并将确认情况及时通知用人单位或参保人员。

第九条 农民工中断就业或返乡没有继续缴费的，由原参保地社保经办机构保留其基本养老保险关系，保存其全部参保缴费记录及个人账户，个人账户储存额继续按规定计息。农民工返回城镇就业并继续参保缴费的，无论其回到原参保地就业还是到其他城镇就业，均按前述规定累计计算其缴费年限，合并计算其个人账户储存额，符合待遇领取条件的，与城镇职工同样享受基本养老保险待遇；农民工不再返回城镇就业的，其在城镇参保缴费记录及个人账户全部有效，并根据农民工的实际情况，或在其达到规定领取条件时享受城镇职工基本养老保险待遇，或转入新型农村社会养老保险。

农民工在城镇参加企业职工基本养老保险与在农村参加新型农村社会养老保险的衔接政策，另行研究制定。

第十条 建立全国县级以上社保经办机构联系方式信息库，并向社会公布，方便参保人员查询参保缴费情况，办理基本养老保险关系转移接续手续。加快建立全国统一的基本养老保险参保缴费信息查询服务系统，发行全国通用的社会保障卡，为参保人员查询参保缴费信息提供便捷有效的技术服务。

第十一条 各地已制定的跨省基本养老保险关系转移接续相关政策与本办法规定不符的，以本办法规定为准。在省、自治区、直辖市内的基本养老保险关系转移接续办法，由各省级人民政府参照本办法制定，并报人力资源社会保障部备案。

第十二条 本办法所称缴费年限，除另有特殊规定外，均包括视同缴费年限。

第十三条 本办法从2010年1月1日起施行。

财政部办公厅关于进一步做好社会保险基金专项治理工作的通知

2009年2月26日 财办社〔2009〕13号

各省、自治区、直辖市财政厅（局），新疆生产建设兵团财务局：

为贯彻落实中央纪委第十七届二次全会和全国纠风工作会议精神，人力资源社会保障部、财政部、中国人民银行、监察部、国务院纠风办、全国社会保障基金理事会、审计署、卫生部、证监会和国家税务总局等10个部门联合印发了《社会保险基金专项治理工作方案》（人社部发〔2008〕55号，以下简称《工作方案》），要求从2008年8月到今年年底开展社会保险基金专项治理工作。各级财政部门按照《工作方案》要求，深入开展自查自纠和整改工作，取得了较好成效。为进一步做好财政部门的社会保险基金专项治理工作，现就有关事宜通知如下：

一、提高认识，加强对专项治理工作的组织领导

社会保险基金安全事关保障人民群众切身利益和维护社会稳定的大局，广大人民群众和社会各界对此高度关注。落实党中央、国务院要求，开展社会保险基金专项治理，加强基金监管，是构建社会主义和谐社会的重要任务。各级财政部门要充分认识工作的重要性，切实加强领导，把这项工作纳入今年的工作计划，认真抓好抓实。通过专项治理，促进财政部门更好地履行职责，严格依法办事，完善基金管理制度，规范基础管理，健全监管体制，切实解决好工作中的突出问题。

二、加大力度，认真开展自查和整改

自查自纠阶段从2008年9月到2009年5月，各级财政部门应按照《工作方案》的要求，在前一阶段工作的基础上，继续深入开展自查自纠，对基金征缴、支付、专户管理等环节中存在的问题进行认真梳理，特别是对社会保障基金财政专户管理中挤占挪用基金、不按规定存储结余资金、不执行国家规定的社会保险基金利率政策、违规投资，以及未纠正的历史遗留问题等，要有针对性地加大检查力度。对检查中发现的问题，能纠正的要尽快纠正；立即纠正有困难的要制定整改计划，限期整改。对严重违法违纪案件，要坚决依法查处。省级财政部门要督促地、市、县级财政部门认真做好自查自纠工作，及时了解工作进展情况，并于4月15日以前将自查自纠工作的初步情况以书面形式报财政部社会保障司。

三、形成合力，加强与有关部门的协调配合

各级财政部门要认真配合专项治理领导小组工作，积极参与社会保险基金专项治理各阶段工作。要加强与专项治理领导小组成员单位的联系，及时沟通情况协调解决专项治理工作中遇到的矛盾和问题，与相关部门密切合作，相互支持，共同落实好专项治理各阶段工作任务。

四、建章立制，建立社会保险基金监管的长效机制

各级财政部门要结合这次专项治理，深入开展调查研究，认真查找和总结社会保险基金管理上和制度上存在的突出问题及薄弱环节，进一步完善基金管理制度，健全监管法规体系，规范基金运行和管理程序，

建立社会保险基金长效管理机制，确保基金安全完整，保证社会保险事业健康发展。

财政部办公厅关于建立就业资金统计月报制度有关问题的通知

2009年7月31日　财办社〔2009〕46号

各省、自治区、直辖市、计划单列市财政厅（局）：

为及时了解各地落实就业政策情况，跟踪就业形势，制定应对措施，按照《国务院关于做好当前经济形势下就业工作的通知》（国发〔2009〕4号）和《财政部　人力资源社会保障部关于就业专项资金管理及有关问题的通知》（财社〔2008〕269号）要求，决定从2009年8月份起建立就业资金统计月报制度（包括就业专项资金和东部七省、市失业保险基金用于促进就业资金的统计，以下简称统计月报），现就有关事项通知如下：

一、统计月报的主要内容

一是就业专项资金收入情况，包括财政补助收入、其他收入。二是就业专项资金支出情况，包括职业介绍补贴、职业培训补贴、社会保险补贴、公益性岗位补贴、职业技能鉴定补贴、扶持公共就业服务支出、小额担保贷款贴息、特定就业政策补助等支出。三是就业工作基本情况，包括职业介绍补贴人数、职业培训补贴人数、社会保险补贴人数、公益性岗位补贴人数、小额担保贷款贴息人数、职业技能鉴定补贴人数、特定就业政策补助人数等。四是扩大失业保险基金支出范围试点的东部七省、市失业保险基金收支情况。五是扩大失业保险基金支出范围试点的东部七省、市失业保险基金用于促进就业的收支情况。（详见附件）。

二、统计月报的报送要求

（一）从2009年8月份起，各地财政部门要建立统计月报制度。每月终了，各地财政部门要按照财务管理规章制度要求，及时做好记账、统计工作。每月月初要抓紧编制上一月的《就业专项资金收支情况统计表》、《就业专项资金支出情况明细表》、《享受就业补贴（助）人员情况明细表》、《失业保险基金收支情况统计表》（由扩大失业保险基金支出范围试点的东部七省、市填列）、《失业保险基金用于促进就业支出情况明细表》（同上）。经省（自治区、直辖市、计划单列市）财政厅（局）统计汇总后，在每月15日前以纸质文件和电子版文件各一份传给财政部社会保障司失业保障处。年度终了，各省（自治区、直辖市、计划单列市）要进行认真分析和总结，查找落实政策及资金管理中存在的问题，提出意见和建议，报送财政部社会保障司。

8月15日前，各省（自治区、直辖市、计划单列市）要将行政区域内截至7月底的就业资金使用情况，按附件及上述要求传给财政部社会保障司。

（二）各地财政部门要及时掌握就业资金使用情况，做到心中有数，逐步建立和完善资金使用管理基础信息平台，按规定及时拨付和使用资金，确保各项就业政策不因资金问题而影响实施效果。

（三）各地财政部门要高度重视统计月报工作，加强数据的整理、分析，全面、准确、及时地提供就业资金收支等情况，严禁虚报、漏报、瞒报相关信息。今后，中央财政将把各省（自治区、直辖市、计划单列市）统计月报编制及报送情况作为考核各地就业政策落实和就业工作绩效的一项重要内容。

纸质文件传真号码：010－68553852，电子版文件发送至财政部内网邮箱：桂雄/社会保障司/MOF@MOF。

附件：1.　　年　月就业专项资金收支情况统计表

2.　　年　月就业专项资金支出情况明细表

3.　　年　月享受就业补贴（助）人员情况明细表

4.　　年　月失业保险基金收支情况统计表（略）

5.　　年　月失业保险基金用于促进就业支出情况明细表

附件 1：

年　月就业专项资金收支情况统计表

填表单位：　　　省（自治区、直辖市、计划单列市）财政厅（局）（盖章）　　　填表日期：20　年　月　日　　　单位：万元

	全省安排			上月末滚存结余	本月收入			本月支出	本月收支结余	月末滚存结余	本年累计收入			本年累计支出	本年收支结余
		年初预算安排	执行中追加			财政安排	其他收入					财政安排	其他收入		
	1栏	2栏	3栏	4栏	5栏=6栏+7栏	6栏	7栏	8栏	9栏=5栏-8栏	10栏=4栏+9栏	11栏=12栏-13栏	12栏	13栏	14栏	15栏=11栏-14栏
全省合计															
省本级															
市本级															
县级及以下															

注：1. 本表反映地方各级社会保障基金财政专户就业专项资金收支基本情况。

2. 1 栏全省安排数为省本级、市本级、县级及以下年初预算安排资金（不包括上级补助资金）和执行中追加资金。

3. 本表第 8 栏数 = 附表 2 第 23 栏数。

4. 本表第 14 栏数 = 附表 2 第 24 栏数。

5. 收支各项指标按社会保险基金决算编报口径填列。其中，本年累计指本年 1 月至当月累计。

6. 各地汇总时，应分清本级安排和上级补助，以免重复计算。

附件2：

年　月就业专项资金支出情况明细表

填表单位：　　　省（自治区、直辖市、计划单列市）财政厅（局）（盖章）　　　填表日期：20　年　月　日　　　单位：万元

	职业介绍补贴支出		职业培训补贴支出		社会保险补贴支出		灵活就业人员社会保险补贴		公益性岗位社会保险补贴		公益性岗位补贴支出		小额担保贷款贴息支出		职业技能鉴定补贴支出		特定就业政策补助支出		扶持公共就业服务支出		其他支出		就业专项资金支出合计	
	本月	本年累计	本月	本年累计	本月	本年累计	本月	本年累计	本月	本年累计	本月	本年累计	本月	本年累计	本月	本年累计	本月	本年累计	本月	本年累计	本月	本年累计	本月	本年累计
	1栏	2栏	3栏	4栏	5栏	6栏	7栏	8栏	9栏	10栏	11栏	12栏	13栏	14栏	15栏	16栏	17栏	18栏	19栏	20栏	21栏	22栏	23栏	24栏
全省合计																								
省本级																								
市本级																								
县级及以下																								

注：1. 本表反映地方各级社会保障基金财政专户就业专项资金支出情况。
2. 本表第23栏数 = 附表1第8栏数。
3. 本表第24栏数 = 附表1第14栏数。
4. 支出各项指标按社会保险基金决算编报口径填列。其中，本年累计指本年1月至当月的累计。

附件3：

年　月享受就业补贴（助）人员情况明细表

填表单位：　　省（自治区、直辖市、计划单列市）财政厅（局）（盖章）　　填表日期：20　年　月　日

单位：人

	享受职业介绍补贴人数		享受职业培训补贴人数		享受社会保险补贴人数	其中：灵活就业人员人数	其中：公益性岗位人员人数	享受公益性岗位补贴人数	享受小额担保贷款贴息人数	享受职业技能鉴定补贴人数		享受特定就业政策补助人数	其他
	本月	本年累计	本月	本年累计	本月末	本月末	本月末	本月末	本月末	本月	本年累计	本月末	本月末
	1栏	2栏	3栏	4栏	5栏	6栏	7栏	8栏	9栏	10栏	11栏	12栏	13栏
全省合计													
省本级													
市本级													
县级及以下													

注：享受各项补贴的"本月末"人数是指享受补贴的月末实有人数，是时点数。

附件5：

年　月失业保险基金用于促进就业支出情况明细表

填表单位：　　省（自治区、直辖市、计划单列市）财政厅（局）（盖章）　　填表日期：20　年　月　日　　单位：万元

	职业介绍补贴支出		职业培训补贴支出		社会保险补贴支出		灵活就业人员社会保险补贴		公益性岗位社会保险补贴		公益性岗位补贴支出		小额担保贷款贴息支出		其他支出		失业保险基金用于促进就业支出合计	
	本月	本年累计	本月	本年累计	本月	本年累计	本月	本年累计	本月	本年累计	本月	本年累计	本月	本年累计	本月	本年累计	本月	本年累计
	1栏	2栏	3栏	4栏	5栏	6栏	7栏	8栏	9栏	10栏	11栏	12栏	13栏	14栏	15栏	16栏	17栏	18栏
全省合计																		
省本级																		
市本级																		
县级及以下																		

注：1. 本表反映扩大失业保险基金试点的东部七省、市各级社会保障基金财政专户失业保险基金用于促进就业的支出情况。

2. 支出各项指标按社会保险基金决算编报口径填列。其中，本年累计指本年1月至当月的累计。

民政部　财政部关于为城乡困难群众发放一次性生活补贴有关问题的通知

2009年1月8日　民电〔2009〕2号

各省、自治区、直辖市民政厅（局）、财政厅（局），新疆生产建设兵团民政局、财务局：

为贯彻落实第58次中央政治局常委会精神，进一步提高低收入群众收入水平，拉动低收入群众消费需求，妥善安排春节期间困难群众生活，现就有关事宜通知如下：

一、高度重视困难群众基本生活保障工作。各地要按照《中共中央办公厅、国务院办公厅关于做好2009年元旦、春节期间有关工作的通知》（中办发电〔2008〕57号）要求，继续开展多种形式的送温暖和帮扶捐助活动，落实好各项救助制度，妥善解决受灾地区和贫困地区困难群众的粮油、蔬菜、副食品、衣被、住所和取暖等问题，按时足额发放各项救助资金，确保城乡低保对象、农村五保对象和优抚对象等人员过一个欢乐、祥和的春节。

二、抓紧组织实施城乡困难群众一次性生活补贴发放工作。此次发放一次性生活补贴的对象范围为全国城乡低保对象、农村五保对象、享受国家抚恤补助的优抚对象以及建国前入党的农村老党员和未享受离退休待遇的城镇老党员（以下简称建国前老党员），补贴标准分别为：农村低保对象和农村五保对象每人100元，城市低保对象每人150元，享受国家抚恤补助的优抚对象和建国前老党员每人180元。一次性生活补贴以现金形式发放，所需资金全部由中央财政负担。

各地要抓紧组织实施城乡困难群众一次性生活补贴发放工作，并在落实中央补助政策的基础上，可根据当地实际情况，确定具体发放范围、发放标准和发放形式，具体实施方案由省级人民政府确定。各地要将补贴资金发放落实情况及时反馈民政部、财政部。

三、密切关注其他低收入人员的基本生活保障问题。各地在做好上述人员的一次性生活补贴资金发放工作的同时，要密切关注其他低收入人员的生活状况，对生活确有困难的，要采取妥善措施予以必要的救助。

四、严格规范资金使用管理。各地要加强对一次性生活补贴资金的发放管理工作，认真审核发放范围，规范发放程序，努力做到资金发放公正、公平、透明，确保专款专用，严禁挤占挪用，努力提高资金的使用效益和效果。

为城乡困难群众发放一次性生活补贴工作，政策性强、涉及面广，各地一定要高度重视，切实加强领导，落实责任，认真组织实施，务必要在春节前将补贴资金及时足额地发放到补贴对象手中。

财政部　卫生部关于印发《农村孕产妇住院分娩专项补助资金管理暂行办法》的通知

2009年6月1日　财社〔2009〕36号

各省、自治区、直辖市、计划单列市财政厅（局）、卫生厅（局）：

为规范和加强农村孕产妇住院分娩专项补助资金管理，我们制定了《农村孕产妇住院分娩专项补助资金管理暂行办法》，现印发给你们，请遵照执行。执行中发现问题，请及时反馈财政部、卫生部。

附件：农村孕产妇住院分娩专项补助资金管理暂行办法

附件：

农村孕产妇住院分娩专项补助资金管理暂行办法

第一章 总 则

第一条 为规范农村孕产妇住院分娩专项补助资金（以下简称专项补助资金）的管理，提高资金使用效益，制定本暂行办法。

第二章 资金筹集

第二条 本办法所称专项补助资金是指各级财政根据卫生部、财政部《关于进一步加强农村孕产妇住院分娩工作的指导意见》（卫妇社发〔2009〕12号）有关规定安排的专项用于农村孕产妇住院分娩的补助资金。

第三条 财政部门要做好农村孕产妇住院分娩补助资金的预算安排。县级财政应将本地区农村孕产妇住院分娩补助所需资金纳入医疗卫生经费预算予以安排。省级财政要安排必要的专项补助资金，支持困难地区落实农村孕产妇住院分娩补助政策。

第四条 中央财政安排专项补助资金，对困难地区予以支持。中央财政专项补助资金，按照“当年金额预拨、次年考核结算、差额多退少补”原则下达。年初按上年度农村孕产妇住院分娩人数和当年确定的补助标准预拨当年补助资金，次年按各地上报的截至上年末实际住院分娩农村孕产妇人数，并统筹考虑各地农村孕产妇住院分娩工作的绩效考核情况，结算上年度中央财政专项补助资金。多拨资金抵顶当年预拨资金，少拨资金予以补足。绩效考核以国家规定的分省工作目标为基础，重点考核农村孕产妇实际住院分娩人数、住院分娩率、孕产妇死亡率和婴儿死亡率等工作指标。

第三章 资金使用

第五条 农村孕产妇住院分娩补助对象必须具备以下条件：

（一）农业户籍；

（二）在定点医疗卫生机构住院分娩；

（三）符合国家有关政策。

第六条 省级卫生、财政部门根据卫生部、财政部制定的农村孕产妇住院分娩基本服务项目，确定本地区的服务项目和限价标准，并结合本地经济社会发展水平和财政承受能力，合理确定本地区农村孕产妇住院分娩的人均财政补助标准。享受中央财政补助地区确定的人均补助标准不得低于中央财政人均补助标准。

第七条 县级卫生部门会同财政部门确定当地具备助产资质条件的定点医疗卫生机构（包括社会力量举办的医疗卫生机构），承担农村孕产妇住院分娩任务。定点医疗卫生机构名单要通过适当方式向社会公开，以方便农村孕产妇选择适合自己的定点医疗卫生机构。

第八条 定点医疗卫生机构对住院分娩的农村孕产妇，按人均财政补助标准免收住院分娩的相关费用。定点医疗卫生机构定期向县级卫生部门报送农村孕产妇住院分娩人数等情况，经县级卫生、财政部门审核批准后，由财政部门将专项补助资金通过国库集中支付方式直接拨付给定点医疗卫生机构。也可委托中介机构进行审核，经卫生、财政部门核准后拨付。异地住院分娩的农村孕产妇补助办法由各地根据实际情况另行制定。

第九条 定点医疗卫生机构应严格按规定执行基本服务项目和收费标准，如收取规定服务项目之外的其他服务费用，需征得孕产妇本人或家属同意。参加新型农村合作医疗的农村孕产妇在财政补助标准之外的住院分娩费用，可按当地新型农村合作医疗制度的相关规定给予补偿。对个人负担较重的贫困孕产妇，可按规定由农村医疗救助制度给予救助。

第十条 有条件的地区，可探索将农村孕产妇住院分娩专项补助资金与新型农村合作医疗基金统筹管理，由新型农村合作医疗经办机构根据审核结果，将补助资金支付给定点医疗卫生机构等有效途径。

第四章 监督管理

第十一条 县级卫生部门负责农村孕产妇住院分娩的日常管理工作；负责定点医疗卫生机构和人员服务资质管理；开展相关宣传和健康教育工作，引导农村孕产妇住院分娩；审核农村孕产妇住院分娩的相关材料，做好农村孕产妇住院分娩的基础信息统计、分析和管理工作。

第十二条 县级卫生部门要会同财政部门加强对定点医疗卫生机构产科服务质量、农村孕产妇住院分娩专项补助资金使用等情况的绩效考评，有条件的地区，可委托有资质的中介机构对定点医疗卫生机构实施绩效考评。对经考评达不到规范要求的医疗卫生机构，要按有关规定取消其定点资格。同时，要将考评结果与专项补助资金挂钩。

第十三条 专项补助资金必须专项用于农村孕产妇住院分娩补助，任何单位和个人不得以任何形式截留、挤占和挪用专项补助资金。农村孕产妇住院分娩专项补助资金的管理使用，以及享受补助的孕产妇等情况应定期向社会公布，接受群众监督。对故意虚报有关数字和情况骗取专项补助资金，或截留、挤占和挪用专项补助资金的，要按照《财政违法行为处罚处分条例》（国务院令第427号）等有关法律法规，除责令改正、追回有关财政资金外，还要按规定追究有关单位和人员责任。

第十四条 省级财政、卫生部门要及时将中央财政专项补助资金分配使用情况上报财政部、卫生部，有关资金分配文件要同时抄送财政部驻当地财政监察专员办事处。

第五章 附 则

第十五条 省级财政、卫生部门可结合本地实际，制定本地区专项补助资金的拨付和管理办法。

第十六条 本暂行办法自印发之日起执行，由财政部会同卫生部负责解释。

财政部关于进一步加大各项就业政策落实力度的通知

2009年6月12日 财社〔2009〕44号

各省、自治区、直辖市、计划单列市财政厅（局）：

为应对国际金融危机对就业工作的冲击，自去年下半年以来，党中央、国务院从民生之本、增长之需、稳定之基出发，实施了更加积极的就业政策。国务院及有关部门就做好当前形势下就业工作先后出台了7个文件，制定了一系列稳定和扩大就业的政策措施，对保持经济社会平稳快速发展起到了重要作用。当前，国际金融危机对我国影响尚未见底，对就业的影响将进一步显现。最近，国务院常务会议又专门研究部署就业工作，要求坚持积极的就业政策，进一步采取有力措施，狠抓各项政策措施落实，使之真正见到实效。为贯彻落实国务院常务会议精神，做好当前经济形势下的就业工作，现对财政部门提出以下要求。

一、提高认识，把就业工作摆在财政工作更加突出的位置。就业是民生之本，安国之策。做好就业工作对于保增长、保稳定、保民生具有十分重要的意义。各级财政部门一定要从战略高度，充分认识在当前形势下实施更加积极的就业政策，全方位促进就业增长，稳定就业局势的意义，增强履行财政职责促进就业的责任感、使命感和紧迫感，把稳定和扩大就业摆在财政工作更加突出的位置，把保增长、调结构与促进就业结合起来，增加投入，落实政策，全力以赴，确保就业形势的稳定。各级财政部门要认真学习和掌握各项就业政策，吃透政策要领，掌握政策实质，并通过宣传、培训等形式，进一步提高财政干部的政策水平，确保理解政策准确、执行政策有力。

二、狠抓落实，确保就业工作任务顺利完成。现行政策具有门槛低、范围广、项目多、含金量高等特点，需要各个部门相互配合，共同推进政策的落实。财政部门要进一步增强主动服从大局意识、主动服务部门意识、主动换位思考意识和主动协商办事意识，加强与相关部门的沟通协调，形成合力。一要抓好配套文件的制定。特别是目前尚未出齐配套文件的地区，要加快工作进度，尽快完成。二要抓工作实效。要会同有关部门切实推进财政、税收、信贷、收费等各项就业扶持政策的落实，切实将各项政策不折不扣地落实到扶持对象身上，特别是要抓好高校毕业生等重点群体就业政策落实工作。三要抓督促检查。要会同有关部门加强对各项扶持政策落实情况的督查、检查和指导。第三季度，财政部将配合有关部门对各地贯彻落实情况进行督查。

三、强化管理，规范就业资金的使用。要加强就业资金的使用管理工作，不断完善财务规章制度，进一步规范资金的拨付程序，提高资金使用的安全性、规范性和有效性。一是加快资金拨付。各地要按规定及时拨付资金，确保各项就业政策不因资金问题而影响实施效果。同时，要按规定使用资金，做到使用有方、拨款有据。二是加强资金监督检查。特别要防止将就业资金用于人员经费、公用经费、差旅费、会议费等应由部门预算安排的支出，严禁用于劳动力市场等基本建设性支出。要采取有效措施，防止造假行为。对虚报、套取、私分、挪用各种补贴资金的单位和个人，要严肃处理。今年下半年，财政部将组织一次就业资金专项检查，各省级财政部门也要根据本地实际，组织专项检查，并将检查情况及时上报财政部。三是完善就业资金统计制度。为做好就业形势分析，加强就业资金管理，各地财政部门要强化基础管理工作，完善就业资金台账管理办法。从今年6月份开始，要建立就业专项资金统计月报制度。省级财政部门要按月向财政部报送就业专项资金统计月报（具体要求另行发文），并做到提供数据全面、准确、及时。

四、加强调查研究，增强工作的前瞻性。各级财政部门在贯彻落实就业政策中，要坚持理论联系实际，加强调查研究。一要密切跟踪就业形势，跟踪就业政策的落实情况，加强综合分析，掌握第一手资料，注意做好就业政策与各项社会保障政策的有效衔接。二要加强调研工作，及时发现就业工作及就业资金管理中的好典型、好做法、好思路，并及时交流、推广和上报，对发现的问题，要及时提出完善和改进的办法。

当前，就业工作任务繁重，事关全局，责任重大，使命光荣，各级财政部门一定要坚定信心，切实履行职责，采取有力举措，积极主动，把各项工作做细做实，支持和促进就业，为国家经济社会稳定发展做出贡献。

财政部　中国残疾人联合会关于中央财政对全国残疾人体育运动会定额补助标准的通知

2009年8月26日　财社〔2009〕137号

各省、自治区、直辖市、计划单列市财政厅（局）、残疾人联合会，新疆生产建设兵团财务局、残疾人联合会：

为贯彻落实《中共中央　国务院关于促进残疾人事业发展的意见》（中发〔2008〕7号），促进残疾人体育事业发展，经研究，现将全国残疾人体育运动会中央财政定额补助有关事项通知如下：

一、全国残疾人体育运动会是指经国务院批准的，由中国残疾人联合会和国家体育总局主办，有关省、自治区、直辖市、计划单列市自愿承办的全国残疾人运动会、全国聋人运动会、全国冬季残疾人运动会、全国特殊奥林匹克运动会。

二、按照“共同举办、共同负担、地方自筹为主、中央定额补助为辅”的原则，全国残疾人体育运动会所需经费预算主要由承办运动会的地方人民政府自筹，中央政府给予一次性定额补助。

三、中央财政定额补助标准是：全国残疾人运动会4 000万元，全国聋人运动会1 500万元，全国冬季残疾人运动会1 500万元，全国特殊奥林匹克运动会2 000万元。

四、中央财政定额补助主要用于运动会开闭幕式、竞赛支出和场馆无障碍改造支出。场馆设施建设所需资金由地方人民政府自行负担，中央财政不予补助。

五、除国家政策调整或有特殊情况外，中央财政定额补助标准不再提高。各地方应据此并结合自身财力和筹资能力确定是否申请举办全国残疾人体育运动会。

六、中央财政定额补助经费由财政部核定给承办运动会的地方省级人民政府财政厅（局），由财政厅（局）拨付给全国残疾人体育运动会组织委员会。

七、本通知由财政部和中国残疾人联合会负责解释。

八、本通知自下发之日起施行。

财政部　人力资源社会保障部关于中央财政新型农村社会养老保险试点专项补助资金管理有关问题的通知

2009年11月10日　财社〔2009〕211号

各省、自治区、直辖市财政厅（局）、人力资源社会保障（劳动保障）厅（局），财政部驻各省、自治区、直辖市财政监察专员办事处：

根据《国务院关于开展新型农村社会养老保险试点的指导意见》（国发〔2009〕32号，以下简称《指导意见》），为做好中央财政对新型农村社会养老保险（以下简称新农保）试点专项补助资金拨付工作，现就有关问题通知如下：

一、补助范围和标准

根据《指导意见》的有关规定，中央财政按中央确定的基础养老金标准，对中西部地区全额补助，对东部地区补助50%。对各地的具体补助金额，根据国务院新农保试点工作领导小组确定的各省、自治区、直辖市新农保试点县（市、区、旗，以下简称试点）60周岁以上（含60周岁，下同）参保农业户籍人口总数、地方财政补助资金到位情况核定。

二、补助资金的申请拨付程序

各省、自治区、直辖市财政厅（局）和人力资源社会保障厅（局）（以下简称省级财政部门和人力资源社会保障部门），应联合向财政部、人力资源社会保障部提出新农保试点中央财政补助资金申请，经两部审核同意后，核拨补助资金。

（一）申请材料要求。

各省级财政部门和人力资源社会保障部门联合上报的申报材料，应全面、真实、准确地反映本地开展新农保试点的情况，确保报表数据真实、内容完整，不得瞒报、虚报、漏报。申报材料包括：

1. 申请报告。包括本地开展新农保试点的准备情况、政策规定和资金安排情况、试点启动和实施情况、工作中存在的问题和有关政策建议等。

2. 有关附表。附表1为新农保试点实施情况表，包括新农保缴费标准、地方财政对个人缴费补助标准、基础养老金标准、地方财政对长期缴费和选择较高档次缴费的鼓励政策情况、对重度残疾人等困难群体的代缴比例、地方各级财政负担比例等；附表2为新农保试点补助资金申请表，包括参保人数、农业户籍人口数、地方财政应补助总额、地方财政补助资金安排情况等。具体填报要求详见填表说明。

（二）报送审核程序。

1. 地方上报。

经国务院新农保试点工作领导小组批准新纳入试点范围的试点县（以下简称新增试点县），由所属省级财政部门和人力资源社会保障部门按照纳入试点当年新农保试点工作要求报送申报材料；以前年度已经国务院新农保试点工作领导小组批准纳入试点范围的试点县（以下简称原有试点县），由所属省级财政部门和人力资源社会保障部门负责于每年4月底以前，将申报材料报送财政部驻本省、自治区、直辖市财政监察专员办事处（以下简称专员办）审核。经专员办审核后的申报材料应在5月底前上报财政部、人力资源社会保障部。

2. 专员办审核。

专员办对受理的省级财政部门和人力资源社会保障部门报送的申报材料，要及时组织力量认真审核，必要时对原有试点县进行抽审，并应在受理申报材料后20个工作日内审核完毕，签署审核意见。

3. 财政部、人力资源社会保障部审核。

财政部、人力资源社会保障部按照相关政策规定对各地申报材料进行审核，并依据审核结果相应核定中央财政补助资金。

（三）资金拨付办法。

为确保参保农民基础养老金按时足额发放，中央财政补助资金采取“当年先行预拨，次年据实结算、差额多退少补”的办法，以每年1月1日至12月31日为一个运行年度，按年与省级财政结算中央财政补助资金。具体操作程序是：

1. 资金预拨。

新增试点县，实施试点当年，按其申报的当年新农保参保60周岁以上农业户籍人口预测数和中央财政补助标准，预拨补助资金。

原有试点县，在年初时，先按上年补助资金的80%下达预算，相关资金按季预拨。

2. 资金结算。

每年7月底以前，中央财政根据各地经专员办审核确认并盖章的申请报告，按照各地上年底新农保实际参保60周岁以上农业户籍人口数、地方财政资金到位情况等，对上年中央财政补助资金进行结算。同时，按照上年新农保实际参保60周岁以上农业户籍人口数和当年中央财政补助标准，核定当年中央财政应补助资金，扣除年初预拨资金，并弥补（抵减）上年不足（结余）后下达。

结算公式：

$$\text{当年结算资金} = \text{上年新农保实际参保60周岁以上农业户籍人口数} \times \text{当年中央财政补助标准} - \text{当年预拨资金} + (-) \text{上年不足（结余）}$$

三、补助资金的使用

中央财政补助资金下达后，各省级财政部门要根据资金分配方案和使用进度，及时下拨。为准确反映各级财政补助资金，政府收支分类科目新设“2080306 财政对新型农村社会养老保险基金的补助”科目，各级财政对新农保的补助都要列入该科目。各试点县收到上级财政补助资金后，要按照社会保险基金财务制度有关规定，及时将相关资金拨入社会保障资金财政专户。财政补助资金必须专款专用，任何地区、部门、单位和个人不得截留、挤占、挪用。各级财政部门要切实履行职能，加强科学化、精细化管理，会同有关部门探索有效的基础数据审核手段，加强信息化建设，通过建立健全计算机信息管理网络等方式，防止虚报冒领、套取财政补助资金等情况的发生。

四、监督检查

各级财政、人力资源社会保障部门要会同有关部门做好财政补助资金的跟踪检查和追踪问效工作，定期或不定期对新农保基金进行监督检查，发现问题及时纠正，并及时向本级政府和上级有关部门报告。人力资源社会保障部、财政部根据需要，对各地新农保基金管理情况进行抽查。对虚报冒领、挤占挪用、贪污浪费等违纪违法行为，按照国家有关法律法规严肃处理。对故意虚报参加新农保人数骗取上级补助的，除责令其立即纠正，并按规定追究有关单位和人员的责任外，将据实减拨中央财政补助资金。

附件：　　省（自治区、直辖市）　　年度新型农村社会养老保险试点情况申报表

附件：

省（自治区、直辖市）　　　年度新型农村社会养老保险试点情况申报表

财政厅（局）（章）	人力资源社会保障厅（局）（章）	专员办（章）
负责人：	负责人：	负责人：
审核人：	审核人：	审核人：
填报人：	填报人：	审核意见（可另附）：
联系电话：	联系电话：	联系电话：
报送日期：	报送日期：	报送日期：

填表说明

一、附表1——新型农村社会养老保险试点实施情况表填报说明

1. 本表由省级财政部门会员同级人力资源社会保障部门根据试点县新农保试点政策规定及实施情况如实填报。

2. 本表“1栏”填列经国务院新农保试点工作领导小组批准纳入试点范围的试点县名称。

3. 本表“2~4栏”填列试点县参保农民缴纳养老保险费的档次和标准。

4. 本表“5栏”填列地方政府对全体参保农民个人缴费普遍给予的补贴标准，不含对参保农民选择较高档次缴费所增加的补贴标准部分。

5. 本表“6栏、7栏”填列地方政府对参保农民选择较高档次缴费的鼓励政策情况及鼓励标准，如果有多项鼓励政策，应在“22栏——备注”分别说明。

6. 本表“8栏、9栏”填列地方政府对重度残疾人等困难群体代缴养老保险费的比例，其中“9栏”如有多种代缴比例，应在“22栏——备注”分别说明。

7. 本表“10栏”填列地方政府对全体符合养老金待遇领取条件的参保农民统一支付的基础养老金标准，不含因鼓励长期缴费而加发的基础养老金部分。

8. 本表“11栏”填列地方政府对参保农民长期缴费的鼓励政策情况，按每多缴纳1年，基础养老金增发的额度填列。

9. 本表“12栏、13栏”填列省级和省级以下财政对“10栏”所列示的基础养老金部分的负担情况，不含中央财政专项补助部分。

10. 本表“14栏、15栏”填列省级和省级以下财政对“5栏”所列示的缴费补贴部分的负担情况。

11. 本表“16栏、17栏”填列省级和省级以下财政鼓励参保农民选择较高档次缴费所增加补贴的负担情况。

12. 本表“18栏、19栏”填列省级和省级以下财政鼓励参保农民长期缴费而加发的基础养老金的负担情况。

13. 本表“20栏、21栏”填列省级和省级以下财政对重度残疾人等困难群体代缴养老保险费的负担情况。

二、附表2——中央财政新型农村社会养老保险试点补助资金申请表填报说明

1. 本表由省级财政部门会同同级人力资源社会保障部门填报，其中涉及新农保试点农业户籍人口情况的内容，应根据试点县经办新农保业务的社会保险经办机构记载的实际情况据实填报。

2. 本表“1栏”填列经国务院新农保试点工作领导小组批准纳入试点范围的试点县名称。

3. 本表“2栏、3栏、4栏”，原有试点县填列经办新农保业务的社会保险经办机构记载的截至上年底累计参保农业户籍人口情况，新增试点县填列自批准试点之日至当年年底的预计参保农业户籍人口情况。2栏=3栏+4栏。

4. 本表“5栏、6栏、7栏”填列试点县经办新农保业务的社会保险经办机构记载的截至上年底累计农业户籍人口情况，5栏=6栏+7栏。

5. 本表“8栏”填列新农保试点县地方各级财政年度应补助资金总额，不含中央财政补助部分。具体包括：地方各级财政对全体符合养老金待遇领取条件的参保农民统一支付的中央财政补助以外的基础养老金部分、对全体参保农民个人缴费普遍给予的补助部分、因鼓励参保农民选择较高档次缴费所增加缴费补助和因鼓励参保农民长期缴费所加发的基础养老金，以及对农村重度残疾人等困难群体代缴养老保险费的部分。其中：原有试点县填列申请年度全年应补助资金总额，新增试点县填列自批准试点之日到当年年底

应补助资金总额。8栏≥9栏+10栏。

6. 本表“9栏”填列中央财政补助以外，地方各级财政年度应用于统一支付给全体符合养老金待遇领取条件的参保农民的基础养老金部分，不含因鼓励参保农民长期缴费所加发的基础养老金。其中：原有试点县填列申请年度全年应补助资金部分，新增试点县填列自批准试点之日到当年年底应补助资金部分。

7. 本表“10栏”填列地方各级财政年度应用于对全体参保农民个人缴费普遍给予的补贴情况，不含对参保农民选择较高档次缴费所增加的补贴部分和为重度残疾人等困难群体代缴的养老保险费部分。其中：原有试点县填列申请年度全年应补助资金，新增试点县填列自批准试点之日至当年年底应补助资金。

8. 本表“11~14栏”填列地方各级财政当年新农保试点补助资金预算的安排情况，包括：对全体符合养老金待遇领取条件的参保农民统一支付的中央财政补助以外的基础养老金、对全体参保农民个人缴费普遍给予的缴费补贴、因鼓励参保农民选择较高档次缴费所增加的缴费补贴和因鼓励参保农民长期缴费所加发的基础养老金，以及对农村重度残疾人等困难群体代缴养老保险费等各项补助资金，并按不同预算级次分别填列。其中：原有试点县根据年初经同级人大批准的地方各级财政补助资金预算安排情况填列，新增试点县根据批准试点后地方各级财政补助资金预算安排情况填列。11栏=12栏+13栏+14栏。

9. 本表“15栏”填列试点县申请的当年中央财政补助资金情况。其中：原有试点县补助资金申请数，包括按试点县截至上年底60周岁以上（含60周岁）参保农业户籍人口数和中央财政补助标准测算的本年度补助资金，以及上年度地方各级财政垫支的应由中央财政承担的基础养老金补助资金。新增试点县补助资金申请数按批准试点之日至当年年底60周岁以上（含60周岁）参保农业户籍人口预计数和中央财政补助标准测算的本年度补助资金。

附表 1：

省（自治区、直辖市）　　　年度新型农村社会养老保险试点实施情况表

截至　　　年　　月　　日

序号	新型农村社会养老保险试点县（市、区、旗）名称	个人缴费			地方财政对个人缴费补助标准（元/人年）	对选择较高档次缴费的鼓励政策		对重度残疾人等困难群体的代缴比例（%）		基础养老金标准（元/人月）	对长期缴费的鼓励政策（元/人年）	地方各级财政负担情况										备注
		档次（个）	最低缴费标准（元/人年）	最高缴费标准（元/人年）		是否鼓励	鼓励标准（元/人年）	对重度残疾人的代缴比例（%）	对其他困难群体的代缴比例（%）			基础养老金部分（元/人月）		缴费补贴部分（元/人年）		对选择较高档次缴费的鼓励部分（元/人年）		对长期缴费的鼓励部分（元/人月）		对重度残疾人等困难群体的代缴部分（元/人年）		
												省级	省级以下	省级	省级以下	省级	省级以下	省级	省级以下	省级	省级以下	
档次	1	2	3	4	5	6	7	8	9	10	11	12	13	14	15	16	17	18	19	20	21	22
1																						
2																						
3																						
4																						
5																						
6																						
7																						
…																						

附表2：

省（自治区、直辖市）　　年度中央财政新型农村社会养老保险试点补助资金申请表

截至　　年　月　日

序号	新型农村社会养老保险试点县（市、区、旗）名称	参加新农保农业户籍人口数（人）			农业户籍人口数（人）			地方财政当年应补助总额（万元）			地方财政补助资金安排情况（万元）				申请当年中央财政补助资金（万元）	备注
		合计	其中：60周岁以下人数	其中：60周岁以上（含60周岁）人数	合计	其中：60周岁以下人数	其中：60周岁以上（含60周岁）人数	合计	其中：基础养老金补助	其中：对个人缴费的补助	合计	县级财政安排补助资金	市（地）级财政安排补助资金	省级财政安排补助资金		
栏次	1	2	3	4	5	6	7	8	9	10	11	12	13	14	15	16
1																
2																
3																
4																
5																
6																
7																
…																
	总计															

财政部　卫生部关于调整中央财政新型农村合作医疗补助资金拨付办法有关问题的通知

2008 年 12 月 29 日　财社〔2008〕321 号

有关省、自治区、直辖市、计划单列市财政厅（局）、卫生厅（局）：

根据目前新型农村合作医疗制度（以下简称新农合）已在全国范围内全面推行的实际情况，为完善新农合资金拨付方式，提高中央财政补助资金审核下达速度，确保各地新农合工作的顺利开展，经研究，从 2009 年起调整中央财政补助资金拨付办法。现就有关问题通知如下：

一、申请材料的报送

省级财政、卫生部门应于每年 6 月底前将开展新农合的县（市、区）有关情况报财政部驻当地财政监察专员办事处（以下简称专员办）审核。每年 7 月底前省级财政、卫生部门将经专员办审核后的有关情况上报财政部、卫生部。

2009 年及以后年度有关省、自治区、直辖市、计划单列市要按照附件要求填报《　　省（自治区、直辖市、计划单列市）申请　　年度中央财政新型农村合作医疗补助资金表》。为了结算 2008 年中央财政补助资金，2009 年有关省、自治区、直辖市、计划单列市还需填报《财政部、卫生部关于调整中央财政新型农村合作医疗制度补助资金拨付有关问题的通知》（财社〔2007〕5 号）中的附件 1、附件 3。

二、补助资金的拨付

从 2009 年开始，中央财政采取“年初预拨，年底结算”的办法。具体操作程序是：

（一）预拨。

每年 3 月底前，中央财政根据上年对有关省、自治区、直辖市、计划单列市新农合补助资金的 80% 预拨当年补助资金。

（二）结算。

2009 年中央财政仍按照财社〔2007〕5 号文件，对各地 2008 年补助资金予以结算。从 2009 年开始，中央财政采取当年预拨、当年结算的办法，每年 9 月底前，中央财政根据当年补助标准、各地上报截至 2 月底参加当年新农合的人数、各地当年财政补助资金到位率，对年初预拨的补助资金进行结算，多退少补。如因地方资金到位率未达到 100%，影响中央财政不能足额拨付补助资金的，由地方财政予以补足，以保证新农合资金的完整性。以后年度中央财政不再对有关省、自治区、直辖市、计划单列市上年补助资金进行结算。

三、有关具体要求

地方各级财政部门要按照当年筹资标准和《财政部关于印发〈新型农村合作医疗补助资金国库集中支付管理暂行办法〉的通知》（财库〔2008〕33 号）的要求，将中央财政当年预拨资金及地方各级财政当年补助资金于 5 月底前足额拨付到位。省级财政部门要加强对上报申请材料的审核工作。

地方各级卫生部门要在2月底前完成本年度农民参合情况的汇总、审核工作，核实参合人数、农民个人缴费等情况。省级卫生部门要做好上报申请材料的初审工作。

专员办要按照《关于印发〈财政监察专员办事处对中央财政新型农村合作医疗补助资金审核监督操作规程〉的通知》（财监〔2004〕91号）和《财政部关于中央财政新型农村合作医疗补助资金审核工作的补充通知》（财监〔2008〕17号）的规定，及时认真做好上报申请材料的审核工作。

地方各级财政、卫生部门应严格按照有关规定，及时上报申请中央财政补助资金有关材料。对故意虚报参合人数和地方各级财政补助资金到位等情况骗取上级补助资金的，除按规定追究有关单位和人员的责任外，财政部、卫生部在核定中央财政补助资金时将据实扣减。

附件：省（自治区、直辖市、计划单列市）申请　　年度中央财政新型农村合作医疗补助资金表

附件：

省（自治区、直辖市、计划单列市）申请　　年度中央财政新型农村合作医疗补助资金表

卫生厅（局）（公章）：　　　　截止日期：　　年　　月　　日　　　　财政厅（局）（公章）：

序号	县（市）	参合人数（人）	县（市）总人数（人）	农业人口数（人）	非农业人口数（人）	筹资标准（元）						筹集资金到位情况（万元）						申请中央财政补助资金（万元）
						合计	省级财政	地市级财政	县级财政	其他	农民个人缴费	合计	省级财政	地市级财政	县级财政	其他	农民个人缴费	
档次	1	2	3	4	5	6	7	8	9	10	11	12	13	14	15	16	17	18
合计																		
1																		
2																		
3																		
4																		
5																		
6																		
7																		
8																		

卫生厅（局）填报人（签字）：　　　　审核人（签字）：　　　　负责人（签字）：

财政厅（局）填报人（签字）：　　　　审核人（签字）：　　　　负责人（签字）：

专员办审核意见：　　　　审核人（签字）：　　　　负责人（签字、公章）：

注：1. 第1栏按国家行政区划的顺序排列。

2. 第2栏填列截至2月底参加当年新农合人数。

3. 第3~5栏依据上年底统计部门公布统计数据填列。

4. 第7~11栏填列当年各级财政补助、其他来源资金和农民缴费标准。

5. 第13~17栏填列截至上报申请时，各渠道实际拨入新农合基金账户的金额。

6. 第18栏填列申请全年补助资金。

财政部　人力资源社会保障部关于印发《高校毕业生“三支一扶”计划中央补助专项经费管理办法》的通知

2009年11月13日　财行〔2009〕494号

各省、自治区、直辖市、计划单列市财政厅（局）、人力资源社会保障（人事、劳动保障）厅（局）、新疆生产建设兵团财务局、人事局、劳动保障局：

为贯彻《国务院办公厅关于加强普通高等学校毕业生就业工作的通知》（国办发〔2009〕3号）精神，进一步做好高校毕业生到农村基层从事支教、支农、支医和扶贫工作（简称“三支一扶”计划），引导和鼓励高校毕业生面向基层就业，我们制定了《高校毕业生“三支一扶”计划中央补助专项经费管理办法》，现予下发，请认真贯彻执行。

附件：高校毕业生“三支一扶”计划中央补助专项经费管理办法

附件：

高校毕业生“三支一扶”计划中央补助专项经费管理办法

第一章　总　　则

第一条　为做好高校毕业生就业工作，进一步推进高校毕业生“三支一扶”计划的开展，根据《中华人民共和国预算法》、《中央对地方专项拨款管理办法》（财预〔2000〕218号）等有关规定，制定本办法。

第二条　高校毕业生“三支一扶”计划，是指国家按照公开招募、自愿报考、组织选拔、统一派遣的方式，每年组织一定数量高校毕业生，主要到乡镇从事支教、支农、支医和扶贫工作。

第三条　“三支一扶”计划中央补助专项经费是中央财政为支持各省、自治区、直辖市、新疆生产建设兵团（以下统称各省）组织实施“三支一扶”计划工作而设立的专项经费，自2010年起执行。

第四条　根据国家有关政策，人力资源社会保障部、财政部制定“三支一扶”年度招募计划，确定“三支一扶”计划每年全国招募总数，并根据各省乡镇数量、“三支一扶”计划开展情况等因素向各省分配招募名额，由中央财政予以补助。

各省超出中央下达的招募计划自主招募“三支一扶”大学生的，所需经费由地方财政承担。

第五条　各省组织实施“三支一扶”计划所需经费由中央财政和地方各级财政共同负担。中央财政按照东中西部区域划分，给予各省“三支一扶”大学生的工作生活补贴以及参加社会保险等费用补助，地方财政负担组织、实施“三支一扶”计划必要的工作经费、服务人员体检、培训费用及工作生活补贴和社会保险补贴的不足部分等。

第六条　“三支一扶”计划中央补助专项经费使用坚持“统一管理、专项申请、逐年核定、专款专用”的原则。

“三支一扶”计划中央补助专项经费由中央财政统一管理，各省财政部门和人力资源社会保障部门按照当年中央下达的招募计划，分年提出专项经费申请，中央财政分年审核下达。

第二章　管理机构及职责

第七条　人力资源社会保障部会同教育部、财政部、农业部、卫生部、国务院扶贫办、共青团中央成立全国“三支一扶”工作领导小组和协调管理办公室，负责“三支一扶”计划的总体规划、协调和指导工作。各省相应成立由人力资源社会保障、教育、财政、农业、卫生、扶贫、团委等部门组成的各省“三支一扶”计划工作领导小组和协调管理办公室，负责组织招募、体检、培训、派遣、考核、奖惩、解聘等工作。

第八条　财政部是“三支一扶”计划中央补助专项经费的主管部门，其主要职责是：

（一）会同人力资源社会保障部制定专项经费管理办法；

（二）审核各省上报的“三支一扶”计划中央补助专项经费预算申请，并根据“三支一扶”计划招募数量及时下拨专项经费；

（三）会同有关部门对各省“三支一扶”计划中央补助专项经费的使用情况进行监督检查；

（四）会同有关部门对各省“三支一扶”大学生工作生活补贴发放及参加社会保险工作进行监督检查。

第九条　各省财政部门依据有关规定负责本地区“三支一扶”计划中央补助专项经费的申请、划拨和监管工作，其主要职责是：

（一）根据有关规定，会同人力资源社会保障部门制定本地区专项经费管理细则；

（二）会同人力资源社会保障部门上报本地区“三支一扶”计划中央补助专项经费预算；

（三）负责本地区“三支一扶”计划中央补助和地方补助专项经费的拨付、使用和监督检查；

（四）负责做好“三支一扶”大学生工作生活补贴发放及参加社会保险情况的监督检查工作。

第十条　人力资源社会保障部牵头组织实施高校毕业生“三支一扶”计划，并协助财政部做好“三支一扶”计划中央补助专项经费管理工作，其主要职责是：

（一）会同财政部提出每年“三支一扶”计划招募规模、向各省分配招募名额；

（二）审核汇总各省“三支一扶”招募计划的实际落实情况，并协助财政部做好“三支一扶”计划中央补助专项经费的预算核批工作；

（三）会同财政部监督检查各省“三支一扶”大学生工作生活补贴发放及参加社会保险情况。

第十一条　各省人力资源社会保障部门具体负责组织实施本地区“三支一扶”计划，协助同级财政部门做好本地区“三支一扶”计划中央补助专项经费管理工作，主管“三支一扶”大学生工作生活补贴发放及参加社会保险工作。

第三章　计划确定与实施

第十二条　人力资源社会保障部、财政部以各省乡镇数量为主要依据，参考各地招募情况、服务期满就业情况等因素，确定各省“三支一扶”计划招募数量，制定“三支一扶”年度招募计划，并于每年3月底前下达各省“三支一扶”办公室。

第十三条　各省“三支一扶”工作办公室按照人力资源社会保障部、财政部确定的招募计划，于每年4月启动选拔招募工作，并于7月份前完成招募工作。招募工作结束后，各省人力资源社会保障部门会同财政部门将实际招募数量上报人力资源和社会保障部。

第十四条　人力资源社会保障部汇总各省上报的“三支一扶”计划实际招募人数后，于每年8月底前报送财政部。

第四章 专款的申请、拨付及监督管理

第十五条 各级财政、人力资源社会保障及其他相关部门要合理分工、密切合作，确保“三支一扶”中央补助专项经费预算准确、拨付及时、管理高效。

第十六条 中央财政根据不同地区确定不同的补助标准：西部地区由中央财政按每人每年15 000元给予补助；中部地区由中央财政按每人每年10 000元给予补助；东部地区由中央财政按每人每年5 000元给予补助。

第十七条 各省“三支一扶”计划中央补助专项经费预算申请，由各省财政部门和人力资源社会保障部门按照中央下达的招募计划的完成情况及补助标准予以确定，并于当年8月15日前联合上报财政部和人力资源社会保障部。

第十八条 中央财政按照中央下达的招募计划及相应的地区补助标准下达中央补助“三支一扶”计划中央补助专项经费。实际招募数量未达到计划名额的，中央财政按实际招募数量予以补贴。

第十九条 人力资源社会保障部与财政部分别对各省报送的申请报告进行审核。

人力资源社会保障部审核各省招募名额计划及实际招募人数是否属实。

财政部根据人力资源社会保障部核实后的招募人数核定各地方“三支一扶”中央补助专项经费，并于9月底通过中央财政专项转移支付方式下达到各省财政部门。

第二十条 人力资源社会保障部、财政部应当定期或不定期地直接或委托有关部门对“三支一扶”计划中央补助专项经费的使用情况进行检查。对存在挤占挪用专款、专款到位不及时、专款使用浪费以及其他违反本办法规定的地方，将减少或暂停分配以后年度的计划招募数量。

第二十一条 各省可根据本办法，结合当地实际制定“三支一扶”计划中央补助专项经费具体实施办法。

第五章 补贴发放及管理

第二十二条 “三支一扶”大学生的工作生活补贴按月发放，离职后次月起停止发放。各省人力资源社会保障部门要按月制作“三支一扶”大学生工作、生活补贴发放明细表，并于每年年末进行汇总后报送同级财政部门。

第二十三条 “三支一扶”大学生在岗期间的工作生活补贴，参照用人单位所在地区乡镇机关从高校毕业生中新录用公务员、事业单位从高校毕业生中新聘用工作人员试用期满后的工资水平确定标准。

第二十四条 地方各级人力资源社会保障部门负责本地区“三支一扶”大学生的工作生活补贴发放及参加社会保险工作。具体办法由各省人力资源社会保障部门会商同级财政部门后制定，并报人力资源社会保障部、财政部备案。

第二十五条 各省人力资源社会保障部门应当建立“三支一扶”大学生信息库，作为身份确认、日常管理以及补贴发放的重要平台。

“三支一扶”大学生信息库应当将服务人员基本信息、岗位分配、日常考核、奖惩情况、补贴发放等相关的信息进行记录，全国联网、动态管理，部分信息向社会公布。信息库建设与管理具体办法由人力资源社会保障部会商财政部后另行制定。

第六章 附 则

第二十六条 本办法由财政部、人力资源社会保障部负责解释。

第二十七条 本办法自2010年1月1日起施行。

人力资源和社会保障部　国家发展和改革委员会　财政部关于实施特别职业培训计划的通知

2009年1月7日　人社部发〔2009〕8号

各省、自治区、直辖市劳动保障厅（局）、发展改革委、财政厅（局）：

为应对世界金融危机对我国经济的影响，保持就业局势稳定，充分发挥职业培训对于促进全方位就业和服务经济稳定发展的重要基础作用，按照党中央、国务院的总体部署，决定实施特别职业培训计划。现就有关事项通知如下：

一、指导思想和目标任务

实施特别职业培训计划，要深入贯彻落实党的十七届三中全会和中央经济工作会议精神，按照科学发展观的要求，围绕受金融危机影响的各类劳动者的就业需求，依托技工院校和各类职业培训机构，大力开展有针对性的技能培训，扩大培训规模，延长培训期限，加大培训投入，提升培训能力，进一步提高劳动者就业、再就业和创业能力，努力保持就业局势的稳定。

从2009年至2010年，利用2年左右时间，集中对困难企业在职职工开展技能提升培训和转岗转业培训，帮助其实现稳定就业；对失去工作返乡的农民工开展职业技能培训或创业培训，促进其实现转移就业或返乡创业；对失业人员（包括参加失业登记的大学毕业生、留在城里的失业农民工）开展中短期技能培训，帮助其实现再就业；对新成长劳动力开展储备性技能培训，提高其就业能力。

二、积极组织开展四类培训

（一）对困难企业职工开展在岗培训和转岗培训。对符合人力资源社会保障部、财政部、国家税务总局《关于采取积极措施减轻企业负担稳定就业局势有关问题的通知》（人社部发〔2008〕117号，以下简称《通知》）规定的条件，并经当地政府有关部门认定的困难企业，可组织在岗职工开展技能提升、转业转岗、安全生产等方面的职业培训，提升职工的职业技能和职业素养。各地劳动保障部门要充分发挥企业的主体作用，鼓励困难企业通过开展职工在岗培训等方式稳定职工队伍，指导企业制定和完善职工培训计划，依托企业职工培训机构或技工院校组织实施。培训所需资金按规定从企业职工教育培训经费中列支，不足部分可由企业所在地政府从就业专项资金予以适当支持。申请使用就业专项资金对企业职工开展在岗职业技能培训的困难企业，应按国家规定提取职工教育培训经费，并积极开展职工教育培训工作。困难企业如申请在岗培训补贴，就不能同时申请《通知》规定的岗位补贴或社会保险补贴，在岗培训补贴的执行期为2009年之内。困难企业应制定具体的在岗培训计划，培训结束被培训职工取得职业培训合格证书（职业技能资格证书）后，可凭培训人员名单、劳动合同复印件等材料，向当地人力资源社会保障部门提出申请，经人力资源社会保障部门审核、财政部门复核后，由当地财政部门按最高不超过培训费用50%的标准，将补贴资金直接拨入企业在银行开立的基本账户。困难企业在岗职工职业培训补贴具体办法和标准由省级财政、人力资源社会保障部门确定。

（二）对失去工作返乡的农民工开展实用技能培训。对失去工作返回家乡的农民工，根据其转移就业要求和劳务输出意愿，由所在地劳动保障部门组织开展相关培训。要紧密结合当地产业结构调整、企业技术改造和新开工建设项目的需求，重点围绕国家支持的铁路、交通、建设、电力及灾区建设等领域以及劳务输出的订单需求，组织相应的培训项目，提升农民工技能水平。对有技术和资金，并有创业意愿的农民工，组织开展创业培训，加强项目开发、开业指导、小额贷款、后续扶持等“一条龙”服务，帮助其自谋职业和自主创业。农民工参加各类职业培训，按规定由就业专项资金和相关专项资金中给予补贴。

（三）对城镇失业人员开展技能就业培训。对城镇中就业转失业人员（包括在城镇继续找工作的失业农民工），各地劳动保障部门要结合本地实际和失业人员特点，组织其参加3～6个月的再就业培训。要紧密结合当地重点拓展的就业领域、符合产业调整政策的行业和需要发展的职业（工种），重点开发面向城市社区就业的服务类技能培训项目，采取灵活多样的培训形式和手段，突出培训的实用性和适用性。对参加失业登记的大学生，各地劳动保障部门要结合其专业背景，组织其参加相关领域的技能培训，突出操作技能训练，提高其就业能力；对有创业意愿和需求的失业人员，组织参加创业培训，促进其自主创业。对上述人员开展培训所需的资金，按规定由就业专项资金和失业保险基金中给予补贴。

（四）对新成长劳动力开展技能储备培训。对农村应届初、高中毕业生未能继续升学的人员（农村“两后生”），组织其参加6～12个月的劳动预备制培训，提升技能水平和就业能力。各地劳动保障部门要采取措施，扩大技工院校招生规模，加大校企合作力度，通过订单、定向培训等方式，强化职业技能实训，有计划地加快培养一批高素质的后备技能人才。对上述人员开展培训所需资金，按规定由就业专项资金中给予补贴。

三、进一步落实保障措施

（一）提高思想认识，加强组织领导。各地劳动保障部门要按照科学发展观的要求，充分认识职业培训在特定时期对促进就业、稳定就业的重要地位，充分发挥职业培训服务经济发展、维护社会稳定的重要作用，将实施特别职业培训计划作为近期服务企业、服务劳动者的一项重要民生工程，纳入当地促进经济发展的总体部署，抓好工作落实。要在当地政府的指导下，抓紧制定本地特别职业培训计划，报当地政府批准后实施。要落实目标任务，完善政策措施，强化工作考核，大力抓好组织实施。

（二）落实资金政策，强化监督检查。各地劳动保障部门要加强与财政部门的协调，对实施特别培训计划的资金给予保证。要加强对各类资金的监管，杜绝任何机构和个人截留、挤占、挪用、套取、骗取补助资金。要加强对培训过程的监督检查，做到事前、事中、事后全过程监督，发现问题及时处理。要规范职业培训补贴资金的管理和使用，提高补贴资金使用的安全性、有效性。要督促各培训机构建立培训台账，将培训计划、培训人员名单等及时向社会公开。

（三）发挥资源优势，加强服务工作。各地劳动保障部门要依托街道乡镇劳动保障工作平台，了解劳动者培训需求，摸清底数。要广泛动员技工院校和各类职业培训机构，落实好培训师资、教学场地、培训计划等工作。充分发挥工会、妇联、共青团等群团组织的作用，并按规定对其所属符合条件的培训机构落实相关政策。发改委等部门，继续加强中等职业教育基础能力建设，对承担培训任务的技工院校，在改善办学条件方面给予支持，推动培训计划顺利实施。各级职业技能鉴定机构要为劳动者提供公平、公正、便捷的技能鉴定服务，按规定落实就业困难人员、进城务工农村劳动者的职业技能鉴定补贴，并适当减免鉴定费用。公共就业服务机构要根据企业用工和劳动者就业状况，通过多种渠道及时发布用工信息，提供政策咨询、职业指导和职业介绍等就业服务。

（四）加强技术支持，提高培训质量。各地劳动保障部门要充分依托行业、企业做好培训需求预测工作。根据培训需求做好培训项目开发和培训教材、课程的研究开发工作，提高教材适应技术进步和技能人才培养需要的水平。加强技工院校和职业培训机构教师队伍建设，通过聘请企业高技能人才、大学生志愿服务者等多种渠道，扩充师资数量，采取轮训、定期培训、业务进修等方式，切实提高教师专业素质和技能水平。

各地要根据本通知精神，结合地区实际情况，尽快研究制定特别职业培训计划实施方案，并于2009年1月底前报人力资源社会保障部、发展改革委和财政部，具体实施情况请及时上报三部委。

人力资源和社会保障部　财政部关于全面开展城镇居民基本医疗保险工作的通知

2009年4月8日　人社部发〔2009〕35号

各省、自治区、直辖市劳动保障厅（局）、财政厅（局），新疆生产建设兵团劳动保障局、财务局：

城镇居民基本医疗保险试点工作开展以来，各地高度重视，组织有力，工作扎实，稳步推进，试点工作取得明显成效，受到广大城镇居民的欢迎，为完善城镇居民基本医疗保险制度积累了经验。根据《中共中央国务院关于深化医药卫生体制改革的意见》（中发〔2009〕6号）和《国务院关于印发医药卫生体制改革近期重点实施方案（2009～2011年）的通知》（国发〔2009〕12号），经国务院同意，2009年在全国范围内全面开展城镇居民基本医疗保险工作。现就有关问题通知如下：

一、明确工作目标和任务。各地要在认真总结试点经验基础上，加大工作力度，完善相关政策，提高居民参保率，全面开展城镇居民基本医疗保险工作。2009年全国所有城市都要开展城镇居民基本医疗保险工作。2009年新开展这项工作的城市，方案由省级人民政府负责审批，并报人力资源社会保障部备案，原则上第二季度启动实施，参保率力争达到50%以上。2009年前已开展试点的城市，应结合试点工作中出现的问题进一步完善政策、加强管理，参保率力争达到80%以上。东部地区可在规范管理的基础上加快推进扩面速度。在工作推进中，各地区要坚持低水平、广覆盖、保基本、可持续的原则，科学设计和调整实施方案；要坚持公开、公正、公平，规范操作，加强监管；要坚持便民利民，真正方便居民、服务居民、让居民受益。

二、规范和完善财政补助政策。2009年政府对参保居民的补助标准，按照《关于做好2008年城镇居民基本医疗保险试点工作的通知》（人社部发〔2008〕39号）相关规定执行。省级财政要切实负起责任，加大对困难市县的补助力度。各地要及时上报财政补助申报材料，将本级财政应当安排的补助资金列入预算，及时足额拨付上级和本级补助资金，确保财政补助申请和拨付工作顺利进行。继续完善城乡医疗救助制度，切实做好困难居民的界定工作，进一步加大投入，帮助解决困难城镇居民缴费困难问题。同时，要加强城镇居民基本医疗保险基金管理和使用的专项审计，发现问题，及时纠正。

三、科学合理制定和调整有关政策。各地要在分析总结城镇居民基本医疗保险制度和基金运行情况基础上，认真测算，科学制定和调整有关政策。坚持做到城镇居民基本医疗保险基金收支平衡，略有结余。基金结余较多的城市要根据基金收支情况适当调整基金支付政策，避免结余资金过多。充分利用基层和社区医疗卫生服务，探索建立普通门诊费用统筹，扩大制度受益面。对起付线、封顶线、基金支付比例和补助范围等政策的调整，要通盘考虑城镇居民基本医疗保险基金使用情况、居民潜在医疗需求增长和医药费用上涨等因素，注意保持政策的连续性和稳定性。要探索做好参保人员在不同制度间转移时的医疗保险关系和待遇等的衔接。有条件的地方积极探索推进统筹城乡医疗保险的不同方式和路径。

四、提高统筹层次，积极推进地级统筹。明确地级统筹中市（地、州）和县（市、区）相关机构的职责，建立相应的考核激励办法，充分发挥县（市、区）一级相关机构在医疗保险筹资和管理中的作用。同一统筹地区应统一缴费和待遇政策，基金统筹管理使用，统一设计各项管理流程，统一管理服务网络。条件不具备、难以一步到位实行地级统筹的地区，可在统一缴费和待遇政策、统一管理经办流程、统一管理服务网络的基础上，建立基金调剂机制，明确调剂金的管理使用办法，建立相应的考核激励办法。要探索地级统筹情况下适宜的就医管理办法，处理好扩大就医范围与合理控制医疗费用的关系。

五、切实加强经办管理能力建设。各地要本着精简、效能的原则，切实解决好经办机构人员编制和经费问题。要强化经办机构内部管理，明确岗位职责，优化岗位设置，提高经办机构服务水平和能力。要加强社区服务平台建设，提高社区劳动保障平台的服务管理能力，探索建立社区劳动保障平台与社区卫生服务机构之间的信息共享和协同管理服务机制，形成服务到人的管理服务网络。要建立和完善基本医疗保障信息系统。加强信息系统建设，实现与医疗机构信息系统的对接。要逐步建立药品、诊疗项目以及参保人员实际利用医疗服务信息基础数据库，研究科学合理的药品和诊疗项目评价办法，逐步建立医疗保险技术标准体系，实现医疗保险管理规范化、精细化和标准化。要建立健全科学合理的绩效评价体系，对经办服务机构进行量化评价，促进经办服务机构提高管理服务水平和能力。

六、加强对全面开展城镇居民基本医疗保险工作的组织领导。全面开展城镇居民基本医疗保险工作是深入贯彻落实科学发展观、完善社会保障体系、推进医药卫生体制改革、缓解群众"看病难、看病贵"矛盾、提高全民健康素质的一项重要措施，各地要切实摆上工作日程，提高认识，加强领导，组织好各方面力量，全力推进这项工作。各有关部门要明确责任，加强协调，密切配合。要在统筹考虑城镇职工基本医疗保险、城镇居民基本医疗保险以及新型农村合作医疗三项制度相关统计数据基础上，核准城镇居民应参保人数并制定目标任务，层层分解，加强目标考核和督查调研，制定周密工作计划并抓紧组织实施。加强宣传培训工作，使这项惠及民生的重要改革深入人心，为全面推开试点创造良好舆论环境。要不断总结经验教训，注重研究新问题、新情况，对试点工作中反映出来的重大问题要及时报告。

人力资源和社会保障部　财政部关于进一步规范农村劳动者转移就业技能培训工作的通知

2009年5月5日　人社部发〔2009〕48号

各省、自治区、直辖市人力资源社会保障（人事、劳动保障）厅（局），财政厅（局）：

根据《财政部　人力资源社会保障部关于就业专项资金使用管理及有关问题的通知》（财社〔2008〕269号）和《人力资源社会保障部　国家发展改革委员会　财政部关于实施特别职业培训计划的通知》（人社部发〔2009〕8号）的要求，针对当前农村劳动者转移就业技能培训工作中存在的培训针对性不强、管理不规范、监管措施不到位、个别地方骗取挪用补贴资金等突出问题，为提高培训质量，确保资金使用安全和使用效益，现就进一步规范人力资源社会保障系统组织实施的农村劳动者转移就业技能培训工作通知如下：

一、实施分类培训，强化培训针对性和有效性

各地要重点面向未能继续升学的农村应届初高中毕业生、进城求职农村劳动者、企业在岗农民工、返乡农民工等人员开展职业技能培训，根据不同群体的特点，分别组织开展实用技能培训、技能提升培训、劳动预备制培训和创业培训，切实提高培训的针对性和有效性。

对进城求职的农村劳动者、返乡农民工，主要依托符合条件的职业培训机构开展1至6个月（不少于

120课时）的实用技能培训，重点是根据企业岗位实际需求开展订单培训，结合产业发展振兴的潜在需求开展定向培训。

对用人单位吸纳进城求职的农村劳动者，在劳动合同签订之日起6个月内，由用人单位依托所属培训机构或委托所在地定点培训机构，结合岗位要求和工作需要，组织其参加技能提升培训。

对未能继续升学且有进城求职愿望的农村应届初高中毕业生，主要依托具备相应培训条件的技工院校等职业学校，开展6至12个月（一个学期至两个学期，原则上不少于720课时）的专业技能培训。

对有创业愿望并具备一定创业条件的农村劳动者开展创业培训，提升创业能力，促进其实现自谋职业、自主创业和返乡创业。创业培训主要由符合条件的创业培训机构承担。

在开展相应技能培训的过程中，要突出实际操作技能的训练，并适当增加劳动者权益保护、法律知识、城市生活常识、求职技巧等方面的知识培训。对参加培训合格的，由培训机构颁发相应专业培训合格证书；经职业技能鉴定合格的，由职业技能鉴定机构颁发相应职业资格证书或专项职业能力证书。

二、公开认定定点培训机构，整合优质培训资源

各地必须坚持公开、公平、公正的原则，面向社会各级各类职业院校和职业培训机构，通过招投标方式认定承担各类培训任务的培训单位。各地人力资源社会保障部门要会同同级财政部门，根据《承担农村劳动者转移就业技能培训任务的职业院校、职业培训机构的基本条件》（见附件），组织专家制定和公布本地区承担培训任务的院校和机构的认定标准及认定程序。在招投标过程中，要建立专家评审、纪检监察部门监督、就业联席会议相关成员单位共同参与认定的机制，要对申请承担培训任务的各类培训机构的办学资金、设备设施、教学实训场地、教学计划大纲、师资状况等进行重点考察。各地人力资源社会保障部门要按年度对拟确认承担培训任务的职业培训机构进行公示，公示无异议后，报省级人力资源社会保障部门备案，由省级人力资源社会保障部门将全省定点培训机构的名称、培训专业（工种）及等级、培训期限、收费标准、联系方式等情况统一向社会公布。各地2008年年底前认定的培训机构，要按照新确定的定点培训机构标准重新组织认定。对培训质量低劣，尤其是存在骗取、套取培训资金的定点培训机构，要取消其定点资格。

定点培训机构要与当地人力资源社会保障部门签订培训项目合同，明确双方责任、权利和义务。各定点培训机构应结合就业岗位要求，兼顾学员意愿、特点和文化水平，合理安排培训内容，设置培训课程，要将培训专业、培训期限、培训等级、收费标准公开张贴在培训场所显著位置。

三、规范资金使用管理，提高资金使用效率

各地要加大职业技能培训的资金投入力度，根据培训实际情况，按规定从就业专项资金中安排用于进城求职的农村劳动者培训资金。各省级人力资源社会保障部门要会同财政部门，根据培训专业（工种）的培训成本和培训期限，按照培训的课时数合理确定职业培训补贴标准。开展农村劳动者转移就业技能培训的日常工作经费，应从部门预算中安排，不得占用就业专项资金。培训资金的管理和使用情况必须接受审计部门的检查和监督。各地人力资源社会保障部门要会同财政部门采取切实措施，对补贴对象审核、资金拨付等重点环节必须实行公开透明的办法，切实防范骗取、挪用、以权谋私行为发生，确保资金安全。

各地人力资源社会保障部门要会同财政部门建立与培训质量、就业效果挂钩的培训绩效考评机制，严格按照财社〔2008〕269号文件规定，根据实际情况，按照个人报销、机构报销、用人单位报销的要求，本着方便个人、机构和用人单位的原则，科学制定培训补贴报销程序和办法。申请培训补贴的定点培训机构除按规定提供相关证明材料之外，还必须提供建立本机构职业培训台账和转移就业台账情况。申请培训补贴的用人单位除按规定提供资金申请材料外，还需提供职业培训台账。职业培训台账应记载受训者基本

情况（包括参训人员的姓名、年龄、性别、身份证号、联系方式等）及培训专业、培训时间、考核和收费情况；转移就业台账应记载就业岗位、劳动合同签订或企业用工证明以及企业联系方式等情况。

四、强化培训过程监督，确保培训质量和效果

各地人力资源社会保障部门要加强对定点培训机构的管理、指导和服务。要逐步建立全省（市、区）统一的信息管理系统，对定点培训机构实行动态管理，对参训人员实行实名制管理。要会同财政部门建立培训补贴审核公布制度，将通过审核的享受职业培训补贴的人员名单、机构名单和资金补贴数额等按季度向社会公布。

各地人力资源社会保障部门要加强对定点培训机构培训过程的监督，可定期通过现场测评、设立举报电话、网上投票、电话访谈等方式，重点了解培训效果、培训后就业率以及培训对象满意程度。有条件的地区，可委托具有资质的社会中介组织进行评估，开展定期检查和教学督导。

各定点培训机构在每期培训班开班前10个工作日，必须以书面形式向当地人力资源社会保障部门提交开班申请报告和培训计划及教学大纲。每期培训班结束5日前必须以书面形式向当地人力资源社会保障部门提交结业审核申请。

五、完善保障措施，确保工作实效

各级人力资源社会保障部门要高度重视农村劳动者转移就业技能培训工作，将其纳入就业工作目标考核的重要内容，建立领导责任制和目标考核制，健全工作协调机制，落实工作责任，抓好工作落实。要在综合考虑当地农村劳动者转移就业培训实际需求、社会培训资源和能力的基础上，采取先下后上确定培训人数的办法，先由最基层人力资源社会保障部门逐级上报，后由省级人力资源社会保障部门汇总，并统一下达年度培训计划。

人力资源社会保障系统内的就业、培训、鉴定等部门要形成合力，充分发挥各自职能，共同做好农村劳动者转移就业技能培训工作：培训部门要会同就业部门制定培训规划，组织认定定点培训机构，并对培训机构进行动态管理，对培训过程进行监管；就业部门要会同培训部门制定职业培训补贴标准和报销管理办法；职业技能鉴定机构要根据有关规定，积极为参加培训的人员提供有针对性的职业技能鉴定服务；公共就业服务机构要定期调查并公布劳动者市场供求状况，定期公布不同职业（工种）、不同等级的农民工职业供求和工资价位情况。财政部门要按规定审核、拨付培训补贴资金，并加强资金的监管。

各地要根据本通知精神，对本地农村劳动者转移就业技能培训具体办法进行调整完善，并组织实施农村劳动者转移就业技能培训工作。各地工作中有何问题，可与人力资源社会保障部职业能力建设司和财政部社会保障司联系。

附件：承担农村劳动者转移就业技能培训任务的职业院校职业培训机构的基本条件

附件：

承担农村劳动者转移就业技能培训任务的职业院校职业培训机构的基本条件

一、承担技能培训任务的职业院校和培训机构基本条件

（一）具有独立法人资格，取得人力资源社会保障行政部门或教育行政部门颁发的办学许可证。

（二）遵守国家职业培训法律法规，熟悉国家职业教育方针和就业政策，积极推行国家职业资格证书制度和就业准入制度，热心承担农村劳动者转移培训任务。

（三）具备承担农村劳动者转移就业技能培训相应岗位必备的专业设置、教学设备、训练场所、实训基地和师资力量等基本条件，具备信息化管理条件。

（四）专业和课程设置符合人力资源市场需求，培训方法和形式能满足培训对象需要。

（五）有相对稳定的转移就业信息和渠道，就业指导得力，培训后就业率较高。

（六）熟悉农村劳动者转移就业培训业务，具有较好的培训工作基础和业绩，能够按人力资源社会保障部门审核同意的培训方案组织实施。

（七）规章制度健全，内部管理规范，社会信誉良好，培训收费合理。

（八）近三年来无违反职业培训法律法规被处罚记录。

二、承担劳动预备制培训的职业院校基本条件

（一）具有独立法人资格。

（二）具备承担劳动预备制培训相应的训练场所、教学设施设备、实训基地和师资等基本条件。

（三）学制教育规模达到1 000人以上，常设专业不少于4个。

（四）学校实行“双证书”制度，学校毕业生毕业率达到90%以上，90%以上的毕业生能够取得职业资格证书。

（五）有相对稳定的就业渠道，毕业生就业率达到90%以上。

（六）学校建立由产业界、经济界及有关部门专家组成的学校咨询委员会，指导学校围绕行业企业用工需求，调整学校发展方向和规划，合理确定专业设置和课程安排。

（七）学校建立较为完善的技能人才校企合作培养制度，至少与5家企业建立校企合作伙伴关系。

（八）学校管理规范、制度健全、收费合理。

人力资源和社会保障部　财政部　国务院国有资产监督管理委员会　监察部关于妥善解决关闭破产国有企业退休人员等医疗保障有关问题的通知

2009年5月27日　人社部发〔2009〕52号

各省、自治区、直辖市人力资源社会保障（劳动保障）厅（局）、财政厅（局）、国资委、监察厅（局），新疆生产建设兵团劳动保障局、财务局、国资委、监察局，安徽、福建、贵州省经贸委（经委）：

党中央、国务院高度重视关闭破产企业退休人员医疗保障问题，地方各级党委政府积极采取各种措施，做了大量工作，取得了积极的成效。为贯彻《中共中央、国务院关于深化医药卫生体制改革的意见》（中发〔2009〕6号）精神、落实《国务院关于印发医药卫生体制改革近期重点实施方案（2009～2011年）的通知》（国发〔2009〕12号）要求，在妥善解决地方政策性关闭破产国有企业退休人员参保问题的基础上，彻底解决其他关闭破产企业退休人员参保等问题，经国务院同意，现就有关问题通知如下：

一、各地要认真按照中发〔2009〕6号和国发〔2009〕12号文件要求，采取切实有效措施，于2009年年底前将未参保的关闭破产国有企业退休人员纳入当地城镇职工基本医疗保险。同时，统筹解决包括关

闭破产集体企业退休人员和困难企业职工等在内的其他各类城镇人员医疗保障问题，切实保障他们的基本医疗需求。

二、各地要通过多渠道筹资的办法，妥善解决关闭破产国有企业退休人员参加城镇职工基本医疗保险所需资金。在企业实施关闭破产时，要按照《企业破产法》相关规定，通过企业破产财产偿付退休人员参保所需费用。企业破产财产不足偿付的，可以通过未列入破产财产的土地出让所得、财政补助、医疗保险基金结余调剂等多渠道筹资解决。省级政府对困难市、县应给予帮助和支持。地方各级政府安排用于帮助解决关闭破产企业退休人员参保的补助资金，可分年到位。对地方依法破产国有企业退休人员参加城镇职工基本医疗保险，中央财政按照“奖补结合”原则给予一次性补助。今后，各地要严格执行《企业破产法》等法律法规，妥善解决关闭破产企业退休人员参保所需资金，中央财政不再给予补助。

三、各地要认真落实《国务院办公厅转发国家经贸委等部门关于解决国有困难企业和关闭破产企业职工基本生活问题若干意见的通知》（国办发〔2003〕2号），将中央和中央下放地方政策性关闭破产国有企业退休人员及其参保所筹集资金纳入属地城镇职工基本医疗保险体系统一管理，不得单独管理、封闭运行。退休人员基本医疗待遇与原所属企业（或企业集团）脱钩，统筹地区应按规定确保退休人员享受当地城镇职工基本医疗保险的相关待遇。中央财政在按国办发〔2003〕2号文件规定安排补助的基础上，对中央和中央下放地方政策性关闭破产国有企业退休人员参加城镇职工基本医疗保险，给予一次性补助。

四、各地要制定具体的实施办法，切实将目前尚未参保的、关闭破产集体企业等其他各类关闭破产企业退休人员和困难企业职工纳入城镇职工基本医疗保险。中央财政对此项工作做得好的地区，通过以奖代补的方式给予一次性补助。对确有困难、难以参加城镇职工基本医疗保险的，经省级人民政府批准纳入城镇居民基本医疗保险，中央财政按照城镇居民基本医疗保险有关规定给予补助。省级人民政府要明确参加城镇居民基本医疗保险企业的具体标准和审批程序，省级人力资源社会保障等部门要认真按照规定严格组织实施，防止有缴费能力的企业逃避参加城镇职工基本医疗保险的缴费责任，损害退休人员和职工权益。到2010年年底前，基本解决所有关闭破产企业退休人员和困难企业职工的参保问题。

五、各地要加快城镇职工基本医疗保险和城镇居民基本医疗保险的扩面进度，确保实现到2011年年底城镇职工基本医疗保险、城镇居民基本医疗保险参保率均达到90%以上的目标。要继续贯彻落实《国务院关于建立城镇职工基本医疗保险制度的决定》（国发〔1998〕44号）及其他相关文件精神，大力推进解决城镇非公有制经济组织从业人员、灵活就业人员、就业困难人员参保问题，将本行政区域内各类机关事业单位和企业单位及其职工全部纳入属地城镇职工基本医疗保险。同时，要按照《人力资源社会保障部、财政部关于全面开展城镇居民基本医疗保险工作的通知》（人社部发〔2009〕35号）要求，全面推开城镇居民基本医疗保险制度，切实将城镇非就业居民纳入城镇居民基本医疗保险。中央财政将根据各地实际参保率，与各类关闭破产企业退休人员和困难企业职工参保情况一并进行考核，通过以奖代补给予补助。

六、各地要认真履行职责，切实抓好贯彻落实。各省、自治区、直辖市人民政府要切实承担责任，进一步明确政策，制定周密详尽、切实可行的工作方案，切实加大对统筹地区的工作指导力度，确保专款专用和工作目标的实现。为强化工作责任，明确工作要求，人力资源社会保障部、财政部、国务院国资委、监察部将与各省、自治区、直辖市人民政府签订工作目标协议书。各统筹地区人民政府要精心组织，制定具体实施计划，确保按期完成工作任务。地方各级政府要积极调整支出结构，努力通过多渠道方式筹措所需资金，确保资金到位。到2011年年底，东、中、西部省份解决关闭破产国有企业退休人员参保问题地方政府所需筹集资金到位率要分别达到50%、40%和30%。地方各级政府在分配上级和本级财政补助资金时，要对关闭破产企业退休人员和困难企业职工参保任务重、财力困难的地区给予倾斜。各省、自治区、直辖市人民政府要发挥监督和协调作用，督促落实各项政策。中央有关部门将对各地落实本通知的情况适时进行督查。

人力资源和社会保障部　财政部　卫生部关于开展城镇居民基本医疗保险门诊统筹的指导意见

2009年7月24日　人社部发〔2009〕66号

各省、自治区、直辖市人力资源社会保障（劳动保障）厅（局）、财政厅（局）、卫生厅（局），新疆生产建设兵团劳动保障局、财务局、卫生局：

根据《国务院关于印发医药卫生体制改革近期重点实施方案（2009~2011年）的通知》（国发〔2009〕12号）和《国务院关于开展城镇居民基本医疗保险试点的指导意见》（国发〔2007〕20号）的精神，为扩大城镇居民基本医疗保险制度受益面，切实减轻参保居民门诊医疗费用负担，有条件的地区可逐步开展城镇居民基本医疗保险门诊统筹工作，现就有关问题提出如下意见：

一、开展城镇居民基本医疗保险门诊统筹，要在坚持基本医疗保险政策规定的基础上，充分考虑门诊医疗服务特点和城镇居民对门诊医疗基本保障的迫切需要，进一步完善基本医疗保险的保障范围、筹资、支付等政策和就医、费用结算、业务经办等管理措施，通过统筹共济的方式合理分担参保居民门诊医疗费用。

二、开展门诊统筹应坚持以下原则：立足基本保障，从低水平起步，逐步减轻群众门诊医疗费用负担；实行社会共济，通过基金统筹调剂使用，提高基金保障能力；主要依托社区卫生服务中心（站）等基层医疗卫生机构，方便群众就医，降低医疗成本。

三、根据城镇居民基本医疗保险基金支付能力，在重点保障参保居民住院和门诊大病医疗支出的基础上，逐步将门诊小病医疗费用纳入基金支付范围。城镇居民基本医疗保险基金要坚持收支平衡的原则，门诊统筹所需费用在城镇居民基本医疗保险基金中列支，单独列账。

四、建立门诊统筹可以从慢性病发生较多的老年人起步，也可以从群众反映负担较大的多发病、慢性病做起。门诊统筹可以单独设立起付标准、支付比例和最高支付限额，具体可由各统筹地区根据实际合理确定。门诊统筹支付水平要与当地经济发展和医疗消费水平相适应，与当地城镇居民基本医疗保险筹资水平相适应。

五、开展门诊统筹应充分利用社区卫生服务中心（站）等基层医疗卫生机构和中医药服务。将符合条件的基层医疗卫生机构纳入基本医疗保险定点范围。起步阶段，门诊统筹原则上用于在定点基层医疗卫生机构发生的门诊医疗费用，随着分级诊疗和双向转诊制度的建立完善，逐步将支付范围扩大到符合规定的转诊费用。同时，要通过制定优惠的偿付政策，提供方便快捷的服务，鼓励和引导参保居民充分利用基层医疗卫生服务。各级卫生行政部门要合理设置基层医疗卫生机构，促进基层医疗卫生机构与转诊医疗机构的分工合作，探索建立分级诊疗制度及转诊相关管理办法和标准。统筹地区人力资源社会保障部门要会同卫生行政部门共同探索首诊和转诊的参保人员就医管理办法，促进建立双向转诊制度。

六、探索适合门诊统筹费用控制机制和结算管理的方式。根据门诊就医和医疗费用支出特点，积极探索总额预付或按人头付费等费用结算办法。充分发挥医疗保险集团购买的优势，采取定服务机构、定服务项目、定考核指标、定结算标准、定支付办法等方式，探索就医、支付、结算一体化的门诊统筹综合管理办法，有效控制门诊医疗费用。

七、加强组织领导。各地要高度重视，科学决策，精心组织实施。切实加强经办能力建设，完善医疗保险信息系统，探索适应门诊统筹管理需要的经办方式，提高管理服务水平。要加强社区劳动保障平台与社区卫生服务机构的协作，促进参保人员健康管理。要认真研究工作中出现的新情况、新问题，积极探索解决办法，遇有重要情况要及时报告。

人力资源和社会保障部 财政部 关于进一步加强基本医疗保险基金管理的指导意见

2009年7月24日 人社部发〔2009〕67号

各省、自治区、直辖市人力资源社会保障（劳动保障）厅（局）、财政厅（局），新疆生产建设兵团劳动保障局、财务局：

根据《中共中央国务院关于深化医药卫生体制改革的意见》（中发〔2009〕6号）和《国务院关于印发医药卫生体制改革近期重点实施方案（2009~2011年）的通知》（国发〔2009〕12号）的要求，为进一步加强基本医疗保险基金管理，提高基金使用效率，现就有关问题提出如下意见：

一、充分认识加强基本医疗保险基金管理的重要性和紧迫性

（一）加快推进基本医疗保障制度建设，将全体城乡居民纳入基本医疗保障制度，逐步提高基本医疗保障水平，是深化医药卫生体制改革的重要内容。按照以收定支、收支平衡、略有结余的原则，管好、用好基本医疗保险基金，对保障参保人员的基本医疗权益，减轻人民群众医药费用负担有着十分重要的现实意义。各级各有关部门要提高认识，不断完善政策，创新管理机制，强化基金管理，增强基金的共济和保障能力，提高基金使用效率。

二、增强基本医疗保险基金共济和保障能力

（二）加大基本医疗保险扩面和基金征缴力度。各地要按照3年内基本医疗保险参保率达到90%以上的目标，进一步加大城镇职工基本医疗保险和城镇居民基本医疗保险的扩面力度。要切实按照人力资源社会保障部、财政部等部门《关于妥善解决关闭破产国有企业退休人员等医疗保障有关问题的通知》（人社部发〔2009〕52号）的要求，通过破产企业财产变现、未列入破产财产的土地出让所得、财政补助、医疗保险统筹基金结余调剂等多渠道筹资，妥善解决关闭破产国有企业退休人员参加城镇职工基本医疗保险问题。同时，各地要统筹解决包括关闭破产集体企业退休人员和困难企业职工等在内的其他各类城镇人员的医疗保障问题。进一步加大基本医疗保险基金的征缴和稽核力度，确保基本医疗保险基金应收尽收。

（三）逐步提高基本医疗保险保障水平，减轻参保人员的个人负担。各地要在精心测算的基础上，适当提高政策内住院医疗费用的报销水平，逐步提高统筹基金最高支付限额，规范门诊大病管理。鼓励各地积极开展城镇居民基本医疗保险门诊医疗费用统筹，扩大城镇居民基本医疗保险受益范围。有条件的统筹地区可以探索调整城镇职工基本医疗保险个人账户使用办法，试行城镇职工基本医疗保险门诊医疗费用统筹，逐步扩大和提高门诊费用的报销范围和比例，提高个人账户基金的使用效率。

（四）提高基本医疗保险统筹层次。各地要根据本地实际情况，加快推进提高基本医疗保险统筹层次工作，到2011年基本实现市（地）级统筹。实现市（地）级基金统收统支确有困难的地区，可以先建立市（地）级基金风险调剂制度，再逐步过渡。具备条件的地区，可以探索实行省级统筹。

三、强化基本医疗保险基金管理

（五）进一步加强基本医疗保险基金收支预算管理。统筹地区要认真执行社会保险基金财务制度，按年度编制基本医疗保险基金收支预算。编制基金收入预算应综合考虑当地经济发展水平、职工工资收入水平、医疗保险覆盖面、医疗保险筹资比例等因素；编制基金支出预算应综合考虑当地参保人员年龄结构、疾病谱、医疗费用增长、医疗保险受益面、保障水平和基金结余情况等因素。

（六）做好基本医疗保险基金会计核算和统计分析工作。各地要认真落实社会保险基金会计制度，加强基本医疗保险基金会计核算工作。医疗保险经办机构要单独建立一次性预缴基本医疗保险费统计台账，加强对一次性预缴基本医疗保险费的统计分析和管理。

（七）建立基本医疗保险基金运行情况分析和风险预警制度。各地要利用医疗保险信息系统，构建基本医疗保险基金运行分析和风险预警系统，将统筹基金累计结余作为基本医疗保险基金风险预警监测的关键性指标，加强对基本医疗保险基金运行情况的分析。除一次性预缴基本医疗保险费外，统筹地区城镇职工基本医疗保险统筹基金累计结余原则上应控制在6～9个月平均支付水平。城镇职工基本医疗保险统筹基金累计结余超过15个月平均支付水平的，为结余过多状态，累计结余低于3个月平均支付水平的，为结余不足状态。城镇居民基本医疗保险的基金风险预警指标，各地可根据当地实际具体确定。

（八）妥善解决统筹基金结余过多和当期收不抵支问题。统筹地区因职工工资水平增长等因素，统筹基金收入增幅明显高于支出增幅，连续2年处于结余过多状态的，可阶段性降低基本医疗保险筹资比例或适当提高参保人员医疗保险待遇水平。统筹基金出现当期收不抵支的统筹地区，要认真查找超支原因，通过改进结算方式、加强支出管理等途径，控制费用支出增长。统筹基金累计结余不足、难以保证当期支付的统筹地区，可通过临时借款保证当期支付，并及时研究调整筹资或待遇政策。各统筹地区应根据上述原则制订相应的基金告警预案，并报省级人力资源社会保障（劳动保障）、财政部门备案。统筹地区启动预案响应和费率调整等政策变化，应报省级人民政府批准。重大政策调整省级人民政府应报人力资源社会保障部、财政部备案。

（九）强化基本医疗保险基金监管。完善基本医疗保险基金管理内控制度，形成部门之间、岗位之间和业务之间相互制衡、相互监督的内控机制。加强行政监管，建立基本医疗保险基金欺诈防范机制，杜绝骗保等欺诈行为的发生。建立和完善基本医疗保险基金内部审计制度，及时整改审计发现的问题。定期向社会公布基本医疗保险基金收支情况和参保人员医疗保险待遇的享受情况，接受社会各界的监督。

四、加强基本医疗保险支付管理

（十）加大医疗保险对医疗服务行为的监控力度。各地要把相关部门制定的出入院标准、临床诊疗规范、临床用药指南和处方管理办法等纳入协议管理的范围，建立和完善对定点医疗机构服务质量的考核评价体系。要不断完善医疗保险信息系统，逐步实现对医疗服务行为的全程实时监控，加强对重点医疗服务项目和重点药品使用情况的监测，减少不合理医疗费用的发生，防范医疗欺诈行为。

（十一）改进费用结算方式。积极探索医疗保险经办机构与医疗机构、药品供应商通过协商谈判，合理确定医药服务的付费方式及标准，发挥医疗保障对医疗服务和药品费用的制约作用。鼓励探索实行按病种付费、总额预付、按人头付费等结算方式，充分调动医疗机构和医生控制医疗服务成本的主动性和积极性。

（十二）优化医疗费用结算流程。医疗保险经办机构要进一步优化医疗费用结算程序，逐步实现与定点医疗机构直接结算，缩短医疗费用结算时间，符合规定的医疗费用，要按照协议及时足额支付。医疗费用结算前，医疗保险经办机构可按照协议向医疗机构预拨一定比例的周转金。简化个人医疗费用报销结算程序，提供人性化服务，方便广大参保人员。

人力资源和社会保障部　财政部关于延长东部7省（市）扩大失业保险基金支出范围试点政策有关问题的通知

2009 年 7 月 31 日　人社部发〔2009〕97 号

北京市、上海市、江苏省、浙江省、福建省、山东省、广东省人力资源社会保障（劳动保障）厅（局）、财政厅（局）：

为应对国际金融危机，进一步发挥失业保险基金预防失业、促进就业的作用，根据国务院常务会议决定，现就延长北京、上海、江苏、浙江、福建、山东、广东等东部7省（市）扩大失业保险基金支出范围试点政策有关问题通知如下：

一、延长原劳动保障部、财政部《关于适当扩大失业保险基金支出范围试点有关问题的通知》（劳社部发〔2006〕5号）政策执行时间，期限为1年。

二、江苏、浙江、福建、山东、广东5省可以参照北京、上海两市做法，在符合劳社部发〔2006〕5号文件规定条件的前提下，根据本地实际情况，适当增加支出项目，主要用于预防失业、促进就业项目支出，具体项目由省级人民政府统一制定，报国务院备案。增加的支出项目，不得用于人员经费、公用经费、差旅费和会议费等应由部门预算安排的支出，不得用于房屋建筑物购建和交通工具购置等基本建设支出。上述支出由各地按规定予以安排。7省（市）要进一步规范失业保险基金管理，不断提高失业保险基金使用效益。

三、江苏、浙江、福建、山东、广东5省要努力提高失业保险基金统筹层次，实现设区的市全市统筹。继续完善省级调剂金制度，加大省级调剂金筹集和调剂使用力度。

延长东部7省（市）扩大失业保险基金支出范围试点政策，是国务院应对国际金融危机、稳定就业局势作出的重大决策，各地要高度重视，加强领导，精心组织，密切配合，规范操作，确保失业保险基金在保障失业人员基本生活、预防失业和促进就业方面发挥更大的作用。工作中遇到的重大情况，及时向人力资源社会保障部、财政部报告。

人力资源和社会保障部　财政部关于基本医疗保险异地就医结算服务工作的意见

2009 年 12 月 31 日　人社部发〔2009〕190 号

各省、自治区、直辖市人力资源社会保障（劳动保障）厅（局）、财政厅（局），新疆生产建设兵团劳动保障局、财务局：

为贯彻落实《中共中央国务院关于深化医药卫生体制改革的意见》（中发〔2009〕6号）、《国务院关于印发医药卫生体制改革近期重点实施方案（2009～2011年）的通知》（国发〔2009〕12号）精神，切实加强和改进以异地安置退休人员为重点的基本医疗保险异地就医（以下简称异地就医）结算服务，现提出以下意见：

一、加强和改进异地就医结算服务的基本原则和指导思想是，以人为本、突出重点、循序渐进、多措并举，以异地安置退休人员为重点，提高参保地的异地就医结算服务水平和效率，加强就医地的医疗服务监控，大力推进区域统筹和建立异地协作机制，方便必需异地就医参保人员的医疗费用结算，减少个人垫付医疗费，并逐步实现参保人员就地就医、持卡结算。

二、按国务院医改近期重点实施方案的要求提高统筹层次，有条件的地区实行市（地）级统筹，在同一统筹地区范围内统一基本医疗保险的政策、标准和管理、结算方式，实行统一结算，减少异地就医结算。

三、参保人员短期出差、学习培训或度假等期间，在异地发生疾病并就地紧急诊治发生的医疗费用，一般由参保地按参保地规定报销。

四、参保人员因当地医疗条件所限需异地转诊的，医疗费用结算按照参保地有关规定执行。参保地负责审核、报销医疗费用。有条件的地区可经地区间协商，订立协议，委托就医地审核。

五、异地长期居住的退休人员在居住地就医，常驻异地工作的人员在工作地就医，原则上执行参保地政策。参保地经办机构可采用邮寄报销、在参保人员较集中的地区设立代办点、委托就医地基本医疗保险经办机构（以下简称经办机构）代管报销等方式，改进服务，方便参保人员。

六、加快基本医疗保险信息系统建设，鼓励有条件的地区实行城市间或区域间的信息、资源共享和联网结算。各地可积极探索利用各种社会服务资源参与异地就医结算服务。

七、对经国家组织动员支援边疆等地建设，按国家有关规定办理退休手续后，已按户籍管理规定异地安置的参保退休人员，要探索与当地医疗保障体系相衔接的办法。具体办法由参保地与安置地协商确定、稳妥实施。

八、统筹地区经办机构认真履行本地参保人员就医管理和医疗费用审核结算的职责，同时要为在本地就医的异地参保人员和其参保地经办机构提供相应服务，对医疗服务进行监控。市（地）级统筹地区经办机构要加强对县（区）级经办机构的指导，做好医疗保险政策、信息系统建设、经办管理、医疗服务管理和技术标准等方面的衔接，保证异地就医结算服务工作顺利开展。

九、省级人力资源社会保障等部门及经办机构在国家政策指导下，负责统一组织协调并实施省内参保人员异地就医结算服务工作，规范异地就医结算的业务流程、基金划转及基础管理等工作。加大金保工程建设投入，加强医疗保险信息系统建设，推行社会保障“一卡通”，逐步扩大联网范围，实现持卡结算。确有需要且有条件的省（自治区、直辖市）可建立异地就医结算平台。省级人力资源社会保障部门要根据本意见的要求，会同财政部门制定实施办法，并报人力资源社会保障部。

十、建立异地就医协作机制的地区，相关协作服务费标准由协作双方协商确定，所需经费列入同级财政预算，跨省（自治区、直辖市）异地就医结算协作方案及联网结算方案，报人力资源社会保障部备案。

人力资源和社会保障部　卫生部　财政部关于印发流动就业人员基本医疗保障关系转移接续暂行办法的通知

2009年12月31日　人社部发〔2009〕191号

各省、自治区、直辖市人力资源社会保障（劳动保障）厅（局）、卫生厅（局）、财政厅（局），新疆生产建设兵团劳动保障局、卫生局、财务局：

现将《流动就业人员基本医疗保障关系转移接续暂行办法》印发你们，请遵照执行。

附件：流动就业人员基本医疗保障关系转移接续暂行办法

附件：

流动就业人员基本医疗保障关系转移接续暂行办法

第一条 为保证城镇职工基本医疗保险、城镇居民基本医疗保险和新型农村合作医疗参保（合）人员流动就业时能够连续参保，基本医疗保障关系能够顺畅接续，保障参保（合）人员的合法权益，根据《中共中央 国务院关于深化医药卫生体制改革的意见》（中发〔2009〕6号）的要求，制定本办法。

第二条 城乡各类流动就业人员按照现行规定相应参加城镇职工基本医疗保险、城镇居民基本医疗保险或新型农村合作医疗，不得同时参加和重复享受待遇。各地不得以户籍等原因设置参加障碍。

第三条 农村户籍人员在城镇单位就业并有稳定劳动关系的，由用人单位按照《社会保险登记管理暂行办法》的规定办理登记手续，参加就业地城镇职工基本医疗保险。其他流动就业的，可自愿选择参加户籍所在地新型农村合作医疗或就业地城镇基本医疗保险，并按照有关规定到户籍所在地新型农村合作医疗经办机构或就业地社会（医疗）保险经办机构办理登记手续。

第四条 新型农村合作医疗参合人员参加城镇基本医疗保险后，由就业地社会（医疗）保险经办机构通知户籍所在地新型农村合作医疗经办机构办理转移手续，按当地规定退出新型农村合作医疗，不再享受新型农村合作医疗待遇。

第五条 由于劳动关系终止或其他原因中止城镇基本医疗保险关系的农村户籍人员，可凭就业地社会（医疗）保险经办机构出具的参保凭证，向户籍所在地新型农村合作医疗经办机构申请，按当地规定参加新型农村合作医疗。

第六条 城镇基本医疗保险参保人员跨统筹地区流动就业，新就业地有接收单位的，由单位按照《社会保险登记管理暂行办法》的规定办理登记手续，参加新就业地城镇职工基本医疗保险；无接收单位的，个人应在中止原基本医疗保险关系后的3个月内到新就业地社会（医疗）保险经办机构办理登记手续，按当地规定参加城镇职工基本医疗保险或城镇居民基本医疗保险。

第七条 城镇基本医疗保险参保人员跨统筹地区流动就业并参加新就业地城镇基本医疗保险的，由新就业地社会（医疗）保险经办机构通知原就业地社会（医疗）保险经办机构办理转移手续，不再享受原就业地城镇基本医疗保险待遇。建立个人账户的，个人账户原则上随其医疗保险关系转移划转，个人账户余额（包括个人缴费部分和单位缴费划入部分）通过社会（医疗）保险经办机构转移。

第八条 参保（合）人员跨制度或跨统筹地区转移基本医疗保障关系的，原户籍所在地或原就业地社会（医疗）保险或新型农村合作医疗经办机构应在其办理中止参保（合）手续时为其出具参保（合）凭证（样式见附件），并保留其参保（合）信息，以备核查。新就业地要做好流入人员的参保（合）信息核查以及登记等工作。

第九条 参保（合）凭证由人力资源社会保障部会同卫生部统一设计，由各地社会（医疗）保险及新型农村合作医疗经办机构统一印制。参保（合）凭证信息原则上通过社会（医疗）保险及新型农村合作医疗经办机构之间传递，因特殊原因无法传递的，由参保（合）人员自行办理有关手续。

第十条 社会（医疗）保险和新型农村合作医疗经办机构要指定窗口或专人，办理流动就业人员的基本医疗保障登记和关系接续等业务。要逐步将身份证号码作为各类人员参加城镇职工基本医疗保险、城镇居民基本医疗保险和新型农村合作医疗的唯一识别码，加强信息系统建设，及时记录更新流动人员参保（合）缴费的信息，保证参保（合）记录的完整性和连续性。

第十一条 社会（医疗）保险和新型农村合作医疗经办机构要加强沟通和协作，共同做好基本医疗保障关系转移接续管理服务工作，简化手续，规范流程，共享数据，方便参保（合）人员接续基本医疗保障关系和享受待遇。

第十二条 各省、自治区、直辖市要按照本办法，并结合当地实际制定流动就业人员基本医疗保障登记管理和转移接续的具体实施办法。

第十三条 本办法自2010年7月1日起实施。

附件：基本医疗保障参保（合）凭证样式

附件：

参保（合）凭证

凭证号：（省份简称）（统筹地区名称）（年份）第××××××号

基本信息			参保（合）信息	
参保（合）人	姓名		医疗保障类型	
	身份证号		参保（合）地	
	医疗保障编号＊		参保（合）时间	起：
	户籍所在地			止：
	户籍类型		待遇享受起止时间	起：
户主	姓名			止：
	身份证号		个人账户余额	（大写）____（小写）¥ ____

办理机构名称：________________（盖章）

联系人及电话：________________

＊尚未将身份证号码作为城镇职工基本医疗保险、城镇居民基本医疗保险参保人员唯一身份识别码的统筹地区填写医疗保险编号；尚未将身份证号码作为新型农村合作医疗参合人员唯一身份识别码的统筹地区填写新型农村合作医疗卡证号。

注意事项：

1. 本凭证根据国家有关规定制发，是参保（合）的权益记录，以及申请办理医疗保障关系转移接续手续的重要凭证，请妥善保存。

2. 本凭证一式三联。第一联用于参保（合）人员办理医疗保障关系转移手续；第二联由原参保（合）统筹地区经办机构存档备查；第三联由参保（合）人员自己留存。

3. 跨统筹地区流动就业人员，有接收单位的，将此凭证交由单位按照规定办理参保接续手续。

4. 其他跨统筹地区流动就业人员，应携带此凭证及有效证件在3个月内到指定办理机构办理相关登记手续。

5. 本凭证如不慎遗失，请与出具此凭证的机构联系，申请补办。

人力资源和社会保障部、卫生部监制

人力资源和社会保障部　卫生部　财政部关于规范各项基本医疗保障制度信息报送工作的通知

2009年10月20日　人社部函〔2009〕263号

各省、自治区、直辖市人力资源　社会保障厅（劳动保障）、卫生、财政厅（局）：

《国务院关于印发医药卫生体制改革近期重点实施方案（2009～2011年）的通知》（国发（2009）12号）明确提出，三年内城镇职工基本医疗保险、城镇居民基本医疗保险和新型农村合作医疗覆盖城乡全体居民，参保（合）率均提高到90%以上。目前，城乡居民参加基本医疗保障的情况由各地人力资源社会保障部门和卫生部门分别统计。为切实做好相关统计工作，全面真实反映城乡居民参加基本医疗保障情况，现就规范各项基本医疗保障制度信息报送工作有关事项通知如下：

一、进一步完善基本医疗保障信息统计制度。各地在积极推进基本医疗保障制度建设过程中，要分别按照城镇职工基本医疗保险、城镇居民基本医疗保险和新型农村合作医疗统计制度的要求，进一步完善并规范统计指标和口径，做好基础数据和信息的登记、采集和汇总上报工作。登记参保（合）人员的基础信息中要包括公民身份证号码、户籍情况（农业户口/非农业户口）以及参保人员户籍地与参保地不一致标识等重要信息。对已经登记参保（合）人员，各地要对其基础信息进行认真梳理，基础信息不全的要及时补充完善。

二、认真填报《基本医疗保障参保（合）人员情况表》（见附件）。在维持现有报表体系不变的前提下，增加填报《基本医疗保障参保（合）人员情况表》。该报表主要内容为城镇职工基本医疗保险、城镇居民基本医疗保险和新型农村合作医疗的应参保（合）人数和实参保（合）人数以及其中农业户口的人数（补充资料内容为本地区总人口数），由各统筹地区人力资源社会保障部门会同卫生部门、财政部门填报，逐级上报省级汇总，并联合上报人力资源社会保障部、卫生部、财政部。该表为季后25日前上报数据，次年1月25日前报送上年度全年数据。第一次报送时间为2010年1月25日前。报送参保（合）人数时，要避免重复统计，同时应注意保持应参保（合）人数和实际参保（合）人数口径的一致性。

三、规范统一管理地区的统计信息报送。由一个部门统一管理城镇职工基本医疗保险、城镇居民基本医疗保险和新型农村合作医疗，且制度不统一的地区，仍按各自的统计调查制度，由统筹地区管理部门将三类基本医疗保障制度基本信息分别统计，分别上报上级人力资源社会保障部门和卫生部门；由一个部门统一管理且城乡居民基本医疗保障制度统一的地区，由统筹地区管理部门根据制度设计的医疗保障形式，统一上报上级主管部门，同时抄报上级卫生部门或上级人力资源社会保障部门。

四、加强各部门间的协调配合。各统筹地区人力资源社会保障部门、卫生部门和财政部门要建立工作协商机制。加强部门间的协调，定期沟通情况，研究问题，切实做好各项制度统计信息衔接工作，防止重复上报、重复统计和漏报数据等情况的发生，确保反映本地区基本医疗保障统计数据的准确和完整。

各地要将执行情况及遇到的问题及时向人力资源社会保障部、卫生部、财政部反映。

人力资源和社会保障部社会保险事业管理中心

联系人：刘睦平

电　话：010－84222730　传真：010－84222918

卫生部农村卫生管理司

联系人：丁一磊

电　话：010－68792968　传真：010－68792330

财政部社会保障司

联系人：李岱昕

电　话：010－68553825　传真：010－68553820

附件：基本医疗保障参保（合）人员情况表

附件：

基本医疗保障参保（合）人员情况表

填报单位名称：　　　　年　　季度　　　　单位：人

		合　计	城镇职工基本医疗保险参保人数	城镇居民基本医疗保险参保人数	新型农村合作医疗参合人数
甲栏	序号	1	2	3	4
应参加人数	1				
其中：农业户口	2				
实参加人数	3				
其中：农业户口	4				

补充资料：本地区总人口数　　　人。

说明：

1. 应参加人数：指报告期末本地区按照基本医疗保障制度设计的要求应覆盖的人数。
2. 实参加人数：指报告期末本地区实际已参加基本医疗保障的人数。
3. 表内关系：甲栏：1≥3，2≥4　宾栏：1＝2＋3＋4
4. 如果省级统计的"实参加人数"大于"本地区总人口数"，要详细说明超出部分分别来源于哪些省份。

人力资源和社会保障部门盖章：　　卫生部门盖章：　　财政部门盖章：

填表人签章：　　填表人签章：　　填表人签章：

报出日期：　　年　　月　　日

人力资源和社会保障部办公厅　财政部办公厅　国务院国有资产监督管理委员会办公厅　监察部办公厅关于加快推进关闭破产国有企业退休人员等参加基本医疗保险工作的通知

2009年12月21日　人社厅发〔2009〕149号

各省、自治区、直辖市人力资源社会保障（劳动保障）厅（局）、财政厅（局）、国资委、监察厅（局），新疆生产建设兵团劳动保障局、财务局、国资委、监察局：

人力资源社会保障部、财政部、国务院国资委、监察部《关于妥善解决关闭破产国有企业退休人员等医疗保障有关问题的通知》（人社部发〔2009〕52号）印发后，各省（区、市）积极行动，取得了较好成效。与此同时，部分地区存在工作措施不具体、进展较慢、落实不到位等问题。为切实推进此项工作，确保各地按期完成各项工作任务，将党中央、国务院的重大惠民政策落到实处，现就有关问题通知如下：

一、进一步提高认识，切实抓好组织实施工作

妥善解决关闭破产企业退休人员医疗保障问题是全面推进城乡医疗保障体系建设、深化医药卫生体制改革的重大举措，是党中央、国务院的重大决策部署。各省（区、市）人力资源社会保障、财政、国资、

监察部门要认真贯彻《中共中央　国务院关于深化医药卫生体制改革的意见》（中发〔2009〕6 号）和《国务院关于印发医药卫生体制改革近期重点实施方案（2009～2011 年）的通知》（国发〔2009〕12 号，以下简称医改《实施方案》），进一步提高认识，按照人社部发〔2009〕52 号文件精神，落实《关闭破产国有企业退休人员等参加基本医疗保险工作目标协议书》（以下简称《协议书》）的要求，密切配合，加强协作，切实按照工作方案的时间和步骤抓好组织实施。尚未分配下达中央财政补助资金的省份，人力资源社会保障、财政、国资、监察部门要在切实做好各项基础工作、落实好地方配套资金的基础上，尽快协商分配下达。省级相关部门要加强对统筹地区工作的指导、协调和督促，推动所属统筹地区尽快按照要求制定具体工作方案、分配上级补助资金、安排本级补助资金，并做好登记参保等具体工作。

二、加快工作进度，抓紧解决关闭破产国有企业退休人员参保问题

（一）确保按时完成工作任务

2009 年年底前将目前尚未参保的所有关闭破产国有企业退休人员全部纳入所在地的城镇职工基本医疗保险，是党中央、国务院的明确要求，也是各地当前医疗保障体系建设工作中的一项硬任务。各地要进一步巩固已有的工作成果，进一步加快工作进度，确保按时完成任务。

（二）主动筹措地方配套资金

2008 年、2009 年中央财政已根据各地上报的截至 2007 年 5 月底的关闭破产国有企业退休人员的参保情况预拨了部分补助资金，2009 年、2010 年还将按照规定结算补助资金。对部分地区反映的原漏报及 2007 年 5 月底后新增的未参保地方政策性关闭破产和地方依法破产国有企业退休人员的参保问题，有关省（区、市）要按照人社部发〔2009〕52 号文件的要求，通过多渠道及分年到位等方式筹措所需资金，中央财政不再追加补助资金。

（三）积极做好中央和中央下放地方政策性关闭破产国有企业退休人员参保工作

各地要认真按照人社部发〔2009〕52 号文件要求，落实《协议书》的各项责任，确保于 2009 年年底前将中央和中央下放地方政策性关闭破产国有企业退休人员全部属地纳入城镇职工基本医疗保险体系统一管理，不得单独管理、封闭运行。中央财政在按《国务院办公厅转发国家经贸委等部门关于解决国有困难企业和关闭破产企业职工基本生活问题若干意见的通知》（国办发〔2003〕2 号）规定安排补助的基础上，对人均补助低于 1.26 万元的以省为单位予以补足。尚未接受中央和中央下放地方政策性关闭破产国有企业退休人员属地参保的地区，要按照人社部发〔2009〕52 号文件和《协议书》的要求予以纠正，否则中央财政将酌情扣减补助资金。

三、细化政策措施，统筹解决其他关闭破产企业退休人员和困难企业职工的医疗保障问题

医改《实施方案》明确要求，从今年起用两年左右时间，解决关闭破产企业退休人员和困难企业职工的医保问题。各地要根据本地实际，统筹研究，细化政策，多渠道筹资，将关闭破产集体企业等其他各类关闭破产企业退休人员和困难企业职工纳入城镇职工基本医疗保险。已经解决关闭破产国有企业退休人员医疗保险问题的地区，可将中央财政补助资金用于帮助解决关闭破产集体企业等其他各类关闭破产企业退休人员和困难企业职工参加城镇职工基本医疗保险。确有困难、无力参加城镇职工基本医疗保险的，级省级人民政府批准，可以纳入城镇居民基本医疗保险，中央财政按城镇居民基本医疗保险的有关规定给予补助。省级政府相关部门要进一步明确可以参加城镇居民基本医疗的企业及人员的具体标准和条件，统筹地区在具体组织实施时，要制定和完善相关的配套政策措施，确保不出现影响社会稳定的问题。

各地要进一步加快工作进度，确保到 2010 年年底前解决所有关闭破产企业退休人员和困难企业职工的参保问题。中央财政在考核各省（区、市）医疗保险参保率时，将把各类关闭破产企业退休人员、困难企

业职工参保情况与其他各类城镇人口一并进行考核，通过以奖代补的方式给予补助。

四、抓好跟踪检查，及时按要求上报工作进展情况

解决关闭破产国有企业退休人员等各类人员的医疗保障问题是当前医保工作的一件大事。各省（区、市）人民政府及相关部门要发挥监督和协调作用，做好对统筹地区后续工作的跟踪检查和指导。为确保各地按期完成工作任务，请各省（区、市）组织所属各统筹地区按照《协议书》的要求，按月逐级填报《关闭破产国有企业退休人员等参加基本医疗保险情况表》（见附件），并于每月15日前以纸质版和Excel表电子版两种形式报送人力资源和社会保障部医疗保险司。

附件：关闭破产国有企业退休人员等参加基本医疗保险情况表

附件：

省（区、市）关闭破产国有企业退休人员等参加基本医疗保险情况表

填报单位（章）：　　　　　　　　　　　　　　　　　　填报日期：　　年　　月　　日

资金到位情况（万元）						关闭破产国有企业退休人员等累计新增参保人数（人）				
中央财政		地方财政			其他	合计	地方政策性关闭破产国有企业	中央及中央下放关闭破产国有企业	地方依法破产国有企业	其他关闭破产及困难企业
统筹地区财政	统筹地区职工医保基金财政专户	小计	省级财政	省以下财政						
1	2	3	4	5	6	7	8	9	10	11

单位负责人签章：　　　　　处（科）负责人签章：　　　　　制表人签章：　　　　　联系电话：

注：1. 以上数据由各级人力资源社会保障部门会同有关部门逐级汇总上报。

2. 有关口径：1是指中央补助资金划拨到达统筹地区财政部门的数额；2是指中央补助资金划拨到达统筹地区城镇职工基本医疗保险基金财政专户的数额；3～5是指2009年7月1日后各地省及省级以下财政专项安排并已实际拨付用于解决关闭破产国有企业退休人员、关闭破产集体企业退休人员、困难企业职工医疗保障问题的专项资金；6是指通过其他渠道筹集的专门用于解决关闭破产企业退休人员、困难企业职工医疗保障问题的专项资金；8～10是指从2007年6月起（即劳社厅明电〔2007〕49号文件统计的截止时间后）新登记参加城镇职工基本医疗保险的关闭破产国有企业退休人员数；11是指2009年5月起各地按照《关于妥善解决关闭破产国有企业退休人员等医疗保障有关问题的通知》（人社部发〔2009〕52号）精神，解决其他关闭破产企业退休人员、国有困难企业职工等各类人员医疗保障问题，新登记参加城镇职工基本医疗保险和城镇居民基本医疗保险的人数。

中央纪委　中央组织部　中央农村工作领导小组办公室　监察部　民政部　司法部　财政部　国土资源部　农业部　人口计生委　国家预防腐败局　国家信访局关于印发《关于开展村务公开和民主管理“难点村”治理工作的若干意见》的通知

2009年2月24日　民发〔2009〕20号

各省、自治区、直辖市纪委、组织部、农委（农工部、农办），监察厅（局）、民政厅（局）、司法厅（局）、财政厅（局）、国土资源厅（局）、农业厅（局）、人口计生委、信访局：

经中央领导同志同意，现将《关于开展村务公开和民主管理“难点村”治理工作的若干意见》印发你

们，请结合实际遵照执行。治理工作中的重大情况，请及时报全国村务公开协调小组办公室。

附件：关于开展村务公开和民主管理“难点村”治理工作的若干意见

附件：

关于开展村务公开和民主管理“难点村”治理工作的若干意见

近年来，在各级党委和政府的高度重视下，村务公开和民主管理工作取得了显著成效，对于促进农村改革发展稳定发挥了重要作用。但也应看到，一些地方还存在村务公开和民主管理的“难点村”。在这些村庄，有的村级组织不健全，村级班子软弱涣散，村干部能力不强问题没有得到根本解决；有的政策法规不落实，村务不公开或假公开，村务管理不民主现象长期存在；有的群众对村干部意见多，党群干群关系紧张，经济社会发展落后，等等。村务公开和民主管理“难点村”虽然是少数，但如不认真解决，势必影响村务公开和民主管理工作整体水平的提高，势必影响农村经济社会又好又快发展。为深入贯彻落实党的十七大和十七届三中全会精神，经全国村务公开协调小组研究决定，从 2009 年至 2011 年，在指导做好村务公开和民主管理面上工作的同时，开展“难点村”专项治理，力争用三年的时间，使现有“难点村”面貌发生根本性转变。为此，提出以下意见。

一、指导思想和目标要求

治理“难点村”，要以邓小平理论和“三个代表”重要思想为指导，深入贯彻落实科学发展观，按照党的十七大和十七届三中全会精神要求，以解决村民群众最关心最直接最现实的利益问题为切入点，以村级组织建设为重点，以健全和完善村务公开和民主管理制度为着力点，保障村民群众的合法权益，促进农村社会和谐，推动农村经济社会又好又快发展。

治理“难点村”工作，要达到以下目标要求：

（一）提高农村基层干部群众民主法制素质。干部群众对坚持党的领导、人民当家作主、依法治国有机统一的思想认识得到有效提高，对推行村务公开和民主管理的自觉性得到有效提升，对搞好村务公开和民主管理的要求认识明确，基层干部组织开展村务公开和民主管理实践的能力明显增强。

（二）健全并落实村务公开和民主管理制度。自觉将各级党委政府强农惠农政策、社会各界支持新农村建设的项目、新农村建设各项资金及其使用情况、农村集体资产和资源处置情况，以及对村干部的民主评议、考核和审计结果等事项，纳入公开的内容，接受群众监督，真正做到凡是与村民群众切身利益密切相关的事项，坚持由村民群众民主决策，不由个人或少数人说了算。村民会议、村民代表会议制度得到落实。

（三）加强农村基层组织。村党组织的领导核心作用明显发挥，村委会能够履行法定职责，在村党组织领导下，积极协助乡镇政府开展工作。村务公开监督机构、村民民主理财机构建立健全，发挥作用。村级群团组织和社会组织不断发展，活动规范化、经常化。

（四）促进各项工作。党在农村的各项方针政策得到贯彻落实，村民群众反映强烈的突出问题得到有效解决，村内各项事业得到发展，群众生活水平稳步提高，党群干群关系和谐，社会稳定，村风文明。

二、主要原则

（一）坚持治理工作与促进农村科学发展相结合。围绕促进农村改革发展稳定大局，坚持以人为本，把“难点村”治理工作与深入学习实践科学发展观活动结合起来，与促进农村各项事业发展结合起来，与保障村民群众物质利益和民主权利结合起来，不搞形式主义，不做表面文章，务求实效，为农村经济社会全面协调可持续发展打牢基础。

（二）**坚持发扬民主，走群众路线**。尊重农民意愿，充分发挥村民群众的主体作用，调动村民群众参与的积极性和主动性。认真听取村民群众的意见和建议，自觉接受监督，努力解决影响和制约村务公开和民主管理中的突出问题，把群众满意作为评价治理工作成效的根本依据。

（三）**坚持从实际出发，分类指导**。根据本地区农村经济社会发展的实际情况，有针对性地提出具体的治理方案和治理方法，对症下药，有什么问题就解决什么问题，什么问题突出就重点解决什么问题，不搞一刀切，确保治理工作取得实效。

（四）**坚持上下结合，综合治理，标本兼治**。根据产生“难点村”的不同原因，采取相应措施，属于村的问题，从村级层面下功夫；属于政府及其职能部门的问题，就从政府或者职能部门这个层面解决。系统研究制约影响村务公开和民主管理的各种因素，充分运用政治、法律、经济、行政等手段，多管齐下，从源头上解决问题。

（五）**坚持制度建设，着力形成长效机制**。尊重村民群众的首创精神，及时总结推广治理“难点村”的成功经验，并在实践中不断丰富、完善和提高。加强“难点村”治理的制度建设，形成带有普遍规律性和指导性的政策措施，形成治理“难点村”的长效机制，不断提高治理“难点村”的工作水平。

三、主要任务

（一）**加强农村基层组织建设，解决村级组织软弱涣散、村干部能力不强的问题**。加强农村基层组织建设是做好治理工作的关键环节。抓好以村党组织为核心的村级组织配套建设，充分发挥村党组织的领导核心作用，领导和支持村委会、集体经济组织、共青团、妇代会、民兵等组织依法开展工作。建立健全村务公开监督机构、村民民主理财机构，保障其履行职责，监督村务公开制度的落实、村集体资产管理使用和财务收支等活动。注重从农村致富能手、退伍军人、外出务工返乡农民中选拔村干部。引导高校毕业生到村任职，鼓励党政机关和企事业单位优秀年轻干部到村帮助工作，鼓励优秀民营企业经营管理人员、县乡机关和企事业单位退居二线、提前离岗或退休干部职工中的党员回村任职，建设一支守信念、讲奉献、有本领、重品行的农村基层干部队伍。整合培训资源，广泛培训农村基层干部，提高他们的思想素质和开展农村工作的水平。通过财政转移支付和党费补助等途径，形成农村基层组织建设、村干部报酬和养老保险、党员干部培训资金保障机制。抓紧村级组织活动场所建设和农村党员干部现代远程教育工作，两年内覆盖全部行政村。

（二）**完善村务公开和民主管理制度，解决村务不公开、管理不民主的问题**。制度建设是专项治理工作的基础。认真贯彻落实《中共中央办公厅　国务院办公厅关于健全和完善村务公开和民主管理制度的意见》（中办发〔2004〕17号），以财务公开为重点，不断丰富村务公开的内容。在巩固村务公开栏形式的基础上，积极推行村民点题公开、建立信息公开平台等做法，创新公开形式。加强对农村集体资金、资产、资源的管理和审计，建立健全财务管理制度。完善村级会计委托代理服务，实行村务公开答疑纠错的监督制度，保证村务公开及时便捷、全面真实。完善村民自治章程和村规民约等，健全村民会议和村民代表会议议事规则，推进村级事务管理的制度化、规范化、程序化。加强法制宣传教育，引导村民群众规范有序地参与村级公共事务的决策和管理。积极探索新形势下开展村务公开和民主管理的途径和方式，保障村民群众享有正当的民主权利。

（三）**加强农村党风廉政建设，解决群众反映强烈的突出问题**。农村党风廉政建设是做好治理工作的重要保证。严肃查处违法征占耕地、不给农民合理经济补偿的违法违纪案件。做好被征地农民社会保障工作，做到先保后征，使被征地农民生活水平不降低，长远生计有保障。清理整顿农村财务管理混乱村，查处党政机关干部、村干部等侵占村集体资产和资金、铺张浪费给集体造成损失等问题。

（四）**帮助发展农村经济和社会事业，解决“难点村”经济和社会发展长期落后的问题**。发展是根本解决“难点村”问题的决定性因素。引导村级组织和村民根据市场要求和本村的实际条件，大力发展集体经济，增强集体组织服务功能，促进农民增收。培育农民新型合作组织，大力发展专业合作经济。积极组织和引导文化、教育、医疗卫生、计划生育、社会保障、社会管理等政府公共服务覆盖到农村，缩小城乡公共服务差距，促进城乡基本公共服务均等化。积极探索对接互助形式，鼓励城市社区和“强村”、“强企”结对帮助“难点村”发展经济，增强“难点村”自身发展能力。

（五）**强化农村社会管理，消除可能引发农村社会不稳定的因素**。强化农村社会管理，是做好专项治理工作的重要条件。坚持服务农民、依靠农民，完善农村社会管理体制机制，加强农村社区建设，培育农村服务性、公益性、互助性社会组织，推动形成政府行政管理和村民自我管理的有效衔接、政府依法行政和村民依法自治的良性互动的局面。坚决纠正和制止村党支部和村委会换届选举中的“贿选”和其他违法违纪行为，反对和制止利用宗教、宗族势力干预农村公共事务。加强农村精神文明建设，做好教育和思想疏导工作，化解人民内部矛盾。坚决依法打击农村黑恶势力和各类刑事犯罪，加强社会治安综合治理，维护农村正常生产生活秩序。加强农村警务建设，逐步建立以驻村民警为主导，以群防群治队伍为补充，人防、物防、技防相结合的安全防范机制和防控网络，全面提升农村社区安全防范水平。有条件的村庄，要依托社区资源，组织开展以社区保安、联防队员为主体，专职人员和义务志愿者相结合的邻里守望、看楼护院、看村护家等活动。建立健全村党组织主导的群众维权机制，引导村民群众以理性合法的方式表达利益诉求，维护自身权益。

四、方法步骤

（一）**宣传教育、统一思想**。做好思想发动和宣传教育工作，把农村基层干部思想、行动统一到治理工作的要求上，把村民群众动员、凝聚到治理工作的实践上。

（二）**调查研究、摸清底数**。在乡（镇）自查的基础上，以县（市、区）为基本单位，认真做好调查研究，摸清本地区“难点村”的具体情况，包括“难点村”的数量、产生原因、表现形式、影响后果等，并对本地区“难点村”情况进行综合分析，有关情况及时报上一级村务公开协调（领导）机构。

（三）**抓好试点、积累经验**。在摸清底数、掌握情况的基础上，可以选择一些不同类型的“难点村”开展治理试点工作。各级村务公开协调（领导）机构要及时总结推广治理经验，可以采用现场会、培训班、学习班等方式，对参与治理工作的有关干部进行政策、业务等方面的培训，为全面开展治理工作打好基础。

（四）**结合实际、制定方案**。省、自治区、直辖市要根据试点经验和“难点村”的综合情况，制定出带有普遍适用性、指导性的治理方案和程序；市、县、乡三级要根据省、自治区、直辖市总体部署和要求，结合本地“难点村”的具体情况制定有针对性的工作方案。

（五）**抽调人员、组建工作组**。以县、乡为主体，集中精力，抽调专门力量组成工作组，深入“难点村”宣传发动党员和群众，从抓村党支部和村委会班子建设和解决好群众最关心最现实的利益问题入手，开展“难点村”的治理工作。

（六）**协同治理、加强督查**。县、乡两级要定期报告“难点村”治理情况，省、市两级村务公开协调（领导）机构要根据各县（市、区）工作进展情况，安排各成员单位深入基层，就村民反映的突出问题开展专项督查，推动治理工作健康有序开展。在县、乡两级治理工作结束后，要组织力量进行检查验收。检查验收要充分听取村民的意见和反映，并作为考核治理工作的依据。

（七）**攻坚克难、不留死角**。省、市两级要对县、乡难以攻克的“难点村”，抽调力量组成工作组深入基层进行调研，与县、乡干部一道分析问题，找准原因，寻求解决的办法，帮助县、乡共同攻克难点。对检查验收不合格的，要督促进行整改完善，确保治理工作不走过场，取得实效。

五、组织领导

“难点村”治理工作任务繁重，责任重大，各地区各部门要在党委和政府统一领导下，把治理工作列入重要议事日程，切实抓紧抓好。

（一）**加强领导、齐抓共管**。做好“难点村”治理工作，县级是关键，乡级是基础，县、乡两级主要负责同志是第一责任人，县、乡两级党委和政府要把“难点村”治理作为推进农村改革发展的重要任务，作为深入学习实践科学发展观活动的配套性工程，列入工作考核目标，采取得力措施，确保治理工作顺利开展。各省、自治区、直辖市要建立健全村务公开协调（领导）机构，发挥好协调指导作用，各成员单位要加强协作，形成合力。各职能部门要切实履行职责，抓好工作落实。

（二）强化问责、加强督查。采取派工作督导组、召开专题督办会议、建立督查通报制度等形式，推广典型经验，表彰先进，鞭策后进。建立“难点村”治理台账，实行销号制，做到治理工作不达标，帮扶工作组不离村。对治理工作走过场的，要给予批评教育，并进行补课。对工作不力、进展缓慢的，要予以通报。对出于个人利益考虑，不积极解决群众反映强烈的突出问题，甚至充当违法犯罪分子和黑恶势力保护伞，严重失职渎职的干部，应及时采取组织措施，给予党纪政纪处分，构成犯罪的，移送司法机关处理。

（三）把握政策、讲究策略。要妥善处理各方面的利益关系，统筹协调和兼顾不同阶层、不同方面群众的利益，把一切积极因素充分调动起来，促进治理工作扎实稳妥进行。要注意依靠农村社会组织和村民群众的力量，通过社会关爱、邻里扶助以及群众间的精神抚慰和思想疏导，把人民内部矛盾和社会问题解决在萌芽状态，解决在基层。要注意掌握政策，具体情况具体分析，分清是非，保护那些坚持原则、公道正派、群众认可、有能力、有干劲干部的积极性。

（四）建立机制、动态管理。建立和完善“难点村”治理的动态管理机制，采取有力措施巩固治理成果。对经过整治并已经销号的“难点村”，要实行跟踪检查，对反弹的“难点村”要重新治理。特别是对整治工作中启动的帮扶项目，要抓好落实。对新出现的“难点村”，要及时进行治理。

各省、自治区、直辖市村务公开协调（领导）机构，全国村务公开协调小组各成员单位，要按照本意见的精神，结合实际，制定贯彻落实的具体措施。

民政部　财政部　卫生部　人力资源和社会保障部关于进一步完善城乡医疗救助制度的意见

2009年6月11日　民发〔2009〕81号

各省、自治区、直辖市民政厅（局）、财政厅（局）、卫生厅（局）、人力资源社会保障（劳动保障）厅（局），新疆生产建设兵团民政局、财务局、卫生局、劳动保障局：

为贯彻落实《中共中央、国务院关于深化医药卫生体制改革的意见》（中发〔2009〕6号）和《国务院关于印发医药卫生体制改革近期重点实施方案（2009～2011年）的通知》（国发〔2009〕12号）的精神，进一步完善城乡医疗救助制度，保障困难群众能够享受到基本医疗卫生服务，现提出如下意见：

一、指导思想、基本原则和目标任务

（一）指导思想：以邓小平理论、“三个代表”重要思想和科学发展观为指导，坚持以人为本、执政为民的工作理念，贯彻落实关于深化医药卫生体制改革的有关精神，不断强化政府责任，完善医疗救助制度，创新机制，加强管理，改进服务，着力解决城乡困难群众最关心、最现实、最迫切的基本医疗保障问题，努力实现困难群众“病有所医”的目标。

（二）基本原则：坚持从我国经济和社会发展实际出发，保障困难群众基本医疗需求；坚持统筹协调，搞好医疗救助制度与相关社会保障制度的衔接，探索建立城乡一体化的医疗救助制度；坚持突出重点，分类施救，公开便捷，发挥医疗救助的救急救难作用；坚持政府主导，社会参与，大力发展医疗慈善事业。

（三）**目标任务**：进一步完善医疗救助制度，筑牢医疗保障底线。用3年左右时间，在全国基本建立起资金来源稳定，管理运行规范，救助效果明显，能够为困难群众提供方便、快捷服务的医疗救助制度。

二、健全制度，满足困难群众的基本医疗服务需求

（一）合理确定救助范围。在切实将城乡低保家庭成员和五保户纳入医疗救助范围的基础上，逐步将其他经济困难家庭人员纳入医疗救助范围。其他经济困难家庭人员主要包括低收入家庭重病患者以及当地政府规定的其他特殊困难人员。具体救助对象界定标准，由地方民政部门会同财政等有关部门，根据本地经济条件和医疗救助基金筹集情况、困难群众的支付能力以及基本医疗需求等因素制定，并报同级人民政府批准。

（二）实行多种方式救助。对城乡低保家庭成员、五保户和其他经济困难家庭人员，要按照有关规定，资助其参加城镇居民基本医疗保险或新型农村合作医疗并对其难以负担的基本医疗自付费用给予补助。

（三）完善救助服务内容。要根据救助对象的不同医疗需求，开展医疗救助服务。要坚持以住院救助为主，同时兼顾门诊救助。住院救助主要用于帮助解决因病住院救助对象个人负担的医疗费用；门诊救助主要帮助解决符合条件的救助对象患有常见病、慢性病、需要长期药物维持治疗以及急诊、急救的个人负担的医疗费用。

（四）合理制定补助方案。各地要根据当年医疗救助基金总量，科学制定医疗救助补助方案。逐步降低或取消医疗救助的起付线，合理设置封顶线，进一步提高救助对象经相关基本医疗保障制度补偿后需自付的基本医疗费用的救助比例。

三、简化程序，充分发挥医疗救助的便民救急作用

各级民政部门要会同卫生等部门，鼓励和推行定点医疗机构即时结算医疗救助费用的办法，民政部门可结合实际提供必要的预付资金。对于城乡低保家庭成员、五保户等医疗救助对象，凭相关证件或证明材料，到开展即时结算的定点医疗机构就医所发生的医疗费用，应由医疗救助支付的，由定点医疗机构及时结算，救助对象只需支付自付部分。定点医疗机构与民政部门要定期结算。对于申请医疗救助的其他经济困难人员，或到尚未开展及时结算的定点医疗机构就医的医疗救助对象，当地民政部门要及时受理，并按规定办理审批手续，使困难群众能够及时享受到医疗服务。

救助对象因治疗需要转诊至非定点医疗机构治疗的，应当由定点医疗机构出具转诊证明，由救助对象报当地县级人民政府民政部门核准备案。此外，各地要探索属于救助对象的流动就业人员异地就医的申报、审批和结算办法，方便困难群众就医。

各地在简化医疗救助操作程序的同时，要规范工作流程，完善服务管理，并建立健全医疗救助工作的民主监督机制，及时将医疗救助对象姓名、救助标准、救助金额等向社会公布，接受群众和社会监督，做到政策公开、资金公开、保障对象公开。

四、加强配合，做好医疗救助与相关基本医疗保障制度的衔接

各地在制定医疗救助制度实施方案时，要结合城镇职工基本医疗保险、城镇居民基本医疗保险与新型农村合作医疗制度的建立，统筹协调，更好地发挥各项制度的整体效能。要按照动态变化，全面准确掌握城乡低保家庭人数、五保户和经济困难家庭人员情况以及医疗服务需求，确定救助对象和救助方式。要通过对城镇居民基本医疗保险和新型农村合作医疗个人缴费部分的补助，使城乡低保家庭成员和五保户等经济困难家庭人员，能够享有相关基本医疗保障待遇；并帮助解决相关基本医疗保障起付线以下的自付部分。

对经相关保障制度补偿后个人负担医疗费用有困难的救助对象，要及时给予医疗救助。

加强医疗救助和城镇职工基本医疗保险、城镇居民基本医疗保险、新型农村合作医疗在经办管理方面的衔接，改进各项制度的结算办法，探索实行“一站式”管理服务，逐步实现不同医疗保障制度间人员信息、就医信息和医疗费用信息的共享，提高管理服务效率，方便困难群众。

五、加大资金投入力度，强化基金的管理

（一）多渠道筹集资金。要强化地方政府责任，地方各级财政特别是省级财政要切实调整财政支出结构，增加投入，进一步扩大医疗救助基金规模。中央财政安排专项资金，对困难地区开展城乡医疗救助给予补助。各地要动员和发动社会力量，通过慈善和社会捐助等，多渠道筹集资金。

（二）严格基金的管理和使用。县级财政部门要在社会保障基金财政专户中设立城市和农村医疗救助基金专账，办理医疗救助资金的筹集、拨付。县级民政部门要做好医疗救助资金的发放工作。要加强对城乡医疗救助基金的管理，在确保基金安全的前提下，做到基金收支基本平衡，略有结余。基金结余较多的地区，应积极采取措施，逐步降低基金结余率，到2011年，各地累计结余的资金一般应不超过当年筹集基金总额的15%，且要按规定及时结转下年使用，不得挪作他用。对于结余资金过多的，上级财政、民政部门应根据情况减拨或停拨补助资金。

六、加强协议监管，控制医疗费用不合理支出

各级民政部门要会同有关部门，建立医疗救助定点医疗机构的准入和退出机制，实行动态管理。定点医疗机构原则上在城镇居民基本医疗保险和新型农村合作医疗确定的范围内选择。各级卫生部门要加强对医疗救助定点医疗机构的监管，规范定点医疗机构的医疗服务行为和基本药物目录、诊疗目录的使用，鼓励并引导定点医疗机构优先、合理使用国家基本药物和适宜诊疗技术，控制医疗费用的不合理增长。民政部门要与定点医疗机构签订协议，明确双方责任、权利与义务，并严格履行。对不按规定目录用药、诊疗以及提供医疗服务所发生的医疗费用，城乡医疗救助基金不予结算。

七、加强组织领导，密切配合，确保医疗救助工作顺利开展

城乡医疗救助工作直接关系困难群众切身利益，是一项重大的民心工程，各地民政、财政、卫生、人力资源社会保障部门要在当地政府领导下，高度重视，各负其责，密切配合，共同抓好落实。民政部门要充分发挥医疗救助主管部门作用，做好政策研究制定和组织实施工作，做好医疗救助与社会慈善救助的衔接；财政部门要落实安排救助资金，加强对资金管理和使用情况的监督检查；卫生部门要做好困难群众参加新型农村合作医疗的服务管理工作，加强对定点医疗机构的监管；人力资源社会保障部门要做好困难群众参加城镇居民基本医疗保险的服务管理工作。

各省、自治区、直辖市要分别选择2～3个医疗救助工作示范点，示范点的选择要根据各地工作基础、领导重视程度、财政状况确定。开展城乡医疗救助示范工作的地区，要重点探索如何合理确定救助对象，探索切实可行的医疗救助资金支付方式和结算办法，简化申请审批程序，与相关保障制度搞好衔接等。各地要充分发挥示范点的引导作用，指导辖区内地方不断创新发展，强化管理，提高医疗救助工作实效。

省级民政、财政、卫生、人力资源社会保障部门要根据本意见的要求，结合当地实际，制定具体实施办法，抓好督促落实。工作进展中的情况和问题，请及时报上级有关部门。

民政部　公安部　财政部　住房城乡建设部　卫生部关于进一步加强城市街头流浪乞讨人员救助管理和流浪未成年人解救保护工作的通知

2009年7月16日　民发〔2009〕102号

各省、自治区、直辖市民政厅（局）、公安厅（局）、财政厅（局）、住房和城乡建设厅（市政管委、市容委、建委）、卫生（厅）局，新疆生产建设兵团民政局、公安局、财务局、建设局、卫生局：

自2003年8月《城市生活无着的流浪乞讨人员救助管理办法》颁布实施以来，在各级政府高度重视、有关部门支持配合下，救助管理工作总体上进展顺利。但是，一些城市街头流浪乞讨人员增多，组织、胁迫、诱骗、利用未成年人流浪乞讨和组织未成年人违法犯罪等侵害未成年人权益的现象严重，严重侵害公民权利、扰乱公共秩序、危害社会稳定。为进一步做好城市街头流浪乞讨人员救助和管理工作，维护流浪乞讨未成年人的合法权益，现通知如下：

一、充分认识做好街头流浪乞讨人员救助管理和流浪未成年人解救保护工作的重要意义

当前，我国经济社会快速发展，人民生活不断改善，社会保障制度逐步完善，但由于人口流动、家庭困难、意外事件、个体选择等原因，流浪乞讨现象仍有发生，特别是流浪未成年人存在被拐卖、拐骗，胁迫、诱骗、利用乞讨或从事违法犯罪活动，遭受摧残和虐待的现象。流浪未成年人是特殊社会弱势群体，需要全社会的关心和帮助。各级民政、公安、城管、卫生、财政部门一定要从广大人民群众根本利益出发，切实增强责任感和紧迫感，积极主动，各尽其职，多管齐下，打击震慑违法犯罪、教育警醒群众、弘扬正气。要始终坚持以人为本，狠抓落实，将这项工作作为深入学习贯彻落实科学发展观的重要举措，进一步做好流浪未成年人解救保护工作。

二、认真履行部门职责，协调配合做好落实工作

街头流浪乞讨人员救助、管理和解救、保护流浪未成年人工作，事关权利保护和社会稳定，涉及多个部门，具有很强的政策性。各级政府、各个部门要依照有关法律法规，认真履行各自职责，协调配合，齐心协力做好这一工作。

（一）民政部门要加强街头救助，协助配合公安、城管、卫生等部门做好街头管理和打击解救工作。

一是组织、指导、监督救助管理机构做好街头救助。劝导、引导街头流浪乞讨人员进入救助管理站接受救助，不愿入站的，根据其实际情况提供必要的饮食、衣被等服务；坚持“先救治，后救助”的原则，配合医疗机构做好街头流浪乞讨人员中的危重病人、精神病人、危险传染病人的救治工作。

二是坚持“先解救，后救助”的原则，配合公安机关做好被拐卖、拐骗、胁迫、诱骗、利用乞讨的残疾人、未成年人的调查、取证和解救工作。对于公安机关解救、护送来站的未成年人，救助管理站（流浪未成年人救助保护中心）要做好接收工作，福利机构做好婴幼儿临时代养工作。铁路公安机关解救的被拐卖未成年人，由乘车地救助管理站（流浪未成年人救助保护中心）接收，福利机构做好婴幼儿临时代养工作。对于受助未成年人，要利用指纹识别技术建立数字档案，配合公安机关做好救助管理机构、社会福利机构中未成年人的采血工作。

三是协助有关部门开展街头治理工作。民政部门在街头救助时，发现流浪乞讨人员滋扰他人，扰乱社会秩序，污损、占据公共设施妨害他人正常使用和破坏城市市容环境的，要向公安机关、城市管理部门提出执法建议。

四是强化站内服务和管理。要从维护受助人员权益出发，改善设施环境，实行人性化、亲情化服务，保障受助人员的基本生活。要把未成年人与其他救助对象分开，根据未成年人的特点，合理安排生活起居和文体娱乐、教育培训等活动。对残疾、智障、受到伤害或有心理问题的，积极进行医护和康复。加大站内人员和接领人的甄别、核查力度，防止未成年人被冒领冒认和犯罪分子藏匿其中。要做好站内安全防范工作，确保站内人员安全。

五是做好返乡、安置和流出地预防工作。要畅通受助人员返乡渠道，对父母或其他监护人无力接回的，经协商后可由救助管理机构接回或送回。对符合条件的安置对象，安置到社会福利机构，并积极探索社会代养、家庭寄养等社会安置模式。督促流出地人民政府将符合条件的返乡困难群众纳入社会保障范围，充分发挥村（居）委会等基层组织的作用，监督监护人履行监护义务，防范虐待、遗弃老年人、残疾人、未成年人，防范强迫其外出流浪。

六是鼓励和支持社会组织或个人为流浪乞讨人员提供庇护、饮食、衣被等帮助，探索开展社工干预、心理辅导、行为矫治、教育培训，帮助流浪乞讨人员回归家庭和社会。

（二）公安机关要强化街头管理和打击解救工作力度，协助民政、卫生部门做好街头救助和站内管理工作。

一是做好接、报警工作。接到群众举报线索，要快速出警，及时处理，做到件件有记录，件件有人管。坚持解救与打击并重的原则，及时开展调查工作，确保打击有力，解救到位。

二是强化立案工作。各级公安机关要本着对人民群众高度负责的态度，强化立案工作。凡是接到举报发现拐卖、拐骗、胁迫、诱骗、利用未成年人乞讨或组织未成年人违法犯罪的，接待民警要认真询问案情，及时出警，对涉嫌犯罪的分别按照拐卖儿童罪、拐骗儿童罪、组织儿童乞讨罪、组织未成年人进行违反治安管理活动罪立案侦查；构成违反治安管理行为的，依法给予治安管理处罚。

三是加强对街面等流浪乞讨人员主要活动场所的巡查。要加强对繁华街区、桥梁涵洞、地下通道、热力管线、废弃房屋、火车站、风景游览区等流浪乞讨人员集中活动和露宿区域的巡查。发现街头流浪乞讨人员中危重病人、精神病人的，要按照民政部、公安部、财政部《关于进一步做好城市流浪乞讨人员中危重病人、精神病人救治工作的指导意见》（民发〔2006〕6号）的要求，会同民政、卫生等部门救治。发现流浪未成年人的，护送到救助管理机构接受救助。发现利用婴幼儿或未成年人乞讨的，要现场取证，调查盘问。对无血缘关系、来历不明和疑似被拐卖、拐骗、组织、胁迫、诱骗、利用乞讨的，要控制犯罪嫌疑人，解救未成年人。对利用婴幼儿、未成年人乞讨的监护人，教育、警告后护送到救助管理站接受救助；构成犯罪的，依法追究刑事责任。

四是加强流浪乞讨儿童的采血和检验比对工作。对街头流浪乞讨和被组织从事违法犯罪活动的未成年人一律采血，经DNA检验后将数据录入全国打拐DNA数据库。各地在采血和检验比对工作中，不得以任何理由收取费用。

五是加大打击力度。要依法从重从快打击虐待和故意伤害流浪未成年人，以及拐卖、拐骗、组织、胁迫、诱骗、利用未成年人乞讨牟利或组织其进行违法犯罪活动的犯罪分子和团伙。认定是被拐卖、拐骗的未成年人，要立即解救，尽快送返其监护人身边。对暂时找不到其监护人的，护送到救助管理站接受救助，并继续查找其监护人。对亲生父母或其他监护人利用未成年人乞讨的，要予以批评教育，情节严重的，依照《治安管理处罚法》第四十一条规定，予以治安管理处罚；构成犯罪的，依法追究刑事责任。

六是做好有害乞讨行为的管理工作。协助民政部门开展街头救助，对流浪乞讨人员强讨恶要、滋扰他人、扰乱公共秩序、危害交通安全的行为依法处置。属于救助对象的，送救助管理机构救助。

七是协助救助管理站做好安全防范工作。有条件的地方可以结合社区警务布点，在救助管理站设立警务室或警务联络员。要依法严厉打击聚众闹事、结伙冲击、围攻救助管理站的违法犯罪活动，确保站内人员安全和工作秩序。

（三）城市管理部门要依法做好防范街头流浪乞讨人员影响市容环境卫生行为的管理工作，协助民政、卫生部门做好街头救助工作。

一是依法处置街头流浪乞讨人员占据、损毁公共设施妨碍他人正常使用的行为和随处涂画、制造噪音等破坏环境卫生等违反城市管理规定的行为。

二是协助民政部门做好街头救助工作。在街头执法发现流浪乞讨人员的，告知、引导、护送其到救助管理站接受救助。发现危重病人、精神病人的，联系医疗卫生部门救治。

（四）卫生部门负责流浪乞讨人员医疗救治工作。要按照《关于实施城市生活无着的流浪乞讨人员救助管理办法有关机构编制和经费问题的通知》（财社〔2003〕83号）和《关于进一步做好城市流浪乞讨人员中危重病人、精神病人救治工作的指导意见》（民发〔2006〕6号）规定，指定定点医疗机构，按照“先救治、后救助”的原则收治有关流浪乞讨人员。

（五）财政部门要做好对城市街头流浪乞讨人员救助、管理，以及对流浪未成年人解救保护的经费保障工作。要按照上述各部门职责任务和国家预算管理有关规定，将应由政府承担的救助、管理城市街头流浪乞讨人员，以及解救、保护流浪未成年人工作经费，分别列入有关部门预算给予保障。

三、健全机制，狠抓落实

（一）健全机制。各地要加强领导，统一认识，明确责任，协作配合，建立健全工作机制。要坚持“分级管理，条块结合”的原则，建立政府统一领导、部门分工负责、社会广泛参与的管理体制和运行机制，共同营造帮助街头流浪乞讨人员回归家庭、社会的良好氛围。

（二）狠抓落实。公安部决定将此项工作列入全国打击拐卖儿童妇女工作综治考核并列入刑侦工作绩效考核。民政部决定将此项工作列入全国民政系统社会治安综合治理工作考核内容，认真督查。对行动迟缓、工作不力，造成严重后果的单位和个人，将报请综治部门实行“一票否决制”并追究有关责任。

民政部　财政部关于调整部分优抚对象等人员抚恤和生活补助标准的通知

2009年10月27日　民发〔2009〕135号

各省、自治区、直辖市民政厅（局）、财政厅（局），新疆生产建设兵团民政局、财务局：

经研究，决定从2009年10月1日起调整部分优抚对象等人员抚恤和生活补助标准，现就有关问题通知如下：

一、提高残疾军人（含伤残人民警察、伤残国家机关工作人员、伤残民兵民工）的残疾抚恤金、烈属（含因公牺牲军人遗属、病故军人遗属）的定期抚恤金、在乡退伍红军老战士（含在乡西路军红军老战士、红军失散人员）的生活补助标准，调整后的标准见附件。

二、各地要按照《军人抚恤优待条例》规定，适当提高在乡老复员军人的生活补助标准，使其生活达到当地农村居民平均生活水平。中央财政在现行补助标准的基础上，每人每月增加70元。

三、各地要按照每人每月不低于200元、不高于十级残疾军人抚恤金标准的原则，调整带病回乡退伍军人生活补助标准，每人每月提高标准不低于70元。中央财政对北京、天津、上海、江苏、浙江、福建、广东、山东、辽宁等9个省（直辖市），补助标准调整为每人每月80元；对河北、山西、吉林、黑龙江、安徽、江西、河南、湖北、湖南、海南等10个省，补助标准调整为每人每月120元；对内蒙古、广西、重庆、四川、贵州、云南、西藏、陕西、甘肃、青海、宁夏、新疆等12个省（自治区、直辖市），补助标准调整为每人每月160元；对新疆生产建设兵团补助标准调整为每人每月200元。

四、对在农村的和城镇无工作单位且家庭生活困难的参战退役人员提高生活补助标准，每人每月提高70元，达到每人每月200元。中央财政对北京、天津、上海、江苏、浙江、福建、广东、山东、辽宁等9个省（直辖市），补助标准调整为每人每月80元；对河北、山西、吉林、黑龙江、安徽、江西、河南、湖北、湖南、海南等10个省，补助标准调整为每人每月120元；对内蒙古、广西、重庆、四川、贵州、云南、西藏、陕西、甘肃、青海、宁夏、新疆等12个省（自治区、直辖市），补助标准调整为每人每月160元；对新疆生产建设兵团补助标准调整为每人每月200元。

五、对不符合评残和享受带病回乡退伍军人生活补助条件，但患病或生活困难的农村和城镇无工作单位的原8023部队退役人员，以及其他参加核试验军队退役人员提高生活补助标准，每人每月提高70元，达到每人每月200元。中央财政对北京、天津、上海、江苏、浙江、福建、广东、山东、辽宁等9个省（直辖市），补助标准调整为每人每月80元；对河北、山西、吉林、黑龙江、安徽、江西、河南、湖北、湖南、海南等10个省，补助标准调整为每人每月120元；对内蒙古、广西、重庆、四川、贵州、云南、西藏、陕西、甘肃、青海、宁夏、新疆等12个省（自治区、直辖市），补助标准调整为每人每月160元；对新疆生产建设兵团补助标准调整为每人每月200元。

六、对建国前加入中国共产党的农村老党员和未享受离退休待遇的城镇老党员调整生活补贴标准，每人每月提高70元，补助标准调整为：1937年7月6日前入党，达到每人每月370元；1937年7月7日至1945年9月2日入党的，达到每人每月310元；1945年9月3日至1949年9月30日入党的，达到每人每月230元。已享受优抚对象抚恤补助的老党员，不执行上述补贴标准，仍按每人每月50元标准发给生活补贴。已对老党员实行定额补贴的地方，补贴标准低于上述标准的，按照补差原则发给补贴；补贴标准高于上述标准的，仍按原补贴标准发给补贴。中央对北京、天津、上海、江苏、浙江、福建、广东等7省（直辖市），按上述补助标准的25%安排补助资金；对其他省（自治区、直辖市）按上述补助标准的50%安排补助资金。

七、此次调整所需中央补助经费，由中央财政核拨专款另行下达。地方各级民政、财政部门要落实地方应安排的资金，切实加强资金管理，保证及时、准确、足额地把抚恤金和生活补助费发放到优抚对象等人员手中。

附件：残疾军人、伤残人民警察、伤残国家机关工作人员、伤残民兵民工残疾抚恤金标准表（略）

民政部　财政部　人力资源和社会保障部　中国残疾人联合会关于进一步加强和规范基层残疾人组织建设的意见

2009年9月16日　残联发〔2009〕13号

各省、自治区、直辖市及新疆生产建设兵团民政厅（局）、财政厅（局）、人力资源社会保障（人事、劳动保障）厅（局）、残疾人联合会：

为深入贯彻《中共中央、国务院关于促进残疾人事业发展的意见》（中发〔2008〕7号）（以下简称中央7号文件）关于"加强各级残联的建设，健全基层残疾人组织，解决好人员待遇问题，为残疾人工作提供有力的组织保障"、"农村基层组织要抓好残疾人工作落实"、"培育基层残疾人工作者队伍，提高为残疾人服务的能力"和国务院残工委《关于进一步加强基层残疾人组织建设的意见》（残工委〔2005〕4号）文件精神，为推进残疾人社会保障体系和服务体系建设提供组织保障，现就进一步加强和规范基层残疾人组织建设提出以下意见。

一、基层残疾人组织是发展残疾人事业的基础和保障

（一）**加强基层残疾人组织建设的重要意义**。多年来，在各级党委、政府的高度重视下，我国基层残疾人组织体系逐步建立，为各项残疾人工作的深入开展搭建了可靠的网络平台，为完成各项工作任务提供了坚实的组织基础和队伍保障，在协助政府、动员社会、改善残疾人民生、推动残疾人事业发展等方面发挥了不可替代的作用。然而，目前我国基层残疾人组织建设仍面临很多困难和问题，县级残联机构设置和职责功能仍不完善，乡镇（街道）残联组织建设仍较薄弱，村（社区）残疾人组织仍不健全，特别是40%的农村还没有残疾人组织，基层残疾人工作者队伍建设仍有较大差距，为残疾人服务的能力和水平亟待提高。进一步加强和规范基层残疾人组织建设，是贯彻党中央、国务院关于进一步促进残疾人事业发展战略部署的重要举措，是坚持以人为本、全面落实科学发展观的重要内容，是构建社会主义和谐社会的客观需要，是推进残疾人社会保障体系和服务体系建设的组织保障。

（二）**加强和规范基层残疾人组织建设的总体要求**。坚持邓小平理论和“三个代表”重要思想，深入贯彻落实科学发展观，按照国务院残疾人工作委员会关于“机构健全规范、队伍稳定实干、服务功能完善”的要求，以进一步建立健全并规范县（市、区）、乡（镇、街道）、村（社区）基层残疾人组织为主线，以选聘一支爱岗敬业、稳定实干的乡（镇、街道）、村（社区）残疾人专职委员队伍为重点，以落实残疾人社会保障体系和服务体系建设为内容，以发挥基层组织作用，提升服务能力，完善服务功能为目标，全面加强基层残疾人组织建设，为残疾人事业在新的起点上又好又快发展夯实基础、提供保障。

二、健全和规范基层残疾人组织机构

（三）**纳入城乡基层组织建设规划大局**。各地要按照中央7号文件精神，加强各级残联的建设，健全基层残疾人组织，解决好人员待遇问题，为残疾人工作提供有力的组织保障；在开展城乡社区建设和社会主义新农村建设的同时，要充分考虑残疾人和残疾人组织的特殊性，将基层残疾人组织建设纳入整体工作范畴，给予积极指导和支持，统筹安排，同步发展。

（四）**进一步加强和规范基层残疾人组织建设**。县（市、区）残联计划单列，机构设置、编制要适应工作需要，理事长为专职，机关工作人员参照《中华人民共和国公务员法》管理。乡（镇、街道）残联设在编的专职理事长主持日常工作，要从主席团委员中至少选聘一名残疾人委员作为专职委员（专干）协助理事长开展工作。村（社区）要成立残协，要从残协委员中选聘一名残疾人委员作为专职委员协助村（社区）残协主席开展工作。地方各级政府要根据本地实际，统筹兼顾，整合资源，抓好基层残疾人工作者队伍建设，为基层残疾人组织开展工作提供必要条件，切实发挥基层残疾人组织的作用。

三、建设稳定实干的基层残疾人工作者队伍

（五）**加强基层残疾人工作者队伍建设**。要将基层残联干部队伍建设纳入当地干部队伍和人才队伍建设的整体规划，做好残疾人干部的选拔、培养和配备工作。残疾人专职委员队伍作为社会工作人才队伍的重要组成部分，要按照国家有关规定进行管理。残疾人专职委员要由各类残疾人担任。残疾人专职委员应按就地就近和公开、公平、公正的原则通过民主推选或公开招聘的形式选聘，坚持绩效考评和残疾人评价相结合的方式进行考核，实行能进能出的动态管理方式。各级残联机关及直属单位可优先从残疾人专职委员中招考选录工作人员。

（六）**开发基层社会管理和公共服务岗位**。各地要根据本地实际开发乡（镇、街道）残疾人专职委员（专干）和村（社区）残疾人专职委员等适合残疾人就业的岗位，优先招用高校残疾人毕业生就业。对符合公益性岗位就业条件并在公益性岗位就业的高校残疾人毕业生，按规定给予岗位补贴、社会保险补贴等。

（七）**落实经费保障和人员待遇**。要逐步加大对基层残疾人组织的工作经费投入。根据当地实际，按照费随事转的原则，妥善解决好残疾人专职委员的待遇问题，将专职委员的工作补贴或误工补贴经费、教育培训经费按规定纳入当地财政预算。要将残疾人专职委员的选聘工作纳入再就业等工程。专职委员按规定纳入城乡社会保险和社会救助范畴。

（八）**切实提高服务能力**。建立分级培训机制，加强以岗前培训、定期轮训为主的多种形式相结合的教育培训工作，积极建立有利于残疾人专职委员队伍健康发展的长效工作机制，努力提高残疾人专职委员队伍素质和为残疾人提供服务的能力。

四、完善和发挥基层残疾人组织的服务功能

（九）**认真履行基层残疾人组织职责**。基层残疾人组织要明确并公布机构职能、服务内容以及残疾人专职委员工作职责，建立残疾人代表参与的工作评价机制；要充分发挥政府和残疾人之间的桥梁纽带作用，切实改进工作作风，严格恪守"人道、廉洁、服务、奉献"职业道德，密切与残疾人的血肉联系；要代表残疾人利益，反映残疾人呼声，解决残疾人的困难和问题，维护残疾人合法权益，全心全意为残疾人服务。

（十）**落实两个体系建设具体要求**。立足基层，结合实际，全面落实残疾人社会保障体系和服务体系建设的具体要求。详细掌握本辖区残疾人基本情况，按照残疾人的不同需求，提供针对性的服务。通过直接或转介形式做好残疾人生活保障、康复、教育、就业、扶贫解困、维权、文体生活、辅助器具供应、志愿者助残等工作，建立工作档案。建立服务跟踪和评价制度以及相关指标体系，确保服务质量和效果。要进一步科学规划各种基础设施的功能设置，完善服务内容，提高服务质量，真正成为残疾人之家。

中国残联办公厅　财政部办公厅关于印发贫困残疾儿童抢救性康复项目实施方案及配套实施办法的通知

2009年11月18日　残联厅发〔2009〕20号

各省、自治区、直辖市残联、财政厅（局），新疆生产建设兵团残联、财务局：

为贯彻落实《中共中央　国务院关于促进残疾人事业发展的意见》（中发〔2008〕7号）精神，优先开展残疾儿童抢救性治疗和康复，使贫困残疾儿童得到康复救助。中央财政安排专项补助资金，支持各地实施"贫困残疾儿童抢救性康复项目"。为保证该项目顺利实施，特制定《贫困残疾儿童抢救性康复项目实施方案》。现将实施方案及配套实施办法印发给你们，请认真贯彻执行。

附件：贫困残疾儿童抢救性康复项目实施方案

附件：

贫困残疾儿童抢救性康复项目实施方案

为贯彻落实《中共中央　国务院关于促进残疾人事业发展的意见》（中发〔2008〕7号）文件精神，优先开展残疾儿童抢救性治疗和康复，使贫困残疾儿童得到康复救助。2009～2011年，中央财政安排专项补助资金，支持各地实施"贫困残疾儿童抢救性康复项目"。为保证该项目顺利实施，特制定《贫困残疾

儿童抢救性康复项目实施方案》。

一、资助对象

资助对象为符合条件的城乡有康复需求的贫困残疾儿童（单项救助条件详见附件），其中优先资助城乡低保家庭的贫困残疾儿童。

二、资助范围与资助数量

资助范围：

——视力残疾儿童：为贫困视力残疾儿童配发助视器。

——听力语言残疾儿童：为贫困聋儿购置配发人工耳蜗，并补贴人工耳蜗手术和术后康复训练经费；为贫困聋儿购置配发助听器并补贴康复训练经费。

——肢体残疾儿童：为贫困肢体儿童配置矫形器、轮椅、坐姿器、站立架、助行器等辅助器具；为贫困肢体残疾儿童提供康复训练经费。

——智力残疾儿童：为贫困智力残疾儿童提供康复训练经费。

——孤独症儿童：为贫困孤独症儿童提供康复训练经费。

资助数量：

——视力残疾儿童：为贫困视力残疾儿童免费配发低视力助视器2 700件，总计金额120万元。

——听力语言残疾儿童：为1 500名贫困聋儿配发人工耳蜗产品，补贴人工耳蜗手术和术后康复训练经费，总计金额18 900万元；为9 000名贫困聋儿配发助听器，并补贴康复训练经费，总计金额22 320万元。以上共计41 220万元。

——肢体残疾儿童：为贫困肢体残疾儿童提供康复训练9 000人次，总计金额9 000万元；为贫困肢体残疾儿童免费配发矫形器、轮椅、坐姿器、站立架、助行器等辅助器具共18 000件，总计金额2 160万元。

——智力残疾儿童：为贫困智力残疾儿童提供康复训练15 000人次，总计金额15 000万元。

——孤独症儿童：为贫困孤独症儿童提供康复训练3 600人次，总计金额3 600万元。

（分项目资助标准详见附件）

三、组织管理与项目实施

（一）组织管理

中国残联和各省残联有关业务部门负责项目的组织与实施。

（二）职责分工

——中国残联负责制定项目总体规划，下达任务指标；指导各地制定项目实施方案；协调解决项目实施中的重要问题；会同财政部检查、监督各地项目执行进度和质量；组织有关部门和专家对项目执行情况进行考核评估；审核项目任务完成情况，报财政部批准下拨康复训练经费；开发管理项目数据库；统计汇总相关数据和资料。

——财政部配合中国残联研究制定项目实施方案；研究制定项目资金管理办法；审核补助资金分配方案并下拨资金；配合中国残联对资金使用情况、项目完成情况进行监督与检查。

——各省（自治区、直辖市）残联会同本省财政部门依据《贫困残疾儿童抢救性康复项目实施方案》及实施办法制定本省的项目实施方案，报中国残联备案；负责组织实施本省项目工作，做好项目申报、审批、数据统计、检查验收等工作。

——各省（自治区、直辖市）财政部门配合省级残联制定本省实施方案；研究制定本省项目资金管理办法；及时拨付资金；配合省级残联对资金使用情况、项目完成情况进行监督与检查。

（三）项目实施

——受助对象的申请和审核。各地要按照中国残联贫困残疾儿童抢救性康复项目实施方案及各单项实施办法的要求，必须由项目受助儿童监护人提出申请，项目执行地区残联会同有关部门认真审核确定资助对象，确保贫困残疾儿童得到资助。

——实施康复救助。各级残联要协调有关部门将已确定的资助对象，安排至有资质的康复机构进行康复训练，确保康复训练质量和效果。

——督导检查。各地和各项目执行单位要负责项目的经常性检查，中国残联及各省负责组织阶段性检查，及时发现解决问题，总结推广经验。各省残联按照中国残联要求上报项目执行报告。

——信息收集与统计。《贫困残疾儿童抢救性康复项目数据库管理系统》采用基于网络的数据采集模式，各地残联可通过互联网完成数据的在线录入，实时审核和监控等功能，数据由中国残联集中管理。各项目具体执行单位按照《实施办法》的要求，定期录入受助儿童接受康复救助相关信息；中国残联各项目执行负责单位会同各省残联负责及时对数据的真实性、准确性和完整性进行审核，并于每年7月30日前将审核后的上一年度数据库上报中国残联信息中心。中国残联康复部负责监督项目进展。各省（自治区、直辖市）残联和项目执行单位负责做好项目资料（包括文字、图片及声像资料）的收集、积累、存档。

四、工作要求

（一）高度重视，精心组织。各级残联要高度重视项目实施工作，具体研究制定项目实施方案，解决项目实施中的问题及困难。建立科学的项目管理制度，确保按规定做好救助对象的筛选和辅助器具的配发等工作。集中做好项目的部署、培训，确保项目执行地区、执行机构的人员掌握项目管理要求，精通服务技术。要建立公示制度，定期向社会公布项目救助情况。

（二）规范管理，专款专用。加强项目管理，各项目执行地区残联及相关康复机构要有专人负责项目管理，建立专门档案，确保相关档案资料完备。同时，加强项目资金管理，项目经费不得用于项目实施方案规定以外的用途。对弄虚作假、违反项目实施原则或挤占、挪用项目资金的单位，要追究有关人员的责任，限期收回资金。

（三）加强宣传，广泛动员。各地要主动协调宣传部门，通过广播、电视、报刊、网络等各种新闻媒体宣传项目的意义、资助内容和申请办法，及时宣传报道项目开展情况和受助效果。通过举办项目启动仪式、组织慰问受助残疾儿童等活动，让全社会更多地了解、关注和扶助贫困残疾儿童。同时要及时收集各方面宣传资料，建立专门的项目宣传档案。

（四）严格督导，保证质量。中国残联会同财政部根据项目实施进度，组织检查评估。各地要建立项目评估考核工作制度，定期检查了解项目实施情况，对发现的问题要指导基层及时整改，问题严重的，要及时上报中国残联。

各地要以贫困残疾儿童抢救性康复项目的实施为契机，加大残疾儿童康复救助力度，积极推动贫困残疾儿童康复救助工作，建立长效工作机制。

附件：1. 贫困聋儿（人工耳蜗）抢救性康复项目实施办法
2. 贫困聋儿（助听器）抢救性康复项目实施办法
3. 贫困肢体残疾儿童抢救性康复项目实施办法
4. 贫困智力残疾儿童抢救性康复项目实施办法
5. 贫困孤独症儿童抢救性康复项目实施办法
6. 贫困残疾儿童（辅助器具适配）抢救性康复项目实施办法

附件1：

贫困聋儿（人工耳蜗）抢救性康复项目实施办法

为贯彻落实《中共中央　国务院关于促进残疾人事业发展的意见》，使家庭无力接受人工耳蜗植入和康复的重度、极重度听障儿童重建听力，享有康复，中央财政安排专项补助资金为听障儿童免费植入人工耳蜗并提供术后康复训练经费。为保证救助项目顺利实施，根据《贫困残疾儿童抢救性康复项目实施方案》，制定《贫困聋儿（人工耳蜗）抢救性康复项目实施办法》。

一、任务目标

——2009～2011年为1 500名救助对象实施人工耳蜗植入手术，2012年底前完成术后康复训练任务。

——2009年度完成500名救助对象的筛选、手术和康复安置工作。各省按照中国残联下达的救助分配指标保质保量完成任务（附1）。

——2010年度、2011年度救助指标根据各省2009年度任务完成情况，另行制定下发。

二、资助条件

——年龄：1～5周岁，小年龄优先。

——听力损失为重度聋以上，医学检查无手术禁忌症，听觉器官发育正常，无脑性麻痹，无蜗后病变，精神、智力及行为发育正常。

——家长对人工耳蜗有正确的认识和适当的期望值；家庭有能力配合并保证救助对象在定点康复机构至少接受一年的康复训练。

——实行分类救助。鼓励地方多渠道筹集资金，用于贫困家庭聋儿的术后调机、长期的康复训练和耳蜗设备长期维护等补贴。在同等条件下，优先对贫困家庭聋儿救助。

三、资助标准

（一）人工耳蜗产品

由中央财政按照10万元标准免费为每名救助对象提供基本型人工耳蜗产品1台。

（二）手术费用

手术费（含术前检查费用）由中央财政按每人12 000元标准给予补助。

（三）康复训练费用

由中央财政按每人14 000元标准资助术后一年的康复训练费。康复训练经费的列支项目包括：救助对象的听力补偿效果评估、术后康复训练、康复评估、家长培训、康复教材、食宿等项费用。

四、工作体系

（一）组织管理体系

——中国残联会同财政部负责协调解决项目实施中的重大问题；检查、督导各地项目执行进度；监管各地资金使用；考核评估项目执行成效；会同卫生部确定定点手术医院，监管医疗服务质量。

——中国聋儿康复研究中心负责项目的组织实施、定点康复机构的评估认定和康复服务质量监管。

——各省残联会同同级财政部门制定本省项目实施方案，做好受助聋儿的组织、筛查、公示、推荐、申报、术后康复安置、档案和数据统计上报、项目质量监控、资金使用监管、检查验收评估工作的组织实施。

（二）技术服务体系

——项目专家委员会

中国聋儿康复研究中心聘请临床医学、听力学、康复教育等相关学科专家成立项目专家委员会，负责制定项目相关技术标准、定点机构资质认定标准；负责项目实施成效评估；负责疑难病例的会诊；承担项目技术培训、指导和相关科研工作。

——技术实施机构

1. 定点筛查机构

各省级残联会同卫生部门共同确定筛查机构，完成救助对象的初筛工作。

2. 定点医院

——定点医院承担救助对象的复筛、植入手术、开机调试任务。

——医院按照《定点医院认定标准》提出书面申请，经省级卫生行政部门审核后，上报中国聋儿康复研究中心，中国残联与卫生部共同组织专家评估认定。

3. 定点康复机构

——定点康复机构承担救助对象的术后康复安置和跟踪随访。

——各省级残联按照《贫困聋儿（人工耳蜗）抢救性康复项目定点康复机构认定管理办法》（附2），推荐定点康复机构，经中国聋儿康复研究中心评估认定后承担项目任务。

——省残联负责省内定点康复机构管理、技术培训和项目服务质量监管。

4. 产品服务机构

由各人工耳蜗产品供应商客户服务中心负责救助对象的产品售后服务工作。服务内容包括产品使用及保养的技术培训、维修和零配件更换，以及有关产品的咨询和其他服务。

五、工作流程

（一）申请与初筛

——各省残联按照中国残联下达的救助指标，遵照“公开、公平、公正”的原则组织救助的申请、登记和推荐。

——家长提出申请，由定点筛查机构依据《贫困聋儿（人工耳蜗）抢救性康复项目救助对象筛选标准和筛查内容》（附3），对申请者进行初筛，符合筛选标准的推荐上报中国聋儿康复研究中心。

——对于上报不全、不符合要求的申报材料，中国聋儿康复研究中心将通知各省补报，逾期不补报者，视为自动放弃。

——如各省筛查工作影响项目整体实施进度，将对其指标进行调整。

推荐上报材料包括：

1.《贫困聋儿（人工耳蜗）抢救性康复项目申请汇总表》（附4）

2.《贫困聋儿（人工耳蜗）抢救性康复项目救助申请表》的书面材料和电子版数据（具体要求和表格请登录 http：//www. chinadeaf. org 下载）

——中国聋儿康复研究中心组织专家对申请材料进行审核，将审核结果和相应的产品分配通知各省残联。

（二）复筛与救助

——各省残联将初筛审核结果告知监护人，对进入复筛的救助对象名单及其家庭信息进行为期7个工作日的公示。

——各省残联为公示无异议的申请者确定耳蜗产品的型号，组织救助对象监护人与定点康复机构签订康复安置协议，做好家长告知及术前培训工作，同时将公示、产品分配和康复安置结果一并报中国聋儿康复研究中心。

——中国聋儿康复研究中心按照就近原则，安排救助对象前往定点医院进行复筛，复筛通过者可安排手术，未通过者不得手术。定点医院将复筛和手术结果上报中国聋儿康复研究中心。

——中国聋儿康复研究中心将最终复筛和手术结果通知各省残联，以便及时安排康复训练。

（三）手术与开机

——救助对象监护人与定点医院签订手术同意书。

——救助对象按照定点医院安排的时间接受人工耳蜗植入手术。

——救助对象按照定点医院安排的时间开机和调试。

（四）安置与康复

——各省残联负责在救助对象开机后2周内将其安置到协议定点康复机构。

——定点康复机构向救助对象提供不少于1年的适宜、有效的康复服务，并对救助对象进行为期不少于3年的走向和成效跟踪。

其中3~5岁的救助对象须在定点康复机构接受至少1年的全日制康复训练，每天单训不少于30分钟；3岁以下或入普幼、普小的救助对象可采取亲子同训、预约单训或家庭指导等方式接受至少1年的非全日制康复训练，非全日制康复训练每周不少于3次，每次不少于1小时（包含家长指导），确保康复质量。

——定点康复机构按项目要求做好教学记录和康复档案填报工作。

（五）产品管理与服务

——本项目所需的人工耳蜗产品实行政府采购，由中国残联负责采购管理、监督及审批等事项；中国聋儿康复研究中心负责采购活动的具体组织实施。

——中国聋儿康复研究中心负责将人工耳蜗产品配送至各定点医院。

——定点医院做好产品的验收、入库、储备和管理工作，做好与救助对象监护人的产品领取登记和交接工作。

——各人工耳蜗产品供应商向救助对象监护人提供产品咨询、维修和配件更换服务以及人工耳蜗产品使用培训。

（六）档案上报

——各省残联严格按照项目要求做好救助对象康复安置和阶段康复效果评估和数据、档案上报工作。（具体要求和相应表格请登录 http：//www. chinadeaf. org 项目专栏下载）

——各定点医院严格按照项目要求及时做好产品交接登记、复筛、手术、开机结果的上报工作。（具体要求和相应表格请登录 http：//www. chinadeaf. org 项目专栏下载）

六、经费管理

——产品购置费按照采购合同分别由国库直接支付或中国残联授权支付产品供应商。

——手术费由中国聋儿康复研究中心根据定点医院上报的救助对象手术、产品交接和费用补贴知情材料进行审核、统计，报中国残联审批，由中国残联每年定期拨付至定点医院。同时，由中国聋儿康复研究中心将手术救助情况抄送有关省残联，以便及时安排康复训练。

——康复训练费由中国聋儿康复研究中心根据各省残联上报的救助对象康复安置、阶段康复评估和康复费用补贴知情材料进行审核、统计，报中国残联审批，由中国残联定期拨付有关省残联，由省残联转拨至定点康复机构。定点聋儿康复机构负责将救助对象接受康复训练经费救助的情况填入《贫困聋儿（人工耳蜗）抢救性康复项目救助卡》（附5），卡中的每项救助内容必须由救助对象法定监护人签字确认。《贫困聋儿（人工耳蜗）抢救性康复项目救助卡》由定点聋儿康复机构存档，作为项目核查的重要依据。

——手术费和康复训练费必须严格按照指定用途使用，严禁挤占、截留、挪用。

——省残联每年在12月15日和次年的7月30日向中国聋儿康复研究中心上报本省各定点康复机构每半年康复训练经费使用情况及抽查结果。

七、评估与验收

项目考核评估内容包括：项目组织管理、筛查、植入手术、产品管理、康复安置及成效、档案上报、经费管理和使用、项目宣传、家长知情满意度等方面。

——中国聋儿康复研究中心组织相关部门和专家不定期对项目执行情况进行评估，评估结果作为下一年度救助指标审批的依据。

——中国残联会同财政部、卫生部等部门适时对项目执行情况进行检查、评估、验收。

附：1. 贫困聋儿（人工耳蜗）抢救性康复项目任务分配表（2009年度）

2. 贫困聋儿（人工耳蜗）抢救性康复项目定点康复机构认定管理办法

2-1. 贫困聋儿（人工耳蜗）项目定点康复机构认定标准

2-2. 贫困聋儿（人工耳蜗）项目定点康复机构申报表

2－3. 贫困聋儿（人工耳蜗）项目定点康复机构审批表

3. 贫困聋儿（人工耳蜗）抢救性康复项目救助对象筛选标准和筛查内容

4. 贫困聋儿（人工耳蜗）抢救性康复项目申请汇总表

5. 贫困聋儿（人工耳蜗）抢救性康复项目救助卡

附 1：

贫困聋儿（人工耳蜗）抢救性康复项目任务分配表（2009 年度）

地区	救助指标分配数量（名）
北京	20
天津	3
河北	25
山西	15
内蒙古	13
辽宁	17
吉林	11
黑龙江	15
上海	3
江苏	16
浙江	12
安徽	30
福建	12
江西	16
山东	35
河南	45
湖北	25
湖南	20
广东	15
广西	20
海南	3
重庆	10
四川	25
贵州	10
云南	19
西藏	1
陕西	30
甘肃	10
青海	5
宁夏	6
新疆	13
总计	500

附2：

贫困聋儿（人工耳蜗）抢救性康复项目定点康复机构认定管理办法

第一章 总 则

第一条 贫困聋儿（人工耳蜗）项目是指中国残联组织实施的听障儿童人工耳蜗植入与康复训练的项目。

第二条 中国残联委托中国聋儿康复研究中心负责项目的组织实施。中国聋儿康复研究中心具体负责评估认定各级定点康复机构，监管定点康复机构服务质量。

第三条 定点康复机构包括省级和省级以下基层聋儿康复机构。定点康复机构承担救助对象术后康复训练任务及术后康复跟踪指导。

第四条 各省残联负责省内各级定点康复机构管理、技术人员培训、救助对象术后康复安置落实及康复质量监控。

第二章 认定程序

第五条 申请 各级康复机构遵照《定点康复机构认定标准》（附2－1），填写《定点康复机构申报表》（附2－2），提出书面申请，经省残联审核推荐，填写《定点康复机构审批表》（附2－3），上报中国聋儿康复研究中心。

第六条 认定 中国聋儿康复研究中心组织专家对申请机构进行评估。

评估结果完全达标的机构，颁发证书并颁牌予以认定，安排项目康复安置任务。

评估结果未完全达标但具有一定康复能力的机构，项目酌情安排康复安置任务，并对其实施为期一年的整改考察。

第三章 工作职责

第七条 省级定点康复机构 承担本机构救助对象的康复安置任务和术后康复跟踪指导，同时承担省内基层定点康复机构的技术指导、人员培训以及救助对象康复质量考评工作。

第八条 基层定点康复机构 承担本机构救助对象的术后康复训练任务和术后跟踪指导，并接受省级定点康复机构的技术指导和质量评估。

第四章 工作要求

第九条 成立项目工作组 定点康复机构要成立由机构负责人担任组长的项目工作组，全面协调人、财、物资源，保障本机构康复安置工作的顺利开展。项目工作组设立教学管理和质量评估小组，教学管理组负责康复教学规范的推行和教学评价，质量评估组负责康复效果评估、救助对象走向跟踪和项目档案管理与上报工作。

第十条 落实康复安置任务 定点康复机构需在救助对象开机后2周内对其进行康复安置，向救助对象提供不少于1年的适宜、有效的康复服务，并对救助对象进行为期不少于3年的走向和成效跟踪。

其中3～5岁的救助对象须在定点康复机构接受至少1年的全日制康复训练，每天单训不少于30分钟；3岁以下或入普幼的救助对象可采取亲子同训、预约单训或家庭指导等方式接受至少1年的非全日制康复训练，非全日制康复训练每周不少于3次，每次不少于1小时（包含家长指导），确保康复质量。

第十一条　规范康复教学组织实施　定点康复机构要按照特质鉴别、教学目标制定、教学内容选择、康复安置策略、活动方案设计、教学计划编排、教学准备、教学推行、教学评价、教学效果判定的康复教学组织推行工作流程，规范各环节的操作行为，为每名救助对象指定责任教师，提供优质康复服务，原则上责任教师不得随意更换。

第十二条　加强康复质量监控　动态监控康复教学质量，加强教学研讨，及时调整、改进教学策略和教学手段，确保康复质量。

第十三条　培训康复技术人员　定点康复机构须加强技术人员的康复技术培训，不断提高人工耳蜗康复服务能力和服务水平，全面保证康复质量。承担项目工作技术人员每年至少参加1次国家级或省级技术培训，并接受培训考核。

第十四条　重视家长培训　承担任务机构要重视家长的培训和对项目救助内容的知情告知，使家长对项目救助知情达100%，并履行相关承诺，积极配合做好康复训练。

第十五条　严格经费管理　承担任务机构须严格按照项目实施方案指定用途使用康复训练经费，按照“拨入专款、拨出专款、专款支出”等会计科目进行核算，专款专用，单独列支，并主动接受财政、审计、监察等部门的监督和审计。

第五章　管理办法

第十六条　签署责任书　承担康复任务机构均须签订责任书。

第十七条　项目质量考评

——**省级定点康复机构**　接受中国聋儿康复研究中心对项目实施质量的考核评估，考核结果将作为本省下一年度救助任务分配的重要依据。基层定点康复实施质量作为对省级定点康复机构考评指标之一。

——**基层定点康复机构**　接受省残联对项目实施质量的考核评估以及中国聋儿康复研究中心的质量抽评。考评和抽评综合评定结果作为省残联对省内定点康复机构下一年度任务分配的重要依据。

第十八条　在考核评估和质量抽评过程中，若发现项目经费违规使用、救助对象流失、机构服务满意度低、康复教学质量差等问题，限期整改，如规定时限内复查仍不合格，取消定点康复机构资格。

附则：本办法由中国聋儿康复研究中心负责解释。

附2－1：

贫困聋儿（人工耳蜗）项目定点康复机构认定标准

省级定点康复机构认定标准

省级定点康复机构认定标准是指在符合《省级聋儿康复中心建设标准》基础上，开展聋儿（人工耳蜗）项目工作省级聋儿康复中心必须达到的基本标准。

一、必备的业务职能

（一）普及人工耳蜗知识

1. 为患者提供人工耳蜗技术咨询。

2. 为本省专业技术人员和家长提供人工耳蜗知识培训。

（二）术前术后评估

1. 具有对适应症患者进行术前筛查和术后康复评估的服务能力，包括小儿听力测试、助听听阈测试、听觉能力评估、言语能力评估、学习能力和精神行为发育评估。

2. 具有参与术前、术后疑难病例会诊的能力。

(三) 术后调机

听力学专业人员接受培训后，具备独立开展人工耳蜗术后调试的能力。

(四) 术后训练

1. 已具备按照聋儿特点和需求，采用适宜、有效的安置方式开展术后康复训练，如耳蜗班、亲子同训、预约单训、家庭康复指导等。

2. 已建立规范的康复教学工作流程。

3. 已建立康复质量评价体系。

4. 已开展聋儿随班就读长期跟踪指导、评估工作。

(五) 档案管理

1. 已建立耳蜗患者术前咨询、评估及术后康复教学、评估的文字、图片和音像档案。

2. 能够按照项目要求定期提供受赠者康复档案及有关材料。

(六) 技术指导和质量评估

承担对省内基层定点康复机构的技术指导和培训、项目质量评估。

二、人员岗位要求

(一) 项目管理人员

1. 岗位职数：1名。

2. 岗位职责：

(1) 负责项目救助对象的术后康复安置工作。

(2) 负责项目实施质量评价及管理工作。

3. 人员要求：

(1) 了解听力学、康复教育以及人工耳蜗相关知识。

(2) 承担康复机构业务管理工作，有一定的业务管理和协调能力。

(3) 经过国家项目管理专项培训。

(二) 听力技术人员

1. 岗位职数：不少于2名。

2. 岗位职责：承担项目小儿听力测试、助听器验配与评估、听觉言语测试、儿童精神行为筛查和术后调机工作。

3. 人员要求：

(1) 大专以上文化程度，具有听力学教育背景或经过听力学专项技能培训，掌握小儿听力学知识及人工耳蜗相关知识的专业技术人员。

(2) 具备小儿听力学评估（纯音测听、视觉定向反应测听、行为观察反应测听、游戏测听）及人工耳蜗调试能力。

(3) 具备听觉言语评估、智力测试和精神行为评估能力。

(4) 经项目认定的专项技能培训考试合格。

(三) 康复教师

1. 岗位职数：康复教师与术后在训聋儿配比不低于1:4，其中至少有1名通过培训取得国家AVT合格证书。

2. 岗位职责：承担救助对象术后康复教学及评估工作。

3. 人员要求：

(1) 具有人工耳蜗术后听觉言语康复训练和教学评价能力。

(2) 具有听觉言语康复评估能力。

（3）具有家庭康复指导及培训家长的能力。

（4）经项目专项技能培训考试合格或具有1年以上人工耳蜗康复教学经验。

（四）言语矫治

1. 岗位职数：不少于1名。

2. 岗位职责：承担人工耳蜗术后康复言语矫治工作。

3. 人员要求：

（1）具有人工耳蜗术后康复教学经验。

（2）经专项培训考试合格或从事言语矫治工作1年以上。

（五）后续康复指导人员

1. 岗位职数：不少于1名。

2. 岗位职责：承担项目救助对象的走向跟踪，对家长、普校进行后续康复指导工作。

3. 人员要求：

（1）具有丰富的人工耳蜗术后康复教学经验。

（2）具有家庭康复指导和协调沟通能力。

（3）经专项培训考试合格或从事后续康复指导工作1年以上。

（六）档案管理人员

1. 岗位职数：不少于1名。

2. 岗位职责：负责项目康复档案建立、管理和上报工作。

3. 人员要求：

（1）掌握Word、Excel、PowerPoint及网络信息传输等基本操作技能；具备图片处理、剪辑、刻录等工作技能。

（2）经专项技能培训考试合格或已从事档案管理工作1年以上。

三、仪器设备及用品用具

（一）听力设备：具备开展小儿听力测试、助听器验配与评估的设备（如带有声场和视觉强化条件的听力计，游戏测听玩具，声级计等）。

（二）语训设备：能够开展单训、集体教学、言语矫治必需的语训设备。

（三）电化教学设备：能够开展教学的必备教学设备，如：投影仪、摄像机、照相机、电视机、VCD机、计算机、打印机、扫描仪等。

（四）学具、教具：有丰富的学具和教具，并定期更新。

（五）玩具及图书：聋儿与图书及玩具配置量不少于1∶2，并且适合聋儿的年龄特点，定期更新。

四、收训能力

达到《省级听力语言康复中心建设标准》收训要求。其中三类省中心人工耳蜗年收训能力不少于10名。二类省中心人工耳蜗年收训能力不少于20名，一类省中心人工耳蜗年收训能力不少于30名。

五、场地

在符合《省级听力语言康复中心建设标准》教学场地要求的基础上，必须具备以下条件：

1. 教学场地：

（1）相对固定的单训室与机构在训人数配比不低于1∶6。

（2）适合小龄聋儿亲子教学的情景教室至少1间，面积不少于15平方米。

2. 听力学评估场地：

（1）人工耳蜗编程室1间。

（2）小儿行为测听室1间。

基层定点康复机构认定标准

基层定点康复机构认定标准是指在符合《听障儿童康复机构建设规范》的基础上，开展聋儿（人工耳蜗）项目工作基层康复机构要达到的基本标准。

一、必备业务功能

1. 家长培训：能够为聋儿家长提供人工耳蜗技术咨询、康复培训。

2. 术前评估：具备开展聋儿听觉言语能力评估、学习能力评估和术前康复训练的能力。

3. 术后训练：能够为植入者提供家庭指导、机构训练和预约单训等多种康复途径进行术后听觉和言语训练，确保康复效果。

4. 档案建立：能够建立耳蜗患者术前咨询、评估及术后康复教学的文字、图片和音像档案。

5. 项目管理：能够根据项目需要提供术后康复记录及评估资料。

二、人员岗位要求

（一）项目管理人员

1. 岗位职数：1名。

2. 岗位要求：

（1）了解听力学、康复教育以及人工耳蜗相关知识。

（2）负责项目组织实施及康复训练安置工作。

（3）负责机构项目实施质量评价及管理。

（4）经项目管理专项培训。

（二）听力技术人员

1. 岗位职数：不少于1名。

2. 岗位要求：

（1）具有听力学教育背景或经过听力学专项技能培训，掌握小儿听力学知识及人工耳蜗相关知识的专业技术人员。

（2）初步具备小儿听力学评估能力。

（3）能够开展听觉、言语能力、智力测试和精神行为评估。

（4）经项目认定的专项技能培训考试合格。

（三）康复教师

1. 岗位职数：教师和术后在训聋儿配比不低于1∶4，其中至少有1名通过培训取得AVT合格证书。

2. 岗位职责：承担救助对象术后康复教学及评估工作。

3. 人员要求：

（1）具有人工耳蜗术后听觉言语康复训练和教学评价能力。

（2）具有听觉言语康复评估能力。

（3）具有家庭康复指导及培训家长的能力。

（4）经项目专项技能培训考试合格或具有1年以上人工耳蜗康复教学经验。

（四）后续康复指导人员

1. 岗位职数：不少于1名。

2. 岗位职责：承担项目救助对象的走向跟踪，对家长、普校进行后续康复指导工作。

3. 人员要求：

（1）具有丰富的人工耳蜗术后康复教学经验。

（2）具有家庭康复指导和协调沟通能力。

（3）经专项培训考试合格或从事后续康复指导工作 1 年以上。

（五）档案管理人员

1. 岗位职数：不少于 1 名。

2. 岗位职责：负责项目康复档案建立、管理和上报工作。

3. 人员要求：

（1）掌握 Word、Excel、PowerPoint 及网络信息传输等基本操作技能；具备图片处理、剪辑、刻录等工作技能。

（2）经专项技能培训考试合格或已从事档案管理工作 1 年以上。

三、仪器设备及教学用具

（一）听力设备：能够开展听力学评估的专用设备，如便携式听力计或评估仪等。

（二）语训设备：能够开展单训、言语矫治必需的语训设备。

（三）教学设备：能够开展教学的必备设备，如：投影仪、摄像机、照相机、电视机、VCD 机、计算机、打印机、扫描仪等。

（四）学具、教具：有丰富的学具和教具；聋儿与图书及玩具配置量不少于1∶2，并且适合聋儿的年龄特点，定期更新。

四、收训能力

人工耳蜗年收训能力不少于6 名。

五、场地

在符合《听障儿童康复机构建设标准》教学场地要求的基础上，必须具备以下条件：

1. 教学场地：

（1）相对固定的单训室与机构在训人数配比不低于1∶6；

（2）适合小龄聋儿亲子教学的情景教室至少1 间，面积不少于10 平方米。

2. 听力评估场地：听力测试室1 间。

附 2 -2：

贫困聋儿（人工耳蜗）项目定点康复机构申报表

申请单位（盖章）：______

项　目		内　容
业务职能	培训及咨询	人工耳蜗咨询量（　　）人次/年；咨询记录：有 □ 无 □
		＊培训省内技术人员（　　）人次/年；培训教材：有 □ 无 □；培训档案：有 □ 无 □
		培训聋儿家长（　　）人次/年；培训方式：定期 □ 随机 □；培训教材：有 □ 无 □；培训档案：有 □ 无 □
	术前术后评估	纯音测听（　　）人次/年；听觉言语能力评估（　　）人次/年； 助听器选配及评估（　　）人次/年；智力测试（　　）人次/年； 组织术前疑难病例会诊（　　）人次/年； 其他：（　　）
	调机	术后调试（　　）人次/年；　独立调试 □　外请 □　未开展 □

续表

项目		内容
业务职能	耳蜗术后训练	自开展耳蜗训练以来收训（　　）人，目前耳蜗在训（　　）人； 目前耳蜗师生配比为1:（　　）； 单训频次：（　　）次/周/人，（　　）分钟/次/人； 主要单训方式：教师－聋儿 □　教师－家长－聋儿 □ 康复安置方式：耳蜗班（　　）人；家庭指导（　　）人；亲子同训（　　）人；预约单训（　　）人； 其他：（　　）
	档案管理	耳蜗咨询档案：无 □　有（文字 □　图片 □　音像 □）； 术前和术后评估档案：无 □　有（文字 □　图片 □　音像 □）； 术后康复教学档案：无 □　有（文字 □　图片 □　音像 □）
人员	听力人员	听力人员共（　　）人，其中符合项目要求（　　）人； 取得国家助听器验配资格（　　）人
	康复教师	机构所有康复教师共（　　）人，符合耳蜗项目要求的教师（　　）人； 取得 AVT 培训认证（　　）人
仪器设备	听力设备	听力检测设备：名称及型号（　　）台数（　　）； 助听评估设备：名称及型号（　　）台数（　　）； 声场校准设备：名称及型号（　　）台数（　　）； 耳蜗调试设备：无 □　有 □　（澳大利亚□　奥地利□　美国□）
	语训设备	名称及型号（　　）台数（　　）； 名称及型号（　　）台数（　　）； 名称及型号（　　）台数（　　）； 名称及型号（　　）台数（　　）
	教学设备	声响设备：钢琴 □　电子琴 □　录音机 □　其他 □　（　　）； 声响校准设备：无 □　有 □（名称及型号：　　）； 电化教学设备：计算机 □　投影仪 □　摄像机 □　照相机 □　电视机 □　DVD机 □； 玩具人均（　　）件/套，儿童图书人均（　　）册； 其他：（　　）
规模	安置能力	目前所有在训聋儿（　　）人，其中助听器（　　）人，耳蜗（　　）人； 年收训耳蜗能力可达（　　）人； 能够提供的术后康复方式：（　　）
	场地建设	康复机构建筑总面积（　　）m^2，布局是否相对独立：是 □　否 □； 功能固定的单训室（　　）间，面积（　　）m^2/间； 集体教学活动室（　　）间，面积（　　）m^2/间； 专门用于亲子活动的情景教室（　　）间，面积（　　）m^2/间

*号项省级以下基层康复机构不填。

单位负责人签字：　　　　　　填表人：　　　　　　填表日期：

附2－3：

贫困聋儿（人工耳蜗）项目定点康复机构审批表

<table>
<tr><td>机构名称</td><td colspan="3">（盖章）</td><td>机构负责人</td><td>（签字）</td></tr>
<tr><td>地址</td><td colspan="5">省　　　市</td></tr>
<tr><td rowspan="2">项目负责人</td><td rowspan="2">（签字）</td><td>技术职称</td><td></td><td rowspan="2">联系方式</td><td rowspan="2">电话
传真
E－mail</td></tr>
<tr><td>行政职务</td><td></td></tr>
<tr><td>申请理由阐述</td><td colspan="5"></td></tr>
<tr><td>上级主管部门推荐意见</td><td colspan="5">负责人签字（盖章）　日期</td></tr>
<tr><td>省残联推荐意见</td><td colspan="5">负责人签字（盖章）　日期</td></tr>
<tr><td>项目认定意见</td><td colspan="5">负责人签字（盖章）　日期</td></tr>
</table>

附 3：

贫困聋儿（人工耳蜗）抢救性康复项目救助对象筛查标准和筛查内容

救助对象的筛选根据其年龄、听力学评估、医学评估、智力测试、家长期望值、家庭经济条件和支持度等内容进行综合评定。

筛选一般条件

——年龄：1～5 岁，小龄优先。

——听力损失为重度聋以上、耳蜗发育正常、无脑性麻痹、无蜗后病变、精神、智力及行为发育正常。

——医学检查无手术禁忌症。

——家长对人工耳蜗有正确的认识和适当的期望值。

——家庭有人力配合并保证救助对象在定点康复机构至少接受一年的康复训练或康复训练指导。

——家庭有能力承担术前评估及术后各项检查、术后调机、长期的康复训练以及耳蜗设备长期维护等费用。

筛查内容及标准

——听力学评估：

1. 耳声发射（DPOAE 或 TEOAE）：双侧均未引出反应。

2. 听性脑干反应阈值（短声）：双侧均≥95dB（nHL）。

3. 小儿行为测听（视觉强化、游戏测听、纯音测听）：

（1）裸耳听力损失：双耳 2kHz、4kHz 均≥85dB（HL）

（2）助听听阈：双耳 4kHz≥60dB（HL）

注：申请者的裸耳听力损失和助听听阈评估两项必做；申请者配戴助听器至少≥3 个月；复筛时必须配戴助听器，否则定点医院不予复筛。

——听觉言语能力评估：

1. 听觉能力测试：

（1）林氏六音察知

（2）听觉整合问卷—父母问卷（IT-MAIS）

（3）韵母识别

（4）声母识别

（5）双音节词识别

注：申请者必做（1）；年龄小无法配合完成（3）、（4）、（5）项测试，必做（2）项。

3 岁及 3 岁以上申请者听觉能力评估平均最大言语识别率≥20% 方可推荐。

2. 言语能力测试：

（1）语法能力（模仿句长）

（2）理解能力（看图说话）

（3）交往能力（主题对话）

注：3 岁以上申请者其语言能力评估平均语言年龄达 1 岁以上（含 1 岁）水平方可推荐。

——影像学评估：

颞骨高分辨薄层 CT 报告，必需描述内耳发育情况。

填报申请表时只提供 CT 报告单，复筛时必须携带 CT 影像片。

——精神、智力、行为评估：

1. 希—内学习能力测试评分（适合 3 岁以上）>84。

2. 格雷费斯精神发育测试评分（适合 3 岁以下或不能配合完成希—内测试的申请者）>86。

3. 自闭症、孤独症测试：

（1）克氏孤独症行为量表评分 <10；

（2）Conner 多动症评价量表评分 <10；

（3）Rutter 儿童行为问卷评分 <9。

第 1、2 项根据申请者年龄以及配合程度选做其一；第 3 项必做。

附 4：

贫困聋儿（人工耳蜗）抢救性康复项目申请汇总表

省（自治区、直辖市）残联（盖章）　　　　　　　　　　　　　　残联项目负责人（签章）：

编号	姓名	性别	出生日期	术后拟选康复机构名称	家长姓名（监护人）	联系电话	家庭年人均收入（元/人·年）

填表说明：　　　　　　　　　　　　　　　填报人　　　　　　　　　　　　填报日期

1. 如实填写表内各项内容，不得误填、漏填。

2. "家庭年人均收入"一项，根据申请者家庭申请前 12 个月家庭收入总和及家庭人口确定。计算公式为：家庭年人均收入 = 家庭上年收入/家庭人口。

附 5：

贫困聋儿（人工耳蜗）抢救性康复项目救助卡

封面：

贫困聋儿（人工耳蜗）抢救性

康复项目

救

助

卡

中国残疾人联合会制

封二：

救助卡使用范围

救助对象要求

——年龄：1～5周岁，小年龄优先。

——听力损失为重度聋以上，医学检查无手术禁忌症，听觉器官发育正常，无脑性麻痹，无蜗后病变，精神、智力及行为发育正常。

——家长对人工耳蜗有正确的认识和适当的期望值；家庭有能力配合并保证救助对象在定点康复机构至少接受一年的康复训练。其中3～5岁的救助对象须在定点康复机构接受至少一年的全日制康复训练，每天单训不少于30分钟；3岁以下或入普的救助对象可采取亲子同训、预约单训或家庭指导等方式接受至少一年的非全日制康复训练，非全日制康复训练每周不少于3次，每次不少于1小时（包含家长指导）。

救助标准

——每名救助对象由中央财政免费提供基本型人工耳蜗产品，按每人12 000元标准补助手术费，按每人14 000元标准资助术后一年的康复训练费。

——康复训练经费的列支项目包括：救助对象的听力补偿效果评估、术后康复训练、康复评估、家长培训、康复教材、食宿等项费用。

第一页

________省________市________县　　　编号：

聋儿姓名		性　别	
民　族		出生日期	
身份证号码			
平均听力损失	左耳：　　分贝 右耳：　　分贝		
家庭通讯地址及邮编			
定点筛查机构名称及电话			
定点医院名称及电话			
定点康复机构名称及电话			
康复训练起止时间	年　月　日—　年　月　日		
康复训练形式	A全日制：机构训练□ B非全日制：亲子同训□　预约单训□ 家庭指导□　其他__________（定点机构注明）		
项目地区残联意见	（单位盖章）　　核发人： 年　月　日		

第二页～第七页

贫困聋儿（人工耳蜗）抢救性康复项目20______年救助记录						
接受救助内容		数量（台） 金额（元）	监护人签字	签收日期	机构签字	备注
人工耳蜗	型号					
康复训练经费补贴	听力补偿效果评估					
	康复训练					
	康复评估					
	康复教材					
	家长培训					
	食宿					

封三：

注意事项

1. 本卡仅限救助对象本人使用，不得转借。
2. 本卡仅限定点聋儿康复机构使用，不得跨机构使用。
3. 本卡由定点聋儿康复机构填写、存档，作为项目核查的重要依据。

附件2：

贫困聋儿（助听器）抢救性康复项目实施办法

为贯彻落实《中共中央国务院关于促进残疾人事业发展的意见》，中央财政安排专项补助资金为贫困聋儿免费配发助听器并提供康复训练经费补贴。为保证救助项目顺利实施，根据《贫困残疾儿童抢救性康复项目实施方案》，制定《贫困聋儿（助听器）抢救性康复项目实施办法》。

一、任务目标

——2009～2011年度，为9 000名贫困聋儿免费配发助听器，提供康复训练经费补贴。

——2009年度全国完成3 000名贫困聋儿筛选、助听器验配和康复训练工作。各省按照中国残联下达的救助分配指标保质保量完成任务（附1）。

——2010年度、2011年度救助指标根据各省2009年度任务完成情况，另行制定并下发。

二、资助条件

——年龄不超过6周岁，精神、智力及行为发育正常的聋儿。

——资助对象为符合条件的城乡有康复需求的贫困聋儿，其中优先资助城乡低保家庭的贫困聋儿。

三、资助标准

——由中央财政按照4 800元标准免费为每名救助对象提供两台全数字助听器。

——由中央财政为每名救助对象提供每年人均1万元康复训练补贴经费，2009年度的救助对象可连续得到3年救助；2010年度的救助对象可连续得到2年救助；2011年度的救助对象可得到1年救助。如救助对象自行放弃接受康复训练，则中止对其救助；其康复训练补贴经费可用于救助新筛选的救助对象。

康复训练经费的列支项目包括：助听器调试与效果评估、耳模制作、电池购置、康复训练、康复评估、康复教材、家长培训、食宿等项费用。

四、工作体系

（一）组织管理体系

——中国残联会同财政部负责审定项目实施方案；协调解决项目实施中的重大问题；检查、督导各地项目执行进度和质量；组织有关部门和专家对项目执行情况进行考核评估。

——中国聋儿康复研究中心负责项目的组织实施，制定实施方案；组织工作和技术培训；检查、督导各地项目执行进度和工作质量，审核各地资金使用情况。

——各省残联会同同级财政部门共同制定本省项目实施方案并分解下达任务；审定项目定点聋儿康复机构；组织本省工作和技术培训；做好项目助听器、康复训练经费的拨付与使用监管；组织、督导各级残联做好救助对象的助听器验配和康复安置；统一建立全省项目档案；做好项目数据统计上报、项目质量评估和检查验收工作的组织实施；加强项目社会宣传，号召全社会关心支持残疾儿童康复。

——各地市残联会同同级财政部门制定本地区项目实施办法及相关工作制度；申报项目定点聋儿康复机构并对其进行管理和督导；组织工作和技术培训；组织做好救助对象的筛选、审批、助听器验配与评估、康复安置工作；完成定点聋儿康复机构康复训练经费结算拨付与使用监管工作；负责做好本地区项目档案和数据统计上报、项目质量监控和检查验收工作的组织实施；做好家长培训告知和项目宣传。

（二）技术服务体系

——**项目专家委员会** 中国聋儿康复研究中心聘请临床医学、听力学、康复教育等相关学科专家成立项目专家委员会，负责制定项目相关技术流程和标准；负责项目实施成效评估；承担项目技术培训、指导和相关科研工作。

——**技术实施机构**

1. 定点验配机构

省级定点验配机构 做好基层定点验配机构的技术培训与指导、技术服务质量评估；做好救助对象听力检测、助听器验配、调试、效果评估，以及数据统计填报。

基层定点验配机构 做好救助对象听力检测、助听器验配、调试、效果评估，以及数据统计填报。

2. 定点康复机构

省级定点康复机构 做好基层定点康复机构技术培训与指导、康复质量评估；做好本机构救助对象的筛选、救助物资发放登记与管理、康复安置、受助聋儿康复档案建立和成效评估、数据统计填报、受助聋儿的回访及后续跟踪评估。

基层定点康复机构 做好本机构救助对象的筛选工作；做好救助物资的发放、登记和使用管理工作；承担救助对象康复训练和指导；建立个人受助康复档案；上报项目数据和统计报表；负责受助聋儿的回访及后续跟踪评估。

产品服务机构 由助听器供应商及其在各省市的服务网点负责救助对象的产品售后服务工作。服务内容包括助听器的验配与调试、使用及保养培训、维修和零配件更换，以及有关产品的咨询和其他服务。

五、工作流程

1. 申请与审批

——项目地区残联遵照“公开、公平、公正”的原则组织救助对象的申请、登记、筛查，由贫困聋儿的法定监护人填写《贫困聋儿（助听器）抢救性康复项目申请审批表》（附2）。

——项目地区残联组织相关人员对《贫困聋儿（助听器）抢救性康复项目申请审批表》进行严格审核，此表交由定点聋儿康复机构保存，作为项目档案的内容之一。

2. 公示与救助

——项目地区残联对审批通过名单及其家庭信息进行为期7个工作日的公示，公示无异议并与定点康复机构签订康复协议，则作为项目救助对象，免费领取《贫困聋儿（助听器）抢救性康复救助卡》（附3）。

——项目地区残联做好向家长进行项目救助内容、救助标准以及家长配合等相关事项的告知和培训工作。

3. 助听器验配

——各省残联做好本省定点验配机构的评估、推荐工作，填写《贫困聋儿（助听器）抢救性康复定点验配机构一览表》（附4）、《贫困聋儿（助听器）抢救性康复定点验配机构申报表》（附5）上报中国聋儿康复研究中心，由中国聋儿康复研究中心评估认定。定点验配机构确定承担项目助听器验配任务的技术人员须通过全国统一培训，考核合格后方可具有承担项目助听器验配服务的资质。

——各省残联统筹做好救助对象助听器验配组织工作，并指导省级定点验配机构做好本省救助对象的助听器验配和质量评估工作。原则上省残联接到助听器后的60日内完成本省救助对象的助听器验配。

——各省如助听器验配服务能力不足，可向中国聋儿康复研究中心提出书面申请，由中国聋儿康复研究中心协调助听器供应商及其他技术力量协助完成。

——定点验配机构在助听器验配后每间隔6个月需对救助对象进行1次助听器评估与调试。听力测试和助听器验配、评估报告单交救助对象所在定点康复机构保存，作为项目档案内容之一。

4. 康复安置

——各省残联做好本省定点聋儿康复机构的评估、认定工作，认定结果填写《贫困聋儿（助听器）抢救性康复定点康复机构一览表》（附6），《贫困聋儿（助听器）抢救性康复定点康复机构申报表》（附7）上报中国聋儿康复研究中心备案，并接受项目实地抽查。

——项目地区残联负责将救助对象及时安置至协议定点聋儿康复机构。

——定点康复机构为救助对象提供适宜、有效的康复形式，确保康复质量。其中3～6岁的救助对象须在定点康复机构接受全日制康复训练，每天单训不少于30分钟；3岁以下或入普幼、普小的救助对象可采取亲子同训、预约单训或家庭指导等方式接受非全日制康复训练，非全日制康复训练每周不少于3次，每次不少于1小时（包含家长指导），确保康复质量。

——定点聋儿康复机构负责将救助对象接受的助听器、康复训练经费救助的情况填入《贫困聋儿（助听器）抢救性康复救助卡》，卡中的救助内容、数量、金额必须由救助对象法定监护人签字确认。《贫困聋儿（助听器）抢救性康复救助卡》由定点聋儿康复机构存档，作为项目核查的重要依据。

——定点聋儿康复机构在接收救助对象康复后30日内建立救助对象的康复教学和评估档案，按照要求填写《贫困聋儿（助听器）抢救性康复项目康复教学与评估档案》，康复档案在定点康复机构保存，作为项目档案内容之一。

5. 档案和报表

——各省残联填写《贫困残疾儿童（助听器）抢救性康复项目救助汇总表》（附8），并将原件上报至中国聋儿康复研究中心。同时定期将受助儿童接受康复救助相关信息录入《贫困残疾儿童抢救性康复项目数据库管理系统》，其中救助对象的基本信息须于每年12月15日之前完成录入，救助对象的康复评估及经费使用管理信息须于次年7月15日之前完成录入。中国聋儿康复研究中心会同各省残联负责及时对数据的真实性、准确性和完整性进行审核，并于每年7月30日前将审核后的上一年度数据库上报中国残联信息中心。

各省（自治区、直辖市）残联和项目执行单位负责做好项目资料（包括文字、图片及声像资料）的收集、积累、存档，与项目年度工作总结一并上报至中国聋儿康复研究中心。

——档案和报表须如实填写，中国聋儿康复研究中心将对上报结果进行抽查。

6. 康复质量评估

——各省聋儿康复中心负责对本省救助对象的助听效果、康复效果实施质量评估，每年抽评不少于1次，抽评比例不少于本省当年救助数量总和的30%，评估结果报省残联审核，由省残联于每年7月30日前将抽评结果上报中国聋儿康复研究中心。（抽评内容及表格请登录 http：//www. chinadeaf. org 项目专栏下载）

——中国聋儿康复研究中心将组织专家随机对各省抽评结果进行复测。

六、经费管理

——助听器产品费用包括产品购置和验配服务费（助听器产品购置费占预算85%，验配服务费占预算15%），产品购置费按照采购合同分别由国库直接支付或中国残联授权支付产品供应商；助听器验配服务费由中国聋儿康复研究中心根据各省残联上报的定点验配机构承担的验配任务和服务状况进行抽查、审核、统计，报中国残联审批，由中国残联拨付至省残联，由省残联转拨至定点验配服务机构。

——康复训练经费由中国残联根据各省任务指标进行审核后，报财政部审批下达省级财政部门，拨款文件抄送省级残联、当地财政监察专员办事处，项目地区残联协调将康复训练经费转拨至定点康复机构。

——康复训练经费必须严格按照指定用途使用，严禁挤占、截留、挪用。

七、评估与验收

评估内容包括物资使用与管理、公示评估、筛查组织、助听器验配、康复安置及成效、档案和报表、项目宣传、家长知情满意度等方面。

——中国聋儿康复研究中心组织相关部门和专家不定期对项目执行情况进行评估、检查，评估结果作为下一年度救助指标审批的依据。

——各省残联定期进行项目的督导检查，及时发现解决存在问题和困难，应有督导检查工作记录，对突出问题及时与中国聋儿康复研究中心沟通协商，保证项目顺利实施；定期进行工作总结，报送年度项目执行报告。

——中国残联会同财政部等部门适时对项目执行情况进行检查、评估、验收。

附：1. 贫困聋儿（助听器）抢救性康复项目任务分配表（2009年度）
2. 贫困聋儿（助听器）抢救性康复项目申请审批表
3. 贫困聋儿（助听器）抢救性康复项目救助卡
4. 贫困聋儿（助听器）抢救性康复项目定点验配机构一览表
5. 贫困聋儿（助听器）抢救性康复项目定点验配机构申报表
6. 贫困聋儿（助听器）抢救性康复项目定点康复机构一览表
7. 贫困聋儿（助听器）抢救性康复项目定点康复机构申报表
8. 贫困聋儿（助听器）抢救性康复项目救助汇总表

附1：

贫困聋儿（助听器）抢救性康复项目任务分配表（2009年度）

地区	救助指标分配数量（名）
北京	15
天津	12
河北	180
山西	83
内蒙古	84
辽宁	102
吉林	63
黑龙江	78（其中含农垦3）
上海	13
江苏	52
浙江	0
安徽	210
福建	52
江西	110
山东	158
河南	282
湖北	158
湖南	188
广东	52
广西	170
海南	22
重庆	71
四川	100
贵州	128
云南	150
西藏	4
陕西	200
甘肃	108

续表

地区	救助指标分配数量（名）
青海	40
宁夏	40
新疆	70
新疆兵团	5
总计	3 000

附 2：

贫困聋儿（助听器）抢救性康复项目申请审批表

<table>
<tr><td>儿童姓名</td><td colspan="2"></td><td>性别</td><td></td><td>民族</td><td></td><td>出生年月</td><td></td></tr>
<tr><td>儿童身份证号</td><td colspan="8"></td></tr>
<tr><td>监护人姓名</td><td colspan="2"></td><td>与儿童关系</td><td></td><td colspan="2">工作单位</td><td colspan="2"></td></tr>
<tr><td rowspan="2">联系电话</td><td>宅电</td><td></td><td>家庭住址</td><td colspan="2"></td><td>邮编</td><td colspan="2"></td></tr>
<tr><td>手机</td><td></td><td>通讯地址</td><td colspan="2"></td><td>邮编</td><td colspan="2"></td></tr>
<tr><td>听力损失及康复情况</td><td colspan="8">发现耳聋月龄：____
是否有家族耳聋史：□无　□有　与儿童关系________
平均听力损失：左耳________分贝　右耳________分贝
助听器配戴史：□否　□是（配戴时间______个月）　配戴耳：□左　□右
目前康复状态：□机构康复　□家庭康复　□未接受康复
接受救助后家庭中有无专人陪伴康复：□无　□有　与儿童关系________</td></tr>
<tr><td>家庭经济状况</td><td colspan="8">□家庭人均收入低于当地城乡居民最低生活保障线
□当地政府有关部门认定的低收入或贫困家庭</td></tr>
<tr><td>享受医疗保险情况</td><td colspan="5">□享受城镇居民基本医疗保险　□享受新型农村合作医疗
□享受医疗救助　□享受其他保险
□无医疗保险</td><td>户口类别</td><td colspan="2">□农业户
□非农业户</td></tr>
<tr><td>监护人申请</td><td colspan="8">申请人：
年　月　日</td></tr>
<tr><td>社区（居、村）委会意见</td><td colspan="8">审核人：
公章
年　月　日</td></tr>
<tr><td>项目地区残联意见</td><td colspan="8">审核人：
公章
年　月　日</td></tr>
</table>

注：1. 此表由项目地区残联审核，定点聋儿康复机构保存。
2. 项目地区残联是指承担项目任务的康复机构所在地残联。

附3：

贫困聋儿（助听器）抢救性康复项目救助卡

封面：

贫困聋儿（助听器）抢救性

康复项目

救

助

卡

中国残疾人联合会制

封二：

救助卡使用范围

救助对象要求

——年龄不超过6周岁，精神、智力及行为发育正常的聋儿。

——资助对象为符合条件的城乡有康复需求的贫困聋儿，其中优先资助城乡低保家庭的贫困聋儿。

——定点康复机构为救助对象提供适宜、有效的康复形式，确保康复质量。其中3~6岁的救助对象须在定点康复机构接受全日制康复训练，每天单训不少于30分钟；3岁以下或入普幼、普小的救助对象可采取亲子同训、预约单训或家庭指导等方式接受非全日制康复训练，非全日制康复训练每周不少于3次，每次不少于1小时（包含家长指导），确保康复质量。

救助标准

——为每名救助对象免费提供适宜的全数字助听器2台，提供康复训练经费每人每年1万元。2009年度的救助对象可以接受3年共3万元的康复训练费补贴：2010年度的救助对象可接受2年2万元的康复训练费补贴；2011年度的救助对象可接受1年1万元的康复训练费补贴。如救助对象自行放弃接受康复训练则中止对其救助，其康复训练补贴经费可用于救助新筛选的救助对象。

——康复训练经费的列支项目包括：助听器调试与效果评估、耳模制作、电池购置、康复训练、康复评估、康复教材、家长培训、食宿等项费用。

第一页

________省________市________县　　　编号：

聋儿姓名		性别	
民族		出生日期	
身份证号码			
平均听力损失	左耳：　　分贝 右耳：　　分贝		
家庭通讯地址及邮编			
定点验配机构名称及电话			
定点康复机构名称及电话			
康复训练起止时间	年　月　日——　年　月　日		
康复训练形式	A 全日制：机构训练□ B 非全日制：亲子同训□　预约单训□ 家庭指导□　其他________（定点机构注明）		
项目地区残联意见	（单位盖章）　核发人： 年　月　日		

第二页～第七页

贫困聋儿（助听器）抢救性康复项目20____年救助记录

接受救助内容		数量（台）金额（元）	监护人签字	签收日期	机构签字	备注
助听器	型号（左）					
	型号（右）					
康复训练经费补贴	助听器调试与效果评估					
	耳模制作					
	电池购置					
	康复训练					
	康复评估					
	康复教材					
	家长培训					
	食宿					

封三：

注 意 事 项

1. 本卡仅限救助对象本人使用，不得转借。
2. 本卡仅限定点聋儿康复机构使用，不得跨机构使用。
3. 本卡由定点聋儿康复机构填写、存档，作为项目核查的重要依据。

附4：

贫困聋儿（助听器）抢救性康复项目定点验配机构一览表

______________年度

省（自治区、直辖市）残联盖章　　　　　　　　　　项目负责人签字：

编号	定点验配机构名称	详细地址	邮编	负责人	联系方式			隶属关系	是否独立法人	组织机构代码
					办公电话	移动电话	E－mail			

填报人：　　　　　填报日期：

注：

1. 此表由省残联汇总填写并上报中国聋儿康复研究中心项目办公室。
2. “隶属关系”是指该机构的上级主管单位性质，可选填：残联、教育、民政、卫生、民办，其他请注明。
3. “是否独立法人”，若是请划“√”，并填写组织机构代码，若否请划“×”。

附5：

贫困聋儿（助听器）抢救性康复项目定点验配机构申报表

机构注册名称	（盖章）	是否独立法人	是□　否□	机构负责人	（签字）
		组织机构代码			
机构地址	______省______市______县（区）______			邮　编	
项目负责人	（签字）	技术职称		联系方式	电话
					传真
		行政职务			E－mail
机构成立时间		经费来源	□拨款　□自筹　其他______		
隶属关系	□残联　□教育　□民政　□卫生　□民办　其他______				
业务范围	听力测试	视觉强化测听□　游戏测听□　纯音测听□　言语测试□ 听性脑干反应（ABR）□　声导抗□　耳声发射（OAE）□　听觉稳态诱发反应（ASSR）□			
业务范围	助听器验配及评估	助听器验配□ 助听器效果评估□			
业务范围	耳模制作	是□　否□			

技术人员	姓名	技术职称	主岗工作	临床听力学工作年限	是否取得国家助听器验配师资格
					是□　否□
					是□　否□
					是□　否□

续表

设备	听力检测设备	视觉强化测听仪□ 纯音测听仪□ 纯音测听仪（带声场）□ 游戏测听玩具□ 儿童用桌椅□ 声级计□ 听觉稳态诱发反应仪□ 听性脑干反应仪□ 耳声发射仪□ 声导抗测试仪□
	助听验配及评估设备	电脑□ 编程器□ 助听器效果评估词表（卡片）□
	声场校准设备	声级计□ 型号________
服务场所		测听室（ ）间，面积（ ）m^2/间，是否符合声学要求：是□ 否□ 小儿行为听力检测室室内布置是否符合儿童特点：是□ 否□ 客观听力检测室的隔声室是否具有电屏蔽功能：有□ 无□
备注		

省（自治区、直辖市）残联盖章　　　　填报人：　　填报日期：　　年　月　日

注：此表由申报机构填写，经省残联评估推荐后（需盖章），上报至中国聋儿康复研究中心项目办公室审批。

附 6：

贫困聋儿（助听器）抢救性康复项目定点康复机构一览表

________年度

省（自治区、直辖市）残联盖章　　　　项目负责人签字：

编号	定点聋儿康复机构名称	详细地址	邮编	负责人	联系方式			隶属关系	是否独立法人	组织机构代码
					办公电话	移动电话	E-mail			

填报人：　　填报日期

注：
1. 此表由省残联汇总填写并上报中国聋儿康复研究中心项目办公室。
2. “隶属关系”是指该机构的上级主管单位性质，可选填：残联、教育、民政、卫生、民办，其他请注明。
3. “是否独立法人”，若是请划“√”，并填写组织机构代码，若否请划“×”。

附 7：

贫困聋儿（助听器）抢救性康复项目定点康复机构申报表

机构注册名称	（盖章）	是否独立法人	□是 □否	机构负责人	（签字）	
		组织机构代码				
地址	______省______市______县（区）			邮编		
项目负责人	（签字）	技术职称		联系方式	电话	
					传真	
		行政职务			E-mail	
成立时间		经费来源	□拨款 □自筹 其他______			
隶属关系	□残联 □教育 □民政 □卫生 □民办 其他________________					
规模	场地建设	康复机构建筑面积总______m^2　布局是否相对独立 □是 □否 功能固定的单训室______间，面积______m^2/间　集体教学活动室______间，面积______m^2/间 专门用于亲子活动的情景教室______间，面积______m^2/间				
	安置能力	目前所有在训聋儿______名，其中助听器康复______名，耳蜗康复______名；年收训聋儿能力可达______名 能够提供的康复方式：□机构班 □家庭指导 □亲子同训 □预约单训 其他________ 主要单训方式：□教师______聋儿 □教师______家长______聋儿				

续表

人员	听力技术人员	________名，其中获得国家助听器验配师资格________名
	康复教师	________名，其中取得AVT培训认证________名
	其他	保育员________名，管理人员________名，其他人员________名
设备用具	听力设备	听力检测设备：名称及型号________________台数________ 助听评估设备：名称及型号________________台数________ 声场校准设备：名称及型号________________台数________ 耳蜗调试设备：□无　□有（□澳大利亚　□奥地利　□美国）
	语训设备	名称及型号________________台数________ 名称及型号________________台数________ 名称及型号________________台数________
	教学设备	声响设备：□钢琴　□电子琴　□录音机　□其他；声响校准设备：　□无　□有 电化教学设备：　□计算机　□投影仪　□摄像机　□照相机　□电视机　□DVD机 玩具人均________件/套，儿童图书人均________册；其他________________
业务范围		□听力测试　□助听器验配及评估　□耳模制作　□人工耳蜗调机 □听力语言康复训练　□听觉言语能力评估　□言语矫治　□智力测试 □家长培训　□社区康复咨询与指导　□康复档案管理　其他________

省（自治区、直辖市）残联盖章　　　　　　　　　　　　填报人：　　　填报日期：　　年　月　日

注：此表由申报机构填写，经省残联评估认定后（需盖章），上报至中国聋儿康复研究中心项目办公室备案。

附8：

贫困聋儿（助听器）抢救性康复项目救助汇总表

________年度

省（自治区、直辖市）残联盖章　　　　　　负责人签章：

编号	姓名	性别	民族	出生日期	身份证号码（18位）	接受救助情况				监护人签字	助听器验配机构名称及联系电话
						助听器			康复训练经费补贴		
						数量（台）	型号		金额（元）		
							左	右			

项目地区残联盖章　　负责人签字：　　定点康复机构（公章）　负责人签字：　　填报人：　　填报日期：

注：此表由定点康复机构填写，原件逐级审核、盖章、上报至中国聋儿康复研究中心。

附件3：

贫困肢体残疾儿童抢救性康复项目实施办法

为贯彻落实《中共中央　国务院关于促进残疾人事业发展的意见》，中央财政安排专项补助资金为贫困肢体残疾儿童提供康复训练经费补贴。为保证救助项目顺利实施，根据《贫困残疾儿童抢救性康复项目实施方案》，制定《贫困肢体残疾儿童抢救性康复项目实施办法》。

一、任务目标

2009～2011年，每年资助3 000名贫困肢体残疾儿童进行系统的康复训练、培训家长/亲友，提高儿童

的运动功能、生活自理、社会适应和学习能力，帮助家长掌握康复的基本原则、目标、途径和方法，树立全面康复理念，坚定信心，坚持训练，成为促进孩子发展的核心。

二、资助条件

——资助对象为符合条件的城乡有康复需求的贫困脑瘫儿童，其中优先资助城乡低保家庭的贫困脑瘫儿童。

——年龄不超过6岁。

——诊断明确、生命体征稳定、家庭成员配合、有康复潜力。

三、资助标准

中央财政为每名救助对象提供每年人均1万元的康复训练补贴经费。

四、工作体系

（一）组织管理体系

——**中国残联** 会同财政部负责审定项目实施方案；协调解决项目实施中的重大问题；检查、督导各地项目执行进度和质量；监督资金的使用和管理；组织有关部门和专家对项目执行情况进行考核评估。

——**中国残联社会服务指导中心** 负责制定实施方案；组织工作培训；审核各地承担项目任务的康复机构；检查、督导各地项目执行进度和工作质量，审核各地资金使用情况；有计划地举办全国脑瘫儿童康复技术培训班，有重点地组织专家进行业务指导，适时进行检查考核。

——**各省残联** 根据本省脑瘫儿童康复资源配置情况，选择项目实施区域，会同同级财政部门制定本省实施方案和计划，组织工作培训，选择省、市、县残疾人康复机构等具有脑瘫儿童康复工作基础的康复服务机构承担任务，按照就近的原则，组织筛选资助对象，安排康复机构，与“贫困残疾儿童（辅助器具适配）抢救性康复项目”相衔接，做好救助儿童装配矫形器等辅助器具的协调安排；定期检查督导，根据工作需要开展技术培训，监管资金使用，负责本省任务的统计上报，确保任务贯彻实施；加强项目社会宣传，号召全社会关心支持残疾儿童康复。

（二）训练服务体系

——**项目专家组** 中国残联社会服务指导中心聘请有关领域专家成立项目专家组，提出脑瘫儿童康复训练的基本内容、承担项目任务康复机构的基本要求，参与项目实施成效评估，编写脑瘫儿童康复指导读物、影像制品，承担技术培训和业务指导等工作。

——**康复训练机构** 承担项目任务的省、市、县残疾人康复机构等，做好专业人员和基本设备设施的配置，保证开展脑瘫儿童康复的必要条件；采取机构集中评估、训练和家庭康复指导有机结合的方式，对资助对象进行系统训练，根据需要装配矫形器等辅助器具，定期评估总结，提高训练效果。

五、工作流程

——**确定承担任务机构** 省残联按照项目实施方案的要求进行脑瘫康复资源调查，选择具有脑瘫儿童康复工作基础的省、市、县残疾人康复机构等承担项目任务，报中国残联社会服务指导中心审核备案，签订项目目标责任书。

——**筛选资助对象** 县（市、区）残联组织有关专业人员进行贫困脑瘫儿童筛查调查，对符合救助条件的脑瘫儿童，由家长（或监护人）申请、居（村）委会推荐、县（市、区）残联审批，填写《贫困肢体残疾儿童（脑瘫儿童）抢救性康复项目筛查和救助审批表》，报省残疾人康复工作办公室审核备案，在一定范围内公示。

——**实施康复训练服务** 就近安排救助对象到确定的康复机构，进行康复评估，制定康复计划，进行运动功能、姿势矫正、生活自理、语言交流、社会适应等方面能力训练，根据需要装配矫形器等辅助器具，采取亲子同训、专门培训等方式培训家长，建立康复档案；机构训练与社区、家庭训练有机结合，通过上门服务和随访等方式，做好资助对象社区、家庭训练的指导和评估，使脑瘫儿童得到持续、系统的康复训练，机构训练一般每年不少于三个月，社区、家庭训练指导每月至少一次，康复训练效果评估达到有效以上；承担任务的康复机构要专门组织训练对象参加社会文化、体育、娱乐等社会融入活动，每年不少于4次，以提高脑瘫儿童的社会适应能力。

——**做好转衔服务** 承担任务的康复机构和当地残联要重视脑瘫儿童早期康复与学前（义务）教育的衔接，在持续康复训练的基础上，为达到一定能力的适龄儿童争取上学的机会，及时协调有关方面，为其入园、入学提供必要的指导、支持和帮助，使他们能够融入社会生活。

——**做好登记统计** 各省定期将受助儿童接受康复救助相关信息录入《贫困残疾儿童抢救性康复项目数据库管理系统》；中国残联社会服务指导中心会同各省残联负责及时对数据的真实性、准确性和完整性进行审核，并于每年7月30日前将审核后的上一年度数据库上报中国残联信息中心。

各省（自治区、直辖市）残联和项目执行单位负责做好项目资料（包括文字、图片及声像资料）的收集、积累、存档。

——**培训与业务指导** 中国残联社会服务指导中心组织项目工作培训，举办全国脑瘫儿童康复技术培训班，每年至少一期，根据需要组织专家进行业务指导；各省康复办组织做好本省项目实施工作的培训和业务指导。

六、经费管理

项目提供的康复训练补贴包括：救助对象康复训练费、家长培训费、家庭指导费用、康复档案及教材等费用。

项目经费由中国残联根据各省任务指标进行审核后，报财政部审批下达省级财政部门，拨款文件抄送省级残联、当地财政监察专员办事处。项目地区残联协调将康复训练经费转拨至承担项目任务的定点康复机构。

七、检查考核

贫困肢体残疾儿童抢救性康复项目检查考核内容包括：项目的组织管理、技术指导、社会宣传、资助经费的管理使用、任务完成情况及质量控制等。

——中国残联会同财政部、卫生部、教育部等部门，适时对项目执行情况进行检查、评估、验收。

——中国残联社会服务指导中心根据项目总体要求，组织有关部门和专家对项目执行情况进行不定期的督导检查，掌握各地任务执行情况，及时发现解决存在的问题，定期通报项目执行情况，总结推广好的经验做法，推动肢体残疾儿童康复工作的深入发展。

——各省残联定期进行项目的督导检查，及时发现解决存在问题和困难，应有督导检查工作记录，对突出问题及时与中国残联社会服务指导中心沟通协商，保证项目顺利实施，定期进行工作总结，报送年度项目执行报告。

八、质量控制

1. 贫困脑瘫儿童康复档案建档率100%。
2. 脑瘫儿童康复训练总有效率≥85%。
3. 家长对儿童康复训练的满意率≥90%。
4. 家长/亲友培训率100%。
5. 家长对培训工作的满意率≥80%。
6. 参加有组织的社会文化、体育、娱乐等社会融入活动每年不少于4次。

附：1. 贫困肢体残疾儿童抢救性康复项目任务分配表

2. 贫困肢体残疾儿童（脑瘫儿童）抢救性康复项目筛查和康复救助审批表

3. 贫困肢体残疾儿童（脑瘫儿童）抢救性康复项目定点康复机构审批表及目标责任书
4. 贫困肢体残疾儿童（脑瘫儿童）抢救性康复项目登记表
5. 贫困肢体残疾儿童（脑瘫儿童）抢救性康复项目统计汇总表
6. 脑瘫儿童康复档案

附 1：

贫困肢体残疾儿童抢救性康复项目任务分配表

地区	救助指标分配数量（名）
天津市	40
河北省	150
山西省	100
内蒙古	50
辽宁省	130
吉林省	60
黑龙江	95（其中农垦 15）
江苏省	170
浙江省	150
安徽省	130
福建省	70
江西省	70
山东省	200
河南省	220
湖北省	140
湖南省	140
广东省	200
广西壮族自治区	120
海南省	20
重庆市	70
四川省	190
贵州省	60
云南省	100
西藏	10
陕西省	100
甘肃省	120
青海省	20
宁夏	30
新疆	30
新疆兵团	15
总计	3 000

附2：

贫困肢体残疾儿童（脑瘫儿童）抢救性康复项目筛查和康复救助审批表

儿童姓名		性别		民族		出生年月	
儿童身份证号						监护人姓名	
与儿童关系		工作单位					
家庭住址			邮政编码			联系电话	
脑瘫类型	□痉挛型 □手足徐动型 □共济失调 □弛缓型 □混合型						
是否伴有其他残疾	□视力 □智力 □听力 □言语 □精神						
家庭经济状况	□家庭人均收入低于当地城乡居民最低生活保障线 □当地政府有关部门认定的低收入或贫困家庭					户口类别	□农业户 □非农业户
享受医疗保险情况	□享受城镇居民基本医疗保险 □享受新型农村合作医疗 □享受医疗救助 □享受其他保险 □无医疗保险						
监护人申请	申请人： 年 月 日						
社区（居、村）委会推荐意见	审核人： 公章 年 月 日						
县（市、区）残联审核意见	审核人： 公章 年 月 日						

注：本表由乡镇（街道）残联组织、受助儿童监护人填写，报县（市、区）残联审核后，报省残疾人康复工作办公室审核备案。

附3：

贫困肢体残疾儿童（脑瘫儿童）抢救性康复项目定点康复机构审批表

单位名称					
单位地址				邮政编码	
法定代表人		联系电话		上级主管部门	
成立时间		机构登记证号码			
机构性质	□残疾人康复机构 □卫生及妇幼保健 □学前教育 其他______				
儿童收训能力	年收训脑瘫儿童______名；其中，日间训练______名，寄宿训练______名 其他______				
专业人员情况	康复医师______名，康复治疗师______名，教师______名，其他______				
既往开展的康复训练服务内容	□康复咨询 □康复评估 □运动疗法 □作业疗法 □言语疗法 □理疗 □传统疗法 □生活自理能力训练 □社会适应性训练 □矫形器装配 □引导式教育 □家长培训				
社区培训和指导	年培训家长/亲友______名，社区康复员______名，其他______				
上级主管部门意见： 盖 章 年 月 日					
省残联意见： 盖 章 年 月 日					
中国残联社会服务指导中心审核意见： 盖 章 年 月 日					

贫困肢体残疾儿童（脑瘫儿童）抢救性康复项目目标责任书

为完成《贫困肢体残疾儿童抢救性康复项目实施办法》资助3 000名贫困脑瘫儿童进行系统的康复训练任务，使脑瘫儿童提高运动功能、生活自理、社会适应和学习能力，使家长掌握康复的基本原则、目标、途径和方法，坚定信心，坚持训练，成为促进孩子发展的核心。省残联与承担项目任务的定点康复机构签订目标责任书。

一、目标任务

按要求完成________名贫困脑瘫儿童系统康复训练、家长/亲友培训任务，脑瘫儿童康复训练总有效率≥85%，家长/亲友培训率100%，家长对儿童康复的满意率≥90%。

二、工作要求

1. 采取定点康复机构领导负责制，明确相关部门和人员职责，选择技术水平高、态度好的康复专业人员承担康复训练任务，严格按照国家任务要求规范开展工作。
2. 对救助儿童进行观察、评估，制定训练计划，确定训练方案，实施系统康复训练，机构训练每年不少于三个月。
3. 采取母子同训、专门培训等方式培训家长。
4. 机构训练与社区、家庭训练有机结合，开展上门服务和随访工作，做好救助儿童社区、家庭训练的指导和评估，社区、家庭训练指导每月不少于一次。
5. 在持续康复训练的基础上，及时协调有关方面，为达到一定能力的适龄儿童入园、入学提供必要的指导、支持和帮助，使他们能够融入社会生活。
6. 不发生安全等责任事故。
7. 规范填写并保存脑瘫儿童康复档案。

三、本目标责任书自签字之日起生效。

四、本目标责任书一式两份，甲乙双方各执一份。

甲方：________________________________省（自治区、直辖市）残联

签字：（盖章）

乙方：________________________________（定点康复机构）

签字：（盖章）

年　月　日

注：该目标责任书报中国残联社会服务指导中心备案

附4：

贫困肢体残疾儿童（脑瘫儿童）抢救性康复项目登记表

儿童姓名		性别		民族		出生年月	
儿童身份证号						监护人姓名	
与儿童关系		工作单位					
家庭住址		邮政编码				联系电话	
脑瘫类型	□痉挛型 □手足徐动型 □共济失调 □弛缓型 □混合型						
是否伴有其他残疾	□视力 □智力 □听力 □言语 □精神						
致残原因	□先天 □疾病 □早产 □产伤 □窒息 □意外伤害 □中毒 其他______						
既往医疗、康复情况	□药物治疗 □肢体矫治手术 □康复训练 □学前教育 其他______						
家庭经济状况	□家庭人均收入低于当地城乡居民最低生活保障线 □当地政府有关部门认定的低收入或贫困家庭					户口类别	□农业户 □非农业户
享受医疗保险情况	□享受城镇居民基本医疗保险 □享受新型农村合作医疗 □享受医疗救助 □享受其他保险 □无医疗保险						
康复训练起止时间（一年）	年 月 日开始，至 年 月 日满一年						
经费使用（元）	康复训练______元 家长培训______元 康复教材______元 其他______元 合计______元 其中，家庭自付______元						
康复训练机构名称						负责人	
康复训练效果	儿童康复训练：□显效 □有效 □无效 参加社会融入活动每年不少于4次：□是 □否 家长培训：□是 □否 家长对培训工作的满意度： □满意 □基本满意 □不满意 家长对儿童康复的满意度： □满意 □基本满意 □不满意 是否进入幼儿园、小学就读： □是 □否						
家长签名	年 月 日						

填表人： 审核人： 填表日期：

注：此表由定点康复机构填写，报省（自治区、直辖市）残联备案审核，省（自治区、直辖市）残联根据项目实施方案要求，录入项目数据库，汇总上报中国残联社会服务指导中心审核后报中国残联信息中心，每年登记一次。

附5：

贫困肢体残疾儿童（脑瘫儿童）抢救性康复项目统计汇总表

定点康复机构/地区	脑瘫儿童康复总人数（人）	康复训练有效*数（人）	康复训练有效率	家长对儿童康复满意*的人数（人）	家长对儿童康复的满意率	家长培训人数（人）	家长培训率	家长对培训工作满意*的人数（人）	家长对培训工作的满意率	儿童参加社会融入活动的人数（人）	训练儿童入学、入园人数

注：

1. 上述两表由省（自治区、直辖市）残联根据定点康复机构填报《贫困脑瘫儿童康复训练登记表》进行汇总，上报中国残联社会服务指导中心审核后报中国残联信息中心，每年统计一次。

2. *有效 = 显效 + 有效。

3. *满意 = 满意 + 基本满意。

附 6：

脑瘫儿童康复档案

姓名____________________

省____________________市____________________

训练机构名称____________________

训练的起止时间：________年________月________日开始

________年________月________日结束

使用说明

为做好贫困肢体残疾儿童抢救性康复项目的组织实施和业务管理，在总结以往康复训练档案基础上，根据新的任务要求和项目管理工作的需要，制定了脑瘫儿童康复档案，主要用于贫困肢体残疾儿童抢救性康复项目实施的监测、检查和督导。档案内容涉及功能和效果评估、康复计划制定、康复服务记录等康复流程中的重要环节，对规范康复训练与服务，保质保量完成任务具有重要的意义，此将脑瘫儿童康复档案使用有关事宜作如下说明：

一、康复档案的使用及填写

（一）训练登记

筛选6岁以下（含6岁）、诊断明确、有康复潜力、有康复意愿、家长配合的贫困脑瘫儿童，纳入贫困肢体残疾儿童抢救性康复项目任务，由具体负责的康复专业人员填写“训练登记”。

（二）训练评估

脑瘫儿童康复训练评估共9项，包括：头部控制、翻身、坐、爬、站、步行、手部活动、生活自理、言语交流。各康复机构根据本单位实际使用的评估方法和评价量表进行训练评估，按实际得分及时填写评估结果，原则上要求康复训练评估至少每季度进行一次。

（三）评估标准

评估结果（提高分数）为：本次评估得分－前次评估得分；

提高1分以上为“有效”；

提高分数占评估项目满分总分的20%以上为“显效”。

（四）康复计划

根据功能和效果评估结果，由各类康复专业人员、脑瘫儿童家长、志愿者等组成康复小组，针对当前的主要障碍制定和调整康复计划，原则上要求康复计划制定、调整至少每季度一次，由具体负责的专业人员作简要的记录。

（五）康复记录

由康复训练人员将训练的主要内容、训练中出现的问题及解决的办法等情况进行记录，原则上要求至少每月填写一次。

（六）年度评估、总结

“年度评估、总结”包括：效果评估、家长培训、家长对孩子康复的满意度等内容。“效果评估”为：本年度评估得分末次－初次评估得分；“家长培训、家长对培训满意度和对孩子康复的满意度”须有家长签名，由具体负责的专业人员将年度评估、总结情况及进一步康复的意见等及时填入档案。

二、康复训练档案使用的注意事项

（一）使用脑瘫儿童康复档案是项目实施监测管理重要的措施，有利于促进康复服务的规范化开展，各定点康复机构要掌握档案的内容和使用方法，省残疾人康复工作办公室要指导定点机构统一使用。

（二）康复档案的填写要求及时、客观、准确，并妥善保管。

（三）希望各地在使用中注意收集有关的意见，并反馈至中国残联社会服务指导中心，以便进一步改进工作。

（一）训练登记

儿童姓名		性别		民族		出生日期	
儿童身份证号						监护人姓名	
与儿童的关系		工作单位					
家庭住址		邮政编码				联系电话	
脑瘫类型	□痉挛型 □手足徐动型 □共济失调 □弛缓型 □混合型						
是否伴有其他残疾	□视力 □智力 □听力 □言语 □精神						
致残原因	□先天 □疾病 □早产 □产伤 □窒息 □意外伤害 □中毒 其他________						
既往医疗、康复情况	□药物治疗 □肢体矫治手术 □康复训练 □学前教育 其他________						
家庭经济状况	□家庭人均收入低于当地城乡居民最低生活保障线 □当地政府有关部门认定的低收入或贫困家庭					户口类别	□农业户 □非农业户
享受医疗保险情况	□享受城镇居民基本医疗保险 □享受新型农村合作医疗 □享受医疗救助 □享受其他保险 □无医疗保险						
存在的主要障碍和困难							
康复医师或治疗师 签名： 年 月 日							

（二）训练评估

项目 \ 时间	初次	第二次	第三次	第四次	第五次	第六次	第七次	第八次	第九次
	年月日	年月日	年月日	年月日	年月日	年月日	年月日	年月日	年月日
头部控制									
翻身									
坐									
爬									
站立									
行走									
手部活动									
生活自理活动									
言语交流									
评估总得分									
提高分数									

续表

项目＼时间	第十次	第十一次	第十二次	第十三次	第十四次	第十五次	第十六次	第十七次	第十八次
	年月日	年月日	年月日	年月日	年月日	年月日	年月日	年月日	年月日
头部控制									
翻身									
坐									
爬									
站立									
行走									
手部活动									
生活自理活动									
言语交流									
评估总得分									
提高分数									

注：各康复机构根据本单位实际使用的评估方法和评价量表进行训练评估，按实际得分及时填写评估结果。

（三）评估标准

1. 提高分数＝本次评估得分－前次评估得分；
2. 提高1分以上为“有效”，提高分数占评估项目满分总分的20%以上为“显效”。

（四）康复计划

当前主要针对的问题： 康复训练计划（训练方案）： 负责人签名：　　　　其他参加人员签名： 家长签名：　　　　日期：　　年　月　日
当前主要针对的问题： 康复训练计划（训练方案）： 负责人签名：　　　　其他参加人员签名： 家长签名：　　　　日期：　　年　月　日
当前主要针对的问题： 康复训练计划（训练方案）： 负责人签名：　　　　其他参加人员签名： 家长签名：　　　　日期：　　年　月　日
当前主要针对的问题： 康复训练计划（训练方案）： 负责人签名：　　　　其他参加人员签名： 家长签名：　　　　日期：　　年　月　日

续表

当前主要针对的问题： 康复训练计划（训练方案）： 负责人签名：　　其他参加人员签名： 家长签名：　　日期：　　年　月　日
当前主要针对的问题： 康复训练计划（训练方案）： 负责人签名：　　其他参加人员签名： 家长签名：　　日期：　　年　月　日
当前主要针对的问题： 康复训练计划（训练方案）： 负责人签名：　　其他参加人员签名： 家长签名：　　日期：　　年　月　日
当前主要针对的问题： 康复训练计划（训练方案）： 负责人签名：　　其他参加人员签名： 家长签名：　　日期：　　年　月　日
当前主要针对的问题： 康复训练计划（训练方案） 负责人签名：　　其他参加人员签名： 家长签名：　　日期：　　年　月　日
当前主要针对的问题： 康复训练计划（训练方案）： 负责人签名：　　其他参加人员签名： 家长签名：　　日期：　　年　月　日
当前主要针对的问题： 康复训练计划（训练方案）： 负责人签名：　　其他参加人员签名： 家长签名：　　日期：　　年　月　日
当前主要针对的问题： 康复训练计划（训练方案）： 负责人签名：　　其他参加人员签名： 家长签名：　　日期：　　年　月　日

（五）康复记录

记录日期	年 月 日	训练人员签名
记录日期	年 月 日	训练人员签名
记录日期	年 月 日	训练人员签名
记录日期	年 月 日	训练人员签名
记录日期	年 月 日	训练人员签名
记录日期	年 月 日	训练人员签名
记录日期	年 月 日	训练人员签名
记录日期	年 月 日	训练人员签名

注：自行续加页

（六）年度评估、总结

年 月至 年 月 年度评估总结

1. 本年初次至末次评估提高分数________分
2. 儿童康复训练：□显效 □有效 □无效
3. 参加有组织的文化、体育、娱乐等社会融入活动： 次
4. 家长培训：□集中授课 □亲子同训 □个别指导 □家庭辅导
5. 家长对培训工作的满意度： □满意 □基本满意 □不满意
6. 家长对儿童康复的满意度： □满意 □基本满意 □不满意
7. 进一步的建议和意见：

家长签名： 负责人员签名： 评估日期： 年 月 日

年 月至 年 月 年度评估总结

1. 本年初次至末次评估提高分数________分
2. 儿童康复训练：□显效 □有效 □无效
3. 参加有组织的文化、体育、娱乐等社会融入活动： 次
4. 家长培训：□集中授课 □亲子同训 □个别指导 □家庭辅导
5. 家长对培训工作的满意度： □满意 □基本满意 □不满意
6. 家长对儿童康复的满意度： □满意 □基本满意 □不满意
7. 进一步的建议和意见：

家长签名： 负责人员签名： 评估日期： 年 月 日

年 月至 年 月 年度评估总结

1. 本年初次至末次评估提高分数________分
2. 儿童康复训练：□显效 □有效 □无效
3. 参加有组织的文化、体育、娱乐等社会融入活动： 次
4. 家长培训：□集中授课 □亲子同训 □个别指导 □家庭辅导
5. 家长对培训工作的满意度： □满意 □基本满意 □不满意
6. 家长对儿童康复的满意度： □满意 □基本满意 □不满意
7. 进一步的建议和意见：

家长签名： 负责人员签名： 评估总结日期： 年 月 日

附件 4：

贫困智力残疾儿童抢救性康复项目实施办法

为贯彻落实《中共中央国务院关于促进残疾人事业发展的意见》，中央财政安排专项补助资金为贫困智力残疾儿童提供康复训练经费补贴。为保证救助项目顺利实施，根据《贫困残疾儿童抢救性康复项目实施方案》，制定《贫困智力残疾儿童抢救性康复项目实施办法》。

一、任务目标

2009～2011 年，每年资助 5 000 名贫困智力残疾儿童进行系统的康复训练、培训家长/亲友，提高智力残疾儿童生活自理、社会适应和学习能力，帮助家长掌握康复的基本原则、目标、途径和方法，坚定信心，坚持训练，成为促进孩子发展的核心。

二、资助条件

——年龄不超过 6 岁，1～4 岁年龄段为重点。

——诊断明确、生命体征稳定、家庭成员配合、有康复潜力的智力残疾儿童。

——资助对象为符合条件的城乡有康复需求的贫困智力残疾儿童，其中优先资助城乡低保家庭的智力残疾儿童。

三、资助标准

中央财政为每名救助对象提供每年人均 1 万元的康复训练补贴经费。

四、工作体系

（一）组织管理体系

——**中国残联**　会同财政部审定项目实施方案；协调解决项目实施中的重大问题；检查、督导各地项目执行进度和质量；监督资金的管理和使用；组织有关部门和专家对项目执行情况进行考核评估。

——**中国残联社会服务指导中心**　负责制定实施方案；组织工作培训；审核各地承担项目任务的康复机构；检查、督导各地项目执行进度和工作质量，审核各地资金使用情况；有计划地举办全国智力残疾儿童康复技术培训班，有重点地组织专家进行业务指导，适时进行检查考核。

——**各省残联**　根据本省智力残疾康复资源配置情况，选择项目实施区域，会同同级财政部门制定本省实施方案和计划，组织工作培训，选择省、市、县残疾人康复机构等具有智力残疾儿童康复工作基础的康复服务机构承担任务，按照就近的原则，组织筛选救助对象，安排康复机构，定期检查督导，根据工作需要开展技术培训，监管资金使用，负责本省任务的统计上报，确保任务贯彻实施。加强项目社会宣传，号召全社会关心支持残疾儿童康复。

（二）训练服务体系

——**项目专家组**　中国残联社会服务指导中心聘请早期干预、康复、教育等相关学科专家成立项目专家组，提出智力残疾儿童早期康复教育基本内容、承担项目任务康复机构的基本要求，参与项目实施成效评估，编写智力残疾儿童早期康复教育指导读物、影像制品，承担技术培训和业务指导等工作。

——**康复训练机构**　承担项目任务的省、市、县残疾人康复机构等，做好专业人员和基本设备设施的配置，保证开展智力残疾儿童早期康复教育的必要条件；采取机构集中评估、训练和家庭康复指导有机结合的方式，对资助对象进行系统训练，定期评估总结，提高训练效果。

五、工作流程

——**确定承担任务机构** 省残联协调卫生、教育、民政等有关部门，按照项目实施方案的要求进行智力残疾康复资源调查，选择具有智力残疾儿童康复工作基础的省、市、县残疾人康复服务机构等承担项目任务，报中国残联社会服务指导中心审核备案，签订项目目标责任书。

——**筛选资助对象** 县（市、区）残联组织有关专业人员进行贫困智力残疾儿童筛查调查，对符合救助条件的智力残疾儿童，由家长（或监护人）申请、居（村）委会推荐、乡镇（街道）残联负责填写《贫困智力残疾儿童抢救性康复项目筛查和救助审批表》，县（市、区）残联审批，报省残疾人康复工作办公室审核备案，在一定范围内公示。

——**实施康复训练** 就近安排救助对象到确定的康复机构，进行康复评估，制定康复计划，进行生活自理、感知、认知、语言、社交、社会适应等方面能力训练，采取亲子同训、专门培训等方式培训家长，建立康复档案；机构训练与社区、家庭训练有机结合，通过上门服务和随访等方式，做好救助对象社区、家庭训练的指导和评估，使智力残疾儿童得到持续、系统的康复训练，机构训练一般每年不少于三个月，社区、家庭训练指导每月至少一次，康复训练效果评估达到有效以上；承担任务的康复机构要专门组织训练对象参加社会文化、体育、娱乐等社会融入活动，每年不少于4次，以提高智力残疾儿童的社会适应能力。

——**做好转衔服务** 承担任务的康复机构和当地残联要重视智力残疾儿童早期康复与学前（义务）教育的衔接，在持续康复训练的基础上，为达到一定能力的适龄儿童争取上学的机会，及时协调有关方面，为其入园、入学提供必要的指导、支持和帮助，使他们能够融入社会生活。

——**做好登记统计** 各省定期将受助儿童接受康复救助相关信息录入《贫困残疾儿童抢救性康复项目数据库管理系统》；中国残联社会服务指导中心会同各省残联负责及时对数据的真实性、准确性和完整性进行审核，并于每年7月30日前将审核后的上一年度数据库上报中国残联信息中心。

各省（自治区、直辖市）残联和项目执行单位负责做好项目资料（包括文字、图片及声像资料）的收集、积累、存档。

——**培训与业务指导** 中国残联社会服务指导中心组织项目工作培训，举办全国智力残疾儿童康复技术培训班，每年至少一期，根据需要组织专家进行业务指导；各省康复办组织做好本省项目实施工作的培训和业务指导。

六、经费管理

项目提供的康复训练补贴包括：救助对象康复训练费、家长培训费、家庭指导费用、康复档案及教材等。

项目经费由中国残联根据各省任务指标进行审核后，报财政部审批下达省级财政部门，拨款文件抄送省级残联、当地财政监察专员办事处。项目地区残联协调将康复训练费转拨至承担项目任务的定点康复机构。

七、检查考核

智力残疾儿童抢救性康复项目检查考核内容包括：项目的组织管理、技术指导、社会宣传、救助经费的管理使用、任务完成情况及质量控制等。

——中国残联会同财政部、卫生部、教育部等部门，适时对项目执行情况进行检查、评估、验收。

——中国残联社会服务指导中心根据项目总体要求，组织有关部门和专家对项目执行情况进行不定期的督导检查，掌握各地任务执行情况，及时发现解决存在的问题，定期通报项目执行情况，总结推广好的经验做法，推动智力残疾儿童康复工作的深入发展。

——各省残疾人康复工作办公室定期进行项目的督导检查，及时发现解决存在问题和困难，应有督导检查工作记录，对突出问题及时与中国残联社会服务指导中心沟通协商，保证项目顺利实施，定期进行工作总结，报送年度项目执行报告。

八、质量控制

1. 贫困智力残疾儿童康复档案建档率 100%。
2. 智力残疾儿童康复训练总有效率≥85%。
3. 家长对儿童康复的满意率≥90%。
4. 家长/亲友培训率 100%。
5. 家长对培训工作的满意率≥80%。
6. 参加有组织的社会文化、体育、娱乐等社会融入活动每年不少于 4 次。

附：1. 贫困智力残疾儿童抢救性康复项目任务分配表
2. 贫困智力残疾儿童抢救性康复项目筛查和救助审批表
3. 贫困智力残疾儿童抢救性康复项目定点康复机构审批表及目标责任书
4. 贫困智力残疾儿童抢救性康复项目登记表
5. 贫困智力残疾儿童抢救性康复项目统计汇总表
6. 智力残疾儿童康复档案

附 1：

贫困智力残疾儿童抢救性康复项目任务分配表

地区	救助指标分配数量（名）
天津市	70
河北省	260
山西省	150
内蒙古	90
辽宁省	200
吉林省	100
黑龙江	140（其中农垦 20）
江苏省	300
浙江省	300
安徽省	200
福建省	130
江西省	120
山东省	350
河南省	380
湖北省	260
湖南省	280
广东省	300
广西省	170
海南省	30
重庆市	100
四川省	320
贵州省	100
云南省	160
西藏	20
陕西省	150
甘肃省	150
青海省	30
宁夏	70
新疆	50
新疆兵团	20
总计	5 000

附2：

贫困智力残疾儿童抢救性康复项目筛查和救助审批表

儿童姓名		性别		民族		出生年月	
儿童身份证号						监护人姓名	
与儿童关系		工作单位					
家庭住址			邮政编码			联系电话	
儿童发育商	□≤25	□26～39		□40～54		□55～75	
家庭经济状况	□家庭人均收入低于当地城乡居民最低生活保障线 □当地政府有关部门认定的低收入或贫困家庭					户口类别	□农业户 □非农业户
享受医疗保险情况	□享受城镇居民基本医疗保险 □享受新型农村合作医疗 □享受医疗救助 □享受其他保险 □无医疗保险						
监护人申请	申请人： 年 月 日						
社区（居、村）委会推荐意见	审核人： 公章 年 月 日						
县（市、区）残联审核意见	审核人： 公章 年 月 日						

注：本表由乡镇（街道）残联组织、受助儿童监护人填写，报县（市、区）残联审核后，报省残疾人康复工作办公室审核备案。

附3：

贫困智力残疾儿童抢救性康复项目定点康复机构审批表

单位名称					
单位地址				邮政编码	
法定代表人		联系电话		上级主管部门	
成立时间		机构登记证号码			
机构性质	□残疾人康复机构 □学前教育机构 □特殊教育机构 □卫生及妇幼保健机构 其他______				
儿童收训能力	年收训智障儿童______名；其中，日间训练______名，寄宿训练______名 其他______				
专业人员情况	教师______名，康复治疗师______名，其他______				
既往开展的康复训练服务内容	□康复咨询 □智力评估 □运动能力训练 □感知认知能力训练 □生活自理能力训练 □语言交流训练 □社会适应性训练 □游戏治疗 □音乐治疗 □智能开发 □行为矫治 □家长培训				
社区培训和指导	年培训家长/亲友______名，社区康复员______名，其他______				
上级主管部门意见： 盖 章 年 月 日					
省残联意见： 盖 章 年 月 日					
中国残联社会服务指导中心审核意见： 盖 章 年 月 日					

贫困智力残疾儿童抢救性康复项目目标责任书

为完成《贫困智力残疾儿童抢救性康复项目实施办法》资助5 000名贫困智力残疾儿童进行系统的康复训练任务，使智力残疾儿童提高生活自理、社会适应和学习能力，使家长掌握康复的基本原则、目标、途径和方法，坚定信心，坚持训练，成为促进孩子发展的核心。省残联与承担项目任务的定点康复机构签订目标责任书。

一、目标任务

按要求完成________名贫困智力残疾儿童系统康复训练、家长/亲友培训任务，智力残疾儿童康复训练总有效率≥85%，家长/亲友培训率100%，家长对儿童康复的满意率≥90%。

二、工作要求

1. 采取定点康复机构领导负责制，明确相关部门和人员职责，选择技术水平高、态度好的教师和康复人员承担康复训练任务，严格按照国家任务要求规范开展工作。

2. 对救助儿童进行观察、评估，制定训练计划，确定训练方案，实施系统康复训练，机构训练每年不少于三个月。

3. 采取母子同训、专门培训等方式培训家长。

4. 机构训练与社区、家庭训练有机结合，开展上门服务和随访工作，做好救助儿童社区、家庭训练的指导和评估，社区、家庭训练指导每月不少于一次。

5. 在持续康复训练的基础上，及时协调有关方面，为达到一定能力的适龄儿童入园、入学提供必要的指导、支持和帮助，使他们能够融入社会生活。

6. 不发生安全等责任事故。

7. 规范填写并保存智力残疾儿童康复档案。

三、本目标责任书自签字之日起生效。

四、本目标责任书一式两份，甲乙双方各执一份。

甲方：________________________省（自治区、直辖市）残联

签字：（盖章）

乙方：________________________（定点康复机构）

签字：（盖章）

年 月 日

注：该目标责任书报中国残联社会服务指导中心备案

附4：

贫困智力残疾儿童抢救性康复项目登记表

儿童姓名		性别		民族		出生日期	
儿童身份证号				监护人姓名			
与儿童关系		工作单位					
家庭住址		邮政编码		联系电话			
儿童发育商	□≤25	□26～39	□40～54	□55～75			
致残原因	□遗传　□发育障碍　□疾病　□创伤或意外伤害　□中毒与过敏反应　□不良文化因素 □原因不明　其他______						
既往医疗、康复情况	□药物治疗　□康复训练　□学前教育　其他______						
家庭经济状况	□家庭人均收入低于当地城乡居民最低生活保障线 □当地政府有关部门认定的低收入或贫困家庭		户口类别	□农业户 □非农业户			
享受医疗保险情况	□享受城镇居民基本医疗保险　□享受新型农村合作医疗 □享受医疗救助　□享受其他保险 □无医疗保险						
康复训练起止时间（一年）	年　月　日开始至　年　月　日满一年						
经费使用（元）	康复训练______元　家长培训______元　康复教材______元　其他______元 合计______元　其中，家庭自付______元						
康复训练机构名称			负责人				
康复训练效果	儿童康复训练：□显效　□有效　□无效 参加社会融入活动每年不少于4次：□是　□否 家长培训：□是　□否 家长对培训工作的满意度：□满意　□基本满意　□不满意 家长对儿童康复的满意度：□满意　□基本满意　□不满意 是否进入幼儿园、小学就读：□是　□否						
家长签名	年　月　日						

填表人：　　　审核人：　　　填表日期：

填表说明：

此表由定点康复机构填写，报省（自治区、直辖市）残联备案审核，省（自治区、直辖市）残联根据项目实施方案要求，录入项目数据库，汇总上报中国残联社会服务指导中心审核后报中国残联信息中心，每年登记一次。

附5：

贫困智力残疾儿童抢救性康复项目统计汇总表

定点康复机构/地区	智力残疾儿童康复总人数（人）	康复训练有效*数（人）	康复训练有效率	家长对儿童康复满意*的人数（人）	家长对儿童康复的满意率	家长培训人数（人）	家长培训率	家长对培训工作满意*的人数（人）	家长对培训工作的满意率	儿童参加社会融入活动的人数（人）	训练儿童入学、入园人数

填表说明：

1. 上述两表由省（自治区、直辖市）残联根据定点康复机构填报《中国残联贫困智力残疾儿童抢救性康复项目登记表》进行汇总，上报中国残联社会服务指导中心审核后报中国残联信息中心，每年统计一次。

2. *有效=显效+有效。

3. *满意=满意+基本满意。

附 6：

智力残疾儿童康复档案

姓名____________________

省____________________市____________________

训练机构名称____________________

训练的起止时间：________年________月________日开始

________年________月________日结束

使用说明

为做好贫困智力残疾儿童抢救性康复项目的组织实施和业务管理，在总结以往康复训练档案基础上，根据新的任务要求和项目管理工作的需要，制定了智力残疾儿童康复档案，主要用于贫困智力残疾儿童抢救性康复项目实施的监测、检查和督导。档案内容涉及功能和效果评估、康复计划制定、康复服务记录等康复流程中的重要环节，对规范康复训练与服务，保质保量完成任务具有重要的意义，此将智力残疾儿童康复档案使用有关事宜作如下说明：

一、康复档案的使用及填写

（一）训练登记

筛选6岁以下（含6岁）、诊断明确、有康复潜力、有康复意愿、家长配合的贫困智力残疾儿童，纳入贫困智力残疾儿童抢救性康复项目任务，由具体负责的康复专业人员填写“训练登记”。

（二）训练评估

智力残疾儿童康复训练评估共6项，包括：运动、感知、认知、言语交流、生活自理、社会适应能力六个领域（具体训练项目可参考中国残联编的《智力残疾儿童系统康复训练》、茅于燕编著的《智力落后儿童早期教育手册》或本单位使用的评估内容和方法）。各康复机构根据实际评估情况及时填写评估结果，原则上要求康复训练评估至少每季度进行一次。

（三）评估标准

评估结果（提高分数）为：本次评估得分－前次评估得分；

提高1分以上为“有效”；

提高分数占评估项目满分总分的15%以上为“显效”

（四）康复计划

根据功能和效果评估结果，由各类康复专业人员、智力残疾儿童家长、志愿者等组成康复小组，针对当前的主要障碍制定和调整康复计划，原则上要求康复计划制定、调整至少每季度一次，由具体负责的专业人员作简要的记录。

（五）康复记录

由康复训练人员将训练的主要内容、训练中出现的问题及解决的办法等情况进行记录，原则上要求至少每月填写一次。

（六）年度评估、总结

“年度评估、总结”包括：效果评估、家长培训、家长对孩子康复的满意度等内容。“效果评估”为：本年度末次评估得分－初次评估得分；“家长培训、家长对培训的满意度和对孩子康复的满意度”须有家长签名，由具体负责的专业人员将年度评估、总结情况及进一步康复的意见等及时填入档案。

二、康复训练档案使用的注意事项

（一）使用智力残疾儿童康复档案是项目实施监测管理重要的措施，有利于促进康复服务的规范化开展，各定点康复机构要掌握档案的内容和使用方法，省残疾人康复工作办公室要指导定点机构统一使用。

（二）康复档案的填写要求及时、客观、准确，并妥善保管。

（三）希望各地在使用中注意收集有关的意见，并反馈至中国残联社会服务指导中心，以便进一步改进工作。

（一）训练登记

儿童姓名		性别		民族		出生日期	
儿童身份证号				监护人姓名			
与儿童关系		工作单位					
家庭住址		邮政编码		联系电话			
儿童发育商	□≤25　□26～29　□40～54　□55～75						
致残原因	□遗传　□发育障碍　□疾病　□创伤或意外伤害　□中毒与过敏反应　□不良文化因素　□原因不明 其他＿＿＿＿＿＿＿＿						
既往医疗、康复情况	□药物治疗　□康复训练　□学前教育　其他＿＿＿＿＿＿＿＿						
家庭经济状况	□家庭人均收入低于当地城乡居民最低生活保障线 □当地政府有关部门认定的低收入或贫困家庭			户口类别	□农业户 □非农业户		
享受医疗保险情况	□享受城镇居民基本医疗保险　□享受新型农村合作医疗 □享受医疗救助　□享受其他保险 □无医疗保险						
存在的主要障碍和困难							
康复训练人员　签名： 年　月　日							

（二）训练评估

时间 项目	初次	第二次	第三次	第四次	第五次	第六次	第七次	第八次	第九次
	年月日	年月日	年月日	年月日	年月日	年月日	年月日	年月日	年月日
运动能力									
认知能力									
感知能力									
言语交流能力									
生活自理能力									
社会适应能力									
评估总得分									
提高分数									

注：各单位可参考中国残联编的《智力残疾儿童系统康复训练》、茅于燕编著的《智力落后儿童早期教育手册》或本单位使用的评估内容和方法进行评估，按实际得分及时填写。

（二）训练评估（续）

时间 项目	第十次 年月日	第十一次 年月日	第十二次 年月日	第十三次 年月日	第十四次 年月日	第十五次 年月日	第十六次 年月日	第十七次 年月日	第十八次 年月日
运动能力									
认知能力									
感知能力									
言语交流能力									
生活自理能力									
社会适应能力									
评估总得分									
提高分数									

（三）评估标准

1. 提高分数 = 本次评估得分 - 前次评估得分。
2. 提高1分以上为“有效”，提高分数占评估项目满分总分的15%以上为“显效”。

（四）康复计划

当前主要针对的问题： 康复训练计划（训练方案）： 负责人签名：　　其他参加人员签名： 家长签名：　　日期：　　年　月　日
当前主要针对的问题： 康复训练计划（训练方案）： 负责人签名：　　其他参加人员签名： 家长签名：　　日期：　　年　月　日
当前主要针对的问题： 康复训练计划（训练方案）： 负责人签名：　　其他参加人员签名： 家长签名：　　日期：　　年　月　日
当前主要针对的问题： 康复训练计划（训练方案）： 负责人签名：　　其他参加人员签名： 家长签名：　　日期：　　年　月　日
当前主要针对的问题： 康复训练计划（训练方案）： 负责人签名：　　其他参加人员签名： 家长签名：　　日期：　　年　月　日

续表

当前主要针对的问题： 康复训练计划（训练方案）： 负责人签名： 其他参加人员签名： 家长签名： 日期： 年 月 日
当前主要针对的问题： 康复训练计划（训练方案）： 负责人签名： 其他参加人员签名： 家长签名： 日期： 年 月 日
当前主要针对的问题： 康复训练计划（训练方案）： 负责人签名： 其他参加人员签名： 家长签名： 日期： 年 月 日
当前主要针对的问题： 康复训练计划（训练方案）： 负责人签名： 其他参加人员签名： 家长签名： 日期： 年 月 日
当前主要针对的问题： 康复训练计划（训练方案）： 负责人签名： 其他参加人员签名： 家长签名： 日期： 年 月 日
当前主要针对的问题： 康复训练计划（训练方案）： 负责人签名： 其他参加人员签名： 家长签名： 日期： 年 月 日
当前主要针对的问题： 康复训练计划（训练方案）： 负责人签名： 其他参加人员签名： 家长签名： 日期： 年 月 日

（五）康复记录

记录日期	年 月 日	训练人员签名
记录日期	年 月 日	训练人员签名
记录日期	年 月 日	训练人员签名
记录日期	年 月 日	训练人员签名
记录日期	年 月 日	训练人员签名
记录日期	年 月 日	训练人员签名
记录日期	年 月 日	训练人员签名
记录日期	年 月 日	训练人员签名

注：自行续加页

（六）年度评估与总结

年 月至 年 月 年度评估总结

1. 本年初次至末次评估提高分数________分
2. 儿童康复训练：□显效 □有效 □无效
3. 参加有组织的文化、体育、娱乐等社会融入活动： 次
4. 家长培训：□集中授课 □亲子同训 □个别指导 □家庭辅导
5. 家长对培训工作的满意度： □满意 □基本满意 □不满意
6. 家长对儿童康复的满意度： □满意 □基本满意 □不满意
7. 进一步的建议和意见：

家长签名： 负责人员签名： 评估日期： 年 月 日

年 月至 年 月 年度评估总结

1. 本年初次至末次评估提高分数________分
2. 儿童康复训练：□显效 □有效 □无效
3. 参加有组织的文化、体育、娱乐等社会融入活动： 次
4. 家长培训：□集中授课 □亲子同训 □个别指导 □家庭辅导
5. 家长对培训工作的满意度： □满意 □基本满意 □不满意
6. 家长对儿童康复的满意度： □满意 □基本满意 □不满意
7. 进一步的建议和意见：

家长签名： 负责人员签名： 评估日期： 年 月 日

年 月至 年 月 年度评估总结

1. 本年初次至末次评估提高分数________分
2. 儿童康复训练：□显效 □有效 □无效
3. 参加有组织的文化、体育、娱乐等社会融入活动： 次
4. 家长培训：□集中授课 □亲子同训 □个别指导 □家庭辅导
5. 家长对培训工作的满意度： □满意 □基本满意 □不满意
6. 家长对儿童康复的满意度： □满意 □基本满意 □不满意
7. 进一步的建议和意见：

家长签名： 负责人员签名： 评估日期： 年 月 日

附件5：

贫困孤独症儿童抢救性康复项目实施办法

为贯彻落实《中共中央　国务院关于促进残疾人事业发展的意见》，使贫困孤独症儿童享有康复服务，中央财政安排专项补助资金为贫困孤独症儿童提供康复训练经费。为保证救助项目顺利实施，根据《贫困残疾儿童抢救性康复项目实施方案》，制定《贫困孤独症儿童抢救性康复项目实施办法》。

一、任务目标

2009～2011年，每年为1 200名贫困孤独症儿童提供康复训练服务。

二、实施范围

各省（自治区、直辖市）在1～2个有一定工作基础和服务能力的城市，确定符合标准的康复训练定点机构，采取“康复救助卡”的方式，2009～2011年每年为1 200名贫困孤独症儿童提供康复训练服务。

三、资助对象及资助原则

资助对象应符合以下条件：

——经卫生部门认定的诊断机构确诊的孤独症儿童。

——年龄3～6周岁。

——资助对象为符合条件的城乡有康复需求的贫困孤独症儿童，其中优先资助城乡低保家庭的贫困孤独症儿童。

四、资助标准

中央财政为每名救助对象提供每年人均1万元的康复训练补贴经费。

五、工作体系

——中国残联会同财政部审定项目实施方案，下达项目任务指标，印制并下发《贫困孤独症儿童抢救性康复项目康复救助卡》，审核项目任务完成情况，协调解决项目实施过程中的主要问题，指导、监督、检查各省项目执行情况。

——各省（自治区、直辖市）残联会同同级财政部门制定本省（自治区、直辖市）项目实施方案和相关工作制度，分解下达任务，审核确定项目受助对象与定点康复机构，督导定点康复机构开展孤独症儿童康复训练和家长培训工作，做好本省（自治区、直辖市）项目的指导检查和统计汇总工作。

——定点康复机构制定康复方案和康复训练计划，为受助对象建立个人康复档案，开展康复训练和家长培训，做好康复训练效果的定期评估工作，按照要求填写、上报项目数据、报表，并保留好康复方案、康复训练计划和记录备查，负责受助对象的回访和后续服务。

六、工作流程

——制定工作方案，确定定点机构。各省（自治区、直辖市）残联要会同财政部门制定项目具体实施方案，根据《孤独症儿童康复机构评审方案（试行）》（全康办〔2009〕19号）的要求，在1～2个有一定工作基础和服务能力的城市，经过省级评审，确定达到三级及以上的康复机构作为项目实施单位（民办、公办、民办公助皆可，优先选择融合式教育模式的康复训练机构）。项目地区残联应与确定的定点康复机构签订项目协议书，明确各自责任，并将定点康复机构名单上报中国残联康复部备案。

——成立专家组，组织开展培训和业务指导。各项目地区要成立孤独症儿童康复专家组，负责组织人员培训，指导定点康复机构开展工作，配合残联进行督导检查。

——确定救助对象。对符合救助条件的贫困孤独症儿童，采取家长（监护人）申请、居（村）委会推荐、项目地区残联审批的方式，填写《贫困孤独症儿童抢救性康复项目申请审批表》（此表一式三份，由省残联、项目地区残联和定点康复机构留存）。经项目地区残联审核批准后，向受助对象发放《贫困孤独症儿童抢救性康复项目康复救助卡》。救助对象每年审核一次，一经确定，不得随意变更。如因特殊原因中止救助，定点康复机构应及时上报项目地区残联，注销其救助卡，项目地区残联应及时调整救助对象并将调整情况存档备查。如受助对象需变更定点康复机构，需受训满半年并提前1个月告知项目地区残联，经残联确认备案后才能变更。——建立康复档案，实施康复救助服务。受助对象凭《贫困孤独症儿童抢救性康复项目康复救助卡》到定点康复机构接受康复训练。在接受康复训练前，要根据《孤独症儿童发展评估表（试行）》（全康办〔2009〕26号），对受助儿童进行基线评估，并根据评估结果，制定个别化训练计划，开展康复训练、家长培训工作；并按要求定期评估，掌握并跟踪孤独症儿童康复训练效果，及时调整康复训练方案。定点康复机构负责为受训的贫困孤独症儿童建立个人受助康复档案，登记填写效果评估情况，保存教学计划、训练记录、评估记录等资料备查。

——经费结算。定点康复机构根据受训贫困孤独症儿童的实际情况，与残联进行结算；定点康复机构将受助孤独症儿童康复训练经费的收支情况每月定期记入《贫困孤独症儿童抢救性康复项目康复救助卡》，每项记录均须由受助儿童法定监护人签字确认（此卡由受助儿童法定监护人负责保存）。定点康复机构凭救助卡记录复印件及受助儿童康复训练经费支出单据，定期与项目地区残联结算。

——登记统计及汇总。定点康复机构负责做好新受训儿童登记和康复效果评估工作，定期将受助儿童接受康复救助相关信息录入《贫困残疾儿童抢救性康复项目数据库管理系统》；中国残联康复部会同各省残联负责及时对数据的真实性、准确性和完整性进行审核，并于每年7月30日前将审核后的上一年度数据库上报中国残联信息中心。

各省（自治区、直辖市）残联和项目执行单位负责做好项目资料（包括文字、图片及声像资料）的收集、积累、存档。

七、经费

——项目提供的康复训练经费包括：救助对象康复训练费、康复效果评估费、训练教材和康复档案的购置费、家长培训费、食宿费及家庭指导等费用。

——项目经费由中国残联根据各省任务指标进行审核后，报财政部审批下达省级财政部门，拨款文件抄送省级残联、当地财政监察专员办事处。项目地区残联协调将康复训练费转拨至承担项目任务的定点康复机构。

八、检查评估

检查评估内容包括项目组织管理、儿童诊断、康复训练效果、档案上报、经费管理和使用、项目宣传、家长满意度等方面。

——项目地区残联负责定期组织相关部门和专家对项目执行情况进行督导。

——中国残联会同财政部等部门适时对项目执行情况进行检查、评估、验收。

附：1. 贫困孤独症儿童抢救性康复项目任务分配表

2. 贫困孤独症儿童抢救性康复项目申请审批表

3. 贫困孤独症儿童抢救性康复项目登记表

4. 贫困孤独症儿童抢救性康复项目统计汇总表

5. 贫困孤独症儿童抢救性康复项目康复救助卡

附 1：

贫困孤独症儿童抢救性康复项目任务分配表

地区	救助指标分配数量（名）
天津	50
河北	55
山西	35
内蒙古	35
辽宁	55
吉林	45
黑龙江	45
江苏	50
浙江	55
安徽	35
福建	55
江西	55
山东	55
河南	55
湖北	45
湖南	55
广东	55
广西	35
海南	20
重庆	45
四川	55
贵州	35
云南	35
陕西	45
甘肃	20
青海	10
宁夏	20
新疆	45
总计	1 200

附2：

贫困孤独症儿童抢救性康复项目申请审批表

填表人：　　　　　　审核人：　　　　　　　　　　填表日期：

<table>
<tr><td>儿童姓名</td><td colspan="2"></td><td colspan="2">性别</td><td>□男　□女</td><td rowspan="2">寸
免冠照片</td></tr>
<tr><td>出生日期</td><td colspan="2">年　月　日</td><td colspan="2">民族</td><td>□汉族
□少数民族</td></tr>
<tr><td>儿童身份证号</td><td></td><td>诊断机构</td><td colspan="2"></td><td>诊断结果</td><td></td></tr>
<tr><td>家长姓名</td><td></td><td colspan="2">与儿童关系</td><td colspan="3"></td></tr>
<tr><td>联系方式</td><td colspan="6">宅电/手机</td></tr>
<tr><td>通讯地址</td><td colspan="6"></td></tr>
<tr><td>家庭经济状况</td><td colspan="6">□家庭人均收入低于当地城乡居民最低生活保障线
□当地政府有关部门认定的低收入或贫困家庭</td></tr>
<tr><td>享受医疗保险情况</td><td colspan="6">□享受城镇居民基本医疗保险　□享受新型农村合作医疗
□享受医疗救助　□享受其他保险
□无医疗保险</td></tr>
<tr><td>申请的定点康复机构名称</td><td colspan="6"></td></tr>
<tr><td>监护人申请</td><td colspan="6">申请人：
年　月　日</td></tr>
<tr><td>社区（居、村）委会意见</td><td colspan="6">审核人：
公章
年　月　日</td></tr>
<tr><td>项目地区残联审批意见</td><td colspan="6">审核人：
公章
年　月　日</td></tr>
</table>

注：1. 此表由贫困孤独症儿童的法定监护人填写，一式三份，一份存入定点康复机构受助儿童档案，一份由项目地区残联留存备查，一份交省残联备案。受助儿童监护人身份证复印件、家庭收入证明及诊断机构诊断证明由项目地区残联留存备查。

2. 项目地区残联是指承担项目任务的康复机构所在地残联。

附3：

贫困孤独症儿童抢救性康复项目登记表

填表单位（公章）：　　　　　　　　　　　　　　　　　　年度：______年

填表人：　　　　　审核人：　　　　　填表日期：

<table>
<tr><td>儿童姓名</td><td></td><td>性别</td><td></td><td>出生日期</td><td></td></tr>
<tr><td>儿童身份证号</td><td></td><td colspan="2">民族</td><td colspan="2">□汉族　□少数民族</td></tr>
<tr><td>诊断机构</td><td></td><td colspan="2">诊断结果</td><td colspan="2"></td></tr>
<tr><td>监护人姓名</td><td></td><td colspan="2">与儿童关系</td><td colspan="2"></td></tr>
<tr><td>联系方式</td><td colspan="5">宅电/手机</td></tr>
<tr><td>通讯地址</td><td colspan="5"></td></tr>
</table>

续表

家庭经济状况	□家庭人均收入低于当地城乡居民最低生活保障线 □当地政府有关部门认定的低收入或贫困家庭
享受医疗保险情况	□享受城镇居民基本医疗保险　□享受新型农村合作医疗 □享受医疗救助　□享受其他保险 □无医疗保险
定点康复机构	
受训时间	自____年____月____日至____年____月____日
通过项目数及康复效果评估	感知觉　第一次____项　第二次____项　第三次____项　□显效　□有效　□无效 粗大动作　第一次____项　第二次____项　第三次____项　□显效　□有效　□无效 精细动作　第一次____项　第二次____项　第三次____项　□显效　□有效　□无效 语言与沟通　第一次____项　第二次____项　第三次____项　□显效　□有效　□无效 认知　第一次____项　第二次____项　第三次____项　□显效　□有效　□无效 社会交往　第一次____项　第三次____项　第三次____项　□显效　□有效　□无效 生活自理　第一次____项　第二次____项　第三次____项　□显效　□有效　□无效 情绪与行为　第一次____项　第三次____项　第三次____项　□显效　□有效　□无效
家长培训	□是　参加培训____次　□否
满意度调查	□非常满意　□满意　□不满意
经费使用（元）	康复训练____元　家长培训____元　康复教材____元　其他____元　合计____元 其中，家庭自付____元
训练后走向	□继续在训　□普幼　□普小　□特教学校　□其他
监护人签字	

填表说明：此表每年度填写一次，由定点康复机构填写，一式两份，一份由定点康复机构留存备查，一份上报项目地区残联。

附4：

贫困孤独症儿童抢救性康复项目统计汇总表

填表单位（公章）：　　　　年度：____年

填表人：　　　　审核人：　　　　填表日期：

项目任务数（人）		实际完成数（人）	
家庭经济状况	家庭人均收入低于当地城乡居民最低生活保障线____人 当地政府有关部门认定的低收入或贫困家庭____人		
享受医疗保险情况	享受城镇居民基本医疗保险____人　享受新型农村合作医疗____人 享受医疗救助____人　享受其他保险____人　无医疗保险____人		
家长培训	____批次，____人次		
经费使用	经费____万元　实际使用____万元		
康复训练效果	感知觉　显效____人　有效____人　无效____人 粗大动作　显效____人　有效____人　无效____人 精细动作　显效____人　有效____人　无效____人 语言与沟通　显效____人　有效____人　无效____人 认知能力　显效____人　有效____人　无效____人 社会交往能力　显效____人　有效____人　无效____人 生活自理能力　显效____人　有效____人　无效____人 情绪与行为　显效____人　有效____人　无效____人		
满意度调查	共调查____人，其中非常满意____人　满意____人　不满意____人		
训练后走向	继续在训____人　普幼____人　普小____人　特教学校____人　其他____人		

填表说明：此表每年度填写一次，由定点康复机构填写，一式两份，一份由定点康复机构存档备查，一份逐级上报至省残联，由省残联汇总后上报中国残联康复部。

附5：

贫困孤独症儿童抢救性康复项目康复救助卡

封面：

贫困孤独症儿童
抢救性康复项目

康复救助卡

中国残疾人联合会制

封二：

救助卡使用范围

救助对象：

贫困孤独症儿童。

救助条件：

救助对象应符合以下条件：(1) 经定点诊断机构确诊的孤独症儿童；(2) 年龄3~6周岁；(3) 经审查家庭经济状况符合下列情况之一：家庭人均收入低于当地城乡居民最低生活保障水平、当地政府有关部门认定的低收入或贫困家庭。

救助标准：

每人每年10 000元康复训练经费。

第一页：

______省______市______县　　　　　　　　　　　　　编号：

姓名		性别		民族	
出生日期		身份证号			
诊断机构		诊断结果			
监护人姓名		电话			
家庭地址及邮编					
定点康复机构名称					
定点康复机构项目负责人		电话			
康复训练起止时间	____年____月____日至____年____月____日				
项目地区残联： （盖章） 核发人： 年　月　日					

第二页～第七页

20　年训练记录

日期	康复训练内容	金额	监护人签名
合计	元		

封三：

注意事项

1. 本卡仅限本人使用，不得转借；

2. 本卡仅用于到指定的定点康复训练机构接受训练；

3. 如需变更定点康复机构，需受训满半年并提前1个月告知项目地区残联，经项目地区残联确认备案后才能变更；

4. 本卡请妥善保管，一旦遗失请及时向定点康复训练机构挂失，凡原卡遗失期间发生的康复训练费用，均由本人自负。

附6：

贫困残疾儿童（辅助器具适配）抢救性康复项目实施办法

为贯彻落实《中共中央　国务院关于促进残疾人事业发展的意见》，使贫困残疾儿童得到辅助器具适配服务，中央财政安排专项补助资金为贫困残疾儿童提供辅助器具适配抢救性康复服务。为保证救助项目顺利实施，根据《贫困残疾儿童抢救性康复项目实施方案》，制定《贫困残疾儿童（辅助器具适配）抢救性康复项目实施办法》。

一、任务目标

2009～2011年在全国为20 700名贫困残疾儿童配置各类辅助器具，其中2 700名验配助视器，3 000名制作矫形器，15 000名配发轮椅、坐姿椅、站立架、儿童助行器。

二、资助对象

0～6岁有需求、经评估适合配置辅助器具的贫困残疾儿童，其中优先资助城乡低保家庭的贫困残疾儿童。

三、工作体系

——中国残联　会同财政部审定项目实施方案，分解项目任务；组织采购和下拨辅助器具产品和矫形器材料；培训专业人员；负责项目的监督指导、效果评估、统计汇总；编制《残疾儿童（辅助器具适配）指导手册》。

——国家康复器械质量监督检验中心　对配置的各类辅助器具进行质量监督。

——各省残联　会同同级财政部门制定本省项目实施办法；确定定点辅助器具服务机构；负责项目组织协调、监管及统计汇总。

——定点辅助器具服务机构　辅助器具定点机构由省残联从所属各级辅助器具服务机构中选择并确认，定点服务机构应具有满足适配需要的设备工具（仪器），有经过培训并取得服务资质的专业人员，且开展适配工作一年以上；定点机构依据《残疾儿童（辅助器具适配）指导手册》要求，组织病员筛选，对残疾儿童状况进行评估；汇总上报需求；制作矫形器并进行适应性训练，适配辅助器具；登记、统计并上报年度任务完成情况；收集并反馈产品质量情况和受益人使用效果。

四、工作流程

——下达任务　分解下达项目年度任务（附1），各省残联确定项目定点辅助器具服务机构，定点服务机构选派专业人员参加培训。

——筛选受助对象　项目地区残联组织定点服务机构对符合救助条件的残疾儿童进行筛查评估（重症残疾儿童要入户服务），确定辅助器具需求种类和数量，汇总后上报省残联。受助对象筛选要与其他救助项目相结合，优先选择在机构中接受康复训练的残疾儿童，使其得到系统全面的康复。

——配发产品　中国残疾人辅助器具中心根据任务分配和各省上报情况统一下发矫形器材料和辅助器具；省残联根据本省任务整合资源，统筹安排，组织和监督定点服务机构开展工作。

——提供服务　定点服务机构根据筛查评估情况进行矫形器制作和辅助器具适配，开展适应性训练和做好使用指导，填写《贫困残疾儿童（辅助器具适配）抢救性康复项目登记表》（附2）并由受益残疾儿童监护人签字确认；填写《贫困残疾儿童（辅助器具适配）抢救性康复项目统计汇总表》（附3），经项目地区残联审核后上报省残联。

——数据录入　各省定期将辅助器具适配项目相关信息录入《贫困残疾儿童抢救性康复项目数据库管理系统》；中国残疾人辅助器具中心会同各省残联负责及时对数据的真实性、准确性和完整性进行审核，并于每年7月30日前将审核后的上一学年数据库上报中国残联信息中心。

各省（自治区、直辖市）残联和项目执行单位负责做好项目资料（包括文字、图片及声像资料）的收集、积累、存档。

五、工作要求

——经费管理　中央财政补贴的各类辅助器具和矫形器制作材料由中国残联实行政府集中采购后以实物形式下发；项目服务费（评估、制作和适配等）在各地完成任务并上报受益人名单后，由中国残疾人辅助器具中心核准并上报中国残联据实下拨。

各类辅助器具经费包括产品（或矫形器材料）和适配制作费。其中，矫形器：零部件及材料费60%、制作费（诊断评估、制作和适应性训练）40%；助视器：产品70%、验配费30%；轮椅等辅助器具：产品85%，评估适配费15%。

——适配评估　按照《残疾儿童（辅助器具适配）指导手册》要求，做好矫形器和辅助器具前期评估，其中矫形器和助视器要由专业医生诊断并开具处方后，再由定点辅助器具机构制作或验配，并进行适应性训练和指导使用，以确保产品适合残疾儿童状况；使用过程中，要及时追踪和反馈产品使用效果及质量情况，为争取政府和社会资助、以及制定"十二五"规划提供依据。

——物资管理　定点辅助器具服务机构要做好配发产品及矫形器制作材料的接收、发放、登记等工作，要按照物资管理规范要求，设立专门台账，保存相关凭据和工作记录。

——登记统计　各地要拍摄受益人使用辅助器具的照片，并存档备查。

——开展宣传　按照中国残联统一部署开展宣传；收集残疾儿童受益后的典型事例，通过媒体宣传，让政府和社会更加关注和支持残疾人辅助器具服务工作。

附：1. 贫困残疾儿童（辅助器具适配）抢救性康复项目年度任务表

2. 贫困残疾儿童（辅助器具适配）抢救性康复项目登记表

3. 贫困残疾儿童（辅助器具适配）抢救性康复项目统计汇总表

附1：　**贫困残疾儿童（辅助器具适配）抢救性康复项目年度任务表**

地区	矫形器			轮椅、坐姿椅、站立架、助行器			助视器		
	2009	2010	2011	2009	2010	2011	2009	2010	2011
北京	10	10	10	60	60	60	10	10	10
天津	10	10	10	60	60	60	10	10	10
河北	50	50	50	240	240	240	40	40	40
山西	40	40	40	200	200	200	40	40	40
内蒙古	10	10	10	120	120	120	20	20	20
辽宁	40	40	40	200	200	200	40	40	40
吉林	40	40	40	200	200	200	40	40	40
黑龙江	35（含农垦10）	35（含农垦10）	35（含农垦10）	170（含农垦50）	170（含农垦50）	170（含农垦50）	30（含农垦10）	30（含农垦10）	30（含农垦10）
上海	10	10	10	60	60	60	10	10	10
江苏	30	30	30	80	80	80	30	30	30
浙江	20	20	20	80	80	80	30	30	30
安徽	40	40	40	220	220	220	40	40	40
福建	20	20	20	80	80	80	20	20	20
江西	40	40	40	180	180	180	30	30	30

续表

地区	矫形器			轮椅、坐姿椅、站立架、助行器			助视器		
	2009	2010	2011	2009	2010	2011	2009	2010	2011
山东	40	40	40	260	260	260	35	35	35
河南	50	50	50	230	230	230	45	45	45
湖北	40	40	40	180	180	180	30	30	30
湖南	40	40	40	180	180	180	30	30	30
广东	35	35	35	180	180	180	30	30	30
广西	45	45	45	240	240	240	40	40	40
海南	10	10	10	60	60	60	10	10	10
四川	20	20	20	100	100	100	40	40	40
重庆	30	30	30	200	200	200	25	25	25
贵州	40	40	40	200	200	200	35	35	35
云南	50	50	50	240	240	240	35	35	35
西藏	15	15	15	50	50	50	15	15	15
陕西	50	50	50	250	250	250	35	35	35
甘肃	50	50	50	200	200	200	35	35	35
青海	30	30	30	160	160	160	20	20	20
宁夏	15	15	15	120	120	120	20	20	20
新疆	35	35	35	150	150	150	30	30	30
新疆生产建设兵团	10	10	10	50	50	50	10	10	10
总计		3 000			15 000			2 700	

附2：

贫困残疾儿童（辅助器具适配）抢救性康复项目登记表

服务机构名称：______省

姓名		性别	□男 □女	民族		出生日期	
儿童身份证号		监护人姓名		监护人与残疾儿童关系		□父母 □亲属 □其他	
家庭地址		邮编		联系电话			
家庭经济状况	□家庭人均收入低于当地城乡居民最低生活保障线 □当地政府有关部门认定的低收入或贫困家庭			户口类别		□农业户口 □非农业户口	
残疾状况	□视力残疾：○盲　○低视力 □肢体残疾：○脑瘫　○先天性骨关节病　○儿麻　○脊柱裂　○其他						
辅助器具需求情况	□助视器　□单纯踝足矫形器　□轮椅 □脊柱矫形器　□站立架 □膝踝足矫形器　□坐姿椅 □儿童助行器						
申请人（监护人）签字		筛选签字盖章（定点服务机构填写）			配发签字盖章（定点服务机构填写）		
备注							

填写人：　　　　　　　　　　　　填写日期：

此表由定点服务机构负责填写，一式两份，一份由残疾儿童监护人留存，另一份由定点服务机构存档备查。

附 3：

贫困残疾儿童（辅助器具适配）抢救性康复项目统计汇总表

填报单位（公章）

序号	姓名	性别	年龄	监护人姓名	联系电话	辅助器具种类及数量							
						助视器	踝足矫形器	膝踝足矫形器	脊柱矫形器	轮椅	坐姿椅	站立架	儿童助行器

填表人： 审核人： 填表日期：

填表说明：此表由直接实施服务的定点辅助器具服务机构和低视力康复机构填写，经项目地区残联审核后，逐级上报省残联。省残联组织进行数据录入，经中国残疾人辅助器具中心审核后报中国残联信息中心。

卫生部　财政部关于印发《关于进一步加强农村孕产妇住院分娩工作的指导意见》的通知

2009年1月20日　卫妇社发〔2009〕12号

各省、自治区、直辖市卫生厅局、财政厅局：

为落实温家宝总理在十一届全国人大一次会议《政府工作报告》中提出的在中西部地区农村实施住院分娩补助的政策，进一步提高农村孕产妇住院分娩率，降低孕产妇死亡率和婴儿死亡率，卫生部、财政部决定在全国加强农村孕产妇住院分娩工作。

现将《关于进一步加强农村孕产妇住院分娩工作的指导意见》印发你们，请认真贯彻落实。

附件：关于进一步加强农村孕产妇住院分娩工作的指导意见

附件：

关于进一步加强农村孕产妇住院分娩工作的指导意见

孕产妇死亡率和婴儿死亡率（以下简称两个死亡率）是一个国家经济和社会发展的重要指标，是联合国千年发展目标的重要内容。近年来，我国妇幼卫生事业有了长足的发展，孕产期保健服务水平不断提高，广大妇女儿童健康状况明显改善。但由于经济社会等多方面原因，我国农村特别是中西部农村地区住院分娩问题还没有得到很好地解决，两个死亡率仍处于较高水平。提高农村孕产妇住院分娩率是改善农村孕产妇保健状况、保障广大农村孕产妇和新生儿的生命安全、进一步降低两个死亡率的有效措施，对于提高农村人口的健康水平、促进社会的和谐与进步具有重要的现实意义和深远的历史意义。现就进一步加强农村孕产妇住院分娩工作提出以下指导意见。

一、指导思想、基本原则和工作目标

（一）指导思想。以邓小平理论和“三个代表”重要思想为指导，深入贯彻落实科学发展观，通过推进妇幼卫生服务网络建设、实施农村孕产妇住院分娩补助政策，使广大农村孕产妇能够平等享有安全、有效、规范、便捷的孕产期保健服务，维护广大农村妇女儿童的健康权益。

（二）基本原则。坚持以人为本，注重服务的公平性和可及性。坚持助产技术服务的区域规划，规范助产技术服务，保障孕产期保健服务质量。坚持政府主导，加大投入。

（三）工作目标。到2015年，东、中、西部地区各省（区、市）农村孕产妇住院分娩率分别达到95%、85%和80%以上；农村高危孕产妇住院分娩率达到95%以上；实现我国政府承诺的“联合国千年发展目标”。到2020年，东、中、西部各省（区、市）农村孕产妇住院分娩率分别达到98%、95%和90%以上；农村高危孕产妇住院分娩率达到98%以上；孕产妇死亡率和婴儿死亡率达到中等发达国家水平。

二、主要内容

（四）明确农村孕产妇住院分娩服务项目和标准。卫生部会同财政部制订农村孕产妇住院分娩的基本服务项目。在此基础上，各省（区、市）结合本地经济社会发展水平，制订本地区的服务项目和限价标准，保证住院分娩服务质量与安全。

（五）完善农村孕产妇住院分娩服务体系。以县级妇幼保健机构为区域内孕产期保健技术指导和管理中心，提高县乡两级孕产期保健服务能力。建立健全以各级妇幼保健机构为主体，县乡两级医疗卫生机构为基础，其他医疗卫生机构为支撑，基本覆盖全国城乡的妇幼保健服务网络，为孕产妇享有规范、安全的孕产期保健及住院分娩服务提供保障。

（六）加强医疗卫生机构和人员服务资质的监督管理。加强助产技术服务的区域规划，严格助产机构、技术和人员准入，引导孕产妇到有资质的医疗卫生机构（包括社会力量举办的医疗卫生机构）住院分娩，坚决打击各种非法接生行为。

（七）强化产科质量管理。健全医疗卫生机构产科质量管理体系，按照孕产期保健和助产技术规范，制定质量控制方案和质量评估标准，定期开展质量评估活动，不断改进产科服务质量。各地要规范高危孕产妇筛查、转诊和救治流程，建立危重孕产妇抢救绿色通道；严格剖宫产指征，控制剖宫产率，降低医疗风险；加大产科质量督查力度，实行周期性与日常督查相结合，督促助产机构规范医疗行为，努力保障产科质量，维护广大孕产妇生命安全。

（八）实施农村孕产妇住院分娩补助政策。在各地核定成本、明确限价标准的基础上，对农村孕产妇住院分娩所需费用予以财政补助，补助标准由各省（区、市）财政部门会同卫生部门制定。参加新型农村合作医疗的农村孕产妇在财政补助之外的住院分娩费用，可按当地新型农村合作医疗制度的规定给予补偿。对个人负担较重的贫困孕产妇，可由农村医疗救助制度按规定给予救助。鼓励有条件的地区探索将农村孕产妇住院分娩补助与新型农村合作医疗、农村医疗救助补助统筹管理使用。

三、保障措施

（九）卫生部负责研究制定技术规范、考核标准，财政部负责制定资金管理办法等配套政策。各地卫生、财政等相关部门负责制定具体实施办法并组织实施。

（十）中央财政对困难地区农村孕产妇住院分娩给予补助。地方财政也应承担相应的支出责任，并统筹使用各级财政补助资金，按照国家专项补助资金管理的规定加强管理，专款专用，保障资金安全，发挥专项资金效益。

（十一）加强人员培训，改善住院分娩基础设备，提高农村基层医疗卫生机构服务能力。本着经常性、基础性、实用性的原则，采取多种方式开展基本知识、基本理论、基本技能等方面的培训，提高县乡两级助产人员的服务能力。

（十二）县级卫生部门要会同有关部门加强农村孕产妇住院分娩工作的监督管理。健全农村孕产妇住院分娩补助工作规程，做好农村孕产妇基础信息统计和管理工作。建立并完善考核评价制度，严格管理和监督。

四、组织领导

（十三）各级政府要以高度的政治责任感和使命感加强组织领导，认真贯彻落实住院分娩的各项政策。根据实际情况，制定实施方案，明确责任，统筹协调，督查指导，推动农村住院分娩工作持续健康发展。

（十四）做好农村孕产妇住院分娩补助政策宣传和孕产期保健的健康教育工作，做到家喻户晓，为孕产妇住院分娩营造良好的社会氛围。

附件：住院分娩基本服务项目

附件：

住院分娩基本服务项目

一、正常产

（一）基本护理。

床位，护理（一般护理、产前护理、产后护理）。

（二）常规检查。

1. 一般检查：体格检查、产科检查。

2. 辅助检查：血常规、凝血功能（凝血时间）、肝功能、乙肝两对半、尿常规等。

（三）接产服务。

1. 观察产程：测血压、听胎心、查胎位、宫缩、阴道检查。

2. 接生。

3. 新生儿护理：脐带处理、呼吸道清理、新生儿体检等。

4. 新生儿窒息复苏（如发生）。

5. 产房观察：血压、脉搏；宫缩、宫底高度、阴道出血；新生儿一般情况。

（四）基本药物。

缩宫素、生理盐水（或葡萄糖注射液）、抗生素、眼药。

二、阴道手术助产

（一）基本护理。

床位，护理（一般护理、产前护理、产后护理）。

（二）常规检查。

1. 一般检查：体格检查、产科检查。

2. 辅助检查：血常规、凝血功能（凝血时间）、肝功能、乙肝两对半、尿常规等。

（三）接产服务。

1. 观察产程：测血压、听胎心、查胎位、宫缩、阴道检查。

2. 阴道助产：会阴切开与缝合术、胎头吸引术、产钳术、臀牵引术、臀助产术。

3. 新生儿护理：脐带处理、呼吸道清理、新生儿体检等。

4. 新生儿窒息复苏（如发生）。

5. 产房观察：血压、脉搏；宫缩、宫底高度、阴道出血；新生儿一般情况。

（四）基本药物。

缩宫素、生理盐水（或葡萄糖注射液）、抗生素、眼药。

三、剖宫产

（一）基本护理。

床位，护理（一般护理、术前护理、术后护理）。

（二）常规检查。

1. 一般检查：体格检查、产科检查。

2. 辅助检查：血常规、凝血功能（凝血时间）、交叉配血、肝功能、乙肝两对半、尿常规、心电图检查等。

（三）接产服务。

1. 观察产程：听胎心、测血压、查胎位、宫缩、阴道检查。

2. 剖宫产手术。

3. 新生儿护理：脐带处理、呼吸道清理、新生儿体检等。

4. 新生儿窒息复苏（如发生）。

（四）基本药物。

缩宫素、止血芳酸（或止血敏）、抗生素、生理盐水（或葡萄糖注射液）、眼药。

卫生部　财政部　国家人口和计划生育委员会关于促进基本公共卫生服务逐步均等化的意见

2009年7月9日　卫妇社发〔2009〕70号

各省、自治区、直辖市卫生厅局、财政厅局、人口计生委，新疆生产建设兵团卫生局、财政局、人口计生委：

根据《中共中央、国务院关于深化医药卫生体制改革的意见》（中发〔2009〕6号）和《国务院关于印发医药卫生体制改革近期重点实施方案（2009～2011年）的通知》（国发〔2009〕12号），现就促进基本公共卫生服务逐步均等化提出以下意见。

一、工作目标

通过实施国家基本公共卫生服务项目和重大公共卫生服务项目，明确政府责任，对城乡居民健康问题实施干预措施，减少主要健康危险因素，有效预防和控制主要传染病及慢性病，提高公共卫生服务和突发公共卫生事件应急处置能力，使城乡居民逐步享有均等化的基本公共卫生服务。

到2011年，国家基本公共卫生服务项目得到普及，城乡和地区间公共卫生服务差距明显缩小。到2020年，基本公共卫生服务逐步均等化的机制基本完善，重大疾病和主要健康危险因素得到有效控制，城乡居民健康水平得到进一步提高。

二、主要任务

（一）制定和实施基本公共卫生服务项目。

国家根据经济社会发展状况、主要公共卫生问题和干预措施效果，确定国家基本公共卫生服务项目。国家基本公共卫生服务项目随着经济社会发展、公共卫生服务需要和财政承受能力适时调整。地方政府根据当地公共卫生问题、经济发展水平和财政承受能力等因素，可在国家基本公共卫生服务项目基础上增加基本公共卫生服务内容。

现阶段，国家基本公共卫生服务项目主要包括：建立居民健康档案，健康教育，预防接种，传染病防治，高血压、糖尿病等慢性病和重性精神疾病管理，儿童保健，孕产妇保健，老年人保健等。

（二）实施重大公共卫生服务项目。

国家和各地区针对主要传染病、慢性病、地方病、职业病等重大疾病和严重威胁妇女、儿童等重点人群的健康问题以及突发公共卫生事件预防和处置需要，制定和实施重大公共卫生服务项目，并适时充实调整。

从2009年开始继续实施结核病、艾滋病等重大疾病防控、国家免疫规划、农村孕产妇住院分娩、贫困白内障患者复明、农村改水改厕、消除燃煤型氟中毒危害等重大公共卫生服务项目；新增15岁以下人群补种乙肝疫苗、农村妇女孕前和孕早期增补叶酸预防神经管缺陷、农村妇女乳腺癌、宫颈癌检查等项目。

人口和计划生育部门继续组织开展计划生育技术服务，主要包括避孕节育、优生优育科普宣传，避孕方法咨询指导，发放避孕药具，实施避孕节育和恢复生育力手术，随访服务，开展计划生育手术并发症及避孕药具不良反应诊治等。

（三）提高服务能力。

大力培养公共卫生技术人才和管理人才。在农村卫生人员和全科医师、社区护士培训中强化公共卫生知识和技能，提高公共卫生服务能力。加强以健康档案为基础的信息系统建设，提高公共卫生服务工作效率和管理能力。切实加强重大疾病和突发公共卫生事件监测预警和处置能力。

转变公共卫生服务模式。专业公共卫生机构要定期深入工作场所、学校、社区和家庭，开展卫生学监测评价，研究制定公共卫生防治策略，指导其他医疗卫生机构开展基本公共卫生服务。城乡基层医疗卫生机构要深入家庭，全面掌握辖区及居民主要健康问题，主动采取有效的干预措施，做到基本公共卫生服务与医疗服务有机结合。

（四）规范管理。

完善基本公共卫生服务规范。根据城乡基层医疗卫生机构的服务能力和条件，研究制定和推广健康教育、预防接种、主要传染病防治、慢性病管理及儿童保健、孕产妇保健、老年保健等基本公共卫生服务项目规范，健全管理制度和工作流程，提高服务质量和管理水平。以重点人群和基层医疗卫生机构服务对象为切入点，逐步建立规范统一的居民健康档案，积极推进健康档案电子化管理，加强公共卫生信息管理。

在研究制定和推广基本公共卫生服务项目规范中，要积极应用中医药预防保健技术和方法，充分发挥中医药在公共卫生服务中的作用。

完善重大公共卫生服务项目管理制度。整合现有重大公共卫生服务项目，统筹考虑，突出重点，中西医并重。建立重大公共卫生服务项目专家论证机制，实行动态管理。

（五）转变运行机制。

进一步深化专业公共卫生机构和城乡基层医疗卫生机构人事管理和分配制度改革。建立岗位聘用、竞聘上岗、合同管理、能进能出的用人机制。实行岗位绩效工资制度，积极推进内部分配制度改革，绩效工资分配要体现多劳多得、优劳优得、奖勤罚懒，合理拉开差距，形成促进工作任务落实的有效激励机制，充分调动工作人员的积极性和主动性。

三、保障措施

（一）加强公共卫生服务体系建设。

基本公共卫生服务项目主要通过城市社区卫生服务中心（站）、乡镇卫生院、村卫生室等城乡基层医疗卫生机构免费为全体居民提供，其他基层医疗卫生机构也可提供。

重大公共卫生服务项目主要通过专业公共卫生机构组织实施。建立健全疾病预防控制、健康教育、妇幼保健、精神卫生、应急救治、采供血、卫生监督、计划生育等专业公共卫生服务网络。近期要重点改善精神卫生、妇幼保健、卫生监督、计划生育等专业公共卫生机构的设施条件，加强城乡急救体系建设。

优化公共卫生资源配置，完善以基层医疗卫生服务网络为基础的医疗服务体系的公共卫生服务功能。医院依法承担重大疾病和突发公共卫生事件监测、报告、救治等职责以及国家规定的其他公共卫生服务职责。社会力量举办的医疗卫生机构承担法定的公共卫生职责，并鼓励提供公共卫生服务。

加强专业公共卫生机构和医院对城乡基层医疗卫生机构的业务指导。专业公共卫生机构、城乡基层医疗卫生机构和医院之间要建立分工明确、功能互补、信息互通、资源共享的工作机制，实现防治结合。

（二）健全公共卫生经费保障机制。

各级政府要根据实现基本公共卫生服务逐步均等化的目标，完善政府对公共卫生的投入机制，逐步增加公共卫生投入。基本公共卫生服务按项目为城乡居民免费提供，经费标准按单位服务综合成本核定，所需经费由政府预算安排。2009年人均基本公共卫生服务经费标准不低于15元，2011年不低于20元。地方政府要切实负起支出责任，中央通过一般性转移支付和专项转移支付对困难地区给予补助。政府对乡村医生承担的公共卫生服务等任务给予合理补助，具体补助标准由地方人民政府规定，其中基本公共卫生服务所需经费从财政安排的基本公共卫生服务补助经费中统筹安排。

专业公共卫生机构人员经费、发展建设经费、公用经费和业务经费由政府预算全额安排。按照规定取得的服务性收入上缴财政专户或纳入预算管理。合理安排重大公共卫生服务项目所需资金。人口和计划生育部门组织开展的计划生育技术服务所需经费由政府按原经费渠道核拨。

公立医院承担规定的公共卫生服务，政府给予专项补助。社会力量举办的各级各类医疗卫生机构承担规定的公共卫生服务任务，政府通过购买服务等方式给予补偿。

（三）强化绩效考核。

各级卫生、人口和计划生育行政部门要会同有关部门建立健全基本公共卫生服务绩效考核制度，完善考核评价体系和方法，明确各类医疗卫生机构工作职责、目标和任务，考核履行职责、提供公共卫生服务的数量和质量、社会满意度等情况，保证公共卫生任务落实和群众受益。要充分发挥考核结果在激励、监督和资金安排等方面的作用，考核结果要与经费补助以及单位主要领导的年度考核和任免挂钩，作为人员奖惩及核定绩效工资的依据。要注重群众参与考核评价，建立信息公开制度，考核情况应向社会公示，将政府考核与社会监督结合起来。

四、加强组织领导

（一）提高认识，加强领导。促进基本公共卫生服务逐步均等化关系广大人民群众的切身利益，关系千家万户的幸福安康。各级政府要把促进基本公共卫生服务逐步均等化作为落实科学发展观的重要举措和关注民生、促进社会和谐的大事，纳入当地经济社会发展总体规划，切实加强领导。

（二）科学规划，加强管理。各省、自治区、直辖市卫生、人口计生、财政等行政部门要根据本意见的要求，结合当地经济社会发展情况和人民群众健康需要，合理确定本地区基本公共卫生服务项目和重大公共卫生服务项目。要做好调查研究，广泛听取意见，制定具体实施方案，认真组织落实，加快促进基本公共卫生服务逐步均等化工作。在实施过程中，要不断总结经验，完善管理制度。

（三）加强宣传，督导落实。各级政府要采取多种方式，加强对促进基本公共卫生服务逐步均等化工作的宣传，提高群众的知晓率，接受社会监督。新闻媒体要加强对健康知识的宣传教育。各级地方政府要将促进基本公共卫生服务逐步均等化作为重大民生问题纳入政府任期考核目标，进行督导检查和考核评估，逐步使城乡居民平等地享有基本公共卫生服务，切实提高人民群众健康水平。

附件：国家基本公共卫生服务项目

附件：

国家基本公共卫生服务项目

一、建立居民健康档案

以妇女、儿童、老年人、残疾人、慢性病人等人群为重点，在自愿的基础上，为辖区常住人口建立统一、规范的居民健康档案，健康档案主要信息包括居民基本信息、主要健康问题及卫生服务记录等；健康档案要及时更新，并逐步实行计算机管理。

二、健康教育

针对健康素养基本知识和技能、优生优育及辖区重点健康问题等内容，向城乡居民提供健康教育宣传信息和健康教育咨询服务，设置健康教育宣传栏并定期更新内容，开展健康知识讲座等健康教育活动。

三、预防接种

为适龄儿童接种乙肝疫苗、卡介苗、脊灰疫苗、百白破疫苗、白破疫苗、麻疹疫苗、甲肝疫苗、流脑疫苗、乙脑疫苗、麻腮风疫苗等国家免疫规划疫苗；在重点地区，对重点人群进行针对性接种，包括肾综合征出血热疫苗、炭疽疫苗、钩体疫苗；发现、报告预防接种中的疑似异常反应，并协助调查处理。

四、传染病防治

及时发现、登记并报告辖区内发现的传染病病例和疑似病例，参与现场疫点处理；开展结核病、艾滋病等传染病防治知识宣传和咨询服务；配合专业公共卫生机构，对非住院结核病人、艾滋病病人进行治疗管理。

五、儿童保健

为0~36个月婴幼儿建立儿童保健手册，开展新生儿访视及儿童保健系统管理。新生儿访视至少2次，儿童保健1岁以内至少4次，第2年和第3年每年至少2次。进行体格检查和生长发育监测及评价，开展心理行为发育、母乳喂养、辅食添加、意外伤害预防、常见疾病防治等健康指导。

六、孕产妇保健

为孕产妇建立保健手册，开展至少5次孕期保健服务和2次产后访视。进行一般体格检查及孕期营养、心理等健康指导，了解产后恢复情况并对产后常见问题进行指导。

七、老年人保健

对辖区65岁及以上老年人进行登记管理，进行健康危险因素调查和一般体格检查，提供疾病预防、自我保健及伤害预防、自救等健康指导。

八、慢性病管理

对高血压、糖尿病等慢性病高危人群进行指导。对35岁以上人群实行门诊首诊测血压。对确诊高血压和糖尿病患者进行登记管理，定期进行随访，每次随访要询问病情、进行体格检查及用药、饮食、运动、心理等健康指导。

九、重性精神疾病管理

对辖区重性精神疾病患者进行登记管理；在专业机构指导下对在家居住的重性精神疾病患者进行治疗随访和康复指导。

卫生部　财政部　国家中医药管理局关于印发《城乡医院对口支援工作管理办法（试行）》的通知

2009年7月27日　卫医管发〔2009〕72号

各省、自治区、直辖市卫生厅局、财政厅局、中医药管理局，新疆生产建设兵团卫生局、财务局：

为贯彻落实深化医药卫生体制改革意见，加强和规范城乡医院对口支援管理工作，我们制定了《城乡医院对口支援工作管理办法（试行）》。现印发给你们，请遵照执行。

附件：城乡医院对口支援工作管理办法（试行）

附件：

城乡医院对口支援工作管理办法（试行）

第一章　总　则

第一条　为贯彻落实《中共中央　国务院关于深化医药卫生体制改革的意见》（中发〔2009〕6号）和《国务院关于印发医药卫生体制改革近期重点实施方案（2009～2011年）的通知》（国发〔2009〕12号），进一步加强和规范城乡医院对口支援管理工作，提高县级医院服务能力和水平，方便群众看病就医，减轻群众经济负担，制定本办法。

第二条　城乡医院对口支援是指支援医院与受援医院（包括有条件的乡镇卫生院）结成长期稳定的对口支援和协作关系，帮助受援医院提高服务能力和水平，改善和加强管理。通过3年对口支援，争取受援县级医院达到二级甲等医院的医疗水平，并持续改进和提高。

第三条　每所城市三级医院应当与3所左右县级医院（包括有条件的乡镇卫生院）建立对口支援协作关系。受援医院包括县医院和县中医院。二级以上医疗卫生机构对口支援乡镇卫生院的管理办法另行制定。

第四条　东部地区的医院在完成本省（直辖市）范围内对口支援任务的同时，承担一定的支援西部地区县级医院的任务。具体管理办法另行制定。

第五条　对口支援工作应当以国家扶贫开发工作重点县为重点，逐步扩展到省定贫困县和民族自治县（旗）、陆路边境县。各省（自治区、直辖市）结合本地实际，组织开展对其他县的对口支援工作。

第六条　对口支援工作应当坚持和体现公立医院的社会责任和公益性，不以营利为目的，不增加受援地区和单位的经济负担。

第七条　对口支援工作应当与县级中医院建设、农村中医药人才培养等工作紧密结合，加大对中医专科的扶持，研究推广中医、民族医适宜诊疗技术，充分发挥中医药在农村卫生中的作用。

第二章　行政部门职责与任务

第八条　对口支援工作实行归口管理、分级负责的原则。

卫生部、国家中医药管理局负责制定对口支援工作总体规划，协调、部署全国性的和跨省（自治区、直辖市）的对口支援工作，对各地的工作进行指导、监督和评估。

省级卫生行政部门、中医药管理部门负责制定本省（自治区、直辖市）对口支援工作规划、方案并组织实施，进行监督指导和考核评估，组织完成卫生部、国家中医药管理局下达的对口支援任务。

地级卫生行政部门负责组织实施所辖区域内的对口支援工作，配合省级卫生行政部门协调支援受援双方建立稳定的对口支援关系。

县级卫生行政部门负责组织制定工作计划、确定工作目标，指导受援医院落实对口支援任务，负责对口支援工作的日常监督管理。

第九条　卫生行政部门应当会同相关部门共同设立对口支援工作协调管理机构，建立健全工作制度，完善协调工作机制，开展信息报送和新闻宣传工作。

第十条 卫生行政部门将对口支援工作纳入支援医院和受援医院目标责任制。医院等级复核和评审评价工作要将支援医院完成对口支援工作任务情况作为重要指标。

第十一条 卫生行政部门应当组织有关专业的医务人员，对对口支援工作进行技术指导。

第十二条 对口支援工作所需工作补助经费由省级财政、卫生行政部门根据实际需要和当地支出水平以及财力情况等合理核定。地方财政安排的补助经费主要用于补助支援医院为派出医师安排的有关人员经费补贴。中央财政对困难地区给予补助。

第三章 城乡医院职责与任务

第十三条 对口支援双方应当明确负责对口支援工作的主管领导和具体负责人员，建立沟通和协调机制，明确年度和中长期目标、任务内容、支援方式、双方的权利和义务等，制订工作计划和方案，签订对口支援协议书并切实履行。

第十四条 支援医院应当针对受援医院的实际和当地群众的需求，帮助受援医院建设一批特色和重点科室，培养一批骨干和科室带头人，提高医院管理水平。

第十五条 支援医院应当选派以高年资主治医师和副主任医师为主的经验丰富的医务人员参加对口支援工作。支援工作以城市医院医务人员定期到县医院驻点进行支援为主要形式，所选专业以医疗为主，兼顾护理、医技、管理和其他方面。

第十六条 对口支援双方应当协商确定派驻医务人员的专业、数量和时间，统筹安排医务人员工作。在确保支援工作的持续性和稳定性的前提下，医务人员可定期分批轮换，但每批连续工作时间不得少于六个月。

第十七条 支援医院可以同时采取选派医务人员指导县医院业务和管理工作、免费接收县医院医务人员进修、对县医院医务人员进行培训等形式，对县医院进行支援。

第十八条 支援医院负责派驻医务人员参加对口支援工作期间的工资待遇，确保其福利水平，保留其岗位、职务不变。

第十九条 支援医院应当把派驻医务人员在对口支援工作中的表现纳入定期考核。对工作成绩突出者，应当在岗位聘用、职称晋升、进修学习、提拔任用等方面优先考虑。

第二十条 受援医院应当有计划地选派医德医风好、业务素质高的年轻医务人员，到支援医院进行为期半年以上的进修，支援医院应当积极支持。

第二十一条 受援医院应当根据工作需要，为对口支援创造必要的支撑条件。应当妥善安排派驻医务人员的工作与生活，提供必要的工作和生活条件，确保工作顺利开展。

第四章 医务人员职责与任务

第二十二条 医务人员应当根据卫生行政部门的要求和所在医院的安排，参加对口支援工作。城市医院医师在晋升主治医师或副主任医师职称前，应当到农村累计服务一年。

第二十三条 派驻医务人员应当根据自己的专业特长，指导受援医院提高常见病、多发病和疑难重症的诊治水平；组织开展查房、会诊、手术示范、病例讨论、专题讲座、技术培训，帮助提高人员素质；参加巡回医疗、健康教育和公共卫生服务；帮助受援医院完善工作制度和技术操作规程，规范和改进管理。

第二十四条 派驻医务人员应当遵照医疗技术分类分级管理的规定，帮助受援医院开展适宜技术和新技术、新业务，拓展服务范围。

第二十五条 受援医院派往支援医院进修和培训的医务人员应当遵守有关要求，认真完成进修和培训任务。

第二十六条 派驻医务人员应当自觉接受当地卫生行政部门和受援医院的管理，遵守受援医院的规章制度，不得收取受援医院发放的奖金、津贴等任何费用。

第五章 考核评估

第二十七条 省级卫生行政部门应当会同有关部门对中央和省级卫生行政部门安排的对口支援工作进行绩效考核。

第二十八条 卫生行政部门应当会同有关部门定期对对口支援工作进行督导检查。

第二十九条 督导检查情况和考核评估结果应当作为支援医院和受援医院领导班子考核、医院等级复核和评审评价等工作的重要内容。

第三十条 医师完成对口支援任务的情况作为医师定期考核的重要内容。受援医院负责派驻医务人员的日常管理，应当及时将有关情况通报支援医院，并在其支援工作结束时出具书面考核意见，按照省级卫生行政部门的规定审核后，纳入其个人档案。

第三十一条 卫生行政部门对在对口支援工作中成绩突出、做出重大贡献的单位和个人给予表扬和奖励。

第六章 监督管理

第三十二条 城市医院拒绝参加对口支援工作或未按要求完成对口支援任务的，未按对口支援要求给予受援医院以应有支持的，由其主管卫生行政部门通报批评，情节严重的追究单位主要负责人的责任，不得参加医院等级复核和评审。

第三十三条 因受援方原因未能完成对口支援任务的，由主管卫生行政部门责令其限期整改，情节严重的追究受援单位主要负责人的责任。

第三十四条 受援医院以对口支援为由，擅自开展未被核准的诊疗项目的，主管卫生行政部门应当责令其限期改正，逾期未改的，依法进行处理。

第三十五条 对没有正当理由拒不参加对口支援工作，或未按要求完成对口支援工作任务的医务人员，由支援医院按照有关规定严肃处理，其中医务人员为医师的，医师定期考核结果判定为不合格。

第三十六条 对于违反廉洁行医制度的派驻医务人员，由支援医院依照相关规定予以处理，受援医院应当给予相应协助。涉及违法违规的，按照有关法律法规处理。

第三十七条 对不按规定使用资金等违纪的行为，应当严肃处理；构成犯罪的，移交司法机关依法处理。

第七章 附 则

第三十八条 本办法适用于各级各类公立医院。

第三十九条 本办法自2009年8月1日起施行。

卫生部关于印发《2008年扩大国家免疫规划项目管理方案》的通知

2008年12月31日 卫规财发〔2008〕73号

各省、自治区、直辖市卫生厅局，新疆生产建设兵团卫生局：

2008年中央补助地方扩大国家免疫规划专项资金已下达各地。根据《财政部 卫生部关于下达中央补助地方公共卫生专项资金的通知》（财社〔2008〕291号、292号）精神，现将《2008年扩大国家免疫规划项目管理方案》印发给你们，请遵照执行。

附件：2008年扩大国家免疫规划项目管理方案

附件：

2008年扩大国家免疫规划项目管理方案

为继续落实扩大国家免疫规划任务，降低疫苗可预防传染病的发病率，中央财政安排专项资金支持扩大国家免疫规划工作。2008年扩大国家免疫规划项目疫苗，继续使用乙肝疫苗、卡介苗、脊灰减毒活疫苗、百白破疫苗、白破疫苗、麻腮风疫苗、甲肝减毒活疫苗、A群脑膜炎球菌多糖疫苗（以下简称A群流脑疫苗）、A+C群脑膜炎球菌多糖疫苗（以下简称A+C群流脑疫苗）、乙型脑炎减毒活疫苗（以下简称乙脑疫苗）、双价肾综合征出血热灭活疫苗（以下简称出血热疫苗）、皮上划痕人用炭疽活疫苗（以下简称炭疽疫苗）、钩端螺旋体疫苗（以下简称钩体疫苗）等疫苗。

一、项目目标

（一）保持并提高乙肝疫苗、卡介苗、脊灰减毒活疫苗、百白破疫苗、白破疫苗、麻疹类（含麻风疫苗、麻腮疫苗、麻腮风疫苗、麻疹疫苗）疫苗高水平接种率。

（二）继续做好无细胞百白破疫苗、流脑疫苗、乙脑减毒活疫苗、甲肝减毒活疫苗等新纳入国家免疫规划疫苗接种工作。

（三）在部分省份开展适龄儿童麻疹疫苗、脊灰减毒活疫苗和A+C群流脑疫苗强化免疫活动。

（四）部分省份重点人群接种出血热疫苗。

（五）重点地区高危人群炭疽和钩体疫苗应急接种。

（六）对中西部省份冷链设备配置给予支持。

二、项目范围和内容

（一）项目范围。

1. 常规接种覆盖全国31个省（自治区、直辖市）及新疆生产建设兵团，其中：

（1）乙肝、卡介苗、脊灰、百白破、白破、流脑（A群和A+C群）等疫苗继续在全国范围实施。

（2）除西藏、青海、新疆和新疆生产建设兵团以外，乙脑减毒活疫苗在其余省份全面实施。

（3）根据甲肝减毒活疫苗、麻腮风和无细胞百白破疫苗资金安排计划、疾病监测情况和实施可行性等，省级卫生行政部门选择实施地区和实施对象。

（4）对新疆生产建设兵团重点人群开展甲肝减毒活疫苗预防接种。

2. 强化免疫接种，其中：

（1）脊灰减毒活疫苗强化免疫活动覆盖14个省（区、市）和新疆生产建设兵团，其中西藏、新疆、新疆生产建设兵团要覆盖全部目标儿童；内蒙古、辽宁、吉林、广西、四川、重庆、贵州、云南、陕西、甘肃、青海、宁夏覆盖1/3以上目标儿童。

（2）麻疹疫苗强化免疫活动覆盖9个省份，其中辽宁、江苏、安徽、江西、湖北、湖南、西藏、宁夏等8个省（区）要覆盖全省目标儿童，广西覆盖1/3以上目标儿童。

（3）A+C群流脑疫苗强化免疫活动覆盖四川、陕西和甘肃3个省的“5.12”汶川地震重灾县目标儿童。

3. 出血热疫苗在河北、内蒙古、辽宁、吉林、黑龙江、江苏、浙江、安徽、福建、江西、山东、河南、湖北、湖南、广东、四川、陕西等17个省（区）部分地区实施接种。炭疽疫苗和钩体疫苗在部分省份进行应急储备。

4. 冷链设备配置补助覆盖中西部地区，包括河北、山西、内蒙古、吉林、黑龙江、安徽、江西、河南、湖北、湖南、广西、海南、四川、重庆、贵州、云南、西藏、陕西、甘肃、青海、宁夏和新疆等22个省（区、市）和新疆生产建设兵团。

（二）项目内容。

1. 常规接种。

（1）按照《扩大国家免疫规划实施方案》，为适龄儿童提供乙肝疫苗、卡介苗、脊灰减毒活疫苗、百白破疫苗、白破疫苗、麻腮风疫苗、A群流脑疫苗、A+C群流脑疫苗、乙脑减毒活疫苗、甲肝减毒活疫苗等疫苗的常规接种服务。

（2）麻腮风疫苗采用过渡期免疫方案：8月龄接种麻风疫苗，18~24月龄接种麻腮风疫苗或麻腮疫苗，不足部分继续使用麻疹疫苗。在无细胞百白破疫苗供应不足阶段，按照免疫程序和资金分配计划，首先使用无细胞百白破疫苗替代第3、4剂次，不足部分继续使用全细胞百白破疫苗。

2. 在重点地区开展脊灰、麻疹和A+C群流脑疫苗强化免疫。

脊灰减毒活疫苗强化免疫对象为0~3岁儿童，每名适龄儿童接种2剂次（2剂次间隔不得少于28天）。西藏、宁夏2个自治区麻疹疫苗强化免疫对象为8月龄~6岁儿童，其他省份麻疹疫苗强化免疫对象为8月龄~14岁儿童，每名适龄儿童接种1剂次。四川、陕西和甘肃3个省A+C群流脑疫苗强化免疫对象为2岁~15岁儿童，接种1剂次。

3. 在重点地区对重点人群进行出血热疫苗接种。发生钩端螺旋体病疫情或发生洪涝灾害可能导致钩端螺旋体病暴发流行时，对重点人群进行钩体疫苗应急接种。发生炭疽疫情时，对重点人群开展炭疽疫苗应急接种。

4. 对22个省（区、市）和新疆生产建设兵团冷链设备配置给予补助。根据《财政部　卫生部关于下达公共卫生专项资金的通知》（财社〔2008〕291号）中提出的“冷链设备配置品目参考清单”，结合当地冷链设备装备现状，支持省、市、县级疾病预防控制机构及接种单位冷链设备购置，重点支持县级及以下冷链设备购置。

三、项目组织实施

（一）组织形式。

按照《卫生部　国家发展改革委　教育部　财政部　国家食品药品监管局关于实施扩大国家免疫规划的通知》（卫疾控发〔2008〕16号）要求，各省制定具体的项目实施方案并组织落实。卫生部等相关部门负责技术指导和定期监督检查，对项目执行情况进行检查反馈，及时发现和研究解决项目执行中的困难和问题。

（二）资金安排。

2008年中央财政安排扩大国家免疫规划专项资金29.25亿元，其中：疫苗、注射器的购置费用和接种工作补助25.51亿元；冷链设备配置补助资金3.74亿元。

各省份资金安排详见《财政部　卫生部关于下达中央补助地方公共卫生专项资金的通知》（财社〔2008〕291号、292号）。

1. 疫苗和注射器购置经费。

（1）常规接种疫苗和注射器。

根据2007年统计年鉴人口统计资料测算各省实施扩大国家免疫规划所需疫苗和注射器购置经费。其中，甲肝疫苗按照50%适龄儿童分配；麻腮风疫苗安排600万剂次，并按照各省（区、市）适龄儿童占全国的比例平均分配；无细胞百白破疫苗按照每名适龄儿童接种2剂次分配；西藏、青海、新疆和新疆生产建设兵团不安排乙脑疫苗购置经费。

（2）在脊灰减毒活疫苗、麻疹疫苗和A+C群流脑疫苗强化免疫地区安排强化免疫疫苗和注射器购置经费。

（3）应急接种疫苗和注射器。

出血热疫苗经费按照各重点省份近3年出血热发病情况测算分配各地；炭疽疫苗根据工作需要安排；钩体疫苗安排150万剂次，按相关省份近3年发病数比例分配。

2. 接种补助。

（1）常规接种工作补助。按照免疫接种程序，每名适龄儿童全程接种扩大国家免疫规划疫苗需要22剂次。中央财政对国家扶贫开发工作重点县、少数民族县、陆路边境县和中西部省份革命老区县等4类县，每名适龄儿童每接种1剂次给予2元补助；对中西部省份其他县每接种1剂次给予1元补助。用于承担预防接种工作的基层医务人员接种工作补助。

（2）强化免疫接种工作补助。脊灰减毒活疫苗强化免疫每剂次给予1元补助，麻疹疫苗和A+C群流脑疫苗强化免疫每剂次给予2元补助，出血热疫苗、炭疽疫苗和钩体疫苗接种每剂次给予2元补助。补助经费主要用于承担预防接种工作的基层医务人员接种工作补助。

3. 冷链设备。

冷链设备配置品目参考清单详见《财政部　卫生部关于下达中央补助地方公共卫生专项资金的通知》（财社〔2008〕291号）。

（三）招标采购。

各省（区、市）卫生、财政部门成立采购工作组，负责本省（区、市）政府采购工作。

各省（区、市）根据本地的实际情况，合理制定购买品目、规格和数量计划，严格按照《中华人民共和国政府采购法》等有关法律法规进行政府采购工作。采购结果要及时报卫生部、财政部。

四、项目监督与评估

（一）严格按照国家有关专项资金管理的规定执行，加强项目经费管理，确保专款专用，按时拨付，提高资金使用效益。

（二）各项活动的实施要达到相关技术要求，每项活动结束后，要有评估报告和总结。

（三）建立规范的预防接种补助经费发放制度，按照补助与绩效挂钩的原则制定具体管理办法，定期、及时下发补助经费，并定期对接种情况进行检查。

（四）项目完成后，省级卫生行政部门要将项目总结报卫生部、财政部。

卫生部办公厅　财政部办公厅　人力资源和社会保障部办公厅　民政部办公厅关于甲型H1N1流感医疗救治费用问题的通知

2009年8月20日　卫办规财发〔2009〕137号

各省、自治区、直辖市、计划单列市卫生厅（局）、财政厅（局）、人力资源和社会保障（劳动保障）厅（局）、民政厅（局），新疆生产建设兵团卫生局、财务局、劳动和社会保障局、民政局：

为可持续开展甲型H1N1流感防控工作，妥善解决甲型H1N1流感防控相关费用，根据《中华人民共和国传染病防治法》、《国家突发公共卫生事件应急预案》等法律及相关文件，现就甲型H1N1流感医疗救治费用问题通知如下：

一、承担医疗救治任务的医疗机构要按照卫生部下发的诊疗方案、有关规范和指南及时开展诊疗和救治工作，严禁因费用问题延误救治或推诿患者。

二、已参加城镇职工基本医疗保险制度、城镇居民医疗保险制度和新型农村合作医疗制度的甲型H1N1流感患者（包括疑似病例和确诊病例）和发热（≥37.5℃）或急性呼吸道症状的人员到甲型H1N1流感定点医疗机构进行医学排查和治疗，其发生的医疗救治费用通过上述三种制度按照规定予以报销。尚未参加上述制度的患者或经上述制度报销后，个人医疗救治费用负担仍较重的贫困患者，可通过城乡医疗救助制度帮助解决。基本医疗保险和新农合经办机构要按规定及时支付医疗救治费用，并做好与当地民政部门医疗救助工作的衔接。

境外人员在我国境内发生的医疗救治费用由境外人员自行承担。

三、医疗卫生机构承担政府指定医学观察或随访任务发生的相关费用以及本通知下发前垫付的患者医疗救治费用，由各地结合实际情况妥善解决。

山东省农村五保供养办法

2009年11月5日　山东省人民政府令第216号

第一章　总　　则

第一条　为了规范农村五保供养工作，保障农村五保供养对象的合法权益，根据国务院《农村五保供养工作条例》，结合本省实际，制定本办法。

第二条　本办法所称农村五保供养，是指在吃、穿、住、医、葬方面给予村民的生活照顾和物质帮助。

第三条　农村五保供养工作应当遵循以下原则：

（一）保障农村五保供养对象的正常生活；

（二）保障水平与经济社会发展水平相适应；

（三）以政府保障为主，多渠道改善农村五保供养对象的生活；

（四）公开、公平、公正。

第四条　县级以上人民政府应当加强对本行政区域内农村五保供养工作的领导和监督管理，将农村五保供养事业纳入国民经济和社会发展规划，统筹安排，协调发展。

第五条　县级以上人民政府民政部门主管本行政区域内的农村五保供养工作。

乡镇人民政府管理本行政区域内的农村五保供养工作。

村民委员会协助乡镇人民政府开展农村五保供养工作。

第六条　县级以上人民政府发展改革、教育、财政、人力资源社会保障、农业、卫生、统计等有关部门，应当按照各自职责做好农村五保供养相关工作。

第七条　鼓励机关、企事业单位、社会团体和个人为农村五保供养工作提供捐助和志愿服务。

第八条　对在农村五保供养工作中作出显著成绩的单位和个人，按照有关规定给予表彰和奖励。

第二章　供养对象

第九条　农村五保供养对象是指同时具备下列条件的老年、残疾或者未满16周岁的村民：

（一）无劳动能力；

（二）无生活来源；

（三）无法定赡养、抚养、扶养义务人，或者其法定赡养、抚养、扶养义务人无赡养、抚养、扶养能力。

第十条 确认农村五保供养对象按照下列程序办理：

（一）由本人向村民委员会提出申请，因年幼或者智力、精神残疾无法表达意愿的，由村民小组或者其他村民代为提出申请；

（二）村民委员会应当自收到申请书之日起15日内进行民主评议，并在本村范围内公告7日后，由村民委员会将评议意见和有关材料报乡镇人民政府审核；

（三）乡镇人民政府应当自收到评议意见之日起20日内，对申请人的家庭状况和经济条件进行调查核实后提出审核意见，并将审核意见和有关材料报送县（市、区）人民政府民政部门审批。申请人、有关组织或者个人应当予以配合、接受调查，如实提供有关情况；

（四）县（市、区）人民政府民政部门应当自收到审核意见和有关材料之日起20日内，对上报材料进行复核并作出审批决定。对批准给予五保供养待遇的，免费发给由省人民政府民政部门印制的《农村五保供养证书》；对不符合农村五保供养条件不予批准的，应当书面说明理由，并通知本人。

第十一条 申请人认为本人符合农村五保供养条件，在民主评议、公示程序阶段未能通过的，可以申请乡镇人民政府进行复查；乡镇人民政府应当自接到复查申请之日起30日内作出复查决定，并可以在复查期间，监督村民委员会重新实施评议、公示程序。

申请人未能通过五保供养待遇复查、审核、审批的，可以依法申请行政复议。

第十二条 农村五保供养对象不再符合本办法第九条规定条件，或者五保供养对象死亡、丧葬事宜办理完毕的，村民委员会或者五保供养服务机构应当向乡镇人民政府报告，由乡镇人民政府审核并报县（市、区）人民政府民政部门核准后，核销其《农村五保供养证书》。

第三章　供养内容和形式

第十三条 农村五保供养包括下列供养内容：

（一）供给粮油、副食品和生活用燃料；

（二）供给服装、被褥等生活用品和零用钱；

（三）提供符合基本居住条件的住房；

（四）提供疾病治疗，对生活不能自理的给予照料；

（五）办理丧葬事宜。

农村五保供养对象未满16周岁或者已满16周岁仍在接受义务教育的，应当保障其依法接受义务教育的所需费用。

第十四条 农村五保供养对象的疾病治疗，应当与当地新型农村合作医疗和农村医疗救助制度相衔接。

农村五保供养对象参加新型农村合作医疗，其个人缴费部分通过农村医疗救助基金资助解决。对患大病的农村五保供养对象，农村医疗救助资金给予优先救助。

第十五条 农村五保供养对象死亡后的丧葬事宜，集中供养的，由农村五保供养服务机构办理；分散供养的，由村民委员会负责办理。属于国家规定收费项目标准以内的丧葬费用，从农村五保供养资金中一次性支付。

第十六条 农村五保供养对象私有财产按照《中华人民共和国民法通则》、《中华人民共和国继承法》等有关法律规定处理。

农村五保供养对象拥有占有、使用、收益和处分个人全部财产的权利。农村五保供养对象的动产及房屋，属于农村五保供养对象所有。

未成年农村五保供养对象的个人合法财产，任何组织和个人不得侵占或者擅自变卖，乡镇人民政府可以委托农村五保供养服务机构或者村民委员会代管，并在其停止享受五保供养待遇后及时返还本人。

第十七条 村民委员会应当保障农村五保供养对象依法承包土地的权利。农村五保供养对象可以将承包土地交由他人代耕代种或者以其他形式依法流转，其收益归该农村五保供养对象所有。

农村五保供养对象享受的抚恤金、优待金和获得的各种奖励资金归五保对象个人所有。

第十八条 设区的市或者县（市、区）人民政府可以结合实际，制定本行政区域的农村五保供养标准，报省人民政府备案后公布执行。

农村五保供养标准应当随着当地村民平均生活水平的提高适时调整。

第十九条 农村五保供养实行集中供养、分散供养相结合的形式。

集中供养的，由农村五保供养服务机构照料和管理；分散供养的，可以由村民委员会提供照料，也可以由农村五保供养服务机构提供有关供养服务。

农村五保供养对象可以自行选择供养形式。但患有精神病、严重传染病的五保对象应当分散供养。

第二十条 乡镇人民政府应当与农村五保供养服务机构或者村民委员会签订供养服务协议，并报县（市、区）人民政府民政部门备案。

农村五保供养服务协议应当包括以下主要内容：

（一）农村五保供养对象的人数和供养标准；

（二）农村五保供养内容；

（三）农村五保供养服务规范；

（四）当事人的权利义务；

（五）协议解除的条件以及法律后果；

（六）其他事项。

第二十一条 农村五保供养服务机构和村民委员会应当为农村五保供养对象建立个人档案，并如实记录供养情况。县（市、区）人民政府民政部门应当建立健全农村五保供养对象档案和信息管理制度。

第四章 供养服务机构

第二十二条 农村五保供养服务机构作为服务农村五保供养对象的公益性非营利组织，具有法人资格，依法独立承担法律责任。

政府利用国有资产举办的五保供养服务机构，应当根据我国事业单位登记管理的有关规定，办理事业单位法人登记。

其他社会组织和个人利用非国有资产举办的五保供养服务机构，应当根据我国民办非企业单位登记管理的有关规定，办理民办非企业单位法人登记。

第二十三条 农村五保供养服务机构的撤销应当经县（市、区）人民政府民政部门同意后，由原登记管理机关批准。

第二十四条 县（市、区）人民政府和乡镇人民政府应当为其举办的农村五保供养服务机构提供必要的设备、资金，配备必要的工作人员。

农村五保供养服务机构服务人员实行聘用制，一般按照与农村五保供养对象1∶10的比例聘用。

县（市、区）人民政府和乡镇人民政府应当落实并不断提高农村五保供养服务机构工作人员的待遇，维护其劳动保障权益。

第二十五条 农村五保供养服务机构应当成立管理委员会。负责审议农村五保供养服务机构重要事项，协助做好供养工作。管理委员会成员在农村五保供养服务机构工作人员和全体供养对象中民主选举产生；管理委员会成员中，供养对象所占比例不得少于二分之一。

第二十六条 农村五保供养服务机构应当建立健全治安、消防、卫生、财务会计等制度，接受当地人民政府及其有关部门的指导和监督管理。

第二十七条 鼓励和扶持农村五保供养服务机构组织开展以改善供养对象生活为目的的农副业生产。县级以上人民政府及其有关部门应当对农村五保供养服务机构开展农副业生产给予必要的扶持。农村五保供养服务机构的建设用地中，可以预留一定比例的土地开展农副业生产。

政府主办和特许经营的供水、供电、供气、通信、有线电视等经营单位，应当按照国家和省有关规定为农村五保供养服务机构减免有关费用。

第二十八条 农村五保供养服务机构在满足农村五保供养对象集中供养的前提下，可以向社会提供自费寄养、代养服务。

第五章 资金保障与监督管理

第二十九条 农村五保供养资金由省、设区的市、县（市、区）、乡镇四级财政负担，列入县（市、区）、乡镇人民政府财政预算。

有农村集体经营等收入的地方，可以从农村集体经营等收入中安排资金，用于补助和改善农村五保供养对象的生活。

第三十条 农村五保供养资金实行县级统筹。政府财政预算安排的五保对象基本生活供养资金的支付，可实行国库集中支付和社会化发放方式。属于集中供养人员的，由农村五保供养服务机构提出支付申请，并提供相关证明材料，经县（市、区）人民政府民政、财政部门审核后，通过国库集中支付系统支付到农村五保供养服务机构；属于分散供养人员的，由代发银行直接发放到其个人账户。

对于取款不便的农村五保供养对象，其存折可由基层有关单位指定两人负责代管、代领，并确保将供养资金及时足额发到农村五保供养对象本人手中。

第三十一条 符合本办法第二十二条规定，政府利用国有资产举办的农村五保供养服务机构的管理经费，列入县（市、区）、乡镇人民政府财政预算。

第三十二条 县级以上人民政府应当依法加强对农村五保供养工作的监督管理。县级以上人民政府民政部门和乡镇人民政府应当制定农村五保供养工作的管理制度，并负责督促实施。财政部门应当按时足额拨付农村五保供养资金，确保资金到位，并加强对资金使用情况的监督管理。审计机关应当依法加强对农村五保供养资金使用情况的审计。

第三十三条 农村五保供养待遇的申请条件、程序、民主评议情况以及农村五保供养的标准和资金使用情况等，应当向社会公告，接受社会监督。

第六章 法律责任

第三十四条 违反本办法规定，有关行政机关及其工作人员有下列行为之一的，由上级行政机关或者监察机关责令改正，对直接负责的主管人员以及其他直接责任人员依法给予处分；构成犯罪的，依法追究刑事责任：

（一）对符合农村五保供养条件的村民不予批准享受农村五保供养待遇的，或者对不符合农村五保供养条件的村民批准其享受农村五保供养待遇的；

（二）贪污、挪用、截留、私分农村五保供养款物的；

（三）歧视、侮辱、虐待或者遗弃供养对象的；

（四）有其他滥用职权、玩忽职守、徇私舞弊行为的。

第三十五条 违反本办法规定，村民委员会组成人员贪污、挪用、截留农村五保供养款物的，依法予以罢免；构成犯罪的，依法追究刑事责任。

违反本办法规定，农村五保供养服务机构工作人员私分、挪用、截留农村五保供养款物的，予以辞退；

构成犯罪的，依法追究刑事责任。

第三十六条 违反本办法规定，村民委员会或者农村五保供养服务机构对农村五保供养对象提供的供养服务不符合要求的，由乡镇人民政府责令限期改正；逾期不改正的，乡镇人民政府有权终止供养服务协议；造成损失的，依法承担赔偿责任。

第七章 附 则

第三十七条 本办法自2010年1月1日起施行。1986年8月5日山东省人民政府颁布的《山东省农村五保工作暂行规定》同时废止。

山东省人民政府应急管理办公室关于转发《山东省应对甲型H1N1流感联防联控机制工作方案》的通知

2009年5月14日 鲁政应办字〔2009〕9号

各市人民政府，省政府各部门、各直属机构，各大企业，各高等院校，各有关单位：

按照党中央、国务院和省委、省政府的统一部署，我省成立了由省卫生厅牵头的多部门共同参与的应对甲型H1N1流感联防联控工作机制，并制定了《山东省应对甲型H1N1流感联防联控机制工作方案》。遵照省政府领导同志的指示精神，现将该工作机制制定的《山东省应对甲型H1N1流感联防联控机制工作方案》及各工作组联络员名单等转发给你们，请各市、各有关部门密切配合、分工负责，严格落实各项防控措施，切实做好应对准备，确保人民群众身体健康和生命安全。

附件：山东省应对甲型H1N1流感联防联控机制工作方案

附件：

山东省应对甲型H1N1流感联防联控机制工作方案

根据党中央、国务院和省委、省政府的统一部署，为保证甲型H1N1流感联防联控机制的有效运转，强化甲型H1N1流感防控工作，结合我省工作实际，特制定《山东省应对甲型H1N1流感联防联控机制工作方案》（以下简称《工作方案》）。

一、工作目标与原则

在省委、省政府统一领导下，按照“高度重视、积极应对、联防联控、依法科学处置”的原则，分工负责、协调配合，共同落实各项防范措施，切实做好应对准备，全力保护我省人民群众身体健康和生命安全。

二、组织机构及职责分工

（一）组织机构

省应对甲型H1N1流感联防联控机制由省卫生厅厅长包文辉同志担任召集人，下设综合组、口岸组、医防组、保障组、宣传组、对外合作组、科技组、畜牧兽医组等8个工作组和1个专家委员会（各工作组和专家委员会组成单位见附件1)。各工作组组长、济南军区联勤部、省武警总队领导和专家委员会主任为我省应对甲型H1N1流感联防联控机制成员（成员名单见附件2)。

各工作组及济南军区联勤部、省武警总队确定1~2名处级干部作为联络员，负责日常联系工作。（联络员名单见附件3)。

（二）工作职责和分工

1. 省应对甲型H1N1流感联防联控工作机制的主要职责是：贯彻落实党中央、国务院和省委、省政府对甲型H1N1流感防控工作的工作部署；根据全球甲型H1N1流感疫情发展趋势，结合我省工作实际，研究我省应对甲型H1N1流感防控策略；制定我省应对甲型H1N1流感防控工作相关政策、应对预案和重大措施；统筹协调和指导各相关部门各地区落实各项防控措施，并组织对防控工作落实情况进行督导检查。

2. 各工作组和专家委员会职责分工：

综合组：负责综合协调多部门应对甲型H1N1流感联防联控工作机制内部日常事务工作；负责联防联控工作机制联席会议的组织和重要工作的督办；负责收集、整理、编写、报送甲型H1N1流感防控信息简报；承担领导交办的其他工作。

口岸组：负责我省口岸防控甲型H1N1流感有关工作，加强对出入境旅客卫生检疫，及时发现发热人员，做好相应处置工作；做好入境航空器、船舶等交通工具的卫生检疫，做好废弃物的无害化处理；协调做好入境货物、快件、入境旅客携带物品、邮递进境物品的查验和检验检疫工作，严防禁止进境货物和物品入境；及时分析山东口岸防控甲型H1N1流感工作中出现的新情况、新问题，研究制定应对措施，并认真加以解决；及时上报口岸组工作信息；承担领导交办的其他工作。

医防组：组织转发、制定和修订甲型H1N1流感相关诊疗和预防控制技术方案，并组织对落实情况进行督导检查；负责对全省医疗卫生人员开展专业技术培训；对全省流感疫情监测、报告、流行病学调查、标本采集和检测、疫情处置等工作提供指导；指导各地做好甲型H1N1流感医疗救治工作；根据疫情防控工作需要，选派专家赴重点地区协助开展疫情处理和医疗救治工作；提出完善疫情防控、医疗救治工作的策略、措施建议；必要时采取交通检疫措施；做好爱国卫生运动及健康教育工作；及时上报医防组工作信息；承担领导交办的其他工作。

保障组：负责对我省防控工作所需物资提供有力保障；协调做好我省防控工作必需的药品、试剂、设施、设备、防护用品等的生产、储备、运输等工作；主动监测与群众基本生活密切相关的生活必需品和卫生清洁用品的市场动态及供给保障工作，指导市场监督管理，稳定物价，查处违规经营，维持市场秩序；督促各地、各部门落实各项保障措施，并密切跟踪保障工作进展情况；及时上报保障工作信息；承担领导交办的其他工作。

宣传组：负责组织协调新闻媒体及时报道甲型H1N1流感疫情变化信息和应对甲型H1N1流感联防联控工作主要工作进展，积极正确引导舆论；加强网上新闻发布的管理和引导；协助相关部门宣传甲型H1N1流感防病知识，提高人民群众自我保护能力；及时收集、整理和报送疫情监测等相关信息；承担领导交办的其他工作。

对外合作组：负责我省防控甲型H1N1流感所涉及的外事工作；全面掌握我省往来疫区的人员信息，并及时向有关部门和联防联控各工作组通报；会同有关部门跟踪研究甲型H1N1流感对我省经贸、旅游和人员往来的影响，并提出相应政策建议；及时上报对外合作工作信息；承担领导交办的其他工作。

科技组：负责组织科研力量开展甲型H1N1流感防控应急技术科研攻关，统一协调、解决监测、检验、诊断、治疗及流行病学调查、评价中的科技问题；及时收集、整理和提供最新科研进展等相关信息；承担领导交办的其他工作。

畜牧兽医组：负责防控甲型H1N1流感所涉及的畜牧兽医工作，收集、整理、上报甲型H1N1流感防控工作信息；负责制定与甲型H1N1流感防控工作相关的动物疫情监测、疫病防控及检疫监管措施；负责指导各地开展甲型H1N1流感相关防控工作；负责组织甲型H1N1流感动物防疫疫苗、诊断试剂等应急物资储备及相关技术培训；负责指导各地稳定生猪生产；及时上报有关工作信息；承担领导交办的其他工作。

专家委员会：负责对国际、国内疫情形势对我省的影响进行研判；对防控应急预案、工作方案和技术指南提出咨询与指导建议；对防控工作的重大科学问题进行研究，并提出相关决策建议；承担领导交办的其他工作。

三、工作制度

（一）工作协商制度

在省甲型H1N1流感联防联控工作机制框架下，建立联席会议制度，通报工作进展情况、研究决定有关重大事项。

各工作组内部也要建立定期会商制度，及时通报工作进展，研究解决存在问题，切实有效推进职责范围内各项防控工作。

（二）信息通报制度

各工作组和专家委员会的牵头单位根据职责分工，指定专人负责每日收集、整理、汇总和分析各自工作领域的信息和最新工作进展，并于每日12时前报综合组，综合组负责整理并编写《甲型H1N1流感防控工作简报》，报省政府有关领导和部门。

各工作组和成员单位之间也要加强协调沟通，确保信息通畅，遇重要情况应随时通报。需要向公众通报的防控工作信息，由综合组归口统一发布。

（三）督办检查制度

为保证各项防控措施落到实处，各工作组要建立督办检查制度，定期检查日常工作开展情况，通过检查及时发现存在的不足和需要改进的问题，重点督办省委、省政府领导批示事项和会议决定的各项工作。

四、有关要求

（一）统一认识，强化领导。各工作组、各相关部门要充分认识现阶段抓好甲型H1N1流感防控工作的重要意义，切实加强领导，在人员配置和经费保障上给予必要支持。

（二）抓住重点，统筹谋划。既要紧紧围绕每个阶段防控工作的重点领域和关键环节，及时采取果断的措施，又要统筹谋划，提前做好各项应对准备，并根据疫情发展态势的变化，及时调整防控策略。

（三）密切配合，形成合力。疫情防控工作涉及面广，头绪多，各工作组和专家委员会要积极参与会商，主动加强沟通，密切配合，形成合力，确保应对甲型H1N1流感联防联控工作机制有效运转。

（四）加强值守，畅通联络。各成员单位要加强应急值守工作，安排专人24小时值班，保证值班电话和传真接听、接收通畅。各成员单位主要负责人和联络员手机要保持24小时开机，确保信息畅通。

附件：1. 山东省应对甲型H1N1流感联防联控机制工作组和专家委员会组成单位

2. 山东省应对甲型H1N1流感联防联控机制召集人和成员名单

3. 山东省甲型H1N1流感联防联控机制联络员名单

附件1：

山东省应对甲型H1N1流感联防联控机制工作组和专家委员会组成单位

综合组：省卫生厅，省委宣传部、省教育厅、省科技厅、省公安厅、省食品药品监督管理局、畜牧兽医局、山东出入境检验检疫局、济南军区联勤部、省武警总队、专家委员会。

口岸组：山东出入境检验检疫局，省政府新闻办、省口岸办、省交通厅、省对外贸易经济合作厅、省卫生厅、省政府外事办公室、省旅游局、青岛海关、山东海事局、民航山东监管局、省邮政局、山东武警边防总队。

医防组：省卫生厅，省公安厅、省交通厅、山东出入境检验检疫局、民航山东监管局、济南铁路局、济南军区联勤部、省武警总队、专家委员会。

保障组：省经济贸易委员会，省财政厅、省交通厅、省卫生厅、省食品药品监督管理局、山东出入境检验检疫局、济南铁路局、民航山东监管局。

宣传组：省委宣传部，省政府新闻办公室、省广播电视局、省直主要新闻媒体。

对外合作组：省政府外事办公室，省台湾事务办公室、省公安厅、省对外贸易经济合作厅、省卫生厅、省旅游局、省政府侨务办公室、山东省出入境检验检疫局。

科技组：省科技厅，省医学科学院、省教育厅、省农业厅、省卫生厅、省畜牧兽医局、省食品药品监督管理局、济南军区联勤部卫生部、省武警总队卫生处。

畜牧兽医组：省农业厅，省畜牧兽医局、省财政厅、省交通厅、省工商局。

专家委员会：省卫生厅，组织省卫生厅、省教育厅、省畜牧兽医局、省医学科学院、山东省出入境检验检疫局、济南军区联勤部、省武警总队等系统专家组成。

注：排在首位的为牵头单位，其他为成员单位。

附件2：

山东省应对甲型H1N1流感联防联控机制召集人和成员名单

召　集　人：包文辉　　省卫生厅厅长
综　合　组：康永军　　省保健办副主任、省干部保健局局长
口　岸　组：于　桦　　山东出入境检验检疫局局长
医　防　组：刘玉芹　　省卫生厅副厅长
保　障　组：李　莎　　省经济贸易委员会副巡视员
宣　传　组：王世农　　省委宣传部副巡视员
对外合作组：李德峰　　省政府外事办公室副巡视员
科　技　组：孙　伟　　省科技厅副厅长
畜牧兽医组：慕永太　　省畜牧兽医局局长
　　　　　　刘芳原　　省农业厅副厅长
专家委员会：刘玉芹　　省卫生厅副厅长
济南军区联勤部：刘军　济南军区联勤部卫生部副部长
省武警总队：陆振邦　　省武警总队副总队长

附件3：

山东省甲型H1N1流感联防联控机制联络员名单

工作组/单位	姓　名	职　务	电　话	手　机
综合组	于国防	省卫生厅应急办主任	67876268	13605402568
口岸组	黄佳礼	山东出入境检验检疫局	0532－80886088	13969695076
医防组	宗玲	省卫生厅疾控处处长	67876112	13605403356
	乞蔚国	省卫生厅医政处调研员	67876175	13964006961
保障组	王万杰	省经贸委社会处处长	86062356	13805402550
	韩震	省财政厅社保处副处长	82669776	85576667
宣传组	张桂林	省委宣传部主任科员	86917033	13615314817
对外合作组	王民	省外办副处长	86137869	13793113756
	潘静波	省外经贸厅贸发处副处长	89013466	13969055176

续表

工作组/单位	姓　名	职　务	电　话	手　机
科技组	王守宝	省科技厅社发处副处长	86269660	13964092933
	李胜	省医科院科研处副处长	87984079	13705311949
畜牧兽医组	张春哲	省农业厅副调研员	67866035	13969038989
	孔繁涛	省畜牧局防疫处副调研员	87198900	13969171708
专家委员会	王辉	省卫生厅科教国合处处长	67876732	13605401459
	毕振强	省疾病预防控制中心	82679601	13969167316
济南军区联勤部	高伟	济南军区联勤部卫生部卫生防疫处处长	51671565	13310616283
省武警总队	项继舜	省武警总队	89267351	13605317397

山东省人民政府办公厅关于促进以创业带动就业工作的意见

2009 年 1 月 4 日　鲁政办发〔2009〕1 号

各市人民政府，各县（市、区）人民政府，省政府各部门、各直属机构，各大企业，各高等院校：

为深入贯彻落实党的十七大精神，充分发挥创业的就业倍增效应，缓解就业压力，根据《国务院办公厅转发人力资源社会保障部等部门关于促进以创业带动就业工作指导意见的通知》（国办发〔2008〕111 号）等有关文件精神，经省政府同意，现就促进以创业带动就业工作提出以下意见：

一、统一思想认识，明确促进以创业带动就业工作的目标任务

创业是登记失业人员、普通高校毕业生、军队退役人员、残疾人等城乡各类劳动者（以下统称创业者）通过自主创办生产服务项目、企业或从事个体经营实现市场就业的重要形式，是最积极、最主动的就业。促进以创业带动就业，不仅使创业者自己实现就业，还可以通过发展多元化创业主体和多种创业形式，创造更多的就业岗位，促进社会就业的增加。

（一）指导思想。要以邓小平理论和“三个代表”重要思想为指导，深入贯彻落实科学发展观，把促进以创业带动就业工作摆在就业工作更加突出的位置，鼓励支持更多的城乡劳动者通过自主创业实现就业，形成政府促进创业、社会支持创业、劳动者参与创业的社会氛围。

（二）总体要求。各地要按照省委、省政府关于促进就业的一系列部署和要求，紧密结合本地区的优势产业、特色经济，确定鼓励创业的产业指导目录，坚持政府促进、市场引导、社会支持、自主创业的基本原则，鼓励创业者进入国家和地方优先和重点发展的科技型、资源综合利用型、劳动密集型、农副产品加工型、贸易促进型、社区服务型、建筑劳务型和信息服务型等产业或行业，逐步扩大创业领域。加快构建促进以创业带动就业的组织领导体系、创业培训体系、政策扶持体系、创业服务体系，进一步优化创业环境，努力形成促进以创业带动就业的工作新格局。

（三）目标任务。各级政府要从创业意识、创业能力和创业环境着手，加快形成政策扶持、创业培训、创业服务“三位一体”的工作机制，力争每年创业培训合格率达到 90% 以上，创业初始成功率达到 70% 以上，创业企业存活率达到 80% 以上，努力实现自主创业 1 人带动就业 5 人以上，创办 1 个企业平均带动就业 10 人以上的倍增效应。主要目标任务是：

1. 重点扶持和培育 30 个创业型城市，到 2010 年，力争全省创建国家级创业型城市达到 5 个以上，每个设区市创建省级创业型城市的县级市达到两个以上。

2. 重点扶持和培植一批创业型企业，到2010年，初步形成以大型创业企业和企业集团为龙头，中小型创业企业为主体，个体经济组织共同发展的新型创业格局。

3. 重点扶持和培植一批成功创业者，积极营造全民崇尚创业、竞相创业、和谐创业的良好氛围。

二、完善政策扶持体系，积极鼓励支持全民创业

（一）放宽市场准入。

1. 放宽投资领域。凡法律、法规未禁止的行业和领域，一律向各类创业主体开放，国家有限制条件和标准的行业、领域平等对待各类创业主体。鼓励和支持各类创业主体通过参股、联合、并购、独资等方式，参与各个领域的投资建设；扩大政府采购范围，制定促进中小企业发展的政府采购优惠政策，坚持公开、公平竞争的原则，鼓励和支持各类创业主体参与政府投资项目的招投标。

2. 放宽登记条件。允许具备生产经营条件的创业者，凭本人居民身份证及前置审批许可等材料直接申办私营企业和个体工商户营业执照。创业企业设立连锁经营门店的，可持总部的连锁经营相关文件和登记材料，直接到门店所在地工商行政管理机关申请办理登记手续。城乡各类企业申请企业集团登记，其母公司注册资本放宽为3 000万元，子公司放宽为3个，母子公司注册资本放宽为5 000万元。对农村流动商户、农民进入集贸市场销售自产农副产品的，免于工商登记。对高校毕业生、失业人员以及返乡农民工创业的市场准入条件，各地可适当放宽。

3. 放宽出资限额。创业者申办合伙企业、个人独资企业以及个体经济，注册资金依法实行申报制。一般性服务业公司注册资本最低限额调整至3万元。创业型企业，可以货币、实物出资，允许创业者以知识产权、专利技术、专有技术、高新技术成果等无形资产出资。

4. 放宽经营场所限制。在符合城乡规划以及市（镇、村）容、安全、环保、卫生、消防等法律法规要求并征得物权相邻业主同意的前提下，允许创业者将家庭住所、租借房、临时商业用房作为有效合法的经营场所进行工商登记，租房协议可作为有效的经营场所使用凭证。经电信主管部门核发许可证并依法办理注册登记手续后，鼓励通过互联网开展经营活动，从事电子商务经营。

（二）鼓励支持城乡各类劳动者从事创业活动。

1. 落实税费减免政策。登记失业人员、军队退役人员、残疾人、毕业2年以内的普通高校毕业生从事个体经营的，经同级就业服务机构出具相关证明材料后，税务、工商等有关部门自首次注册登记之日起3年内，依法免收管理类、登记类和证照类等有关行政事业性收费，免除前置审批的各项费用。创业者符合相关条件，可按国家规定享受税收优惠政策。符合残疾人就业税收优惠条件的，可按规定享受现行增值税、营业税、企业所得税、个人所得税等税收优惠政策。

2. 加强创业政策扶持。从事创业活动的人员吸纳登记失业人员并与其签订1年以上劳动合同的，可按实际创造就业岗位个数给予一次性岗位补贴。有条件的地方可对创业成功人员首次领取营业执照并正常经营1年以上的给予一次性创业补贴。创业者自首次注册登记之日起3年内，公共职业介绍机构、政府所属人才服务机构在劳动人事代理方面提供优惠；下乡创办、领办农村合作经济组织或从事特色种养业的，享受各项支农惠农政策。

（三）加强创业融资服务。

1. 建立创业资金筹措和扶持激励机制。多渠道筹集资金，主要用于创业项目开发、方案设计、风险评估、开业指导、跟踪扶持、创业及带动就业奖励、创业孵化基地和创业型城市建设等创业推动工作，鼓励支持促进以创业带动就业工作的开展。服务业发展专项资金和引导资金，在用于重点服务业城区、重点服务业园区和重点服务业企业“三大载体”建设的同时，优先用于扶持创业型服务企业。

2. 积极拓宽融资渠道。各地要积极推动金融产品和金融服务创新，支持以创业带动就业。积极探索创新应收账款、仓单、经营性集体建设用地使用权、股权质押、林权抵押、渔权抵押等新型担保贷款方式，鼓励金融机构为创业项目提供融资支持。积极发展适合农村特点和需要的多种所有制金融组织和各种微型

金融服务，鼓励支持城乡各类劳动者在农村创业。允许农村小型金融组织从金融机构融入资金，允许有条件的农民专业合作社开展信用合作，对农村金融定向实行税收减免和费用补贴，加强对农村金融组织提供创业融资服务的监管。健全创业投资机制，鼓励利用国内外社会资本投资创办企业，有条件的市可设立各种形式的创业投资引导基金，促进创业投资企业的设立与发展，鼓励和支持创业型企业上市融资。进一步加大对符合条件的劳动密集型小企业的支持力度，全面落实小额担保贷款政策，具体政策按照有关规定执行。

三、健全创业培训体系，提高全民创业能力

（一）加大培训力度。

1. 扩大培训范围。各地要积极开展以高校毕业生、失业人员、农村富余劳动力、军队退役人员等为重点的创业培训，逐步将所有有创业愿望和培训需求的城乡劳动者全部纳入创业培训范围，提高全民创业的意识和能力。

2. 创新培训模式。各类普通高等院校、职业院校、技工学校、就业训练中心要开设创业教育和创业指导课程，提升在校学生的创业意识和潜在创业能力。各地要创新培训模式，全面实施“创办你的企业”（SYB）、“改善你的企业”（SIYB）创业培训项目，积极开展创业实训活动，通过组织准备创业的人员参加模拟创业和见习活动，提升其创业能力。

（二）强化培训力量。各地要发挥职业院校、技工学校、就业训练中心的示范作用，对开展创业培训的普通高等院校、行业组织和社会力量办学等培训机构，优先进行培植，全面开展创业培训。要依托普通高等院校、职业院校和技工学校的力量，整合创业培训教师队伍，通过授课、辅导、讲座、座谈等方式，培养一批优秀的创业教师和管理人员，建立一支专业化的创业师资队伍。各级劳动保障等有关部门要加强对创业培训活动的指导和监督，确保培训质量。

（三）落实培训补贴。各地要落实好职业培训补贴政策。对参加创业培训的创业者，按照有关规定，给予职业培训补贴。对领取失业保险金人员参加创业培训的，其按规定享受的职业培训补贴由失业保险基金开支。按照《山东省人民政府办公厅转发省劳动保障厅省财政厅关于加强就业培训提高就业与创业能力的意见的通知》（鲁政办发〔2008〕37号）的有关规定，实行政府购买培训成果的机制，按照绩效挂钩的原则，经政府有关部门对培训效果进行考核后，由财政部门按规定向定点培训机构支付培训补贴。

四、健全创业服务体系，提升创业服务水平

（一）健全创业服务组织。各级政府要依托公共就业服务体系，建立健全创业指导服务组织，承担创业带动就业工作的组织、服务和实施，开发创业指导技术，完善创业服务功能。要充分发挥高校毕业生就业指导机构、中小企业服务机构和各类创业咨询服务机构的作用，省、市两级要建立创业指导专家志愿团，加快形成创业服务专兼职队伍，推动创业咨询服务工作的开展。

（二）完善创业服务内容。各地要根据创业者需求，组织开展项目开发、方案设计、风险评估、开业指导、融资服务、跟踪扶持等“一条龙”服务。尽快搭建创业信息、政策发布平台，建立创业项目资源库和项目评估推介制度，形成有效采集和定期发布制度。积极为创业者提供个性化、专业化的开业指导和咨询服务。建立创业者信息管理服务系统，设立创业服务热线，接受创业者的咨询和投诉，及时提供后续服务和跟踪指导。注重对创业受挫者的指导和服务，帮助他们重树信心，重新创业。推进社会保障制度和户籍制度改革，为创业者及其招聘的劳动者提供社会保障、人力资源管理、教育培训等方面的政策便利，按照规定积极提供职称评定等方面的服务，吸引人才到新创办企业工作，扩大创业带动就业的规模。

（三）提高行政服务效率。全面实行收费公示制度和企业交费登记卡制度，禁止任何部门、单位干预创业企业正常经营，严格制止乱收费、乱摊派、乱罚款、乱检查行为。进一步清理和规范涉及创业的行政

审批事项，简化立项、审批手续，公布各项行政审批、核准、备案事项和办事指南，推行联合审批、一站式服务、限时办结和承诺服务，开辟创业“绿色通道”。对创业者提出的行政复议申请，政府部门要及时受理，公平对待，限时答复。

（四）培育创业服务载体。各级政府要统筹安排劳动者创业所需的生产经营场所，搞好基础设施及配套建设，保障创业所需。各类开发区、产业集聚区和专业市场要开辟专门的创业孵化基地，为初创企业提供经营场地，为进入基地的创业者提供有效的培训指导服务和一定期限的政策扶持。充分整合利用工会、共青团和妇联现有促进创业的各类服务资源，积极打造各具特色的创业载体。

五、加强组织领导，营造全民创业的良好氛围

（一）强化政府责任。各级政府要高度重视促进以创业带动就业工作，切实列入重要议事日程，落实扶持政策，健全服务体系，改善创业环境，积极推动工作全面开展。要强化目标责任考核，把创业扶持政策、创业培训效果、创业服务质量、创业初始成功率、创业稳定率、创业带动就业率等作为衡量促进以创业带动就业工作的主要指标，逐级分解目标任务，纳入政府就业目标责任考核体系。要制定扶持政策，支持争创创业型城市。创建省级创业型城市的具体条件和标准，由省劳动保障部门会同有关部门另行制定。

（二）完善工作机制。全省促进以创业带动就业在省就业工作联席会议指导下开展工作，各级政府要建立劳动保障部门牵头，相关部门和社会组织共同参与、分工负责、协调配合的协作运行机制，共同推进工作的开展。各级劳动保障部门会同人事部门负责制定创业发展规划、创业综合指导、创业培训管理、创业跟踪服务、创建创业型城市、促进以创业带动就业工作的综合协调和创业带动就业效果的考核考评等工作；各级发展改革、经贸部门负责指导创业企业发展等工作；各级规划建设、国土资源部门负责协调指导创业经营场所的规划建设、土地利用管理等工作；各级财政、人民银行负责落实资金、金融信贷支持和小额担保贷款等工作；各级劳动保障、人事、教育部门负责普通高等院校、职业院校、技工学校的创业指导和教育等工作；各级税务部门负责落实各项税收优惠政策等工作；各级工商部门负责从事创业企业、个体工商户、农民专业合作社等各类经营主体的准入登记监管等工作。各级、各部门要严格按照分工，落实责任，确保政府促进以创业带动就业工作的全面开展。

（三）营造良好氛围。加强创业教育，提高创业意识，建设创业文化，使更多的劳动者乐于创业、敢于创业；加强舆论引导，发挥社会各方面支持和推动创业工作的积极作用，弘扬创业精神，树立一批创业典型，在全社会积极营造崇尚创业、竞相创业、褒奖成功、宽容失败的和谐创业环境和良好舆论氛围。

山东省人民政府办公厅关于积极应对当前经济形势　切实做好农民工工作的通知

2009年3月5日　鲁政办发〔2009〕14号

各市人民政府，各县（市、区）人民政府，省政府各部门、各直属机构，各大企业，各高等院校：

为认真贯彻落实《国务院办公厅关于切实做好当前农民工工作的通知》（国办发〔2008〕130号）精神，结合我省实际，经省政府同意，现就积极应对当前经济形势、切实做好农民工工作通知如下：

一、促进农民工稳定就业和就地就近转移就业

（一）努力在促进发展中扩大就业。认真落实中央关于扩大内需、促进经济增长的各项政策措施，在

加快发展方式转变和结构调整中创造更多的就业机会。积极扶持发展中小企业、劳动密集型产业和服务业，增强吸纳农民工就业的能力。发挥政府投资和国有企事业单位对稳定就业的导向作用，尽可能提供较多的就业岗位。对符合产业政策、安置就业人数多的投资项目优先立项审批。农田水利、交通能源等重大基础设施建设项目，要尽量多招用因企业关停或减产裁员而失去工作的农民工。

（二）鼓励企业稳定现有就业岗位。要认真落实省里最近出台的减轻企业负担稳定就业局势的各项政策措施，鼓励困难企业尽量不裁员或少裁员，帮助困难企业渡过难关。以建筑业、宾馆和餐饮业、制造业、采矿业、居民服务业为重点，加大推进劳动合同制度实施的工作力度，确保在城镇企业中相对稳定就业的农民工都能签订劳动合同。对生产经营遇到暂时困难的企业，可引导其与农民工进行集体协商，通过采取加强培训、灵活用工、弹性工时等措施，稳定农民工就业，尽量避免规模裁员。

（三）建立完善劳务输出地区和劳务输入地区对接机制。要大力发展劳务经济，加强输出地和输入地的相互协作，依托区域经济发展，开展区域对接；依托产业集群发展，开展产业对接。依托小城镇建设，开展城乡对接；依托30个经济强县和30个经济欠发达县的发展，开展帮扶对接；依托龙头企业发展，开展岗位技能对接，最大限度地实现农民工就业。要积极培育劳务品牌，建设劳务基地，形成示范效应，带动农村劳动力转移就业。要积极开展国际合作与交流，促进农民工境外劳务输出。

（四）促进农民工就地就近转移就业。结合推进新农村建设，创新农村小型基础设施建设体制机制，采取以工代赈、以奖代补等多种形式，组织引导返乡农民工积极参与农村危房改造、农村中小学和职业学校、乡镇卫生院、计划生育生殖健康服务机构、文化设施等建设。利用当前农民工返乡、农村劳动力增加的有利时机，将加强农村基础设施建设和促进返乡农民工就业有机结合起来，加快解决农村供水、用电、修路、求学、就医等突出问题，提升农村基础设施水平和公共服务能力。大力发展县域经济，调整农业产业结构，大力扶持农产品精深加工，支持农村中小企业发展，最大限度地吸纳农民就地就近转移就业。

二、大力扶持失业返乡农民工创业和鼓励农民工返乡创业

（一）继续落实好创业扶持政策。要大力扶持失业返乡农民工通过自主创办生产服务项目、企业或从事个体经营实现市场就业。要鼓励、引导掌握一定技能、积累一定资金的农民工返乡创业，以创业带动就业。各级政府要全面落实《山东省人民政府办公厅关于促进以创业带动就业工作的意见》（鲁政办发〔2009〕1号）有关放宽市场准入条件、鼓励支持弱势群体和困难群体创业、创业培训、创业服务和优化全民创业环境等方面的创业扶持政策。要加快清理和消除阻碍创业的各种行业性、地区性、经营性壁垒，鼓励农民工发展农产品加工业、农村二三产业、生态农业和中小企业。对失业返乡农民工从事个体经营除国家限制的行业外，自首次工商登记之日起3年内，参照大学毕业生、下岗失业人员、复员退伍军人的就业优惠政策，免收登记费和证照类等有关行政事业性收费。有条件的地方要在制定涉及场地、信息、纳税服务等方面政策时进一步向农民工倾斜，鼓励农民工返乡创业。

（二）强化创业服务。对有技术和资金并有创业愿望的返乡农民工，要组织开展创业培训，提供政策咨询、项目推荐、开业指导、后续支持等创业服务。要推行联合审批、一站式服务、限时办结和承诺服务等，开辟农民工创业服务“绿色通道”。做好农民工创业的金融服务工作，鼓励和引导金融机构进行信贷产品创新，提供符合农民工创业特点的金融产品，继续加大农民工银行卡特色服务推广力度。当前要把扶持创业农民工作为小额担保贷款发放重点，进一步降低准入门槛，简化贷款手续，创新担保形式。农民工返乡创业属于政府贴息的项目要按规定给予财政贴息，帮助其解决创业资金困难。

三、加强农民工技能培训和职业教育

（一）进一步强化农民工技能培训。各有关部门和教育培训机构要做好职业培训特别计划、就业与创业能力提升工程、阳光工程、星火科技培训、青春建功新农村就业创业培训、雨露计划等培训项目的实施

工作。要开展在岗农民工培训，引导企业组织待岗、轮岗农民工进行转岗培训和提升培训，提高农民工就业技能，努力稳定企业就业岗位。困难企业开展在岗培训所需资金，按规定从企业职工教育经费中列支，不足部分可在严格标准和程序的前提下，由就业专项资金予以适当支持。要围绕市场需求开展订单培训和定向培训，提高农民工择业竞争能力；围绕产业结构调整和企业技术改造新开工项目开展职业技能培训，提高农民工就业的适应能力；围绕农业现代化、产业化开展农村实用技术培训，提高返乡农民工的农业技能；对青年农民工开展劳动预备制培训，使其至少熟练掌握一项职业技能。落实农民工职业技能鉴定补贴政策，对农民工通过初次技能鉴定（限国家规定实行就业准入制度的指定工种），取得职业资格证书的，给予一次性职业技能鉴定补贴。

（二）突出做好农民工创业培训。建立多层次的创业培训教育体系，推动各类普通高校、技术院校、职业院校开设创业课程，开展创业观念教育和创业培训。对失业返乡农民工开展以农村种植、养殖、农产品加工等为主的创业培训，使其成为发展农村家庭产业、创办农业企业和推动农业产业的骨干。对掌握一定技能、积累一定资金的农民工开展以小型加工业、服务业等为主的创业培训，促进农村二三产业发展。要创新培训模式，积极开展创业实训活动，通过组织准备创业的人员参加模拟创业和见习活动，提升其创业能力。

（三）加强农民工职业教育。在技工院校和中等职业学校中开展面向返乡农民工的职业教育培训，根据返乡农民工的特点开设专业和课程，采取灵活多样的学习方式，突出培训的针对性和实用性。建立完善省本级公共就业实训基地购买服务和实训基地运行管理机制，发挥其在促进就业再就业中的作用。

四、进一步维护农民工合法权益

（一）强化农民工公共服务。对符合享受失业保险待遇条件的农民工，要按规定及时核发一次性生活补助。农民工输出地要及时接纳农民工随返子女进入当地学校，平等接受义务教育，并将接纳返乡农民工子女接受义务教育的情况列入当地教育督导、评估的重要内容。要加强返乡农民工的疾病预防控制，用人单位要组织好农民工上岗前和离岗时的健康检查，及时做好适龄儿童预防接种的衔接工作。认真落实农民工计划生育输出地和输入地协调配合的管理服务体制，共同做好返乡农民工及其随返家属的计划生育服务工作，落实国家规定的免费计划生育技术服务项目和计划生育家庭奖励扶助政策，免费发放《流动人口婚育证明》及提供咨询服务。

（二）确保农民工工资按时足额发放。要妥善处理倒闭企业、裁员企业与农民工的劳动关系，有效维护农民工的合法权益。对于困难企业经过多方努力仍不得不实行经济性裁员的，可在企业与工会或职工依法平等协商一致后，签订分期支付或以其他方式支付经济补偿的协议。进一步完善工资保证金制度，加强工资保证金账户管理，逐步将工资保证金实施范围由建设领域扩大到交通、水利等领域。进一步完善工资支付监控机制，制定应急预案，及时处理因欠薪问题导致的各种突发事件。及时掌握企业拖欠工资的情况，对业主恶意拖欠工资逃匿的，要依法严肃查处。建立劳动保障、工商、金融等有关部门对企业恶意拖欠农民工工资行为的联动惩治机制。工商部门对恶意拖欠农民工工资的企业，情节严重的，依法责令停业整顿，直至吊销营业执照。各地劳动争议调解仲裁机构对事实清楚、权利义务关系明确的返乡农民工劳动争议案件，要简化程序，加快办理，对小额劳动报酬争议案件实行终局裁决。凡符合先予执行条件的案件要依法先予执行。各级司法机构要进一步畅通法律援助渠道，简化办理程序，努力为农民工提供便捷、高效的法律援助。对申请支付劳动报酬和工伤赔偿法律援助的，不再审查经济困难条件。

（三）做好返乡农民工社会保障工作。要按国家政策处理好返乡农民工的社会保障问题。积极引导返乡农民工参加新型农村合作医疗，解决其看病就医问题。对在输入地受工伤的农民工，用人单位已参加工伤保险的，当地劳动保障部门要及时依法支付工伤保险待遇；用人单位未参加工伤保险的，当地劳动保障部门要及时督促用人单位按照《工伤保险条例》的有关规定支付费用。农民工输出地劳动保障部门要主动与农民工输入地劳动保障部门进行协调，保障返乡农民工工伤保险权益。省劳动保障部门要根据国家有关规定抓紧研究农民工社会保险关系异地转移与接续的办法。

（四）维护好返乡农民工土地承包权益。农民工是流动在城乡之间的特殊群体，耕地仍然是他们的基本保障。要坚持农村基本经营制度，稳定和完善农村土地承包关系。针对农民工返乡对农村土地承包关系的影响，输出地政府要积极做好工作预案，化解可能引发的矛盾和纠纷。对违法流转的农民工承包地，要坚决退还；因长期占用不能退还的，流转主体要负责安排返乡农民工就业。对依据口头协议等方式进行短期流转且农民工要求收回土地承包经营权的，原则上应退还农民工。对长期流转又有流转合同的，可依法由双方协商解决；双方有纠纷的，可通过法律程序解决。要加强对土地承包经营权流转的管理和服务，农村土地流转要坚持依法、自愿、有偿的原则，任何组织和个人不得强制或限制，也不得截留、扣缴或以其他方式侵占返乡农民工的土地流转收益。要积极推进土地承包纠纷调解仲裁工作，切实保障农民工的合法权益。

五、加强对农民工工作的组织领导

（一）加强对农民工工作的组织领导。各地区、各部门要高度重视返乡农民工工作，把这项工作作为当前的一项重要任务纳入议事日程，明确工作目标、任务和措施，认真抓好落实。要做好对返乡农民工的宣传教育工作，正确把握舆论导向，引导农民工正确看待当前的经济形势和企业的经营困难。充分发挥农村基层党组织的战斗堡垒作用，帮助返乡农民工解决其生产生活中面临的困难和问题。各级农民工工作协调机构要加强组织协调，积极研究解决返乡农民工遇到的新情况、新问题。各有关部门要研究制定本部门涉及返乡农民工管理服务的政策措施，各司其职，分工负责，形成合力，共同做好返乡农民工工作。

（二）加快完善公共就业服务体系建设。要抓紧制定实施全省就业服务管理信息系统建设规划，力争到2009年末在全省全面实现省、市、县（市、区）三级公共就业服务信息联网互通，并延伸到90%以上的街道（乡镇），到2010年上半年实现省、市、县（市、区）、街道（乡镇）互联互通。要加快乡镇基层劳动保障平台建设，重点解决乡镇基层劳动保障平台建设薄弱的问题。在统筹城乡就业试点的基础上，有计划、有步骤地拓展专（兼）职劳动保障协理员的设置范围，负责本村劳动力资源调查、用工信息发布等工作，逐步实现公共就业服务城乡全覆盖。

（三）建立规模裁员报告制度。对招收农民工比较多的企业一次性裁员超过职工总数的10%或一次性裁员20人以上的，必须提前30天向当地劳动保障部门报告，企业一次性裁员超过100人的，要及时将裁员情况和工作预案上报省级劳动保障部门。要建立完善失业预警机制，市、县两级政府必须建立起失业预警制度，预防、调控可能出现的规模性失业。各类企业在岗职工1 000人以上的，必须在当地劳动保障部门指导下制定失业预警方案，并在当地劳动保障部门备案。

（四）建立动态监测制度。各设区市要选择2~3个用工企业相对集中、外出农民工相对集中的县（市、区）和3~5个乡（镇）作为监控定点，在人力资源市场、大中型企业、民办职业中介机构、乡（镇）等进行定点监测，每周报告农民工就业失业动态和返乡情况，重大情况、突发情况随时报告。要建立健全农民工返乡统计监测网络，发挥各行政村劳动保障协理员的作用，深入基层村镇进行调查摸底，了解返乡农民工的务工地点、务工行业、返乡原因和返乡后的择业意向，全面掌握农民工返乡的动向、规模等情况。

山东省人民政府关于采取积极措施稳定和促进就业的通知

2009年3月9日 鲁政发〔2009〕16号

各市人民政府，各县（市、区）人民政府，省政府各部门、各直属机构，各大企业，各高等院校：

根据党中央、国务院有关应对金融危机、保增长促就业的一系列重大决策部署，认真落实《国务院关于做好当前经济形势下就业工作的通知》（国发〔2009〕4号）精神，积极帮助企业渡过难关，千方百计扩大就业，稳定全省就业局势，现就有关问题通知如下：

一、采取积极措施鼓励企业稳定就业岗位

（一）引导企业履行社会责任。引导各类用人单位把稳定就业作为重要的社会责任，加强在岗培训和人才储备，尽量不裁员或少裁员，国有及国有控股企业应带头稳定就业岗位。按照有关规定，用人单位经济效益下降或停工限产的，可采取灵活工作时间、安排职工轮岗或待岗、在岗培训、协商薪酬等方式，稳定职工队伍。确需执行最低工资标准的，应按规定向当地劳动保障行政部门报告。安排职工待岗的，待岗期间用人单位可发放待岗基本生活费。

（二）帮助企业稳定现有就业岗位。允许在2009年之内适当降低城镇职工基本医疗保险、失业保险、工伤保险、生育保险缴费费率，期限最长不超过12个月。对暂时无力缴纳社会保险费的困难企业，允许在一定期限内缓缴社会保险费。失业保险基金结余较多的统筹地区，在确保当前和今后一个时期按时足额支付失业保险待遇的前提下，对采取在岗培训、轮班工作、协商薪酬等办法稳定员工队伍，并保证不裁员或少裁员的困难企业，可以开展扩大失业保险基金使用范围试点，使用失业保险基金支付社会保险补贴或者岗位补贴。补贴执行期为2009年之内，补贴期限最长不超过6个月。已享受缓缴社会保险费的企业不能同时享受社会保险补贴。

（三）规范企业裁员行为。加强对企业裁员规模的调控，一次裁员20人以上，或裁员不足20人但占职工总数10%以上，需提前30日向工会或者全体职工说明情况，听取工会或者职工意见后，向有管辖权的劳动保障行政部门报告裁减人员方案。劳动保障部门要指导企业妥善处理被裁员工的劳动关系，依法支付经济补偿金、清偿拖欠职工工资等债务，避免引发劳动纠纷。对确实无力一次性支付经济补偿的困难企业，可引导企业与工会或职工协商，在企业以资产提供担保后，分期或以其他形式支付经济补偿。

（四）妥善做好职工分流安置服务工作。对因生产经营困难关停的企业，指导企业依法制定合理的人员分流方案，落实经济补偿政策，妥善解决职工劳动关系，协调处理职工分流过程中涉及劳动保障的相关问题。解除劳动关系人员及时纳入失业登记，符合条件的兑现失业保险待遇，切实保障其基本生活，并逐人开展职业指导，提供职业培训、职业介绍、创业指导等服务，帮助其尽快实现再就业。加大劳动监察工作力度，积极防范和严肃查处少数企业主欠薪、拖欠社会保险费后转移资金、关厂逃匿等行为，妥善处理因此类问题引发的职工群体性事件，努力保护劳动者合法权益。

二、千方百计扩大就业

（一）充分发挥政府投资和重大建设项目带动就业作用。在落实中央和省扩大内需重大决策，安排政府投资和重大建设项目时，要把就业岗位增加和人力资源配置作为重要内容。探索建立政府投资和重大建设项目就业影响评估跟踪制度。项目立项前，要进行社会影响分析，明确就业岗位增加数量、人力资源配置情况、职业技能培训规划等内容，积极吸纳高校毕业生、失业人员和农民工等群体就业。项目开工建设时，按规定对从业人员进行职业技能培训，并落实相关就业扶持政策。在国家公共基础设施建设中，尽可能吸纳农村劳动者就地就近就业。

（二）完善扩大就业与推进产业结构升级、经济发展的良性互动机制。各地在制订发展战略和产业政策时，既要注重发展资本技术和知识密集型产业，又要积极支持发展劳动密集型产业，完善鼓励发展轻工、纺织、建筑等劳动密集型产业的财税、金融等扶持政策，在加快发展方式转变和结构调整中形成新的经济增长点和竞争优势，创造更多的就业机会。要大力发展中小企业，落实鼓励中小企业发展的各项扶持政策，加强融资和担保服务，建立健全中小企业服务体系，着力帮助企业解决生产经营中的突出问题，切实发挥

中小企业吸纳就业的主体作用。要充分发挥服务业吸纳就业的优势，大力发展具有增长潜力的社会管理、公共服务、生产服务、生活服务、救助服务等服务业，重点开发养老服务、医护服务、残疾人居家服务、物业服务等社区服务岗位，引导和支持动漫、创意、租赁、家政和农业技术推广、农用生产资料连锁经营等服务业发展，使服务业在扩大就业中发挥更大作用。

（三）最大限度拓展农村劳动力就业渠道。结合社会主义新农村建设，加大农村基础设施建设、农村住房建设和危房改造力度，大力发展县域经济，调整农业产业结构，扶持农产品精深加工和销售，支持农村中小企业发展，鼓励农民联合创办经济实体，拓展农村劳动力就地就近就业空间。

（四）积极推动创业带动就业工作。全面落实我省近期出台的有关促进以创业带动就业工作的政策措施，加快形成政策扶持、创业培训、创业服务“三位一体”的工作机制，重点围绕高校毕业生、失业人员、农民工等创业群体，实施创业带动就业专项帮扶计划，扶持和培植一批成功创业者和创业型企业。广泛开展国家级和省级创业型城市创建活动，重点扶持和培育30个创业型城市。积极创新模式，探索性开展创业型县（市、区）、创业型街道（乡、镇）、创业型社区和创业型新农村等创建工作。加强公共创业指导和服务体系建设，在省、市、县（市、区）组建创业指导专家志愿团，在省、市两级建立创业项目资源库。

三、进一步加大政策扶持力度

（一）鼓励劳动者自谋职业。进一步宽松创业和投资环境，完善落实市场准入、场地安排、税费减免、小额担保贷款、免费就业服务和职业培训补贴等扶持政策。延续鼓励失业人员创业的税收扶持政策，对持《再就业优惠证》人员从事个体经营的，按规定在限额内依次减免营业税、城市维护建设税、教育费附加和个人所得税，审批期限延长至2009年底。落实登记失业人员、军队退役人员、残疾人、毕业2年以内的普通高校毕业生从事个体经营依法免收管理类、登记类和证照类等有关行政事业性收费政策，免除前置审批的各项费用；符合相关条件的，按国家规定享受税收优惠政策。

（二）鼓励企业吸纳就业。落实鼓励企业吸纳就业困难人员的社会保险补贴政策，对招用就业困难人员中已享受社保补贴和岗位补贴3年期满，且距法定退休年龄不足2年，并与用人单位签订和履行劳动合同至退休的就业困难人员，其社保补贴和岗位补贴可延长到法定退休年龄。对吸纳持《再就业优惠证》职工并与之签订1年以上劳动合同的符合小额担保贷款条件的企业可享受最高不超过200万元贷款。延续鼓励企业吸纳下岗失业人员的税收扶持政策，对符合条件的企业在新增加的岗位中，当年新招用持《再就业优惠证》人员，与其签订1年以上期限劳动合同并缴纳社会保险费的，按规定在相应期限内定额依次减免营业税、城市维护建设税、教育费附加和企业所得税，审批期限延长至2009年底。

（三）帮扶就业困难人员再就业。落实就业援助长效机制，继续做好城镇零就业家庭和农村零转移就业贫困家庭帮扶工作，实行动态管理，确保“出现一户，认定一户，帮扶一户、稳定一户”。通过建立就业援助基地、开设就业援助热线、组织集中职业指导等措施，形成就业援助体系。采取有效措施，进一步开发公益性岗位。对政府开发的公安协警员、卫生清洁员、劳动保障协理员等公益性岗位，以及社区开发的公益性岗位，要优先安排受国际金融危机影响裁减的就业困难人员和未就业特困家庭高校毕业生。对公益性岗位从业人员，按规定落实社会保险补贴政策，并适当提高岗位补贴标准。

（四）提高灵活就业的稳定性。鼓励劳动者以非全日制、季节工、小时工等多种灵活的方式实现就业，对就业困难人员实现灵活就业的给予一定数额的社会保险补贴。对2009年享受社会保险补贴政策期满、仍未能实现稳定就业的灵活就业人员，可根据实际情况将其享受社会保险补贴的期限一次性延长，距法定退休年龄不足2年的，享受社会保险补贴的期限可延长至法定退休年龄，其他人员延长享受社会保险补贴的期限最长不超过1年。

（五）着力发挥金融在促进就业中的积极作用。积极推进县（市、区）小额担保贷款工作，扩大担保贷款覆盖面。继续加大担保基金投入，增加担保基金规模，进一步降低反担保门槛，提高放大倍数，切实发挥担保基金作用。制定全省统一的信用社区评定标准，提高信用社区建设的标准化、规范化程度；以信用社区为依托，全面推广“信用社区+就业培训+小额担保贷款”的工作机制模式。加强财政政策、信贷政策的协调配合，采取贴息、奖励等措施，引导和鼓励银行业金融机构对自主创业、就业吸纳能力强的劳动密集型小企业发放各类商业性小额贷款；鼓励银行业金融机构对有市场、有效益但暂时困难的企业，继续给予支持，帮助企业稳定生产、带动就业。

四、切实做好重点人群的就业工作

（一）把高校毕业生就业放在当前就业工作的首位。积极拓宽就业渠道，完善落实各项扶持政策，对到农村基层和城市社区从事社会管理和公共服务工作的高校毕业生，符合公益性岗位就业条件并在公益性岗位就业的，按照国家现行促进就业政策的规定，给予社会保险补贴和公益性岗位补贴，所需资金从就业专项资金列支；对到农村基层和城市社区其他社会管理和公共服务岗位就业的，给予薪酬或生活补贴，所需资金按现行渠道解决，同时按规定参加有关社会保险。进一步清理影响高校毕业生就业的制度性障碍和限制，为他们提供档案管理、人事代理、社会保险办理和接续、职称评定以及权益保障等方面的服务，形成有利于高校毕业生到企业就业的社会环境。企业招用符合条件的高校毕业生，可按规定享受相关就业扶持政策。劳动密集型小企业招用登记失业高校毕业生等城镇登记失业人员达到规定比例的，可按规定享受最高为200万元的小额担保贷款扶持。鼓励骨干企业和科研项目单位积极吸纳和稳定高校毕业生就业。组织开展高校毕业生就业服务系列活动，以未就业特别是家庭困难的高校毕业生为重点，强化就业指导，提供就业信息，加强就业服务的针对性、有效性。落实对登记失业高校毕业生的相关就业扶持政策。

（二）切实做好农民工就业工作。认真落实国务院、省政府关于做好当前农民工工作的部署和要求，采取多种措施，促进农民工就业。落实企业减负稳岗措施，稳定一批农民工就业。加强就业服务和职业培训，促进一批农民工在城镇再就业。做好农民工社会保障和公共服务工作，切实保障返乡农民工土地承包权益。建立完善省内劳务输出地区与输入地区对接机制，大力发展劳务经济，引导农民工有序就业。加强农村劳动力转移就业服务信息网络建设，做好城市和县乡公共就业服务机构间的信息对接，建立全省联网的用工信息发布制度，及时提供有效岗位信息。

（三）积极推进复员转业退伍军人安置就业工作。拓宽安置渠道，积极落实国家现行安置政策及自主择业政策，积极鼓励自主创业。加强就业服务和职业培训，鼓励复员转业退伍军人到基层一线和经济社会发展最需要的地方工作。

五、全面实施特别职业培训计划

（一）实施特别职业培训计划。对生产经营受国际金融危机影响，造成减产、停产状态的困难企业，组织在职职工开展在岗培训，为企业生产发展做好准备；对城镇失业人员特别是进行失业登记的大学毕业生、留在城里的失业农民工、失业返乡的农民工开展职业技能培训和创业培训，帮助其寻找新的就业岗位；组织引导退役士兵免费参加相关职业技能培训，培养技能型人才；对城镇新成长劳动力和农村初、高中毕业后未能继续升学的人员开展就业竞争能力培训，提高其就业能力；加强农村职业教育和农村劳动力就业能力培训，培育一批掌握一定技能的村镇建筑工匠、基层技术人员和农村基础设施管理、养护、维修人员等专业人才。

（二）发挥社会资源作用。通过校企合作、订单式培训等多种模式，加快培养重大项目实施及企业发展和产业升级中急需的技术工人。要广泛发动技工院校、职业院校和各级各类职业培训机构开展多层次、多形式的职业技能培训，充实培训内容，提升培训能力，突出培训的针对性、实用性，提高培训质量和培训后的就业率。要加大对技工院校和公共职业技能实训基地的支持力度，技工院校和中等职业院校可采取扩招等措施，推进特别职业培训计划的实施。

（三）落实职业培训补贴政策。强化政府购买培训成果机制，建立政府补贴与培训成本、培训质量和就业效果挂钩的就业培训绩效考评机制，将政府补贴落实到位。对困难企业职工参加在岗或转岗培训的，所需资金按规定从企业职工教育经费中列支，不足部分在严格标准和程序的前提下，由企业向所在地劳动保障部门申请，经同级财政、劳动保障部门审核后，从就业资金中予以适当支持。对城镇失业人员、失业返乡的农民工、城乡新成长劳动力开展职业技能培训和创业培训的，所需经费按规定由当地就业资金给予补贴。要加强对就业资金的监管，杜绝任何机构和个人截留、挤占、挪用、套取、骗取补助资金。

六、积极强化就业服务

（一）开展“就业伙伴行动”。各级政府要强化服务意识，加强与困难企业之间的沟通和联系，建立起政府与企业和求职者之间协调互助的良好伙伴关系，全面开展“就业伙伴行动”。各级发展改革、人事、财政、劳动保障、工商、税务等部门以及工会、共青团、妇联等群团组织要与困难企业结成就业伙伴，深入到困难企业，宣传政府援企稳岗方面的政策措施，帮助他们制定工作方案，尽量少裁员或不裁员。对确因经营困难需要规模裁员的困难企业，要送岗位、送服务，帮助失业人员尽快实现就业。

（二）实施创业助推“1+3”行动。公共职业介绍机构、基层劳动保障平台和政府所属的人才服务机构要专门设立创业服务窗口，坚持人本服务的理念，对有创业意愿的劳动者推行“一对一”创业指导和分类创业服务，重点围绕有创业意愿和创业能力的高校毕业生、失业人员、农民工量身定制创业援助计划。全面实施创业助推“1+3”行动，对每一个有创业意愿并参加创业培训的劳动者，推荐一个创业项目、协助落实一处经营场地、帮助办理一笔小额担保贷款。

（三）加强就业服务信息网络建设。要进一步加强城乡一体的就业服务信息网络建设，强化面向城乡、服务各类用人单位和求职者的公共就业服务，逐步实现就业服务的全程信息化。着力加强岗位信息库、求职信息库建设，确保录入信息的真实、准确、及时、完整。全省工会市、县两级困难职工帮扶机构与同级劳动保障部门实现就业信息联网共享，为就业困难群体和农民工提供免费就业信息服务。力争到2010年，建立覆盖全省、连接城乡的公共就业服务信息平台，全面实现省、市、县（区、市）、街道（乡镇）、社区公共就业服务信息联网互通。全省就业服务管理信息系统建设规划由省劳动保障厅、财政厅会同有关部门另行制定。

（四）开展就业服务系列活动。各级政府要把开展全方位的就业服务活动，作为应对当前经济金融危机，稳定就业局势的一项重要举措，动员社会各方面力量，重点以高校毕业生、就业困难群体和农民工为主要服务对象，积极组织开展“高校毕业生就业服务月”、“就业援助周”、“春风送岗位”、“民营企业招聘周”、“创业进校园”等就业服务系列活动，促进各类群体实现就业再就业。

七、切实强化组织领导和责任考核

（一）强化目标责任制度。各级政府在制定国民经济和社会发展规划时，要把扩大就业和稳定就业作为重要目标，把新增就业人数和控制失业率作为政府政绩考核的重要内容，完善落实目标责任制度。各市、县（市、区）政府的主要负责人是本地区就业工作的第一责任人，强化就业工作联席会议统筹协调机制，充分发挥联席会议各成员单位的职能，完善落实政策，及时解决工作中存在的问题。要注重发挥国有控股企业和大型民营企业在吸纳就业、稳定就业中的重要作用，充分调动其工作积极性。要认真落实就业工作的政府、职能部门和国有控股企业的目标责任制，严格考核，定期通报，对在就业工作中因工作不力、政策不落实或违反有关规定造成严重后果的责任人，要追究其相应责任。具体考核办法由劳动保障部门另行制定。

（二）建立完善失业预警机制。各级、各有关部门要密切关注当前就业形势的新变化，强化失业预警机制。要确定失业预警监测指标，对其进行定期或不定期量化分析，以界定失业预警安全与预警线。要建立失业动态重点监测报告制度，对重点行业、企业进行动态监测，分析岗位流失原因，研究判断岗位流失趋势，对有可能出现较大规模岗位流失的行业、企业提前采取应对措施。在同一时间、同一行业中出现失业人员激增时，及时启动失业预警应急预案，采取加强人员疏导、落实失业保险金、提供就业岗位等措施，迅速缓解社会失业压力。建立健全企业空岗信息报告制度。要制定完善就业和失业登记制度，做到实名制管理。具体办法由省劳动保障厅会同有关部门研究制定。

（三）积极做好舆论宣传和引导工作。要充分利用各种新闻媒介，深入做好就业宣传工作。要大力宣传国家和我省促进就业的法律法规和政策，宣传各地区、各有关部门、单位促进就业的好做法，宣传劳动者转变就业观念、自主创业、自谋职业和用人单位承担社会责任、促进就业的典型经验。要对在促进就业工作中取得显著成绩的单位和个人按规定给予表彰和奖励，进一步营造有利于促进就业的社会环境，努力形成全省稳定就业的良好局面。

山东省人民政府办公厅转发省人力资源和社会保障厅等部门关于义务教育学校绩效工资的实施意见的通知

2009年8月27日　鲁政办发〔2009〕63号

各市人民政府，各县（市、区）人民政府，省政府各部门、各直属机构，各大企业，各高等院校：

省人力资源社会保障厅、财政厅、教育厅《关于义务教育学校绩效工资的实施意见》已经省政府同意，现转发给你们，请认真贯彻执行。

义务教育学校实施绩效工资，是贯彻落实义务教育法的具体措施，也是深化事业单位收入分配制度改革的重要内容，充分体现了党中央、国务院和省委、省政府对广大义务教育教师的关心，对于依法保障和改善义务教育教师的工资待遇，提高教师地位，吸引和鼓励各类优秀人才长期从教、终身从教，促进教育事业发展，具有十分重要的意义。

义务教育学校实施绩效工资，涉及广大义务教育学校教职工的切身利益，社会关注，政策性强。各市、县（市、区）人民政府要高度重视，加强领导，周密部署，认真组织实施。要把义务教育学校实施绩效工资同深化学校人事制度改革、加强队伍建设紧密结合，同完善义务教育经费保障机制、规范学校收费行为和经费管理紧密结合。通过实施绩效工资，推动教育改革，促进义务教育事业发展。各地要加强宣传引导，做好思想政治工作，注意研究解决实施中出现的问题，妥善处理各方面关系，确保教师队伍稳定。

附件：省人力资源社会保障厅　省财政厅　省教育厅关于义务教育学校绩效工资的实施意见

附件：

省人力资源社会保障厅　省财政厅　省教育厅关于义务教育学校绩效工资的实施意见

2009年8月25日

为深化事业单位收入分配制度改革，切实做好义务教育学校实施绩效工资工作，根据《国务院办公厅转发人力资源社会保障部财政部教育部关于义务教育学校实施绩效工资指导意见的通知》（国办发〔2008〕133号）要求，结合我省实际情况，制定本实施意见。

一、实施范围和时间

按照国人部发〔2006〕59号和鲁政办发〔2006〕108号文件规定，执行事业单位岗位绩效工资制度的义务教育学校正式工作人员，自2009年1月1日起实施绩效工资。

二、绩效工资总量和水平的核定

绩效工资是事业单位岗位绩效工资的重要组成部分，是收入分配中活的部分。义务教育学校工作人员按有关政策规定发放的工资收入中，除国家规定的基本工资（含工资标准提高10%部分）、特殊岗位津贴（不含班主任津贴）和按规定保留的改革性补贴外，其他津贴补贴清理规范后纳入绩效工资。

（一）绩效工资总量暂按学校工作人员上年度12月份的基本工资额度和规范后的津贴补贴水平核定。其中，义务教育教师规范后的津贴补贴平均水平，由县级以上人民政府人事、财政部门按照教师平均工资水平不低于当地公务员平均工资水平的原则确定。绩效工资总量随基本工资和学校所在县级行政区域公务员规范后津贴补贴的调整相应调整。

（二）义务教育学校实施绩效工资要同清理规范义务教育学校津贴补贴结合进行。县级以上人民政府人事、财政、教育部门要对义务教育学校现行津贴补贴进行清理规范，并将规范后的津贴补贴和原国家规定的年终一次性奖金纳入绩效工资。

（三）县级以上人民政府人事、财政、教育部门对义务教育学校实行绩效工资总量管理。绩效工资总量一般应在每年1月份核定，由人事、财政部门先核定本行政区域义务教育学校的绩效工资总量，再由学校主管部门具体核定所属各义务教育学校的绩效工资总量。在核定各义务教育学校绩效工资总量时，要合理统筹，逐步实现同一县级行政区域义务教育学校绩效工资水平大体平衡。对农村学校特别是条件艰苦的学校要给予适当倾斜，具体办法由县级人民政府人事、财政、教育部门确定。

三、绩效工资的分配

（一）绩效工资分为基础性和奖励性两部分。基础性绩效工资主要体现地区经济发展水平、物价水平、岗位职责等因素，占绩效工资总量的70%，按月发放。奖励性绩效工资主要体现工作量和实际贡献等因素，可以按月发放，也可以按学期或学年发放。

基础性绩效工资设立岗位津贴和地方补贴两个项目，由县级以上人民政府人事、财政、教育部门制定统一标准。其中，岗位津贴应当根据岗位等级适当拉开差距，地方补贴不分岗位等级按相同标准发放。

奖励性绩效工资由义务教育学校依据绩效考核情况自主确定分配方式、项目和标准，搞活内部分配。

（二）充分发挥绩效工资分配的激励导向作用。教育部门要制定绩效考核办法，加强对学校内部考核的指导。学校要完善内部考核制度，根据教师、管理、工勤技能等岗位的不同特点，实行分类考核，把绩效考核结果作为绩效工资分配的主要依据。在分配中坚持多劳多得，优绩优酬，重点向一线教师、骨干教师和作出突出成绩的其他工作人员倾斜。

（三）义务教育学校制定奖励性绩效工资分配办法，要充分发扬民主，经教职工代表大会讨论或广泛征求教职工的意见，由学校领导班子集体研究后，报学校主管部门批准，并在本校公开。

（四）校长的基础性绩效工资，纳入本校绩效工资总量管理；奖励性绩效工资，应在本行政区域义务教育学校绩效工资总量内单独安排资金，由主管部门根据对校长的考核结果统筹考虑确定，并控制在合理幅度内。

四、相关政策

（一）《中共中央办公厅国务院办公厅转发〈中央纪委、中央组织部、监察部、财政部、人事部、审计署关于严肃纪律加强公务员工资管理的通知〉的通知》（厅字〔2005〕10号）下发前，学校发放的改革性补贴，除超过规定标准和范围发放的之外，暂时保留，不纳入绩效工资，另行规范。在规范办法出台前，一律不得出台新的改革性补贴项目、提高现有改革性补贴项目的标准和扩大发放范围。

（二）义务教育学校实施绩效工资后，取消原按国家规定发放的年终一次性奖金。

（三）原国家规定的班主任津贴与奖励性绩效工资中的班主任津贴项目归并，不再分设，纳入绩效工资管理。原执行的班主任津贴按规定的标准一并核入绩效工资总量。

（四）义务教育学校实施绩效工资时，对完全中学中从事非义务教育教师的津贴补贴问题，由学校统筹考虑。

（五）在实施绩效工资的同时，对义务教育学校离退休人员现有津贴补贴进行清理规范，建立离退休生活补贴。其中，离休人员生活补贴标准按照中共中央纪委、中共中央组织部、监察部、财政部、人力资源社会保障部、审计署《关于解决离休人员待遇有关问题的通知》（中纪发〔2008〕40号）精神确定。退休人员生活补贴标准，由县级以上人民政府人事、财政部门确定。绩效工资不作为计发离退休费的基数。

（六）实施绩效工资后，学校不得在核定的绩效工资总量外以任何名义自行发放津贴补贴或奖金，不得违反规定的程序和办法进行分配。对违反政策规定的，坚决予以纠正，并追究学校主要领导和相关责任人的责任。

（七）省、市属义务教育学校实施绩效工资，按照属地原则，执行所在地有关政策和标准。

五、经费保障与财务管理

义务教育学校实施绩效工资所需经费，纳入财政预算。按照管理以县为主、经费省级统筹、中央适当支持的原则，确保义务教育学校实施绩效工资所需资金落实到位。县级财政要优先保障义务教育学校实施绩效工资所需经费。省、市财政要强化责任，加强经费统筹，积极调整支出结构，切实加大转移支付力度，对财政困难县给予重点补助，确保农村义务教育学校绩效工资发放。

要规范学校财务管理，严格执行国务院关于免除义务教育阶段学生学杂费等费用的规定，严禁“一边免费、一边乱收费”。学校的国有资产实行统一管理，各类政府非税收入一律按照国家规定上缴同级财政，严格实行“收支两条线”。严禁利用收费收入和公用经费自行发放津贴补贴。

学校绩效工资应专款专用，分账核算。绩效工资应以银行卡的形式发放，原则上不得发放现金。根据财政国库管理制度有关规定，基础性绩效工资由财政部门按规定程序直接划入个人工资银行账户，奖励性绩效工资经学校主管部门审核后，由财政部门划入个人工资银行账户。

六、组织实施

各设区的市人民政府人事、财政、教育部门按照本实施意见和省有关规定制定本行政区域内义务教育学校绩效工资的实施办法，报省人力资源社会保障厅、财政厅、教育厅备案。县（市、区）人民政府人事、财政、教育部门制定的具体实施办法，报设区的市人民政府人事、财政、教育部门批准后实施。

各地、各有关部门要统筹义务教育学校实施绩效工资与当地规范公务员津贴补贴、义务教育经费保障机制改革、完善农村教师工资经费保障机制、深化中小学人事制度改革等各项工作。要及时研究和妥善处理实施中出现的问题，确保绩效工资平稳实施。

各地要加强义务教育学校思想政治工作，认真做好正面宣传引导和政策解释，妥善处理各方面的关系，切实维护学校和教职工队伍的稳定。

有关部门要密切配合，加强工作指导，建立健全有效的监督检查工作机制，严格把握政策和程序，指导和督促学校严格执行实施绩效工资的有关政策。

山东省人民政府关于印发山东省企业职工基本养老保险省级统筹实施意见的通知

2009 年 9 月 11 日　鲁政发〔2009〕108 号

各市人民政府，各县（市）人民政府，省政府各部门、各直属机构，各大企业，各高等院校：

现将《山东省企业职工基本养老保险省级统筹实施意见》印发给你们，请认真贯彻实施。

附件：山东省企业职工基本养老保险省级统筹实施意见

附件：

山东省企业职工基本养老保险省级统筹实施意见

根据《国务院关于完善企业职工基本养老保险制度的决定》（国发〔2005〕38 号）和《关于推进企业职工基本养老保险省级统筹有关问题的通知》（劳社部发〔2007〕3 号）规定，结合我省实际，制定本实施意见。

一、基本原则

企业职工基本养老保险省级统筹坚持保障水平与经济发展水平和各方面承受能力相适应的原则；坚持建立责任分担机制，充分调动各方面积极性的原则；坚持确保基本养老金按时足额发放，促进参保人员跨地区合理流动的原则；坚持规范基金运行和监督，确保基金使用安全、高效的原则。

二、总体目标

按照国家关于企业职工基本养老保险省级统筹的要求，在全省范围内实行统一的基本养老保险制度和有关政策；统一缴费基数和比例；统一基本养老保险待遇；统一管理基金；统一编制和实施基本养老保险预算；统一信息系统平台和相关业务流程。

三、主要内容

（一）实行统一的基本养老保险制度和有关政策。企业职工基本养老保险制度和有关重大政策，均由省根据国家规定结合实际制定和组织实施。凡全省统一规定执行的政策，各地不得另行作出规定或擅自变更。

（二）统一基本养老保险缴费基数和比例。参保单位以本单位上年度职工工资总额作为基数缴纳基本养老保险费，单位工资总额低于本单位职工个人缴费基数之和的，以职工缴费基数之和作为缴费基数。单位缴费比例为 20%，个别高于或低于 20% 的市要按照统筹基金收支平衡的原则逐步统一到 20%。职工个人以及城镇个体工商户和灵活就业人员的缴费基数和缴费比例按《山东省人民政府关于印发山东省完善企业职工基本养老保险制度实施意见的通知》（鲁政发〔2006〕92 号）及有关规定执行。

（三）统一基本养老金计发办法和统筹项目。基本养老金计发办法统一按《山东省人民政府关于印发山东省完善企业职工基本养老保险制度实施意见的通知》（鲁政发〔2006〕92 号）及有关规定执行。统筹项目仍按照国家和省统一规定的项目（含审定的原行业统筹项目）执行。主要包括：按改革后计发办法计发的基本养老金，按原规定计发的离退休金、退职生活费、符合规定的补助补贴，以及按国家和省统一政策增加的基本养老金。参加基本养老保险的离休、退休、退职人员死亡后，按规定享受的丧葬补助费，离休、退休人员死亡后其直系亲属一次性救济费、供养直系亲属定期生活困难补助，统一作为基本养老保险统筹项目支付。

（四）建立企业职工基本养老保险基金预算管理制度。按照全面性、平衡性、专用性、规范性原则，全省统一编制和实施企业职工基本养老保险基金预算。基金收入预算主要根据以前年度实际参保缴费人数、缴费工资增长及费率调整等因素，综合考虑基本养老保险费征缴（含清欠）、利息、财政补贴、上级下拨基金等指标编制；基金支出预算主要根据离退休人数的增减变动、基本养老金水平提高等因素，综合考虑统筹项目内基本养老保险待遇支付、上解上级基金等支出指标编制。

编制完成后的企业职工基本养老保险基金预算，汇总纳入全省社会保险基金预算。

（五）统一管理基本养老保险基金。各市历年滚存结余基金及当年收支结余基金，实行留存各市管理的办法。但各市动用结余基金需经省人力资源社会保障厅、省财政厅审核同意。各市按企业养老保险单位缴费额的一定比例上解省级调剂金，具体比例由省人力资源社会保障厅、省财政厅根据养老保险省级统筹发展的需要和实际情况提出意见，报省政府确定。中央财政、省财政补助资金和上解的调剂金由省级统一调剂使用。

明确省、市、县各级政府责任。基金预算内收支缺口，由当地历年滚存结余、地方财政补助和省级调剂解决。因基金短收、超支或其他原因造成的预算外收支缺口，全部由地方政府负责解决。

（六）统一基本养老保险经办业务流程和信息系统。省级社会保险经办机构要制定全省统一的基本养老保险业务流程。全省各级社会保险经办机构要严格按照统一的业务流程办理各项养老保险业务，实现基本养老保险经办业务规范化、标准化和专业化，提高养老保险管理服务水平。进一步加强社会保险管理信息系统建设和应用，满足基本养老保险省级统筹的要求，实现省、市、县之间社会保险经办机构、人力资源社会保障部门、财政部门的数据及时交换和信息共享，并逐步延伸应用。

四、组织领导

实行企业职工基本养老保险省级统筹是一项复杂的系统工程，涉及多方利益调整。各级政府一定要高度重视，切实加强领导。各有关部门要按照各自职能，各司其职、各负其责，保证省级统筹工作平稳运行。

（一）各级政府要充分认识实行省级统筹的重要意义，从完善社会保障体系、维护社会稳定、促进改革和发展的大局出发，加强组织领导，认真落实中央和省里的政策，确保企业离退休人员基本养老金按时足额发放。

（二）各有关部门要相互协调、密切配合，不断完善工作机制，抓好工作落实，共同推进省级统筹工作。要采取有力措施，进一步强化基金征缴，积极拓展筹资渠道，确保养老保险费应收尽收。要切实做好全省社会保险基金预算编审工作，强化基金收支审核、管理和监控。要建立完善基金征缴考核奖励约束机制，促进基金征缴，增强基金支撑能力。要完善养老保险经办机构和信息管理部门的设置，结合工作需要进一步充实工作人员，为省级统筹工作提供有力的组织保障。省人力资源社会保障厅、省财政厅等部门要切实负起责任，加强对省级统筹工作的督查和指导，及时研究解决工作中遇到的新情况、新问题，确保各项工作顺利推进。

本意见自2009年10月1日起执行。已有政策规定与本意见不一致的，按本意见执行。

山东省人民政府关于开展新型农村社会养老保险试点的实施意见

2009年11月27日　鲁政发〔2009〕131号

各市人民政府，各县（市、区）人民政府，省政府各部门、各直属机构，各大企业，各高等院校：

为加快建立完善覆盖城乡的社会保障体系，根据《国务院关于开展新型农村社会养老保险试点的指导意见》（国发〔2009〕32号）精神，结合我省实际，制定以下新型农村社会养老保险（以下简称“新农保”）试点工作实施意见。

一、指导思想、基本原则和任务目标

（一）指导思想。以邓小平理论和“三个代表”重要思想为指导，深入贯彻落实科学发展观，认真贯彻落实党的十七大、党的十七届三中全会精神和省委、省政府决策部署，按照统筹城乡社会保障体系建设的要求，先行试点，逐步扩大覆盖范围，不断提高保障水平，建立与我省农村经济社会发展水平相适应、与其他保障措施相配套，管理规范化、服务社会化的新农保制度，使农村居民享有基本养老保障。

（二）基本原则。新农保制度的基本原则是：“广覆盖、保基本、有弹性、可持续”。坚持保障水平与当地农村经济发展水平相适应；坚持个人缴费、集体补助、政府补贴相结合的资金筹集机制；坚持权利和义务相对应、公平与效率相结合；坚持政府主导和农村居民自愿相结合，引导农村居民普遍参保。

（三）任务目标。2009年，按照国家选择10%的县（市、区）进行试点的要求，推动完成国家批准我省的首批试点任务，以后逐步扩大试点，同时鼓励各市、县（市、区）按照新农保制度要求积极开展试点工作。2020年前基本实现对农村适龄居民的全覆盖。

二、参保对象和范围

年满16周岁（不含在校学生）、未参加城镇职工基本养老保险的农村居民，可以在户籍地自愿参加新农保。

三、基金筹集

新农保基金由个人缴费、集体补助、政府补贴构成。

（一）个人缴费。参保人员应当按规定缴纳养老保险费。个人缴费标准分为100元、200元、300元、400元、500元5个档次，当地政府可根据实际情况增设缴费档次。参保人自主选择缴费档次，按年缴费，缴费方式由当地政府确定。省政府依据国家规定或农民收入增长等情况适时调整缴费档次。鼓励青年、中年农村居民连续缴费，多缴费，具体办法由当地政府规定。

（二）集体补助。有条件的村集体经济组织应当对所属参加新农保成员缴费给予补助，具体补助标准由村民委员会召开村民会议民主确定。集体补助应坚持公开、公平、公正的原则，实行公示制度，接受社会和群众的监督。鼓励其他经济组织、社会公益组织、个人为参保人缴费提供资助。

（三）政府补贴。

1. 基础养老金。政府对符合领取条件的参保人全额支付新农保基础养老金。按照国家统一规定，确定基础养老金标准为每人每月55元。对纳入国家试点的地区，中央和省财政按照统一确定的基础养老金标准对东、中、西部地区分别给予40%、60%、80%的补助。在试点没有全面铺开之前，对新农保试点的各县根据人均财力状况等单独确定补助办法。中央和省财政补助后剩余部分由市、县（市、区）政府负担。有条件的市、县（市、区）政府可以根据实际情况提高基础养老金标准，对于长期缴费的农村居民可适当加发基础养老金，提高和加发部分的资金由市、县（市、区）政府负担。

2. 缴费补贴。市、县（市、区）政府应当对参保人缴费给予补贴，补贴标准不低于每人每年30元，缴费即补。对选择较高档次缴费的，可给予适当鼓励，具体标准和办法由市、县（市、区）政府确定。对农村重度残疾人等缴费困难群体，市、县（市、区）政府应为其代缴部分或全部最低标准的养老保险费。

四、建立个人账户

政府为每个新农保参保人建立终身记录的养老保险个人账户。个人缴费，集体补助及其他经济组织、社会公益组织、个人对参保人缴费资助，市、县（市、区）政府对参保人的缴费补贴，全部记入个人账户。政府缴费补贴部分在个人账户中要单独记录。个人账户存储额目前每年参考中国人民银行公布的金融机构人民币一年期存款利率计息。

五、养老金待遇确定

（一）享受养老金待遇条件。

1. 年满60周岁、按规定缴费、未享受城镇职工基本养老保险待遇的农村有户籍的老年人，可以按月领取养老金。

2. 新农保制度实施时，已年满60周岁、未享受城镇职工基本养老保险待遇的，不需缴费，可以按月领取基础养老金，但其符合参保条件的子女应当参保缴费；新农保制度实施时，45周岁以上的，应按年缴费，累计缴费年限应不少于实际年龄到60周岁的剩余年数；允许补缴，但补缴后累计缴费年限不超过15年。45周岁（含）以下的，应按年缴费，累计缴费年限不少于15年。

（二）养老金待遇。养老金待遇由基础养老金与个人账户养老金两部分组成。基础养老金按照不低于国家和省规定基础养老金的标准支付。个人账户养老金的月计发标准为个人账户全部资金积累额除以139（与现行城镇职工基本养老保险个人账户养老金计发系数相同）。参保人死亡，其个人账户余额，除政府补贴外，可以依法继承。

（三）待遇调整。根据国家规定和我省经济发展情况，适时调整养老金计发标准和基础养老金标准。

六、基金管理和监督

（一）基金管理。新农保基金纳入社会保障基金财政专户管理，实行收支两条线，单独记账、核算，按有关规定保值增值。试点阶段，新农保基金暂实行县级管理，随着试点扩大和推开，逐步提高管理层次。

财政部门会同人力资源社会保障部门要认真编制政府补贴资金预算，确保对参保人的补贴及时到位和基础养老金按时足额发放。

（二）基金监督。各级人力资源社会保障部门要切实履行新农保基金的监管职责，会同有关部门制定和完善新农保各项规章制度，规范业务流程，建立健全内控制度和基金稽核制度，对基金筹集、上解、预算、划拨、发放进行实时监控和定期检查，并定期披露新农保基金筹集和支付信息，做到公开透明。财政、监察、审计部门要按各自职责实施监督，杜绝挤占挪用，确保基金安全。试点县（市、区）每年要在行政村范围内对参保缴费情况和待遇领取资格进行公示，接受社会监督和群众监督。

七、制度衔接

开展新农保制度试点，要妥善处理好与老农保制度和我省各地开展的地方性新农保试点制度以及其他社会养老保险制度的衔接。

（一）已经参加农保还未达到领取年龄的人员，原个人账户资金并入新农保个人账户，按新农保标准进行核算。领取前应按新农保的缴费标准继续缴费。

（二）对已经参加农保、60周岁以下且开始领取养老金的，应停止领取养老金，并按新农保的有关规定继续缴费，达到新农保领取条件时，按新农保标准领取。已经参加农保、年满60周岁且已领取农保养老金的，可直接享受新农保基础养老金。

（三）新农保与其他社会养老保险制度衔接按照国家规定执行。

（四）要妥善做好新农保制度与被征地农民社会保障、水库移民后期扶持政策、农村计划生育家庭奖励扶助政策、农村五保供养、社会优抚、农村最低生活保障制度等政策制度的配套衔接工作，具体办法按照国家有关规定执行。

八、保险关系转移

新农保参保人跨地区转移，可将新农保关系及个人账户资金转入新参保地，按新参保地有关标准核算，并享受相应待遇；转入地尚未开展新农保试点的，可将其新农保关系及个人账户资金暂存于原参保地，待条件具备时转移。

九、经办能力建设

（一）加强经办服务能力建设。要充分运用现代管理和服务方式，降低行政成本，提高工作效率。各级新农保工作经费纳入同级财政预算，不得从新农保基金中开支。

（二）强化规章制度建设。按照管理规范化，服务社会化总体要求，制定和完善新农保各项业务管理规章制度，规范业务程序，建立健全内控制度、基金审稽核制度和信息披露制度；建立新农保公示和查询制度，建立和完善参保人员档案管理制度。

（三）加强信息化建设。建立全省统一的信息管理和服务系统，并纳入到社会保险管理系统（“金保工程”）建设。要积极推行社会保障卡，方便参保人持卡缴费、领取待遇和查询本人参保信息。

十、加强组织领导

各级政府要充分认识开展新农保试点工作的重大意义，从统筹城乡经济和社会全面协调发展的战略高度出发，统筹规划，将其列入当地经济社会发展规划和年度目标考核管理体系，切实加强组织领导。省政府成立新农保试点工作领导小组，负责研究制定有关政策、协调解决试点工作中出现的问题、督促检查政策落实情况，总结评估试点工作。领导小组下设办公室，办公室设在省人力资源社会保障厅，负责领导小组的日常工作。领导小组成员单位要切实履行职责，密切配合，做好新农保试点工作。

十一、试点工作的组织实施

各市政府要根据本意见，在充分调研、多方论证、缜密测算的基础上，结合当地实际，制定切实可行的实施方案，并报省新农保试点工作领导小组备案；按要求选择试点县（市、区），报省新农保试点工作领导小组。各市、县（市、区）的试点方案报省政府批准后实施。

十二、做好舆论宣传工作

建立新农保制度直接关系广大人民群众的切身利益，是一项重大的民生工程，政策性强，涉及面广。各地要坚持正确的舆论导向，采取多种方式，加大对试点工作意义、基本原则和方针政策的宣传力度，使这项惠民政策深入人心，引导适龄农民积极参保。各地要采取有效措施，鼓励村干部带头参保。各地要注意研究试点过程中出现的新情况、新问题，积极探索和总结试点经验做法，妥善处理改革、发展和稳定的关系，把好事办好。试点工作中遇到重要情况要及时向省新农保试点工作领导小组报告。

省财政厅　省卫生厅关于调整中央和省级财政新型农村合作医疗补助资金拨付办法有关问题的通知

2009年1月15日　鲁财社〔2009〕3号

各市财政局、卫生局：

根据《财政部　卫生部关于调整中央财政新型农村合作医疗补助资金拨付办法有关问题的通知》（财社〔2008〕321号）要求，为完善新型农村合作医疗（以下简称“新农合”）资金拨付方式，提高中央和省级财政补助资金审核拨付效率，确保各地新农合工作顺利开展，经研究，从2009年起调整中央和省级财政新农合补助资金拨付办法。现就有关问题通知如下：

一、申请材料的报送

（一）申请时间。市级财政、卫生部门应于每年4月15日前，将开展新农合的县（市、区）有关情况报省财政厅驻有关市财政检查办事处（以下简称“检查办事处”）审核，并于每年5月15日前将经检查办事处审核后的有关情况报送省财政厅、省卫生厅。

省财政厅、省卫生厅于每年6月底前将开展新农合的县（市、区）有关情况报财政部驻山东省财政监察专员办事处（以下简称“专员办”）审核，并于每年7月底前将经专员办审核后的有关情况上报财政部、卫生部。

（二）申请材料。主要包括以下内容：

1. 申请报告。主要包括所辖各县（市、区）新农合制度建设情况，核定的参合农民人数，参合农民缴费、各级财政补助、基金收支、基金结余（含风险基金）、基金补偿等情况，申请当年中央和省级财政补助资金的报告。

2. 申请报表。自2009年度起，有关市要填报《××市申请××年度中央财政新型农村合作医疗补助资金表》。为结算2008年中央财政补助资金，2009年各市还需填报省财政厅、省卫生厅《关于调整中央财政新型农村合作医疗制度政府补助政策及完善省级补助资金审核拨付规程的通知》（鲁财社〔2008〕11号文件）中的附件1、附件2。

3. 其他资料。主要包括农民个人缴费、各级财政补助资金以及其他资金到达新农合基金财政专户的银行对账单、进账单，各级财政补助资金预算指标文件和拨款通知单，以及其他有效证明文件或材料。各项材料由各市集中上报，同时附各县（市、区）相关资料。

二、补助资金的拨付

从2009年起，省财政采取“年初预拨、年底结算”的资金拨付办法。具体操作程序是：

（一）预拨。每年5月底前，中央资金到位后，省财政参照省卫生厅审核提供的2月底的参合人数，根据相关规定，预拨当年中央和省级新农合补助资金。

（二）结算。从2009年起，省财政采取“当年预拨、当年结算”的办法。每年10月底前，省财政根据当年补助标准、各地截至2月底参加当年新农合的人数、各地当年财政补助资金到位率以及专员办和检查办事处审核情况，对年初预拨的补助资金进行结长，多退少补。如因市县补助资金到位率未达到100%，致使中央和省级财政不能足额拨付补助资金的，缺口部分由市县财政予以补足，以保证新农合资金的完整性。以后年度，中央和省财政不再对有关市上年补助资金进行结算。

三、有关具体要求

各级财政部门要按照当年筹资标准和省财政厅关于转发《财政部关于印发〈新型农村合作医疗补助资金国库集中支付管理暂行办法〉的通知》（鲁财库〔2008〕16号）的要求，办理资金拨付，市县两级财政当年补助资金要于3月底前足额拨付到位。市级财政、卫生部门要认真做好对上报申请材料的审核工作。

各级卫生部门要在2月底前完成本年度农民参合情况的汇总、审核工作，核实参合人数、农民个人缴费等情况。省级卫生部门负责做好上报申请材料、申请报表的汇总初审工作。

检查办事处要按照《关于印发〈山东省财政厅驻有关市财政检查办事处审核监督省级新型农村合作医疗补助资金操作规程〉的通知》（鲁财监〔2005〕181号）和《关于省级财政新型农村合作医疗补助资金审核工作的补充通知》（鲁财监〔2008〕8号）的规定，及时认真做好上报申请材料的审核工作，审核工作应于每年5月10日前完成。

各级财政、卫生部门要严格按照有关规定，及时上报申请中央和省级财政补助资金有关材料。对故意虚报参合人数和地方各级财政补助资金到位等情况骗取上级补助资金的，除按规定追究有关单位和人员的责任外，省财政厅、省卫生厅在核定中央和省级财政补助资金时，将据实扣减。

附件：××市申请××年度中央和省级财政新型农村合作医疗补助资金表

附件：

××市申请××年度中央和省级财政新型农村合作医疗补助资金表

卫生局（公章）：　　　　截止日期：　　年　月　日　　　　财政局（公章）：

序号	县（市、区）	参合人数（人）	县（市）总人数（人）	农业人口数（人）	非农业人口数（人）	筹资标准（元）						筹集资金到位情况（万元）						申请省级财政补助资金（万元）
						合计	地市级财政	县级财政	乡级财政	其他	农民个人缴费	合计	地市级财政	县级财政	乡级财政	其他	农民个人缴费	
栏次	1	2	3	4	5	6	7	8	9	10	11	12	13	14	15	16	17	18
合计	×																	
1																		
2																		
3																		
4																		
5																		
6																		
7																		
8																		

卫生局填报人（签字）：　　　　负责人（签字）：

财政局填报人（签字）：　　　　负责人（签字）：

检查办事处审核意见：　　　　负责人（签字、公章）：

注：1. 第1栏按国家行政区划的顺序排列。非行政区划的开发区等，在有关国家行政区划中单列其中数。

2. 第2栏填列截至2月底参加当年新农合人数。

3. 第3～5栏依据上年底统计部门公布统计数据填列。

4. 第7～11栏填列当年各级财政补助、其他来源资金和农民缴费标准。

5. 第13～17栏填列截至上报申请时，各渠道实际拨入新农合基金财政专户的金额。

6. 第18栏填列申请全年补助资金。

7. 省级财政补助资金中包括中央财政补助。

省财政厅　省卫生厅关于印发《山东省城市社区公共卫生服务项目成本测算规程（试行）》的通知

2009年3月16日　鲁财社〔2009〕4号

各市财政局、卫生局：

现将《山东省城市社区公共卫生服务项目成本测算规程（试行）》印发给你们，请结合当地实际参照执行。执行过程中如有问题和建议，请及时向省财政厅、省卫生厅反映。

附件：山东省城市社区公共卫生服务项目成本测算规程（试行）

附件：

山东省城市社区公共卫生服务项目成本测算规程（试行）

第一章　总　则

第一条　为做好城市社区公共卫生服务项目成本测算工作，合理确定政府补偿标准，加快推进政府购买城市社区公共卫生服务工作进程，促进我省城市社区卫生事业健康发展，根据有关规定，制定本规程。

第二条　社区公共卫生服务项目包括：社区卫生诊断，建立居民健康档案，社区健康教育与健康促进，传染病、地方病和寄生虫病预防与控制，社区慢性非传染性疾病防治，妇女保健，儿童保健，老年保健，残疾人康复，社区公共卫生应急处置等共十大项，每项分为若干子项目和成本测算项目，具体内容见《山东省城市社区公共卫生服务成本项目表》（附件1）。

按照政府购买社区公共卫生服务的要求，社区公共卫生服务子项目分为A、B、C三个大类，组合成为可供政府购买的不同“服务包”。按照目前的成本项目设置，共有A类子项目41个，B类子项目18个，C类子项目25个。

第三条　社区公共卫生服务项目成本，是指社区卫生服务机构在提供公共卫生服务过程中消耗的各种费用。

按照消耗量与提供服务量的关系，社区公共卫生服务项目成本分为固定成本和变动成本。一般地，固定成本包括房屋、设备费用和公务费用；变动成本包括劳务费用和材料费用。

第四条　公共卫生服务项目成本测算，一般采用定额成本法和基数法。

第五条　公共卫生服务项目成本测算，应遵循会计核算的一般原则，重点做好定额的制定、修订，材料物资的计量、收发、领退和盘点，原始纪录的建立与登记，各种费用的正确划分、归集和分摊等基础工作。

第二章　成本调查

第六条　成本调查，是指为了解、掌握社区公共卫生服务过程中各类成本的消耗情况而进行的考察。

成本调查结果是成本测算的主要依据。

第七条 成本调查应遵循以下原则：

（一）全面透彻原则。调查内容要全面，材料要齐全；调查者不仅要对有关的文件资料进行详尽的审核，还要与相关当事人（服务提供者、服务对象）、政府机构和中介机构等进行协调和沟通。

（二）突出重点原则。针对不同的调查内容和调查对象，调查工作应有所侧重。

（三）独立调查原则。调查机构和调查人员应保持相对独立，能够客观公正地进行职责调查，并做出准确判断。

第八条 成本调查的方法。一般应结合当地城市社区公共卫生服务工作实际，采用文献参考法、专家咨询法、现场调查法等。

第九条 调查对象的确定。根据调查目的，采取随机抽样法，抽取当地若干数量、各类具有代表性的社区卫生服务中心、社区卫生服务站以及疾病预防控制机构和综合医院进行调查。

第十条 调查的内容：

（一）本市城市社区卫生服务机构基本情况，包括机构覆盖人群、社会人口特征、所有制结构、人员情况、固定资产情况、人员收入状况等。

（二）本市城市社区卫生服务机构成本构成的有关资料，包括房屋原值及使用面积、单位服务项目材料消耗价值、单位服务设备利用情况、公务费开支情况等。

（三）各类服务项目的有关情况，包括服务项目名称、单位服务时间、服务人员资质、服务类别与人数、近3年服务提供量等。

（四）相关行政、后勤等部门的成本构成情况。

（五）其他情况。

第十一条 对调查取得的资料，应运用科学的方法进行整理、汇总与分析。

第三章 房屋、设备费用的测算

第十二条 房屋、设备费用，主要包括房屋、设备和其他固定资产的折旧、修购、租赁费用等。

第十三条 房屋相关费用应根据社区卫生服务机构用房来源分别进行测算。

（一）自有（含政府免费提供）房屋，不计算租赁费用，只计算房屋折旧、维修费，按照房屋原值2.5%的比例提取。

（二）租赁房屋，按照当地房产管理机构提供的近3年当地市区房屋租赁价格进行测算。

$$\text{租赁费用} = \text{社区卫生服务机构实际建筑面积} \times \text{每平方米租赁价格}$$

第十四条 设备和其他固定资产。根据测算需要，将电子设备、电动设备、观察床、被服、图书资料等，纳入设备和其他固定资产成本测算，按年限平均法计算。计算公式：

$$\text{年折旧额} = \frac{\text{原值} - (\text{预计残值收入} - \text{预计清理费用})}{\text{预计使用年限}}$$

投影仪、功放机、出诊车等不经常使用的特殊设备，也可根据实际使用时间进行测算。其公式为：

$$\text{年折旧额} = \text{当年使用小时数} \times \text{每小时折旧额}$$

第十五条 对房屋设备费用，各地可根据公共卫生服务占用房屋和设备等情况，确定是否计入社区公共卫生服务成本以及计入的合理比例。

第四章 公务费用测算

第十六条 公务费用是指城市社区卫生服务机构在提供公共卫生服务过程中发生的管理费用，主要包括水费、电费、通讯费、物业费和社区卫生技术人员培训成本等。

第十七条 公务费用的测算一般采用定额法或者基数法。

第十八条 对公务费用，各地政府可根据公共卫生服务消耗等情况，确定是否计入公共卫生服务成本以及计入的合理比例。

第五章 劳务费用测算

第十九条 劳务费用应根据城市社区公共卫生服务人员提供的公共卫生服务量（如服务人次数）等基本数字与相关定额进行测算。

第二十条 服务量的测算可采用两种方法：

（一）宏观控制计算法，是政府根据各城市社区卫生服务中心或社区服务站的辖区人口，按照“A”、“AB”、“ABC”三个服务包（具体内容参见《省卫生厅 省财政厅关于印发政府购买城市社区公共卫生服务项目及绩效考评标准（试行）的通知》，即鲁卫基妇发〔2007〕13号文件，下同），十大类项目的各服务项目人群的比重、发病率、服务次数等，直接计算各项目服务量的办法。

（二）实际工作完成法，是以各城市社区卫生服务中心或社区卫生服务站，依据“A”、“AB”、“ABC”三个服务包、十大类项目的各服务项目，直接服务人员登记数量为计算口径的计算办法。

第二十一条 社区公共卫生服务人员的配备，一般按每万名居民核定2~3名全科医师、1名公共卫生医师，全科医师与护士的比例按1:1标准配备，其他人员按不超过社区卫生服务机构编制的5%确定。

第二十二条 劳务费用的确定。

（一）按照国家规定的城市社区卫生服务机构（中心、站）各职级医护人员的工资、津贴，以及当地规定的养老保险、基本医疗保险、失业保险、住房公积金的标准，以每月20.83个工作日，每个工作日工作时间8小时，计算各职级医护人员每分钟的劳务费用。

（二）根据《城市社区公共卫生服务人力资格及业务用时参考标准》（附件2），计算社区公共卫生服务项目的劳务费用：

各系列人员每分钟有效劳动时间的人力费用＝各系列人员的实际年劳务收入÷12（月）÷20.83（天）÷480（分钟）

单项公共卫生服务每服务人次劳务费用定额＝各系列人员每分钟有效劳动时间的人力成本×社区单项公共卫生服务项目直接服务时间（分钟）

第六章 材料费用测算

第二十三条 材料是指城市社区卫生服务机构在提供公共卫生服务过程中，一次性消耗的材料和低值易耗品。

第二十四条 材料费用的测算，一般采用定额法或者基数法。

单项公共卫生服务每服务人次材料成本定额＝单项公共卫生服务材料消耗定额/服务人次

第七章 社区公共卫生服务成本的确定

第二十五条 固定成本的确定。固定成本总额的测算，应根据公共卫生服务占用业务用房和设备等固定资产情况，合理确定固定成本的计入比例。固定成本与提供社区公共卫生服务量的变化没有直接关系，可以考虑按照单项公共卫生服务变动费用定额占各单项公共卫生服务变动费用总额的比例，采用比例法，分摊到各个成本项目中。

固定成本总额＝房屋×房屋费用计入比例＋设备费用×设备费用计入比例＋公务费用×公务费用计入比例

$$\text{单项公共卫生服务固定成本定额} = \frac{\text{该项公共卫生服务变动费用定额}}{\sum \text{单项公共卫生服务变动费用定额}} \times \text{固定成本总额}$$

第二十六条 变动成本的确定。变动成本随提供社区公共卫生服务量的变动而变动，一般采用定额法，测算单项服务的成本定额。

单项公共卫生服务变动成本定额 = 单项公共卫生服务劳务费用定额 + 单项公共卫生服务材料费用定额

第二十七条 成本的确定。

单项公共卫生服务成本 = 该项公共卫生服务人次 ×（单项公共卫生服务固定成本定额 + 单项公共卫生服务变动成本定额）

公共卫生服务总成本 = $\sum$ 单项公共卫生服务成本

第八章 附 则

第二十八条 本规程应由设区的市级财政、卫生部门组织实施。各县（市、区）可在市级统一测算结果的基础上，根据本地物价差别系数等调整核定。城市社区公共卫生服务项目成本应根据变化情况定期测算，测算周期一般不应超过 3 年。

地区物价差别系数，一般参照当地统计部门公布的有关数据核定。

第二十九条 本规程自颁布之日起试行。

第三十条 本规程由省财政厅、省卫生厅负责解释。

附件：1. 山东省城市社区公共卫生服务成本项目表

2. 城市社区公共卫生服务人力资格及业务用时参考标准

附件 1：

山东省城市社区公共卫生服务成本项目表

项目代码	项 目	服务内容	核算内容	备注
	变动成本			
1	社区卫生诊断			
1A1	居民健康抽样调查	开展居民健康调查和社区调查，掌握本社区的卫生特征和主要公共卫生问题及影响健康的主要危险因素，确定优先干预项目，制定健康促进计划，形成社区卫生诊断报告	调查次数、调查社区人口数量、每人次调查时间、参加调查的医师或护士人员等	
1A2	社区环境调查		调查次数、调查社区机构数量、每机构调查时间、参加调查的医师或护士人员等	
1A3	社区卫生诊断报告		卫生诊断的次数、每人次诊断的时间、印刷材料等、参加诊断的医师等	
1C1	其他	以上不能涵盖的项目		
2	建立居民健康档案			
2A4	建立健康档案	为常住居民建立健康档案，记录居民家庭基本信息和个人健康信息	建档的比例、人数、每人次建档的时间、印刷材料等、参加建档的人员等	
2B1	建立居民电子健康档案、居民健康信息计算机管理	实行居民健康信息计算机动态管理，做到机构内联网，实时更新就诊病人病情记录	建档的比例、人数、每人次建档的时间、电脑、打印机、参加建档人员等	
2C2	建立居民健康信息局域网络，实现信息共享	建立居民健康信息局域网络，社区居民健康信息系统与对口的上级医疗卫生机构联网，实现信息共享	建档的比例、人数、每人次建档的时间、电脑、打印机、网络费、参加建档人员等	
2C3	为双向转诊病人连续性诊疗提供必需的医学信息		双向转诊的人数、每人次时间、参加转诊的人员等	
2C4	其他	以上不能涵盖的项目		

续表

项目代码	项　目	服务内容	核算内容	备注
3	社区健康教育与健康促进			
3A5	健康教育宣传材料	制定社区健康干预措施和策略，并组织实施。每户至少拥有1种健康教育宣传材料；设置社区健康教育宣传栏，至少每季度更新一次；发放健康教育处方不少于8种；定期播放健康教育影像资料不少于10种；结合主题宣传日每年开展由社区单位和社区居民参加的大型宣传活动不少于4次；每月至少举办1次健康教育专题讲座	宣传户数、宣传印刷材料、每户宣传时间、参加人员等	
3A6	社区健康教育宣传栏		设置宣传栏数量、更新次数、宣传材料费、每次更新时间、参加人员等	
3A7	健康教育处方		健康教育的次数、人数、种类数、印刷材料、每人次用时、参加人员等	
3A8	定期播放健康教育影像资料		播放次数、种类数、光盘费、电视、功放机、电脑、投影仪等设备、每次用时、参加人员等	
3A9	开展大型宣传活动		宣传次数、人数、印刷材料、每人次用时、参加人员等	
3A10	健康教育专题讲座		讲座次数、电脑、投影仪等设备、每次用时、参加人员等	
3B2	对社区性病、艾滋病及其他重点疾病等高危人群有针对性的健康教育	开展重点人群健康教育与健康促进，对性病、艾滋病及其他重点疾病等高危人群开展有针对性的健康教育	性病、艾滋病等发病率、人数、每人次用时、参加人员等	
3C5	心理疏导与心理咨询	开展心理疏导与心理咨询。为社区重点人群和突发公共事件提供身心健康咨询	心理疏导与心理咨询人数、每人次用时、参加人员等	
3C6	为社区重点人群和突发公共事件提供身心健康咨询		发生的次数、每次用时、参加人员	
3C7	其他	以上不能涵盖的项目		
4	传染病、地方病和寄生虫病预防与控制			
4A11	开展社区传染病监测，报告疫情	开展社区传染病监测，及时报告辖区内发现的法定报告传染病疫情；协助疾病预防控制机构开展传染病监测、流行病学调查和传染病漏报调查。协助做好传染病人及疑似病人、感染者的消毒隔离、疫点处理、病人治疗，协助落实传染病防控措施	监测用印刷材料、报告例数、时间、参加人员等	
4A12	协助开展传染病监测		监测用印刷材料、时间、参加人员等	
4A13	协助开展流行病学调查		调查用印刷材料、时间、参加人员等	
4A14	协助开展传染病漏报调查		调查用印刷材料、时间、参加人员等	
4A15	协助做好传染病的消毒隔离、疫点处理、病人治疗		发病人数、治疗人数、时间、参加人员等	
4A16	协助做好疑似病人的消毒隔离、疫点处理、病人治疗		疑似病人数、治疗人数、时间、参加人员等	
4A17	协助落实传染病防控措施		治疗人数、时间、参加人员等	
4B3	向0~7岁儿童提供规定的一类疫苗接种服务	（1）向0~7岁儿童提供规定的一类疫苗接种服务，做好预防接种安全管理，保证疫苗冷链设施正常运行；（2）协助做好重点传染病、地方病、寄生虫病防治管理。协助开展肺结核病例的登记、转诊和全程督导治疗；协助开展艾滋病患者、病毒感染者的调查与随访，提供咨询，协助做好抗病毒治疗与家庭关怀工作；协助做好地方病、寄生虫病的防治工作。协助开展人群免疫水平监测和免疫接种效果监测	0~7岁的人数、每人次用时、参加人员等	
4B4	协助开展人群免疫水平监测和免疫接种效果监测		监测人数、每人次用时、参加人员等	
4B5	协助做好重点传染病、地方病、寄生虫病防治管理		发病患率、人数、每人次用时、参加人员等	
4B6	协助开展艾滋病患者、病毒感染者的调查与随访，提供咨询		艾滋病患者、病毒感染者的比例、人数、每人次用时、参加人员等	
4B7	协助做好抗病毒治疗与家庭关怀工作		艾滋病患者、病毒感染者的比例、人数、每人次用时、参加人员等	

续表

项目代码	项　目	服 务 内 容	核 算 内 容	备注
4C8	其他	以上不能涵盖的项目		
5	社区慢性非传染性疾病防治			
5A18	重点慢性病患者的登记与健康指导	（1）做好重点慢性病患者的登记与健康指导，对35岁以上人群实施首诊测血压制度，对社区居民中的高血压、糖尿病、冠心病、脑卒中四种慢性病患者建立专门档案，开展咨询服务、规范化诊疗用药指导与干预，实施随访每年不少于2次。（2）做好精神病人登记与健康指导，对辖区内已确诊的精神病患者进行登记、建档，提供咨询服务与治疗指导	高血压、糖尿病、脑卒中、冠心病患病率、人数、印刷材料、每人次用时，参加人员等	
5A19	对35岁以上首诊患者测血压		测血压人数、血压计、听诊器等、每人次用时、参加人员等	
5A20	对社区居民中高血压、糖尿病、冠心病、脑卒中病人建立专门档案、咨询服务、规范化诊疗用药指导与干预		四种疾病的人数例数、印刷材料、每人次用时、参加人员等	
5A21	对四种慢性病的随访		随访例数、每人次用时、参加人员等	
5A22	对精神病人登记与健康指导		患病率、登记指导人数、印刷材料、时间、参加人员等	
5A23	对辖区内已确诊的精神病患者登记、建档		患病率、建档人数、印刷材料、时间、参加人员等	
5B8	对辖区内的高血压患者、糖尿病患者进行规范化系统管理	（1）开展重点慢性病规范化管理，对辖区内的高血压患者、糖尿病患者进行规范化系统管理；（2）协助做好精神病人管理，在专科医疗机构指导下对在家居住的精神病患者进行治疗督导与管理工作；（3）协助落实防盲措施，对辖区居民进行主要眼病的筛查、建卡、登记、转诊，并提供信息咨询	患病率、人数、每人次用时、参加人员等	
5B9	协助精神病的管理，对在家居住的精神病患者进行治疗督导与管理		患病率、人数、每人次用时、参加人员等	
5B10	对辖区居民进行主要眼病的筛查、建卡、登记转诊提供信息咨询		患病率、登记指导人数、印刷材料、时间、参加人员等	
5C9	开展糖尿病筛查，对就诊者开展高危人群筛查	（1）开展糖尿病筛查，对就诊者开展糖尿病高危人群筛查，对发现的糖耐量异常及病人进行随访管理；（2）市、县（市、区）卫生行政部门规定的其他慢性病的筛查与危险因素监测；（3）市、县（市、区）卫生行政部门规定的其他慢性病的规范化管理	糖尿病患病率及病人数、检血成本、每人次用时、参加人员等	
5C10	对发现的糖耐量异常及病人进行随访管理		患病人数、每人次用时、参加人员等	
5C11	规定的其他慢性病的规范化管理		其他慢性病的患病人数、每人次用时、参加人员等	
5C12	规定的其他慢性病的筛查与危险因素监测		其他慢性病的患病人数、每人次用时、参加人员等	
5C13	其他	以上不能涵盖的项目		
6	妇女保健			
6A24	做好辖区育龄妇女登记	做好辖区育龄妇女登记；开展婚前及孕前卫生咨询与指导；为青春期少女和更年期妇女提供身心健康指导；开展计划生育咨询服务	育龄妇女率、人数、印刷材料、每人次用时、参加人员等	
6A25	婚前及孕前卫生咨询与指导		婚前、孕前比率、人数、每人次用时、参加人员等	
6A27	为青春少女提供身心健康指导		少女人数、每人次用时、参加人员等	
6A28	为更年期妇女提供身心健康指导		更年期妇女人数、每人次用时、参加人员等	
6A29	开展计划生育咨询服务		开展计划生育服务的例数、每人次用时、参加人员等	
6B11	为辖区孕早期妇女建立保健手册	为辖区孕早期妇女建立保健手册；向每位孕产妇提供8次产前检查、3次产后上门访视及1次产后常规检查。协助做好计生药具的发放工作	孕早期妇女的人数、每人次用时、参加人员等	
6B12	向每位孕产妇提供产前检查		孕产妇人数、每人次用时、参加人员等	
6B13	向产后产妇上门访视、常规检查		产后产妇人数、每人次用时、参加人员等	
6B14	协助做好计生药具的发放		孕产妇人数、每人次用时、参加人员等	

续表

项目代码	项　目	服务内容	核算内容	备注
6C14	为辖区已婚妇女提供常见妇科病检查	为辖区已婚育龄妇女每年提供1次常见妇科病检查	已婚妇女人数、每人次用时、参加人员等	
6C15	其他	以上不能涵盖的项目		
7	儿童保健			
7A30	辖区内活产儿、婴儿、7岁以下儿童登记	做好辖区活产儿、婴儿、7岁以下儿童登记；为新生儿提供母乳喂养和护理指导，开展0～7岁儿童保健咨询与健康指导	儿童接种登记人数、印刷材料、每人次用时、参加人员等	
7A31	为新生儿提供母乳喂养和护理指导		新生儿数、每人次用时、参加人员等	
7A32	开展0～7岁儿童保健咨询与健康指导		0～7岁的人数、每人次用时、参加人员等	
7B15	建立0～3岁儿童系统管理档案	建立0～3岁儿童系统管理档案，为0～3岁儿童提供8次规范化健康体检	0～3岁的人数、每人次用时、参加人员等	
7B16	为0～3岁儿童提供8次规范化健康体检		0～3岁的人数、每人次用时、参加人员等	
7C16	对儿童贫血、佝偻病、腹泻、肺炎等多发病及体弱儿进行专案管理	对儿童贫血、佝偻病、腹泻、肺炎等常见多发病及体弱儿进行专案管理和定期随访，提供咨询与指导	发病率、人数、印刷材料、每人次用时、参加人员等	
7C17	对儿童贫血、佝偻病、腹泻、肺炎等多发病及体弱儿进行定期随访		发病率、人数、每人次用时、参加人员等	
7C18	其他	以上不能涵盖的项目		
8	老年保健			
8A33	为辖区内60岁以上老人建立健康档案	为辖区60岁以上老人建立专门健康档案；开展老年保健咨询与健康指导；对患有慢性病的老年人每年提供2次家庭访视与巡诊，指导家庭护理	60岁以上的人数、印刷材料、每人次用时、参加人员等	
8A34	开展老年保健咨询与健康指导		老年保健人数、每人次用时、参加人员等	
8A35	对患有慢性病的老年人家庭访视与巡诊，指导家庭护理		60岁以上患慢性病的人数、巡诊指导次数，每次用时、参加人员等	
8B17	辖区内70岁以上老年人配备责任医生和护士，提供家庭访视或巡诊	辖区70岁以上老年人配备责任医生与护士，每年提供4次家庭访视与巡诊	70岁以上老年人的人数、服务次数、每人次用时、参加人员等	
8C19	为辖区60岁以上老人进行健康查体	为辖区60岁以上老人每年进行1次健康查体，为伴有高危因素及患病老年人提供跟踪服务及健康干预	60岁以上老人的人数、心电图、胸腹透、化验成本、每人次用时、参加人员等	
8C20	为伴有高危因素及患病老年人提供跟踪服务及健康干预		发生人数、服务次数、每人次用时、参加人员等	
8C21	其他	以上不能涵盖的项目		
9	残疾人康复			
9A36	辖区内残疾人登记	做好辖区残疾人登记；为残疾人进行家庭和社区康复训练提供咨询与指导，为患有慢性病的残疾人每年提供2次家庭访视与巡诊，指导家庭康复与护理	残疾人比例、人数、印刷材料、每人次用时、参加人员等	
9A37	为残疾人进行家庭和社会康复训练提供咨询与指导		残疾人比例、人数、每人次用时、参加人员等	
9A38	为患有慢性病的残疾人提供家庭访视与巡诊，指导家庭康复与护理		慢性残疾人比例、人数、每人次用时、参加人员等	
9B18	为每个残疾人提供家庭访视或巡诊	为每个残疾人每年提供4次家庭访视与巡诊	残疾人户数、每户次用时、参加人员等	

续表

项目代码	项目	服务内容	核算内容	备注
9C22	为辖区残疾人每年进行健康查体	为辖区残疾人每年进行1次健康查体，对伴有高危因素及患病的残疾人提供跟踪服务及健康干预	残疾人比例、人数、每人次用时、参加人员等	
9C23	为伴有高危因素残疾人提供跟踪服务及健康干预		高危因素残疾人比例、人数、每人次用时、参加人员等	
9C24	其他	以上不能涵盖的项目		
10	社区公共卫生应急处置			
10A39	建立突发公共卫生事件相关信息及报告制度	建立突发公共卫生事件相关信息及时报告制度；落实应对公共卫生突发事件的各项工作措施；协助开展应对公共卫生突发事件的健康教育与宣传工作；协助做好突发公共卫生事件应急处置工作	发生的次数、每次用时、参加人员	
10A40	开展应对公共卫生突发事件的健康教育与宣传		发生的次数、每次用时、参加人员	
10A41	协助做好突发公共卫生事件应急处置工作		发生的次数、每次用时、参加人员	
10C25	其他	以上不能涵盖的项目		
	固定成本			
	房屋			
	自有房屋		含政府免费提供房屋，不计算租赁成本，只计算房屋维修费，房屋维修费按2.5%提取	
	租赁房屋		可按当地房产管理机构提供的房屋租赁价格进行测算	
	水费		按实际计算或按服务中心、服务站定额计算，可采用定额法或基数法	
	电费		按实际计算或按服务中心、服务站定额计算，可采用定额法或基数法	
	通讯费		按实际计算或按服务中心、服务站定额计算，可采用定额法或基数法	
	物业管理费		按实际计算或按服务中心、服务站定额计算，可采用定额法或基数法	
	人员培训费		可采用定额法或基数法	

附件2：

城市社区公共卫生服务人力资格及业务用时参考标准

一、社区公共卫生服务人力资格参考标准

1. 居民健康、环境调查和卫生诊断，由初级医师完成；
2. 健康档案的建立，由初级医师完成；
3. 健康教育，由高级医师完成；

4. 一般家庭访视由中级医师和初级护理人员实施；

5. 开展60岁、70岁以上老年保健咨询、健康指导、家庭访视、巡诊和查体，由中级医师完成；

6. 妇女保健与计划生育，由中级医师实施；

7. 儿童保健由中、高级医师实施；

8. 预防保健接种，由初级护理人员实施；

9. 为残疾人家庭访视与巡诊，由初级医师完成；

10. 开展突发公共卫生事件应对教育和报告，由中级医师完成；

11. 服务中心管理人员劳务费按高中级医师各1人劳务费的平均数计算；服务站管理人员劳务费按中级医师劳务费计算。

二、社区公共卫生服务项目业务用时参考标准

1. 测血压的时间：2~3分钟；

2. 建一份健康档案的时间：25~30分钟；

3. 健康教育讲座：60~120分钟；

4. 社区家庭访视：8~12分钟；

5. 接种疫苗每次时间：2~3分钟；

6. 义诊宣传时间（人/次）：2~4分钟；

7. 妇、儿、60岁、70岁保健一次时间：8~12分钟；

8. 儿童健康查体一次时间：5~10分钟；

9. 成人健康查体一次时间：10~15分钟；

10. 计划生育咨询每人次时间：3~8分钟；

11. 精神病检查每人次时间：15~25分钟；

12. 康复服务：每次8~12分钟。

省财政厅转发《关于建立社会保障支出统计指标体系的意见》的通知

2009年4月7日　鲁财社〔2009〕9号

各市财政局：

现将《关于建立社会保障支出统计指标体系的意见》（财办社〔2008〕55号）转发你们，请遵照执行。

对附件1与附件2有关对应关系作如下说明：

1. 附件2中各项（第五项除外）“其中财政补助数”与附件1中对应项目一般情况下应相等；

2. 附件2第五项“社会救助”与第九项“城乡医疗救助基金”中“其中财政补助数”之和等于附件1第六项“社会救助”；

3. 附件2第八项“社会保险基金支出”，各项保险基金支出数应以《社会保险基金决算》中各项保险基金的“本年支出合计”为准，“其中财政补助数”应以《社会保险基金决算》中各项保险基金的“财政补贴收入”为准。

执行中如有其他问题，请及时向省财政厅反映。

附件：财政部办公厅关于建立社会保障支出统计指标体系的意见

附件：

财政部办公厅关于建立社会保障支出统计指标体系的意见

2008年12月31日　财办社〔2008〕55号

各省、自治区、直辖市、计划单列市财政厅（局），新疆生产建设兵团财务局：

为全面反映我国社会保障支出状况，统计分散在各个政府收支分类科目中以及未在政府收支分类科目中反映的社会保障资金支出，借鉴欧盟及国际货币基金组织社会保障资金统计分类，结合我国预算管理和社会保障工作的实际情况，现就建立社会保障支出统计指标体系提出如下意见。

一、基本原则

一是统一性。统一是统计指标体系工作的基本原则。必须围绕社会保障管理工作的需要，统一指标项目、口径和解释，科学合理地设计社会保障支出统计口径，以便于比较分析。

二是适用性。社会保障支出统计指标体系设计要如实反映全国或某一地区社会保障支出的规模、水平、结构、速度和重要比例关系，以及社会保障工作的管理水平与效益，充分发挥统计在社会保障体系建设和资金管理中的服务和监督作用。

三是简明性。指标设计要精炼，分组要简化，表述要通俗易懂，方法要简便宜行，以提高统计数据的实用性和统计工作的效率。

二、统计口径

（一）财政社会保障支出。

财政社会保障支出是指政府财政预算安排的用于就业和社会保障方面的支出。具体包括以下内容：

1. 社会保障和就业等管理部门事业费，包括社会保障和就业管理事务、民政管理事务、红十字事业；

2. 财政对社会保险的补助，包括财政对基本养老保险基金的补助、财政对基本医疗保险基金的补助、财政对失业保险基金的补助、财政对工伤保险基金的补助、财政对生育保险基金的补助、城镇居民医疗保险、新型农村合作医疗、财政对其他社会保险基金的补助；

3. 行政事业单位离退休；

4. 就业补助；

5. 抚恤和社会福利，包括抚恤、优抚对象医疗补助、退役安置、社会福利、残疾人事业；

6. 社会救助，包括城市居民最低生活保障、城市医疗救助、其他城镇社会救济、农村最低生活保障、农村医疗救助、其他农村社会救济、自然灾害生活救助；

7. 行政事业单位医疗保障，包括行政单位医疗、事业单位医疗、公务员医疗补助、其他医疗保障支出；

8. 廉租住房支出；

9. 补充全国社会保障基金；

10. 其他社会保障支出，包括企业改革补助、计划生育家庭奖励、其他社会保障和就业支出。

（二）全口径社会保障支出。

全口径社会保障支出是指通过税收、收费、单位和个人缴费、彩票公益金、接收捐赠等方式筹集资金，用于就业和社会保障方面的支出。具体包括以下内容：

1. 社会保障和就业等管理部门事业费；

2. 行政事业单位离退休；

3. 就业补助；

4. 抚恤和社会福利，包括一般预算、彩票公益金和社会捐赠等安排的抚恤和社会福利支出；

5. 社会救助（不含财政城市医疗救助和农村医疗救助）；

6. 行政事业单位医疗保障；

7. 补充全国社会保障基金，包括一般预算、彩票公益金、减持和转持国有股等安排的补充全国社会保障基金支出；

8. 社会保险基金支出，包括企业职工基本养老保险基金支出、失业保险基金支出、城镇职工基本医疗保险基金支出、工伤保险基金支出、生育保险基金支出、城镇居民基本医疗保险基金支出、新型农村合作医疗基金支出；

9. 城乡医疗救助基金支出，包括城市医疗救助基金支出、农村医疗救助基金支出；

10. 廉租住房支出，包括一般预算安排的廉租住房支出、政府住房基金中的廉租住房支出、国有土地使用权出让金支出中的廉租住房支出；

11. 其他社会保障支出。

另外，部分地方自行出台的社会保险或社会保障政策，可列入全口径社会保障支出的统计范围。

三、数据提取

（一）财政社会保障支出。

各项财政社会保障支出数据以年度财政决算为准，每年从经审定的财政决算中提取。

（二）全口径社会保障支出。

社会保障和就业等管理部门事业费、行政事业单位离退休、就业补助、抚恤和社会福利（不含彩票公益金和社会捐赠等安排的抚恤和社会福利支出）、社会救助（不含城市医疗救助和农村医疗救助）、行政事业单位医疗保障、补充全国社会保障基金及廉租住房支出以年度财政决算为准，每年从经审定的财政决算中提取。

各项社会保险基金支出和城乡医疗救助基金支出以年度社会保险基金决算为准，从每年经财政部门审定的基金决算中提取。

社会捐赠安排的抚恤和社会福利支出根据民政部门年度统计数据确定。

其他社会保障支出根据财政决算和相应的统计数据确定。

四、评价指标

（一）财政社会保障支出占财政支出的比重。

该指标反映财政社会保障支出占财政支出的比例，是体现政府落实社会保障政策、支持社会保障事业发展的一个重要指标。年度财政社会保障支出占财政支出的比重依据财政决算数计算，其中：全国财政所占比重按全国社会保障支出与全国财政支出的比值计算；地方财政所占比重按地方财政社会保障支出与地方财政本级支出决算数的比值计算。

（二）全口径社会保障支出占 GDP 的比重。

该指标反映全口径社会保障支出占 GDP 的比例，是体现政府社会分配政策执行情况的一个重要指标。全口径社会保障支出占 GDP 的比重分别按全国和地方全口径社会保障支出占 GDP 的比值计算。

五、相关工作

为建立起科学、规范、完整的社会保障支出统计指标体系，各地财政部门要高度重视社会保障支出统计工作，充分认识到建立社会保障支出统计指标体系对改进和完善社会保障决策，加强社会保障支出管理，科学评价社会保障事业发展水平的重要意义。近期主要做好以下工作：

一是加强与相关部门的协调与沟通，建立起以财政部门为主、多个部门协调配合的社会保障支出统计工作机制。

二是充分利用信息技术，建立规范的统计数据库，提高数据资源的共享程度和使用效率，并安排专人负责社会保障支出统计工作。

三是根据社会保障事业和财政社会保障工作发展变化情况，逐步完善社会保障支出统计项目。

四是有条件的地方要研究建立社会保障资金预算制度，完善社会保障收支分类办法，使社会保障资金统计与预算收支相对应，如实反映社会保障资金收支全貌。

根据上述统计口径，我们制定了财政社会保障支出统计表（详见附件1）和全口径社会保障支出统计表（详见附件2），请各地财政部门参考。

附件：1.　　省（自治区、直辖市、计划单列市）财政社会保障支出统计表

2.　　省（自治区、直辖市、计划单列市）全口径社会保障支出统计表

附件1：

省（自治区、直辖市、计划单列市）财政社会保障支出统计表

20　年　　　　单位：万元

项　目	上年决算数	当年决算数	当年比上年增（减）%	备　注
合计				
一、社会保障和就业等管理部门事业费				
1. 社会保障和就业管理事务				
2. 民政管理事务				
3. 红十字事务				
二、财政对社会保险的补助				
1. 财政对养老保险基金的补助				
2. 财政对基本医疗保险基金的补助				
3. 财政对失业保险基金的补助				
4. 财政对工伤保险基金的补助				
5. 财政对生育保险基金的补助				
6. 城镇居民基本医疗保险基金				
7. 新型农村合作医疗				
8. 财政对其他社会保险基金的补助				
三、行政事业单位离退休				
四、就业补助				
五、抚恤和社会福利				
1. 抚恤				
2. 优抚对象医疗救助				
3. 退役安置				
4. 社会福利				
5. 残疾人事业				
六、社会救助				
1. 城市居民最低生活保障				
2. 城市医疗救助				
3. 其他城镇社会救济				

续表

项　　目	上年决算数	当年决算数	当年比上年增（减）%	备　注
4. 农村最低生活保障				
5. 农村医疗救助				
6. 其他农村社会救济				
7. 自然灾害生活救助				
七、行政事业单位医疗保障				
1. 行政单位医疗				
2. 事业单位医疗				
3. 公务员医疗补助				
4. 其他医疗保障支出				
八、廉租住房支出				
九、补充全国社会保障基金				
十、其他财政社会保障支出				
1. 企业改革补助				
2. 计划生育家庭奖励				
3. 其他社会保障和就业支出				

制表日期：　年　月　日　　　　制表人：

注：1. “计划生育家庭奖励”反映各级财政用于人口计划生育家庭法定性、政策性奖励支出。
2. 当年比上年增（减）% = 当年执行数(决算数) ÷ 上年决算数 ×100 -100

附件2：

省（自治区、直辖市、计划单列市）全口径社会保障支出统计表

20　年　　　　单位：万元

项目	上年决算数		当年决算数		当年比上年增（减）%		备注
		其中财政补助数		其中财政补助数		其中财政补助数	
合计							
一、社会保障和就业等管理部门事业费		——		——		——	
二、行政事业单位离退休		——		——		——	
三、就业补助		——		——		——	
四、抚恤和社会福利							
五、社会救助（不含城市医疗救助和农村医疗救助）		——		——		——	
六、行政事业单位医疗保障		——		——		——	
七、补充全国社会保障基金							
八、社会保险基金支出							
1. 企业职工基本养老保险基金支出							
2. 失业保险基金支出							
3. 城镇职工基本医疗保险基金支出							
4. 工伤保险基金支出							
5. 生育保险基金支出							
6. 城镇居民基本医疗保险基金支出							
7. 新型农村合作医疗基金支出							

续表

项目	上年决算数		当年决算数		当年比上年增（减）%		备注
		其中财政补助数		其中财政补助数		其中财政补助数	
8. 其他社会保险基金支出							
九、城乡医疗救助基金支出							
1. 城市医疗救助基金支出							
2. 农村医疗救助基金支出							
十、廉租住房支出							
1. 财政预算安排的廉租住房支出							
2. 政府住房基金支出中廉租住房支出							
3. 国有土地使用权出让金支出中廉租住房支出							
十一、其他社会保障支出							

制表日期：　年　月　日　　　　制表人：

注：1. 表中一至六及十一数据大于或等于《　省（自治区、直辖市、计划单列市）财政社会保障支出统计表》（表一）相关项目数据。

2. 当年比上年增（减）% = 当年决算数 ÷ 上年决算数 × 100 − 100

省财政厅关于印发《关于在全省开展“社会保障财务精细化管理年”活动的意见》的通知

2009 年 4 月 8 日　鲁财社〔2009〕13 号

各市财政局，省直有关部门：

为进一步加强社会保障财务管理，提高社会保障财务管理的精细化水平，促进增收节支，提升财政保障能力，我们制定了《关于在全省开展“社会保障财务精细化管理年”活动的意见》。现予以印发，请认真贯彻实施。

附件：关于在全省开展“社会保障财务精细化管理年”活动的意见

附件：

关于在全省开展“社会保障财务精细化管理年”活动的意见

为进一步加强社会保障财务管理，提高社会保障财务管理的精细化水平，推动全省社会保障事业健康发展，经研究决定，2009 年在全省开展“社会保障财务精细化管理年”活动。现提出以下意见：

一、开展“社会保障财务精细化管理年”活动的指导思想

财务管理是做好社会保障工作的重要基础。近年来，各级各部门不断改进财务管理手段、完善财务管理内容、拓展财务管理领域，社会保障财务管理水平明显提高，为社会保障工作开展提供了有力保障。但

目前看，社会保障财务管理的方法、措施还存在一些薄弱环节，管理的规范化、科学化、精细化程度有待进一步提高。开展“社会保障财务精细化管理年”活动，有利于各级各部门进一步推进部门预算制度改革，加快管理制度、方法创新，提高财务管理精细化水平，推动社会保障基金管理再上新台阶。

开展“社会保障财务精细化管理年”活动，要以邓小平理论和“三个代表”重要思想为指导，以科学发展观为统领，以增收节支为核心，以健全完善相关财务管理制度为抓手，以提高社会保障事业财政保障能力为出发点，以健全社会保障制度为目标，完善财务管理办法，强化资金监管，堵塞管理漏洞，提高社会保障政策执行效果和资金使用效果，推动社会保障事业健康发展。

二、开展“社会保障财务精细化管理年”活动的目标任务

各部门、单位要健全制度，继续细化预算管理，以项目管理为龙头，创新分配方式，逐步把绩效考评引入财务管理的全过程；各级财政部门要以全面实施精细化管理为目标，不断完善和创新资金分配管理机制，引入“投入产出”理念，实行绩效考评制度，强化预算管理，在细节上下功夫、做文章，全面实施精细化管理。

——实现管理行为规范化。就是要进一步健全预算管理制度、财务管理制度、会计核算办法、资金使用办法，规范财务管理工作程序，做到“收入有来源，支出有预算、有计划、有审批、有依据”。

——实现管理手段现代化。就是要通过加快财务管理信息化建设，充分利用现代科学技术和管理方法，创新管理手段，提高管理效率，强化监督检查，实现财务全程化动态监管。

——实现管理责任明晰化。就是要对社会保障财务管理的主要环节、重点岗位、关键工作逐一分解，落实责任，形成相互支持、相互制衡、相互监督的财务管理格局，进一步提高财务管理的效率和质量。

——实现资金绩效最大化。就是要全面实施“定项目、做规划、出办法、投资金、评绩效”的“一条龙”管理，实现项目决策管理、资金分配管理的规范化、制度化、阳光化，着力提高资金绩效。

三、开展“社会保障财务精细化管理年”活动的主要内容

实现社会保障财务精细化管理，涉及社会保障财政财务工作的方方面面，既要统筹兼顾，又要突出重点。按照开展“社会保障财务精细化管理年”活动的总体要求和目标任务，应重点加强以下几方面工作：

（一）强化预算管理，夯实财务工作基础

1. 推进综合预算编制工作，增强预算编制的科学性和完整性。认真落实预算编报的有关要求，在科学编报本级预算时，要提前告知下级财政当年的一般性和专项转移支付预计数。下级财政要完整编报上级各项补助收入，进一步提高地方各级特别是县级预算编报的完整性。

2. 强化“收支两条线”管理，做实非税收入。非税收入是预算编制与审核的重点，各级财政部门要按照其组成、类别、性质等划分收入项目，并按照收费标准、业务量、服务范围等核定收入额，切实保证非税收入预算的编报质量。各部门、单位要在认真分析测算的基础上，准确、完整、真实填报收入情况，做到政策调整有依据，收入增减有原因，情况变化有分析，从源头上提高非税收入计划的编报质量。

3. 加强财务信息管理，确保财务信息质量。各部门、单位要明确职责，细化分工，形成各负其责、统一协作、配合联动的信息共管机制，确保财务资料完整、情况真实、数据准确。各级财政部门要完善行政开支定员定额标准，对部门单位上报的编制、人员、工资信息及非税收入计划、基本支出预算等要严格审查，核实情况，切实提高预算编制的准确性。

（二）细化财务管理，提升预算执行质量

1. 健全财务管理制度。各级财政社会保障部门要根据财政社会保障事业发展需要，制定和完善各类财务管理制度。各部门、单位要认真贯彻落实国家和省各项财务管理制度，并结合实际，制定单位内部财务管理制度，包括收支管理制度、经费开支标准制度、资金管理制度、财产物资管理制度、财务分析和会计监督制度等，逐步形成科学、规范、系统的财务管理制度体系，确保国家有关财务规章制度得到全面贯彻落实，保证各项财务活动有法可依、有章可循。要针对制度建设的薄弱环节，进一步完善资产管理、债务

管理、资金管理、内部控制等方面的制度。

2. 明确分工，落实责任。将财务管理工作涉及的部门预算管理、财务机构与人员管理、政府采购、固定资产管理等工作逐一分解，做到管理任务、内容、要求、责任到人，做到钱随任务落实，并不断强化细节管理。财务管理上，要逐步健全相互支持、相互制衡、相互监督的工作机制。

3. 进一步规范政府采购。各部门、单位要进一步完善政府采购的职责分工、操作程序和工作流程，财务部门全程参与，使用部门提出购置需求，技术部门提出技术方案和采购要求，参与可行性研究，对购置物品进行技术监督和验收，验收合格后，固定资产管理人员办理资产增加手续，监察部门对采购全程监督。

4. 严格财务控制，努力增收节支。部门单位要牢固树立过紧日子的思想，坚持精打细算，严格财务控制，加强支出分析，讲究资金绩效；细化管理要求，量化收支责任，强化奖惩措施，保障增收节支取得明显成效；加大资金整合力度，从严控制会议、车辆、差旅、接待、出国（境）、培训等一般性开支，降低运行成本，集中资金保证重点支出，切实提高资金使用效益；增强预算的约束力，一般性增支通过调剂解决，政策性、重要性增支必须严格控制，杜绝无政策依据、无特殊情况、无充分理由的预算追加申请，切实维护预算的严肃性。

（三）深化资金管理，提高资金使用效益

1. 树立绩效理念，加强项目考核。各级财政社会保障部门要按照公共财政原则，集中财力支持社保领域的重点发展项目，并合理确定资金规模。要在调研的基础上，对确定的重点发展项目作出规划，科学配置资金。要按照强化监管、突出绩效的要求，采取"一个项目、一套办法"，依据规划，对每个重点项目，相应制定资金管理办法和绩效考评办法，并结合办法对项目逐一实施考核验收，将考核验收结果与资金分配紧密挂钩，有效规范财政资金的使用管理，确保项目资金的专款专用和高效使用。

2. 把握重点环节，强化资金监管。要按照"先评审、后决策"、"先检查、后分配"的原则，根据专项资金的不同性质和特点，在重点项目的立项、资金分配、拨付、使用等环节，采取事前评审、事中监控、事后审查的方式，建立全方位的资金监管体制。同时，要加强跟踪管理，对项目建设的实施方案及工作计划、配套资金落实情况、建设进度和质量、资金管理使用及社会效益等情况，进行阶段性考评和综合性评价，保证资金的管理绩效。

3. 在全省推广应用《山东省社会保障专项资金信息管理系统》。所有社会保障专项资金都要纳入此系统，使资金分配在省、市、县（区）三级做到阳光、透明，真正实现全程化监管。在实际工作中，要做到每分配一笔资金，就及时将下达的社会保障专项资金指标通过系统发布，缩短文件在途时间，提高资金分配效率。同时，要通过系统实时监控各地资金的分配使用情况。

（四）严肃财经纪律，加强监督检查

1. 认真贯彻落实《会计法》、《预算法》、《财政违法行为处罚处分条例》等法律法规，明确财务管理职责，健全监管体系，形成对财务管理工作齐抓共管、各尽其责的良好局面。

2. 各级财政社会保障部门要加大监管力度，强化对部门单位银行账户、财政支出、专项资金和国有资产的监管，建立动态监控机制，防范违法违规行为，提高财政资金使用效益。

3. 部门单位要建立财务公开制度，使各项工作公开透明，建立和完善财务内审制度。要严格收费管理，规范各项收支行为。要加大对违纪违规行为的惩处力度，严肃追究相关人员的责任。

四、开展"社会保障财务精细化管理年"活动的基本要求

（一）加强领导，精心组织。开展"社会保障财务精细化管理年"活动，是2009年全省财政社会保障工作的一件大事，涉及面广，意义重大。各级各有关部门要充分认识这项活动的重要性，将其摆上重要位置，加强领导，精心组织，形成群策群力、齐抓共管的工作格局，确保"社会保障财务精细化管理年"活动取得实效。

（二）加强宣传，营造氛围。要充分利用电视、广播、报纸等新闻媒体以及互联网、内部网站等载体，采取多种形式，大力宣传"社会保障财务精细化管理年"活动的目的和意义，及时反映情况、交流经验，

推动活动深入开展。各级各部门要针对工作中的热点、难点和焦点问题，有计划、有重点地开展调研活动，撰写有价值、高质量的调研报告。部门财务机构之间、市县之间可根据实际，广泛进行多方位、各层次的交流活动，取长补短，共同提高。

（三）加强措施，抓好落实。各级各部门要结合各自实际情况，制定开展"社会保障财务精细化管理年"活动的实施细则和配套方案，切实将社会保障财务精细化管理的措施落到实处。要根据精细化管理的要求，深入查找财务管理中的问题和薄弱环节，认真剖析原因，有针对性采取改进措施。对"社会保障财务精细化管理年"活动开展情况，省财政厅将定期或不定期进行调度和检查，及时通报情况，发现典型，推广经验，于年底前组织评选"社会保障财务精细化管理年"活动先进单位和先进个人，并通过适当形式予以通报表彰。

省财政厅　省人力资源和社会保障厅关于印发《山东省就业专项资金管理暂行办法》的通知

2009年7月3日　鲁财社〔2009〕16号

各市财政局、劳动和社会保障局：

为进一步加强就业专项资金管理，提高资金使用效益，我们制定了《山东省就业专项资金管理暂行办法》，现予印发，请遵照执行。各地要依据本办法，结合实际尽快制定各项补贴标准、办理时限和资金拨付程序以及检查监督等具体操作办法。各地的实施办法，要于7月30日前报省财政厅、人力资源和社会保障厅备案。

附件：山东省就业专项资金管理暂行办法

附件：

山东省就业专项资金管理暂行办法

第一章　总　　则

第一条　为切实加强就业专项资金管理，提高资金使用效益，根据《山东省人民政府关于进一步做好促进就业工作的通知》（鲁政发〔2008〕58号）和财政部、劳动保障部《关于就业专项资金使用管理及有关问题的通知》（财社〔2008〕269号）规定，结合我省实际，制定本办法。

第二条　本办法适用于全省就业专项资金的筹集、使用及监督管理。

第三条　就业专项资金是指县级以上人民政府在财政预算中安排的用于促进就业的专项资金。

第四条　就业专项资金使用范围。就业专项资金主要用于职业介绍补贴、职业培训补贴、社会保险补贴、公益性岗位补贴、岗位补贴、职业技能鉴定补贴、创业岗位开发补贴、一次性创业补贴、特定就业政策补助、小额贷款担保基金和小额担保贷款贴息、扶持公共就业服务以及省政府批准的其他支出等。

第五条　就业专项资金要纳入单独的社会保障资金财政专户管理。就业专项资金的支付管理，按照国家财政国库管理制度的有关规定执行。

第六条 各地要认真贯彻执行国家、省相关法律、法规和规章制度，依法筹集和使用就业专项资金；建立健全财务制度，做好资金的计划、控制、核算、分析、考核工作，如实反映资金收支状况；加强资金监督检查，确保资金安全。

第七条 失业保险基金用于促进就业的支出，按国家有关规定执行。

第二章 管理原则

第八条 就业专项资金按照管理使用层次，实行分级负责，分级管理。

第九条 就业专项资金使用管理，要符合国家有关促进就业的政策规定，符合地方经济发展和公共财政的要求。要保证就业专项资金的申请申领程序科学、严密，审核与支付程序阳光、透明。

第十条 就业专项资金要根据财力情况，统筹安排，突出重点，合理使用，注重效益。

第十一条 就业专项资金要严格按规定的用途、范围和程序使用。各地要切实加强对就业专项资金的监督和检查，实行绩效考评和追踪问效，切实发挥资金对就业的促进作用。

第三章 资金筹集

第十二条 就业专项资金来源包括中央、省财政安排的专项转移支付资金及市、县财政部门在年度财政预算中安排的就业专项资金。

第十三条 市、县（市、区）级人民政府要根据就业状况和就业工作目标，在财政预算中安排就业专项资金。

第十四条 对各地职业介绍补贴、职业培训补贴、社会保险补贴、公益性岗位补贴、职业技能鉴定补贴、创业岗位开发补贴、特定就业政策补助以及扶持公共就业服务资金等支出，中央和省财政通过专项转移支付方式给予适当补助。中央和省就业专项转移支付资金的分配，与各地就业状况、地方财政投入（包括公共就业服务保障情况）、就业工作绩效等因素挂钩。补助资金实行年初和年中分两次拨付、年度全面考评、全年重点跟踪检查的办法。

第四章 资金使用

第十五条 职业介绍补贴。按照“谁提供中介服务、谁享受补贴”的原则，职业中介机构按规定对登记失业人员提供免费职业介绍服务的，可按经其就业服务后实际就业人数，向人力资源和社会保障部门申请职业介绍补贴。每位符合补贴条件人员，每年只能享受一次职业介绍补贴，且不得与失业保险的职业介绍补贴重复享受。具体补贴标准按照每人不高于120元的标准，由各市根据实际情况确定。

（一）社会举办的职业中介机构申请职业介绍补贴。社会举办的职业中介机构向当地人力资源和社会保障部门申请职业介绍补贴时，应提供经其免费职业介绍服务后，已实现就业人员的登记失业人员名单及本人签名、《居民身份证》复印件、《山东省就业失业登记证》（以下简称登记证）原件、劳动合同复印件或其他就业证明材料、职业中介机构在银行开立的基本账户等凭证材料，经人力资源和社会保障部门审核，财政部门复核后，按规定将补贴资金支付到职业中介机构在银行开立的基本账户。

（二）公共就业服务机构申请职业介绍补贴。公共就业服务机构是指县级以上地方人民政府设立的，依据《中华人民共和国就业促进法》第三十五条规定，为劳动者提供就业政策咨询、就业信息发布、职业介绍、就业援助、就业失业登记等免费就业服务的机构。对已经纳入财政补助的公共就业服务机构，地方各级财政部门要根据其享受财政补助的编制内实有人数，并结合其承担的免费公共就业服务工作量，安排人员经费、工作经费（包括设备购置、修缮、基本建设、就业失业登记证印制支出等）和项目经费，上述经费由同级财政在部门预算中统筹安排。未纳入财政补助的公共就业服务机构，可暂按社会举办的职业中介机构申领职业介绍补贴的规定，向同级人力资源和社会保障部门申请职业介绍补贴。公共就业服务机构享受职业介绍补贴政策的执行期限不超过2011年底。公共就业服务机构不得从事经营活动。地方各级人民政府要按照统一、规范和效能的原则，整合公共就业服务机构的资产、人员、服务和信息等资源，推动公共就业服务机构合理布局。

第十六条 职业培训补贴。登记失业人员、进城求职农村劳动者参加职业培训的，根据其参加培训和就业状况，可申请职业培训补贴。符合条件人员每人每年只能享受一次职业培训补贴，且不得与失业保险的职业培训补贴重复享受。享受职业培训补贴的培训期限，最长不超过12个月。各地要根据不同的培训专业（工种），合理确定职业培训补贴标准，最高不超过1 500元。各地要按照公开、公平、公正的原则，面向社会各类培训机构，通过招投标方式确定承担培训任务的定点职业培训机构。要建立定点职业培训机构动态管理和退出机制，加强对定点职业培训机构的监督管理。

（一）个人申领职业培训补贴。登记失业人员、进城求职的农村劳动者在定点培训机构参加职业培训并取得职业培训合格证书或职业技能资格证书，在培训后6个月内实现就业的，按照职业培训补贴标准的100%给予补贴；在培训后6个月内没有实现就业的，按照最高不超过职业培训补贴标准的60%给予补贴。个人申领职业培训补贴时，应提供本人《居民身份证》复印件、登记证原件、职业培训机构开具的行政事业性收费票据（或税务发票）、职业培训合格证书或职业技能资格证书，实现就业的应提供劳动合同复印件或其他就业证明材料，向当地县（市、区）级人力资源和社会保障部门提出申请。人力资源和社会保障部门审核、财政部门复核后，将职业培训补贴资金直接支付给申请者本人，并同时将资金支付情况抄送同级人力资源和社会保障部门。

（二）培训机构代为申领职业培训补贴。符合职业培训补贴条件的人员，到定点职业培训机构培训并取得职业培训合格证书或职业技能资格证书的，可由定点职业培训机构代为申领职业培训补贴。其中，对在培训后6个月内实现就业的，按照职业培训补贴标准的100%给予补贴；在培训后6个月内没有实现就业的，按照最高不超过培训补贴标准的60%给予补贴。定点职业培训机构申请培训补贴时，应提供培训人员名单、接受培训者本人与培训机构签订的代为申领职业培训补贴协议书、《居民身份证》复印件、登记证原件、职业培训合格证书或职业技能资格证书复印件，实现就业的应提供劳动合同复印件或其他就业证明材料、定点职业培训机构在银行开立的基本账户等证明材料。定点职业培训机构所在地人力资源和社会保障部门审核，财政部门复核后，将补贴资金支付到定点职业培训机构在银行开立的基本账户，并同时将资金支付情况抄送同级人力资源和社会保障部门。

（三）用人单位申领职业培训补贴。对用人单位吸纳进城求职的农村劳动者并与其签订6个月以上期限劳动合同，而且在劳动合同签订之日起6个月内由用人单位组织到当地人力资源和社会保障部门认定的职业培训机构进行培训并取得职业培训合格证书或职业技能资格证书的，对用人单位按照最高不超过职业培训补贴标准的50%支付职业培训补贴。申领职业培训补贴时，用人单位应提供培训人员名单、培训人员《居民身份证》复印件、登记证原件、职业培训机构开具的行政事业性收费票据或税务发票、职业培训合格证书或职业技能资格证书、劳动合同复印件、用人单位在银行开立的基本账户等凭证材料，向所在地人力资源和社会保障部门提出申请。人力资源和社会保障部门审核、财政部门复核后，将补贴资金支付到用人单位在银行开立的基本账户，并同时将资金支付情况抄送同级人力资源和社会保障部门。

第十七条 社会保险补贴。对就业困难人员的社会保险补贴实行先缴后补的办法。社会保险补贴期限，除对自享受社会保险补贴之日起法定退休年龄不足5年的就业困难人员可延长至退休外，其余人员最长不超过3年。

（一）企业（单位）吸纳就业困难人员的社会保险补贴。对各类企业（单位）及各级政府投资开发公益性岗位招用就业困难人员、与其签订劳动合同并缴纳社会保险费的，可在相应期限内给予社会保险补贴。其中，企业（单位）吸纳就业困难人员的，按其为就业困难人员缴纳的基本养老保险费、基本医疗保险费、失业保险费给予补贴；公益性岗位招用的就业困难人员，按公益性岗位开发企业（单位）为就业困难人员缴纳的基本养老保险费、基本医疗保险费、失业保险费、工伤保险费给予补贴。上述社会保险补贴均不包括就业困难人员个人应缴纳的社会保险费，以及企业（单位）和个人应缴纳的其他社会保险费。

企业（单位）应按规定及时足额缴纳社会保险费，并在申报缴费时将符合享受社会保险补贴条件人员的缴费情况单独列出。每季度终了后，应按规定向参保地人力资源和社会保障部门申请对上季度已经缴纳的社会保险费给予补贴。社会保险补贴资金申请材料应附：符合享受社会保险补贴条件人员名单、登记证原件、劳动合同等就业证明材料复印件、社会保险经办机构出具的上季度企业（单位）为这部分人员缴纳有关社会保险费的明细账（单）、企业（单位）在银行开立的基本账户等凭证资料，经受理其社会保险缴费的劳动保障部门审核、财政部门复核后，将社会保险补贴资金支付到企业（单位）在银行开立的基本账户。

（二）对灵活就业的困难人员的社会保险补贴。对就业困难人员灵活就业（指以非全日制、临时性、季节性、弹性工作等形式就业，不含有营业执照的个体工商户）后，申报就业并以个人身份缴纳社会保险费的，按当地规定的缴费标准和比例给予一定的社会保险补贴（仅限于养老、失业和医疗保险），补贴数额原则上不超过其实际缴费的2/3。具体标准由市级财政、人力资源和社会保障部门确定。

就业困难人员实现灵活就业后，要向街道（社区）申报就业，按规定进行就业登记并按规定及时缴纳社会保险费。每季度终了后，按规定向参保地劳动保障部门申请对上季度已缴纳的社会保险费给予补贴。灵活就业的就业困难人员申请社会保险补贴时，应提供由本人签字、劳动保障部门盖章确认的、注明从事灵活就业的单位、岗位、地址等内容的相关证明材料，本人登记证原件和《居民身份证》复印件，社会保险经办机构出具的上季度社会保险费缴费单据等凭证资料。经人力资源和社会保障部门审核，财政部门复核后，按规定将资金支付给申请者本人。

第十八条　公益性岗位补贴。对在公益性岗位安排就业困难人员，并与其签订劳动合同的单位，按其实际安排就业困难人员人数，在合同期限内给予适当额度的公益性岗位补贴。公益性岗位补贴和社会保险补贴两项补贴之和不低于当地上年度社会平均工资的40%，不高于当地上年度社会平均工资的60%。单位在申请公益性岗位补贴时，应提供安置就业困难人员名单、登记证原件、劳动合同复印件、上季度为这部分人发放工资的明细账（单）、社会保险经办机构出具的为就业困难人员缴纳社会保险费的明细账（单）、单位在银行开立的基本账户等凭证资料。人力资源和社会保障部门审核，财政部门复核后，按规定将资金支付到单位在银行开立的账户。有条件的地方，可按上述标准和方式，对安排就业困难人员就业的城镇各类用人单位给予岗位补贴。

第十九条　职业技能鉴定补贴。就业困难人员、进城务工的农村劳动者通过初次职业技能鉴定（限国家规定实行就业准入制度的特殊工种）并取得职业资格证书的，可向职业技能鉴定所在地人力资源和社会保障部门申请一次性职业技能鉴定补贴。申请职业技能鉴定补贴资金时，应提供本人《居民身份证》复印件、登记证原件、职业资格证书复印件、职业技能鉴定机构开具的行政事业性收费票据（或税务发票）等凭证材料。经人力资源和社会保障部门审核，财政部门复核后，按规定将补贴资金支付给申请者本人。职业技能鉴定补贴标准，按照鲁价费发〔2005〕174号文件规定的职业技能鉴定收费标准的80%确定。

第二十条　创业岗位开发补贴。对从事创业活动人员吸纳登记失业人员并与其签订1年以上期限劳动合同的，可按照申请补贴时创造就业岗位个数，向创业所在地劳动保障部门申请一次性创业开发补贴。补贴标准为每个岗位500元，每个创业人员只能享受一次。成功创业人员申请岗位开发补贴时，应提供本人登记证原件、参加创业培训结业证明、营业执照副本、吸纳失业人员名单及其失业证明、劳动合同复印件、工资支付凭证、为职工缴纳的社会保险费明细账（单）、银行开立的基本账户等材料。创业人员创业所在地人力资源和社会保障部门审核，财政部门复核后，将创业岗位开发补贴支付给申请者本人。有条件的地方可按上述方式，对创业成功人员首次领取营业执照并正常经营1年以上的，给予一次性创业补贴。

第二十一条　小额贷款担保基金和微利项目的小额担保贷款贴息具体管理办法，按财政部、人民银行有关规定执行。

第二十二条　特定就业政策补助。现行特定就业政策是指经国务院批准，各级人民政府为国有困难企业

"4050"下岗职工缴纳社会保险费给予补助的政策，执行期限不超过2011年底。具体管理办法另行制定。

第二十三条 扶持公共就业服务。县级以上财政部门可安排扶持公共就业服务资金，对下级公共就业服务机构用于加强其人力资源市场信息网络方面的支出（具体包括计算机及网络硬件、软件购置以及开发应用支出）给予必要支持。扶持公共就业服务资金作为就业专项资金的组成部分，必须单独安排、单独核算、单独管理，不得与其他就业专项资金相互调剂使用。从2009年起，各级财政用于扶持公共就业服务的支出，列入《2009年政府收支分类科目》中第2080701项"扶持公共就业服务"科目，以后年度政府收支分类科目如有修改，相应列入修改后的科目中。

第五章 管理与控制

第二十四条 加强预算管理。各级人力资源和社会保障部门要根据财政部门规定的预算编制要求，向同级财政部门申请就业专项资金年度预算，经同级财政部门审核后，列入年度财政预算并报同级人民代表大会批准。

第二十五条 加强决算管理。各地人力资源和社会保障部门在年度终了后，要认真做好就业专项资金的清理和对账工作，并按规定向同级财政部门报送就业专项资金年度使用情况和说明。就业专项资金使用说明要做到内容完整、数据真实、报送及时。各地财政部门、人力资源和社会保障部门要将审核汇总后的就业专项资金年度决算，及时报送上级财政部门、人力资源和社会保障部门。

就业专项资金年度终了如有结余，需详细说明原因，经财政部门批准后，按规定结转下一年度继续使用。

第二十六条 积极推行政府购买服务。各地要对职业培训、职业介绍等就业服务承办机构实行公开招标，采取购买就业服务成果的办法，实施就业专项资金使用的透明化、规范化操作。省劳动就业训练中心所属省本级公共就业实训基地购买培训服务办法另行制定。

第二十七条 建立健全就业专项资金信息化管理制度。各地要积极利用信息化技术和手段，建立就业专项资金管理信息系统，建立和完善职业介绍补贴、职业培训补贴、社会保险补贴、公益性岗位补贴（岗位补贴）、职业技能鉴定补贴等就业资金信息数据库和发放台账，并对享受各项补贴补助政策人员、单位的基础信息等实时进行网上公示，不断强化就业专项资金基础管理工作。

第二十八条 实施就业专项资金绩效考评。按照省财政厅、劳动和社会保障厅《关于印发〈山东省就业资金绩效考评办法〉（试行）的通知》（鲁财社〔2008〕38号）和省劳动保障厅、财政厅《关于印发〈山东省就业资金绩效考评指标及标准〉（试行）的通知》（鲁劳社〔2008〕55号）有关规定，省、市、县各级财政、人力资源和社会保障部门要组织实施就业专项资金的绩效考评工作，省里每年抽取不少于1/3的市和不少于1/3的县（市、区）进行重点考评；每市每年抽取不少于1/3的县（市、区）进行重点考评。省里考评结果，与省专项转移支付补助资金挂钩。

第六章 监督检查

第二十九条 建立就业专项资金使用管理情况定期公开制度。每年年中，各地要通过适当方式，向社会公开本地上年度各项就业专项资金的使用管理情况，包括享受补助的单位名称、享受补助的人数、具体补助数额等。要定期向上级劳动保障、财政部门报告就业人数、就业专项资金管理使用等有关情况。

第三十条 加强就业专项资金检查监督。就业专项资金必须坚持专款专用的原则，严格按照规定的范围、标准和程序使用，不得用于人员经费、公用经费、差旅费、会议费等应由部门预算安排的支出，严禁用于或变相用于办公楼、人力资源市场、培训基地等房屋建筑物购建、交通工具购置等各项基本建设支出。各级财政、劳动保障部门要密切配合，定期或不定期对就业专项资金管理使用情况进行检查，及时通报有关情况，共同研究解决就业专项资金使用过程中存在的实际问题，并自觉接受监察、审计部门和社会的监督。

第三十一条 对违规使用就业专项资金、具有以下行为之一的单位和个人，视其情节轻重，按照《财政违法处罚处分条例》进行严肃处理；对构成犯罪的，依法追究其刑事责任。

（一）截留、挤占、挪用、贪污就业专项资金的；

（二）擅自改变就业专项资金用途的；

（三）擅自改变支出范围和标准的；

（四）虚报、冒领、骗取就业专项资金的；

（五）其他违反国家有关法律、法规的。

第七章　附　　则

第三十二条　按照属地原则做好中央和省属企业失业人员再就业工作。各地要将中央和省属企业失业人员就业工作，按照属地化管理原则，纳入企业所在地政府的就业规划，所需资金由当地政府统筹安排落实，省财政在对各地就业专项资金进行补助时一并予以考虑。

第三十三条　各设区市应根据本办法，结合本地实际情况，制定具体的实施细则，并报省财政厅、省人力资源和社会保障厅备案。

第三十四条　本办法由省财政厅、省人力资源和社会保障厅负责解释。

第三十五条　本办法自发布之日起施行。山东省财政厅、劳动和社会保障厅《关于印发〈山东省就业资金管理暂行办法〉的通知》（鲁财社〔2006〕5号）同时废止。

省财政厅关于调整农村最低生活保障省级补助标准的通知

2009年4月20日　鲁财社〔2009〕17号

各市财政局：

根据省政府安排，省财政厅对2009年农村低保对象省级补助标准进行了调整。具体为：对济南、淄博、东营、烟台、威海市，由每人每月10元调整为12元；对潍坊、济宁、泰安、日照、莱芜市，由每人每月16元调整为20元；对枣庄、临沂、德州、聊城、滨州、菏泽市，由每人每月22元调整为28元。以上补助标准不含鲁民电〔2008〕59号文件规定的油价补贴。新的补助标准自2009年1月1日起执行。

请各市按照调整后的省级补助标准，及时做好省级补助资金的申报、审核工作。有关资金的管理要求及省级补助资金审核程序等，仍按鲁财社〔2007〕18号、23号文件执行。

省财政厅　省人力资源和社会保障厅关于印发《山东省加强就业培训　提高就业与创业能力培训项目省财政补助资金管理办法》的通知

2009年7月20日　鲁财社〔2009〕23号

各市财政局、劳动和社会保障局：

现将《山东省加强就业培训提高就业与创业能力培训项目省财政补助资金管理办法》印发给你们，请遵照执行。

附件：山东省加强就业培训提高就业与创业能力培训项目省财政补助资金管理办法

附件：

山东省加强就业培训提高就业与创业能力培训项目省财政补助资金管理办法

第一章 总 则

第一条 为规范加强就业培训提高就业与创业能力培训项目（以下简称“培训项目”）省财政补助资金管理，促进培训工作顺利实施，根据《山东省人民政府办公厅转发省劳动和社会保障厅省财政厅关于加强就业培训提高就业与创业能力的意见的通知》（鲁政办发〔2008〕37 号）和《山东省加强就业培训提高就业与创业能力五年规划》（鲁劳社〔2009〕8 号），以及中央和省有关就业专项资金管理规定，制定本办法。

第二条 培训项目省财政补助资金（以下简称省财政补助资金）来源为中央财政补助和省财政预算安排的就业专项资金。

第三条 省财政补助资金专项用于培训项目的职业培训补贴。

第四条 省财政补助资金的补助范围为除青岛之外的 16 市。

第五条 省财政补助资金的申请和使用，坚持公开公正、阳光透明、程序规范、专款专用、注重实效的原则。

第六条 省财政补助资金的补助标准为：初级工 100 元/人，中级工 200 元/人，高级工 300 元/人，创业培训 500 元/人。

第七条 培训项目职业培训补贴标准，按照《山东省就业专项资金管理暂行办法》关于职业培训补贴标准的规定执行。各地应根据省下达的培训计划，在年度预算中足额安排培训项目职业培训补贴资金，并将省财政补助资金与本级补助资金统筹安排使用，按规定及时足额支付职业培训补贴。

第二章 资金申请、考评与拨付

第八条 省财政补助资金拨付办法。按照激励约束原则，省财政补助资金实行先预拨，然后根据对各地实际工作的考核结果进行结算的办法。

第九条 省财政补助资金的预拨。省财政厅每年上半年根据省下达的各市年度培训任务，按照计划培训人数先预拨 50% 的省财政补助资金。

第十条 各地职业培训补贴资金的拨付。各地应于每年 12 月 31 日前，全部结束本年度培训班次，并在培训结束后 6 个月内，将职业培训补贴资金拨付到位（包括使用失业保险基金支付的职业培训补贴）。在培训后 6 个月内实现就业的，按照相应培训补贴标准的 100% 拨付；在培训后 6 个月内没有实现就业的，按照最高不超过培训补贴标准的 60% 拨付。

第十一条 市级考评。各市财政投资评审机构负责对本市培训项目实施情况进行年度考评。

市级人力资源和社会保障部门及财政部门应于执行年度培训任务的次年6月15日前，向同级财政投资评审机构报送上年度项目实施考评资料。考评资料主要包括以下内容：

1. 项目实施报告。包括年度培训任务完成情况，定点培训机构专业设置、班次、学时等培训情况，培训人员就业情况，培训补贴拨付到位情况，项目实施效果、存在的问题、改进工作意见等。

2. 市就业服务机构按照《关于印发〈山东省加强就业培训提高就业与创业能力培训项目管理办法〉的通知》（鲁劳社〔2009〕37号）规定格式建立的培训人员信息表。

3. 职业培训补贴资金拨付到位证明材料（财政指标文件、预算拨款单、财政专户银行对账单以及其他有效证明文件）。

4. 附表：××年度山东省加强就业培训提高就业与创业能力省财政补助资金申请审核表（见附件1）。

市级财政投资评审机构应在对培训项目进行全面考评的基础上出具考评报告，并于7月底前将考评报告等材料报送省财政厅投资评审中心。

第十二条 省级考评。省财政厅投资评审机构在对各市培训项目实施情况进行抽查的基础上，于8月15日前出具全省培训项目实施绩效考评报告。绩效考评办法和规程另行制定。

第十三条 省财政补助资金的申请。省人力资源社会保障厅根据全省培训项目实施绩效考评报告，于8月底前向省财政厅提出全省培训项目省财政补助资金申请报告，并附“××年度山东省加强就业培训提高就业与创业能力培训项目省财政补助资金申请汇总表”（见附件2）。

第十四条 省财政补助资金的结算。省财政根据全省培训项目实施绩效考评报告和省财政补助资金申请报告，在省下达的年度培训计划内，按照下列原则结算省财政补助资金：

1. 对完成或超额完成省下达的年度培训计划人数、职业培训补贴全部拨付到位、培训后6个月内受训人员实现就业和自主创业人数达80%以上（含80%）的市，按照省下达的年度培训计划人数（扣除各市使用失业保险基金支付培训补贴人数）和相应省级补助标准的100%结算省财政补助资金；

2. 对完成省下达的年度培训计划人数、职业培训补贴全部拨付到位、培训后6个月内受训人员实现就业和自主创业人数低于80%的市，按照省下达的年度培训计划人数（扣除各市使用失业保险基金支付培训补贴人数）和相应省级补助标准的90%结算省财政补助资金；

3. 对完成省下达的年度培训计划人数但未将职业培训补贴拨付到位的，或者未完成省下达的年度培训计划人数的市，根据实际拨付职业培训补贴人数（扣除各市使用失业保险基金支付培训补贴人数）和相应省级补助标准的80%结算省财政补助资金。

第十五条 省财政补助资金的下达。根据培训项目省财政补助资金结算情况，省财政于每年9月底前，按市下达省财政补助资金指标文件。市级财政与人力资源社会保障部门收到省财政补助资金指标文件10个工作日内，将指标下达到县（市、区）。

第三章 资金管理与监督

第十六条 省财政补助资金专项用于支付培训项目的职业培训补贴，不得用于其他任何开支。

第十七条 培训项目招投标、培训项目管理、培训合格证书印刷等所需工作经费，由市级财政部门在人力资源社会保障部门的部门预算中给予统筹安排。

第十八条 各市就业服务机构应对定点培训机构招标情况、培训任务，培训人员培训信息、收费标准、资金补助及使用等情况，采取适当形式进行公示。

第十九条 定点培训机构要建立培训人员信息台账、考勤台账等，严格按照培训计划要求完成教学任务，确保培训质量和培训效果。

第二十条 各地应将培训人员的报名、培训、考核、就业等各环节相关信息，完整地录入“劳动力市场信息系统”（劳动99三版）中的就业培训子系统。

第二十一条 各级财政部门和人力资源社会保障部门要加强培训项目省财政补助资金使用管理情况的

监督和检查，配合审计等部门做好审计、稽查等工作。

第二十二条 对骗取、套取、挪用、贪污省财政补助资金的行为，将依法追究有关单位及直接责任人的法律责任，并按有关规定缓拨、停拨或追回省级补助资金。

第四章 附 则

第二十三条 各市财政部门、人力资源社会保障部门可根据本办法，结合本地实际情况，制定具体的实施细则。

第二十四条 本办法由省财政厅、省人力资源和社会保障厅负责解释。

第二十五条 本办法自下发之日起施行。

附件：1. ××年度山东省加强就业培训提高就业与创业能力省财政补助资金申请审核表

2. ××年度山东省加强就业培训提高就业与创业能力培训项目省财政补助资金申请汇总表

附件1：

××年度山东省加强就业培训提高就业与创业能力省财政补助资金申请审核表

填报单位： 市

	培训种类	省下达的培训任务（万人）	实际完成培训任务（万人）	其中享受失业金待遇人员	实际支付职业培训补贴到位人数（万人）	其中使用失业保险基金支付培训补贴人数	实际支付职业培训补贴到位资金（万元）	其中使用失业保险基金支付培训补贴资金	培训后6个月内实现就业或自主创业人数（万人）	培训后6个月内就业和自主创业率（%）
培训项目实施情况	合计									
	初级工									
	中级工									
	高级工									
	创业培训									
申请省财政补助资金情况	初级工	申请补助人数（万人）				补助标准	100元/人	申请补助金额（万元）		
	中级工	申请补助人数（万人）				补助标准	200元/人	申请补助金额（万元）		
	高级工	申请补助人数（万人）				补助标准	300元/人	申请补助金额（万元）		
	创业培训	申请补助人数（万人）				补助标准	500元/人	申请补助金额（万元）		
市级人力资源社会保障部门审核意见	年 月 日					市级财政部门审核意见	年 月 日			

续表

	培训种类	省下达的培训任务（万人）	实际完成培训任务（万人）	其中享受失业金待遇人员	实际支付职业培训补贴到位人数（万人）	其中失业保险基金支付培训补贴人数	核定补助人数（万人）	省财政补助标准	培训后6个月内就业率	核定补助金额（万元）
市级财政投资评审机构考评意见	合计							—		
	初级工							100元/人		
	中级工							200元/人		
	高级工							300元/人		
	创业培训							500元/人		
	年　月　日　　　　公章									
省财政投资评审中心复审意见	年　月　日　　　　公章									

说明：1. 完成或超额完成省下达的年度培训计划人数、职业培训补贴全部拨付到位、培训后6个月内就业和自主创业率达80%（含80%）以上的，按照省下达的年度培训计划人数（扣除使用失业保险基金支付培训补贴人数）和相应省级补助标准的100%结算省财政补助资金；

2. 完成省下达的年度培训计划人数、职业培训补贴全部拨付到位、培训后6个月内就业和自主创业率低于80%的，按照省下达的年度培训计划人数（扣除使用失业保险基金支付培训补贴人数）和相应省级补助标准的90%结算省财政补助资金；

3. 完成省下达的年度培训计划人数但未将职业培训补贴拨付到位的，或者未完成省下达的年度培训计划人数的，根据实际拨付职业培训补贴人数（扣除使用失业保险基金支付培训补贴人数）和相应省级补助标准的80%结算省财政补助资金。

附件2：

××年度山东省加强就业培训提高就业与创业能力培训项目省财政补助资金申请汇总表

单位：万人、万元

单位	计划培训人数					实际拨付职业培训补贴人数					使用失业保险基金拨付职业培训补贴人数					培训后6个月内就业和自主创业率	建议补助资金				
	合计	初级	中级	高级	创业培训	合计	初级	中级	高级	创业培训	合计	初级	中级	高级	创业培训		合计	初级	中级	高级	创业培训
合计																					

省财政厅 省发展和改革委员会 省民政厅 省人力资源和社会保障厅 省卫生厅关于完善政府卫生投入政策的实施意见

2009年9月4日 鲁财社〔2009〕30号

各市财政局、发展改革委、民政局、劳动和社会保障局、卫生局：

根据《中共山东省委 山东省人民政府关于贯彻落实中发〔2009〕6号文件精神 进一步深化我省医药卫生体制改革的实施意见》（鲁发〔2009〕16号）和《山东省人民政府关于印发医药卫生体制改革近期重点实施方案（2009～2011年）的通知》（鲁政发〔2009〕90号），以及财政部等五部委《关于完善政府卫生投入政策的意见》（财社〔2009〕66号）等规定，现就我省完善政府卫生投入政策提出如下实施意见。

一、完善政府卫生投入政策的基本原则

（一）统筹规划，优化资源配置。科学制定并严格执行具有可行性、客观性、前瞻性和相对稳定的区域卫生规划，在医疗卫生机构设置、基本建设投资、大中型检查治疗设备购置、人力资源配置等方面，统筹考虑区域内医疗卫生资源的存量和增量，从地理、功能和学科布局上整合医疗卫生资源，合理科学进行规划，避免浪费。对于医疗卫生资源供过于求的地区，要对资源闲置、功能重叠、布局不合理的公立医疗卫生机构进行优化调整，实现合理规范布局；对于医疗卫生资源供不应求的地区，坚持政府主导，鼓励社会力量参与举办，建立健全医疗卫生服务网络。

（二）增加投入，多方筹集资金。科学界定政府和市场在医疗卫生方面的投入责任，确定政府在提供公共卫生和基本医疗服务中的主导地位。公共卫生服务主要由政府筹资；基本医疗服务由政府、社会和个人三方面合理分担费用；特需医疗服务由个人直接付费或通过商业保险支付。鼓励多渠道筹集资金，满足人民群众不同层次的医疗卫生需求。公共卫生服务和医疗服务既可由政府举办的医疗卫生机构提供，也可由社会力量举办的医疗卫生机构提供。同时，随着经济发展和人民群众医疗卫生需求水平的不断提高，各级政府都要逐步增加卫生投入，使政府卫生投入增幅高于经常性财政支出增幅，使政府卫生投入占经常性财政支出的比重逐步提高。逐步提高政府卫生投入占卫生总费用的比重，积极引入社会资本，与政府投入形成合力，有效减轻居民个人基本医疗卫生费用负担。

（三）兼顾供需，保障重点领域。政府卫生投入要紧紧围绕满足人民群众的基本医疗卫生需求，兼顾供给方和需求方，支持基本公共卫生服务、医疗服务、医疗保障和药品供应保障体系建设。政府卫生投入要重点用于支持公共卫生、农村卫生、城市社区卫生和基本医疗保障，鼓励在以上各个方面充分发挥中医药的作用。

（四）明确责任，分级负担投入。在科学界定政府间医疗卫生事权的基础上，合理划分中央、省和地方政府的医疗卫生投入责任，形成职责明确、分级负担、财力与事权相匹配的政府卫生投入机制。地方政府承担主要的医疗卫生投入责任，中央和省按照基本公共服务均等化的要求，加大对困难地区的转移支付力度。

（五）转变机制，提高投入效率。探索实行政府购买服务、直接补助需方等多种形式的政府卫生投入方式，促进医疗卫生服务机制转变和效率提高。同时，建立阳光透明、合理科学的绩效考评体系，对医疗卫生机构及其提供的医疗卫生服务进行量化考评，并将考核结果与政府投入相结合，不断提高资金使用效益。

二、明确政府卫生投入的范围和方式

（一）健全公共卫生经费保障机制。根据国家基本公共卫生服务项目，建立健全城乡基本公共卫生服

务经费保障机制，使城乡居民都能平等享受基本公共卫生服务。对于包括社会力量举办在内的社区卫生服务中心（站）、乡镇卫生院、村卫生室等医疗卫生机构，按规定提供基本公共卫生服务项目所需经费，由政府根据其服务人口和提供基本公共卫生服务项目的数量、质量和单位综合服务成本，在全面考核评价的基础上，采取购买服务等方式核定政府补助。根据经济发展水平和突出公共卫生问题，逐步增加基本公共卫生服务内容，并相应提高人均基本公共卫生服务经费标准。

根据重大疾病预防控制需要和财力可能，合理安排结核病、艾滋病等重大疾病防治、国家免疫规划、农村妇女住院分娩等重大公共卫生项目所需资金。

根据城乡居民公共卫生服务需求和合理划分各类专业公共卫生机构职能的要求，整合、优化人员和设备配置，建立起疾病预防控制、健康教育、妇幼卫生、精神卫生、应急救治、采供血、卫生监督、计划生育等专业公共卫生服务网络。专业公共卫生机构所需基本建设、设备购置等发展建设支出由政府根据公共卫生事业发展需要安排，所需人员经费、公用经费和业务经费根据人员编制、经费标准、服务任务完成及考核情况由政府预算全额安排。专业公共卫生服务机构按照规定取得的应上缴财政的收入，要通过山东省非税收入征收管理系统及时上缴国库或财政专户。

（二）完善基层医疗卫生机构和公立医院补助政策。

1. 补助范围。由政府举办的社区卫生服务中心（站）和乡镇卫生院等基层医疗卫生机构，应严格界定其功能和任务，转变运行机制；政府负责按国家规定核定其人员编制、收支范围与标准，核定其基本建设、设备购置、人员经费和其承担的公共卫生服务的业务经费，保障其正常运行。支持村卫生室建设，对乡村医生承担的公共卫生服务等任务给予合理补助。

在推进公立医院改革的同时，加大政府对公立医院投入，主要用于基本建设和设备购置、扶持重点学科发展、符合国家规定的离退休人员费用、政策性亏损补贴、承担的公共卫生服务任务补助等。

2. 补助方式。

（1）政府对基层医疗卫生机构的补助方式。政府举办的基层医疗卫生机构基本建设和设备购置等发展建设支出，由政府根据基层医疗卫生机构发展建设规划统筹安排。

政府举办的基层医疗卫生机构的人员经费和业务经费等运行成本，通过服务收费和政府补助方式等补偿。政府补助按照“核定任务、核定收支、绩效考核补助”的办法核定。核定任务，即根据基层医疗卫生机构的功能定位，核定基本医疗服务和基本公共卫生服务的任务。核定经常性收入，即根据前几年医疗服务平均收入情况，并综合考虑影响医疗服务收入的特殊因素，核定医疗服务收入；根据服务人口、单位综合服务成本及核定的公共卫生服务任务的数量、质量，核定基本公共卫生服务补助收入。核定经常性支出，可以按人员、业务经费分项定额核定：人员经费按定员定额的方式核定，核定工资水平要与当地事业单位工作人员平均工资水平相衔接；业务经费根据核定的基本医疗服务和基本公共卫生服务任务的数量、质量和成本定额（剔除人力成本）等综合核定，也可以根据核定的基本医疗服务和基本公共卫生服务任务的数量、质量及单位综合服务成本，综合考虑以前年度支出水平和有关特殊因素，分别核定基本医疗服务和基本公共卫生服务支出预算额度。药品支出和收入，根据药品采购价格和合理用药数量等核定。其他支出和收入，根据以前年度水平并扣除不合理因素核定。核定经常性收支时，要充分考虑基层医疗卫生机构取消药品加成后减少的收入等合理的收支增减因素。补偿的渠道，基本医疗服务主要通过医疗保障付费和个人付费补偿；基本公共卫生服务通过政府建立的城乡基本公共卫生服务经费保障机制补偿；对承担的突发公共卫生事件处置任务，由政府按服务成本核定补助。对核定的经常性收入不足以弥补核定的经常性支出的基层医疗卫生机构，差额部分由政府在预算中予以足额安排，并在对其任务完成情况、患者满意度、居民健康改善状况等进行综合绩效考核的基础上，采取预拨和结算相结合的方式予以拨付。对基层医疗卫生机构提供基本医疗服务和基本公共卫生服务已实行政府购买方式的地方，应及时总结经验，加大推行力度，扩大推行范围；未实行政府购买方式的地方，应积极探索推行。有条件的地区对基层医疗卫生机构，也可探索实行收支两条线管理方式。

基层医疗卫生机构人才培训和人员招聘所需支出，由财政部门根据有关人才培养规划和人员招聘规划合理安排补助。

政府举办的基层医疗卫生机构，对其离退休人员符合国家规定的离退休费用，在事业单位养老保险制度改革前，由财政根据国家有关规定核定补助；事业单位养老保险制度改革后，按相关规定执行。

(2) 政府对公立医院的补助方式。对政府举办的公立医院基本建设和设备购置等发展建设，要逐步建立政府专项补助资金项目库，并根据基本建设程序，经具有相应资质的专业咨询机构和专家评估论证，由发展改革部门审批立项后，由政府根据轻重缓急和承受能力逐年安排所需资金。政府对包括公立医院在内的各类医院机构承担的公共卫生任务，按服务成本给予专项补助，保障政府指定的紧急救治、援外、支农、支边等公共服务经费。公立医院重点学科建设项目，由政府安排专项资金予以支持。对中医院（民族医院）、传染病院、精神病院、职业病防治院、妇产医院、儿童医院，在投入政策上予以倾斜。公立医院的政策性亏损，按规定动用药品收支结余弥补后仍有差额的，由同级政府核定补助。

对政府举办的公立医院离退休人员符合国家规定的离退休费用，在事业单位养老保险制度改革前，由财政根据国家有关规定核定补助；事业单位养老保险制度改革后，按相关规定执行。

3. 鼓励社会力量举办医疗卫生机构。政府在保持公立医疗卫生机构适度规模的同时，要按照平等、公开、规范、有序的原则，鼓励和引导社会资本参与部分公立医疗卫生机构的重组改制或者直接举办医疗卫生机构，为不同层次的患者提供更多的选择。对社会力量举办的医疗卫生机构，除按规定享受相应的税收优惠政策，及承担政府公共卫生服务任务可按照规定获得政府补偿外，地方政府还可以在业务用房建设、设备购置以及人员培训等方面给予一定的扶持。

对公共卫生经费和医疗保障经费的支付方式，各地可探索总额预付等多种行之有效的办法。

（三）落实基本医疗保障补助政策。继续按照国家有关政策规定，落实和完善政府对新型农村合作医疗和城镇居民基本医疗保险的补助政策，并随着经济发展水平的提高，逐步提高筹资水平和政府补助标准。通过破产企业资产变现、企业集团或主管部门帮助和政府投入等多渠道筹资，帮助关闭破产国有企业退休人员参加城镇职工基本医疗保险。机关事业单位人员参加城镇职工基本医疗保险以及落实国家公务员医疗补助政策所需资金，由各级政府按照有关规定予以安排。继续完善城乡医疗救助制度，进一步增加投入，加大救助力度。对医疗保障经办机构所需工作经费和应由政府承担的基本建设投资，由同级政府安排。

（四）支持建立药品供应保障体系。支持国家基本药物目录的制定修订和食品、药品、医疗器械标准的建立和完善。加大食品和药品监督管理能力建设投入，支持食品、药品安全突发事件和重大事故应急处置工作。

加大医学教育和医学科研投入，推进医学教育和医药卫生科技进步。

三、合理划分政府间的卫生投入责任

（一）合理划分各级政府公共卫生支出责任。各级专业公共卫生机构所需发展建设支出和日常运转所需经常性支出，主要由同级政府负担，省级政府对困难地区专业公共卫生机构的基本建设和设备购置给予适当补助。按照基本公共卫生服务均等化的要求，各级政府都要履行建立城乡基本公共卫生服务经费保障机制的责任，省级政府根据服务人口和绩效考核情况等给予适当补助。各级政府对辖区内重大传染病预防控制等公共卫生承担主要投入责任。省级政府对跨地区的重大传染病预防控制等公共卫生支出给予补助。纳入国家免疫规划的常规免疫以及国家确定的群体性预防接种和重点人群应急接种所需疫苗和注射器的购置费用由中央政府承担，省级及以下地方政府确定的群体性预防接种、应急接种所需疫苗和注射器的购置费用由同级政府承担。各级政府要结合城乡基本公共卫生服务经费保障机制，切实保障实施国家免疫规划相关冷链系统的建设、运转和预防接种等工作经费，省级政府对困难地区给予必要支持。对重大突发性公共卫生事件所需经费，以当地政府投入为主，省级政府给予适当补助。

（二）合理划分各级政府对医疗服务机构的补助责任。各级政府要承担基层医疗卫生机构投入的主要责任，省级政府对基层医疗卫生机构的基本建设、设备购置、人员培训和人才招聘等予以补助。公立医院发展建设支出、符合国家规定的离退休人员费用和政策性亏损补贴，主要由同级政府安排。省级政府对困难地区公立医院的基本建设和设备购置给予适当补助。

（三）合理分担支持基本医疗保障体系建设经费。政府对新型农村合作医疗、城镇居民基本医疗保险的补助资金，由各级财政按照国家和省有关规定分级负担。对关闭破产国有企业退休人员参加医疗保险所需政府补助资金，按照隶属关系由同级财政补助，中央和省级财政按规定对困难地区给予适当补助。城乡医疗救助所需资金由市、县级财政负担，中央和省级财政给予补助。

（四）合理分担食品药品监督管理经费。各级政府按规定合理安排食品药品监督机构正常经费和能力建设经费。省级政府对食品药品和医疗器械标准制订等以及困难地区监管能力建设予以补助。

四、加强对政府卫生投入的管理监督

（一）各级财政、发展改革等部门要按照有关法律法规的规定，落实政府卫生投入政策，并结合本地实际制定具体办法，合理安排资金。

（二）政府卫生投入资金应根据合法、科学、公开、公正、规范、透明的原则进行分配，并依法接受人大、审计部门和社会的监督。

（三）各级财政、发展改革、卫生、人力资源和社会保障、民政、药监等部门要加强对政府卫生投入资金使用情况的监督管理。充分发挥会计师事务所等有资质社会中介组织的审计监督作用。建立健全监测评估制度，通过采取绩效考评等方法，提高资金使用效益。考评结果要及时公开，接受社会监督。

（四）政府专项补助支出应按照国家和省专项资金管理有关要求，专款专用。资金支付按照财政国库管理制度有关规定执行，加快项目资金使用进度，并对资金流向进行监控。项目所需设备和劳务，根据《中华人民共和国政府采购法》等有关规定实行政府采购。医院重点学科建设项目，应通过公开招标等政府采购方式确定。

（五）有关公立医疗卫生机构、医疗保障经办机构、药品监督机构新建、改扩建工程建设和限额以上的大中型医疗设备购置项目必须符合区域卫生规划要求，按分级管理原则，经项目主管部门、投资主管部门综合平衡、审批后，列入年度基本建设投资计划。严禁基层医疗机构的贷款行为，限制公立医疗机构的贷款行为，社会力量举办的非营利性医疗机构的基本建设项目，也要纳入国家基本建设程序管理。

基本建设工程项目要认真贯彻《中华人民共和国招标投标法》和《中华人民共和国政府采购法》，保证招标、投标工作公开、公正。工程项目要严格按照批准的建设面积、建设内容和投资规模进行建设，不得擅自变更建设规模和提高建设标准。有关部门要加强监督，规范管理，按规定把好项目建设稽查、审计监督、竣工验收等环节，建立工程质量责任追究制度。

（六）加强对医疗卫生预算单位的财务监管，监督其严格执行财务会计制度有关规定，确保应缴入财政专户或国库的资金及时入库（户），应缴尽缴。

（七）对挤占挪用政府补助资金，以及未按照国家有关规定使用资金、造成资金损失浪费的单位和个人，按照有关法律法规严肃处理。

省财政厅关于建立就业资金统计月报制度有关问题的通知

2009年8月12日 鲁财社〔2009〕32号

各市财政局：

为及时了解各地落实就业政策情况，跟踪就业形势，制定应对措施，按照财政部《关于建立就业资金统计月报制度有关问题的通知》（财办社〔2009〕46号）要求，从2009年8月份起建立就业资金统计月报制度（以下简称统计月报）。现就有关事项通知如下：

一、统计月报的主要内容

一是就业专项资金收入情况，包括财政补助收入、其他收入。二是就业专项资金支出情况，包括职业介绍补贴、职业培训补贴、社会保险补贴、公益性岗位补贴、岗位补贴、职业技能鉴定补贴、创业岗位开发补贴、一次性创业补贴、扶持公共就业服务支出、小额担保贷款贴息、特定就业政策补助等支出。三是就业工作基本情况，包括职业介绍补贴人数、职业培训补贴人数、社会保险补贴人数、公益性岗位补贴人数、岗位补贴人数、职业技能鉴定补贴人数、创业岗位开发补贴人数、一次性创业补贴人数、小额担保贷款贴息人数、特定就业政策补助人数等。四是失业保险基金收支情况。五是失业保险基金用于促进就业的收支情况。（详见附表）。

二、统计月报的报送要求

（一）从2009年8月份起，各地财政部门要建立统计月报制度。每月终了，各地财政部门要按照财务管理规章制度要求，及时做好记账、统计工作。每月月初要及时编制上月的《就业专项资金收支情况统计表》、《就业专项资金支出情况明细表》、《享受就业补贴（助）人员情况明细表》、《失业保险基金收支情况统计表》、《失业保险基金用于促进就业支出情况明细表》。经各市财政局统计汇总后，在每月10日前将加盖印章的纸质文件和电子版文件各一份报送省财政厅社会保障处。年度终了，各市要进行认真分析和总结，查找落实政策及资金管理中存在的问题，提出意见和建议，报送社会保障处。

8月15日前，各市要将辖区内截至7月底的就业资金使用情况，按附表及上述要求报送省财政厅（社会保障处）。

（二）各地财政部门要及时掌握就业资金使用情况，做到心中有数，逐步建立和完善资金使用管理基础信息平台，按规定及时拨付和使用资金，确保各项就业政策不因资金问题而影响实施效果。

（三）各地财政部门要高度重视统计月报工作，加强数据的整理、分析，全面、准确、及时地提供就业资金收支等情况，严禁虚报、漏报、瞒报相关信息。各市要指定专门人员负责统计月报的填报工作，并将人员名单、联系方式报送省财政厅社会保障处。各市财政局要按照先审核、后汇总、再审核的程序，切实加强对县级报表的审核和分析，确保报表质量。今后，省财政将把各市统计月报编制及报送情况作为考核各地就业政策落实和就业工作绩效的一项重要内容。

纸质文件传真号码：0531－82669774；电子版文件发送至财政厅内网邮箱：朱彪/社会保障处/财政厅/sdcz@sdcz。

附件：1.　年　月就业专项资金收支情况统计表

2.　年　月就业专项资金支出情况明细表

3.　年　月享受就业补贴（助）人员情况明细表

4.　年　月失业保险基金收支情况统计表

5.　年　月失业保险基金用于促进就业支出情况明细表

附件1：

年　月就业专项资金收支情况统计表

填表单位：　　市财政局（盖章）　　　　填表日期：20　年　月　日　　　　单位：万元

	全市安排			上月末滚存结余	本月收入			本月支出	本月收支结余	月末滚存结余	本年累计收入			本年累计支出	本年收支结余
		年初预算安排	执行中追加			财政安排	其他收入					财政安排	其他收入		
	1栏	2栏	3栏	4栏	5栏=6栏+7栏	6栏	7栏	8栏	9栏=5栏-8栏	10栏=4栏+9栏	11栏=12栏+13栏	12栏	13栏	14栏	15栏=11栏-14栏
全市合计															
市本级															
县级及以下小计															
××县（市、区）															
……															

注：1. 本表反映地方各级社会保障基金财政专户就业专项资金收支基本情况。
2. 1栏全市安排数为市本级、县级及以下年初预算安排资金（不包括上级补助资金）和执行中追加资金。
3. 本表第8栏数＝附表2第29栏数。
4. 本表第14栏数＝附表2第30栏数。
5. 收支各项指标按社会保险基金决算编报口径填列。其中，本年累计指本年1月至当月累计。
6. 各市汇总时，应分清本级安排和上级补助。以免重复计算。

附件 2：

年　月就业专项资金支出情况明细表

填表单位：　　市财政局（盖章）　　　　填表日期：20　年　月　日　　　　单位：万元

	职业介绍补贴支出		职业培训补贴支出		社会保险补贴支出		灵活就业人员社会保险补贴		公益性岗位社会保险补贴		公益性岗位补贴		岗位补贴		小额担保贷款贴息支出		职业技能鉴定补贴支出		创业岗位开发补贴支出		一次性创业补贴支出		特定就业政策补助支出		扶持公共就业服务支出		其他支出		就业专项资金支出合计	
	本月	本年累计	本月	本年累计	本月	本年累计	本月	本年累计	本月	本年累计	本月	本年累计	本月	本年累计	本月	本年累计	本月	本年累计	本月	本年累计	本月	本年累计	本月	本年累计	本月	本年累计	本月	本年累计	本月	本年累计
	1栏	2栏	3栏	4栏	5栏	6栏	7栏	8栏	9栏	10栏	11栏	12栏	13栏	14栏	15栏	16栏	17栏	18栏	19栏	20栏	21栏	22栏	23栏	24栏	25栏	26栏	27栏	28栏	29栏	30栏
全市合计																														
市本级																														
县级及以下小计																														
××县（市、区）																														
……																														

注：1. 本表反映地方各级社会保障基金财政专户就业专项资金支出情况。
2. 本表第 29 栏数 = 附表 1 第 8 栏数。
3. 本表第 30 栏数 = 附表 1 第 14 栏数。
4. 支出各项指标按社会保险基金决算编报口径填列。其中，本年累计指本年 1 月至当月的累计。
5. 其他支出备注写明用途。

附件3：

年　月享受就业补贴（助）人员情况明细表

填表单位：　市财政局（盖章）　　　　填表日期：20　年　月　日　　　　单位：人

	享受职业介绍补贴人数		享受职业培训补贴人数		享受社会保险补贴人数	其中：灵活就业人员人数	其中：公益性岗位人员人数	享受公益性岗性补贴人数	享受岗位补贴人数	享受小额担保贷款贴息人数	享受职业技能鉴定补贴人数		创业岗位开发补贴人数		一次性创业补贴人数		享受特定就业政策补助人数	其他
	本月	本年累计	本月	本年累计	本月末	本月末	本月末	本月末	本月末	本月末	本月	本年累计	本月	本年累计	本月	本年累计	本月末	本月末
	1栏	2栏	3栏	4栏	5栏	6栏	7栏	8栏	9栏	10栏	11栏	12栏	13栏	14栏	15栏	16栏	17栏	18栏
全市合计																		
市本级																		
县级及以下小计																		
××县（市、区）																		
……																		

注：享受各项补贴的“本月末”人数是指享受补贴的月末实有人数，是时点数。

附件 4：

年　月失业保险基金收支情况统计表

填表单位：　市财政局（盖章）　　填表日期：20　年　月　日　　单位：万元

	上月末滚存结余	本月收入				本月支出	本月收支结余	月末滚存结余	本年累计收入				本年累计支出	本年收支结余
			基金收入	财政补贴收入	其他收入					基金收入	财政补贴收入	其他收入		
	1栏	2栏=3栏+4栏+5栏	3栏	4栏	5栏	6栏	7栏=2栏-6栏	8栏=1栏+7栏	9栏=10栏+11栏+12栏	10栏	11栏	12栏	13栏	14栏=19栏-13栏
全市合计														
市本级														
县级及以下小计														
××县（市、区）														
……														

注：1. 本表反映扩大失业保险基金支出范围试点的市失业保险基金收支基本情况。
2. 收支各项指标按社会保险基金决算编报口径填列。其中，本年累计指本年1月至当月累计。

附件5：

年　月失业保险基金用于促进就业支出情况明细表

填表单位：　　　市财政局（盖章）　　　　　　　　　　　　　　　　填表日期：20　年　月　日　　单位：万元

	职业介绍补贴支出		职业培训补贴支出		社会保险补贴支出						公益性岗位补贴支出		小额担保贷款贴息支出		其他支出		失业保险基金用于促进就业支出合计	
							灵活就业人员社会保险补贴		公益性岗位社会保险补贴									
	本月	本年累计	本月	本年累计	本月	本年累计	本月	本年累计	本月	本年累计	本月	本年累计	本月	本年累计	本月	本年累计	本月	本年累计
	1栏	2栏	3栏	4栏	5栏	6栏	7栏	8栏	9栏	10栏	11栏	12栏	13栏	14栏	15栏	16栏	17栏	18栏
全市合计																		
市本级																		
县级及以下小计																		
××县（市、区）																		
……																		

注：1. 本表反映扩大失业保险基金试点的市各级社会保障基金财政专户失业保险基金用于促进就业的支出情况。
2. 支出各项指标按社会保险基金决算编报口径填列。其中，本年累计指本年1月至当月的累计。

省财政厅　省老龄工作委员会办公室关于印发《山东省百岁老人长寿补贴省级补助资金使用管理办法》的通知

2009年8月24日　鲁财社〔2009〕36号

各市财政局、老龄办（不含青岛）：

现将《山东省百岁老人长寿补贴省级补助资金使用管理办法》，印发给你们，请遵照执行。

附件：山东省百岁老人长寿补贴省级补助资金使用管理办法

附件：

山东省百岁老人长寿补贴省级补助资金使用管理办法

第一条　为加强和规范百岁老人长寿补贴省级补助资金使用管理，确保资金发挥使用效益，根据国家和省有关规定，结合我省实际，制定本办法。

第二条　百岁老人长寿补贴省级补助资金，是指由省级财政预算安排，专项用于补助百岁老人改善生活条件的资金（以下简称“补贴资金”）。

第三条 补贴资金发放对象为年满100周岁，具有山东省常住户口的老年人。

各县（市、区）老龄部门要对百岁老人进行实名制登记建档。

第四条 凡符合本办法第三条规定的老年人均可申请百岁老人长寿补贴。原则上从获审批下月起享受长寿补贴待遇，补贴发放标准为每人每月100元，并将视情况适时调整。

第五条 补贴资金申请、审核、审批程序。

（一）符合条件的百岁老人，经村（居）委会审核后，报乡（镇）人民政府（街道办事处）复核。乡（镇）人民政府（街道办事处）核实后报县（市、区）老龄办审批。审批结果、补贴数额等要在所居住村（居）委会进行张榜公示，时间不少于5日。

（二）每年2月底前，各市将补贴资金申请报告和截至上年底的《山东省百岁老人实名统计表》经同级老龄、财政部门审核盖章后，报省老龄办、省财政厅。济南铁路局、胜利石油管理局、齐鲁石化公司、莱芜钢铁集团公司百岁老人，由所在单位统一上报所在市老龄办。

（三）省老龄办、省财政厅对各市上报情况进行复核，并采取随机抽查的方式进行实地核查，根据复核、核查情况研究确定省级补助方案，并将补贴资金下达至各市。

第六条 补贴资金按月或季由县（市、区）老龄办会同同级财政部门发放到百岁老人手中，具备条件的由县级财政通过金融机构直接发放。省级补贴资金按上年底实有百岁老人数核拨，各县（市、区）出现漏报的，省财政原则上不予补发，由其自行解决。当年新增的百岁老人，首先用结余资金发放；结余资金不足的，由县级财政先垫付，省财政在下年度予以补齐。各地不得用省级补贴资金冲减《山东省优待老年人规定》规定的由当地财政负担的长寿补贴资金。

第七条 享受补贴资金的老年人去世或迁出本省的，从去世日或迁出日起下月停止发放补贴。因此形成的结余资金，用于当年新增百岁老人所需资金，或结转下年继续用于补贴资金发放。

第八条 补贴资金发放要坚持公开、公平、公正，做到专款专用。

第九条 各级财政、老龄部门要切实加强补贴资金的监督管理。补贴资金的使用、发放情况，以及补贴对象、补助标准、补助金额等情况要定期公布，接受群众监督。省财政厅、省老龄办将不定期对补贴资金的发放使用情况进行监督检查。

第十条 各市县老龄办要加强专项资金日常管理工作，建立规章制度，健全档案资料；要对补贴对象实行动态管理，每年对享受补贴资金的人员情况进行核查，及时办理停发或增发手续。

第十一条 对虚报冒领、挤占挪用、截留克扣补助资金等违法违纪行为，将按照《财政违法行为处罚处分条例》等有关规定严肃处理。

第十二条 本办法由省财政厅、省老龄办负责解释。

第十三条 本办法自发布之日起施行。

附件：山东省百岁老人实名统计表

附件：

山东省百岁老人实名统计表（200　年度）

________市：总计________人　新增________人　去世________人

姓名	性别	民族	出生年月	年龄（周岁）	身份证号（户口本号）	家庭住址	联系电话（或所在村居电话）

省财政厅　省卫生厅　省农业厅　省民政厅　省残疾人联合会关于印发《新增国家重大公共卫生服务项目资金管理暂行办法》的通知

2009年9月11日　鲁财社〔2009〕38号

各市财政局、卫生局、农业局、民政局、残联：

现将《新增国家重大公共卫生服务项目资金管理暂行办法》，印发给你们，请遵照执行。执行中有关情况，请及时反馈我们。

附件：新增国家重大公共卫生服务项目资金管理暂行办法

附件：

新增国家重大公共卫生服务项目资金管理暂行办法

第一条　为规范和加强新增国家重大公共卫生服务项目补助资金（以下简称项目资金）管理，提高资金使用效益，特制定本办法。

第二条　本办法所称项目资金是指各级政府根据国家和省有关规定安排的，专项用于新增国家重大公共卫生服务项目的补助资金。

第三条　新增国家重大公共卫生服务项目，主要包括：

（一）为15岁以下人群补种乙肝疫苗；

（二）农村妇女孕前和孕早期补服叶酸；

（三）农村妇女乳腺癌和宫颈癌（以下简称两癌）检查；

（四）农村孕产妇住院分娩；

（五）贫困白内障患者复明；

（六）农村改厕及饮水安全集中供水工程水质监测。

第四条　项目资金使用管理应遵循的原则：

（一）突出重点。调整支出结构，加大投入，重点保障国家确定的重大公共卫生服务项目的有效实施。

（二）统筹使用。强化与重大公共卫生服务项目相关资金的统筹结合、捆绑使用，发挥资金合力，放大公共卫生项目效果。

（三）公开透明。资金使用和项目实施应规范程序操作，并纳入政务公开范围，保证资金使用全过程阳光透明。

（四）精细管理。推进项目资金的科学化、精细化、规范化管理。加强资金管理的事前审核、事中控制和事后监督，保障资金安全完整、高效使用。

（五）专款专用。项目资金专项用于新增的重大公共卫生服务项目。对项目资金实行专账核算，专人管理，确保专款专用。

（六）注重实效。坚持办实事、重实效，以发挥社会效益，达到受众满意为目标，强化项目绩效考评，建立以结果为导向的资金分配管理机制。

第五条 项目内容与资金管理规程。

项目资金由各级政府共同承担，明晰责任，确保落实。

（一）为15岁以下人群补种乙肝疫苗项目。项目资金全部用于对乙肝疫苗和注射器的购置，资金由省级列支，实行省级统一招标采购、统一分发、统一管理。政府采购资金通过省级财政国库集中支付给中标供应商。

乙肝疫苗接种劳务属于基本公共卫生服务项目之一，应采取政府购买服务方式予以保障。

（二）农村妇女孕前和孕早期补服叶酸项目。项目资金全部用于全省为准备怀孕的农村妇女孕前3个月和孕早期3个月免费增补叶酸的购置。对叶酸的购置，实行省级统一组织招标采购、统一管理，以市为单位与中标供应商签订采购合同并负责付款，按县（市、区）统一分发叶酸。

省财政根据各地经济发展水平和财力状况，实行分类补助，不足部分由市、县级政府解决。项目资金分县（市、区）管理，政府采购资金由市级统一归集并支付。政府采购结余资金按县（市、区）结转下年，继续用于对叶酸的购置。省财政补助资金按照"当年全额预拨、次年考核结算、差额多退少补"的原则下达。省财政根据省妇幼保健信息系统记录、实际年度考核补服叶酸人数和政府采购价格结算省级补助资金。

各级财政要结合已采购且未用完的剩余叶酸和政府采购资金结余，参照上年度叶酸补服实际情况和准备怀孕的农村妇女人数，统筹安排下一年度项目预算。

（三）农村妇女两癌检查项目。国家统一规定，两癌检查项目以试点地区为主，检查对象为35～59岁的农村妇女。乳腺癌检查项目资金，全部用于农村妇女乳腺手诊临床检查、超声检查和钼靶检查。宫颈癌检查项目资金，全部用于农村妇女巴氏细胞学检查、阴道镜检查、组织病理学诊断。省财政根据各地经济发展水平和财力状况，实行分类补助，不足部分由市、县级政府解决。根据卫生部门提供的检查人数和检查项目等情况，按照规定程序，省、市级补助资金一次性下达到县级财政。项目资金以县（市、区）为单位管理。

试点县（市、区）卫生部门要统一设置台账，按照规定的检查项目，将资金统一核算到人头。承担农村妇女两癌检查任务的医疗卫生机构，应定期向县级卫生部门报送检查人数及所检查项目等情况，经县级卫生部门审核，报同级财政部门复核后，由县级财政部门将补助资金通过国库集中支付方式直接支付给相应的医疗卫生机构。

（四）农村孕产妇住院分娩项目。凡具有农村户籍、在定点医疗卫生机构住院分娩、符合国家有关政策的农村孕产妇均为财政补助对象。按照中央确定的补助标准，省财政根据各地经济发展水平和财力状况，对各地实行分类补助。省财政对各地补助资金，按照"当年全额预拨、次年考核结算、差额多退少补"的原则下达；年初按上年度农村孕产妇住院分娩人数和当年确定的补助标准预拨当年补助资金，次年按各地上报的截至上年末实际住院分娩的农村孕产妇人数，并统筹考虑各地农村孕产妇住院分娩工作考核情况，结算上年度省财政补助资金。各地应结合省级补助政策，根据本地经济社会发展水平和财政承受能力，按照国家规定的住院分娩基本服务项目，合理确定当地农村孕产妇住院分娩的人均财政补助标准，并做好农村孕产妇住院分娩市县两级补助资金的预算安排。项目资金以县（市、区）为单位管理。

定点医疗卫生机构应及时将农村孕产妇住院分娩相关信息录入省妇幼保健信息系统，并定期向县级卫生部门报送农村孕产妇住院分娩人数、基本项目等情况，经县级卫生部门审核汇总，报同级财政部门复核后，由县级财政部门将补助资金通过国库集中支付方式直接支付给定点医疗卫生机构。

参加新型农村合作医疗的农村孕产妇在财政补助之后的住院分娩费用，可按当地新型农村合作医疗制度的相关规定给予补偿。

（五）贫困白内障患者复明项目。为全省贫困白内障患者进行复明手术，并给予手术费用补助。白内障患者的贫困情况统一由民政部门确认，贫困白内障患者筛查由残联负责，定点医疗机构由卫生部门审核确认。省财政按照定额补助的原则一次性下达手术补助资金，不足部分及残联患者筛查等资金由市、县多渠道统筹解决。项目资金分县（市、区）管理，并根据手术开展情况以及手术完成的数量、质量等综合考核后支付到定点医疗机构；未按时保质保量完成手术任务的，不予补助。其中对人工晶体、粘弹剂、手术缝线等手术主要耗材，由省级统一招标采购，以市为单位与中标供应商签订采购合同并负责付款。市级要按规定做好政府采购资金的归集与支付工作。

（六）农村改厕及饮水安全集中供水工程水质监测项目。各地要统筹考虑，将农村改厕与农村沼气项目、农村饮水安全集中供水工程水质监测与农村饮水安全集中供水工程项目有效结合起来，根据上级分配的项目任务量，按照有关规定做好项目的统筹对接，落实各县（市、区）项目任务量。各地财政部门要根据确定的项目，有效整合和安排项目预算资金。省财政将根据省级项目主管部门提供的当年项目任务量，按照定额补助的原则一次性下达有关资金。项目资金以县（市、区）为单位管理，并按照考核验收合格的任务量和补助标准核拨财政补助资金；考核不合格的，不予补助。

第六条 凡属政府采购的项目，项目主管部门应根据《中华人民共和国政府采购法》等规定，按照规定程序，严格组织实施政府采购。

第七条 财政部门、项目主管部门要加强对项目资金的使用与管理考核，考核工作由省、市两级财政投资评审机构实施。各地对所有项目资金使用等情况，每年要按照规定时间汇总上报省里，由省财政厅投资评审中心组织复核。

第八条 各级项目主管部门应会同财政部门建立项目绩效考评制度。绩效考评主要包括项目管理、实施情况、资金运转、质量控制及效果等内容，主要采取定性与定量相结合方式进行。各市和县（市、区）要对考评结果的真实性负责。

第九条 项目考核与绩效考评的结果将作为各级政府对新增重大公共卫生服务项目拨款与安排下一年度预算的主要依据。

第十条 各级必须按规定使用和管理项目资金，严禁以任何形式用项目资金设置账外账和私存私放。

第十一条 各级项目主管部门、财政部门、审计部门等应定期或不定期地对项目管理、实施情况、资金管理等情况进行检查，并接受社会和群众的监督。

第十二条 对有下列违法违规行为之一的，财政部门要根据《财政违法行为处罚处分条例》（国务院令第427号）等有关法律法规，除责令改正、追回有关财政资金外，还要按规定追究有关单位和人员责任。

（一）以虚报、冒领等手段骗取补助资金；

（二）截留、挤占、挪用补助资金；

（三）滞留应当下拨的补助资金；

（四）违反规定扩大开支范围，提高开支标准；

（五）其他违法违规行为。

第十三条 市级财政或省管县财政部门应联合项目主管部门及时将省级财政项目补助资金分配使用情况按时上报省级财政、项目主管部门，有关资金分配文件要同时抄送省、市财政投资评审机构。

第十四条 各地财政、项目主管部门可结合本地实际，制定本地项目资金管理实施细则。

第十五条 新增国家重大公共卫生服务项目如有调整，其政府补助资金的使用管理等也要根据国家和省有关规定，相应予以调整。

第十六条 本办法适用于新增重大公共卫生服务项目，由省财政厅、省级相关项目主管部门负责解释，自印发之日起施行。

省财政厅　省食品药品监督管理局关于下划省以下食品药品监督管理机构经费基数的通知

2009年11月19日　鲁财社〔2009〕53号

市财政局、食品药品监督管理局：

按照《关于调整食品药品监督管理体制有关问题的通知》（鲁政办发〔2009〕58号）规定，自2010年1月1日起，对省以下食品药品监督管理机构经费实行分级管理，所属经费划入同级财政管理。按照省人事编制部门批准的人员划转名单，采用实名制办法，现核定你市食品药品监督管理机构经费下划基数 万元（详见附件），列你市1100214“企业事业单位划转补助收入”科目。各市要切实按照省核定的经费下划基数划转，不得随意调整。

自2010年1月1日起，省以下食品药品监督管理机构非税收入一并列入同级财政收入。涉及省直管县（市）的食品药品监督管理机构非税收入分享的，要按照省政府《关于实行省直接管理县（市）财政体制改革试点的通知》（鲁政发〔2009〕110号）要求办理。

附件：省以下食品药品监督管理机构财务经费下划基数核定情况表（总表不发）

附件：

省以下食品药品监督管理机构财务经费下划基数核定情况表

单位：万元

单位名称	经费下划人员数（人）				经费下划基数			备注
	合计	在职	离休	退休	合计	人员经费	公用经费	
全省总计	4 459	3 770	95	594	24 112.79	19 350.30	4 762.49	其中：工勤人员210.54万元
1. 淄博市小计	300	266	2	32	2 031.58	1 608.53	423.05	
淄博市食品药品监管局	54	48		6	458.59	352.69	105.90	
淄博市药品检验所	76	56	2	18	493.63	408.33	85.30	
沂源县食品药品监管局	27	24		3	143.34	116.79	26.55	
临淄区食品药品监管局	26	25		1	182.73	145.18	37.55	
淄川区食品药品监管局	23	23			138.54	104.04	34.50	
博山区食品药品监管局	23	21		2	119.09	95.89	23.20	
周村区食品药品监管局	25	24		1	185.69	149.64	36.05	
桓台县食品药品监管局	20	20			145.73	115.73	30.00	
高青县食品药品监管局	19	18		1	100.99	81.14	19.85	
张店区食品药品监管局	7	7			63.25	39.10	24.15	其中：工勤人员13.65万元
2. 枣庄市小计	213	166	8	39	1 125.66	919.19	206.47	
枣庄市食品药品监管局	56	39	1	16	290.10	230.60	59.50	
枣庄市药品检验所	43	30	2	11	224.64	193.69	30.95	
滕州食品药品监管局	48	34	5	9	227.83	187.93	39.90	
山亭区食品药品监管局	14	14			77.60	66.40	11.20	
台儿庄区食品药品监管局	15	14		1	80.66	65.21	15.45	
峄城区食品药品监管局	17	17			89.58	75.98	13.60	
薛城区食品药品监管局	14	12		2	91.67	72.05	19.62	其中：工勤人员9.17万元
市中区食品药品监管局	6	6			43.58	27.33	16.25	其中：工勤人员9.65万元
3. 东营市小计	171	162	1	8	1 336.43	1 072.36	264.07	
东营市食品药品监管局	46	43		3	420.31	325.56	94.75	
东营市药品检验所	43	40		3	319.13	258.98	60.15	
广饶县食品药品监管局	21	20		1	150.91	120.86	30.05	
河口区食品药品监管局	16	16			118.83	101.23	17.60	
垦利县食品药品监管局	17	17			123.91	105.21	18.70	
利津县食品药品监管局	20	18	1	1	129.52	107.52	22.00	
东营区食品药品监管局	8	8			73.82	53.00	20.82	其中：工勤人员8.82万元

续表

单位名称	经费下划人员数（人）				经费下划基数			备注
	合计	在职	离休	退休	合计	人员经费	公用经费	
4. 烟台市小计	368	292	13	63	2 024.16	1 559.52	464.64	
烟台市食品药品监管局	47	43		4	345.31	250.51	94.80	
烟台市药品检验所	52	35	5	12	285.29	231.19	54.10	
龙口县食品药品监管局	28	22		6	148.30	115.00	33.30	
莱阳县食品药品监管局	34	26	2	6	154.18	114.48	39.70	
莱州县食品药品监管局	28	25		3	176.43	138.78	37.65	
招远县食品药品监管局	34	24	1	9	166.93	130.28	36.65	
栖霞县食品药品监管局	36	31		5	158.78	124.43	34.35	
海阳县食品药品监管局	27	20		7	108.77	86.42	22.35	
牟平区食品药品监管局	30	23	1	6	156.48	130.68	25.80	
福山区食品药品监管局	20	19		1	117.00	96.05	20.95	
蓬莱县食品药品监管局	29	21	4	4	158.61	126.11	32.50	
莱山区食品药品监管局	2	2			24.44	10.49	13.95	其中：工勤人员10.95万元
长岛县食品药品监管局					7.64		7.64	其中：工勤人员7.64万元
芝罘区食品药品监管局	1	1			16.00	5.10	10.90	其中：工勤人员9.4万元
5. 潍坊市小计	421	368	5	48	2 360.83	1 848.73	512.1	
潍坊市食品药品监管局	52	51		1	401.42	309.57	91.85	
潍坊市药品检验所	60	43	2	15	350.23	297.78	52.45	
青州市食品药品监管局	30	26	1	3	154.35	115.00	39.35	
诸城市食品药品监管局	27	26		1	180.60	141.55	39.05	
寿光市食品药品监管局	36	33		3	221.84	172.19	49.65	
安丘市食品药品监管局	34	28		6	125.23	94.13	31.10	
高密市食品药品监管局	28	26		2	139.97	111.27	28.70	
昌邑市食品药品监管局	26	24	1	1	141.05	114.55	26.50	
昌乐县食品药品监管局	33	26		7	147.04	118.09	28.95	
临朐县食品药品监管局	24	23		1	96.36	71.01	25.35	
坊子区食品药品监管局	21	20		1	107.99	85.94	22..05	
潍城区食品药品监管局	21	17	1	3	111.72	84.09	27.63	其中：工勤人员8.73万元
寒亭区食品药品监管局	20	16		4	117.45	90.40	27.05	其中：工勤人员8.2万元
奎文区食品药品监管局	9	9			65.58	43.16	22.42	其中：工勤人员8.92万元
6. 济宁市小计	422	348	12	62	2 300.40	1 896.33	404.07	
济宁市食品药品监管局	40	39		1	301.08	230.83	70.25	
济宁市药品检验所	72	54	4	14	449.39	383.09	66.30	
邹城市食品药品监管局	41	32	3	6	200.10	164.00	36.10	

续表

单位名称	经费下划人员数（人）				经费下划基数			备注
	合计	在职	离休	退休	合计	人员经费	公用经费	
兖州市食品药品监管局	25	23		2	155.61	130.21	25.40	
曲阜市食品药品监管局	36	29	2	5	180.65	148.10	32.55	
梁山县食品药品监管局	26	24		2	147.99	128.69	19.30	
泗水县食品药品监管局	28	23	1	4	107.28	88.48	18.80	
汶上县食品药品监管局	37	31	1	5	170.11	144.86	25.25	
嘉祥县食品药品监管局	22	21		1	109.90	93.05	16.85	
金乡县食品药品监管局	29	21		8	124.39	107.19	17.20	
微山县食品药品监管局	33	24	1	8	150.65	123.65	27.00	
鱼台县食品药品监管局	17	17			96.83	83.23	13.60	
市中区食品药品监管局	7	7			45.45	28.51	16.94	其中：工勤人员9.24万元
任城区食品药品监管局	9	3		6	60.97	42.44	18.53	其中：工勤人员8.63万元
7. 泰安市小计	288	214	11	63	1 413.27	1 154.74	258.53	
泰安市食品药品监管局	69	40	4	25	371.76	297.71	74.05	
泰安市药品检验所	66	42	6	18	347.71	295.21	52.50	
新泰市食品药品监管局	36	31		5	154.54	120.19	34.35	
肥城市食品药品监管局	29	24		5	132.22	105.57	26.65	
宁阳县食品药品监管局	33	29	1	3	148.24	124.69	23.55	
东平县食品药品监管局	30	24		6	111.51	92.01	19.50	
岱岳区食品药品监管局	15	14		1	82.61	71.36	11.25	
泰山区食品药品监管局	10	10			64.68	48.00	16.68	其中：工勤人员5.68万元
8. 威海市小计	170	151	3	16	1 203.78	935.03	268.75	
威海市食品药品监管局	43	41		2	374.52	284.22	90.30	
威海市药品检验所	37	33	1	3	242.41	192.56	49.85	
文登县食品药品监管局	25	23		2	161.06	126.46	34.60	
荣成县食品药品监管局	30	28	1	1	220.03	177.78	42.25	
乳山县食品药品监管局	32	23	1	8	173.07	137.97	35.10	
环翠区食品药品监管局	3	3			32.69	16.04	16.65	其中：工勤人员12.15万元
9. 日照市小计	131	121	4	6	785.73	605.05	180.68	
日照市食品药品监管局	38	35		3	260.85	197.70	63.15	
日照市药品检验所	27	25	1	1	173.70	143.45	30.25	
莒县食品药品监管局	26	24	1	1	117.87	91.22	26.65	
五莲县食品药品监管局	26	23	2	1	128.41	102.66	25.75	
东港区食品药品监管局	6	6			45.76	29.27	16.49	其中：工勤人员9.89万元
岚山区食品药品监管局	8	8			59.14	40.75	18.39	其中：工勤人员9.59万元
10. 莱芜市小计	102	98		4	752.47	605.66	146.81	
莱芜市食品药品监管局	31	29		2	250.02	197.72	52.30	
莱芜市药品检验所	25	24		1	185.46	156.61	28.85	
莱城区食品药品监管局	29	29			205.02	165.07	39.95	其中：工勤人员8.05万元
钢城区食品药品监管局	17	16		1	111.97	86.26	25.71	其中：工勤人员8.06万元
11. 滨州市小计	238	201	9	28	1 304.93	1 080.79	224.14	
滨州市食品药品监管局	64	43	4	17	359.60	293.45	66.15	
滨州市药品检验所	32	24	2	6	192.45	167.75	24.70	
邹平县食品药品监管局	25	23	1	1	144.67	119.12	25.55	
惠民县食品药品监管局	20	20			74.90	58.90	16.00	
沾化县食品药品监管局	19	19			79.65	64.45	15.20	
博兴县食品药品监管局	19	18		1	114.07	94.22	19.85	

续表

单位名称	经费下划人员数（人）				经费下划基数			备注
	合计	在职	离休	退休	合计	人员经费	公用经费	
阳信县食品药品监管局	18	18			117.47	103.07	14.40	
无棣县食品药品监管局	18	17		1	79.61	65.96	13.65	
滨城区食品药品监管局	23	19	2	2	142.51	113.87	28.64	其中：工勤人员7.24万元
12. 德州市小计	401	354	3	44	1 878.30	1 526.29	352.01	
德州市食品药品监管局	46	40		6	266.32	206.02	60.30	
德州市药品检验所	51	33	1	17	263.34	229.14	34.20	
乐陵县食品药品监管局	24	24			93.15	73.95	19.20	
禹城县食品药品监管局	23	22		1	97.77	80.12	17.65	
齐河县食品药品监管局	30	25		5	142.81	115.06	27.75	
陵县食品药品监管局	27	26	1		123.91	102.91	21.00	
临邑县食品药品监管局	28	28			128.17	97.37	30.80	
宁津县食品药品监管局	33	28		5	139.07	116.42	22.65	
庆云县食品药品监管局	26	26			109.84	89.04	20.80	
平原县食品药品监管局	32	27	1	4	143.49	121.49	22.00	
夏津县食品药品监管局	27	26		1	111.93	91.08	20.85	
武城县食品药品监管局	29	27		2	119.11	97.41	21.70	
德城区食品药品监管局	25	22		3	139.39	106.28	33.11	其中：工勤人员8.76万元
13. 聊城市小计	314	257	5	52	1 456.96	1 173.62	283.34	
聊城市食品药品监管局	71	44	2	25	367.68	300.03	67.65	
聊城市药品检验所	53	39	2	12	273.58	233.58	40.00	
临清市食品药品监管局	20	20			85.66	63.66	22.00	
莘县食品药品监管局	33	29	1	3	127.22	103.67	23.55	
冠县食品药品监管局	28	24		4	106.75	87.35	19.40	
阳谷县食品药品监管局	28	25		3	99.94	79.79	20.15	
茌平县食品药品监管局	28	24		4	130.88	104.28	26.60	
高唐县食品药品监管局	16	16			68.75	51.15	17.60	
东阿县食品药品监管局	12	12			47.20	37.60	9.60	
东昌府区食品药品监管局	25	27		1	149.30	112.51	36.79	其中：工勤人员10.34万元
14. 临沂市小计	493	404	14	75	2 422.44	1 994.21	428.23	
临沂市食品药品监管局	81	48	7	26	462.31	388.06	74.25	
临沂市药品检验所	62	47	2	13	332.75	285.00	47.75	
沂水县食品药品监管局	32	31		1	154.44	129.59	24.85	
苍山县食品药品监管局	33	28	1	4	138.30	115.50	22.80	
费县食品药品监管局	30	25	1	4	130.65	107.25	23.40	
平邑县食品药品监管局	30	28		2	127.33	108.88	18.45	
莒南县食品药品监管局	32	28	1	3	125.31	102.71	22.60	
郯城县食品药品监管局	29	27		2	140.85	111.05	29.80	
沂南县食品药品监管局	27	23		4	114.31	95.71	18.60	
临沭县食品药品监管局	30	26		4	125.25	96.45	28.80	
蒙阴县食品药品监管局	25	20		5	96.28	80.03	16.25	
河东区食品药品监管局	24	24			144.87	118.47	26.40	
罗庄区食品药品监管局	18	18			103.27	83.47	19.80	
兰山区食品药品监管局	40	31	2	7	226.52	172.04	54.48	其中：工勤人员10.48万元
15. 菏泽市小计	427	368	5	54	1 715.85	1 370.25	345.60	
菏泽市食品药品监管局	45	40		5	256.74	196.49	60.25	

续表

单位名称	经费下划人员数（人）				经费下划基数			备注
	合计	在职	离休	退休	合计	人员经费	公用经费	
菏泽市药品检验所	52	43	2	7	258.47	214.72	43.75	
曹县食品药品监管局	50	39	1	10	172.84	140.94	31.90	
单县食品药品监管局	28	24		4	113.68	94.28	19.40	
郓城食品药品监管局	45	43		2	167.50	133.00	34.50	
巨野食品药品监管局	54	46	1	7	199.73	162.38	37.35	
鄄城食品药品监管局	27	26		1	102.85	82.00	20.85	
东明食品药品监管局	39	37		2	145.84	116.14	29.70	
成武食品药品监管局	43	33		10	133.73	106.83	26.90	
定陶食品药品监管局	37	35		2	129.02	100.92	28.10	
牡丹区食品药品监管局	7	2	1	4	35.45	22.55	12.90	其中：工勤人员7.3万元

省财政厅　省卫生厅关于印发《山东省中医药服务能力提升专项资金管理暂行办法》的通知

2009年12月8日　鲁财社〔2009〕55号

各市财政局、卫生局：

为加强山东省中医药服务能力提升项目资金管理，现将《山东省中医药服务能力提升专项资金管理暂行办法》印发你们，请遵照执行。

附件：山东省中医药服务能力提升专项资金管理暂行办法

附件：

山东省中医药服务能力提升专项资金管理暂行办法

第一条　为扶持和促进我省中医药事业加快发展，切实加强财政专项资金管理，充分发挥财政资金效益，根据有关规定，制定本办法。

第二条　中医药服务能力提升项目省级专项资金，是指省财政预算安排，专项用于全省中医药服务能力提升的补助资金。

第三条　加快推进全省中医药服务能力提升工程所需资金主要由各市、县政府筹措，省财政采取以奖代补方式给予适当的奖励补助（以下简称“省级以奖代补资金”）。

第四条　财政部门应与卫生等部门密切配合，按照职责分工，各司其责，齐抓共管，形成合力，认真组织项目实施，加快中医药服务能力建设和提升。

第五条　市、县（市、区）财政和卫生部门应积极筹集资金，不断加大中医药服务能力建设的资金投入，确保项目需要。

第六条　省级以奖代补资金的使用范围：

（一）纳入省统一规划的中医药优势专科和特色专科；

（二）纳入省统一规划实施培训的中医临床业务技术骨干。

第七条 省级以奖代补资金使用原则：

（一）突出重点，分期补助。对中医药优势专科和特色专科项目，经评审认定完成情况良好，社会效应突出的，予以重点奖补。每年省里根据中医药能力建设需要，公布当年奖补项目金额。

（二）目标考核，突出绩效。每年由省财政厅与省卫生厅组织进行目标考核，经考核达到目标要求的，按相关绩效因素核定奖补。

第八条 根据《中华人民共和国预算法》及相关预算管理规定，省财政投资评审中心负责组织力量，对省级以奖代补项目进行全程评审。各地要严格按照项目预算和计划组织实施，严格项目预算的执行与管理，不得随意变更、调整项目预算和计划。

第九条 省级以奖代补项目主要根据省卫生厅、省财政厅制定的全省中医药服务能力提升项目规划、年度任务、项目实施情况以及考核结果等确定。

第十条 中医临床业务技术骨干培训，省级采取“先培训、后考核、再补助”的方式，根据培训考核结果予以奖补。

第十一条 省级以奖代补资金的核定下达，由省财政厅、省卫生厅依据绩效考核情况，将奖补资金下达各地和省级项目单位。

第十二条 实行项目绩效考评。各地和省级项目单位应于每年9月15日前或项目完成1个月内，向省卫生厅、省财政厅汇总报送项目绩效评价报告（样本附后）。经审核确认的绩效评价报告，将作为奖励资金分配的重要依据。绩效考评标准由省卫生厅会省财政厅另行下发。

第十三条 各地和省级项目单位要严格遵守国家财经政策、财务规章制度和有关规定，做到资金明晰、管理严格、核算清楚。要设立项目资金专账，专款专用，不得与其他资金混合管理，不得平调、截留、挤占和挪用。

第十四条 项目单位应按照国家和省有关财务会计制度规定进行财务管理和会计核算，严格控制开支范围，努力提高资金使用效益。

第十五条 严格资产管理。有关资产调拨、变卖、转让、报废等，要按照国有资产管理规定执行。

第十六条 各级卫生部门应会同财政部门加强对项目实施和运行情况的管控，建立健全项目检查制度，重点对项目进度、质量、资金到位及使用等情况进行检查；建立健全信息报告制度，信息报告制度由省卫生厅会同省财政厅另行制定下发。

第十七条 省卫生厅、省财政厅将不定期地对项目实施情况、资金使用情况进行考核，实施跟踪问效。对违反本办法规定的，将督促有关单位限期整改；情节严重的，财政部门将停止拨款，已拨款的将责令项目所在地财政部门收回资金，并按照《财政违法行为处罚处分条例》（国务院令第427号）的相关规定进行处理。

第十八条 本办法由省财政厅、省卫生厅负责解释。

第十九条 本办法自发文之日起施行。

附件：山东省中医药服务能力提升项目绩效自（考）评报告（参考格式）

附件：

山东省中医药服务能力提升项目绩效自（考）评报告（参考格式）

根据《关于印发〈山东省社会保障重点项目绩效考评管理试行办法〉的通知》（鲁财社〔2008〕21号），遵循“科学性、规范性、客观性和公正性”的原则，对山东省中医药服务能力提升项目管理实施绩效评价，形成本自（考）评报告。

一、考评过程基本情况

（一）绩效考评方法

（二）绩效考评过程

（三）其他基本情况

二、绩效目标的实现情况

（一）主要工作绩效一

（二）主要工作绩效二

（三）主要工作绩效三

三、原因分析

对绩效目标与实际工作绩效进行比较，得出既定绩效目标完成情况，对绩效目标与实际工作绩效不一致的内容，如超计划完成或未完成的内容进行经验总结和原因分析，包括主观、客观等方面的原因分析。

四、存在问题和建议

采取的绩效管理措施以及支出绩效方面存在的问题，以及改进绩效管理、提高绩效水平的措施和建议。

五、考评结果和结论

经考评，××绩效得分××分，评价结果为优秀（良好、及格、不及格）。

六、考评责任

本考评结果依据考评客体提供的各项基础资料，运用规定的考评办法，考评工作组保证本次考评工作全过程的公正和公平，各项考评基础资料的真实性与完整性由考评客体负责。自（考）评工作组人员名单及签字（姓名、工作单位、职务、职称）。

七、报告时间

八、附带资料

省财政厅　省人力资源和社会保障厅关于印发《山东省技工院校百强专业能力提升建设省级以奖代补资金管理暂行办法》的通知

2009年12月10日　鲁财社〔2009〕56号

各市财政局、劳动和社会保障局：

现将《山东省技工院校百强专业能力提升建设省级以奖代补资金管理暂行办法》印发你们，请遵照执行。

附件：山东省技工院校百强专业能力提升建设省级以奖代补资金管理暂行办法

附件：

山东省技工院校百强专业能力提升建设省级以奖代补资金管理暂行办法

第一条 为加强全省技工院校百强专业能力提升建设（以下简称能力提升建设）省级以奖代补资金（以下简称奖补资金）管理，根据《山东省技工院校百强专业建设实施意见》和国家、省有关资金使用管理规定，制定本办法。

第二条 奖补资金来源及性质。能力提升建设省级奖补资金是指由省财政预算安排，对纳入能力提升建设中长期规划的技工院校进行奖补的专项资金。

第三条 奖补资金用途。奖补资金主要用于纳入能力提升建设中长期规划的院校的师资队伍培训和实验实训设备购置补助。

第四条 奖补资金分配原则。按照公开、公正、科学、绩效原则，奖补资金分配与能力提升建设目标任务完成情况挂钩，奖优扶弱。省级人力资源社会保障、财政部门将对资金分配情况进行定期不定期督导。

第五条 申请条件。经省级人力资源社会保障、财政部门审核认定，列入能力提升建设中长期规划，并完成经省评审确定的年度建设目标任务的技工院校。

第六条 实施步骤：

（一）根据能力提升建设中长期规划，省级人力资源社会保障、财政部门于每年第四季度，确定下一年度开展百强专业能力提升建设计划，委托省财政厅投资评审中心组织评审论证后，于每年12月底前下达各院校。

（二）次年8月底前，已纳入当年建设计划的单位须填写《____年度山东省技工院校百强专业能力提升建设省级以奖代补资金申请表》（见附件）与其他相关材料一式3份，逐级报至省级人力资源社会保障、财政部门。

（三）次年9月份，省人力资源社会保障、财政部门根据奖补考核工作计划，结合奖补资金申请和能力提升建设目标完成情况进行考核。

（四）次年第四季度，省财政根据考核结果和相关因素下达当年奖补资金。

第七条 申报程序。县属技工院校将申请材料报同级人力资源社会保障部门初审，形成对全县技工院校申请奖补资金的审核报告，送财政部门复审确认后，报市级人力资源社会保障部门初审。

市属技工院校将申请材料报其主管部门审核后，形成审核报告，报市级人力资源社会保障部门初审。市级人力资源社会保障部门对市、县属技工院校进行审核，形成全市申请奖补资金的审核报告，送市级财政部门复审确认后，报省级人力资源社会保障部门初审。

中央、省属技工院校将申请材料报其主管部门审核后，形成审核报告，报省级人力资源社会保障部门初审。

省级人力资源社会保障部门审核汇总全省年度百强专业能力提升计划奖补资金申请材料，提出奖补考核工作计划。

第八条 审核报告须包括申请奖补资金的技工院校按年度建设目标任务的建设和完成情况、存在问题、审核意见以及加强百强专业能力提升建设存在的问题、工作建议。

第九条 按照《山东省技工院校百强专业建设实施意见》组织实施的年度师资培训，奖补办法另行制定。

第十条 实验实训设备购置补助资金，依据经评审认定的完成绩效确定：

（一）经评审确定的购买设备及所付资金情况；

（二）经评审认定可增加工位数的情况；

（三）增加设备后生均占有设备比例与评审认定数的情况；

（四）增加设备后生均占有实习工位数与评审认定数的情况。

第十一条 建设单位的设备购置等支出项目，凡属政府采购目录内的必须实行政府采购。

第十二条 各级要加强省级奖补资金使用管理情况的监督检查，配合审计等部门做好审计、检查、稽查等工作。

第十三条 省级人力资源社会保障、财政部门将不定期对能力提升建设的实施情况以及资金使用情况进行监督检查。对违反本办法规定的，将督促有关单位限期整改；对骗取、套取、挪用、贪污奖补资金的行为，以及不按规定限期整改的，将视情况依法追究有关单位及直接责任人的法律责任，并按有关规定缓拨、停拨或追回省级补助资金。

第十四条 经确认，凡属下列行为之一者，省不予奖补：

（一）不按规定实行政府采购的；

（二）不按省财政厅投资评审中心评审确认结果实施能力提升建设的；

（三）未按规定时间上报申请奖补资金有关材料的。

第十五条 能力提升建设所需资金主要由建设单位筹措，各地要统筹使用好省财政奖补资金，不得挪用。各院校要采取多种方式、多渠道积极筹集资金，加快建设进度。

第十六条 各市财政局、人力资源社会保障部门可结合本地实际，制定资金管理的具体措施。

第十七条 本办法由省财政厅、人力资源社会保障厅负责解释。

第十八条 本办法自发布之日起施行。

附件：_______年度山东省技工院校百强专业能力提升建设省级以奖代补资金申请表

附件：

_______年度山东省技工院校百强专业能力提升建设省级以奖代补资金申请表

填写日期：　　年　月　日

建设院校名称		建设专业名称	
建设院校所在地址		邮政编码	
建设专业负责人		联系电话	
建设院校财务负责人		联系电话	
建设专业计划完成时间		建设专业实际完成时间	
建设专业实施初省财政厅投资评审中心审定数		建设专业完成后具体数	完成情况评价
现有学生数（人）			
现有设备台（件）数			
现有设备总值（万元）			
现有设备工位数（个）			
现生均占有设备比例			
现生均占有实习工位数			
拟购买设备审定台（件）数			
拟购买设备审定金额（万元）			
新增设备可增加的工位审定数			
县级人力资源社会保障部门意见 （章） 年　月　日		县级财政部门意见 （章） 年　月　日	

续表

市级主管部门意见 （章） 年　月　日	市级人力资源社会保障部门意见 （章） 年　月　日	市级财政部门意见 （章） 年　月　日
省级主管部门意见 （章） 年　月　日	省人力资源社会保障厅意见 （章） 年　月　日	省级财政部门意见 （章） 年　月　日
说明：1. 以上数据涉及比例和金额的，保留小数点后两位；2. “完成情况评价”栏，按照完成或未完成的差额，用“+/-”差额数予以表示。如增加设备后生均占有设备比例审定数为4.8:1，项目完成后为5.6:1，没有达到审定目标，则须表示为“-0.8:1”；在项目完成后为4.2:1，则须表示为“+0.6:1”。余类推。		

省劳动和社会保障厅　省财政厅关于城镇个体工商户和灵活就业人员养老保险有关问题的通知

2008年12月31日　鲁劳社〔2008〕65号

各市劳动和社会保障局、财政局：

为了适当减轻城镇个体工商户和灵活就业人员（以下简称个体、灵活就业人员）基本养老保险的参保缴费压力，较好地保障其养老保险权益，经研究并报经省政府同意，现就个体、灵活就业人员养老保险有关问题通知如下：

一、2009年至2011年继续执行省政府鲁政发〔2006〕92号文件规定的个体、灵活就业人员缴费基数过渡政策。各市的具体过渡办法由设区的市人民政府确定，报省劳动保障厅、财政厅备案。

二、已达到退休年龄，但缴费年限（含视同缴费年限，下同）满10年不满15年的个体、灵活就业人员，经本人申请，可继续缴费，直至缴费年限满15年，按其实际年龄办理退休。

三、原在国有和县以上集体企业工作期间基本养老保险缴费年限满10年，与企业解除或终止劳动关系后从事个体经营或灵活就业的人员，经本人申请，劳动能力鉴定机构鉴定为完全丧失劳动能力，且符合企业职工因病退休年龄、缴费年限条件的，可按规定办理因病退休。

四、对符合条件的就业困难人员，灵活就业后缴纳基本养老保险费的，各市要继续按照国家和省有关规定给予社会保险补贴。要积极筹措资金，简化、规范审核程序，切实将社会保险补贴落实到位。

五、各市要采取各种形式和渠道，做好个体、灵活就业人员养老保险政策的宣传，提高他们的参保缴费积极性，减少断保、断缴现象的发生。

六、本通知自2009年1月1日起执行。

省劳动和社会保障厅　省财政厅关于调整失业保险金标准的通知

2009年1月5日　鲁劳社〔2009〕3号

各市人民政府：

为保障失业人员的基本生活，根据《山东省失业保险规定》，结合当地最低工资标准和城市居民最低生活保障标准以及失业保险基金承受能力，经省政府同意，决定调整各市失业保险金标准（见附件）。

调整后的失业保险金标准从2009年1月1日起执行。

附件：失业保险金调整标准表

附件：

失业保险金调整标准表

单位：元/月·人

地　区	失业保险金调整标准
东营市所辖区域	430
济南市：市中区、天桥区、历下区、槐荫区、历城区 青岛市：市南区、市北区、四方区、黄岛区、崂山区、李沧区、城阳区 烟台市：芝罘区、福山区、莱山区、莱州市、龙口市、招远市、蓬莱市 威海市所辖区域	420
潍坊市：潍城区、奎文区、寒亭区、坊子区、寿光市 淄博市所辖区域	405
济南市：长清区、章丘市、平阴县、济阳县、商河县 青岛市：胶州市、即墨市、平度市、胶南市、莱西市 烟台市：牟平区、莱阳市、栖霞市、海阳市、长岛县 潍坊市：青州市、诸城市、安丘市、昌邑市、高密市、临朐县、昌乐县 莱芜市所辖区域 临沂市：兰山区、罗庄区、河东区	370
枣庄市所辖区域 泰安市：泰山区、新泰市、肥城市	355
济宁市：市中区、任城区、兖州市、曲阜市、邹城市、微山县 日照市所辖区域 临沂市：沂南县、郯城县、沂水县、苍山县、平邑县、费县、莒南县、蒙阴县、临沭县 德州市：德城区 滨州市所辖区域	330
泰安市：岱岳区、宁阳县、东平县 德州市：乐陵市、禹城市、陵县、宁津县、庆云县、临邑县、齐河县、平原县、夏津县、武城县 聊城市：东昌府区、临清市、高唐县、茌平县 菏泽市：牡丹区	315
济宁市：泗水县、鱼台县、金乡县、嘉祥县、汶上县、梁山县 聊城市：冠县、莘县、阳谷县、东阿县 菏泽市：曹县、单县、成武县、巨野县、郓城县、鄄城县、定陶县、东明县	300

省劳动和社会保障厅　省财政厅关于2009年调整企业退休人员基本养老金的通知

2009年1月8日　鲁劳社〔2009〕5号

各市人民政府，各养老保险省直管企业：

根据人力资源和社会保障部、财政部《关于2009年调整企业退休人员基本养老金的通知》（人社部发〔2008〕102号）精神，结合我省实际，经省政府同意，并报人力资源和社会保障部、财政部批准，从2009年1月1日起，调整企业退休、退职人员基本养老金。现就有关问题通知如下：

一、调整范围

2008年12月31日前已按规定办理退休、退职手续的企业退休、退职人员。

二、调整水平和办法

（一）普遍调整。对符合条件的退休人员，按以下两部分计算增加养老金：

第一部分每人每月按统筹所在市（省直管企业）的调整系数乘以95元计算增加。各市（省直管企业）调整系数根据2007年当地企业在岗职工平均工资水平、养老金替代率和养老保险基金支撑能力等因素确定（附件1）。

第二部分按2008年12月份本人月基本养老金的3.7%计算增加。

（二）在普遍调整的基础上，再适当提高下列人员的养老金：

（1）具有高级职称的退休科技人员，正高级职称每人每月提高60元，副高级职称每人每月提高40元。

（2）1953年12月31日前参加工作的退休人员，每人每月提高40元。其中，1949年1月1日至9月30日期间参加革命工作、享受当地人民政府制定的薪金制待遇的退休人员，每人每月再提高60元。

（3）原工商业者中的退休人员，每人每月提高40元。

（4）继续对年满70周岁以上退休人员予以倾斜。2008年12月31日前，年满70周岁不满75周岁（以办理退休手续时按规定确定的出生年月计算，下同）、年满75周岁不满80周岁和年满80周岁的，每人每月分别提高20元、30元和50元。其中，2008年1月1日至12月31日期间刚达到70周岁、75周岁和80周岁的，每人每月再分别提高50元、30元和40元。

同时具备上述两项以上（含两项）条件的退休人员，可重复享受。

（三）退职人员的调整办法

对符合条件的退职人员，按退休人员普遍调整的办法分两部分增加养老金。第一部分按统筹所在市（省直管企业）退休人员标准的80%计算增加，第二部分按与退休人员相同的办法增加。

同时，对符合上述第二项第（二）条第（4）款规定的年龄条件的退职人员，参照该款对退休人员的规定执行。

三、资金列支渠道

这次调整基本养老金所需资金，参加了基本养老保险社会统筹的，从统筹基金中列支；未参加社会统筹的，从原渠道列支。

四、几个具体问题的规定

（一）企业退休人员基本养老金的调整范围不含按劳人险〔1983〕3号文件规定办理退休手续的建国前老工人。

（二）按本《通知》调整养老金的退职人员，是指按《劳动保险条例》第13条丙款和原鲁革发〔1972〕143号、国发〔1978〕104号文件规定办理退职手续并按月领取退职生活费的人员。

（三）根据原劳动保障部、统战部等四部门劳社部发〔2002〕9号文件规定，原工商业者含从原工商业者中区分出来的小商小贩、小手工业者、小业主。

（四）本人月基本养老金基数，按鲁劳社发〔1999〕82号文件及有关规定执行。

（五）这次调整基本养老金，一律计算到角，角以下四舍五入。

五、审批程序

调整企业退休人员基本养老金时，养老保险管理工作规范、基础信息齐全准确的，由负责统筹的社会保险经办机构直接办理，报同级劳动保障行政部门审批。尚不具备条件的，可由企业或企业主管部门协助办理。

这次调整企业退休人员基本养老金水平，充分体现了党中央、国务院和省委、省政府对广大企业退休人员的亲切关怀。各市、各部门、各企业一定要高度重视，切实加强组织领导，认真抓好贯彻落实。要加大资金筹措力度，确保在2009年春节前将增加的养老金发到企业退休、退职人员手中。调整基本养老金工作结束后，各市要写出总结，连同《2009年调整企业退休人员基本养老金汇总表》（附件2）一并报省劳动保障厅、省财政厅。

附件：1. 2009年企业退休人员基本养老金调整系数表

2. 2009年调整企业退休人员基本养老金汇总表

附件1：

2009年企业退休人员基本养老金调整系数表

	调整系数	调整增加额（元）
济南	1	95
青岛	1	95
淄博	0.94	89.3
枣庄	0.87	82.7
东营	1	95
烟台	1	95
潍坊	0.85	80.8
济宁	1	95
泰安	0.89	84.6
威海	0.93	88.4
日照	1	95
莱芜	1	95
临沂	0.91	86.5
德州	0.85	80.8
聊城	0.85	80.8
滨州	0.85	80.8
菏泽	0.85	80.8
省直管企业	1	95

备注：退职人员按统筹所在市（省直管企业）退休人员标准的80%计算增加。

附件2：

2009年调整企业退休人员基本养老金汇总表

单位名称（公章）：

	人数（人）	调整前月人均养老金（元）	月人均增加额			调整待遇月需资金（万元）
			普遍调整（元）	适当提高（元）	小计（元）	
普遍调整						

续表

			人数（人）	调整前月人均养老金（元）	月人均增加额			调整待遇月需资金（万元）
					普遍调整（元）	适当提高（元）	小计（元）	
适当提高	具有高级职称的退休科技人员	正高						
		副高						
	1953年12月31日前参加工作的退休人员	合计						
		其中薪金制人员						
	原工商业者中的退休人员							
	满70周岁不满75周岁的人员							
	满75周岁不满80周岁的人员							
	满80周岁的人员							
备注								

单位负责人：　　　　　　　　　　经办人：　　　　　　　　　　填表日期：

省劳动和社会保障厅　省财政厅关于适当增加企业建国前老工人退休待遇的通知

2009年1月8日　鲁劳社〔2009〕6号

各市人民政府，各养老保险省直管企业：

根据人力资源和社会保障部、财政部关于调整企业退休人员基本养老金的有关规定精神，结合我省实际，经省政府同意，从2009年1月1日起，对部分基本养老金水平相对偏低的企业建国前老工人适当增加退休待遇。现就有关问题通知如下：

一、人员范围

2008年12月31日前已按原劳动人事部劳人险〔1983〕3号文件规定办理退休手续的建国前老工人。

二、增加标准

红军时期参加革命工作的，每人每月增加500元；抗日战争时期参加革命工作的，每人每月增加400元；解放战争时期参加革命工作的，每人每月增加300元。

三、资金列支渠道

这次增加建国前老工人退休待遇所需资金，参加了基本养老保险社会统筹的，从统筹基金中列支；未参加社会统筹的，从原渠道列支。

省劳动和社会保障厅　省财政厅关于印发《山东省加强就业培训　提高就业与创业能力五年规划（2009～2013）》的通知

2009年1月12日　鲁劳社〔2009〕8号

各市劳动和社会保障局、财政局：

根据《山东省人民政府办公厅转发省劳动保障厅　省财政厅关于加强就业培训　提高就业与创业能力的意见的通知》（鲁政办发〔2008〕37号）精神，为切实将城乡劳动者的就业与创业能力培训落到实处，经研究制定《山东省加强就业培训　提高就业与创业能力五年规划（2009～2013）》，现印发给你们。各市要切实加强领导，精心组织实施，于2009年2月10日前将实施方案报省劳动保障厅、财政厅备案。

省劳动保障厅：

联系人：刘琰、邹昌保

联系电话：0531－86900965　86900820（传真）

电子邮箱：liuy@ldt.sd.gov.cn，ly510510@126.com

省财政厅：

联系人：单彦彦、朱彪

联系电话：0531－82669775　82669774（传真）

附件：山东省加强就业培训　提高就业与创业能力五年规划（2009～2013）

附件：

山东省加强就业培训　提高就业与创业能力五年规划（2009～2013）

根据《山东省人民政府办公厅转发省劳动保障厅　省财政厅关于加强就业培训　提高就业与创业能力的意见的通知》（鲁政办发〔2008〕37号）要求，制定《山东省加强就业培训　提高就业与创业能力五年规划（2009～2013）》（以下简称《规划》）。

一、指导思想和任务

（一）指导思想。坚持以贯彻落实科学发展观为指导，从我省经济社会发展、产业结构调整和区域协调发展对技能劳动者的需求出发，与造就千百万技术人才和建设经济文化强省相适应，通过实施加强就业培训提高就业与创业能力五年规划，大力开展就业与创业能力培训，全面提升城乡劳动者的就业竞争能力、职业转换能力和创业带动能力，实现统筹城乡就业，缓解就业矛盾，促进我省社会经济又好又快发展。

（二）总体目标。从2009年开始，力争用5年时间，对100万城镇新成长劳动力实施就业竞争能力培训，对200万城镇就业转失业人员实施职业转换能力培训，对200万进城务工人员实施转移就业能力和技能提升培训，对50万城乡劳动者实施创业能力培训（简称“1225”培训任务）。使300万人达到初级技能水平，150万人达到中级技能水平，50万人达到高级技能水平；培训合格率达到90%以上，并使80%以上培训人员实现就业或自主创业。

二、培训对象和范围

城镇新成长劳动力包括登记失业的未能继续升学的初（高）中毕业生、高校毕业生、复退军人和其他城镇新成长劳动者；城镇就业转失业人员，包括国有、集体企业就业转失业人员和其他城镇就业转失业人员；进城务工人员，是指进城务工的农村转移劳动力；创业培训人员，包括有创业愿望和创业能力的城乡劳动者，重点是城镇登记失业人员、高校毕业生和返乡创业农民工。

三、基本原则和要求

（一）统一规划，分级实施。《规划》由省统一制定，按确定的年度任务，由省、市、县三级劳动保障和财政部门共同组织实施。

（二）公开透明，市场运作。坚持公开透明原则，实行市场化运作，整合培训资源，确保招标投标、培训机构认定、费用支出、职业培训补贴等操作过程公开透明。

（三）成果购买，严格考核。采取政府购买培训成果的方法，建立政府补贴与培训成本、培训质量和就业效果挂钩的就业培训绩效考评机制，鼓励有能力有条件的各类社会培训机构通过竞争参与培训。各地劳动保障部门和财政部门对定点培训机构实行不定期抽查和年度检查，并按照绩效挂钩的原则向培训机构支付职业培训补贴。

（四）强化管理，严格监督。建立系统、完善的培训管理机制，充分利用就业信息网络，实行培训人员实名制管理和网上公开申报、公示管理制度。加强对培训人员的后续就业服务工作，积极促进培训人员实现就业。

四、任务与分工

（一）部门分工。《规划》由山东省加强就业培训提高就业与创业能力领导小组负责组织实施。按照分工协作的原则，劳动保障部门侧重下达培训任务，牵头培训机构的招投标与认定，审定专业设置，筛选培训对象，提供就业信息，负责考核、监督和技能鉴定。财政部门侧重职业培训补贴资金的筹集、拨付、管理和监督，配合劳动保障部门确定培训计划等。

（二）省、市、县分工。省负责制定《规划》、下达年度培训计划、制定有关政策、指导各市组织实施，负责培训项目监督和考核。市级主要负责分解培训任务、制定配套措施、筛选培训对象、招标确定培训机构、审定专业设置、提供就业信息，负责对定点培训机构的监督、考核和培训人员的技能鉴定以及培训任务完成情况的总结。县级主要负责当地培训任务的组织实施并及时上报培训项目实施情况。

（三）培训机构分工。培训机构负责对培训学员招收、教学、实习、管理、就业等工作。

五、培训内容与要求

为确保培训质量，针对不同的培训对象，可采取长、中、短期相结合，脱产培训、业余培训以及脱产与业余培训相结合等灵活多样的培训方式，鼓励定点培训机构根据用人单位生产经营实际，开展订单式培训、定向式培训或储备式培训，使培训与就业紧密结合。

（一）职业技能培训。采取理论学习、实际操作和生产实践相结合的方式进行，根据职业（工种）标准和岗位规范确定培训内容分类施教。用人单位有特殊要求的，培训机构应结合用人单位的生产实际，合理调整课程与课时，有针对性地开展培训。

尚未找到工作的城镇新成长劳动力、城镇就业转失业人员、进城务工人员可参加初级职业技能培训。初级职业技能培训时间200～400课时，其中实际操作培训不少于总培训的2/3。培训合格后，能够运用基本技能独立完成本职业的常规工作。

已取得初级职业资格证书并连续工作5年以上的城镇就业转失业人员、进城务工人员可参加中级职业技能培训。中级职业技能培训时间300～600课时，其中实际操作培训不少于总培训的2/3。培训合格后，能够熟练运用基本技能独立完成本职业的常规工作；在特定情况下，能运用专门技能完成技术较为复杂的工作。

已取得中级职业资格证书并连续工作7年以上的城镇就业转失业人员、进城务工人员可参加高级职业技能培训。高级职业技能培训时间100～300课时，其中实际操作培训不少于总培训的2/3。培训合格后，能够熟练运用基本技能和专门技能完成较为复杂的工作，包括完成部分非常规性工作；能够独立处理工作中出现的问题；能指导和培训初、中级人员。

另外，凡从事单一工序作业的劳动力，可以参加专项技能培训，并取得相应的职业资格证书。

（二）创业能力培训。主要包括创业意识培训、创业知识培训和创业服务。创业意识和能力培训不得少于150课时，对创办企业的学员要进行后续跟踪扶持服务，包括政策咨询、开办指导、专家服务、小额担保贷款等创业服务内容，服务时间不少于200课时。

六、组织实施

（一）培训任务下达。根据《规划》培训任务（见附件1），结合各市培训工作情况，省进一步细化分解年度培训任务，除2009年任务外，其后各年度培训任务均于上年12月底前下达。

（二）培训任务分解。各市要按照“公平、公正、公开”的原则，根据当地经济发展需要及用工需求科学合理配置培训专业，确定培训专业（工种）名称及所属县、区的培训工种、数量、课时等，制定详细信息表，并采用公开招标的办法确定培训实施机构，于每年2月底前将当年的培训机构、培训工种、培训人数、培训内容及课时，向社会公布。

（三）培训报名及管理。符合条件的人员参加培训，应持《就业失业登记证》到市（县、区）人力资源市场就业培训窗口报名。各级就业培训管理机构应在“劳动力市场信息系统”（劳动99’三版）基础上进行登记报名，并为其提供职业指导，帮助选择培训方向，确定培训机构。就业培训机构对其相关信息进行统一登记，并根据报名情况统筹安排班次，调剂生源。省统一制定培训人员基本信息情况表，所有培训人员基本信息、培训机构、培训班次、就业情况等均要实行网上公开管理。

（四）考核及发证。培训学员完成规定的教学计划后，须由各市劳动就业服务机构统一组织考核。考核可根据国家职业资格标准和培训计划、大纲命题，严格按照考务规程组织进行。专业知识考核采取闭卷笔试，技能考核采取纸笔答卷与现场操作相结合的方式。考核合格的学员，由省劳动保障厅颁发“就业与创业能力培训项目”合格证书。考核不合格的学员，可跟随下一个培训批次补考一次。

参加初、中、高级职业技能培训的学员在取得“就业与创业能力培训”合格证书的同时，经职业技能鉴定机构考核合格，取得相应职业资格证书。

（五）培训费用支付。培训费用由个人、培训机构、企业和政府共同承担。参加初级职业培训的，个人先垫付培训费用的20%，经考核合格后，培训机构凭相关证明返还个人垫付的培训费用。参加中、高级职业培训的，个人需自付培训费用的20%，个人自付和政府补贴后培训费用仍不足的，由培训机构或企业承担。在个人自付，市、县两级财政职业培训补贴落实到位的基础上，省财政将按照“考核到班，补贴到人”的办法对各市给予补助。

七、保障措施

（一）加强组织领导。省劳动保障厅、财政厅成立山东省“加强就业培训提高就业与创业能力”培训项目领导小组（见附件2），下设办公室，办公室设在山东省劳动就业办公室，具体负责全省“加强就业培训提高就业与创业能力”培训项目的计划制定、组织、协调、指导和监督；设立专家委员会，负责指导各地开展职业技能与创业培训，解决培训机构招标工作、项目实施过程中遇到的有关问题；设立考评委员会，负责制定考核办法，进行年度考核，对培训项目的考评员进行培训与管理，日常培训的监督与管理。各级也要成立相应组织，按照各自职责分工，密切配合，协调培训与就业的各个环节，确保高质量地完成就业与创业能力任务。

（二）加强监督管理。省劳动保障厅、财政厅将根据《规划》要求，制定项目管理办法、定点培训机构招标管理办法、资金管理办法、绩效考核办法等，切实加强实施管理，提高项目效益。各级劳动保障部门、财政部门要建立责任制，逐级落实责任，保证培训规划顺利实施。劳动保障部门要设立公开电话，接受社会监督，做到公正、公平、公开。

附件：1. 山东省加强就业培训提高就业与创业能力五年规划任务

2. 山东省“加强就业培训提高就业与创业能力”培训项目领导小组名单

3. 山东省“加强就业培训提高就业与创业能力”培训项目领导小组办公室名单

附件1：

山东省加强就业培训提高就业与创业能力五年规划任务

单位：万人

各市	就业竞争能力培训（100万城镇新成长劳动力）				职业转换能力培训（200万城镇就业转失业人员）				转移就业能力和技能提升培训（200万进城务工人员）				创业能力培训（50万有创业愿望的城乡劳动者）
	总数	初级工	中级工	高级工	总数	初级工	中级工	高级工	总数	初级工	中级工	高级工	
济南	8	4.8	2.4	0.8	19	11.4	5.7	1.9	18	10.8	5.4	1.8	4
青岛	11	6.6	3.3	1.1	30	18	9	3	25	15	7.5	2.5	8
淄博	8	4.8	2.4	0.8	14	8.4	4.2	1.4	12	7.2	3.6	1.2	3
枣庄	5	3	1.5	0.5	9	5.4	2.7	0.9	9	5.4	2.7	0.9	2
东营	3	1.8	0.9	0.3	6.5	3.9	1.95	0.65	6	3.6	1.8	0.6	5
烟台	6	3.6	1.8	0.6	13	7.8	3.9	1.3	14	8.4	4.2	1.4	3
潍坊	8	4.8	2.4	0.8	19	11.4	5.7	1.9	14	8.4	4.2	1.4	4
济宁	8	4.8	2.4	0.8	14	8.4	4.2	1.4	10	6	3	1	4
泰安	5	3	1.5	0.5	10	6	3	1	9	5.4	2.7	0.9	3
威海	3	1.8	0.9	0.3	4	2.4	1.2	0.4	9	5.4	2.7	0.9	1
日照	2	1.2	0.6	0.2	6.5	3.9	1.95	0.65	6	3.6	1.8	0.6	1
莱芜	2	1.2	0.6	0.2	4	2.4	1.2	0.4	6	3.6	1.8	0.6	1
临沂	8	4.8	2.4	0.8	12.5	7.5	3.75	1.25	14	8.4	4.2	1.4	3
德州	5	3	1.5	0.5	11	6.6	3.3	1.1	10	6	3	1	1
聊城	5	3	1.5	0.5	10.5	6.3	3.15	1.05	10	6	3	1	2
滨州	8	4.8	2.4	0.8	8	4.8	2.4	0.8	14	8.4	4.2	1.4	1
菏泽	5	3	1.5	0.5	9	5.4	2.7	0.9	14	8.4	4.2	1.4	2
合计	100	60	30	10	200	120	60	20	200	120	60	20	50

附件2：

山东省“加强就业培训提高就业与创业能力”培训项目领导小组名单

组　长：董国勋　山东省劳动和社会保障厅厅长

副组长：阮凤英　山东省财政厅副厅长

李伯平　山东省劳动和社会保障厅副厅长

成　员：宋新生　山东省财政厅社会保障处处长

杨洁德　山东省劳动和社会保障厅规划财务处处长

房　明　山东省劳动和社会保障厅培训就业处处长

毕京福　山东省劳动就业办公室主任

孙戈力　山东省职业技能鉴定中心主任

李轩红　山东省财政厅社会保障处副处长

谭建国　山东省劳动就业办公室副主任

附件3：

山东省“加强就业培训提高就业与创业能力”培训项目领导小组办公室名单

主　任：毕京福　山东省劳动就业办公室主任

副主任：李轩红　山东省财政厅社会保障处副处长

郭增祥　山东省劳动和社会保障厅规划财务处副处长

谭建国　山东省劳动就业办公室副主任

成　员：朱晓芃　山东省劳动和社会保障厅培训就业处

单彦彦　山东省财政厅社会保障处

刘　琰　山东省劳动就业办公室

刘良俊　山东省职业技能鉴定中心

省劳动和社会保障厅　省财政厅关于进一步做好城镇居民基本医疗保险试点工作有关问题的通知

2009年1月8日　鲁劳社〔2009〕9号

各市劳动和社会保障局、财政局：

根据人力资源和社会保障部、财政部《关于做好2008年城镇居民基本医疗保险试点工作的通知》（人社部发〔2008〕39号）文件精神，为进一步做好全省城镇居民基本医疗保险试点工作，现就有关问题通知如下：

一、进一步明确目标任务。各市要高度重视试点工作，加强组织领导，加大工作力度，大力推进城镇居民基本医疗保险试点工作。在今年全省试点工作全面启动的基础上，2009年年底全省城镇居民参保率要达到80%以上。同时，积极稳妥地推进大学生参加城镇居民基本医疗保险试点工作，确保2009年3月底前将大学生全部纳入参保范围。

二、完善财政补助政策。根据人社部发〔2008〕39号文件规定，在坚持个人（家庭）缴费的基础上，从2009年起，适当提高部分参保人群的政府补助标准。其中，对试点城市的一般未成年和成年参保居民，各级政府每年按人均不低于80元给予补助；对未成年参保居民中的低保对象和重度残疾人，各级政府每年按人均不低于90元给予补助。对一般老年人、成年人中的低保对象和重度残疾人参保补助标准不变，仍分别为人均不低于100元、140元。补助标准提高后，省财政对各市继续按鲁政发〔2007〕61号文件规定的补助标准和比例进行补助。各地要按照《山东省城镇居民基本医疗保险省级补助资金申请拨付暂行办法》（鲁财社〔2007〕56号）要求，及时上报申报材料，确保中央和省财政补助资金申报审核相关工作顺利进行。地方各级财政要努力调整财政支出结构，将补助资金列入预算，确保补助资金及时足额落实到位。地方各级财政要规范和完善财政补助资金拨付办法，简化拨付流程，及时足额拨付上级和本级补助资金，加强对补助资金申报、使用的监督管理，确保专款专用。

三、切实完善政策措施。尚未实行市级统筹的市，要尽早研究实行市级统筹的有效措施，稳步推进城镇居民基本医疗保险试点的市级统筹工作，增强基金的抗风险能力和互助共济能力。要积极研究推进城镇居民普通门诊医疗费用统筹。各地在重点保障住院和门诊大病医疗费用的基础上，充分利用社区卫生服务资源，建立普通门诊医疗费用统筹办法，扩大制度受益面，增强政策吸引力。要进一步完善基金支付政策。科学设计基本医疗保险费用支出的项目、范围和比例，改进和完善费用结算办法，不断提高医疗保障水平和基金使用效益。

2009年是城镇居民基本医疗保险试点工作的关键一年，做好2009年的试点工作，不断扩大城镇居民参保覆盖面，稳步提高参保居民的医疗保障水平，对解决城镇居民“看病难，看病贵”问题以及构建社会主义和谐社会具有十分重要的意义。各级劳动保障、财政部门一定要在党委、政府的领导下，进一步统一思想，提高认识，增强做好试点工作的紧迫感和责任感，按照既定的工作目标，密切配合，精心组织，抓好各项工作的落实，确保全省试点工作目标的完成。

省劳动和社会保障厅　省财政厅关于调整1至4级工伤人员伤残津贴、生活护理费和供养亲属抚恤金的通知

2009年1月17日　鲁劳社〔2009〕10号

各市劳动和社会保障局、财政局，各有关单位：

为切实保障企业、事业单位（参照公务员法管理的事业单位除外，下同）、民间非营利组织1至4级工伤人员和供养亲属的生活，根据《工伤保险条例》和《山东省贯彻〈工伤保险条例〉试行办法》的有关规定，经省政府同意，从2009年1月1日起，对企业、事业单位、民间非营利组织1至4级工伤人员伤残津贴、生活护理费和供养亲属抚恤金进行调整。现就有关问题通知如下：

一、调整范围

2008年12月31日前享受伤残津贴的1至4级企业、事业单位、民间非营利组织工伤人员（不包括领取基本养老金的退休工伤人员）以及经批准领取生活护理费的工伤人员和领取供养亲属抚恤金的因工死亡人员（含因工致残完全丧失劳动能力领取养老金期间死亡人员）供养亲属。

二、调整标准

伤残津贴：按照《2009年1至4级工伤人员伤残津贴调整表》（见附件1）明确的标准，1至4级工伤人员每人每月分别增加140～175元。

供养亲属抚恤金：配偶每人每月增加70元，其他供养亲属每人每月增加60元，孤寡老人或者孤儿每

人每月在上述标准的基础上增加 10 元。

生活护理费：以 2008 年统筹地区职工月平均工资为基数进行调整，调整比例按《工伤保险条例》第三十二条的规定执行。

三、资金来源

调整上述三项待遇所需费用，已参加工伤保险单位的工伤人员的有关费用，由工伤保险基金支付；未参加工伤保险单位的工伤人员的相关费用，由用人单位支付。

此次调整 1 至 4 级工伤人员伤残津贴、生活护理费和供养亲属抚恤金，充分体现了党和政府对工伤人员以及工亡人员亲属的关怀。各市劳动保障局要高度重视，切实加强领导，认真组织实施，确保 2009 年 2 月底前完成此项工作。3 月 15 日前，各市要写出总结，连同《2009 年调整工伤保险待遇情况统计表》（见附件 2），分别报省劳动保障厅、省财政厅。

附件：1. 2009 年 1 至 4 级工伤人员伤残津贴调整表

2. 2009 年调整工伤保险待遇情况统计表

附件 1：

2009 年 1 至 4 级工伤人员伤残津贴调整表

单位：元

市 名 称	工伤人员伤残津贴月人均增加额			
	一 级	二 级	三 级	四 级
济南	175	170	165	160
青岛	175	170	165	160
淄博	175	170	165	160
枣庄	165	160	155	150
东营	175	170	165	160
烟台	175	170	165	160
潍坊	165	160	155	150
济宁	165	160	155	150
泰安	165	160	155	150
威海	175	170	165	160
日照	165	160	155	150
来芜	165	160	155	150
临沂	155	150	145	140
德州	155	150	145	140
聊城	155	150	145	140
滨州	155	150	145	140
菏泽	155	150	145	140

附件2：

2009年调整工伤保险待遇情况统计表

市名称：

	其中月伤残津贴、抚恤金、生活护理费数额（元）																		合计栏		
	500（含）以下		500～700		700～800		800～1 000		1 000～1 500		1 500～2 000		2 000～2 500		2 500～3 000		3 000以上		总人数	月人均	调整待遇月需资金（万元）
	人数	占%	人数	占%	人数	占%	人数	占%	人数	占%	人数	占%	人数	占%	人数	占%	人数	占%			
全市纳入工伤保险统筹工伤全残人员																					
供养直系亲属																					
享受生活护理费人员																					

单位负责人签字（章）： 填表人签字（章）：

注：1. 此统计表截止1月底待遇调整结束。2. 此表于3月15日前连同总结一起报省劳动保障厅和省财政厅。

省劳动和社会保障厅　省人事厅　省财政厅关于2009年调整企业退休人员基本养老金向基本养老金偏低的企业退休军转干部倾斜问题的通知

2009年1月20日　鲁劳社〔2009〕11号

各市人民政府，各养老保险省直管企业：

根据人力资源和社会保障部、财政部人社部发〔2008〕102号文件精神，结合我省实际，经省政府同意，现就2009年调整企业退休人员基本养老金向基本养老金偏低的企业退休军转干部倾斜问题通知如下：

对2008年12月31日前已按规定办理退休手续的企业退休军转干部，本人基本养老金低于当地上年度基本养老金平均水平的，按每人每月不超过50元提高基本养老金，提高后不超过当地上年度基本养老金平均水平，自2009年1月1日起执行。所需资金按省劳动保障厅、省财政厅鲁劳社〔2009〕5号文件规定执行。

2008年调整企业退休人员基本养老金时，违反省劳动保障厅、省财政厅鲁劳社〔2008〕3号文件规定的，一律予以纠正。

省劳动和社会保障厅　省发展和改革委员会　省财政厅关于实施特别职业培训计划的通知

2009年4月24日　鲁劳社〔2009〕26号

各市劳动保障局、发展改革委、财政局：

为应对当前金融危机对我省就业造成的影响，帮助受金融危机影响较大的困难企业渡过难关，鼓励困难企业尽量不裁员或少裁员，进一步稳定全省就业局势，根据《山东省人民政府关于采取积极措施稳定和促进就业的通知》（鲁政办〔2009〕16号）和人力资源和社会保障部、国家发改委、财政部《关于实施特别职业培训计划的通知》（人社部发〔2009〕8号）的要求，现就实施特别职业培训计划通知如下：

一、明确指导思想和目标任务

实施特别职业培训计划是深入贯彻落实党的十七届三中全会精神，实践科学发展观的具体要求。要紧紧围绕受金融危机影响的各类劳动者的就业需要，加强信息引导，用足用好职业培训政策，鼓励企业加强对职工的职业培训，鼓励劳动者参加职业培训，依托技工院校和各类职业培训机构，大力开展技能培训，扩大培训规模，延长培训期限，加大培训投入，提升培训能力，进一步提高劳动者就业、再就业和创业能力，满足企业实现产业升级的需要，努力保持就业局势的稳定。

从2009年至2010年，利用2年左右时间，集中对困难企业在职职工开展技能提升培训和转岗转业培训，帮助其实现稳定就业；对失去工作返乡的农民工开展实用职业技能培训或创业培训，促进其实现转移就业或返乡创业；对失业人员（包括参加失业登记的大学毕业生、留在城里的失业农民工）开展中短期技能培训，帮助其实现再就业；对城乡新成长劳动力开展就业竞争能力培训，提高其就业能力。

二、多措并举，积极开展各类职业培训

（一）对困难企业职工开展在岗培训和转岗培训，稳定职工队伍。凡生产经营受到国际金融危机影响，造成生产任务不饱和，处于减产、停产状态的企业，经当地政府认定为生产经营困难企业，应按照省劳动保障厅、省财政厅、省国税局、省地税局《关于减轻企业负担稳定就业局势有关问题的通知》（鲁劳社〔2009〕7号，以下简称《通知》）规定，组织职工参加在岗培训和转岗培训，进一步提升职工的职业技能水平和职业素养。培训包括岗位技能提升培训、转业转岗培训、职工素质培训、安全生产知识培训、一岗多能培训、班组长培训等，培训时间为1~3个月（不少于200课时）。各地劳动保障部门要指导并会同企业制定和完善职工培训计划，依托当地技工院校、就业训练中心和企业职工培训机构组织实施。所需资金按规定从企业职工教育培训经费中列支，不足部分，可在严格标准和程序的前提下，经当地劳动保障和财政部门核准，由当地就业专项资金予以适当支持。

申请使用就业专项资金对企业职工开展在岗职业技能培训的困难企业，应按国家有关规定提取职工教育培训经费，积极开展职业教育培训。困难企业已申请在岗培训补贴的，不能同时申请岗位补贴或社会保险补贴，在岗培训补贴的执行期限为2009年之内。参加在岗培训的困难企业职工通过培训取得相应等级国家职业资格证书后，企业职工教育培训经费不足部分，可凭培训人员名单、劳动合同复印件等材料，向当地劳动保障部门提出申请，经劳动保障部门审核、财政部门复核后，由当地财政部门按最高不超过500元/人的标准给予补贴。补贴资金直接拨入企业在银行开立的基本账户。

（二）对失去工作返乡的农民工开展实用技能培训，实现就地转移安置。对失去工作返乡的农民工，根据其转移就业要求和劳务输出意愿，组织开展实用技能培训或技能提升培训。要紧密结合当地产业结构调整、企业技术改造和新开工建设项目的需求，重点围绕国家支持的铁路、交通、建设、电力及灾区建设等领域，开展订单式、定向式专项技能培训，提高农民工技能水平。对已返乡从事农业生产的农民工，重点结合农业产业化发展和社会主义新农村建设要求，开展农村养殖、农产品加工、农业生产经营等实用技能培训。对有技术和资金并有创业意愿的返乡农民工，组织开展创业培训，加强项目开发、开业指导、小额贷款、后续扶持等“一条龙”服务，帮助其自主创业。对进城务工的农民工参加培训通过初次技能鉴定并取得国家职业资格证书的（限国家规定实行就业准入制度的特殊工种），给予一次性职业技能鉴定补贴，所需资金从当地就业专项资金中支付。

（三）对城镇失业人员开展职业转换能力培训，尽快实现再就业。对城镇就业转失业人员和留在城镇继续找工作的失业农民工，要结合当地实际和本人特点，组织其参加3~6个月（不少于400课时）的再就业培训。要紧密结合当地重点拓展的就业领域，开展符合产业调整政策的行业和需求发展的职业工种，重点开发面向城市社区就业的服务类技能培训项目，采取灵活多样的培训形式和手段，突出培训的实用性和适用性。对有创业愿望的失业人员开展创业培训，帮助其尽快实现自谋职业或自主创业。要针对今年在校即将毕业的大学生开展创业意识教育，提高对创业的认识和理解。对进行失业登记的大学毕业生可组织参加以技能操作为主的技能培训和创业培训，提高其就业能力和自主创业能力。各地劳动保障部门要充分发挥技工院校等各类办学机构的作用，通过招投标等手段开展市场化培训，切实发挥资金使用效果。对上述人员开展培训所需资金，按规定由就业专项资金或失业保险基金给予补贴。

（四）对城乡新成长劳动者开展就业竞争能力培训，提高就业能力。对城镇新成长劳动力和农村初、高中毕业后未能继续升学的人员（农村“两后生”），组织其到技工院校参加6~12个月（不少于600课时）的就业竞争能力培训，提升技能水平和就业能力，延缓进入就业市场的时间。各地要采取措施扩大技工院校招生规模，加大培训机构与企业的联合力度，通过订单、定向培训等方式，强化职业技能水平，实现就业与培训的有效衔接。对农村“两后生”培训所需资金，按规定由当地就业专项资金给予补贴。

三、加强领导，落实各项保障措施

（一）提高思想认识，加强组织领导。各级要按照落实科学发展观的要求，充分认清职业培训在特定时期对促进就业、稳定就业的重要地位，积极发挥职业培训服务经济发展，维护社会稳定的重要作用，将现阶段加强职业培训，援企稳岗工作作为近期服务企业、服务劳动者的一项重要民生工程，纳入当地促进经济发展的总体部署，抓好工作落实。要结合我省实施的“加强就业培训提高就业与创业能力”培训项目，落实目标任务，完善政策措施，强化工作考核，全力以赴抓好组织实施。

（二）落实资金政策，强化监督检查。各级劳动保障部门要加强与财政、发改等部门的协调，对做好职业培训、援企稳岗工作给予资金保证。要加强对各类资金的监管，坚决杜绝截留、挤占、挪用、套取、骗取补助资金现象。要加强对培训过程的监督检查，做到事前、事中、事后全过程监督，发现问题及时处理。要完善定点培训机构管理办法、资金管理办法、绩效考核办法等，简化审批程序，减少审批环节。各级劳动保障部门、财政部门要建立责任制，逐级落实责任，保证职业培训顺利实施。要督促各培训机构建立培训台账，将培训计划、培训人员等情况及时公开，劳动保障部门要设立公开电话，接受社会监督，做到公正、公平、公开。

（三）发挥资源优势，加强服务工作。各级劳动保障部门要依托街道乡镇劳动保障工作平台，了解劳动者培训需求，摸清底数。要会同发改、财政等部门，继续加强中等职业教育基础能力建设，对承担培训任务的技工院校，在改善办学条件方面给予支持，确保培训工作顺利实施。各技工院校和各类职业培训机构，要落实好培训师资、教学场地、培训计划等工作。各级职业技能鉴定机构要为劳动者提供便捷的技能鉴定服务，按规定落实就业困难人员、进城务工农民工的职业技能鉴定补贴，并适当减免鉴定费用。公共就业服务机构要根据企业用工和劳动者就业状况，通过多种渠道及时发布用工信息，提供政策咨询、职业指导和职业介绍等就业服务。

（四）加强技术支持，提高培训质量。各级劳动保障部门要充分依托行业、企业做好培训需求预测工作。根据培训需求做好培训项目开发和培训教材、课程的研究开发工作，提高教材适应技术进步和技能人才培养需要的水平。加强技工院校、就业训练中心、职业培训机构教师队伍建设，通过聘请企业高技能人才、大学生志愿者等多种渠道，扩充师资数量，采取轮训、定期培训、业务进修等方式，切实提高教师专业素质和技能水平。

各地要根据当地实际，将特别职业培训计划纳入我省“加强就业培训提高就业与创业能力”培训项目组织实施。请各市将具体实施方案于2009年5月15日前报省劳动就业办公室。

省劳动和社会保障厅　省教育厅　省科学技术厅　省财政厅　省中小企业办公室　中国人民银行济南分行　省总工会　共青团山东省委　省妇女联合会　省工商业联合会关于创建创业型城市（县、区）的指导意见

2009年5月20日　鲁劳社〔2009〕31号

各市劳动保障局、教育局、科技局、财政局、中小企业办、人民银行（山东省）各市中心支行（分行营业管理部）、总工会、共青团市委、妇联、工商联：

为贯彻落实省政府《关于采取积极措施稳定和促进就业的通知》（鲁政发〔2009〕16号）和省政府办公厅《关于促进以创业带动就业工作的意见》（鲁政办发〔2009〕1号）等有关文件精神，全面开展创建创业型城市活动，促进我省创业带动就业工作的深入开展，现就创建创业型城市（县、区）工作提出以下指导意见：

一、指导思想

以党的十七大"促进以创业带动就业"的战略要求为指导，以扩大就业为导向，深入贯彻落实科学发展观，加快构建促进以创业带动就业的组织领导体系、政策扶持体系、创业培训体系、创业服务体系、工作考核体系，更好地发挥政府职能作用，充分调动社会各界力量，进一步优化创业环境，提升创业服务水平，鼓励支持更多的城乡劳动者自主创业，形成政府促进创业、社会支持创业、劳动者参与创业的社会氛围，促进以创业带动就业，促进社会和谐稳定。

二、目标任务

创建创业型城市（县、区）应充分发挥先行先试和示范带头作用，率先建树，率先突破，率先取得成效。力争每年参加创业服务、创业培训和自主创业的劳动者人数大幅增加；创办新企业的数量与企业存活率不断增加，企业存活期不断延长；社会各界对当地创业环境和创业工作的满意度不断提高；创业带动就业效果显著提高。具体目标任务是：创业培训合格率达到90%以上，培训合格后的创业服务率达到100%，创业初始成功率达到70%以上，创业企业存活率达到80%以上，努力实现自主创业1人带动就业5人以上，创办1个企业平均带动就业10人以上的倍增效应。

三、创建创业型城市（县、区）应具备的条件

城市经济发展环境较好，非公有制经济发展较快，创业机会多，创业环境宽松；能够认真贯彻实施国家和省制定的一系列创业扶持政策；创业培训工作扎实有效，创业指导服务组织健全，全面开展"一站式"创业服务；建立了多渠道的创业资金筹措和扶持激励机制，有用于兑现创业扶持政策、创业服务体系建设、创业孵化基地建设以及工作奖励等创业推动工作的经费保障；建立了促进以创业带动就业工作的组织机构，政府、相关部门和社会组织对创建工作积极性高，并能为开展创建工作创造必要的工作条件。

具备以上条件的县级城市（县、区）均可申请创建创业型城市（县、区）。首批创建名额每个市1~2个，各市要按照上述基本条件并结合具体情况组织申报。

四、创业型城市（县、区）主要创建指标

（一）全员创业活动指数。反映辖区内参与创业活动的人数占城镇劳动者的比例。创业活动是指城乡各类劳动者通过自主创办生产服务项目、企业或从事个体经营。

（二）创业活动对企业成长的贡献率。主要反映创业企业增长率、创业企业存活率（1~3年）等。

（三）创业活动对就业的贡献率。反映辖区内新增创业人数及其带动就业人数之和占全部新增就业人数的比例。

（四）创业环境满意度。主要反映社会各界对当地创业环境和促进以创业带动就业工作成效的满意程度。主要指标包括创业政策落实满意度、创业金融支持满意度、创业服务满意度、创业成本满意度、企业经营环境满意度、创业初始成功率、创业培训后创业成功率、创业带动就业率等。

（五）其他指标。主要包括整体反映城市创业活力、创业效率以及促进创业带动就业工作成效的指标。

以上指标要重点反映高校毕业生、城镇失业人员和返乡农民工创业情况。创业型城市（县、区）评估标准和办法另行制定。

创建创业型城市的市（县、区）经过省评估验收达标后，可认定为创业型城市（县、区）。创建活动结束后，对评估达标的创业型县（市、区），将结合实际工作绩效，给予表彰奖励。

五、推动创建工作的主要措施

（一）建立工作指导体系。成立由政府领导负责、劳动保障部门牵头，相关部门共同参与，分工负责、协调配合的创建创业型城市（县、区）工作领导小组，负责创建工作的统筹规划、协调和指导，形成政府促进创业的工作推动机制。劳动保障部门负责承担领导小组日常事务，并指定专门的机构具体承担创建工作任务。充分发挥工商联、工会、共青团、妇联、残联以及行业协会、企业家协会的作用，探索建立创业带动就业的社会化运作机制。

（二）完善政策扶持体系。认真贯彻落实省政府办公厅《关于促进以创业带动就业工作的意见》（鲁政发〔2009〕1号）精神，重点针对创业者在市场准入、场地安排、行政服务、融资渠道和小额担保贷款等方面遇到的突出问题，逐步完善配套政策措施；全面落实税费减免、各项补贴、小额担保贷款等创业扶持政策，鼓励支持全民创业，形成促进以创业带动就业的政策体系。

（三）健全创业培训体系。扩大创业培训范围，将有创业愿望和培训需求的城乡劳动者全部纳入创业培训范围，全面落实创业培训补贴，实现城乡全覆盖。在各类普通高等院校、职业院校、技工院校、就业训练中心普遍开设创业教育和创业指导课程，提高创业意识。积极创新培训模式，组织准备创业的劳动者参加模拟创业和见习活动，提升创业能力，提高创业成功率。

（四）构建创业服务体系。创建城市（县、区）要组建创业指导专家志愿团和创业项目资源库，建立创业指导中心，健全创业指导服务组织，组织实施创业服务；充分依托公共就业服务体系，建立创业服务公共平台，加强创业服务队伍建设，完善创业服务的内容和形式，改善创业服务手段；建立创业信息服务网络和信息发布机制，建立创业项目市场化运作机制，开发形成基本成熟的创业服务体系；充分利用现有条件和闲置资源，在各类开发区、产业集聚区和专业市场开辟专门的创业孵化基地，为初创企业提供经营场地，为进入基地的创业者提供有效的培训指导服务和政策资金扶持。省劳动保障厅将联合有关部门认定、扶持一批省级创业孵化基地，具体办法另行制定。

（五）健全工作考核体系。建立健全创建工作考核目标责任考核制度，积极推动创建工作的全面开展。完善创业带动就业统计指标体系，把创业扶持政策、创业培训效果、创业服务质量、创业初始成功率、创

业稳定率、创业带动就业率等工作指标作为衡量创建工作的主要指标，逐级分解目标任务，纳入政府就业目标责任考核体系。

六、创建工作的时间安排

首批创业型城市（县、区）的创建时间为两年。2009 年 5 月底前，各市将首批创建创业型城市（县、区）的名单及创建城市（县、区）政府的创建申请报告一式三份报省劳动保障厅。6 月初，省公布创建创业型城市（县、区）名单。6 月 22 日前，各市指导创建创业型城市（县、区）政府成立创建工作领导小组，确定创建城市（县、区）工作机构，制定创建工作方案并报省劳动保障厅备案。2010 年底前，各市指导创建创业型城市（县、区）全面开展创建工作，鼓励创建创业型城市（县、区）提前完成创建任务。期间，省劳动保障厅将联合有关部门对创建工作进展情况进行督查。2011 年，省对创建创业型城市（县、区）进行评估验收，统一颁发牌匾。

七、推动创建工作的具体要求

（一）加强创建工作的指导和扶持。各市政府要加强对创建创业型城市（县、区）的指导，并积极在政策、资金等方面给予重点扶持。劳动保障部门要会同有关部门督促帮助创建创业型城市（县、区）成立创建工作领导小组，落实工作机构，研究制定工作方案。创建创业型城市（县、区）要在创建工作方案中明确目标任务、措施和步骤、部门职责和分工，确保完成创建工作目标任务。

（二）积极开展形式多样的创建活动。各地要积极创新模式，选择部分工作扎实有效、创业环境较好的街道、乡镇、社区开展形式多样的创建活动。要积极推行创建试点工作，探索创业型街道（乡、镇）、创业型社区、创业型园区、创业型新农村等模式，全面推进促进以创业带动就业工作的深入开展。

（三）实行创建工作信息专报制度。创建创业型城市（县、区）的日常工作情况和信息每季度报送一次，重要工作进展情况、信息和成果要及时报告。要采取在门户网站开辟专栏、定期编发工作动态、定期发布信息等多种形式及时反映工作情况和成效。省里将对各地好的典型经验和做法，加以宣传和推广。

联系人：王波　张玮

电　话：0531－86906088　86900913（传真）

E－mail：wb21909@163.com

省劳动和社会保障厅　省发展和改革委员会　省财政厅　省人事厅　省地方税务局　省工商行政管理局　省国家税务局　省总工会　共青团山东省委　省妇女联合会关于实施“就业伙伴行动”的通知

2009 年 5 月 25 日　鲁劳社〔2009〕33 号

各市劳动保障局、发改委、财政局、人事局、地税局、工商局、国税局、总工会、共青团、妇联：

为贯彻落实中央和省委省政府关于“保增长、保民生、保稳定”的一系列决策部署，推动各级各部门一系列扶持困难企业应对金融危机政策措施的落实，支持广大困难企业化压力为动力、变挑战为机遇，努力实现逆境突破求发展，促进困难企业稳定就业岗位，确保全省就业局势的稳定，根据省政府《关于采取积极措施稳定和促进就业的通知》（鲁政发〔2009〕16号）要求，决定在全省开展“就业伙伴行动”，现就有关内容通知如下：

一、指导思想和目标

（一）指导思想。全面贯彻落实全省就业和农民工工作会议精神，以科学发展观为指导，按照省委、省政府的要求，以稳定现有就业岗位为目标，以困难企业的动态管理为基础，以政府相关部门与困难企业结对帮扶为平台，以落实援企稳岗政策为手段，探索建立困难企业的援企稳岗工作机制，帮助企业树立信心、渡过难关，维护社会稳定。

（二）工作任务。一是建立全省受金融危机影响的困难企业动态监测制度。二是建立政府部门推动困难企业稳定就业的协作机制。三是建立困难企业援企稳岗的零距离帮扶模式。四是建立部门协作推动就业的目标责任考核机制。

（三）工作目标。一是企业目标，力争使95%以上的结对企业不进行规模性裁员，确需规模裁员的，力争使结对企业规模性裁员总量不超过职工总数的2%。二是结对目标，确保困难企业都有一个工作小组结对帮扶。三是服务目标，为每个困难企业签订一份伙伴协议书、一份企业援助方案、一份职工培训计划。四是宣传目标。开展政策宣讲进企业活动，增强企业应对挑战、攻坚克难的信心，营造齐心协力、共渡难关的浓厚氛围，全力帮助困难企业渡过难关。

二、实施范围和方式

（一）实施主体。就业伙伴行动由省就业工作联席会议统筹负责，省劳动保障、发展改革、财政、人事、地税、工商、国税部门和工会、共青团、妇联共同组织，市县劳动保障、发展改革、财政、人事、地税、工商、国税部门和工会、共青团、妇联具体实施，有条件的地方可以扩大实施主体范围。

（二）实施对象。实施援助的对象是根据省劳动保障厅、省财政厅、省国税局、省地税局《关于减轻企业负担稳定就业局势有关问题的通知》（鲁劳社〔2009〕7号）及各市有关规定条件认定的困难企业。

（三）实施方式。活动组织采取“条块结合、以条为主”的工作方式，由省就业工作联席会议有关部门建立就业伙伴行动领导机制，负责就业伙伴行动重大事项、重大活动的决策工作，参加联席会议的本部门单位联络员是具体协调人，负责协调本系统的活动组织发动、信息汇总等工作。市、县（市、区）有关部门单位要建立相应领导机制，抽调人员组成若干“就业伙伴行动工作小组”，每个小组由一名部门领导带队，其他部门抽调人员参加，分别与困难企业结成就业伙伴，实施结对援助。

三、实施步骤和内容

（一）摸清困难企业底数。6月初下发通知，督促各地严格按照人力资源社会保障部、财政部、国家税务总局《关于采取积极措施减轻企业负担稳定就业局势有关问题的通知》（人社部发〔2008〕117号）、省劳动保障厅等有关部门《关于减轻企业负担稳定就业局势有关问题的通知》（鲁劳社〔2009〕7号）要求，确定困难企业范围，实行动态台账管理，切实摸清我省困难企业状况。行动实施过程中新认定的困难企业，要适时纳入就业伙伴行动计划。

（二）建立与困难企业联系制度。组织“就业伙伴行动工作小组”与困难企业签订《就业伙伴协议书》，一式三份，明确双方责任。协议书的具体样式和内容由各市确定。实行“一份政策明白纸、一张帮扶联系卡和一张服务表”服务，建立与本地区困难企业联系制度，实行动态监测，主要监测困难企业的生产经营、劳动关系状况、减员动向和欠薪欠费等情况，对困难企业减员进行预警预测，对减员意向较大、出现规模裁员倾向或者经营难以为继的困难企业进行重点跟踪监测。

（三）具体帮扶内容。

1. 开展“送政策”活动。组织各有关部门精通政策的工作人员组成政策宣讲团，深入困难企业做好政策宣讲工作。对困难企业职工开展政策宣讲，内容包括工商、税务、劳动保障等方面的法律法规，特别是大力宣传有关困难企业缓缴社会保险费、降低社会保险缴费率、特别培训计划等扶持政策，鼓励企业充分利用扶持政策，尽量不裁员或少裁员。

2. 开展“送预案”活动。帮助困难企业制定应对金融危机预案，指导其在全面落实现行最低工资标准和企业工资分配制度、享受税费减免扶持等政策基础上，与职工以协商方式合理制定工时、工资、开展培训等稳定就业、发展企业的综合方案，应对当前经济形势对企业就业的影响。

3. 开展“送培训”活动。实施特别职业培训计划，指导企业制定完善职工培训计划，依托企业培训机构或技工院校，开展在岗职工技能提升、转业转岗、安全生产等方面的职业培训，提升职工的职业技能和职业素养。

4. 开展“送服务”活动。根据本部门的职能特点，为企业提供各类有利于企业发展的信息服务，包括为困难企业提供项目推介信息、市场供求信息等。为失业人员做好职业介绍、职业指导、档案代管等服务，积极促进其通过企业吸纳、自谋职业、自主创业、公益性岗位就业等方式实现就业，稳定企业和职工队伍。

（四）应对规模性裁员。当困难企业发生突发性事件或大规模失业事件时，当地劳动保障部门必须立即向省级劳动保障部门汇报，及时启动失业应急预案，以最快时间采取加强人员疏导、落实失业保险金、提供就业岗位、保障职工合法权益等措施，将职工平稳分流安置，缓解社会失业压力。

四、工作要求

（一）精心组织，加强领导。“就业伙伴行动”是帮扶困难企业应对金融危机冲击的重要举措，是今年全省就业工作的重要任务。各级各有关部门要根据通知要求，将其列入重要议事日程，与本部门工作一样重视、一起部署、一并检查。各部门要选派政治素质过硬、熟悉政策法规、业务能力强的工作人员成立“就业伙伴行动工作小组”，确定活动实施责任人和联系人，明确具体责任，定期交流，沟通情况。

（二）落实责任，创新行动。省直有关部门单位要加强与各地“就业伙伴行动工作小组”的联系，及时对其进行指导。要运用“捆绑式”工作方法，加强劳动保障、发展改革、财政、人事、地税、工商、国税部门和工会、共青团、妇联之间的协调与配合，结合本部门具体职能，开拓工作思路，丰富帮扶内容，创新帮扶手段，积极推进帮扶工作。

（三）建立制度，确保实效。一是建立档案制度。各级应建立活动开展的专项档案，包括工作小组人员名单、困难企业背景资料、就业伙伴协议书、企业满意度测评表及有关图像资料等。二是建立日程制度。省里制定了“山东省就业伙伴行动实施步骤表”，对伙伴行动的执行步骤、时间、要求进行了明确，各地要严格按照步骤表要求开展活动，在完成“规定动作”的前提下，灵活多样地开展活动。三是督导制度。省直各有关部门单位将联合组成督查组对活动开展情况进行跟踪问效，对流于形式、效果不佳的将实行重点检查。省直各有关部门将公布监督电话，请企业和群众对活动开展情况进行监督。困难企业脱困或活动结束后，将对县级开展活动情况进行跟踪问效满意度测评。省就业工作联席会议将对成效显著的县（市、区）进行通报表扬。

联系人及联系方式：

省劳动保障厅：

联系人：王玉泉

联系电话：86922497

省发改委：

联系人：陈仁祥

联系方式：86191731

省财政厅：

联系人：单彦彦

联系方式：82669775

省人事厅：

联系人：李夙夙

联系方式：88597990

省地税局：

联系人：王永安

联系方式：82613729

省工商局：

联系人：赵加涛

联系方式：88527762

省国税局：

联系人：刘文桥

联系方式：85656261

省总工会：

联系人：孙海涛

联系方式：86025043

共青团山东省委：

联系人：杨烈鹏

联系方式：82073880

省妇联：

联系人：卢芳芳

联系方式：82034314　86904314

附表：1. 山东省就业伙伴行动实施步骤表

2. 实施就业伙伴行动跟踪问效满意度测评表

附表1：

山东省就业伙伴行动实施步骤表

企业名称：　　　　行动负责人签字：　　　　企业负责人签字：

序　号	实 施 内 容	截 止 时 间	完 成 情 况
1	市级出台就业伙伴行动详细实施文件并报省里。	6月初	
2	县（市、区）出台就业伙伴活动行动相关配套措施报市里。	6月中旬	
3	各市向省里提交就业伙伴行动工作小组负责人、联系人名单及联系方式，汇总报至市里。	6月中旬	
4	县（市、区）向市里提交就业伙伴行动工作小组负责人、联系人名单及联系方式。	6月中旬	
5	县（市、区）向市里提交困难企业名单及背景资料，由市级本部门汇总报至省里本部门联系人。	6月下旬	
6	县（市、区）就业伙伴行动工作小组深入企业实施行动，省里进行随机抽查。	6月下旬	
7	各县（市、区）就业伙伴行动工作小组与困难企业签订就业伙伴协议书报市里汇总。	6月下旬	
8	各政策宣讲团深入困难企业进行政策宣讲活动。	7月上旬	
9	县（市、区）就业伙伴行动工作小组协助困难企业制定应对金融危机预案并报市里。	7月中旬	
10	县（市、区）就业伙伴行动工作小组制定出困难企业职工培训方案并报市里。	7月中旬	
11	就业伙伴行动工作小组为困难企业提供企业发展信息和就业服务。	长期	
12	省里对各市实施情况进行阶段评估，通报工作进展成效。	8月中旬	

说明：1. 此表由行动负责人和企业负责人认真填写并签字，由市里汇总报至省里，作为绩效评估一项内容。

2. 如果完成在后打"√"，如果没有完成，请另附说明原因。

附表2：

实施就业伙伴行动跟踪问效满意度测评表

序　号	测评内容	非常满意	较　好	一　般	较　差	意见建议
1	政策宣讲团在企业进行政策宣讲的效果					
2	市、县出台的就业伙伴行动相关文件					
3	市、县（市、区）困难企业职工培训					
4	就业伙伴行动工作小组的服务态度、政策水平和工作能力					
5	就业伙伴行动工作小组提供的企业发展信息服务和职工就业服务					
6	就业伙伴行动工作小组开展就业伙伴行动的措施创新					

说明：1. 此表面向困难企业的普通职工和管理人员，由省督查组随机抽取部分开展行动的困难企业职工进行群众测评，作为市县工作评价的一项内容。

2. 在测评活动中，每人只限一份。在对所评价内容后打“√”，可以在后面对工作内容提出意见或者建议，也可另附。

省劳动和社会保障厅　省财政厅关于印发《山东省加强就业培训提高就业与创业能力培训项目管理办法》的通知

2009年6月5日　鲁劳社〔2009〕37号

各市劳动和社会保障局、财政局：

现将《山东省加强就业培训提高就业与创业能力培训项目管理办法》印发你们，请认真贯彻执行。

附件：山东省加强就业培训提高就业与创业能力培训项目管理办法

附件：

山东省加强就业培训提高就业与创业能力培训项目管理办法

第一章　总　　则

第一条　根据《山东省人民政府办公厅转发省劳动保障厅财政厅关于加强就业培训提高就业与创业能力意见的通知》（鲁政办发〔2008〕37号）和《山东省劳动保障厅财政厅关于印发山东省加强就业培训提高就业与创业能力五年规划的通知》（鲁劳社〔2009〕8号）有关规定，制定本办法。

第二条　本办法适用于山东省加强就业培训提高就业与创业能力培训项目（以下简称“培训项目”）。

第三条　培训项目坚持政府主办、培训机构承办、劳动者受益的原则；坚持以市场需求为导向，以提高全体劳动者就业能力、实现充分就业为目的。

第四条 培训项目按照国家和省促进就业政策中有关职业培训政策的规定执行。

第五条 培训项目以国家职业资格五级、四级、三级或国家批准的专项职业能力项目为培养标准，重点提高学员实际操作技能，同时加强对劳动法律法规和职业道德素养的培训。

第六条 培训项目由省劳动保障厅、财政厅负责管理，建立培训、考核、考评相互独立的项目实施机制。

第二章 培训职业（工种）管理

第七条 省劳动保障厅、财政厅根据预算安排情况，结合当年实际需求和上年度培训计划执行情况确定年度培训计划，每年12月底前下达下一年度培训计划。

第八条 市级劳动就业服务机构根据《山东省加强就业培训提高就业与创业能力五年规划》和省劳动保障厅、财政厅下达的年度培训计划以及当地行业或企业的实际需要自主确定培训职业（工种）。培训职业（工种）一般应具备以下条件：

（一）已列入《国家职业分类大典》的；

（二）有国家职业标准或经省劳动保障厅认定的行业、企业标准，并明确设定了职业资格等级的；

（三）符合人力资源和社会保障部确定的《适合农村劳动力就业的部分技能岗位目录》或省里开发、经国家批准的专项职业能力培训项目规定的；

（四）按人力资源和社会保障部新职业（工种）有关办法新出台的职业（工种）。

第九条 市级劳动就业服务机构根据省劳动保障厅、财政厅下达的年度培训计划和确定的培训专业（工种），按照《关于印发山东省加强就业培训提高就业与创业能力培训项目定点培训机构招投标办法的通知》（鲁劳社办〔2009〕24号）有关规定进行招投标。

第十条 招投标工作完成后，市级劳动就业服务机构要按照鲁劳社办〔2009〕24号要求，将中标情况向社会公布，并编制《定点培训机构中标单位及培训任务一览表》，报省劳动保障厅、财政厅备案。

第十一条 省劳动保障厅分期分批将各市招标确定的定点培训机构、培训专业（工种）、培训人数情况向社会公布。

第三章 培训机构管理

第十二条 经招投标认定的“山东省加强就业提高就业与创业能力培训项目定点培训机构”（以下简称定点培训机构）的有关培训项目日常管理按照属地管理原则，由市、县（市、区）劳动就业服务机构负责，财政部门配合。

第十三条 市及县（市、区）劳动就业服务机构具体负责定点培训机构的开班审核、教学监管、组织结业考试或职业技能鉴定、培训补贴的审核。

第十四条 定点培训机构要与市级劳动就业服务机构签订培训承诺书，积极建立以订单式、定向式培训为主要培训模式的面向企业用工需求的培训制度。

第十五条 定点培训机构在培训前，要制定包括培训时间、培训人数、培训大纲、培训课时、培训教材、培训后就业情况等内容的详细培训计划。

第十六条 定点培训机构的培训计划要报所在市、县（市、区）就业服务机构审核，所在市、县（市、区）就业服务机构出具审核意见后方可实施。县（市、区）培训计划报市级劳动就业服务机构和财政部门备案。

第十七条 定点培训机构应依据培训大纲和培训内容制定详细的课程安排计划，严格组织教学与实操训练。

第十八条 培训结束后，定点培训机构要组织培训人员参加市级劳动就业服务机构组织的结业考试或职业技能鉴定，并将考核结果记录在案。

第四章 报名管理

第十九条 符合条件的人员到户口所在地市、县（市、区）劳动就业服务机构或街道（乡镇）劳动保障机构报名参加培训。报名时，需提交《就业失业登记证》（享受失业保险待遇的失业人员持《失业保险手册》）和身份证。

第二十条 职业指导人员对符合条件的人员进行职业指导并开具推荐信，推荐信作为定点培训机构接受培训人员的依据。

第二十一条 符合条件的人员可根据《定点培训机构中标单位及培训任务一览表》，结合本人意愿，自主选择定点培训机构参加技能培训或创业培训。

第二十二条 企业组织本企业内农民工参加技能提升培训或专项职业能力培训的，可向当地劳动就业服务机构提出申请，并提交以下资料：

（一）企业法人营业执照、组织机构代码证；

（二）企业用工登记名册和培训人员名册；

（三）培训人员劳动合同及身份证复印件；

（四）培训申请及职业工种。

第五章 培训内容与要求

第二十三条 培训采取理论学习、技能操作和生产实践相结合的方式进行，形式可灵活多样，采取集中学习与业余学习相结合的办法进行培训。

第二十四条 职业技能培训包括理论知识与实际操作培训，其中，实际操作培训时间不少于总培训时间的2/3。

第二十五条 初级职业技能培训时间200～400课时；中级职业技能培训时间300～600课时；高级职业培训时间100～300课时；专项职业能力培训不低于80课时。

第二十六条 定点培训机构在培训前应根据国家职业标准和当前有关职业发展状况及本机构的实际培训条件，制定职业（工种）的培训大纲。培训大纲应包括下列主要内容：

（一）本职业（工种）的培训要求；

（二）本职业（工种）理论知识培训计划，课时分配方案，选用教材情况；

（三）本职业（工种）操作技能培训计划，课时分配方案，选用教材情况。

第二十七条 创业培训主要包括创业意识培训、创业知识培训和创业服务。创业意识培训不少于20课时，创业能力培训不少于130课时，创业服务时间不少于200课时。培训大纲应包括下列主要内容：

（一）创业培训基本要求；

（二）创业意识培训、能力培训计划，课时分配方案，选用教材情况；

（三）创业服务计划，主要包括服务内容、服务方式、服务人员配备等。

第六章 考核与发证

第二十八条 培训项目的结业考试由市级劳动就业服务机构统一组织实施。

第二十九条 结业考试由知识考核与技能操作考核两部分组成。

第三十条 考试合格的学员，由省劳动保障厅、省财政厅共同颁发“山东省加强就业培训提高就业与创业能力培训项目合格证书”。

第三十一条 培训学员如果选择参加职业技能鉴定，可不参加市级劳动就业服务机构组织的结业考试，通过职业技能鉴定的，视为考试合格。

第三十二条 考试不合格或参加职业技能鉴定未通过的学员，可随下一次培训批次补考一次。

第三十三条 “山东省加强就业培训提高就业与创业能力培训项目合格证书”由省劳动保障厅、省财政厅设计（见附件1），并制作样本发放各市。市级劳动就业服务机构负责印制、发放。

第三十四条 合格证书由省劳动保障厅、财政厅统一编号。合格证书编号按省、市、年度顺序编号，如济南市合格证书编号为：“SDJN2009×××××”，“SDJN2010×××××”，……“SDJN2013×××××”。

第七章 信息管理

第三十五条 对培训学员实行实名制管理，建立统一培训学员信息（见附件2）。信息内容主要包括：（1）姓名；（2）性别；（3）年龄；（4）身份证号码；（5）《就业失业登记证》；（6）联系电话；（7）家庭地址；（8）培训机构名称；（9）培训工种；（10）培训等级；（11）培训班次；（12）培训时间；（13）培训费用；（14）培训考核情况（或职业技能鉴定情况）；（15）培训后就业情况（实现就业的应提供劳动合同编号或其他就业证明材料）；（16）实际拨付职业培训补贴标准。

第三十六条 每个培训班次开班前，定点培训机构要将培训信息（1）~（13）报送至所在地劳动就业服务机构，并录入“劳动力市场信息系统”（劳动99三版），采取适当形式进行开班公示。

第三十七条 培训结束后，定点培训机构要将培训信息（14）~（15）报送至所在地劳动就业服务机构，并录入“劳动力市场信息系统”（劳动99三版），由劳动就业服务机构采取适当形式进行公示。

第三十八条 培训情况公示结束后，根据《山东省就业专项资金管理暂行办法》有关规定，按照相应培训职业（工种）的补贴标准，拨付职业培训补贴。定点培训机构将培训信息（16）报送至所在地劳动就业服务机构，并录入“劳动力市场信息系统”（劳动99三版）。

第三十九条 市劳动就业服务机构应将本市培训信息以培训班次为单位汇总，并建立培训信息台账，存档备查。

第八章 项目考评与监督

第四十条 省、市两级财政投资评审机构是培训项目的绩效考评机构，对培训项目实施情况进行全过程绩效考评。

第四十一条 市级考评机构对本市范围内的项目实施情况进行全过程考评，考评中应抽取不少于30%的培训人员进行直接考评。省级考评机构主要采取抽查方式进行复评，并出具年度绩效考评报告。

第四十二条 省财政根据培训项目绩效考评等因素，按年度审核并拨付培训项目省财政补助资金。具体办法另行制定。

第四十三条 各级劳动保障部门、财政部门要加强对培训项目的监督检查。定点培训机构违反有关规定的，要视情况分别作出以下处理：（1）通报批评；（2）限期整改；（3）取消定点培训机构资格。

第四十四条 凡是发现弄虚作假行为、骗取培训补贴资金的单位和个人，将视其情节轻重，按照《财政违法处罚处分条例》进行严肃处理，追回有关财政资金；对构成犯罪的，要依法追究其刑事责任。

第九章 附 则

第四十五条 各市可根据本办法制定实施细则。

第四十六条 本办法由省劳动保障厅、省财政厅负责解释。

第四十七条 本办法自印发之日起施行。

附件：1. 山东省加强就业培训提高就业与创业能力培训项目合格证书式样

2. 山东省加强就业培训提高就业与创业能力培训项目培训人员信息表

附件1：

山东省加强就业培训提高就业与创业能力培训项目合格证书式样

山东省加强就业培训提高就业 与创业能力培训项目 合 格 证 书 山东省人力资源和社会保障厅 山 东 省 财 政 厅	说明： 一、尺寸：1400mm×1950mm（成品尺寸） 二、颜色：底色为墨绿色，字为烫金。 三、字号："山东省加强就业培训提高就业与创业能力培训项目"为方正宋体17号字；"合格证书"为方正隶书39号字；"山东省人力资源和社会保障厅、山东省财政厅"为方正宋体14号字。

培训合格证书

×××同志于 年 月 日至 月 日在 培训机构参加"山东省加强就业培训提高就业与创业能力"培训项目 职业（工种）（初、中、高）级职业能力培训。经考试合格，特发此证。

证书编号：

身份证号：

培训机构负责人签字：

山东省人力资源和社会保障厅

山 东 省 财 政 厅

附件2：

山东省加强就业培训提高就业与创业能力培训项目培训人员信息表

序号	姓名	性别	年龄	身份证号码	《就业失业登记证》编号	联系电话	家庭地址	培训机构	培训工种	培训等级	培训班次	培训时间	培训费用	培训考核	就业情况	实际拨付培训补贴（元）
	1	2	3	4	5	6	7	8	9	10	11	12	13	14	15	16
1																
2																
3																
4																
5																
6																
7																
8																
9																
10																
……																

省人力资源和社会保障厅　省财政厅关于省属事业单位改企有关问题的处理意见

2009年8月11日　鲁人社〔2009〕29号

省直各部门（单位），各高等院校：

为便于省属事业单位改革中改企单位改革工作的实施，根据《省委、省政府关于推进事业单位改革的意见》（鲁发〔2004〕15号）和《省委办公厅　省政府办公厅关于省属经营开发服务类事业单位改企转制的实施意见的通知》（鲁厅字〔2005〕41号），现就有关问题提出如下处理意见：

一、关于改企单位在职职工身份转换问题

省属事业单位经批准改为国有企业后，原单位要正式行文通知解除其与在职职工的人事劳动关系。改企后的国有企业，应与在职职工按照《劳动法》、《劳动合同法》及有关法律、法规和政策规定订立劳动合同。改企单位须按规定填写《省属事改企单位转入企业人员一次性补贴审核表》，经主管部门审核后报省人力资源和社会保障厅核准，作为计发改企单位编制内在职职工一次性补贴的根据。

二、关于驻济省属事业单位改企后职工参保缴费问题

（一）养老保险

驻济省属事业单位改为企业后，其养老保险经办工作由省社会保险经办机构负责并专类登记和管理。改企单位凭成立、改企批文，登记申请，营业执照，组织机构代码，法定代表人身份证到省社会保险经办机构办理企业参保登记。改企前已为本单位合同制工人办理了省直管机关事业单位养老保险登记的，先注销原有登记，再办理企业参保登记，接续养老保险关系。

改企单位从改企基准日起按企业职工的有关规定缴纳基本养老保险费，并建立职工基本养老保险个人账户。单位缴费比例按20%执行，职工个人统一按8%缴纳。以全省在岗职工平均工资作为确定职工缴费基数上下限和改企后退休人员计算基本养老金的依据。

（二）医疗、工伤、生育保险

驻济省属事业单位改为企业后，改企前单位享受省直公费医疗和保健待遇的离退休（退养）人员，继续享受原待遇，资金按原渠道解决。改企前不享受省直公费医疗和保健待遇的，离休人员医疗待遇不变；退休（退养）人员随改制后单位在职职工一起按规定参加省直管基本医疗保险，享受相应医疗待遇。

驻济省属事业单位改为企业后，按规定参加属地的工伤、生育保险。

（三）失业保险

驻济省属事业单位改为企业后，其失业保险经办工作继续由省失业保险经办机构负责并专类登记和管理。改企前已在省失业保险经办机构参加失业保险的，变更为企业失业保险登记，其单位和职工继续按规定参加失业保险并继续缴纳失业保险费。

三、关于改企单位在职职工一次性补贴及个人账户问题

鲁厅字〔2005〕41号文件规定的给予改企单位编制内在职职工一次性补贴，其补贴标准计算公式中的工作年限计算至改企基准日，为实足年限。如在机关事业单位、军队的工作时间22年6个月，其工作年限为22．5年。月基本工资按改企基准日当月的岗位工资和薪级工资计算。

给予改企单位在职职工的一次性补贴，由改企后的单位在首次缴纳基本养老保险费时，一次性交给省

社会保险经办机构，全部计入职工基本养老保险个人账户。由企业调入事业单位的人员，原在企业的养老保险个人账户储存额与一次性补贴一并计入本人个人账户。职工在企业与机关事业单位之间流动的，原事业单位合同制工人转入企业的，按《山东省劳动和社会保障厅关于当前养老保险工作中若干具体政策问题的通知》（鲁劳社〔2001〕29号）有关规定转移和接续养老保险关系。

四、关于改企单位改企前已离退休人员生活待遇及发放问题

鲁厅字〔2005〕41号文件中规定的改企前已离退休人员的生活待遇，是指基本离退休费和增发离退休费。不属财政供养的改企前离退休人员的基本离退休费、增发离退休费及按国家和省政府及省政府授权人事、财政等部门规定的统一面向事业单位发放的下列津贴补贴纳入基本养老保险社会统筹项目，由基本养老保险统筹基金列支，实行社会化发放。具体津补贴项目为：①省人事、财政部门出台的面向机关事业单位人员发放、具有明确项目和标准的生活补贴、物价补贴、原职务补贴；②鲁人薪〔1997〕16号文件简化归并建立的地方福利补贴；③鲁人薪〔1997〕15号文件规定的驻济补贴；④〔1986〕鲁人老字第2号文件规定的离休干部特需补助费；⑤鲁人薪〔1997〕16号文件规定的离休干部乘车费余额；⑥鲁老干通字〔2007〕8号、鲁老干〔2008〕12号文件规定的离休干部护理费。

住房、取暖补贴项目及按有关政策规定发放的其他补贴仍按原经费渠道解决。

改企单位原自主给离退休人员发放的补贴，由改企后的单位根据效益情况自行确定。

改企单位须按规定填写《省属事改企单位原离退休人员离退休费及统筹项目内津贴补贴核准表》，经离退休人员本人认可和主管部门审核后报省人力资源和社会保障厅核准，作为省社会保险经办机构办理有关待遇发放的根据。

按照国发〔1978〕104号文件规定办理退职人员的退职费、退职人员生活补贴，纳入基本养老保险社会统筹项目，由基本养老保险统筹基金列支，自改企基准日的下月起实行社会化发放；其他补贴按原经费渠道解决。

离退休人员死亡后，按规定发放的丧葬补助费、一次性救济费（抚恤金）、供养直系亲属生活困难补助费，按规定标准从基本养老保险统筹基金中列支。

五、关于内部退养问题

鲁厅字〔2005〕41号文件规定的内部退养，是为照顾工龄较长、年龄偏大的事业单位工作人员而出台的一项特殊政策，仅适用于改企的事业单位。内部退养条件中的工作年限为实足年限。符合内部退养条件的工作人员，须由个人书面申请，按干部管理权限批准，并由单位与个人签订内退协议书，双方认为必要时还可进行公证。

内部退养人员的工作年限和岗位任职时间计算截止于事业单位改企基准日。内退期间按退休人员对待，不列入改企单位的在职人员，不计发一次性补贴，不再参加考核和晋升岗位等级及工资，不计算工龄，不缴纳养老保险费和建立养老保险个人账户。内部退养人员到达法定正常退休年龄时由主管机关发给退休证。

改企单位要根据内部退养人员改企基准日当月的工资情况和计算出的工作年限，比照同等条件退休人员计算其内退期间的生活费，并按规定填写《省属事改企单位内部退养人员情况和内退期间生活费核准表》，连同个人书面申请和个人与单位签订的内退协议书，经主管部门审核后报省人力资源和社会保障厅核准，作为改企单位缴纳内退人员内退期间所需费用和发放其生活费的根据。不属财政供养的内退人员内退期间所需费用，以内退人员对应统筹项目内的生活费和距离法定正常退休年龄的年限计算，由单位改企时一次性交省社会保险经办机构，由省社会保险经办机构按月代为发放。内退人员内退期间按原事业单位退休人员增加退休费的规定调整待遇，由省社会保险经办机构发放。对应统筹项目外的津补贴等，按照本意见第四条关于退休人员的规定执行。

六、关于女性在职职工退休年龄问题

（一）在未实行人员聘用制度的事业单位中，对办理聘用制干部手续的人员，按山东省委组织部、省人事

厅《关于企事业单位聘用制女干部退休问题的复函》（鲁人函〔1997〕16 号）规定执行。即“对已达工人退休年龄的聘用制女干部，可根据工作需要决定是否继续聘用。继续聘用的，年龄到达 55 周岁，连续受聘满十年并仍在聘月岗位上工作的，可按录用制干部办理退休手续；予以解聘的，仍按工人办理退休手续”。

（二）在未实行聘用制度的事业单位中，没有办理聘用制干部手续，但以工人身份聘任专业技术职务的女职工，退休年龄按山东省委组织部、省人事局《关于干部退（离）休工作中几个具体问题的意见》中的有关规定执行。即“从工人中聘任的专业技术人员的退休年龄，被聘任为高级专业技术职务的，可按专业技术干部的退休年龄对待；被聘任为中级（含中级）以下专业技术职务的，仍按工人的退休年龄执行”。

（三）已实行人员聘用制度的事业单位，自工作人员与单位签订聘用合同之日起，按山东省人事厅《转发人事部（关于事业单位试行人员聘用制度有关工资待遇等问题的处理意见（试行））的通知》（鲁人发〔2007〕93 号）规定办理退休。其中“对由工勤岗位受聘到专业技术或管理岗位的人员，在专业技术岗位或管理岗位聘用满 10 年（本意见下发前已被聘用的，可连续计算）且在所聘岗位退休（退职）的，可按所聘岗位国家规定的条件办理退休（退职），并享受相应的退休（退职）待遇”。

改企事业单位工人身份聘任（用）为专业技术、管理职务（岗位）的女职工内部退养条件，应根据单位是否开展了人员聘用制度改革和本人的情况，来选择执行上述政策规定。

七、关于改企单位在职人员辞去公职问题

改企单位改企时选择辞去公职的人员，本人须提交辞去公职申请书，按照人事管理权限批准；单位须按规定填写《省属事改企单位人员辞职补助金审批表》，经主管部门审核后报省人力资源和社会保障厅核准。准予辞职的人员，由原单位发给一次性辞职补助金，工龄每满一年发给一个月的基本工资（岗位工资、薪级工资之和），不满一周年的，不予发给。

改企单位辞职人员在机关事业单位的工作时间计算连续工龄，并按在职人员的办法计算个人账户一次性补贴。改企单位将辞职人员个人档案、改企在职职工一次性补贴转交省职业介绍机构，待再就业接续养老保险关系时，由省职介机构将个人账户一次性补贴储存额转入社会保险经办机构。

八、关于费用支出问题

改企中处理人事劳动关系和衔接建立各项社会保险制度及改企业离退休（退养）人员生活待遇、医疗待遇所需费用，按原渠道解决，经审核，单位确有困难的，由主管部门统筹解决；主管部门难以解决的，由省财政调剂解决。

本意见仅适用于按照鲁发〔2004〕15 号和鲁厅字〔2005〕41 号文件规定实施改企的省属单位和人员。

省人力资源和社会保障厅　省教育厅　省财政厅关于大学生参加城镇居民基本医疗保险有关问题的通知

2009 年 8 月 20 日　鲁人社〔2009〕31 号

各市人事局、劳动和社会保障局、教育局、财政局：

为进一步贯彻落实省政府办公厅《关于将大学生纳入城镇居民基本医疗保险试点范围的实施意见》（鲁政办发〔2008〕72 号）精神，尽快把各类大学生纳入城镇居民基本医疗保险范围，切实保障大学生的

基本医疗需求，现就有关问题通知如下：

一、明确工作任务。各地要按照《国务院关于印发医药卫生体制改革近期重点实施方案（2009～2011年）的通知》（国发〔2009〕12号）要求，加强组织领导，劳动保障、教育和财政部门密切配合，加大宣传力度，加快推进步伐，今年年底前将全省各类在校大学生全部纳入城镇居民基本医疗保险范围。

二、完善参保缴费政策和办法。各类全日制普通高等学校（包括民办高校）、科研院所（以下统称高校）中学制一年以上的在校学生按大学生政策参加城镇居民基本医疗保险。进一步完善大学生参保办法，大学生缴费和各级财政补助仍以自然年度为周期，大学生参保登记和享受待遇可以学年为周期，鼓励有条件的高校对大学生参保的个人缴费部分给予补助。大学生在校期间连续参保，有关政策与城镇职工基本医疗保险相衔接。毕业后在用人单位稳定就业的，其医疗保险关系随用人单位转入城镇职工基本医疗保险；自谋职业的，按照灵活就业人员政策参加城镇职工基本医疗保险。其在大学期间参加城镇居民基本医疗保险的年限可按当地规定折算为城镇职工基本医疗保险缴费年限。

大学生参加城镇居民基本医疗保险后，各高校可结合实际，对因患大病、重病医疗费用个人负担较重的，给予适当补助。大学生在参加城镇居民医疗保险的基础上可自愿参加商业医疗保险，进一步提高医疗保障水平。

三、不断提高保障水平。要进一步调整统筹基金的报销政策，最高支付限额逐步提高到学校所在地城镇居民可支配收入的6倍左右。对大学生参保后发生的人身意外伤害，给予适当补偿。要充分利用学校卫生资源，把符合定点条件的大学医疗机构纳入定点范围。要探索建立大学生普通门诊医疗费用补偿办法，依托学校医疗机构管理，妥善解决好大学生门诊普通医疗费用及转诊管理等问题。参加城镇居民医疗保险后大学生日常医疗所需资金，继续按照学校隶属关系，由原渠道解决。

四、扎实做好参保登记和管理服务工作。从今年秋季新生入学起，各高校要积极协助人力资源社会保障部门引导和组织学生整体参加城镇居民基本医疗保险，未组织参加城镇居民基本医疗保险的，不得统一组织学生团体参加各类商业保险。各级医疗保险经办机构要及时为大学生办理参保缴费手续，发放就医证卡。要针对大学生实习、寒暑假、因病休学等特殊情况，进一步完善相关政策措施，规范工作流程，简化审核手续，提高效率，做好大学生在异地就医医疗费用的审核报销工作。要加强与商业保险机构的沟通协调，做好城镇居民基本医疗保险与商业医疗保险在医疗费用审核和报销上的衔接。在确保基金安全和有效监管的前提下，有条件的地方，可以开展政府购买医疗保障服务试点。各级经办机构要改进服务方式，坚持主动服务、上门服务，加强与学校、大学生、校医院等有关方面的沟通，及时了解工作中出现的问题，不断改进和完善相关政策措施，为大学生参保登记、就医、费用报销等各个环节提供高效便捷的服务。

省人力资源和社会保障厅　省财政厅关于转发《关于进一步规范农村劳动者转移就业技能培训工作的通知》的通知

2009年8月20日　鲁人社〔2009〕33号

各市劳动和社会保障局、财政局：

现将《人力资源和社会保障部　财政部关于进一步规范农村劳动者转移就业技能培训工作的通知》（人社部发〔2009〕48号）转发给你们，结合我省实际提出如下意见，请一并贯彻执行。

一、提高认识，强化组织领导

各市要高度重视农村劳动者技能培训工作，从保民生、保就业、保稳定的高度，充分认识做好农村劳动者转移就业培训工作的重要性，强化组织领导，将农村劳动者转移就业技能培训工作纳入各级政府的考核目标，层层落实工作责任和培训任务，确保农村劳动者转移就业技能培训工作顺利实施。

二、结合实际，确保培训取得实效

我省农村劳动者转移就业技能培训工作，要按照《山东省人民政府办公厅转发山东省劳动保障厅　财政厅关于加强就业培训提高就业与创业能力的通知》（鲁政办发〔2008〕37号）和《关于实施特别职业培训计划的通知》（鲁劳社〔2009〕26号）的部署要求，结合农村劳动力就业的阶段性特点，抓住时机，有针对性地开展各类农村劳动者转移就业技能培训，确保培训的实效性。

三、加强协调，营造优良环境

要充分发挥当地政府农民工工作联席会议的作用，各级劳动保障、财政部门要主动协调教育、科技、农业和工会、共青团、妇联等部门和社团组织，切实落实好培训补贴等各项扶持政策。要多渠道、多形式和全面、系统地宣传当地应对就业形势的政策措施和就业培训及服务相关内容，营造全社会关心、支持、促进农村劳动者转移就业和创业的良好氛围。

附件：人力资源和社会保障部　财政部关于进一步规范农村劳动者转移就业技能培训工作的通知

附件：

人力资源和社会保障部　财政部关于进一步规范农村劳动者转移就业技能培训工作的通知

2009年5月5日　人社部发〔2009〕48号

各省、自治区、直辖市人力资源社会保障（人事、劳动保障）厅（局），财政厅（局）：

根据《财政部　人力资源和社会保障部关于就业专项资金使用管理及有关问题的通知》（财社〔2008〕269号）和《人力资源和社会保障部　国家发展和改革委员会　财政部关于实施特别职业培训计划的通知》（人社部发〔2009〕8号）的要求，针对当前农村劳动者转移就业技能培训工作中存在的培训针对性不强、管理不规范、监管措施不到位、个别地方骗取挪用补贴资金等突出问题，为提高培训质量，确保资金使用安全和使用效益，现就进一步规范人力资源和社会保障系统组织实施的农村劳动者转移就业技能培训工作通知如下。

一、实施分类培训，强化培训针对性和有效性

各地要重点面向未能继续升学的农村应届初高中毕业生、进城求职农村劳动者、企业在岗农民工、返乡农民工等人员开展职业技能培训，根据不同群体的特点，分别组织开展实用技能培训、技能提升培训、劳动预备制培训和创业培训，切实提高培训的针对性和有效性。

对进城求职的农村劳动者、返乡农民工，主要依托符合条件的职业培训机构开展1～6个月（不少于

120 课时）的实用技能培训，重点是根据企业岗位实际需求开展订单培训，结合产业发展振兴的潜在需求开展定向培训。

对用人单位吸纳进城求职的农村劳动者，在劳动合同签订之日起 6 个月内，由用人单位依托所属培训机构或委托所在地定点培训机构，结合岗位要求和工作需要，组织其参加技能提升培训。

对未能继续升学且有进城求职愿望的农村应届初高中毕业生，主要依托具备相应培训条件的技工院校等职业学校，开展 6～12 个月（一个学期至两个学期，原则上不少于 720 课时）的专业技能培训。

对有创业愿望并具备一定创业条件的农村劳动者开展创业培训，提升创业能力，促进其实现自谋职业、自主创业和返乡创业。创业培训主要由符合条件的创业培训机构承担。

在开展相应技能培训的过程中，要突出实际操作技能的训练，并适当增加劳动者权益保护、法律知识、城市生活常识、求职技巧等方面的知识培训。对参加培训合格的，由培训机构颁发相应专业培训合格证书；经职业技能鉴定合格的，由职业技能鉴定机构颁发相应职业资格证书或专项职业能力证书。

二、公开认定定点培训机构，整合优质培训资源

各地必须坚持公开、公平、公正的原则，面向社会各级各类职业院校和职业培训机构，通过招投标方式认定承担各类培训任务的培训单位。各地人力资源和社会保障部门要会同同级财政部门，根据《承担农村劳动者转移就业技能培训任务的职业院校、职业培训机构的基本条件》（见附件），组织专家制定和公布本地区承担培训任务的院校和机构的认定标准及认定程序。在招投标过程中，要建立专家评审、纪检监察部门监督、就业联席会议相关成员单位共同参与认定的机制，要对申请承担培训任务的各类培训机构的办学资金、设备设施、教学实训场地、教学计划大纲、师资状况等进行重点考察。各地人力资源和社会保障部门要按年度对拟确认承担培训任务的职业培训机构进行公示，公示无异议后，报省级人力资源和社会保障部门备案，由省级人力资源和社会保障部门将全省定点培训机构的名称、培训专业（工种）及等级、培训期限、收费标准、联系方式等情况统一向社会公布。各地 2008 年年底前认定的培训机构，要按照新确定的定点培训机构标准重新组织认定。对培训质量低劣，尤其是存在骗取、套取培训资金的定点培训机构，要取消其定点资格。

定点培训机构要与当地人力资源和社会保障部门签订培训项目合同，明确双方责任、权利和义务。各定点培训机构应结合就业岗位要求，兼顾学员意愿、特点和文化水平，合理安排培训内容，设置培训课程，要将培训专业、培训期限、培训等级、收费标准公开张贴在培训场所显著位置。

三、规范资金使用管理，提高资金使用效率

各地要加大职业技能培训的资金投入力度，根据培训实际情况，按规定从就业专项资金中安排用于进城求职的农村劳动者培训资金。各省级人力资源和社会保障部门要会同财政部门，根据培训专业（工种）的培训成本和培训期限，按照培训的课时数合理确定职业培训补贴标准。开展农村劳动者转移就业技能培训的日常工作经费，应从部门预算中安排，不得占用就业专项资金。培训资金的管理和使用情况必须接受审计部门的检查和监督。各地人力资源和社会保障部门要会同财政部门采取切实措施，对补贴对象审核、资金拨付等重点环节必须实行公开透明的办法，切实防范骗取、挪用、以权谋私行为发生，确保资金安全。

各地人力资源和社会保障部门要会同财政部门建立与培训质量、就业效果挂钩的培训绩效考评机制，严格按照财社〔2008〕269 号文件规定，根据实际情况，按照个人报销、机构报销、用人单位报销的要求，本着方便个人、机构和用人单位的原则，科学制定培训补贴报销程序和办法。申请培训补贴的定点培训机构除按规定提供相关证明材料之外，还必须提供建立本机构职业培训台账和转移就业台账情况。申请培训补贴的用人单位除按规定提供资金申请材料外，还需提供职业培训台账。职业培训台账应记载受训者基本情况（包括参训人员的姓名、年龄、性别、身份证号、联系方式等）及培训专业、培训时间、考核和收费

情况；转移就业台账应记载就业岗位、劳动合同签订或企业用工证明以及企业联系方式等情况。

四、强化培训过程监督，确保培训质量和效果

各地人力资源社会保障部门要加强对定点培训机构的管理、指导和服务。要逐步建立全省（市、区）统一的信息管理系统，对定点培训机构实行动态管理，对参训人员实行实名制管理。要会同财政部门建立培训补贴审核公布制度，将通过审核的享受职业培训补贴的人员名单、机构名单和资金补贴数额等按季度向社会公布。

各地人力资源和社会保障部门要加强对定点培训机构培训过程监督，可定期通过现场测评、设立举报电话、网上投票、电话访谈等方式，重点了解培训效果、培训后就业率以及培训对象满意程度。有条件的地区，可委托具有资质的社会中介组织进行评估，开展定期检查和教学督导。

各定点培训机构在每期培训班开班前10个工作日，必须以书面形式向当地人力资源和社会保障部门提交开班申请报告和培训计划和教学大纲。每期培训班结束5日前必须以书面形式向当地人力资源和社会保障部门提交结业审核申请。

五、完善保障措施，确保工作实效

各级人力资源和社会保障部门要高度重视农村劳动者转移就业技能培训工作，将其纳入就业工作目标考核的重要内容，建立领导责任制和目标考核制，健全工作协调机制，落实工作责任，抓好工作落实。要在综合考虑当地农村劳动者转移就业培训实际需求、社会培训资源和能力的基础上，采取先下后上确定培训人数的办法，先由最基层人力资源和社会保障部门逐级上报，后由省级人力资源和社会保障部门汇总，并统一下达年度培训计划。

人力资源和社会保障系统内的就业、培训、鉴定等部门要形成合力，充分发挥各自职能，共同做好农村劳动者转移就业技能培训工作：培训部门要会同就业部门制定培训规划，组织认定定点培训机构，并对培训机构进行动态管理，对培训过程进行监管；就业部门要会同培训部门制定职业培训补贴标准和报销管理办法；职业技能鉴定机构要根据有关规定，积极为参加培训的人员提供有针对性的职业技能鉴定服务；公共就业服务机构要定期调查并公布劳动者市场供求状况，定期公布不同职业（工种）、不同等级的农民工职业供求和工资价位情况。财政部门要按规定审核、拨付培训补贴资金，并加强资金的监管。

各地要根据本通知精神，对本地农村劳动者转移就业技能培训具体办法进行调整完善，并组织实施农村劳动者转移就业技能培训工作。各地工作中有何问题，可与人力资源和社会保障部职业能力建设司和财政部社会保障司联系。

附件：承担农村劳动者转移就业技能培训任务的职业院校职业培训机构的基本条件

附件：

承担农村劳动者转移就业技能培训任务的
职业院校职业培训机构的基本条件

一、承担技能培训任务的职业院校和培训机构基本条件

（一）具有独立法人资格，取得人力资源社会保障行政部门或教育行政部门颁发的办学许可证。

（二）遵守国家职业培训法律法规，熟悉国家职业教育方针和就业政策，积极推行国家职业资格证书制度和就业准入制度，热心承担农村劳动者转移培训任务。

（三）具备承担农村劳动者转移就业技能培训相应岗位必备的专业设置、教学设备、训练场所、实训基地和师资力量等基本条件，具备信息化管理条件。

（四）专业和课程设置符合人力资源市场需求，培训方法和形式能满足培训对象需要。

（五）有相对稳定的转移就业信息和渠道，就业指导得力，培训后就业率较高。

（六）熟悉农村劳动者转移就业培训业务，具有较好的培训工作基础和业绩，能够按人力资源和社会保障部门审核同意的培训方案组织实施。

（七）规章制度健全，内部管理规范，社会信誉良好，培训收费合理。

（八）近三年来无违反职业培训法律法规被处罚记录。

二、承担劳动预备制培训的职业院校基本条件

（一）具有独立法人资格。

（二）具备承担劳动预备制培训相应的训练场所、教学设施设备、实训基地和师资等基本条件。

（三）学制教育规模达到1 000人以上，常设专业不少于4个。

（四）学校实行“双证书”制度，学校毕业生毕业率达到90%以上，90%以上的毕业生能够取得职业资格证书。

（五）有相对稳定的就业渠道，毕业生就业率达到90%以上。

（六）学校建立由产业界、经济界及有关部门专家组成的学校咨询委员会，指导学校围绕行业企业用工需求，调整学校发展方向和规划，合理确定专业设置和课程安排。

（七）学校建立较为完善的技能人才校企合作培养制度，至少与5家企业建立校企合作伙伴关系。

（八）学校管理规范、制度健全、收费合理。

省人力资源和社会保障厅　省财政厅　中共山东省委老干部局关于企业离休人员死亡一次性抚恤金发放有关问题的通知

2009年9月24日　鲁人社〔2009〕47号

各市劳动和社会保障局、财政局，各市委老干部局，省直有关部门和有关企业，养老保险省直管企业：

为落实离休干部待遇的有关规定，参照省民政厅、省人事厅、省财政厅《转发民政部、人事部、财政部〈关于国家机关工作人员及离退休人员死亡一次性抚恤金发放办法的通知〉的通知》（鲁民〔2007〕41号）精神，经研究，现就企业离休人员死亡一次性抚恤金发放有关问题通知如下：

一、调整一次性抚恤金标准

从2004年10月1日起，离休人员死亡被批准为烈士的，发给本人生前80个月基本离休费的抚恤金；因公牺牲的，发给本人生前40个月基本离休费的抚恤金；病故的，发给本人生前20个月基本离休费的抚恤金。

二、一次性抚恤金计发办法

（一）一次性抚恤金按本人生前最后一个月享受的国家规定的基本离休费为基数计发。基本离休费为本人离休时计发的基本离休费和本人离休后历次按国家规定增加的基本离休费之和。

（二）2004年10月1日至本通知印发前已死亡，并按鲁劳发〔1993〕343号文件规定领取了一次性抚恤金的，应按本通知上述规定标准和计发办法重新计算离休人员死亡时的一次性抚恤金，差额部分应予补发。

三、发放一次性抚恤金及应补发的差额部分所需费用，已纳入养老保险社会统筹的，从统筹基金中列支；没有纳入养老保险社会统筹的，从原渠道列支。

省人力资源和社会保障厅 省财政厅关于进一步加强基本医疗保险基金收支政策及基金管理有关问题的指导意见

2009年11月10日 鲁人社〔2009〕55号

各市劳动和社会保障局、财政局：

根据《中共山东省委 山东省人民政府关于贯彻落实中发〔2009〕6号文件精神进一步深化我省医药卫生体制改革的实施意见》（鲁发〔2009〕16号）、《山东省人民政府关于印发医药卫生体制改革近期重点实施方案（2009~2011年）的通知》（鲁政发〔2009〕90号）、人力资源和社会保障部和财政部《关于进一步加强基本医疗保险基金管理的指导意见》（人社部发〔2009〕67号）精神，为进一步加强基本医疗保险基金管理，提高基金使用效率，现就有关问题提出以下意见。

一、充分认识加强基本医疗保险基金收支政策及基金管理问题的重要性和紧迫性

（一）加快推进基本医疗保障制度建设，将全体城乡居民纳入基本医疗保障制度，逐步提高基本医疗保障水平，是深化医药卫生体制改革的重要内容。按照以收定支、收支平衡、略有结余的原则管好、用好基本医疗保险基金，对保障参保人员的基本医疗权益，减轻人民群众医药费用负担具有十分重要的现实意义。各级各有关部门要提高认识，不断完善政策，创新管理机制，强化基金管理，增强基金的共济和保障能力，提高基金使用效率。

二、增强基本医疗保险基金共济和保障能力

（二）加大基本医疗保险扩面和基金征缴力度。各地要按照《山东省人民政府办公厅关于加快推进城镇基本医疗保障制度建设的指导意见》（鲁政办发〔2009〕46号）有关规定，加强组织领导，进一步加大城镇职工基本医疗保险和城镇居民基本医疗保险的扩面力度，突出重点，着力抓好城镇非公有制经济组织从业人员、灵活就业人员、农民工以及大学生的参保工作，力争用2年左右时间实现覆盖面达到90%以上的目标。要按照省人力资源和社会保障厅、省财政厅、国资委、监察厅《关于妥善解决关闭破产国有企业退休人员等医疗保障有关问题的通知》（鲁人社〔2009〕16号）要求，通过破产企业财产变现、未列入破产财产的土地出让所得、财政补助、医疗保险统筹基金结余调剂等多渠道筹资，于2009年年底前将未参保的关闭破产国有企业退休人员纳入当地城镇职工基本医疗保险；2010年年底前将关闭破产集体企业等其他关闭破产企业退休人员和困难企业职工纳入基本医疗保险。要进一步加大基本医疗保险基金的征缴和稽核力度，确保基本医疗保险基金应收尽收。

（三）逐步提高基本医疗保险保障水平，减轻参保人员的个人负担。要在精心测算的基础上，努力提高政策内住院医疗费用的报销水平，力争到2011年，城镇职工基本医疗保险规定范围内的医疗费报销比例不低于75%，城镇居民基本医疗保险规定范围内的医疗费报销比例不低于60%。要逐步提高统筹基金最高支付限额，规范门诊大病管理。要积极开展城镇居民基本医疗保险门诊医疗费用统筹，扩大城镇居民基本医疗保险受益范围。有条件的统筹地区可以探索调整城镇职工基本医疗保险个人账户使用办法，试行城镇

职工基本医疗保险门诊医疗费用统筹，逐步扩大和提高门诊费用的报销范围和比例，提高个人账户基金的使用效率。

（四）提高基本医疗保险统筹层次，增强基金支撑能力。各地要按照省里的统一部署，结合本地实际，加快推进基本医疗保险市级统筹工作，到2011年基本实现市级统筹。实行市级统筹确有困难的市，也要先建立市级基金风险调剂制度，再逐步过渡到市级统筹。

三、强化基本医疗保险基金管理

（五）进一步加强基本医疗保险基金收支预算管理。统筹地区要认真执行社会保险基金财务制度，按年度编制基本医疗保险基金收支预算。编制基金收入预算应综合考虑当地经济发展水平、职工工资收入水平、医疗保险覆盖面、医疗保险筹资比例等因素；编制基金支出预算应综合考虑当地参保人员年龄结构、疾病谱、医疗费用增长、医疗保险受益面、保障水平和基金结余情况等因素。

（六）做好基本医疗保险基金会计核算和统计分析工作。各地要认真落实社会保险基金会计制度，加强基本医疗保险基金会计核算工作。医疗保险经办机构要单独建立一次性预缴基本医疗保险费统计台账，加强对一次性预缴基本医疗保险费的统计分析和管理。

（七）建立基本医疗保险基金运行情况分析和风险预警制度。各地要利用医疗保险信息系统，构建基本医疗保险基金运行分析和风险预警系统，将统筹基金累计结余作为基本医疗保险基金风险预警监测的关键性指标，加强对基本医疗保险基金运行情况的分析。除一次性预缴基本医疗保险费外，在充分考虑应保尽保、人口老龄化、医疗费用增长、医疗保障待遇水平提高等因素的基础上，合理测算确定统筹基金累计结余水平。统筹地区城镇职工基本医疗保险统筹基金累计结余原则上应控制在6~9个月平均支付水平。城镇职工基本医疗保险统筹基金累计结余超过15个月平均支付水平的，为结余过多状态，累计结余低于3个月平均支付水平的，为结余不足状态。城镇居民基本医疗保险的基金风险预警指标，各市可根据当地实际具体确定，原则上城镇居民统筹基金当年结余率控制在15%以内。

（八）妥善解决统筹基金结余过多和当期收不抵支问题。统筹地区因职工工资水平增长等因素，统筹基金收入增幅明显高于女出增幅，连续2年处于结余过多状态的，可适当提高参保人员医疗保险待遇水平。统筹基金出现当期收不抵支的统筹地区，要认真查找超支原因，通过改进结算方式、加强支出管理等途径，控制费用支出增长。统筹基金累计结余不足、难以保证当期支付的统筹地区，可通过临时借款保证当期支付，并及时研究调整筹资或待遇政策。各统筹地区应根据上述原则制订相应的基金告警预案，并报省人力资源社会保障厅、省财政厅备案。统筹地区启动预案响应和费率调整等政策变化，要报省政府批准后实施。

（九）强化基本医疗保险基金监管。完善基本医疗保险基金管理内控制度，形成部门之间、岗位之间和业务之间相互制衡、相互监督的内控机制。加强行政监管，建立基本医疗保险基金欺诈防范机制，杜绝骗保等欺诈行为的发生。建立和完善基本医疗保险基金内部审计制度，及时整改审计发现的问题。定期向社会公布基本医疗保险基金收支情况和参保人员医疗保险待遇的享受情况，接受社会各界的监督。

四、加强基本医疗保险支付管理

（十）加大医疗保险对医疗服务行为的监控力度。各市要把相关部门制定的出入院标准、临床诊疗规范、临床用药指南和处方管理办法等纳入协议管理的范围，建立和完善对定点医疗机构服务质量的考核评价体系。要不断完善医疗保险信息系统，逐步实现对医疗服务行为的全程实时监控，加强对重点医疗服务项目和重点药品使用情况的监测，减少不合理医疗费用的发生，防范医疗欺诈行为。

（十一）改进费用结算方式。积极探索医疗保险经办机构与医疗机构、药品供应商通过协商谈判，合理确定医药服务的付费方式及标准，发挥医疗保障对医疗服务和药品费用的制约作用。扩大按病种付费、总额预付、按人头付费等结算方式改革范围，充分调动医疗机构和医生控制医疗服务成本的主动性和积极性。

（十二）优化医疗费用结算流程。医疗保险经办机构要进一步优化医疗费用结算程序，尽快实现医保经办机构与定点医疗机构直接结算，缩短医疗费用结算时间。符合规定的医疗费用，要按照协议及时足额支付。医疗费用结算前，医疗保险经办机构可按照协议向医疗机构预拨一定比例的周转金。简化个人医疗费用报销结算程序，提供人性化服务，方便广大参保人员。

省人力资源和社会保障厅　省财政厅　省总工会关于调整企业职工因病或非因工死亡后供养直系亲属生活困难补助标准的通知

2009年11月16日　鲁人社〔2009〕57号

各市人事局、劳动和社会保障局、财政局、总工会，省直各企业主管部门，养老保险省直管企业：

近几年来，随着经济发展和居民消费水平不断提高，企业因病或非因工死亡职工供养直系亲属（以下简称遗属）生活困难补助标准已明显偏低，为解决遗属的生活困难问题，经研究，决定对企业职工遗属生活困难补助标准作适当调整，现就有关问题通知如下：

一、企业职工（含离退休人员）因病或非因工死亡后，符合领取遗属生活困难补助条件的供养直系亲属，每人每月补助标准按企业所在地调整为3类：360元、320元、280元（企业遗属生活困难补助标准见附表）。

（一）建国前参加革命工作职工的遗属补助标准，在上述补助标准的基础上提高20%。

（二）职工遗属为孤寡一人者，在上述补助标准基础上提高10%。

（三）兼有（一）、（二）项情况的，补助标准在上述补助标准基础上提高30%

二、职工供养直系亲属的确定，仍按国家和省现行规定执行。

三、调整后的遗属生活困难补助，已纳入统筹的企业离退休人员从统筹基金中列支；其他人员从原渠道列支。

四、本通知适用于各类企业及其职工。

五、本通知自2009年12月1日起执行。过去有关规定与本通知规定不一致的，按本通知规定执行。

附件：企业职工遗属生活困难补助标准表

附件：

企业职工遗属生活困难补助标准表

单位：元/月、人

地　区	标　准
济南市：历下区、市中区、槐荫区、天桥区、历城区 青岛市：市南区、市北区、四方区、黄岛区、崂山区、李沧区、城阳区 淄博市：张店区、临淄区、淄川区 东营市所辖县（区） 烟台市：芝罘区、莱山区、福山区、莱州市、龙口市、招远市、蓬莱市 威海市所辖市（区）	360

续表

地　　区	标　　准
济南市：长清区、章丘市、平阴县、济阳县、商河县 青岛市：胶州市、即墨市、平度市、胶南市、莱西市 淄博市：博山区、周村区、桓台县 枣庄市：市中区、薛城区、滕州市 烟台市：牟平区、莱阳市、栖霞市、海阳市、长岛县 潍坊市所辖县（市、区） 济宁市：市中区、任城区、兖州市、邹城市、曲阜市、微山县 泰安市：泰山区、新泰市、肥城市 日照市所辖县（区） 莱芜市所辖区 临沂市：兰山区、罗庄区、河东区 滨州市：滨城区、博兴县、邹平县	320
淄博市：沂源县、高青县 枣庄市：峄城区、台儿庄区、山亭区 济宁市：鱼台县、金乡县、嘉祥县、汶上县、泗水县、梁山县 泰安市：岱岳区、宁阳县、东平县 临沂市：沂南县、郯城县、沂水县、苍山县、费县、平邑县、莒南县、蒙阴县、临沭县 德州市所辖县（市、区） 聊城市所辖县（市、区） 滨州市：沾化县、无棣县、阳信县、惠民县 菏泽市所辖县（区）	280

省人力资源和社会保障厅　省司法厅　省总工会　省企业联合会/省企业家协会转发人社部等5部门《关于加强劳动人事争议调解工作的意见》的通知

2009年12月7日　鲁人社〔2009〕64号

各市人事局、劳动保障局、司法局、总工会、企业联合会/企业家协会，省直有关部门（单位）：

现将人力资源和社会保障部、司法部、总工会、企业联合会/企业家协会《关于加强劳动人事争议调解工作的意见》（人社部发〔2009〕124号）转发给你们，并结合我省实际，提出如下意见，请一并贯彻执行。

一、高度重视劳动人事争议调解工作

当前，受国际金融危机影响，我省部分企业生产经营困难，劳动关系矛盾突出。随着劳动人事制度改革的不断深化，潜在利益纠纷问题逐步显现，劳动人事争议案件持续上升，且呈现复杂化、多样化发展趋势。做好劳动人事争议调解工作，对于妥善处理社会矛盾，维护劳动人事关系和谐稳定，实现社会公平正义，构建和谐社会具有十分重要的意义。各地要把做好劳动人事争议调解工作作为巩固执政基础、为民排忧解难、维护劳动人事关系和谐稳定的重要工作，切实抓紧抓好。要根据当地实际，采取有效措施，进一步加强劳动人事争议调解组织体系和工作机制建设，全面提升和拓展调解工作效能，公正、及时、妥善处理劳动人事争议纠纷，切实维护当事人的合法权益，促进经济社会稳定发展。

二、建立健全调解组织体系和工作机制

各类基层调解组织是开展劳动人事争议调解工作的重要基础。各地要积极推动企业建立健全劳动争议调解委员会，规模以上企业探索建立多层次劳动争议调解组织。工业（高新、经济技术开发）园区，设立

区域性劳动争议调解组织。在已建立行业（产业）工会和行业协会的行业组织，建立行业性劳动争议调解组织。要依托乡镇（街道）劳动保障服务站（所），建立劳动争议调解组织，把工作职能延伸到企业比较集中的社区。要将劳动争议调解纳入人民调解工作范围，在有条件的司法所设立专门的劳动争议调解服务窗口，开展法律咨询服务。全面推进事业单位人事争议调解组织建设。当前要重点在科教文卫等人员较多的事业单位和系统，建立起由人事、工会、监察等方面代表、职工代表和法律专家组成的人事争议调解委员会，逐步建立起全覆盖的事业单位人事争议调解组织。要加强主管部门对所属事业单位人事争议调解工作的指导，形成共同推进调解工作的合力，建立起事业单位、主管部门人事争议调解双轨运行、良好互动的工作机制。要充分发挥各类调解组织的独特优势和职能作用，坚持“以和为先”、“和谐调解”的工作理念，有效维护劳动者和用人单位的合法权益。要加快在全省建立完善企业调解、区域性（行业性）调解、人民调解、仲裁调解和行政调解相结合的多层次、广覆盖的劳动人事争议调解组织网络。

注重和加强劳动人事争议调解工作机制建设，创新调解方式，整合社会资源，以柔性化和谐调解方式，最大限度地将争议消除在萌芽状态，化解在基层。要依据劳动争议调解仲裁法，贯彻“预防为主、基层为主、调解为主”的工作方针，进一步明确工作职责，规范操作流程，建立完善制度，定期监督检查。认真做好调解与仲裁工作衔接，加强人力资源和社会保障部门与司法、工会、企联等有关部门的联系和协作。建立完善调解联席会议制度和劳动人事争议预防预警机制，切实落实重大集体劳动人事争议信息报告制度，使调解工作逐步走上法制化、规范化、制度化建设轨道。要进一步加强劳动人事争议调解专业培训，不断提高调解员专业素质和业务技能，建立一支政治素质高、业务能力强、热心调解工作的专（兼）职调解员队伍。

三、切实加强调解工作组织领导

各级人事、劳动保障、司法行政部门、工会、企业联合会/企业家协会要将加强劳动人事争议调解列入工作议程，建立调解联席会议和联合调解制度，研究和解决调解工作中的困难和问题。要明确职责，落实责任，密切配合，充分发挥各自职能优势，采取有效措施，认真组织实施，抓好工作落实。不断改进工作方法，转变工作作风，加强部门间的联系，形成调解工作合力。加强信息交流，实现资源共享，共同学习提高。要加强对调解工作的组织、协调、指导和督促，定期检查考核，及时总结经验，对做出突出贡献的调解组织和调解人员予以表彰奖励。要不断研究劳动人事争议调解工作的新情况、新问题，进一步提升调解组织建设水平和调处能力，努力开创我省劳动人事争议调解工作新局面。

附件：人力资源和社会保障部　司法部　中华全国总工会　中国企业联合会/中国企业家协会关于加强劳动人事争议调解工作的意见

附件：

人力资源和社会保障部　司法部　中华全国总工会　中国企业联合会/中国企业家协会关于加强劳动人事争议调解工作的意见

2009年10月30日　人社部发〔2009〕124号

各省、自治区、直辖市人力资源社会保障（人事、劳动保障）厅（局）、司法厅（局）、总工会、企业联合会/企业家协会，新疆生产建设兵团人事局、劳动保障局、司法局、工会、企业联合会/企业家协会，国务院有关部委、直属机构人事部门：

为进一步贯彻落实劳动争议调解仲裁法，切实发挥调解在促进劳动人事关系和谐和社会稳定中的重要作用，现就加强劳动人事争议调解工作提出如下意见。

一、充分认识新形势下加强劳动人事争议调解工作的重要性

当前，随着劳动人事制度改革的深化以及劳动者维权意识增强，劳动人事争议案件呈上升态势，集体劳动争议增多，处理难度加大，迫切需要进一步完善劳动人事争议处理工作机制，加大调解工作力度。中央明确提出，要完善矛盾纠纷排查调处机制，建立党和政府主导的维护群众权益机制，更多采用调解方法，把矛盾化解在基层，解决在萌芽状态。劳动争议调解仲裁法针对劳动人事争议处理中的一些突出矛盾和问题，从构建和谐社会的需要出发，将调解作为劳动人事争议处理的基本原则和重要程序，拓展了调解组织的范围，强化了调解在争议处理过程中的地位和作用。因此，要充分认识调解在妥善处理社会矛盾、实现社会公平正义、构建和谐社会中不可替代的作用，充分认识加强劳动人事争议调解工作的重要性和紧迫性，以科学发展观为统领，贯彻“预防为主、基层为主、调解为主”的工作方针，把调解作为促进和谐社会建设的重要基础性工作，摆在争议处理工作更加突出的位置，逐步建立和完善企事业单位调解、乡镇街道调解、行业调解、人民调解、行政调解等多渠道的争议调解体系，推动和促进具有调解职能的其他社会组织及律师、专家学者开展调解工作，形成开放式的社会化调解网络，最大限度地将争议通过调解快捷、平稳化解，维护劳动人事关系和谐和社会稳定。

二、建立完善企业劳动争议调解组织，提高企业自主解决争议的能力

建立健全企业劳动争议调解委员会，是加强劳动争议调解工作的重要基础。要根据劳动争议调解仲裁法的要求，推动企业依法设立劳动争议调解委员会。已成立工会的企业一般应设立调解委员会，尚未成立工会的企业要将工会组建与调解组织建设同步推进。要充分发挥国有企业劳动争议调解委员会的作用，积极探索调解组织制度化建设的有效途径。在大中型企业，要加强集团公司和分公司、子公司调解组织建设，设立办事机构、配备得力人员、保障工作经费、发挥调解作用。在车间、工段、班组设立调解小组，形成企业内部调解工作网络，及时化解劳动争议。尚未建立劳动争议调解委员会的小型企业，可推举企业和职工共同认可的职工代表负责与企业经营者、职工以及乡镇街道劳动争议调解组织的沟通协调，预防和解决劳动争议。企业调解组织要与当地人力资源社会保障行政部门、工会、企业代表组织建立工作联系机制，及时报送调解委员会的组成、工作进展等情况。

企业劳动争议调解委员会要加强争议预防工作，宣传劳动法律法规和企业规章制度，主动参与协调履行劳动合同、集体合同、执行规章制度等方面出现的矛盾和问题，健全劳动争议预防和预警机制，做到超前防范，提高企业自主解决争议的能力，将争议化解在源头。

三、大力推进乡镇街道调解组织建设，夯实基层化解纠纷的工作基础

劳动争议调解仲裁法规定，在乡镇、街道设立具有劳动争议调解职能的组织，是强化基层调解，就近就地化解劳动争议的重要体现。要在个体经济、私营经济比较集中的地区，在地方党委、政府的统一领导下，大力推动乡镇、街道劳动保障服务所（站）和工会、企业代表组织设立的劳动争议调解组织建设，不断完善工作机制，落实工作经费，将调解职能向企业比较集中的村和社区延伸。没有明确调解职能的劳动保障服务所（站）要尽快加载调解职能，通过各种方式充实调解员，积极开展劳动争议调解工作。乡镇、街道等基层调解组织，要积极探索劳动争议和解建议书试点，引导劳动争议双方当事人在平等自愿基础上，充分协商达成和解，妥善化解劳动争议。

要建立健全由行业（产业）工会和行业协会双方代表组成的行业性劳动争议调解组织，根据行业特点有效开展劳动争议预防和调解工作，当前要在劳动争议多发的出租车、餐饮服务、建筑业等行业建立行业性劳动争议调解组织。

四、充分发挥人民调解委员会调解劳动争议的作用，拓宽劳动争议调解的渠道

人民调解委员会要依法将劳动争议纳入调解范围，发挥人民调解组织遍布城乡、网络健全、贴近群众

的优势，积极开展劳动争议调解工作。劳动争议多发的乡镇、街道人民调解委员会可以设立专门的服务窗口，及时受理并调解劳动争议。要充分发挥司法所指导人民调解委员会开展劳动争议调解的职能作用，有针对性地开展法律咨询和法制宣传工作，预防和减少劳动争议。要加强对人民调解员调解劳动争议的业务培训，使人民调解员了解和掌握劳动保障法律法规及政策规定，掌握劳动争议调解的基本方法和技巧，提高调解劳动争议的能力和水平。要认真研究、摸索和总结人民调解组织处理劳动争议的特点、规律，加强人民调解委员会与其他劳动争议调解组织的沟通、协调与配合，加强与劳动争议仲裁、审判程序的有机衔接，及时有效化解劳动争议。

五、推动事业单位人事争议调解工作，为深化事业单位人事制度改革提供保障

加强人事争议调解是规范事业单位人事管理，维护事业单位和工作人员合法权益的重要环节。事业单位要积极建立由人事部门代表、职工代表、工会代表、法律专家等组成的人事争议调解组织。加强主管部门对所属事业单位人事争议调解工作的指导，做到简单争议由事业单位内部调解解决，复杂争议由单位主管部门调解解决。积极创造条件，推动在教育、科技、文化、卫生等事业单位及其主管部门建立人事争议调解组织。切实发挥调解组织预防争议的作用，规范事业单位人事管理，探索有效化解人事争议的长效机制。

六、建立政府主导、各方参与的应急调解协调机制，及时处置重大集体劳动人事争议

人力资源社会保障行政部门要会同工会和企业代表组织，通过协调劳动关系三方机制等形式，共同研究解决劳动争议的重大问题。建立健全人力资源社会保障行政部门主导，工会、企业代表组织及主管部门共同参与的对突发性、集体性劳动人事争议应急调解协调机制，落实重大集体劳动人事争议信息报告制度。明确职责分工，排查争议隐患，深入研究重大集体劳动人事争议特点，发现重大纠纷苗头，及时研究对策，有针对性地制订应急方案，妥善处理争议案件。

七、加强劳动人事争议调解与仲裁的相互衔接，共同做好争议处理工作

调解和仲裁衔接是解决争议的有效工作机制。调解组织和仲裁机构要加强协调配合，共同做好争议处理工作，提高争议处理的质量和效率。对未经调解组织调解，当事人直接申请仲裁的劳动争议案件，仲裁委员会可向当事人发出调解建议书，引导其在乡镇、街道、企业以及人民调解委员会等调解组织进行调解，就近就地解决争议。仲裁委员会认为可以委托调解组织调解的劳动人事争议案件，经当事人同意，可以委托调解组织进行调解。对当事人双方提出的确认调解协议的申请，仲裁委员会应及时受理，对合法的调解协议，可以出具仲裁调解书。

八、加强调解员队伍建设，不断提高调解质量和效能

加强调解员队伍建设是做好劳动人事争议调解工作的重要保障。要拓宽调解员来源，积极吸纳律师、专家学者、法律工作者等参与劳动人事争议调解工作。要通过劳动人事法律知识培训、调解方法和技巧培训、典型案例评析研讨等形式，不断提高调解员的调解能力和法律素养。要加强对调解员的考核和管理，不断健全激励保障措施。努力建设一支公道正派、联系群众、热心调解工作，具有劳动人事法律知识、政策水平和实际工作能力的高素质调解员队伍。

九、明确职责分工，形成推动调解工作合力

人力资源社会保障行政部门、司法行政部门、工会、企业代表组织要加强对劳动人事争议调解工作的指导，充分发挥各自职能优势，落实责任，加大投入，整合资源，形成协调配合、通力合作的劳动人事争议调解工作新格局。

人力资源社会保障行政部门要统筹规划，会同司法行政部门、工会、企业代表组织及有关部门指导推

动劳动人事争议调解和预防工作；做好与立法机构制定法律、司法审判机关法律适用等方面的协调；建立人力资源社会保障行政部门牵头，工会、企业代表组织及主管部门共同参与的集体性劳动人事争议应急调解协调机制；推动乡镇街道劳动保障服务所（站）开展劳动争议调解工作。司法行政部门要对人民调解委员会开展劳动争议调解工作进行指导，健全劳动争议法律援助制度，规范律师在劳动争议调解代理中的执业行为。工会、企业代表组织要共同推进企业建立健全劳动争议调解委员会，完善争议预防和调解制度，引导争议双方通过协商解决争议，提高企业自主解决劳动争议的能力。推动乡镇、街道工会和企业代表组织设立的劳动争议调解组织以及行业工会与行业协会设立的行业性劳动争议调解组织建设，有效开展调解工作。

各地区、各有关部门要不断提高认识，改进工作方法，转变工作作风，总结、探索劳动人事争议调解工作的新思路、新机制、新方法，为促进劳动人事关系和谐稳定，构建社会主义和谐社会作出新的贡献。

省委组织部　省人力资源和社会保障厅　省财政厅　省军区政治部关于加强和改进军队转业干部教育培训工作的实施意见

2009年12月8日　鲁人社〔2009〕65号

各市委组织部，各市人事局、财政局，省直各部门（单位），各高等院校，各大企业，中央驻鲁各单位，各市警备区、军分区：

军队转业干部教育培训是军队转业干部安置工作的一项重要任务，是干部队伍和人才队伍建设的重要组成部分。做好军队转业干部教育培训工作，是顺应改革发展的客观要求，是适应军队转业干部安置政策制度调整改革的现实需要，是贯彻人才强省战略的重要举措。为推进军队转业干部教育培训工作科学化、制度化、规范化，进一步提高教育培训的针对性和有效性，根据《军队转业干部安置暂行办法》（中发〔2001〕3号）、《关于进一步做好军队转业干部安置工作的意见》（中发〔2007〕8号）和《关于加强和改进军队转业干部教育培训工作的意见》（国转联〔2008〕5号）等有关规定，现就加强和改进军队转业干部教育培训工作提出如下意见。

一、进一步明确军队转业干部教育培训的指导思想、工作原则与目标任务

（一）指导思想。以邓小平理论和“三个代表”重要思想为指导，深入贯彻落实科学发展观，把军队转业干部的教育培训纳入干部教育培训及人才资源开发的总体规划，以提高适应能力和改善知识结构为重点，以加强制度建设为基础，以提高教育培训质量为核心，针对军队转业干部教育培训特点，分层次分类别开展教育培训，帮助军队转业干部顺利实现由国防和军队建设人才向党政人才和经济社会建设人才转变，促进军队转业干部人才资源的科学开发和合理配置。

（二）工作原则。计划分配军队转业干部教育培训工作遵循“先培训后上岗”、“学用结合、按需施教、注重实效”和“培训、考核、使用相结合”的原则；自主择业军队转业干部教育培训工作遵循“政府主导、依托社会、个人自愿、按需培训”的原则。

（三）目标任务。逐步建立多层次、多渠道、分类别、与经济社会发展相适应的军队转业干部教育培训体系，不断更新教育培训内容，拓展教育培训形式，健全教育培训制度，构建教育培训基地网络，建立经费保障机制，形成党委和政府部门宏观指导、军队转业干部培训机构与培训基地优势互补、有关部门密

切配合的教育培训格局。

二、认真做好计划分配军队转业干部教育培训

计划分配军队转业干部教育培训，坚持省统一规划、条块结合、分片设点、按专业编班的办法进行。教育培训内容分为全员适应性培训和专业培训。在继续做好全员适应性培训工作的基础上，进一步加强专业培训。

（一）继续做好全员适应性培训。适应性培训内容主要包括政治理论、国家和安置地经济社会发展形势、国家和安置地军转安置政策、地方党委政府机构设置情况、地方工作的方式方法、心理调适、优秀军队转业干部的典型经验介绍等，为广大军队转业干部顺利实现由军队到地方岗位的转换提供有效帮助。全员适应性教育培训分层次组织实施，时间不少于5天。

（二）规范和完善专业培训内容。公共类专业培训主要学习国家统一制定的教育培训大纲规定的内容；行业类专业培训主要学习由国家军队转业干部安置工作部门会同行业部门共同制定的教育培训大纲规定的内容。各地、各行业系统要结合实际，细化专业培训类别，丰富专业培训内容，不断提高专业培训的针对性和有效性。

（三）加强专业培训的组织实施。专业培训应在军队转业干部上岗前进行，由省军队转业干部安置工作部门统一规划，各市及有关部门与接收单位共同组织实施。专业培训时间不少于3个月。要充分发挥行业系统培训优势，加强对行业系统专业培训工作的指导。军队转业干部在专业培训期间，组织、人事部门和接收单位要加强考核工作，将考核情况作为使用军队转业干部的重要依据。

三、加强自主择业军队转业干部教育培训

针对自主择业军队转业干部教育培训需求多元、投入大、自主性强等特点，着力提高自主择业军队转业干部就业创业能力，增强自主择业军队转业干部教育培训的实效性。

（一）认真组织适应性教育培训。自主择业军队转业干部适应性培训与计划分配军队转业干部适应性培训要分开进行，由省自主择业军队转业干部管理服务机构在省军转部门指导下，统一制定培训计划，由各市集中或分片组织实施，有条件的地区也可采取网络培训的方式。培训的主要内容应包括国家和安置地经济社会发展形势、国家和安置地自主择业相关政策、就业创业相关政策法规、心理调适、先期自主择业军队转业干部就业创业典型经验介绍等。适应性教育培训时间不少于5天（30学时）。

（二）积极开展个性化教育培训。个性化教育培训，是指自主择业军队转业干部根据个人就业创业需求，在国家、省、市军队转业干部安置工作部门指定或认可的培训机构进行培训，并取得相应证书的教育培训模式。自主择业军队转业干部到地方报到后3年内，可向安置地军队转业干部安置工作部门提出个性化培训申请，经批准参加培训并取得合格证书后，其相关培训费用，可在军队转业干部教育培训经费规定的标准内支付。

个性化教育培训可通过三种形式实施：一是国家统一开设网络课堂。国家统一开设自主择业军队转业干部网络学习课堂，利用国内优质教育培训资源，为自主择业军队转业干部自主学习提供服务。网络课堂安排就业创业实用科目12个模块约1 000余学时的课程，供自主择业军队转业干部自主选择。各市要组织自主择业军队转业干部全员参加，做到应训尽训。二是省及各市组织以推动就业创业为目的的共性培训。对个性化培训需求相对集中的专业，在个人自愿的基础上，省及各市可根据国家发布的自主择业军队转业干部教育培训参考大纲，结合当地实际，统一组织培训。三是自主择业军队转业干部个人选定培训课程。自主择业军队转业干部根据自己就业创业需求，从国家和省军转部门指定的培训机构中选定培训科目并提出培训申请的，管理服务机构要按照规范的工作流程提供培训服务。

（三）加强教育培训管理服务。各级军转安置部门要加强教育培训需求调研，为自主择业军队转业干

部参加个性化教育培训提供相关信息，跟踪培训情况。从适应性培训开始，要为自主择业军队转业干部建立培训档案，登记参加培训的具体情况，包括培训种类、所学课程、学时、经费使用、评估情况等，并对教育培训效果进行科学评估。各市要积极探索建立军转教育培训机构准入制度，尽快开展指定培训机构工作，并报省军队转业干部安置工作部门备案。

四、不断改进和完善军队转业干部教育培训方式方法

（一）积极探索教育培训工作前移。根据军队转业干部安置工作特点和需要，部队和地方军队转业干部安置工作部门要充分利用军队干部确定转业至到单位报到前的时间，针对军队转业干部实际，探索研究教育培训前移的具体内容、方式方法和组织实施等。有条件的地区可以结合部分行业领域的专业需求，探索有计划地选择一定数量的军队转业干部进行行业专业知识、技能等培训，并结合培训情况和考核结果对口安置的办法。

（二）大力开展网络教育培训。网络教育培训是现代远程教育培训的一种重要形式。要充分发挥网络培训覆盖面广、优质教育资源共享、学习方式灵活等优势，在军队转业干部教育培训中大力推行网络教育培训。国家军队转业干部安置工作部门统一制定全国军队转业干部网络教育培训规划，建立全国军队转业干部教育培训网络课堂，整合社会优质网络教育培训课程资源，分期分批纳入军队转业干部教育培训网络课程体系。各级军队转业干部安置工作部门负责组织本地军队转业干部参加网络课程学习，逐步实现网络教育培训工作的规范化、制度化。

（三）做好离队前教育培训。部队政治机关在干部转业摸底和离队报到前，要结合阶段性工作特点，做好深入细致的思想工作，进行政策形势、组织纪律、法规、保密等方面的教育，以及必要的择业指导和专业技能培训，为军队转业干部顺利到地方转岗打好基础。地方军队转业干部安置工作部门要积极支持配合。

五、全面加强军队转业干部教育培训基础保障

（一）实现优质师资资源共享。按照素质优良、规模适当、结构合理、专兼结合的原则，建立省、市包括党政领导干部、国内外专家学者、高等院校教授、优秀企业家等在内的教育培训师资队伍信息库，实施动态管理、优化组合，在全省范围内实现资源共享，并与国家接轨。

（二）高标准选用教育培训教材。为保证培训质量，规范培训内容，教育培训教材以国家统一组织编写的核心教材为主，并适当选用符合本地、本行业、本系统特点的教材，增强教育培训的针对性和实用性。

（三）充分利用好各类教育培训基地。充分利用党校、行政学院、干部学院以及驻地高等院校、军队院校、行业教育培训机构等教育培训资源，建设广覆盖、多层次、优势互补、布局合理的军队转业干部教育培训基地体系。军队转业干部培训中心要充分发挥作用，在军队转业干部安置工作部门指导下，积极探索适应新形势要求的军队转业干部教育培训内容和方法。逐步建立和完善军队转业干部教育培训基地资质评估、资格准入和教育培训质量评估制度。

（四）加大教育培训经费投入。军队转业干部教育培训经费，实行中央财政和军队共同保障的模式，由省军队转业干部安置工作部门统一管理使用，按原有渠道划拨。各级财政和有关行业、系统应加大对军队转业干部教育培训经费支持力度，补助标准随着经济社会发展适时提高。

（五）加强经费使用管理和监督。军队转业干部教育培训经费必须专款专用，不得挪用、截留、克扣、侵占。教育培训经费使用要接受审计监督，省军队转业干部安置工作部门适时组织相关部门对经费使用情况进行监督检查。违反经费管理规定的，依照《财政违法行为处罚处分条例》等国家和省有关规定追究责任，构成犯罪的依法追究刑事责任。

自主择业军队转业干部教育培训经费遵循“谁培训，谁管理，谁使用，谁负责”的原则。适应性培训、网络培训、个人选定的培训经费要分开使用，不得互相挪用。自主择业军队转业干部个人选定培训科目，在军队转业干部安置工作部门指定或认定的培训机构参加学习并取得合格证书的，军队转业干部安置工作部门要在规定的标准内向承训机构支付经费。不足部分由军队转业干部个人承担。自主择业军队转业干部个性化教育培训经费不得支付给个人，不得拿发票报销。自主择业军队转业干部教育培训经费三年内有效。三年内军队转业干部本人没有提出培训申请的，经费可以统筹使用。

六、切实加强对军队转业干部教育培训工作的组织领导

（一）高度重视教育培训工作。各级党委组织部、政府人力资源和社会保障、财政等有关部门以及有关行业部门，要高度重视军队转业干部教育培训工作，切实把军队转业干部教育培训纳入本地、本部门干部教育培训及人才资源开发的整体规划，统一部署，加强协调，密切配合，抓好落实。

（二）加强对教育培训工作的指导。各级军队转业干部安置工作部门，要把军队转业干部教育培训工作作为推进建设中国特色退役军官安置制度的一项重要内容，切实履行好职责，按照干部教育培训工作的总体规划，做好军队转业干部教育培训的规划指导、组织协调和督促检查工作，加强对教育培训工作新情况、新问题的研究。

（三）认真落实相关责任。全省军队转业干部教育培训工作实行统一规划，分级管理，按照分工由各部门会同接收单位共同组织实施。省委组织部负责师职军队转业干部的教育培训工作。省人力资源和社会保障厅负责团职以下及专业技术军队转业干部教育培训工作，具体承担省直（中央）驻济部门、单位接收安置的军队转业干部教育培训的组织实施工作；各市军队转业干部安置工作部门、有关行业系统省级部门和各大企业，分别负责本市、本行业系统和本企业接收安置的军队转业干部教育培训工作。自主择业军队转业干部管理服务机构在军转部门的统一指导下，负责自主择业军队转业干部培训工作的组织实施。接收单位要按照国家要求落实军队转业干部培训期间的有关待遇。

（四）加强工作队伍建设。强化工作职能，理顺工作关系，有计划地组织开展“培训者培训”、“管理者培训”活动，提高工作队伍整体素质。对在教育培训工作中成绩突出的单位和个人，按照有关规定给予宣传和表彰奖励。

各市要依据本意见制定军队转业干部教育培训工作规划，统一部署，加强协调，密切配合，切实抓好工作落实。要结合实际，探索创新，努力打造灵活多样、切实可行、富有成效的军队转业干部教育培训形式，不断创造军队转业干部教育培训的新鲜经验，推动军队转业干部教育培训工作科学发展。

省人力资源和社会保障厅　省财政厅转发《人力资源和社会保障部　财政部关于完善做实企业职工基本养老保险个人账户试点工作有关问题的通知》的通知

2009年12月9日　鲁人社〔2009〕67号

各市劳动和社会保障局、财政局：

现将《人力资源和社会保障部　财政部关于完善做实企业职工基本养老保险个人账户试点工作有关问题的通知》（人社部发〔2008〕110号）转发给你们，请认真贯彻执行。

附件：人力资源和社会保障部　财政部关于完善做实企业职工基本养老保险个人账户试点工作有关问题的通知

附件：

人力资源和社会保障部　财政部关于完善做实企业职工基本养老保险个人账户试点工作有关问题的通知

2008 年 11 月 28 日　人社部发〔2008〕110 号

天津市、山西省、上海市、山东省、河南省、湖北省、湖南省、新疆维吾尔自治区劳动保障厅（局）、财政厅（局）：

国务院批复天津等 8 地区开展做实企业职工基本养老保险个人账户试点方案以来，各试点地区按照国务院的部署，认真组织实施试点工作，取得了明显成效。为切实解决试点工作中存在的问题，进一步推进做实个人账户试点工作深入开展，现就有关问题通知如下：

一、在开展试点工作时，要周密部署、认真测算，不能因做实个人账户而影响企业离退休人员基本养老金按时足额发放。目前尚未制定做实个人账户试点实施方案的省份，应抓紧制定实施方案，确保试点工作的顺利开展。

二、严格按照全省（区、市）个人实际缴费工资总额（上报人力资源和社会保障部、财政部的年度决算数据）和规定的做实比例确定每年做实个人账户资金数额，实现动态做实。

三、做实个人账户所需资金，中央财政继续按半动态的方式予以补助，各地财政至少按半动态的方式予以补助，地方财政补助比例不低于 25%。中央和地方财政补助之和与当年动态做实额的差额部分，由养老保险基金补充，应在当年年底前落实到位。

四、做实个人账户财政补助资金要及时足额到位。地方财政应于每年 6 月底前，按上年补助基数将补助资金落实到位。在地方财政补助资金没有到位前，中央财政补助资金将不予下拨。

五、按国家有关规定，开展中央财政补助之外的做实个人账户基金的投资运营工作，努力实现保值增值。

六、做实个人账户基金必须纳入社会保障基金财政专户管理。做实个人账户基金实行单独管理、单独记账，保证记账准确、管理规范、资金安全。职工个人账户的记账利率，应综合考虑现行记账利率和做实基金运营收益率确定。个人账户必须记清记实，不得影响参保人员退休后的待遇核定。

省人力资源和社会保障厅　省财政厅关于贯彻执行省政府鲁政发〔2009〕108 号文件有关问题的通知

2009 年 12 月 31 日　鲁人社〔2009〕74 号

各市人力资源和社会保障局（人事局、劳动保障局）、财政局：

根据《山东省人民政府关于印发山东省企业职工基本养老保险省级统筹实施意见的通知》（鲁政发〔2009〕108 号，以下简称《实施意见》）规定，现对贯彻执行中的一些具体问题，提出如下意见，请遵照执行。

一、统一思想，提高认识。实行企业职工基本养老保险省级统筹，是党中央、国务院的明确要求，也是加快社会保障体系建设，逐步建立适合我省省情、实现可持续发展的养老保险制度的一项重大举措，标志着我省养老保险制度进入了更加规范完善的新阶段。《实施意见》按照国家的有关要求，结合我省实际，立足当前，着眼长远，明确了实行省级统筹的基本原则、总体目标和主要任务。各市要认真组织学习，深刻领会《实施意见》精神，把思想和行动统一到省政府的决策和部署上来，进一步提高对实行省级统筹重要性、必要性和紧迫性的认识，增强贯彻《实施意见》的坚定性和自觉性，抓住机遇，乘势而上，努力推动企业养老保险工作取得新发展。

二、高度重视基本养老保险基金预算工作。实行省级统筹后，全省统一编制和实施企业职工基本养老保险基金预算。各市要按照省级预算管理的具体办法、相关程序和要求，认真做好基金预算的编制工作。要加强基础数据管理，逐步建立科学、规范的基金预算指标体系，加强数据分析，力求全面、完整、客观地编制基金预算。

三、逐步统一企业缴费比例。按照“以支定收、略有结余、确保发放”的原则，用3年左右的时间逐步统一企业缴费比例。各市政府研究提出调整比例，经省人力资源社会保障厅、省财政厅审核后报省政府审批。

四、进一步加强结余基金管理。今后各市基本养老保险结余基金仍留存各市管理。各市要进一步加强基金管理和监督，确保基金安全；要通过加强扩面征缴、合理安排资金、加大财政投入等措施，确保基本养老金按时足额发放。各市确需动用结余基金的，须报省人力资源社会保障厅、省财政厅审核同意。上解调剂金的具体办法，由省人力资源社会保障厅、财政厅根据省级统筹发展的需要和实际情况研究提出意见，报省政府批准后另行下发。

五、清理、规范养老保险各项政策规定。各市要抓紧清理、规范养老保险各项政策规定，对当地自行出台的有关规定进行自查自纠，凡是与国家和省政策相抵触的，要一律予以纠正，并报省人力资源社会保障厅备案。要重点把握好基本养老金计发和调整办法、统筹项目、养老保险费补缴办法、养老保险关系转移接续办法、退休审批等方面的政策规定，严禁各行其是，开政策口子，一经发现，要通报批评，追究责任。省里将进一步健全和完善养老保险各项政策规定和管理措施，定期进行检查考核，确保省级统筹各项政策的顺利实施。

六、逐步规范统一养老保险经办业务流程和信息系统。按照全省统一的基本养老保险业务流程和“先规范、后完善”的思路，各市要结合实际情况，先规范一些日常必需的业务工作，再逐步向全省统一的模式过渡。在信息系统建设上，省里要统一开发、升级现有应用系统。各市要按照省级统筹的要求，投入足够的人力、物力建设好相应的信息系统，将物质技术的保障措施落到实处。目前要重点做好按月向省级数据中心传输业务数据的工作，今后逐步过渡到建立全省统一的管理信息系统，实现省、市、县和同级之间社会保险经办机构、人力资源和社会保障部门、财政部门间的数据及时交换和信息共享共用。

七、要加强领导，统筹协调。实行养老保险省级统筹，事关广大职工群众的切实利益，事关改革发展稳定的大局。各市要高度重视，加强领导，精心组织，抓好落实。各级劳动保障、财政部门要及时向党委政府报告《实施意见》的贯彻情况，在党委政府的领导下，加强与有关部门的协调配合，确保省级统筹工作的顺利实施。要进一步加强调查研究，及时研究解决工作中出现的新情况、新问题，重要情况和重大问题要及时向省人力资源社会保障厅、省财政厅报告。

省劳动和社会保障厅　省财政厅关于归集2008年度企业职工基本养老保险个人账户做实基金的通知

2009年5月11日　鲁劳社办〔2009〕16号

各市劳动和社会保障局、财政局：

根据省政府办公厅《关于做实企业职工基本养老保险个人账户试点工作的通知》（鲁政发〔2007〕28号）要求，现就归集2008年度企业职工基本养老保险个人账户做实基金有关问题通知如下：

一、归集的范围和比例

2008年度归集的做实个人账户基金，按照各地和省直管企业养老保险数据库中记录的2008年度参保缴费职工个人账户3%做实部分数额确定，归集数额包括本金及利息。各县（市、区）归集数额由市级社会保险经办机构审核确认，省社保局对各市归集数额审核确认，并对各县（市、区）归集数额抽查；省直管企业归集数额由省社保局确定。

2007年做实个人账户基金未足额归集的，应将2007年做实基金与2008年做实基金一同归集。

二、归集方法

2008年的做实基金，由各县（市、区）财政部门从财政专户划转同级社保机构支出户，社保机构支出户将做实基金上解市级社保机构收入户；市级社保机构5月31日前将做实基金（含市本级）划转同级财政专户，市级财政专户6月10日前将基金划转同级社保机构支出户，市级社保机构支出户6月15日前将基金上解省社保局收入户。省社保局收入户收到上解资金当月末将基金划转省财政专户。以上均须注明做实个人账户基金。

三、做实基金的支出及核算

（一）应归集基金中按规定支付的养老金、转移及一次性支付等支出，由各市、县分别列支，不再归集。

（二）各市归集到省里的做实基金不改变产权关系，省及各市、县按照实际归集到省的金额分别予以记账和核算。

四、有关工作要求

各市应于2009年6月15日前将《2008年企业职工基本养老保险基金情况表》和《2008年归集个人账户做实基金情况表》（详见附件）报送省社保局，省社保局将各市及省直管企业报表汇总并于6月30日前报省劳动保障厅、省财政厅备案。

各市要严格按本通知规定归集2008年做实基金，省将继续按照省财政厅、省劳动保障厅《关于印发〈山东省企业职工基本养老保险做实个人账户试点奖励办法（试行）〉的通知》（鲁财社〔2008〕26号）的有关规定进行考核奖励。

联系人：山东省社会保险事业局基金管理处

冯安才　徐强　石汝惠

电话：0531—81915855

传真：0531—81915850

附件：1. 2008年企业职工基本养老保险基金情况表

2. 2008年归集个人账户做实基金情况表

附件1：

2008年企业职工基本养老保险基金情况表

填报单位：（公章）　　填报日期：年　月　日　　单位：人、万元

序号	项目 单位	收入														支出								上级补助				结余			
		实际缴费人数	比上年增长	月人均缴费工资	比上年增长	年缴费工资总额	比上年增长	平均缴费比例	比上年增加	征缴率	比上年增加	征缴收入	比上年增长	基金总收入	比上年增长	离退休人数	比上年增长	月人均基本养老金	比上年增长	养老金支出	比上年增长	基金总支出	比上年增长	中央补助资金	比上年增长	省级补助调剂额	比上年增长	当期结余	按3%做实所需资金	做实后当期基金结余	累计结余
		1	2	3	4	5	6	7	8	9	10	11	12	13	14	15	16	17	18	19	20	21	22	23	24	25	26	27	28	29	30
1																															
2																															
3																															
4																															
5																															
6																															
7																															
8																															
9																															
10																															
11																															
12																															

附件2：

2008年归集个人账户做实基金情况表

填报单位（公章）： 填报日期： 年 月 日 单位：元

序号	项目 \ 单位	养老保险费收入			做实基金收入				做实基金支出				中央补助资金	本期上解基金
		小计	单位缴纳	个人缴纳	小计	个人缴费收入	利息收入	转移收入	小计	个人账户养老金支出	转移支出	其他支出		
		1	2	3	4	5	6	7	8	9	10	11	12	13
1														
2														
3														
4														
5														
6														
7														
8														
9														
10														
11														
12														

省劳动和社会保障厅　省财政厅关于印发《山东省加强就业培训提高就业与创业能力培训项目定点培训机构招投标办法》的通知

2009年5月20日　鲁劳社办〔2009〕24号

各市劳动和社会保障局、财政局：

现将《山东省加强就业培训提高就业与创业能力培训项目定点培训机构招投标办法》印发你们，请认真贯彻执行。

附件：山东省加强就业培训提高就业与创业能力培训项目定点培训机构招标办法

附件：

山东省加强就业培训提高就业与创业能力培训项目定点培训机构招标办法

一、总则

第一条　为规范山东省加强就业培训提高就业与创业能力培训项目定点培训机构招投标活动，保护国家利益、社会公共利益和招投标活动当事人的合法权益，提高经济效益，保证项目质量，根据《中华人民共和国政府采购法》、《中华人民共和国招标投标法》、《山东省人民政府办公厅转发省劳动和社会保障厅省财政厅关于加强就业培训提高就业与创业能力的意见的通知》（鲁政办发〔2008〕37号）和《山东省加强就业培训提高就业与创业能力五年规划》（鲁劳社〔2009〕8号）精神，制定本办法。

第二条 山东省内加强就业培训提高就业与创业能力培训项目定点培训机构（以下简称定点培训机构）的招投标活动，适用本办法。

第三条 招投标活动应当遵循公开、公平、公正和诚实信用、合理布局、择优认定的原则。

第四条 定点培训机构采取公开招标方式确定。

第五条 定点培训机构应在各级人民政府和主管部门统筹协调和指导下，积极开展培训工作。

二、投标条件

第六条 依法设立的技工院校、中等职业学校、劳动就业训练中心、民办职业培训机构等各类职业教育和培训机构，均可作为投标对象。经人力资源和社会保障部批准建立并公布的我省11个国家级高技能人才培养基地可作为定点培训机构，直接承担所在地的各类培训任务。

第七条 参加投标活动的培训机构须具备以下条件：

（一）具有合法的办学资质和稳定的办学经费来源。具有独立法人资格取得劳动和社会保障行政部门或教育行政部门颁发的办学许可证；具有1年以上职业教育培训办学经历；自身具有稳定的经费来源，确保培训活动的资金支持。

（二）具有满足开展培训职业（工种）所需的教学场地和设施设备。教学场地一般应包括教室、实习场所及附属用房、行政办公用房等，其中理论课教室面积不少于100平方米，实习场所面积不少于150平方米；配备开设的职业（工种）培训教学所需的教学仪器设备和教材、图书、资料；教学场地和设施设备要符合国家有关房屋安全和消防安全的有关规定。

（三）具有满足培训任务需要的师资力量。具备一支政治素质高、业务能力强，并有与培训专业、设备等规模相适应，具有丰富教学经验的教学队伍；具有2名以上取得职业指导资格、熟悉劳动保障政策的专（兼）职教师；开展创业培训的定点培训机构，具有2名以上取得人力资源和社会保障部“创业和改善你的企业”教师资格证书的专（兼）职教师；聘请的兼职教师应经其所在单位同意，出具证明，并与培训机构签订1年以上的聘用合同书。

（四）具有满足开展培训职业（工种）所需的教材。社会培训机构所设培训职业（工种）适应当地劳动力市场需求，培训方法和形式适应培训对象学习需求，统一使用由市级劳动保障部门指定的教学大纲。

（五）具有相对稳定的就业渠道。具有较好的职业技能培训基础和业绩，有相对稳定的就业渠道，学员培训后就业率达60%以上。

（六）其他条件。社会信誉好，无违规收费以及其他违法行为；财务独立核算，在银行开设基本账户，财务制度健全，能全面正确反映培训成本，能出具有效票据。

第八条 市属或市属以上定点培训机构以承担中、高级培训任务为主，县属及县属以下定点培训机构主要承担初级培训任务。

三、招标程序

第九条 制定详细的年度培训计划。按照省劳动保障厅、财政厅下达的年度培训计划，各市劳动保障部门根据当地人力资源市场的供求信息，在对需求信息汇总分析审核的基础上，制定详细的年度培训计划。

第十条 市级劳动就业服务机构应委托有招标资质的招标代理机构办理招标事宜。

第十一条 编制招标文件。根据年度培训计划确定的培训工种、培训人员数量等详细信息，制定招标文件。招标文件应主要包括以下内容：1. 投标人须知；2. 投标人应当提交的资格、资信证明文件；3. 定点培训机构承担培训任务协议条款；4. 招标报价要求；5. 评标标准；6. 招标需求一览表（见附件1）；7. 投标书（见附件2）。

第十二条 发布招标公告。招标公告要在市级日报向社会发布招标公告。招标公告主要包括以下内容：1. 招标单位的名称、地址和联系方法；2. 投标人的资格要求；3. 获取招标文件的时间、地点和方式等；4. 发标截止时间、开标时间及地点。

第十三条 组织投标。符合投标条件并有意向投标的培训机构按照招标文件的规定编制投标文件。投标文件应在规定的截止日期前密封送达投标地点。招标机构应当对收到的投标文件签收备案，对在提交投标文件截止日期后收到的投标文件，应不予开启并退还。投标机构应不少于三家。

第十四条 组建评标委员会。评标委员会参与招标项目评标工作。评标委员会由招标人的代表和有关职业技能培训、专业技术方面的专家组成，成员人数为 3 人以上的单数，其中具有高级职称或同等水平的专家占总数的 2/3。与投标人有利害关系的人员不得进入评标委员会，招标人不得以专家身份进入评标委员会。

第十五条 开标、评标和中标。开标按照招标文件确定的开标地点和时间进行，开标过程存档备查。评标委员会应采取综合评分法对投标单位情况进行评审，对合格的投标社会培训机构按要求进行现场审查。评标委员会完成评标后，应提出书面评标报告，并推荐合格的中标候选人。招标机构根据评标委员会提出的书面评标报告和推荐的中标候选人确定中标人。

第十六条 中标人确定后，招标机构将中标结果在市级报纸予以公告。同时，向中标人发出中标通知书，将中标结果通知所有未中标的投标人。

第十七条 市劳动就业服务机构根据中标情况，编制《定点培训机构中标单位及培训任务一览表》（见附件 3）并报省劳动保障厅、财政厅审核备案。

四、管理与监督

第十八条 定点培训机构实行动态管理，根据年度培训计划每年进行一至二次招投标活动。

第十九条 省、市直属的培训机构，按照属地原则，参加所在地定点培训机构的招投标。

第二十条 定点培训机构要建立教学管理制度、考勤制度、学员信息台账、就业跟踪制度。在开班前应将学员信息资料、教学计划、培训大纲以纸制和电子版两种形式报所在地劳动就业服务机构备案。

第二十一条 各县（市、区）和乡镇劳动保障服务机构要统一制作和悬挂各定点培训机构的名称、专业、地点和联系电话等，使失业人员了解定点培训机构和培训专业设置情况，指导其自愿参加培训。

第二十二条 各市劳动就业服务机构要对定点培训机构进行监督管理。培训前对学员情况、教学计划、培训大纲进行审核备案；培训过程中，要建立监督评估制度，定期、不定期对培训班进行检查和抽查，并做好记录；培训后，要组织统一结业考试，并对培训情况做出综合评估，作为考核定点培训机构的主要依据。

第二十三条 各市劳动保障部门、财政部门要建立培训效果评价制度，每年年终对定点培训机构中标项目进行评估，建立培训效果评价制度，根据其专业设置、培训内容、课程安排、收费标准、招生情况、学员结业率、技能鉴定合格率以及培训后就业率等综合考评情况给予评估，对年度考核不合格、有违法违规行为、将承担的培训任务委托转包其他单位等情形的，直接撤销其定点培训机构资格，下一年度不得进入招投标范围。

第二十四条 省劳动保障厅、省财政厅将不定期对定点培训机构进行抽查。

五、附则

第二十五条 本办法自发布之日起实施。

第二十六条 本办法由省劳动保障厅、财政厅负责解释。

附件：1. 山东省加强就业培训提高就业与创业能力培训项目招标需求一览表

2. 山东省加强就业培训提高就业与创业能力培训项目投标书式样

3. 山东省加强就业培训提高就业与创业能力培训项目中标单位及培训任务一览表

附件1：

山东省加强就业培训提高就业与创业能力培训项目招标需求一览表

单位	培训人群	培训工种		培训课时	培训人数
××县（市、区）	合计				
	就业竞争能力培训	小计			
		1. ××工种	初级工		
			中级工		
			高级工		
		2. ××工种	初级工		
			中级工		
			高级工		
		……			
	职业转换能力培训	小计			
		1. ××工种	初级工		
			中级工		
			高级工		
		2. ××工种	初级工		
			中级工		
			高级工		
		……			
	转移就业能力和技能提升培训	小计			
		1. ××工种	初级工		
			中级工		
			高级工		
		2. ××工种	初级工		
			中级工		
			高级工		
		……			
	创业能力培训				
××县（市、区） ……					

附件2：

编号：

山东省加强就业培训提高就业与创业能力培训项目投标书

（式样）

项目名称：________________________

投标单位：________________________

投标单位全权代表：________________________

投标单位：____________（公章）

________年________月________日

×××市劳动就业办公室印制

致：（招标人）

根据《山东省加强就业培训提高就业与创业能力培训项目定点机构招投标办法》，按照×××招标文件要求（招标编号），×××（代表全名、职务）经正式授权并代表投标人×××（投标方名称、地址）提交下述文件正本一份和副本一式×份（投标文件应包括但不限于以下内容）。

1. 承诺函
2. 授权委托书
3. 法定代表人证明书
4. 项目综合说明
5. 投标单位概况（表一）
6. 投标专业概况（表二）
7. 投标专业价格（表三）
8. 相关资格证明文件
9. 具体联系方式
10. 其他需补充的条款

投标人代表姓名、职务：

投标单位名称（公章）：

日期：　　年　月　日

表一　　　　投标单位概况

<table>
<tr><td colspan="2">投标单位名称</td><td colspan="2"></td><td>负责人</td><td></td></tr>
<tr><td colspan="2">单位地址</td><td colspan="2"></td><td>联系电话</td><td></td></tr>
<tr><td colspan="2">电子邮箱</td><td colspan="2"></td><td>邮政编码</td><td></td></tr>
<tr><td colspan="2">社会力量办学许可证号</td><td></td><td>颁证单位</td><td colspan="2"></td></tr>
<tr><td colspan="2">开户行</td><td></td><td>账号</td><td colspan="2"></td></tr>
<tr><td colspan="2">拟培训的专业名称及等级</td><td colspan="4"></td></tr>
<tr><td rowspan="3">基本情况</td><td>培训机构办学概况及培训工作业绩</td><td colspan="4"></td></tr>
<tr><td>投标单位促进就业措施</td><td colspan="4"></td></tr>
<tr><td>获奖情况</td><td colspan="4"></td></tr>
</table>

表二　　投标专业概况

<table>
<tr><td colspan="3">专业名称</td><td colspan="4"></td><td colspan="2">拟培训等级</td><td colspan="3"></td></tr>
<tr><td colspan="2" rowspan="3">培训内容</td><td colspan="2">培训课程</td><td colspan="8"></td></tr>
<tr><td colspan="2">培训课时</td><td colspan="8"></td></tr>
<tr><td colspan="2">选用教材名称</td><td colspan="8"></td></tr>
<tr><td rowspan="15">申报条件</td><td rowspan="6">教学设施</td><td colspan="2">理论教室</td><td>间
m^2</td><td>实习教室</td><td>间
m^2</td><td>办公室
.</td><td>间
m^2</td><td>资料室</td><td colspan="2">间
m^2.</td></tr>
<tr><td rowspan="5">主要专业设备</td><td colspan="2">设备名称</td><td>数量</td><td colspan="2">型号</td><td colspan="2">工作</td><td colspan="2">期实习人数</td></tr>
<tr><td colspan="2"></td><td></td><td colspan="2"></td><td colspan="2"></td><td colspan="2"></td></tr>
<tr><td colspan="2"></td><td></td><td colspan="2"></td><td colspan="2"></td><td colspan="2"></td></tr>
<tr><td colspan="2"></td><td></td><td colspan="2"></td><td colspan="2"></td><td colspan="2"></td></tr>
<tr><td colspan="2"></td><td></td><td colspan="2"></td><td colspan="2"></td><td colspan="2"></td></tr>
<tr><td rowspan="9">人员配备</td><td></td><td colspan="2">姓名</td><td>学历</td><td colspan="2">专业等级</td><td colspan="2">职称</td><td colspan="2">联系电话</td></tr>
<tr><td rowspan="4">专职教师</td><td colspan="2"></td><td></td><td colspan="2"></td><td colspan="2"></td><td colspan="2"></td></tr>
<tr><td colspan="2"></td><td></td><td colspan="2"></td><td colspan="2"></td><td colspan="2"></td></tr>
<tr><td colspan="2"></td><td></td><td colspan="2"></td><td colspan="2"></td><td colspan="2"></td></tr>
<tr><td colspan="2"></td><td></td><td colspan="2"></td><td colspan="2"></td><td colspan="2"></td></tr>
<tr><td rowspan="3">兼聘教师</td><td colspan="2"></td><td></td><td colspan="2"></td><td colspan="2"></td><td colspan="2"></td></tr>
<tr><td colspan="2"></td><td></td><td colspan="2"></td><td colspan="2"></td><td colspan="2"></td></tr>
<tr><td colspan="2"></td><td></td><td colspan="2"></td><td colspan="2"></td><td colspan="2"></td></tr>
<tr><td>管理人员</td><td colspan="2"></td><td></td><td colspan="2"></td><td colspan="2"></td><td colspan="2"></td></tr>
</table>

（注：表二多个培训专业须加页，如表二－1、表二－2 等）

表三　　投标价格表

单位（公章）　　　　　　　　　　　　　　　　　　　　　　　　　　年　　月　　日

<table>
<tr><td>培训专业名称</td><td colspan="2">经 费 预 算</td><td>培 训 课 时</td><td>就 业 去 向</td></tr>
<tr><td rowspan="3"></td><td>支出内容</td><td>经费预算：___（元/人）
其中：
财政补贴：___（元/人）
单位自筹：___（元/人）
个人支付：___（元/人）</td><td rowspan="2"></td><td rowspan="3"></td></tr>
<tr><td>其他支出</td><td></td></tr>
<tr><td>合计</td><td>大写：　　　　　　　　小写：</td><td></td></tr>
</table>

续表

培训专业名称	经费预算		培训课时	就业去向
	支出内容	经费预算：___（元/人） 其中： 财政补贴：___（元/人） 单位自筹：___（元/人） 个人支付：___（元/人）		
	其他支出			
	合计	大写：　　　　小写：		
……				

说明：
1. 各市可根据当地实际情况对表格内容进行适当调整。
2. 招标单位可根据上述表格内容自行添加更多详实内容。
3. 培训机构所报的每一种培训专业都需要按照格式将详细内容列出。
4. 货币以人民币为单位。

附件3：

山东省加强就业培训提高就业与创业能力培训项目中标单位及培训任务一览表

市地	培训人群	培训工种		培训课时	培训人数	中标单位及培训任务		
						单位名称	培训人数	拟安排培训班次
	合计							
××县（市、区）	就业竞争能力培训	小计						
		1. ××工种	初级工					
			中级工					
			高级工					
		……						
	职业转换能力培训	小计						
		1. ××工种	初级工					
			中级工					

续表

市地	培训人群	培训工种		培训课时	培训人数	中标单位及培训任务		
						单位名称	培训人数	拟安排培训班次
××县（市、区）	职业转换能力培训	1. ××工种	高级工					
		……						
		小计						
	转移就业能力和技能提升培训	1. ××工种	初级工					
			中级工					
			高级工					
		……						
	创业能力培训							
××县（市、区）								
……								

省人力资源和社会保障厅 省财政厅关于印发《山东省加强就业培训提高就业与创业能力培训项目绩效考评办法》的通知

2009年8月20日 鲁人社办〔2009〕27号

各市劳动和社会保障局、财政局：

现将《山东省加强就业培训提高就业与创业能力培训项目绩效考评办法》印发你们，请认真贯彻执行。

附件：山东省加强就业培训提高就业与创业能力培训项目绩效考评办法

附件

山东省加强就业培训提高就业与创业能力培训项目绩效考评办法

第一章 总 则

第一条 为建立山东省就业与创业能力提升五年规划培训项目（以下简称培训项目）绩效考评机制，全面、客观、公正、科学地评价培训项目绩效，根据《山东省人民政府办公厅转发省劳动保障厅省财政厅关于加强就业培训提高就业与创业能力的意见的通知》（鲁政办发〔2008〕37号）等有关规定，制定本办法。

第二条 培训项目绩效考评，是指通过科学、规范的绩效评价方法、指标体系和评价标准，对培训成本、培训质量和就业效果进行的综合性考评与评价。

第三条 培训项目绩效考评应坚持客观公正、公开透明、标准统一、科学严谨、注重实效的原则。

第四条 培训项目绩效考评的依据：

（一）《山东省人民政府办公厅转发省劳动保障厅省财政厅关于加强就业培训提高就业与创业能力的意见的通知》（鲁政办发〔2008〕37号）。

（二）省劳动保障厅、省财政厅联合下发的《山东省加强就业培训提高就业与创业能力五年规划》（鲁劳社〔2009〕8号）、《山东省加强就业培训提高就业与创业能力培训项目定点培训机构招投标管理办法》（鲁劳社办〔2009〕24号）、《山东省加强就业培训提高就业与创业能力培训项目管理办法》（鲁劳社〔2009〕37号）、《山东省加强就业培训提高就业与创业能力培训项目省财政补助资金管理办法》（鲁财社〔2009〕23号）。

（三）其他反映提高劳动者就业与创业能力培训情况的相关资料。主要包括人力资源和社会保障部门及财政部门报表、账目、凭证、就业失业人员数据库有关数据，检查报告、调查情况以及其他相关资料。

（四）定点培训机构有关培训项目台账。

第二章 考评内容

第五条 组织建设考评。主要包括成立培训项目领导小组，明确分管领导；领导小组下设办公室并具有相对固定的工作人员，负责培训项目的计划制定、组织、协调、指导和监督工作；设立专家委员会，负责指导开展职业技能与创业培训，解决培训机构招标工作、项目实施过程中遇到的有关问题；设立考评委员会，负责制定本地区考评办法，组织年度考评，对考评员进行培训与管理，日常培训的监督与管理；领导小组办公室和各成员单位应做到任务明确，分工合理，责任落实，工作协调配合良好。

第六条 制度建设考评。主要内容包括培训项目实施各项管理制度（包括定点机构认证、考试、发证、资金、考评、档案等）健全，规范合理；建立明确的培训工作目标考评责任制，招标投标、机构认定、就业情况、职业补贴拨付等情况做到公开透明；积极向省里报送工作信息，按时报送半年和年度工作总结。

第七条 培训机构建设考评。主要包括定点培训机构认定规范，布局合理；培训项目（工种）与当地产业结合紧密，培训内容科学合理，计划周详；培训课时、内容、师资力量、考试成绩与专业技能要求相一致；把技能培训、创业培训与就业指导服务紧密结合起来，及时掌握信息，提供就业指导、政策咨询、法律援助和劳动维权等全方位服务；市（县、区）就业服务机构和培训机构分别建立劳动者技能培训和创业培训数据库，实行动态管理，归档文件完整齐全。

第八条 培训实绩考评。主要包括完成省下达的各类劳动者培训任务情况，参加培训的各类劳动者培训合格率达到90%以上，就业（含自主创业）率不低于80%。

第九条 资金管理使用情况考评。主要包括培训资金筹措机制建立情况、补助资金（市、县地方配套资金）的落实情况、按规定及时拨付职业培训补贴情况、专款专用情况等。

第三章 考评程序和方法

第十条 培训项目绩效考评每年进行一次。年度考评于每个考评年度的次年6月开始实施，8月底前完成。

第十一条 培训项目绩效考评由人力资源社会保障部门、财政部门共同组织实施。省人力资源社会保障厅、财政厅主要负责制定绩效考评办法、统一组织对各市的考评、并根据考评结果落实有关政策。市人力资源社会保障部门、财政部门主要负责按照省统一部署和要求，组织开展本市范围内的年度考评，按时向省报送年度绩效考评报告，并对考评过程中发现的问题进行整改。

第十二条 省、市两级财政投资评审机构作为培训项目的具体绩效考评机构，对培训项目实施情况进行全面考评。

第十三条 市级考评。各市财政投资评审机构负责对本市培训项目实施情况进行市级绩效考评。市级绩效考评分为日常考评和年度考评。

（一）日常考评。市财政投资评审机构在项目实施过程中，要采取定期或不定期抽查的办法，对项目实施过程进行日常考核监督，如随机抽查培训班次、培训人员，实地查看培训组织情况等。日常考评结果应作为年度考评的重要组成部分。

（二）年度考评。各市人力资源社会保障部门和财政部门应于执行年度培训任务的次年6月15日前，向同级财政投资评审机构报送上年度项目实施绩效考评资料。绩效考评资料主要包括：按照《山东省加强就业培训提高就业与创业能力培训项目省财政补助资金管理办法》要求提供的考评资料以及培训项目有关制度建设、项目管理资料等。

各市财政投资评审机构要根据市人力资源和社会保障部门、财政部门提供的绩效考评材料及有关制度规定，对本市范围内的培训项目实施情况进行年度考评，实地抽查一定比例的培训人员，并出具年度绩效考评报告。年度绩效考评报告内容主要包括：①组织建设情况。②制度建设情况。③培训机构建设情况。④培训实绩考评。包括完成省下达的培训任务情况、培训人员就业情况、项目实施效果等。⑤资金管理使用情况。包括资金筹措情况、培训补贴拨付到位情况、管理使用情况等。⑥项目实施存在的问题及改进工作意见等。⑦附件：××年度山东省加强就业培训提高就业与创业能力培训项目绩效考评表（附件1）、××年度山东省加强就业培训提高就业与创业能力省财政补助资金申请审核表（附件2）。

第十四条 省级考评。各市财政投资评审机构应于7月底前将上年度市培训项目绩效考评报告报送省财政投资评审中心。省财政投资评审中心对全省培训项目实施情况进行书面审查，并抽查不少于30%的市进行实地复审，于8月底前将上年度全省培训项目绩效考评报告分别报送省人力资源和社会保障厅、省财政厅。

第四章 考评结果的使用

第十五条 根据各市及省财政投资评审机构的培训项目年度绩效报告，确定各市培训项目年度绩效考评结果。考评结果划分为四个等级，分别为：优秀（≥90分）、良好（≥70分，<90分）、合格（≥60分，<70分）、不合格（<60分）。省人力资源社会保障厅、财政厅将以适当形式将考评结果在全省公布。

第十六条 考评结果将作为安排下一年度培训计划、分配省级财政补助资金等的重要依据。对被一票否决的市，相应扣减下年度补助资金。

第十七条 凡是发现弄虚作假行为、骗取培训补贴资金的行为，除按规定对有关单位和个人严肃处理外，对所在市培训项目实施实行一票否决制，当年绩效考评分数为零。

第十八条 各市应及时总结在绩效考评中的好经验、好做法，并加以推广。对绩效考评中发现的问题，要及时提出整改意见，不断完善管理措施，提高资金使用效益，促进培训项目实施。

第五章 附　　则

第十九条 各市人力资源和社会保障部门、财政部门可根据本办法，结合本地实际情况，制定具体实施细则。

第二十条 本办法由省人力资源和社会保障厅、财政厅负责解释。

第二十一条 本办法自下发之日起执行。

附件：1. ××年度山东省加强就业培训提高就业与创业能力培训项目绩效考评表

2. ××年度山东省加强就业培训提高就业与创业能力培训项目省财政补助资金申请审核表

附件1：

××年度山东省加强就业培训提高就业与创业能力培训项目绩效考评表

单位：______市（县、区）

分类	考核内容	工作要求	评分标准	考核方法	分值	自查得分	考核得分
组织建设10分	组织领导	成立培训项目领导小组，明确分管领导。	未成立领导小组但落实分管领导的，扣1分；未成立领导小组又未明确分管领导的，不得分。	查阅相关文件	3		
	工作机构	领导小组下设办公室并具有相对固定工作人员，负责培训项目的计划制定、组织、协调、指导和监督工作；设立专家委员会，负责指导开展职业技能与创业培训，解决培训机构招标工作、项目实施过程中遇到的有关问题；设立考评委员会，负责制定考核办法，进行年度考核，日常培训的监督与管理。	每成立一项工作机构，得1分；未成立相应组织的，不得分。	查阅相关文件	3		
	部门协调	培训工作领导小组办公室和各成员单位的任务明确，分工合理，责任落实，工作协调配合。	部门分工不明确、责任不落实的扣2分。	查阅相关文件	2		
制度建设10分	工作目标	建立明确的培训工作目标考核责任制，有2009至2013年的培训规划和年度培训计划，制定工作目标考核责任制。	没有五年培训规划、年度培训计划、未建立培训工作目标责任制的各扣1分	查阅相关文件	3		
	管理制度	各项管理制度（包括资金、考核、定点培训机构认证、考试、发证、档案等制度）健全，规范合理。	各环节管理制度中，有一项未制定的，不得分。	查阅相关文件和材料	4		
	信息公开	按照"公平、公正、公开"的原则，将机构认定、招标投标、费用支出、职业补贴情况做到公开透明，积极向省里报送工作信息，按时报送工作半年小结、年度总结材料和绩效考评材料。	工作情况未向社会公开、未按要求向上级报送工作信息和总结材料、未按时报送绩效考评材料的，各扣1分。	实地查阅档案	3		

续表

分类	考核内容	工作要求	评分标准	考核方法	分值	自查得分	考核得分
培训机构建设10分	培训机构建设	按照招投标办法认定定点培训机构；市（县、区）和培训机构分别建立劳动者技能培训和创业培训数据库，并实行动态管理，归档文件完整齐全。	未建立定点培训机构的不得分，任意一项未达标准的扣2分。	实地查阅档案	4		
	培训机构和后续服务	定点培训机构布局合理；培训项目（工种）与当地产业结合紧密，培训内容科学合理，计划周详。培训课时、内容、师资力量、考试成绩与专业技能要求相一致。技能培训和创业培训与就业指导服务紧密结合，及时掌握信息，提供就业指导、政策咨询、法律援助和劳动维权等全方位服务。	定点培训机构布局合理，得1分；培训内容科学合理，计划周详，得1分。培训课时、内容、师资力量、考试成绩与专业技能要求相一致，得2分。技能培训和创业培训与就业指导服务紧密结合，及时掌握信息，提供就业指导、政策咨询、法律援助和劳动维权等全方位服务，得2分。	查阅相关材料	6		
培训实绩40分	完成任务	完成就业竞争能力培训计划任务。	超额完成任务的每上升10个百分点加1分，未完成培训任务的，每下降10个百分点，扣2分。	查阅培训档案，随机抽查	5		
		完成职业转换能力培训任务。			5		
		完成转移就业能力和技能提升培训任务。			5		
		完成创业能力培训任务。			5		
	培训质量	参加培训的各类劳动者培训合格率达到90%以上。	每下降10个百分点，扣2分。	查阅培训档案、随机抽查学员	10		
	就业安置	参加培训的各类劳动者就业（含自主创业）率不低于80%。	每下降10个百分点，扣1分。	查阅培训档案和报表，随机抽查学员	10		
培训经费20分	筹资机制	按照培训所需费用由个人、培训机构、企业和政府共同承担的原则制定出台培训资金筹措机制。	已制定相关机制的，得4分。	查阅相关文件	4		

续表

分类	考核内容	工作要求	评分标准	考核方法	分值	自查得分	考核得分
培训经费20分	财政投入	市（县、区）地方财政安排用于规划实施的专项资金已经落实到位。	没有安排专项资金或资金没有落实到位的扣3分。	查阅相关文件、财政拨款单据	3		
	工作经费	在部门预算中安排培训项目招标、培训项目管理、培训合格证书等工作经费落实情况。	每少落实一项扣1分。	查阅相关文件、财政拨款单据	3		
	职业培训补贴落实	严格按照《山东省加强就业培训提高就业与创业能力五年规划（2009～2013）》和《山东省加强就业培训提高就业与创业能力省财政补助资金管理办法》的规定，及时落实和拨付到位职业培训补贴资金。	在培训后6个月内未将职业培训补贴拨付到位的，每下降10个百分点，扣2分。	查阅资金专户，随机抽查培训点	10		
日常考评12分	培训项目实施	按照省有关规定，认真组织培训项目实施，加强管理，杜绝弄虚作假现象发生。	出现不按规定班次进行培训、培训走过场等情况的，每出现一个问题扣2分。	查阅相关资料及随机抽查培训班次、培训人员。	12		
		合计			100		

注：出现假培训、套取资金等弄虚作假行为的，绩效考评分数为零。

附件2：

××年度山东省加强就业培训提高就业与创业能力省财政补助资金申请审核表

填报单位：　　市

<table>
<tr><td colspan="15">培训项目实施情况</td></tr>
<tr><td rowspan="3">省下达的培训任务（万人）</td><td>初级工</td><td></td><td rowspan="3">应支付培训补贴资金（万元）</td><td>初级工</td><td></td><td rowspan="3">实际完成培训任务（万人）</td><td>初级工</td><td></td><td rowspan="3">实际支付职业培训补贴人数（万人）</td><td>初级工</td><td></td><td rowspan="3">实际支付职业培训补贴资金（万元）</td><td>初级工</td><td></td></tr>
<tr><td>中级工</td><td></td><td>中级工</td><td></td><td>中级工</td><td></td><td>中级工</td><td></td><td>中级工</td><td></td></tr>
<tr><td>高级工</td><td></td><td>高级工</td><td></td><td>高级工</td><td></td><td>高级工</td><td></td><td>高级工</td><td></td></tr>
<tr><td rowspan="3">申请省财政补助资金情况</td><td>初级工</td><td colspan="3">申请补助人数（万人）</td><td></td><td>补助标准</td><td colspan="2">100元/人</td><td colspan="3">申请补助金额（万元）</td><td colspan="3"></td></tr>
<tr><td>中级工</td><td colspan="3">申请补助人数（万人）</td><td></td><td>补助标准</td><td colspan="2">200元/人</td><td colspan="3">申请补助金额（万元）</td><td colspan="3"></td></tr>
<tr><td>高级工</td><td colspan="3">申请补助人数（万人）</td><td></td><td>补助标准</td><td colspan="2">300元/人</td><td colspan="3">申请补助金额（万元）</td><td colspan="3"></td></tr>
<tr><td>市级劳动保障部门审核意见</td><td colspan="5">年　月　日</td><td>市级财政部门审核意见</td><td colspan="8">年　月　日</td></tr>
<tr><td rowspan="4">市级财政投资评审机构考评意见</td><td>初级工</td><td colspan="3">核定补助人数（万人）</td><td></td><td>补助标准</td><td colspan="2">100元/人</td><td colspan="3">应补助金额（万元）</td><td colspan="3"></td></tr>
<tr><td>中级工</td><td colspan="3">核定补助人数（万人）</td><td></td><td>补助标准</td><td colspan="2">200元/人</td><td colspan="3">应补助金额（万元）</td><td colspan="3"></td></tr>
<tr><td>高级工</td><td colspan="3">核定补助人数（万人）</td><td></td><td>补助标准</td><td colspan="2">300元/人</td><td colspan="3">应补助金额（万元）</td><td colspan="3"></td></tr>
<tr><td colspan="14">年　月　日　　公章</td></tr>
</table>

说明：完成或超额完成省下达的年度培训计划人数并将职业培训补贴全部拨付到位的，按照省下达的年度培训计划人数和相应省级补助标准的100%结算省财政补助资金；完成省下达的年度培训计划人数但未将职业培训补贴拨付到位的，或者未完成省下达的年度培训计划人数的，根据实际拨付职业培训补贴人数和相应省级补助标准的80%结算省财政补助资金。

省机构编制委员会办公室 省卫生厅 省人力资源和社会保障厅 省财政厅关于招聘临床医学专业本科毕业生为乡镇卫生院培养全科医师的实施意见

2009 年 9 月 17 日 鲁卫人发〔2009〕5 号

各市编办、卫生局、人事局、财政局，各医学高等院校：

为提高农村基层卫生服务能力和水平，加强乡镇卫生院人才队伍建设，促进医学毕业生就业，实现城乡医疗卫生服务统筹协调发展，根据山东省人民政府《关于进一步加强普通高等学校毕业生就业工作的通知》（鲁政发〔2009〕28 号）要求，从 2009 年起，实施全科医师培训计划，为乡镇卫生院定向培养全科医师，现提出如下实施意见。

一、总体目标

从 2009 年起，每年面向社会公开招聘 1500 名志愿到乡镇卫生院工作的全日制临床医学专业本科毕业生，进行为期 3 年的全科医师规范化培训，计划用 3 年时间，为每个重点建设的乡镇卫生院（不含青岛市）招聘 3 名左右医学类本科毕业生，培养其成为乡镇卫生院临床业务技术骨干，为农村居民提供良好的基本医疗卫生服务。

二、招聘对象

在择业期内未就业的高等院校全日制临床医学专业本科毕业生。

三、招聘工作的组织实施

（一）招聘数量的确定和公布。各乡镇卫生院根据本单位三年后全科医师需求及编制空缺情况，向县（市、区）卫生局提出拟招聘人员数量，由县（市、区）卫生局会同当地人事、编制、财政部门核准后，分别报设区市卫生局、人事局、财政局审核。省卫生厅、省人力资源和社会保障厅、省财政厅根据各市上报数据，确定公开招聘全科医师的数量。

（二）报名和笔试组织。由省人力资源和社会保障厅会同省卫生厅制定全科医师培训学员招聘实施方案，面向社会发布招聘公告，组织实施报名和笔试工作。报名采取统一时间、网上报名，笔试采取统一考试、统一标准、统一阅卷的方式进行。

（三）资格审查和面试组织。由各设区市卫生局会同市人事局负责考生的网上报名初审、资格审核、面试、考核、体检等组织实施工作。

（四）培训协议书和就业意向书签订。全科医师培训学员（以下简称培训学员）名单确定后，县（市、区）卫生局、乡镇卫生院、培训学员与全科医师培训基地签订为期 3 年的培训协议书，同时县（市、区）人事局、县（市、区）卫生局、乡镇卫生院与培训学员签订就业意向书。

四、培训管理

培训学员必须接受省卫生厅统一组织的全科医师规范化培训。

培训工作由省卫生厅认定的全科医师规范化培训基地（以下简称培训基地）具体组织实施。培训基地原则上以市级以上综合医院为主，选择部分条件较好的县（市）级医院（培训基地的评审和认定工作由省卫生厅另行安排）。培训学员须统一安排到培训基地接受为期3年的规范化培训，通过培训使他们掌握全科医学的基本理论、基础知识和基本技能，提高其防治农村常见疾病和解决农村社区健康问题的能力，可以向个人、家庭、农村社区提供融医疗、预防、保健等为一体的医疗卫生服务。培训考核合格者，发给《全科医师规范化培训合格证书》。

五、人事管理

培训学员确定后，其档案关系委托乡镇卫生院所在县（市、区）的人才服务机构代理，户口随转。培训基地负责培训期间的日常管理工作，县（市、区）卫生局、乡镇卫生院会同培训基地负责年度考核和培训期满考核工作。县（市、区）卫生局应及时将考核情况向县人事局备案。培训期间年度考核、期满考核不合格的人员，县（市、区）卫生局、人事局、乡镇卫生院须及时与他们解除相关协议。全科医师培训期满后，经县（市、区）人事局考核合格，发放《事业单位招聘人员通知书》，并为其办理聘用手续。

全科医师培训结束后在乡镇卫生院工作最低服务年限为5年。从第一批培训合格人员在乡镇卫生院服务满5年起到最后一批服务期满后两年，各县（市、区）医疗服务单位公开招聘人员的岗位中，须有不低于20%的比例专门用于招聘在乡镇工作的全科医师，考试成绩单独划线。

六、待遇

（一）培训学员培训期间，各地政府要加大支持力度，由各市级政府根据当地实际，确定培训对象的工作补贴、生活补贴（含社会保险单位缴纳部分）。社会保险单位缴纳部分，由负责发放工作补贴、生活补贴的部门或单位缴纳，个人缴纳部分由负责发放工作补贴、生活补贴的部门或单位在个人补贴中代扣代缴，具体手续按照各市规定办理。

（二）培训学员经过3年培训正式到乡镇卫生院工作后，须按照规定签订聘用合同，实行合同管理。

（三）全科医师人员在乡镇卫生院工作满最低服务年限后，被机关、事业单位录（聘）用的，参加全科医师培训的年限计算为连续工龄。

七、保障措施

（一）全科医师培训期间的工作补贴、生活补贴和社会保险费等培训经费，由省、市、县财政共同承担。

（二）全科医师应切实履行培训协议、就业意向书等相关条款，培训期满考核合格后，必须在乡镇卫生院服务满最低工作年限。

（三）全科医师如未履行培训协议或就业意向书，培训期间未履行培训协议的、培训合格后未到乡镇卫生院工作的、在乡镇卫生院工作未满服务年限的须全额赔偿工作补贴、生活补贴、社会保险费等全部培训费用及已经发放的工资待遇；培训期间考核不合格，除按照程序解除聘用合同外，须赔偿已发放的生活补贴、工作补贴和社会保险费等培训经费。所赔偿的费用作为非税收入由所在县（市）卫生局代收后通过“山东省非税收征收入管理系统”缴入财政，作为下一轮培训费用。对未履行培训协议或在乡镇卫生院工作不满最低服务年限的全科医师，从当年起，3年内全省各级公立医疗卫生机构不予聘用。

（四）为乡镇卫生院培养全科医师工作，政策性强，涉及面广，各市编办、卫生局、人事局、财政局要高度重视此项工作，密切配合，周密实施，狠抓落实，确保工作顺利开展，同时要重视全科医师培训人员成长，在政治上、工作上、生活上予以充分关心、支持，帮助他们解决实际困难，让他们安心工作。

省人力资源和社会保障厅　省财政厅关于增加省直医疗保险定点医疗机构的通知

2009 年 11 月 30 日　鲁人社函〔2009〕322 号

省直医疗保险参保单位：

为方便参保单位职工就医，经研究，增加省肿瘤医院等 16 家医院为省直医疗保险定点医疗机构，中国工商银行山东省分行卫生所等 5 家医疗机构为单位内设定点医疗机构（详见附件）。各定点医疗机构要健全医疗保险管理机构和各项管理制度，严格按照省直医疗保险有关规定，规范医药服务行为，为参保职工提供优质便捷高效的服务。

附件：省直医疗保险定点医疗机构名单

附件：

省直医疗保险定点医疗机构名单

一、定点医疗机构

山东省肿瘤医院
山东省精神卫生中心
山东省胸科医院
山东省皮肤病医院
山东省荣军总医院
山东省警官医院
山东大学口腔医院
济南军区第 456 医院
山东省武警总队医院
济南市中医医院
济南市第二人民医院
济南市第四人民医院
济南市口腔医院
济南市传染病医院
济南市精神卫生中心
济南市第五人民医院

二、单位内设医疗机构

中国工商银行山东省分行卫生所

中国工商银行山东省分行营业部卫生所

中国农业银行山东省分行卫生所

济南市铸造锻压机械研究所医务室

山东大厦医务室

省卫生厅　省民政厅　省财政厅　省农业厅关于巩固和发展新型农村合作医疗制度的实施意见

2009年11月4日　鲁卫农卫发〔2009〕5号

各市卫生局、民政局、财政局、农业局：

为全面贯彻落实《中共山东省委　山东省人民政府关于贯彻落实中发〔2009〕6号文件精神进一步深化我省医药卫生体制改革的实施意见》（鲁发〔2009〕16号）和《山东省人民政府关于印发医药卫生体制改革近期重点实施方案（2009～2011年）的通知》（鲁政发〔2009〕90号）精神，根据卫生部等5部门《关于巩固和发展新型农村合作医疗制度的意见》（卫农卫发〔2009〕68号）要求，结合我省实际，现就巩固和发展新型农村合作医疗（以下简称新农合）制度提出以下实施意见。

一、进一步明确目标任务，稳步发展新农合制度

在已全面建立新农合制度的基础上，以保障参合农民权益为出发点，建立完善高效的管理和经办体系，动态发展的筹资机制，有效的费用控制机制，安全的基金监管机制，简便易行的补偿规范，不断巩固和发展与我省农村经济社会发展水平及农民基本医疗需求相适应的、具有基本医疗保障性质的新农合制度，逐步缩小城乡居民之间的基本医疗保障差距。

逐步提高筹资标准和补偿待遇，新农合封顶线提高到当地农民人均纯收入的6倍以上，2009年50%的地区住院费用报销比例提高5个百分点以上；2010年筹资水平不低于每人每年120元，2011年不低于每人每年150元。进一步扩大新农合制度的覆盖面，确保参合率稳定在95%以上。推进以市为单位统一统筹补偿方案和省市级新农合定点医疗机构即时结报工作，2011年前实现全省以市为单位补偿方案基本统一，2012年前实现参合农民在省市级新农合定点医疗机构住院即时结报。开展市级统筹试点，提高新农合制度的保障能力。

二、逐步提高筹资水平，不断完善筹资机制

2010年，新农合筹资水平提高到每人每年不低于120元，其中，省财政在中央补助的基础上，对东、中、西部地区参合农民每人每年分别补助30元、45元、70元，农民个人缴费每人每年不低于20元。2011年，新农合筹资水平提高到每人每年不低于150元，其中，各级政府的补助不低于120元，农民个人缴费每人每年不低于30元。鼓励有条件的地方根据财力状况和农民承受能力，适当提高地方财政补助和农民缴费标准。

要根据经济社会发展、农民收入增长和医疗消费水平的变化，建立动态增长的筹资机制。积极探索符

合当地情况、农民群众易于接受、简便易行的新农合个人缴费方式。全面推行农民定时、定点、定额交纳和委托乡镇财税所等机构代收、经村民代表大会同意由村民委员会代收的筹资方式。也可探索经农民同意后由金融机构通过农民储蓄或结算账户代缴、由定点医疗机构在参合农民就医报销时代收等方式，不断降低筹资成本，提高筹资工作效率。不论采取何种缴费方式，都必须向农村居民开具由省财政部门统一印制的专用票据，并及时、足额将农民个人缴费存入财政专户。

三、调整新农合补偿方案，提高参合农民受益水平

统筹地区要进一步规范新农合补偿方案设计，在综合分析历年补偿方案运行和基金使用等情况的基础上，结合筹资标准的提高，适当扩大受益面，不断提高保障水平。

统一补偿模式，科学分配基金。全省统一实行住院统筹加门诊统筹模式。门诊统筹基金（含健康体检费用等）占当年基金筹集总额的比例一般不高于35%，住院统筹基金和当年提取风险基金占当年基金筹集总额的比例一般不低于65%，其中风险基金的提取按照山东省财政厅、卫生厅鲁财社〔2008〕18号文件规定执行。

合理确定起付线和封顶线。根据筹资水平，逐步降低起付线和提高封顶线，提高参合农民受益水平。2010年开始，全省二、三级定点医疗机构住院补偿起付线统一设定为500元，一级定点医疗机构住院补偿起付线由各市按照区域内一级定点医疗机构次均门诊费用的3～5倍统一确定。住院补偿起付线在补偿范围内费用扣减，并不予以补偿。参合农民在同一医院住院，一年内只扣除一次起付线。新农合封顶线2010年住院补偿封顶线全省统一设置为5万元，以后随着筹资水平和医疗消费水平的变化逐步调整；有条件的地方可以提高住院补偿封顶线，超出全省封顶线的补偿办法由统筹地区确定。住院补偿封顶线以当年内实际获得补偿金额累计计算。对慢性病及其他特殊病种实行门诊补偿的地方，应根据各地实际情况设置起付线和封顶线。门诊统筹一般在一级和村级定点医疗机构补偿，不设起付线，是否设置封顶线由统筹地区确定。

逐步实现同级定点医疗机构住院补偿比例的基本统一。合理拉开一、二、三级定点医疗机构补偿比例，引导参合农民常见病在基层医疗机构就诊和住院。一级和三级定点医疗机构不再实行分段补偿，2010年开始住院补偿范围内费用的补偿比例，一级定点医疗机构在60%至70%之间，三级定点医疗机构为35%，以后根据筹资和医疗消费水平的变化进行调整；有条件的地方可以适当提高三级定点医疗机构补偿比例，超出全省统一补偿比例的补偿办法和比例由统筹地区确定。二级定点医疗机构住院补偿比例和补偿办法，由统筹地区测算确定。适当提高参合农民在乡、村定点医疗机构的门诊补偿比例，具体补偿比例由统筹地区测算确定。对纳入大病补偿的慢性病和其他特殊疾病病种，由各市统一确定病种、诊断标准和补偿程序，并适当提高补偿比例，其起付线以下费用按照当地门诊补偿比例予以补偿，起付线以上费用的补偿比例由统筹地区根据病种数量和医疗费用发生情况测算确定。大幅度提高国家基本药物补偿比例，基本药物目录内药品补偿比例提高10%。适当提高中医药服务补偿比例，中医药费用（不含中成药）补偿比例提高10%，住院患者的针灸治疗费用补偿比例为90%。

加大以市为单位统一补偿方案工作力度，总结和推广以市为单位统一补偿方案的做法和经验，2011年前实现全省以市为单位补偿方案的基本统一。继续做好市级统筹试点工作，有条件的地区可开展市级统筹试点，不断提高统筹层次，进一步增强新农合制度的保障能力。

四、简化就诊和补偿程序，进一步方便参合农民

完善政策措施，逐步实现参合农民在统筹区域范围内所有定点医疗机构自主选择就医、出院即时获得补偿。参合农民在省内各级新农合定点医疗机构住院，办理报销手续时不得要求复印病例；在统筹地区内定点医疗机构就诊，不需办理转诊手续，医疗费用补偿由定点医疗机构即时予以结报。简化统筹地区外就医转诊手续和医疗费用补偿审批程序，参合农民在统筹地区外就医后，凭定点医疗机构出具的出院结算证

明、出院小结、费用一日清单、医院住院收费发票及当地新农合管理经办机构转诊证明等材料即可回当地补偿。对于未经转诊备案，在省内新农合定点医疗机构住院治疗的可按规定补偿比例的60%予以补偿；未经转诊备案省外就医和省内非定点医疗机构就医（参合农民工在务工地就医和急诊除外）的不予补偿。

完善省内新农合定点医疗机构互认制度，凡经市级以上卫生行政部门确定并报省卫生行政部门备案的三级以上新农合定点医疗机构，在全省范围内互认；统筹地区根据参合农民就医流向，通过签订协议互认一、二级新农合定点医疗机构，享受当地规定的同级别新农合定点医疗机构补偿比例。

在农民工集中生活的城镇地区，农民工输出地合作医疗管理机构应与输入地有关部门协商，指定参加合作医疗农民工就诊的定点医疗机构，并签订协议，方便农民工就近看病就医。参合农民工在务工地及参合农民外出突发疾病可先就诊，一周内或出院前通过电话告知统筹地区新农合经办机构，住院发生的医药费用，凭有关证明按照当地相同级别定点医疗机构的补偿比例予以补偿。

五、开展省市级新农合定点医疗机构即时结报工作

为方便参合农民就医报销和预防新农合基金风险，根据卫生部要求，在省市级定点医疗机构开展参合农民住院治疗出院即时结报工作。从2010年起，省里选择1~2家省级新农合定点医疗机构开展即时结报试点，各市也要选择市级定点医疗机构进行试点，不断总结推广省市级新农合定点医疗机构即时结报的做法和经验，2012年前实现参合农民在省市级新农合定点医疗机构住院即时结报，方便广大参合农民。

开展即时结报的省市级新农合定点医疗机构要建立健全相关工作制度，规范相应工作程序，简化服务流程，明确标识，安排不少于2名专职工作人员（财务和医务人员）管理、经办具体业务，并配备计算机、复印机等办公设施。要定期将住院参合农民补偿材料寄送有关统筹地区新农合经办机构，并加强协调沟通，确保即时结报工作顺利开展。参合农民在开展即时结报的省市级定点医疗机构住院治疗，出院结算时按规定予以补偿报销，补偿费用由定点医疗机构先行垫付，后与参合农民所在地新农合经办机构结算。

统筹地区新农合经办机构要与开展即时结报的省市级新农合定点医疗机构签订服务协议，明确定点医疗机构垫付款的结算拨付程序、时间和违规补偿款项扣除等规定，保证垫付款及时结算拨付。对开展即时结报定点医疗机构垫付的补偿费用，统筹地区新农合经办机构实行先结付后审核的办法，一个月内结付省市级新农合定点医疗机构垫付款。经办机构在后期审核中，发现不符合新农合政策的补偿款项，按服务协议在下期回付款中予以扣除。定点医疗机构与新农合经办机构在即时结报工作中发生争议，双方协商难以达成一致意见时，由确定定点的卫生行政部门根据核实的情况或专家会审意见裁定。

六、规范医疗服务行为，控制医药费用不合理增长

定点医疗机构要建立健全各项规章制度，规范工作程序，配备满足新农合管理需要的人员、设备。实行服务承诺、医疗收费、药品价格“三公开”，坚持因病施治、合理用药、合理检查、合理收费的原则，禁止将医药费用收入与医务人员个人收入挂钩，控制医药费用的不合理增长。严格执行卫生部制定的病种临床路径和省级卫生行政部门制定的诊疗技术规范，准确掌握入院、治疗、手术、出院指征和标准，建立双向转诊制度，不得接受不符合住院标准的参合患者入院，也不得拒收符合住院标准的患者。优化服务流程、简化就诊程序。要严格核实参合患者身份，主动提醒参合患者带齐即时结报所需材料，免费提供住院费用清单等材料，并适当降低参合农民预交金的数额。做好宣传工作，加强与新农合经办机构的信息沟通，设置举报投诉电话和信箱，主动接受监督，为参合农民提供优质、方便、价廉的服务。

严格执行新型农村合作医疗基本药物目录、诊疗项目目录和抗生素使用指导原则等有关规定，合理检查、合理治疗，梯度用药，合理配伍，不得滥用药物、开大处方。对参合病人出院带药应当执行处方规定，一般急性疾病出院带药不得超过7天用量，慢性疾病不得超过15天用量。实施医疗机构检查结果互认制度，上级医院已经检查并出具检查结果报告的，下级医院应当予以认可，同级医院出具的检查结果报告应

当予以互认，避免重复检查。实行目录外用药和诊疗告知制度，目录外医药费用占总医药费用的比例在村和一、二、三级定点医疗机构分别不高于5%、10%、15%和20%。

加强医护文书档案的管理，为参合病人建立门诊和住院病历，并在首页标注“新农合”标识，按照病历（病案）管理的有关规定，准确、完整地记录诊疗过程，妥善保存病历（病案）资料。加强信息化建设，在定点医疗机构信息系统标识全省统一的新农合基本药物和诊疗项目目录，并实现定点医疗机构信息系统与新农合信息系统的互联互通。

探索支付方式改革，控制医药费用不合理支出。推广单病种定额付费和限额付费制度，合理确定病种收费标准，不断扩大病种范围。逐步将卫生部制定临床路径的病种纳入单病种定额付费范围。探索门诊费用总额预付或总额核算的支付方式。开展老年白内障、儿童先天性心脏病、儿童单纯性唇裂病人定点就医、定额补偿试点，确定试点县（市、区），不断总结经验，扩大病种，降低患者就医负担。

七、严格基金监管，规范基金使用

各级卫生、财政部门要加强新农合基金管理与监督，认真执行新型农村合作医疗基金财务会计制度，以及新农合财政补助资金国库集中支付管理暂行办法。在基金的筹集、拨付、存储、使用等各个环节，规范基金监督措施，健全监管机制，加强对基金运行情况的分析和监控，保障基金安全运行。新农合基金全部纳入财政专户管理和核算，并实行收支两条线管理，专款专用。经办机构应配备取得会计从业资格证书的专职财会人员，建立内部稽核制度，合理设置财务会计岗位，会计和出纳不得由一人兼任。严格执行有关基金结余的规定。新农合统筹基金当年结余率原则上控制在15%以内，累计结余不超过当年统筹基金的25%。年底基金结余较多的地方，可以开展二次补偿，使农民充分受益，但不应将二次补偿作为常规补偿模式。

完善县、乡、村三级定期公示制度。各地要定期公示新农合基金使用情况、定点医疗机构医药费用情况以及农民获得补偿情况，接受社会监督。加强对基金筹集、管理和使用各环节的审计，审计结果要向同级政府和上级审计、财政、卫生等部门报告，并以适当方式向社会公开。

做好新农合基金补偿与公共卫生服务专项补助的衔接，新农合基金只能用于参合农民的医药费用补偿，应由政府另行安排资金的基本公共卫生服务项目不应纳入新农合补偿范围。重大公共卫生服务项目和突发公共卫生事件涉及的病种（如：农村孕产妇住院分娩等）应先执行专项补助，剩余部分中的医药费用再按新农合规定给予补偿。坚持公平、公正、公开的原则，不得擅自提高特殊人群的补偿比例。有条件的地区可探索公共卫生经费和新农合基金的总额预付等多种支付管理办法相结合。对于参合农民同时参加商业医疗保险或符合其他政策规定费用优惠的，应先执行商业保险赔付或优惠政策，再对参合农民医疗总费用按新农合补偿规定给予补偿。严格按照健康体检工作的规定，规范健康体检项目、程序和支付标准。新农合基金补偿方案的调整，要经市级卫生、财政、农业等部门审核，报省卫生、财政、农业等部门备案，严禁擅自调整新农合基金补偿比例和方案。

八、加强新农合制度与相关制度的衔接

做好新农合、城镇居民基本医疗保险和城镇职工基本医疗保险制度在相关政策及经办服务等方面的衔接，既要保证人人能够享受基本医疗保障，又要避免重复参合（保），重复享受待遇，推动三项制度平稳、协调发展。要加大宣传力度，做到应参合人员全部参加新农合，实现应参尽参，确保参合率稳定在95%以上。要按照省政府办公厅《关于全面推开新型农村合作医疗试点工作的通知》（鲁政办发〔2007〕1号）的规定，明确界定新农合和城镇居民医疗保险的覆盖范围，避免重复参合（保）。严格执行新农合以户为单位参加的原则，参合人员应是登记为农业户籍的居民，实行户籍制度改革的地方，可以根据其家庭享受的计划生育政策、退伍兵安置政策和城市低保政策来界定其是否属农村居民。农村户籍的中小学生和学龄前儿童应随家长一起参加新农合。对于新农合上一个缴费期至下一个缴费期之间出生的新生儿发生的医疗费用，其母亲参合的可享

受新农合补偿政策。签订劳动合同并与企业建立稳定劳动关系的农民工，可随单位参加职工医疗保险，其他农民工可自愿选择参加所在地的新农合或务工地的城镇居民医疗保险。随子女常驻外地的农村户籍老人可参加所在地的新农合；也可经居住地有关部门同意，参加居住地的城镇居民医疗保险。

加强部门配合，做好新农合与农村医疗救助制度在政策、技术、服务管理和费用结算等方面的有效衔接。在县级建立新农合与农村医疗救助统一的服务平台，实现两项制度的信息共享，积极推行贫困农民就医后在医疗机构当场结算新农合补偿和医疗救助补助资金的一站式服务，方便贫困农民。

九、健全管理经办体系，提高经办服务能力

建立健全各级新农合管理和经办体系，配齐配强专业结构合理的工作人员。各县（市、区）要根据要求落实新农合管理经办机构的人员编制，保证必要的工作经费。有条件的地方可进一步充实人员力量，实行县级经办机构向乡镇派驻经办审核人员的做法，严格基金监管。要明确各级管理和经办人员的岗位职责，建立健全各项管理、考核制度，加强培训，不断提高管理经办服务水平。完善新农合考核制度，县级每年要组织不少于两次考核；运行年度结束，各市组织全面考核；省里进行抽查。加大基金安全监管力度，完善监管措施，严惩违法违纪行为，确保基金安全。

建立健全新农合统计信息报告和分析制度，市、县、乡实行逐级月报制度，省级实行季报制度。加快推进新农合信息化建设，建立省级信息平台，统一新农合信息网络，完善、市、县信息网络和平台，逐步实现新农合经办机构与各级定点医疗机构的联网，实行县级网上审核，省、市级网上监测运行，全省网上信息汇总分析。加快村级定点医疗机构联网步伐，可通过计算机或POS机等终端设备实现与新农合信息网络联网运行。有条件的地方可试行电子信息卡取代纸质新农合证件，方便参合农民就医和报销。

加强对定点医疗机构的监督管理。省、市、县卫生行政部门分别确定省级（三级）、市级（三级）、县级（村级、一级、二级）定点医疗机构，建立健全准入、考核和退出机制，实行分级监管、分级负责、动态管理。病历等医疗文书书写、存放、管理不规范和未按医院财务管理制度、会计制度设置账簿的医疗机构及未纳入乡村卫生服务管理一体化的村级医疗机构不得作为新农合定点医疗机构。完善定点医疗机构医药费用监测和信息披露制度，定期监测、公布定点医疗机构次均住院费用和增长比例、目录外药品和治疗费用比例、实际住院补偿比例等信息，引导参合农民合理选择就诊医院。

新农合制度建设是一项复杂的系统工程，事关千家万户农民的切身利益。要继续坚持和完善各级政府领导、卫生部门主管、有关部门配合、经办机构承办、医疗机构服务、农民参与监管的管理运行机制。卫生部门要充分发挥主管部门的作用，做好政策拟订、组织实施和综合管理工作，监管各级新农合定点医疗机构，控制医药费用不合理上涨。财政部门要加大投入力度，加强对财政补助资金和新农合基金的监管。农业部门要将新农合工作纳入社会主义新农村建设的重要内容，协助做好新农合宣传和资金筹集，关注各地是否存在重复缴费、增加农民负担的现象。民政部门要做好农村医疗救助工作，加强与新农合制度的衔接，帮助贫困农民解决特殊困难。各有关部门要根据各自职责，积极支持，共同促进新农合制度不断巩固完善，持续发展。

省卫生厅　省财政厅关于印发山东省乡村医生在岗培训项目管理办法的通知

2009年6月3日　鲁卫科教国合发〔2009〕7号

各市卫生局、财政局：

为加强乡村医生培训管理，根据省政府办公厅《转发省卫生厅　省财政厅〈关于加快提升村卫生室服务能力的意见〉的通知》（鲁政办发〔2008〕47号）要求，并结合国家医改方案的实施，我们制订了《山东省乡村医生在岗培训项目管理办法》，现予印发，请认真贯彻执行。

附件：山东省乡村医生在岗培训项目管理办法

附件：

山东省乡村医生在岗培训项目管理办法

第一条　为加强乡村医生培训管理，根据省政府办公厅《转发省卫生厅省财政厅〈关于加快提升村卫生室服务能力的意见〉的通知》（鲁政办发〔2008〕47号），制定本办法。

第二条　本办法适用于山东省行政区域内（不含青岛，下同）已纳入设置规划的村卫生室中，已取得《乡村医生执业证书》并经县级卫生行政部门注册后从事预防、保健和一般医疗服务的在岗乡村医生的培训。

第三条　乡村医生培训坚持理论联系实际，讲求实效，注重临床实际能力的培养，内容突出实用性、增强针对性。

第四条　乡村医生培训项目从2009年开始，至2012年结束，每两年为一个周期，共两个周期。

第五条　全省乡村医生在岗培训统一培训内容、统一培训教材、统一培训形式、统一考核标准。

第六条　乡村医生培训的主要内容包括常用卫生政策与法规、农村常见病多发病诊断和处理、合理用药知识、临床基本技能、急诊急救知识与技术、传染病管理与防治、妇女儿童保健与计划生育技术指导、全科医学与社区卫生服务、中医药基本知识与技能等。

第七条　乡村医生在岗培训采取集中理论培训和实践技能培训相结合的形式。理论培训以乡镇卫生院为教学点，采用视频教学方式为主，辅以教师辅导、病例讨论，原则上每2周集中学习1次，每次3个学时，每年集中学习60个学时；实践技能培训由县级卫生行政部门指定具备条件的县乡医疗机构承担，每年15个学时。

第八条　乡村医生在岗培训实行登记管理。建立乡村医生在岗规范化培训计算机管理系统，对参加培训的乡村医生进行统一注册、登记，记录学习情况，进行考勤管理。登记统一使用《山东省乡村医生在岗培训证书》。

第九条　每周期培训结束后，全省组织统考，统一命题，统一阅卷。统考成绩合格者，授予集中培训学分20分，由县级卫生行政部门发给《山东省乡村医生集中培训学分证书》，作为对乡村医生考核的重要内容。

第十条　省卫生厅负责全省乡村医生在岗培训工作的领导，制定全省乡村医生培训规划和实施方案；市卫生局负责指导、监督辖区内乡村医生在岗培训工作的实施；县（市、区）卫生行政部门负责组织本县（市、区）乡村医生在岗培训工作，承担培训任务的乡镇卫生院（教学点）负责乡村医生在岗培训的具体实施。

第十一条　乡村医生培训项目所需资金由省、市、县三级政府和个人共同承担。市、县两级财政每年应根据培训计划安排一定的经费用于乡村医生培训工作。

省财政安排乡村医生培训专项补助经费。根据每年全省培训统考结果，省财政按标准对各市乡村医生培训工作予以补助。

第十二条　各市县应当建立健全规章制度，根据省财政厅、省卫生厅鲁财社〔2008〕46号文件规定，制定乡村医生培训经费管理具体办法，严格资金使用和管理，做到专款专用，不得以任何形式和理由挤占、挪用。

第十三条 省卫生厅、省财政厅对乡村医生培训经费使用情况进行定期监督检查，并委托各市财政、卫生部门实施绩效考核。

第十四条 省卫生厅制订乡村医生培训评估办法和评估标准，对培训组织管理、培训过程、培训质量、资金使用等进行检查和评估，并将评估结果纳入对各市卫生工作的年度考核指标。

第十五条 违反本办法规定的，由县级以上卫生行政部门责令改正；情节严重的，对主要负责人和直接责任人员可按有关规定给予行政处分。

第十六条 本办法由省卫生厅、省财政厅负责解释。

第十七条 本办法自印发之日起执行。

省卫生厅　省财政厅关于印发《山东省适宜卫生技术推广工程实施意见》的通知

2009年5月31日　鲁卫科教国合发〔2009〕8号

各市卫生局、财政局，省部属医疗卫生单位，高等医学院校及其附院：

为进一步优化基层卫生机构技术环境，提高基层卫生服务能力，促进安全、有效、方便、价廉的适宜卫生技术在农村和城市社区的推广普及和规范应用，我们制定了《山东省适宜卫生技术推广工程实施意见》，现印发你们，请结合实际，认真贯彻执行。

附件：山东省适宜卫生技术推广工程实施意见

附件：

山东省适宜卫生技术推广工程实施意见

为进一步优化基层卫生机构技术环境，提高基层卫生服务能力，促进安全、有效、方便、价廉的适宜卫生技术在农村和城市社区的推广普及和规范应用，省卫生厅、省财政厅确定在全省实施适宜卫生技术推广工程。

一、指导思想

以“三个代表”重要思想为指导，深入贯彻落实科学发展观，坚持以基层需求为导向，以技术推广为手段，以提高能力、强化服务为目的，以适宜技术普及、群众广泛受益为宗旨，在全省基层卫生机构全面推广普及适宜卫生技术，为解决群众看病就医问题，保障人民群众健康，实现卫生强省目标提供技术支撑和保障。

二、目标任务

适宜卫生技术推广工程的总体目标是：以农村和城市社区常见病、多发病防治为重点，发挥卫生科技优势，采取多种方式，利用5年时间，面向农村基层和城市社区卫生机构推广100项适宜卫生技术，培养一批基层卫生专业技术骨干，建立一批适宜卫生技术推广示范基地，形成一套适宜卫生技术推广模式，大力提升我省基层医疗卫生单位引进和使用新技术的能力，提高其医疗、预防、保健技术服务水平。

三、组织实施

（一）适宜卫生技术遴选。从国内外先进卫生技术推广项目和省内医药卫生科技成果项目中筛选适宜卫生技术进行推广。省卫生厅每年组织一次适宜卫生技术推广项目申报和评选，经专家评审后，确定重点推广项目和一般推广项目，并以适当方式向社会发布山东省适宜卫生技术推广目录。

入选的适宜卫生技术需满足以下条件：

1. 具有先进性和科学性；

2. 实用安全、疗效确切；

3. 成本低廉，有较好的社会效益和经济效益；

4. 便于掌握，适合基层医疗卫生机构应用。

（二）推广范围。适宜卫生技术推广面向全省所有基层医疗卫生机构，主要为县、乡医疗卫生机构和社区卫生服务中心（站）。

（三）推广方式。坚持按需推广、讲求实效的原则，根据培训对象、培训条件、培训内容，采取培训班、专业进修班、专题讲座及巡回指导等方式进行推广。各类技术推广应做到集中讲解、现场操作与自学相结合，理论学习与实践操作相结合，培训推广与临床使用相结合，确保推广效果。

省卫生厅组织专家根据选定的适宜卫生技术编写教材，制作多媒体光盘，供推广使用。

（四）省卫生厅根据每年确定的推广项目，制定实施方案。要对推广项目、目标要求、普及范围、实施单位和人员及相应的责任及具体考核、效果评价、经费使用、管理监督等作出规定，确保各项目的顺利实施和目标的圆满实现。

四、任务分工

适宜卫生技术推广工程实行分级负责制和项目负责制的管理体制。省卫生厅负责全省适宜卫生技术推广工程的组织管理和监督评估。各市卫生局负责辖区内适宜卫生技术推广工作的管理监督、考核及效果评价。各县（市、区）卫生局负责辖区内医疗卫生单位适宜卫生技术推广的具体组织实施，协助市卫生局做好培训和技术应用情况的监督考核。推广项目负责人和承担单位负责项目的日常管理，并于每年12月3日前将所承担的推广项目进展情况报省卫生厅科技教育与国际合作处。

省财政安排专项资金，主要用于项目管理、基线调查、技术筛选、多媒体光盘等教材编制、骨干师资培训、巡回指导、培训耗材以及推广重点项目资助等。各市、县（市区）政府应对当地适宜卫生技术推广工作给予人力财力等方面支持。省将建立考核制度，定期对资金使用情况进行监督检查，确保项目见实效。要多渠道筹资，尤其要利用社会资金加快适宜卫生技术推广。

五、工作措施

（一）提高认识，加强领导。各级卫生行政部门要充分认识开展适宜卫生技术推广工作的重要性，切实加强领导，把适宜卫生技术推广纳入重要议事日程，制定本辖区适宜卫生技术推广实施方案和计划，积极开展推广工作。

（二）加强师资队伍和培训基地建设。成立省适宜卫生技术推广指导专家组，负责培训师资骨干，指导全省适宜卫生技术推广工作。各市也要成立相应的专家指导组，组织专家到各县（市、区）举办培训班、巡回推广、现场操作。也可选择具备条件的医疗卫生机构作为推广培训基地，有计划、分期分批对有关人员进行适宜卫生技术培训和推广。

（三）积极探索适宜卫生技术推广效果和效益评价。省卫生厅组织专家定期对推广情况、产生的社会效益进行评价，总结推广经验。各地卫生行政部门定期对本地适宜卫生技术推广效果和效益进行评估。

（四）加强监督考核。省卫生厅将适宜卫生技术推广工作列入对各市卫生局的年度综合考核目标，定期考核。适时对在适宜卫生技术推广工作中做出突出成绩的部门、单位和先进个人给予表彰奖励。

省卫生厅　省财政厅关于印发《山东省结核病监测和控制行动计划（2009～2011年）》的通知

2009年11月16日　鲁卫规财发〔2009〕3号

各市卫生局、财政局，省结核病防治中心：

为进一步加快我省结核病和耐药结核病防治工作进程，促进基本公共卫生服务逐步均等化，依据中共山东省委、山东省人民政府《关于贯彻落实中发〔2009〕6号文件精神进一步深化我省医药卫生体制改革的实施意见》，省卫生厅、财政厅制定了《山东省结核病监测和控制行动计划（2009～2011年）》，现印发给你们，请结合实际，认真组织实施。

附件：山东省结核病监测和控制行动计划（2009～2011年）

附件：

山东省结核病监测和控制行动计划（2009～2011年）

一、背景意义

结核病是一种经呼吸道传播的慢性传染病。在人类历史上结核病曾肆虐横行，夺走了无数人的生命，被视为威胁人类生存的一大瘟疫。直到今天，结核病仍然是严重危害人类健康的重大疾病之一。在历届省委、省政府的高度重视下，通过实施1981～1990年、1991～2000年和2001～2010年三个结核病防治十年规划，我省形成了由政府领导、多部门配合、全社会参与的结核病防治工作机制，建立了结核病登记报告制度，在全省落实肺结核病人免费检查、治疗政策，结核病人发现率、规范化治疗率逐年增高，结核病传染源得到较好控制。尽管我省的结核病防治工作取得了阶段性成果，但是我们必须清醒地看到，仍然存在许多困难和问题。尤其自20世纪90年代以来，全球结核病疫情回升，全省结核病疫情现状仍然较高，结核病的发病与死亡人数，均高居甲、乙类传染病之首，并在流动人口和学校等重点人群中时有暴发流行。

作为全球结核病疫情回升的主要原因之一，耐多药结核病（MDR—TB）也给我省结核病防治工作带来巨大挑战。我省耐药结核病防治形势不容乐观。1997年我省采用整群抽样方法在30个县开展结核病耐药性监测数据显示，全省涂阳肺结核病人总体耐药率为23.4%，初始耐药率为17.6%，获得性耐药率为50.0%；总体耐多药率为5.8%，初始耐多药率为2.9%，获得性耐多药率为19.6%。近十余年来，我省没有再开展规范的结核病耐药监测。但我省结核病监测预警系统哨点县收集的结核分枝杆菌菌株数据分析显示，总体耐药率为19.4%，MDR检出率在初治病人中为1.7%，在旁治病人中为10.3%。

面对结核病尤其是耐药结核病在我省流行的严峻形势。为进一步加快我省结核病和耐药结核病防治工作进程，促进基本公共卫生服务逐步均等化，依据中共山东省委、山东省人民政府《关于贯彻落实中发〔2009〕6号文件精神进一步深化我省医药卫生体制改革的实施意见》，特制定本行动计划。

二、指导思想

坚持预防为主、防治结合，加强结核病控制工作的领导，加大政府投入，将耐药结核病控制工作作为下一步结核病控制工作的重点，纳入各级结核病防治规划和实施计划。充分发挥省、市两级结核病专科医院在耐药结核病患者防治工作中的龙头作用，整合各类项目资源，开展感染控制研究、耐药病人的发现和临床治疗及耐药结核病的预防控制，全方位立体防控结核病，遏制结核病在山东的流行。

三、任务目标

（一）总体目标

完善政府领导，多部门合作和全社会参与的结核病防治可持续发展机制；加强基层结核病防治体系建设；提高结核病防治工作质量和水平；积极应对耐药结核病挑战，全面掌握山东省耐药肺结核的疫情状况，严防严控耐药结核病的发生；进一步加强我省耐药结核病防治能力，提高耐药结核病患者发现、治疗及管理水平；建立并完善山东省切实可行的耐药结核病治疗管理模式和政策保障体系。

（二）具体目标

1. 至2009年底，保持以县为单位的现代结核病控制策略（DOTS）覆盖率保持为100%，新涂阳病人发现率不低于70%。山东省结核病预警系统哨点县扩展到18个县（市、区）；完成我省结核病防治从业人员的感染现状调查工作；全省专科医院相关人员培训覆盖率达到30%。

2. 至2010年底，传染性肺结核病患者的督导治疗覆盖率达到90%、传染性肺结核病患者的规则治疗率达到95%、传染性肺结核病患者的治愈率达到85%、村医生结核病防治技术培训率达到95%、全民结核病防治知识的知晓率达到85%。医疗机构病人报告率、病人转诊率、病人系统管理率达到95%，结核病防治机构追踪到位率和病人家属筛查率达到85%。山东省结核病预警系统哨点县扩展到24个县（市、区）；完成全省结核病流行病学调查和肺结核病例系统管理信息自动化系统的开发；全省专科医院相关人员培训覆盖率达到60%。

3. 至2011年底，山东省结核病预警系统哨点县扩展到30个县（市、区）；5个第五轮全球基金耐多药结核病控制项目市能够开展药物敏感试验，其所辖的44个项目县（市、区）能够开展结核菌株培养工作；市级开展药敏实验的耐多药可疑者数达到每年不低于1200例，开展治疗的耐多药结核患者数达到每年不低于300例；全省专科医院相关人员培训覆盖率达到90%。

四、防控策略

（一）加强结核病防治能力建设。以医疗体制改革为契机，完善政府领导，多部门合作和全社会参与的结核病防治可持续发展机制，加强和规范省、市、县三级结核病防治网络建设，充分发挥基层和社区卫生机构在结核病防治的职能和作用。加强《结核病预防控制工作规范》培训，推行县级结防机构《结核病预防控制工作规范》达标创建活动，推动全省结核病防治机构能力建设。

（二）积极发现和治疗肺结核病患者。落实好肺结核病患者免费诊断和免费治疗政策，真正实行免费查痰、免费拍片和免费抗结核药品的治疗。组织对高危人群、高发地区肺结核病可疑症状者的检查。实施督导治疗，积极治疗发现的患者，做到发现一例，报告一例，登记一例，治疗一例，管理一例，治愈一例，以有效控制结核病的传播。

（三）开展耐药结核流行特点和流行水平监测。逐渐扩大山东省结核病预警系统哨点，建立监测预警信息网络化管理数据库，建立哨点县登记病人的信息档案，并对相关信息进行系统地定期分析，掌握我省结核病分子流行病学特征。在2010年全国结核病流行病学抽样调查基础上，适当增加调查点数，并对筛出的病人进行菌株培养和药敏试验，掌握我省结核病流行水平和耐药水平。

（四）建立肺结核病例系统管理信息自动化系统，提高病人管理质量。为加强提高结核病人管理，减少耐药结核病的产生，由省结核病防治中心开发肺结核病例系统管理信息自动化系统，提高肺结核病例系统管理率，从而提高肺结核病例治愈率。本系统的开发和使用将使目前病人系统管理率提高30%以上，从而减少耐药病人的产生。

（五）加强全省耐药结核病实验室检测和临床诊治能力。采取激励措施，加强市、县两级实验室建设。由全球基金项目市逐步向非项目市推开，使县、市两级结核病实验室分批逐渐承担结核菌培养和药敏试验工作。今后3年计划使5个全球基金耐多药项目市的44个县区全部开展痰培养工作，5个项目市的市级结防机构能够开展药敏试验。本行动计划将根据市、县两级实验室的工作量进行补助。加强结核病专科医院培训，规范耐药结核病诊治，减少耐多药病例的产生。

（六）开展全省结核病防治从业人员的感染现状调查工作。2009~2010年，采用T-SPOT TB检测方式对全省2 200名结防从业人员进行结核病流行病学调查，了解我省结防从业人员的结核病感染情况，为国家和我省制定结核病感染控制规范提供基础数据和依据。

（七）开展耐多药病人治疗依从性和远期治疗效果观察研究。对5个全球基金耐多药项目市部分县（市、区）发现的耐多药病人开展治疗依从性影响因素研究和远期治疗效果观察研究，掌握其中的积极因素和消极因素，为科学制定全省耐多药防治工作技术方案打下基础。

五、保障措施

（一）组织保障。省、市、县三级分别成立由卫生行政部门牵头的领导小组。具体分工如下：

1. 省卫生厅：负责行动计划、实施方案的制定，对行动计划的实施进行协调指导，组织定期督导和考核。

2. 项目市卫生局：负责辖区内行动计划的组织协调、落实配套经费、宣传发动和督导管理，并为行动计划的实施提供良好的政策环境。

3. 项目县卫生局：积极落实县级配套经费，根据行动计划、实施方案和技术方案，组织辖区内行动计划的实施。

4. 项目承担单位：负责行动计划的具体实施。

（二）技术保障。省结核病防治中心成立全省结核病防治技术指导小组，对临床治疗、感染控制、社区防治提供技术支持，负责行动计划技术方案的制定、技术指导和督导考核。

（三）经费保障。以政府投入为主，探索灵活筹资机制，各级应争取社会各界广泛支持。

六、监督检查和评估

由省结核病防治中心分别于项目年年底组织对各项目市、县进行检查评估，形成报告报山东省结核病防治领导小组。领导小组根据情况对行动计划和经费的使用进行调整。2011年，由山东省结核病防治领导小组组织开展项目终期整体评价，评价总体目标和具体目标的实现情况，各行动计划的开展情况和市级效果。

七、执行时间

2009年8月至2011年12月

附件：1.《山东省结核病监测和控制行动计划》实施方案

2.《山东省结核病监测和控制行动计划》考核办法（试行）

附件1：

《山东省结核病监测和控制行动计划》实施方案

为全面落实《山东省结核病监测和控制行动计划（2009~2011）》，制定本工作方案。

一、目的

加强基层结核病防治体系建设；提高结核病防治工作质量和水平；全面掌握山东省耐药肺结核的疫情状况，减少耐药结核病的发生；进一步加强我省耐药结核病防治能力，提高耐药结核病患者发现、治疗及管理水平。

二、工作目标

(一）至2009年底，保持以县为单位的现代结核病控制策略（DOTS）覆盖率保持为100%，新涂阳病人发现率不低于70%。山东省结核病预警系统哨点县扩展到18个县（市、区）；完成我省结核病防治从业人员的感染现状调查工作；全省专科医院相关人员培训覆盖率达到30%。

(二）至2010年底，传染性肺结核病患者的督导治疗覆盖率达到90%、传染性肺结核病患者的规则治疗率达到95%、传染性肺结核病患者的治愈率达到85%、村医生结核病防治技术培训率达到95%、全民结核病防治知识的知晓率达到85%。医疗机构病人报告率、病人转诊率、病人系统管理率达到95%，结核病防治机构追踪到位率和病人家属筛查率达到85%。山东省结核病预警系统哨点县扩展到24个县（市、区)；完成全省结核病流行病学调查和肺结核病例系统管理信息自动化系统的开发；全省专科医院相关人员培训覆盖率达到60%。

(三）至2011年底，山东省结核病预警系统哨点县扩展到30个县（市、区)；5个第五轮全球基金耐多药结核病控制项目市能够开展药物敏感试验，其所辖的44个项目县（市、区）能够开展结核菌株培养工作；市级开展药敏实验的耐多药可疑者数达到每年不低于1200例，开展治疗的耐多药结核患者数达到每年不低于300例；全省专科医院相关人员培训覆盖率达到90%。

三、工作机构和职责分工

(一）组织领导

省卫生厅成立项目工作小组和技术指导组，切实加强组织领导，明确职责，督导检查项目落实情况，做好项目的实施与管理工作。技术指导小组负责制定技术方案、组织落实；开展技术培训和指导工作，对项目开展技术指导和质量控制，确保项目顺利实施。

(二）职责分工

1. 省卫生厅负责项目的组织、协调、监督、管理，定期召开会议总结、部署、协调工作。

2. 项目市卫生行政部门负责做好本地区项目实施的组织协调、技术指导、质量控制和督导检查。

3. 各项目县成立项目工作组，负责制定工作计划，严格按照程序和方案要求，承担项目的具体实施、现场调查、措施的执行、资料收集处理和建档工作，做好组织协调、宣传，保证工作顺利开展。

(三）技术支撑单位分工

1. 省结核病防治中心：负责全省项目的实施；组织成立省级技术指导组，制定项目技术方案；开展项目技术培训，对项目的实施提供技术支持和质量控制；检查督导工作进度、工作质量及经费使用情况；及时研究解决项目实施过程中遇到的问题和困难；负责向省卫生厅、财政厅报送书面年度报告和终评报告。

2. 市结核病防治单位：负责制订本市项目计划，成立由业务领导和技术人员等组成的技术指导小组，配合专家进行督导和技术指导，参与评估活动，年度工作报告综合上报省结核病防治中心。

3. 各项目县结核病防治机构：负责制定本县项目和年度工作计划，具体实施本县项目；向市、省业务部门报告工作进展和年度报告。

四、主要任务和工作重点

(一）在全省17市加强结核病防治体系建设，开展结核病防治从业人员的感染现状调查，落实肺结核病患者免费检查和治疗政策，积极发现和治疗患者。

（二）在全省结核病预警系统哨点县开展耐药结核流行特点和流行水平监测。

（三）提高5个全球基金耐多药项目市及其各县（市、区）的结核病实验室监测水平，并在项目市开展耐多药病人治疗依从性和远期治疗效果观察研究。

（四）提高11个设区的市级结核病防治专科医院诊治耐药结核病的能力。

五、工作措施

（一）加强结核病防治能力建设。力争在三年内，通过不同激励措施，使全省17市每市至少有1个县级结防机构达到《结核病预防控制规范》要求。

（三）提高病人发现质量，规范病人治疗管理。到2010年，医疗机构病人报告率、病人转诊率、病人系统管理率达到95%，结核病防治机构追踪到位率和病人家属筛查率达到85%。加大政府投入，保持以县为单位的DOTS覆盖率100%，新涂阳肺结核病人发现率每年保持不低于70%，传染性肺结核病患者的治愈率达到85%。

（三）组织开展山东省结核病预警系统新一轮哨点工作。2009年初步筛选10个设区的市的18个县（市、区）作为监测哨点，2010扩展为30个哨点县，2011年44个县区纳入哨点县管理。

选择监测哨点的原则：人口结构、病人数量、发病及流行模式有一定区域代表性；领导支持；机构较健全；人员配套，专业人员业务能力较强；实验室有分枝杆菌培养基础；登记制度已建立并逐步完善。选定的哨点县经当地卫生行政部门确认后，正式纳入哨点，办理菌株运输证，培训相关人员并配发生物安全运输箱。

（四）开展结核病耐药水平监测。为掌握我省的耐药结核病流行水平，将结合2010年全国结核病流调工作，参考全国流调工作手册，在国家20个流调点的基础上，再增加20个流调点，共计40个流调点。在国家流调的基础上，适当增加调查内容和延长调查时间，获得了解我省耐药结核病流行水平的基础资料。

（五）建立肺结核病例系统管理信息自动化系统。从2010年开始，用两年时间，开发全省肺结核病例系统管理信息自动化系统，并组织试用和完善。

省结核病防治中心将联合软件开发和移动通讯有关技术部门，以现有的肺结核疫情报告管理系统平台为基础开发软件，借此软件能够实现对病人督导规律服药、按时复查和及时取药的功能。通过此软件的推广应用，提高我省肺结核病人的系统管理率。

（六）加强市、县两级结核病实验室能力建设。采用适当激励措施，使县、市两级结核病实验室分批逐渐承担结核菌培养和药敏试验工作。由全球基金项目市逐步向非项目市推开，今后3年计划使枣庄、临沂、德州、聊城、滨州等5个全球基金耐多药项目市的44个县区全部开展痰培养工作，5个项目市的市级结防机构能够开展药敏试验。

（七）提高市级结核病专科医院诊治耐药结核病的能力。邀请国内知名专家教授为师资人员，针对普遍存在治疗不规范、方案不标准等问题，开展面向市级结核病专科医院专项培训，提高耐药结核病诊断和治疗能力。

计划在未来3年时间内，每年分东西两个片区举办两期培训班，使全省12家结核病专科医院（含省胸科医院）相关人员培训覆盖率达到90%。

（八）开展全省结核病防治从业人员结核感染状况调查。在2009～2010年，每年对1100例从事结核病预防控制和诊断治疗的医务人员进行胸透、结素试验和T-SPOT TB试验，调查全省结核病预防与诊疗专业人员的结核病感染状况，分析医务人员结核病职业暴露危险因素，评估工种类别、岗位环境、身体状况、防护意识、行为习惯、文化水平对结核感染的职业暴露的影响水平，评估影响专业人员结核病暴露的社会、管理和个人行为的风险因素，制定并实施有效的感染控制以及生物安全防护方面的宣传教育和质量改进措施，完善防护设施，对医务人员的结核病职业感染危险因素进行有效的干预。

（九）开展耐多药病人治疗依从性和远期治疗效果观察研究。从枣庄、临沂、德州、聊城、滨州等5

个第五轮全球基金耐多药结核病控制项目市中，各抽取2~3个项目县（市、区），采用定量研究和定性研究相结合的方法，评价第五轮全球基金耐多药结核病防治项目耐多药结核病人标准化治疗方案的治疗效果，探索影响耐多药结核病人治疗依从性和治疗效果情的因素。开展耐多药病人治疗依从性和远期治疗效果观察研究。

六、保障措施

项目有关市县卫生行政部门加强组织领导，严格落实部门职责，建立工作协调机制，明确分工，保证工作的有效开展。省结防中心将在卫生厅的协调和指导下，精心安排全省结核病防治机构开展各个项目活动、定期督导评估，及时收集和掌握项目活动有关信息。

建立和完善以政府投入为主、分级负担、多渠道筹资的投入机制。省级财政安排结核病综合防治经费，专项用于省级有关部门开展防治工作。各级地方政府要根据经济发展和结核病综合防治工作的需要，安排必要的防治经费，列入同级预算。要充分利用社会力量和资源，积极争取社会捐助和境外援助，多种渠道筹集资金。加强资金的管理与监督，提高资金使用效益。

七、质量控制与评估

（一）年度督导

2009年底完成对项目前期准备和年内执行情况进行1次督导，2010年督导2次，2011年督导1次。

每年12月初各项目县（市、区）完成本年度的工作总结，报省结核病防治中心。每年年底省结核病防治中心将耐药结核病防治项目的进展纳入“山东省结核病综合防治工作年度报告”，上报省卫生厅和省财政厅。

（二）组织评估

依照《山东省结核病监测和控制行动计划考核办法（试行）》确定的考核目标和考核办法，由省卫生厅和财政厅会同有关部门组成联合考核组，于2011年适时组织项目评估，并于2011年12月后开始终评报告的准备工作。

附件2：

《山东省结核病监测和控制行动计划》考核办法（试行）

为了全面掌握《山东省结核病监测和控制行动计（2009~2011年）》的实施过程及其效果，制定本办法。

一、考核对象

项目省、市、县（市、区）三级执行单位。

二、考核指标

（一）病人的发现和治疗管理：到2010年，医疗机构病人报告率、病人转诊率、病人系统管理率达到95%，结核病防治机构追踪到位率和病人家属筛查率达到85%。全省每年以县为单位的现代结核病控制策略（DOTS）覆盖率100%，新涂阳病人发现率为70%，新涂阳肺结核病人治愈率保持在85%以上；

（二）预警系统哨点县扩展：2009年扩展到18个县（市、区），2010扩展为30个县（市、区），2010年44个县（市、区），各项县均纳入哨点县管理。

（三）全省专科医院结核病诊疗知识培训，结核病诊断治疗临床医师的培训覆盖率达到80%；项目市、县结核病参比实验室、防治人员相关知识培训，培训人员覆盖率达到80%以上。

（四）全省从事结核病预防控制工作人员流行病学调查：2009 年和 2010 年分别对 1100 例进行调查，共约 2 200 人，筛查率 95% 以上，信息随访率达 90% 以上、资料统计录入率 100%。

（五）项目地区每年发现的耐多药结核病人接受治疗率达 90% 以上。

（六）结核病人系统管理软件得到成功开发、试点应用并推广。

（七）承担全球基金耐药项目地区的实验室检查能力得到进一步提高，具体体现在市级实验室分批开始承担本市内培养阳性菌株的一线抗结核药物的敏感性试验，县区级能够开展结核病实验室痰结核菌的分离培养工作。

三、考核方法

本行动计划的考核方法采取自查和抽查相结合、自查和抽查两步走的方法。在山东省卫生厅的指导下，省结核病防治中心首先制定出自查提纲下发至全省各市，由市级结防机构组织所辖各县区开展自查工作，收集汇总后上报省结核病防治中心。

省结核病防治中心随后对各市上报的自查材料进行分析，并基于分析结果抽取部分县市进行现场考核，现场考核前将首先制定出现场考核清单。原则上每市抽取 1 ~ 2 个县进行现场考核，县的选择兼顾各类项目的分布情况。现场考察通过听汇报、查看资料、现场调查的方法进行。

（一）病人的发现和治疗管理：采用查看结防所的季报、登记的原始资料现场抽查的方法，评估新涂阳发现情况、治疗管理情况和工作质量。

（二）哨点县：查看相关文件、培训会议的记录，开展实验室培养、药敏的病人信息记录和原始资料。市级开展药敏实验的耐多药可疑者数达到每年不低于 1200 例，开展治疗的耐多药结核患者数达到每年不低于 300 例。

（三）结核病防治及诊疗知识培训：查阅培训会议通知、培训内容及课件、会议登记簿、培训现场照片和问卷调查等方法了解相关专业人员和基层医务人员专业知识技能合格率。

（四）从事结核病防治工作人员流行病学调查：查看基线资料统计表，现场调查、关键人员访谈、结素试验检查、T-SPOT TB 试验检查率。

（五）耐多药结核病人接受治疗率：查看项目地区耐多药结核病人登记的原始资料，药品使用的处方及账目。

接受治疗率 = 耐多药结核病人接受治疗的人数/耐多药结核病人登记数 × 100%。

（六）病人系统管理自动化管理软件：现场查看软件和试点应用县的反馈信息。

（七）实验室能力：查看省级实验室质量控制登记本，以及耐药项目县区的实验室检查的相关资料和信息。

四、组织实施

省卫生厅和省财政厅会同有关部门组成联合考核组，负责组织行动计划的考核。

联合考核组将对自查结果和现场考核结果，进行总结分析并形成考核报告上报省卫生厅和财政厅，考核报告应包括自查和抽查所见、各地取得的进展和经验、存在的问题和下一步的建议等四部分。省卫生厅和省财政厅对项目实施不力的单位进行通报，对采取措施有力、效果显著的单位进行表扬。

考核时间为 2009 年、2010 年底开展年度考核，2011 年底开展终期考核。

五、考核要求

（一）省结核病控制中心所根据项目内容和要求制定统一考核方案和考核标准，各县市要遵循严肃认真、实事求是的态度进行自查，按照考核组规定的时限及时完成并上报自查报告。

（二）被考核的项目执行单位所在地的卫生行政部门要统一组织项目执行情况的汇报。

（三）被考核的项目执行单位要在考核组到达前做好各种资料的准备和现场的组织准备。

（四）被考核项目执行单位要实事求是地汇报项目的组织实施和进展情况，不得弄虚作假。

（五）考核组在考核中发现的问题要向当地卫生主管部门反馈，并提出改进意见，对技术问题要提出具体指导意见。

省卫生厅　省财政厅关于印发《山东省农村重点地区肠道寄生虫病综合防治行动计划（2009～2011年）》的通知

2009年11月16日　鲁卫规财发〔2009〕4号

各市卫生局、财政局，省寄生虫病防治研究所：

为贯彻落实中共山东省委、山东省人民政府《关于贯彻落实中发〔2009〕6号文件精神进一步深化我省医药卫生体制改革的实施意见》（鲁发〔2009〕16号）精神，进一步加快我省农村重点地区肠道寄生虫病防治工作进程，有效预防和控制该类传染病，促进基本公共卫生服务逐步均等化，省卫生厅、财政厅制定了《山东省农村重点地区肠道寄生虫病综合防治行动计划（2009～2011年）》，现印发给你们，请结合实际，认真贯彻落实。

附件：山东省农村重点地区肠道寄生虫病综合防治行动计划（2009～2011年）

附件：

山东省农村重点地区肠道寄生虫病综合防治行动计划（2009～2011年）

一、背景意义

寄生虫病是严重危害人民身体健康和生命安全、影响社会经济发展的重要传染病，是重要的公共卫生问题之一。由于受自然因素、社会因素和生物因素等多方面的影响，我省人群寄生虫感染率仍然处于较高水平，特别是在经济欠发达的农村地区，鞭虫、蛔虫、钩虫和蛲虫等土源性线虫人群感染率居高不下。据2004年全省人体重要寄生虫现状调查结果推算，全省感染人数有1700余万，重点流行县感染率高达80%左右。例如，在鱼台县农村单是钩虫感染率就在20%以上，严重感染者呈现失血性贫血，进而发展为贫血性心脏病，给患者造成极大痛苦。猪带绦/囊虫病、肝吸虫病等食源性寄生虫病流行与危害十分严重，其中脑囊虫病可引起癫痫、高颅压、精神障碍等临床表现，常可危及生命。肝吸虫病以腹泻、便秘、消瘦、浮肿、肝脾肿大等为常见症状，严重者可造成肝脓肿和肝硬化。因而，我省寄生虫病防治形势依然十分严峻。

世界卫生组织曾指出，在热带和亚热带地区，土源性线虫病和血吸虫病带来的损失占全部疾病负担的40%以上，发病多见于儿童，常引起营养不良、贫血、生长缓慢、智力受损，极易引发其他疾病。普遍认为，寄生虫病的感染率和发病率是评价一个国家或地区社会经济发展水平和文明程度的重要指标之一。以此衡量，我省寄生虫病的流行程度与全省社会经济发展水平和文明程度是不相适应的。因此，全面开展肠道寄生虫病的综合防治工作极为必要。这也是党和政府关注民生、体贴民意的重要举措，将对落实党的惠民政策和践行科学发展观具有重要意义。

依据中共山东省委、山东省人民政府《关于贯彻落实中发〔2009〕6号文件精神进一步深化我省医药卫生体制改革的实施意见》，为进一步加快我省农村重点地区肠道寄生虫病防治工作进程，有效预防和控制该类传染病，促进基本公共卫生服务均等化逐步实施，特制定本行动计划。

二、指导思想

认真贯彻科学发展观，坚持预防为主的方针，制订周密、严谨的规划和具有科学性、可操作性工作计划和实施方案。按照因地制宜、分类指导的原则，重视和加强全民健康教育，尤其是针对少年儿童和高危（重点）人群的健康教育，切实提高广大群众自我防护意识和能力，形成群防群控的工作局面；建立和完善政府领导、部门合作、全社会参与的工作机制，落实各项综合防治措施；加强科学研究，借鉴国内外先进技术，以科研指导防治，以防治促进科研，不断提高防治工作水平，确保各项目标的顺利实现。

三、任务目标

在感染现状调查的基础上，到2011年底全省肠道寄生虫总感染率下降50%以上。有效控制土源性线虫病、绦/囊虫病、肝吸虫（华支睾吸虫）病等重要寄生虫病在局部地区的重大危害或严重流行。到2015年底下降70%以上，完成卫生部《2006～2015年全国重点寄生虫病防治规划》的目标要求。

四、防控策略

（一）土源性线虫病

按照有关寄生虫病防治技术方案的要求，土源性线虫感染率20%以上的地区，实施全民（3周岁以上）规范药物驱虫治疗；感染率10%～20%的地区，对3～15人群和菜农儿童等重点人群进行规范药物驱虫治疗；感染率10%以下的地区，通过健康教育鼓励群众自愿检查，对感染者进行治疗，有效控制传染源。采取健康教育、药物驱虫、改厕等综合性防治策略。针对不同目标人群，充分发挥广播电视等大众传媒的作用，采取广播、电视、报刊、宣传画、宣传栏、行为参与、行为激励等形式进行干预。以提倡“饭前便后要洗手、下地干活要穿鞋、饮食卫生要注意”为重点，广泛宣传寄生虫病防治知识，教育群众养成良好的卫生习惯，增强自我防护意识。积极推进农村无害化卫生厕所改建工作，改善农村卫生环境，减少寄生虫卵对环境的污染程度。

（二）食源性寄生虫病

1. 猪带绦虫病和囊虫病　积极诊治猪带绦虫和囊虫感染者，有效控制、消除传染源。加强与食品、兽医部门协作，强化生猪检疫和肉产品检验，杜绝囊虫猪肉上市。要广泛宣传，教育群众养成良好的饮食习惯，提倡“肉制品要做熟、生熟食品分开切”。同时，要结合爱国卫生运动，大力推广农村卫生改厕，废除“连茅圈”、提倡“生猪圈养”，加强人粪便的无害化处理。

2. 肝吸虫病　加强流行区人群的查治工作，对目标人群开展选择性驱虫治疗工作，消除传染源。以提倡不食“烧烤烙煎小鱼”为重点，广泛宣传肝吸虫病防治知识，教育群众逐步养成“生熟食品分开切”及“不生食或半生食淡水鱼”的饮食习惯。摒弃用生鱼喂养猫、狗等宠物的陋习，引导群众定期给猫、狗驱虫。要加强与相关部门的配合，进一步规范餐饮加工流程，减少餐桌污染，确保饮食卫生、安全。结合新农村建设，推进农村改厕工作，防止未经无害化处理的粪便进入坑塘、河流，污染环境。

五、保障措施

（一）组织保障

各地要切实加强对寄生虫病防治工作的领导，将肠道寄生虫病防控工作纳入本地经济和社会发展的整体规划，有计划地开展防治工作。要充分发挥广播电视等大众传媒的作用，大力开展健康教育，积极宣传寄防工作的重要性，提高人民群众的自我防护意识和能力。

省卫生厅成立全省农村重点地区肠道寄生虫病综合防控工作领导小组，负责组织协调全省农村重点地区肠道寄生虫病防控工作，定期召开会议，总结、部署、协调工作。

（二）技术保障

省寄防所成立全省农村重点地区肠道寄生虫病综合防控技术指导小组，提供技术指导。依靠科技进步，研究和改进肠道寄生虫病防控方法，提高防控水平。开展国际合作与交流，推广应用国内外先进技术。

（三）经费保障

各级政府根据农村重点地区肠道寄生虫病防治工作需要和财力状况合理安排必要防治专项经费。各级财政要切实加强对资金的监管，保证专款专用，提高使用效益。同时，广泛动员和争取企业、个人和社会力量提供资金和物质支持。

六、监督检查和考评

（一）目标责任制和责任追究制

各级卫生行政部门要将农村重点地区肠道寄生虫病防控工作纳入卫生总体工作任期目标，实行目标责任制和责任追究制。要根据本地区防控工作的需要，将农村重点地区肠道寄生虫病防控工作目标和任务层层分解，签订目标责任书。

（二）监督检查

各级卫生行政部门根据“科学、定量、随机”的原则，制订详细的检查方案，通过开展定期与不定期相结合的自查、抽查，对工作内容和实施效果进行综合考核评价，及时将监督检查的情况反馈被检查单位。

（三）执行考核

各地每年都要对计划实施情况进行检查，及时发现问题，认真加以解决。省卫生厅将对各地计划执行情况进行不定期督导检查。

省卫生厅和财政厅会同有关部门组成联合考核组，对项目完成情况和实施效果进行考核评估。

附件：1. 山东省农村重点地区肠道寄生虫病综合防治行动计划实施方案

2. 山东省农村重点地区肠道寄生虫病综合防治行动计划考核办法（试行）

附件 1：

山东省农村重点地区肠道寄生虫病综合防治行动计划实施方案

为全面落实《山东省农村重点地区肠道寄生虫病综合防治行动计划（2009～2011 年）》，保质保量按时完成工作计划，制定本实施方案。

一、任务目标

（一）总目标

在感染现状调查的基础上，通过实施山东省农村重点地区肠道寄生虫病综合防治项目，到 2011 年底，全省肠道寄生虫总感染率下降 50% 以上。有效控制土源性线虫病、绦/囊虫病、肝吸虫（华支睾吸虫）病等重要寄生虫病在局部地区的重大危害或严重流行。到 2015 年底下降 70% 以上，完成卫生部《2006～2015 年全国重点寄生虫病防治规划》的目标要求。

（二）具体目标

1. 土源性线虫病

按照感染现状调查资料，土源性线虫感染率在 5% 以下、5%～20% 和 20% 以上的市，到 2011 年底分别下降 40%、50% 和 60% 以上，鞭虫、蛔虫、钩虫和蛲虫的重度感染者控制在总感染者的 10% 以下。

2. 食源性寄生虫病

（1）绦/囊虫病。在感染现状调查的基础上，到2011年，人群囊尾蚴抗体阳性率下降40%以上，感染者（患者）控制在1/10万以下。

（2）肝吸虫病。在感染现状调查的基础上，到2011年底，肝吸虫感染率下降50%以上，有效控制重度感染者（患者）。

（三）工作指标

1. 寄生虫病防治知识知晓率和健康行为形成率

到2011年，居民和中小学在校学生防治知识知晓率，分别达到60%和70%以上、健康行为形成率达到50%以上。

2. 人群规范药物驱虫覆盖率

基线调查时土源性线虫人群感染率20%以上的县（市、区），实施全民服药驱虫；感染率20%以下的县（市、区），重点人群实施服药驱虫。到2011年，驱虫覆盖率达到50%以上。

3. 乡（镇）、村相关医务人员专业知识技能合格率

对流行区乡（镇）和村的相关医务人员进行全员培训，使其专业知识技能合格率达到70%以上。

二、项目范围

根据我省肠道寄生虫病的流行状况，自然地理环境，经济、卫生水平及防治工作开展情况，在全省选择34个农村重点县（市、区），开展肠道寄生虫病综合防治工作（附表1）。

三、项目内容

（一）**基本情况调查**。包括人口、地理环境、气温、降水量、农作物、经济水平、卫生状况、寄生虫病防治措施等自然和社会因素（附表2）。

（二）**人群感染情况调查**。采取整群抽样的方法确定调查对象。采用问卷的方式进行绦/囊虫病的调查，结合血清学检测、影像学检查结果及临床表现，综合分析确诊囊虫病患者。

（三）**通过宣传、健康教育逐步提高农村妇女自我保健能力和健康水平**。通过卫生常识与卫生行为随机调查，了解相关人群肠道寄生虫病防治知识的知晓率、经济水平、卫生状况以及行为因素，人粪便处理方式、卫生厕所、沼气池的有无和使用情况等。

四、项目组织和实施

（一）组织领导

省卫生厅成立项目工作小组和技术指导组，切实加强组织领导，明确职责，督导检查项目落实情况，做好项目的实施与管理工作。技术指导小组负责制定技术方案、组织落实；开展技术培训和指导工作，对项目开展技术指导和质量控制，确保项目顺利实施。

（二）职责分工

1. 省卫生厅负责项目的具体实施，组织省级专家组，按照实施方案要求，加强技术培训，对项目工作进度、工作质量及经费使用情况定期督导，及时发现和解决项目实施过程中遇到的问题和困难。

2. 项目市卫生行政部门负责做好本地区项目实施的组织协调、技术指导、质量控制和督导检查。

3. 项目县（市、区）卫生行政部门负责制定计划、组织协调、宣传发动和项目的督导检查工作。严格按照程序和计划方案的要求，做好每一环节的工作，保证工作的顺利开展。

4. 省寄生虫病防治研究所负责全省项目的实施；组织成立省级技术指导组，负责制定项目技术方案；检查督导工作进度、工作质量及经费使用情况；研究解决项目实施过程中遇到的问题和困难。负责各项目承担单位专业技术骨干的业务培训，对项目的实施提供技术支持和质量控制。

5. 各项目县疾控机构成立项目工作组，承担项目的具体实施、现场调查、干预措施的执行、资料收集处理和建档等。

6. 各市疾控中心成立由业务领导和技术人员等组成的技术指导小组，负责本辖区的项目实施、技术指导、业务培训、工作监督等。

（三）工作方法和步骤

1. 选定项目县

选择原则：一是肠道寄生虫病的流行程度、流行因素、流行模式及地域内的人口结构、经济卫生条件等方面具有一定的区域代表性；二是当地领导重视、支持，群众基础较好；三是地方防病机构较健全、专业人员业务能力较强；四是实验基础和能力良好，工作制度较完善。选定的县经当地卫生行政部门确认后，正式纳入项目工作县。

2. 确定监测点。在各项目县，依据肠道寄生虫感染率、自然地理环境、居民生产生活习惯、社会经济发展水平和寄生虫病防治工作开展情况以及群众的依从性等，选择3个有代表性的乡镇为调查监测点。

3. 开展宣传。针对不同目标人群，采取针对性强的宣传方式，充分发挥广播电视等大众传媒的作用，采取广播、电视、报刊、宣传画、宣传栏等形式进行广泛宣传，提高防治知识覆盖率。

4. 人员培训。以培训班的方式为主，采用理论授课、实验操作、标本见习和健康教育材料学习等方法。对项目县疾控中心寄防专业人员、乡镇防保人员和乡村医生等相关工作人员开展肠道寄生虫病的防治知识、药物驱虫的注意事项及不良反应处理原则、粪便检查技术，调查表格的细则说明、调查资料的统计和初步分析等内容的技术培训。

5. 基本情况调查

包括人口、地理环境、气温、降水量、农作物、经济水平、卫生状况、寄生虫病防治措施等自然和社会因素（附表2）。

6. 人群感染情况调查

调查对象：采取整群抽样的方法，年龄在3周岁（含3周岁）以上的常住人口，外来人口居住满一年以上者，为调查对象。

调查方法：采用改良加藤厚涂片（Kato-Katz）法，每人1份粪便标本，一粪两检。3～12周岁儿童加做透明胶纸肛试法检测蛲虫卵。计算人群肠道寄生虫（钩虫、蛔虫、鞭虫、肝吸虫、绦虫卵等）感染率和感染度，蛲虫计算感染率（附表3）。采用问卷的方式进行绦/囊虫病的调查（附表4），结合血清学检测、影像学检查结果及临床表现，综合分析确诊囊虫病患者。

7. 卫生常识与卫生行为调查

在每个调查点内随机抽取50户作为调查对象。调查人群肠道寄生虫病防治知识的知晓情况、经济水平、卫生状况以及行为因素，人粪便处理方式、卫生厕所、沼气池的有无和使用情况等（附表5）。

8. 干预措施

（1）健康教育

编印多种宣教材料，充分发挥广播电视等大众传媒的作用，采取广播、电视、报刊、宣传画、展板、授课等形式，广泛宣传寄生虫病防治知识，教育群众养成良好的卫生习惯和生活行为，增强自我防病意识。

（2）传染源控制

1）土源性线虫病

全民服药：主要肠道寄生虫总感染率20%以上（含20%）县、乡镇，每年1次，连服3年；在10%～19%的乡镇，每年1次，连服2年。

重点人群服药：肠道寄生虫总感染率在10%以下的乡镇，对3周岁以上儿童、菜农和经常在农田劳动的农民等重点人群服药驱虫，每年1次，连服2年。

服药注意事项：孕妇、哺乳期妇女和3周岁以下幼儿禁用；有癫痫史者、严重肝肾或心脏功能不全以及活动性溃疡患者慎用；急性病症、蛋白尿、化脓性皮炎患者不宜服药。

2）食源性寄生虫病

猪带绦虫病和囊虫病：在流行现状调查的基础上，对疑似或确诊的绦/囊虫病患者，应到专业医院排除或正规治疗；对从事食品或餐饮加工业的人员定期进行健康体检；强化生猪检疫和肉产品检验，杜绝囊虫猪肉上市；提倡"肉制品要做熟、生熟食品分开切"；废除"连茅圈"、提倡"生猪圈养"，加强人粪便的无害化处理。

肝吸虫病：对确诊患者，进行正规治疗；不生食或半生食淡水鱼；引导群众定期给猫、狗驱虫；结合农村改厕，防止未经无害化处理的粪便进入坑塘、河流，污染环境。

五、考核评估

（一）年度报告

每年12月初各项目县（市、区）和市疾控中心完成本年度的工作总结，报省寄生虫病防治研究所。每年年底省寄生虫病防治研究所形成《山东省肠道寄生虫病综合防治工作年度报告》，报卫生厅和财政厅。

（二）组织考核

依照《山东省农村重点地区肠道寄生虫病综合防治行动计划考核办法（试行）》确定的考核目标和考核办法，每年年底或次年年初由省寄生虫病防治研究所对各地上年度的工作情况组织抽查考核；项目实施完成后由省卫生厅和财政厅会同有关部门组成联合考核组，对各市的项目完成情况进行考核评估。

六、资金管理

建立和完善以政府投入为主、分级负担、多渠道筹资的投入机制。省级财政安排农村重点地区肠道寄生虫病综合防治经费，专项用于省有关部门开展防治工作。各级地方政府要根据经济发展和农村重点地区肠道寄生虫病综合防治工作的需要，安排必要的防治经费，列入同级预算。要充分利用社会力量和资源，积极争取社会捐助和境外援助，多种渠道筹集资金。加强资金的管理与监督，提高资金使用效益。

七、信息收集和管理

（一）各项目县（市、区）负责收集、核实、校正、整理、分析、统计、汇总调查数据和资料，规范整理，分类建档，妥善保管，并及时将相关数据报送省寄生虫病防治研究所。

（二）省寄生虫病防治研究所负责将所有资料系统备份，建档保管，科学利用，动态管理。

附表：1. 肠道寄生虫病综合防治项目分配表

2. 肠道寄生虫病综合防治调查点基本情况调查表

3. 肠道寄生虫病综合防治调查点居民粪便检查情况登记表

4. 绦虫病、囊虫病调查登记表

5. 肠道寄生虫病综合防治调查村入户调查表

附表1：

肠道寄生虫病综合防治项目分配表

市	县数	市	县数	市	县数
济南	2	青岛	2	淄博	2
枣庄	2	东营	1	烟台	3
潍坊	3	济宁	3	泰安	2
威海	1	日照	1	莱芜	1
临沂	3	德州	2	聊城	2
滨州	2	菏泽	2		
全省合计		34			

附表2：

肠道寄生虫病综合防治调查点基本情况调查表

______市______县（市、区）______乡（镇）______村

1. 调查村编号	□□□□□□
2. 自然因素 2.1 地形：平原=1　山区=2　丘陵=2　湖区=4　其他=5 2.2 经度： 2.3 纬度： 2.4 年均气温（℃）： 2.5 年降雨量（mm）：	□ □□□ □□ □□ □□□□
3. 常住人口数	□□□□□
4. 总户数	□□□
5. 主要饮用水源 集中式供水=1　电动压井水=2　手压井水=3　开口井水=4 其他=5（列名）______	□□ □
6. 厕所及粪便处理情况 6.1 未经无害化处理厕所数（包括露天厕所、简易厕所等） 6.2 无害化处理厕所数（包括三格化粪池厕所、粪尿分集式厕所、双瓮漏斗式厕所、三联式沼气厕所、双坑交替式厕所、阁楼式堆肥厕所、深坑防冻厕所等）	□□□ □□□
7. 近两年来开展集体服药驱虫情况（开展=1　未开展=2）	□
8. 居民人均年纯收入（元）	□□□□□
9. 主要种植农作物种类：小麦=1 玉米=2 大豆=3 水稻=4 棉花=5 蔬菜=6	□ □ □
10. 施用农家肥比例（%）	□

注：1. 自然因素：地形以村为单位填写，其他因素以县为单位填写；
2. 常住人口数：指实际经常居住在该村半年及其以上的人口数；
3. 主要饮用水源：按主次排序；
4. 主要种植农作物种类：按种植主次排序。

调查人签字______负责人签字______　　调查日期______年______月______日

附表3：

肠道寄生虫病综合防治调查点居民粪便检查情况登记表

______市______县（市区）______乡（镇）______村　　编号□□□□□□

个案号	户主姓名	被检者姓名	性别	年龄	职业	文化程度	虫卵检查结果						
							蛔虫卵	鞭虫卵	钩虫卵	蛲虫卵	肝吸虫卵	绦虫卵	其他虫卵

检查人签字______负责人签字______　调查日期______年______月______日

附表4：

绦虫病、囊虫病调查登记表

________市________县（市区）________乡（镇）________村　　　　编号□□□□□□□

个案号	□□□□□□□
A. 一般情况	
1. 户主姓名________　　2. 受检者姓名________	
3. 性别________　　4. 出生年月________	
5. 民族________　　6. 职业________	
7. 文化程度________	
B. 绦虫感染情况	
8. 食米猪肉时间（年，月）	□□□□□□□
9. 排节片时间（年，月）	□□□□□□□
10. 粪检结果　　阳性=1　　阴性=0	□
11. 是否驱虫　　是=1　　否=2	□
C. 囊虫病临床表现	
12. 皮下结节　　是=1　　否=2	□
13. 头痛、头晕　　是=1　　否=2	□
14. 癫痫　　是=1　　否=2	□
15. 高颅压　　是=1　　否=2	□
16. 精神障碍　　是=1　　否=2	□
D. 其他检查	
17. 血清学检查　　阳性=1　　阴性=0　　未查=2	□
18. 结节活检　　阳性=1　　阴性=0　　未查=2	□
19. 影像学检查　　阳性=1　　阴性=0　　未查=2	□
20. 其他（请说明）________________________________	

检查人签字________负责人签字________　　调查日期______年________月________日

附表5：

肠道寄生虫病综合防治调查村入户调查表

________市________县（市）________乡（镇）________村

1. 调查村编号：□□□□□□□　　2. 个案号：□□□□
3. 户主姓名：________　　4. 家庭人口：________
5. 年经济纯收入（万元）：________
6. 饮用水类型：集中式供水=1　电动压井水=2　手压井水=3　开口井水=4　其他=5（列名）________
7. 家庭厕所及粪便处理：
　　未经无害化处理的厕所（包括露天厕所、简易厕所等）=1
　　无害化处理厕所数（包括三格化粪池厕所、粪尿分集式厕所、双瓮漏斗式厕所、三联式沼气厕所、双坑交替式厕所、阁楼式堆肥厕所、深坑防冻厕所等）=2
8. 施用农家肥比例：________%

××××××××××××××××××××××××

9. 家庭成员　姓名：______性别：____年龄：____职业：____文化程度：________
10. 个人卫生和饮食习惯：
　　饭前洗手：每次=1　经常=2　偶尔=3
　　便后洗手：每次=1　经常=2　偶尔=3
　　生吃瓜果蔬菜要洗净：　每次=1　经常=2　偶尔=3
　　光脚下地干农活：　每次=1　经常=2　偶尔=3
　　是否喝生水：　是（经常、偶尔）=1　否=2
　　切生、熟食品的砧板是否分开：　是=1　　否=2
　　食鱼方式：　炖=1　煎=2　烙=3　烧烤=4
11. 怎样预防寄生虫病？　　知道=1　　不知道=2
12. 病原学检查结果：____________

注：1. 文化程度包括：学龄前、文盲半文盲、小学、初中、高中、中专、大专及以上；
2. 职业包括：农民、半农半工、工人、学生、学龄前。

调查人签字________负责人签字________　　调查日期______年________月________日

附件2：

山东省农村重点地区肠道寄生虫病综合防治行动计划考核办法（试行）

为了全面、系统、科学地考核评估《山东省农村重点地区肠道寄生虫病综合防治行动计划（2009～2011年）》（以下简称《防治计划》）的执行情况和防治成效，制定本办法。

一、考核对象

（一）在《防治计划》实施的自然村随机整群抽取年龄在3周岁以上的常住人口1000人，采集粪便标本检查肠道寄生虫（钩虫、蛔虫、鞭虫、肝吸虫、绦虫卵等）感染率和感染度的下降情况。

（二）在《防治计划》实施的乡（镇）和自然村抽取一定数量的居民和中小学在校学生了解寄防知识知晓率，以及相关防保医务人员的专业知识技能情况。

二、考核指标

总指标：在感染现状调查的基础上，项目实施完成后全省肠道寄生虫总感染率下降50%以上。有效控制土源性线虫病、绦/囊虫病、肝吸虫（华支睾吸虫）病等重要寄生虫病在局部地区的严重流行和危害。

（一）土源性线虫病

在感染现状调查时，土源性线虫感染率在5%以下、5%～20%和20%以上的市，项目完成后分别下降40%、50%和60%以上，鞭虫、蛔虫、钩虫和蛲虫的重度感染者控制在总感染者的10%以下。

（二）食源性寄生虫病

1. 绦/囊虫病：在感染现状调查的基础上，项目完成后，人群囊尾蚴抗体阳性率下降40%以上，感染者（患者）控制在1/10万以下。

2. 肝吸虫病：在感染现状调查的基础上，项目完成后，肝吸虫感染率下降50%以上，有效控制重度感染者（患者）。

（三）寄生虫病防治知识知晓率和健康行为形成率

居民和中小学在校学生防治知识知晓率，项目完成后，分别达到60%和70%以上、健康行为形成率达到50%以上。

（四）人群规范药物驱虫覆盖率

基线调查时土源性线虫人群感染率20%以上的县（市、区），实施全民服药驱虫；感染率20%以下的县（市、区），重点人群实施服药驱虫。项目完成后，驱虫覆盖率达到50%以上。

（五）乡（镇）、村相关医务人员专业知识技能合格率

对流行区乡（镇）和村的相关医务人员进行全员培训，使其专业知识技能合格率达到70%以上。

三、考核方法

（一）考核范围

每市抽查1个项目县，每县随机抽查3个实施防治措施的自然村，依据《防治计划》和上述考核指标，进行综合评估考核。

（二）《防治计划》执行情况

通过听取市、县、乡镇工作开展情况汇报、查阅原始资料和登记表格、现场走访调查等方式，对《防治计划》执行情况进行评估。

（三）人群肠道寄生虫感染率下降情况

在抽查的自然村整群抽取1 000人，采集粪便标本以改良加藤厚涂片（Kato-Katz）法，进行人群肠道

寄生虫（钩虫、蛔虫、鞭虫、肝吸虫、绦虫卵等）感染率和感染度调查（方法同防治前基线调查），对比分析防治前后人群感染率和感染度下降情况。

（四）健康教育

采用问卷的方式，考核居民和中小学在校学生寄生虫病防治知识知晓率和健康行为形成率。

（五）基层卫生人员技能

对乡镇卫生院和村卫生所的医务人员肠道寄生虫病防治知识进行测试和检测技能考核。

四、组织实施

（一）考核评估组的组成

由省卫生厅和财政厅会同有关部门组成联合考核组，考核组人员组成包括省、市、县卫生行政部门领导和疾病控制机构的寄生虫病防治业务人员。

（二）卫生行政部门

1. 省卫生厅：负责全省项目的考核。

2. 项目市、县（区）卫生局：负责辖区内项目实施情况的考核。

五、考核要求

（一）考核程序

1. 年度考核：每年12月初各项目县（市、区）和市疾控中心，认真自查本年度的工作，写出年度工作总结，报省寄生虫病防治研究所。年底或次年初省寄生虫病防治研究所根据各地工作开展情况和完成任务情况，进行抽查考核，形成《山东省农村重点地区肠道寄生虫病综合防治工作年度报告》，报省卫生厅、财政厅。

2. 终末考核：在全省项目结束后，由省卫生厅、财政厅负责组织考核评估。

（二）考核时间

1. 年度考核：每年年底或次年初（12月至次年3月份）。

2. 终末考核：2011年12月初至2012年3月底进行考核。2012年5月底完成考核评估总结报告。对《防治计划》的防控策略、防治技术措施的执行情况和防治成效进行综合分析评估，进而制定全省肠道寄生虫病综合防治方案，在全省推广应用，尽快降低全省人群寄生虫感染率、减轻危害程度，保障广大人民群众的身体健康。

省卫生厅　省财政厅关于印发《山东省麻风病综合防治行动计划（2009～2011年）》的通知

2009年11月16日　鲁卫规财发〔2009〕5号

各市卫生局、财政局，省皮肤病性病防治研究所：

为贯彻落实中共山东省委、山东省人民政府《关于贯彻落实中发〔2009〕6号文件精神进一步深化我省医药卫生体制改革的实施意见》（鲁发〔2009〕16号）精神，最大限度发现潜在麻风病人，提高麻风早诊断、早治疗水平，有效控制麻风病流行，救助麻风病患者，为麻风病患者及愈后畸残者提供综合性服务，促进基本公共卫生服务逐步均等化，省卫生厅、财政厅制定了《山东省麻风病综合防治行动计划（2009～2011年）》，现印发给你们，请结合实际，认真组织实施。

附件：山东省麻风病综合防治行动计划（2009～2011年）

附件：

山东省麻风病综合防治行动计划
（2009～2011年）

一、背景意义

麻风是由麻风分枝杆菌引起的一种慢性传染病，主要累及皮肤和外周神经、晚期可导致畸残。其最大危害是致残、毁容，给个人、家庭和社会带来沉重的负担。

我省是全国麻风主要流行省市之一，到2008年底累计登记麻风患者53977名，居全国前列。近15年来我省新登记病人每年仍有50名左右，与1994年相比没有下降。由于麻风病的潜伏期较长（至少2～10年）、早期发现困难，常常造成误诊和漏诊而不能得到及时诊断和治疗。近三年我省报告的麻风病患者2级疾残率高达43%，距卫生部《全国麻风病（2006～2010）控制规划》对新发病人中2级疾残率控制在20%以内的要求有较大差距。据专家估计全省实际病例数大约在200～400名。

麻风病的重要问题是其致残性，不仅成为大众对麻风病人歧视的重要原因，也给患者带来一系列的社会问题和经济问题。因此，畸残防治是麻风病防治的重要工作内容，对畸残者进行手术矫治和提供假肢可提高患者的生存能力和生活质量。

目前，麻风病尚无疫苗，也无有效的一级防控措施，防治的主要策略是早发现、早治疗。为了控制麻风病的流行，救助麻风患者，促进基本公共卫生服务逐步均等化，依据中共山东省委、山东省人民政府《关于贯彻落实中发〔2009〕6号文件精神进一步深化我省医药卫生体制改革的实施意见》，特制定本行动计划。

二、指导思想

认真贯彻科学发展观，坚持预防为主的方针，制订周密、严谨的规划和具有科学性、可操作性工作计划和实施方案。按照因地制宜、分类指导的原则，重视和加强全民健康教育，尤其是针对高危（重点）人群的健康教育，切实提高广大群众自我防护意识和能力；建立和完善政府领导、部门合作、全社会参与的工作机制，落实各项任务目标；加强科学研究，借鉴国内外先进技术，以科研指导防治，以防治促科研，不断提高防治工作水平，确保各项目标的顺利实现。

三、任务目标

（一）总体目标

通过项目的实施，最大限度发现潜在麻风病人，提高麻风早诊断、早治疗水平，有效控制麻风病流行；救助麻风患者，为麻风病患者及愈后畸残者提供综合性服务，保护广大人民群众的身体健康。

（二）具体目标

1. 降低2级畸残率

通过高质量线索调查，在可疑者中发现潜在的麻风患者，提高早期诊断率，到2011年新发病人中2级畸残率控制在20%以内。

2. 开展手术矫治和提供假肢

为麻风截肢者提供假肢和为麻风畸残者实施手术矫治，提高其生存能力和生活质量。

3. 开展专业诊疗技术培训

对皮肤科医生进行麻风病诊疗技术培训率达到90%以上，对乡村医生培训率达到80%。

4. 提高防治知识知晓率

对大众进行麻风病防治科普宣传，使公众麻风病知识知晓率达到80%以上。

四、防控策略

（一）增强人民群众的自我防护意识

在全省重点人群中开展麻风病防治知识宣传。充分发挥广播电视等大众传媒的作用，积极宣传麻风病防治工作的重要性以及党和政府采取的防控措施，开展麻风病防治知识科普宣传，提高人民群众对麻风病防治知识的知晓率，增强早发现、早治疗的防护意识，鼓励自报和他报。

（二）开展麻风病线索调查和重点村庄全民普查

在20个县（市、区）中开展麻风病线索调查和重点村庄全民普查，最大限度发现新发病人，提高主动发现病人率和降低新发现病人的2级畸残率，并对感染者进行治疗，减少传染源，控制麻风病的流行。

（三）假肢安装和实施畸残者手术矫治

通过与省残联的合作，以残联假肢装配站为依托在全省范围内为麻风截肢者提供简易假肢。在全省范围内筛查具有手术适应症的畸残患者，以潍坊市皮肤病防治所、济南市皮肤病防治院、枣庄市皮肤病防治院和费县第二人民医院为手术点实施手术矫治，减少继发性损害的加重和后遗症，提高患者的生活能力和生活质量。

五、保障措施

（一）组织保障

省、市、县成立由政府和卫生行政主管部门组成的项目领导小组，负责组织协调全省和各市、县项目麻风病的防控工作，定期召开会议总结、部署、协调工作。

各项目市、县（市、区）要切实加强对麻风防治工作的领导，将麻风防控工作纳入本地经济和社会发展的整体规划。各级卫生行政部门要积极探索新形势下防控麻风的新模式，保证防控工作可持续发展。

（二）技术保障

成立省麻风病防控专家组，聘请省内外专家组成麻风病防控专家组，以保证项目的有效实施和质量控制。

成立全省麻风病综合防控技术指导小组，提供技术咨询，依靠科技进步，探索新形势下防控工作新思路，研究和改进麻风和常见皮肤病防控方法，提高防控水平。各项目市、县成立相应技术小组，为项目实施提供技术支持。

（三）经费保障

各级政府根据麻风病防治工作需要和财力情况合理安排必要防治专项经费。各级财政要切实加强对资金的监管，保证专款专用，提高使用效益。同时，广泛动员和争取企业、个人和社会力量提供资金和物质支持。

六、监督检查和考评

各项目市、县（市、区）卫生行政部门、项目实施单位要将麻风病防控工作纳入卫生总体工作任期目标，实行目标考评制度。各级卫生行政部门根据“科学、定量、随机”的原则，制订详细的检查方案，通过开展定期与不定期的抽查，对工作内容和实施效果进行综合考核。

七、执行时间

2009年8月至2011年12月。

附件：1. 山东省麻风病综合防治行动计划实施方案

2. 山东省麻风病综合防治行动计划考核办法（试行）

附件1：

山东省麻风防治综合防治行动计划实施方案

为了全面落实《山东省麻风病综合防治行动计划（2009～2011年）》，制定本方案。

一、任务目标

（一）总体目标

通过项目的实施，最大限度发现潜在麻风病人，提高麻风早诊断、早治疗水平，有效控制麻风病流行；救助麻风病患者，为麻风病患者及愈后畸残者提供综合性服务，保护广大人民群众的身体健康。

（二）具体目标

1. 降低2级畸残率。通过高质量线索调查，在可疑者中发现潜在的麻风患者，提高早期诊断率，到2011年新发病人中2级畸残率控制在20%以内。

2. 开展手术矫治和提供假肢。为麻风截肢者提供假肢和为麻风畸残者实施手术矫治，提高其生存能力和生活质量。

3. 开展专业诊疗技术培训。对皮肤科医生进行麻风病诊疗技术培训率达到90%以上，对乡村医生培训率达到80%。

4. 提高防治知识知晓率。对大众进行麻风病防治科普宣传，使公众麻风病知识知晓率达到80%以上。

二、项目范围

在全省17市选择20个麻风病流行县（市、区）开展麻风线索调查和全民普查；为我省农村麻风畸残者实施手术矫治和为截肢者提供假肢安装；对全省皮肤科医生进行麻风知识和诊断技能培训。

三、项目内容

（一）麻风病线索调查和普查

在确定的全省20个麻风病重点县（市、区）开展麻风病线索调查，每县线索调查覆盖总人口的10%，并在重点村庄（社区）开展全民普查，每县2万人。

（二）为麻风病截肢者提供假肢

3年内为200名麻风病截肢者提供假肢。

（三）为麻风病畸残者实施矫治手术

3年内为200名麻风病畸残者实施畸残矫治手术。

（四）开展麻风病诊疗知识培训

3年内共举办7期培训班，对全省皮肤科医生分批进行麻风病诊疗知识培训，使培训率达到90%以上。

（五）麻风防治科普知识宣传

利用大众媒体开展麻风病防治科普宣传，每年2次；在20个重点县结合麻风线索调查和普查开展麻风病防治知识科普宣传，覆盖率达到80%。编印分发乡村医生麻风病培训手册5万册。

四、项目组织和实施

（一）组织领导

省卫生厅成立项目工作小组和技术指导组，切实加强组织领导，明确职责，督导检查项目落实情况，做好项目的实施与管理工作。技术指导小组负责制定技术方案、组织落实；开展技术培训和指导工作，对项目开展技术指导和质量控制，确保项目顺利实施。

（二）职责分工

1. 省卫生厅负责项目的组织、协调、监督、管理，定期召开会议总结、部署、协调工作。

2. 项目市卫生行政部门负责做好本地区项目实施的组织协调、技术指导、质量控制和督导检查。

3. 各项目县成立项目工作组，负责制定工作计划，严格按照程序和方案要求，承担项目的具体实施、现场调查、措施的执行、资料收集处理和建档工作，做好组织协调、宣传，保证工作顺利开展。

（三）技术支撑单位分工

1. 省皮肤病防治研究所：负责项目的具体实施；组织成立省级技术指导组，制定项目技术方案；开展项目技术培训，对项目的实施提供技术支持和质量控制。检查督导项目工作进度、工作质量及经费使用情况定期督导，及时发现和解决项目实施过程中遇到的问题和困难。负责向省卫生厅和财政厅书面年度报告和终评报告。

2. 市麻风防治单位：负责制订本市项目计划，成立由业务领导和技术人员等组成的技术指导小组，配合省专家进行督导和技术指导，参与评估活动，年度工作报告综合上报省皮研所。

3. 县麻风防治单位：负责制订本县项目和年度工作计划，具体实施本县项目；向市、省业务部门报告工作进展和年度报告。

（四）工作方法和步骤

1. 选择项目点

根据麻风流行状况和近年来新发病人数，选择确定麻风病线索调查和普查点，确定20个县（市、区）作为线索调查和普查点。2009年8月底前完成选点。

2. 召开项目启动培训会

2009年9月召开17市卫生局分管局长、麻风防治负责单位业务负责人和业务科长，20个重点县卫生局分管局长、麻风防治负责单位业务负责人和业务科长等人员参加的项目启动培训会，对项目的实施进行部署，对项目方案进行培训。

3. 前期准备

2009年底前，项目实施单位完成组织保障和技术保障措施；20个重点县完成调查人群和社区的选点，并下发相应实施方案文件。其中有中央补助地方资金项目开展线索调查的3个县，要结合线索调查开展全民普查。

4. 线索调查和普查

17个县（市、区）在2010年6月底前完成线索调查；10月底前完成全民普查。

承担项目县（市、区）的卫生行政主管部门要制定详细实施方案和技术方案，并下发相关文件，召开会议和进行人员培训。

线索调查要求在调查村（社区）中开展麻风病防治知识的大众宣传，鼓励病人自报和他报；要走访村（社区）的关键知情人（村委会成员、乡村医生、妇女主任、教师等）或召开知情人座谈会提供线索。当地麻风医生要对提供的线索逐一检查并提出初步诊断，确诊和疑似病例上报省皮研所。

全民普查村（社区）的选择要根据麻风流行情况，近10年来有新发病人的村（社区）作为选取标准之一，可采用皮肤病调查或健康查体方式或与农村（社区）新农合（医保）相结合开展，要求普查率达到80%，对查出的病人和疑似病例要及时上报省皮研所。

省皮研所在接到项目点上报的疑似病例后，1周内组织专家赴现场确诊，并对确诊病例实施联合化疗。

5. 假肢安装

各市2009年底完成病员的选择并上报备案；2010年5月底前完成假肢测量，10月底前完成制作和试穿，2011年5月底前完成调试。

省皮研所下发假肢安装项目通知，提出病例选择标准和要求，各县（市、区）上报需假肢者人员名单。省皮研所将上报人员数提供给省残联，按人数购买假肢制作材料，并按地域划片分配给全省10个假肢装配站。截肢者所在县（市、区）负责将需穿戴假肢人员按片、按时集中，由残联系统假肢装配站工作人员到现场进行残肢测量、倒模和调试，并负责维修。

6. 矫治手术

各市2009年底完成病员的选择并上报备案；2010年4～5月和9～10月在4个手术点开展手术矫治，2011年6月底前完成术后随访。

省皮研所下发手术矫治项目通知，提出病例选择标准和要求，必要时举办培训。各县（市、区）按要求和筛查标准向省皮研所上报需手术人员名单。省皮研所负责组织手术队或安排专家按就近原则组织手术的实施。手术者所在县负责病员术前和术后的护送和随访。

7. 开展技术培训

培训对象为全省皮肤科医生。中央补助地方公共卫生麻风防治资金项目每年3期（150人），全省尚需培训皮肤科医生350人，2009年举办1期，2010年举办4期，2011年举办2期（每期50人）。省皮研所负责培训班的组织和实施。

8. 媒体宣传

由省皮研所负责，每年1月（或2月，结合麻风节活动）和6月各一次。省皮研所以专题片、公益广告片等形式制作大众麻风科普知识宣传节目，在省电视台播出，广泛开展麻风病防治科普宣传。

乡村医生麻风病培训手册由省皮研所负责编印，并分发各县（市、区），各县结合乡村医生培训（可结合乡村医生例会进行）分发到人。

五、质量控制与考核评估

（一）加强质量控制

邀请国家级和省级专家共5人组成专家小组，负责项目的技术支持和指导；省皮肤病性病防治研究所专家负责项目的设计、组织实施和质量控制；每个市级麻防单位1名业务人员负责本市现场调查的协调和质量控制；每个县级皮防机构1名业务人员负责项目资料的登记和报告。

（二）开展年度督导

2009年底对项目前期准备和年内执行情况进行1次督导，2010年督导2次，2011年督导1次。

每年12月初各项目县（市、区）完成本年度的工作总结，报省皮防所。每年年底省皮防所形成《山东省麻风病综合防治工作年度报告》，报省卫生厅和财政厅。

（三）组织评估

依照《山东省麻风病综合防治行动计划考核办法（试行）》确定的考核目标和考核办法，由省卫生厅和财政厅会同有关部门组成联合考核组，于2011年适时组织项目评估，并于2011年12月底前完成终评报告。

六、资金管理

建立和完善以政府投入为主、分级负担、多渠道筹资的投入机制。省级财政安排麻风病综合防治经费，专项用于省有关部门开展防治工作。各级地方政府要根据经济发展和麻风病综合防治工作的需要，安排必要的防治经费，列入同级预算。要充分利用社会力量和资源，积极争取社会捐助和境外援助，多种渠道筹集资金。加强资金的管理与监督，提高资金使用效益。

七、信息收集和管理

（一）各项目县（市、区）负责收集、核实、校正、整理、分析、统计、汇总调查数据和资料，规范整理，分类建档，妥善保管，并及时将相关数据报送省皮防所。

（二）省皮防所负责将所有资料系统备份，建档保管，科学利用，动态管理。

附件2：

山东省麻风病综合防治行动计划考核办法（试行）

为了全面检查《山东省麻风病综合防治行动计划（2009~2011年）》的实施过程及其效果，制定本办法。

一、考核对象

项目市、县（市、区）两级执行单位。

二、考核指标

（一）线索调查和普查：调查村（社区）覆盖率达到总人口的10%，普查人口达到2万人，每村（社区）普查率达到80%；每县（市、区）上报麻风可疑线索20人。2011年全省新发病人中2级畸残率控制在20%以内。

（二）假肢安装：初装假肢服帖率达到90%，复穿假肢服帖率达到95%；日常穿戴假肢率达到98%以上。

（三）手术矫治：手术安全性达100%；术后随访率达95%以上；病人满意率达95%以上。

（四）麻风病诊疗知识培训：举办7期培训班，培训人数不少于350人，全省皮肤科医生麻风知识培训率达到95%。

（五）大众麻风科普宣传：2011年大众麻风知识普及率达到80%；基层医务人员麻风知识培训率达到90%。

三、考核方法

依据《山东省麻风病综合防治行动计划实施方案》和上述考核指标，考核组随机抽取考核点，通过听汇报、查资料和现场调查的方式，对项目的实施情况和防治效果，进行综合评估考核。

（一）线索调查和普查：采用查看资料和现场抽查的方法，评估线索调查和全民普查人数和质量。新发病人2级畸残率＝新发病人中2级畸残人数/新发病人数×100%。

（二）抽查假肢安装者，查看假肢服帖情况。服帖率＝假肢服帖人数/假肢穿戴人数×100%。

（三）抽查和随访手术者，以病人满意度和医生评价法评估手术效果。手术满意率＝手术满意人数/手术人数×100%。

（四）现场考核和问卷调查方法了解皮防专业人员和基层医务人员专业知识技能合格率。

（五）采用问卷的方式，了解城乡居民麻风病和常见皮肤病防治知识知晓率和健康行为形成率。

四、组织实施

在省卫生厅的领导下，邀请全国麻风控制中心专家会同省财政厅组成联合考核组，于2009年底组织一次项目实施前准备工作落实和部分项目实施情况督导；2010年底组织一次中期督导和考核，2011年底完成项目终评报告。

五、考核要求

（一）省皮研所根据项目内容和要求制定统一考核标准，并提前通知被考核单位。

（二）被考核的项目执行单位所在地的卫生行政部门要统一组织项目执行情况的汇报。

（三）被考核的项目执行单位要在考核组到达前做好各种资料的准备和现场的组织准备。

（四）被考核项目执行单位要实事求是地汇报项目的组织实施和进展情况，不得弄虚作假。

（五）考核组在考核中发现的问题要向当地卫生组管部门反馈，并提出改进意见，对技术问题要提出具体指导意见。

省卫生厅　省财政厅关于提升山东省中医服务能力项目的实施意见

2009年12月17日　鲁卫规财发〔2009〕7号

各市卫生局、财政局，省属医疗机构：

为全面落实党的十七大关于“坚持中西医并重”和扶持中医药事业发展的方针政策，进一步落实科学发展观，促进我省中医药事业的全面、协调、可持续发展，根据国家和省制定的医改政策精神及《关于申报中医药服务能力提升工程项目的通知》（鲁卫中发〔2008〕7号）有关要求，省卫生厅和财政厅组织专家，在全省范围内遴选确定首批22个优势专科和首批69个特色专科和1000名中医临床技术骨干。现就已选出的上述中医服务能力提升项目建设有关问题提出以下意见。

一、充分认识中医服务能力提升项目建设的重要性

山东是中医药大省，中医药发展历史悠久，历代名医辈出。改革开放以来，我省中医药事业得到了长足发展，中医药各项工作取得明显成效，全省中医医疗机构在提高人民群众健康水平方面发挥了十分重要的作用。同时，由于受体制、机制性等因素的制约和影响，也暴露出中医服务体系不健全，机构建设薄弱，中医医院西化明显，人才不足，继承创新能力不强，特色优势不突出等亟待解决的矛盾和问题。这与我省经济社会的发展不相适应，与人民群众日益增长的医疗保健需求还有较大差距。

《中共中央国务院关于深化医药卫生体制改革的意见》提出了“坚持中西医并重”的方针政策，省政府《关于扶持中医药事业发展的意见》（鲁政发〔2009〕89号）对加强中医药事业发展提出了明确要求。加强全省中医服务能力提升项目规划建设，促进中医药发展，对于保障人民群众健康，加快经济社会发展，弘扬中华民族优秀文化具有重大意义。各地、各单位要从贯彻落实党的十七大精神和省委省政府指示要求的高度，充分认识加强全省中医服务能力提升项目规划建设的重要性和紧迫性，采取有力措施，切实抓紧抓好。

二、明确目标内容和要求

总体目标：自2009年起，对全省首批22个优势专科和首批69个特色专科及1000名中医临床技术骨干培养给予重点扶持，逐步形成功能完善、中医特色突出的优势（特色）专科群和结构合理、中医药基础扎实的中医药队伍，进一步提升中医药服务能力。

（一）22个中医优势专科（专病）和69个特色专科（专病）的任务内容和要求

确保四个到位，即床位添置：对各优势专科（专病）共添置床位430张，各特色专科（专病）共添置床位1307张。床位使用率在目前基础上增长5个百分点（目前床位使用率在95%以上的，应达到超过100%）；诊疗设备购置：对各优势专科（专病）共需购置诊疗设备614台件，各特色专科（专病）共需购置诊疗设备1180台件。所购置诊疗设备必须与专科（专病）发展密切相关；房屋修缮：对房屋进行修缮，确保专科（专病）科室面积满足新增床位数需要，完成危旧病房的修缮改良、病房内部的粉

刷装修及办公条件的整装改善。人员培训：对各优势专科（专病）共进行人员培训381人次，各特色专科（专病）共进行人员培训888人次。各专科（专病）需有详细培训计划、培训记录，各培训人员需撰写培训总结。

（二）培养1 000名中医临床技术骨干

采取省内集中理论学习、个人自学和省内、外分散临床进修相结合等方式，对1 000名中医临床技术骨干进行培训。理论学习内容主要包括中医经典理论、临床基础知识和专科专病研究与进展。临床进修内容主要是到相应专业的国家级、省级中医药重点专科（专病）和中医药重点学科进行临床实践。培训时间为1年，其中理论学习4个月，临床专科进修8个月。通过培训，使其在专业理论知识、临床诊疗水平等方面显著提高，促进中医特色优势发挥，更好地为人民群众健康服务。

三、采取措施，抓好落实

（一）高度重视，加强领导。各地、各单位要将加强全省中医服务能力提升项目规划建设作为中医药工作的重点内容之一，列入重要议事日程，加强组织领导和管理。单位主要领导要亲自过问，分管领导要加强组织协调。要实行领导责任制和责任追究制，确保建设任务如期完成。省里将定期组织有关专家，按照建设标准对项目建设情况进行督导检查。

（二）科学规划，分期实施。各地、各单位要从实际出发，制定科学可行的项目建设规划。建设规划要以完善功能、提升服务能力为核心内容，坚持节约实用的原则，充分利用现有房屋和设备资源，盘活存量，控制增量，避免重复建设和资源浪费。项目规划建设方案包括总体建设规划和人才培养分年度实施计划。通过3~5年分期实施，全面完成建设任务。

（三）多渠道筹措资金，确保投入需要。各地、各单位要依据建设方案，统筹安排，积极筹措并落实项目配套资金。省级补助资金将根据项目进度情况等实行以奖代补。各地、各单位对主要设备购置要实行公开招标采购。要规范项目实施，加强项目监管，防止资源浪费，确保项目质量。中医临床技术骨干培训项目所需资金由政府、单位和个人共同承担。

（四）强化管理，严格绩效。项目实施结束后，省里组织有关专家对其建设情况进行考核和验收，对项目的建设规划、组织实施、任务完成情况等进行综合评价，并形成验收报告。省级财政依据验收评审结果兑现以奖代补资金。对未按规定进度和要求实施建设的专科，省里将视具体情况采取限期整改或撤销项目、追回拨款等措施。

（五）创新机制，增强活力。公立中医医院要遵循公益性质和社会效益原则，要充分发挥中医优势专科和特色专科学术和技术领先作用。要以质量管理、经济管理为重点，完善制度规范，努力提高运行质量，降低成本。大力改进公立中医医院内部管理，切实加强内涵建设，狠抓管理创新，调动医务人员积极性，优化服务流程，规范诊疗行为，不断提高中医药特色服务能力。

附件：全省中医优势专科（专病）、特色专科（专病）项目建设计划及投入概算表

附件：

全省中医优势专科（专病）、特色专科（专病）项目建设计划及投入概算表

序号	单位	专科名称	专科类别	床位添置		诊疗、设备购置		房屋修缮（万元）	人员培训		规划投资合计（万元）
				（张）	（万元）	（台件）	（万元）		（人）	（万元）	
1	山东中医药大学附属医院	高血压	优势专科（专病）	20	33.4	2	250	0	91	20	303.4
2	山东中医药大学附属医院	周围血管病	优势专科（专病）	20	100	39	88	18.99	6	20	226.99
3	山东中医药大学附属医院	中医妇科	优势专科（专病）	20	25	22	250	11.19	15	20	306.19
4	山东中医药大学附属医院	针灸科	优势专科（专病）	20	20	8	100	18.34	6	6	144.34
5	山东中医药大学附属医院	中医骨科	优势专科（专病）	20	20	5	196	18.99	18	18	252.99
6	山东中医药大学第二附属医院	中风病	优势专科（专病）	20	13.25	25	102.06	7.93	2	8	131.24
7	山东省千佛山医院	康复科	优势专科（专病）	20	20	5	165	0	11	11	196
8	济南市中医医院	康复科	优势专科（专病）	10	9.92	0	208	59.55	12	12	289.47
9	淄博市中医医院	中风病	优势专科（专病）	20	8.71	10	110.38	10.78	8	8	137.87
10	枣庄市中医医院	针灸推拿科	优势专科（专病）	20	14	17	92.04	48.5	21	20	174.54
11	烟台市中医医院	颈肩腰腿痛科	优势专科（专病）	20	10	25	95	20	17	17	142
12	潍坊市中医院	脑病科	优势专科（专病）	20	13	13	204	53.05	25	20	290.05
13	潍坊市中医院	骨伤科	优势专科（专病）	20	17	37	200	67.5	15	20	304.5
14	济宁市中医院	糖尿病科	优势专科（专病）	20	10	11	174.8	6	6	6	196.8
15	泰安市中医医院	肝病科	优势专科（专病）	20	10	21	275	0	12	12	297
16	泰安市中医医院	脑病科	优势专科（专病）	20	8	7	148	25	10	10	191
17	威海市中医院	眼科	优势专科（专病）	20	9	7	200	8	7	7	224
18	山东省文登整骨医院	骨伤科	优势专科（专病）	20	15	2	200	138	62	20	373
19	日照市中医医院	脑病科	优势专科（专病）	20	6	7	300	0	14	14	320
20	莱芜市中医医院	肿瘤科	优势专科（专病）	20	10.17	4	200	0	11	11	221.17
21	临沂市中医医院	风湿病	优势专科（专病）	20	10	30	97.21	0	3	3	110.21
22	临沂市人民医院	针灸专科	优势专科（专病）	20	10	317	93.85	80.37	9	9	193.22
	优势专科（专病）小计			430	392.45	614	3 749.34	592.19	381	292.00	5 025.98

续表

序号	单位	专科名称	专科类别	床位添置		诊疗、设备购置		房屋修缮（万元）	人员培训		规划投资合计（万元）
				（张）	（万元）	（台件）	（万元）		（人）	（万元）	
1	山东中医药大学第二附属医院	肾脏病专科	特色专科（专病）	20	9.74	8	115.40	51.00	7	7.00	183.14
2	山东中医药大学第二附属医院	康复科	特色专科（专病）	20	9.20	6	298.00	18.47	17	17.00	342.67
3	山东中医药大学第二附属医院	眼科	特色专科（专病）	20	11.60	175	167.00	54.34	14	20.00	252.94
4	山东省医学科学院附属医院	针灸推拿科	特色专科（专病）	20	7.20	7	148.16	28.21	11	11.00	194.57
5	济南市长清区中医医院	中风病	特色专科（专病）	20	4.60	15	96.80	93.31	5	10.00	204.71
6	章丘市中医医院	脾胃病	特色专科（专病）	5	7.50	8	153.50	52.80	5	5.00	218.80
7	章丘市中医医院	中医骨伤	特色专科（专病）	15	20.00	36	218.00	50.00	20	20.00	308.00
8	平阴中医医院	中风	特色专科（专病）	10	10.00	23	69.09	0.00	5	20.00	99.09
9	平阴中医医院	骨伤	特色专科（专病）	20	55.24	3	71.00	0.00	8	8.00	134.24
10	淄博市张店区中医院	中风康复科	特色专科（专病）	20	4.80	18	122.60	52.28	26	10.00	189.68
11	淄博市淄川区中医院	针灸科	特色专科（专病）	20	10.00	24	150.00	15.46	12	10.00	185.46
12	淄博市博山区中医院	骨伤科	特色专科（专病）	20	10.00	9	107.00	64.86	15	15.00	196.86
13	淄博市鲁中中医院	肿瘤科	特色专科（专病）	20	8.00	3	120.00	54.26	7	7.00	189.26
14	枣庄市峄城区中医院	颈肩腰腿痛科	特色专科（专病）	20	10.00	63	130.00	46.21	15	15.00	201.21
15	枣庄市台儿庄区中医院	康复理疗科	特色专科（专病）	20	8.00	8	130.00	48.60	5	5.00	191.60
16	滕州市中医医院	脾胃病	特色专科（专病）	20	13.00	3	40.00	9.85	5	5.00	67.85
17	广饶县中医医院	肿瘤科	特色专科（专病）	20	8.00	2	220.00	16.95	15	15.00	259.95
18	东营市河口区中医院	哮喘病	特色专科（专病）	20	12.50	9	113.00	20.22	12	12.00	157.72
19	莱州市中医医院	骨伤科	特色专科（专病）	20	10.13	9	103.60	80.00	19	8.40	202.13
20	海阳市中医医院	中风病	特色专科（专病）	20	25.40	8	35.20	14.60	4	15.00	90.20
21	栖霞市中医医院	糖尿病	特色专科（专病）	20	20.00	13	79.00	14.70	5	5.00	118.70
22	烟台市牟平区中医医院	内分泌	特色专科（专病）	20	15.00	4	49.20	0.00	10	10.00	74.20
23	招远市中医医院	肿瘤科	特色专科（专病）	20	10.50	3	90.00	35.00	10	10.00	145.50
24	龙口市中医医院	肛肠科	特色专科（专病）	20	16.10	3	65.80	58.00	5	5.00	144.90
25	龙口市中医医院	骨伤	特色专科（专病）	16	4.00	5	122.00	58.00	17	12.00	196.00

续表

序号	单位	专科名称	专科类别	床位添置		诊疗、设备购置		房屋修缮（万元）	人员培训		规划投资合计（万元）
				（张）	（万元）	（台件）	（万元）		（人）	（万元）	
26	蓬莱市中医医院	中风病科	特色专科（专病）	20	5.08	30	40.10	10.00	15	15.00	70.18
27	莱阳市中医医院	中风病	特色专科（专病）	20	20.50	3	30.00	9.60	5	5.00	65.10
28	青州市中医院	针灸科	特色专科（专病）	20	8.54	6	52.42	7.23	40	20.00	88.19
29	青州市中医院	中风科	特色专科（专病）	4	6.40	7	57.15	6.48	40	20.00	90.03
30	寿光市中医医院	针灸科	特色专科（专病）	20	3.80	8	117.10	2.84	6	6.00	129.74
31	安丘市中医院	针推康复科	特色专科（专病）	20	6.80	12	150.00	7.28	12	12.00	176.08
32	诸城市中医医院	肿瘤科	特色专科（专病）	20	20.00	2	130.00	13.72	30	20.00	183.72
33	昌乐县中医院	中风科	特色专科（专病）	20	16.80	6	142.00	25.69	28	20.00	204.49
34	临朐县中医院	糖尿病	特色专科（专病）	20	10.00	3	60.00	11.76	5	5.00	86.76
35	高密市中医院	结石病	特色专科（专病）	20	10.00	5	170.00	6.12	8	8.00	194.12
36	济宁市任城区中医院	针灸推拿科	特色专科（专病）	10	20.00	10	30.71	45.00	10	13.00	108.71
37	汶上县中医院	脑病	特色专科（专病）	20	6.00	18	150.00	20.00	10	15.00	191.00
38	曲阜市中医院	骨伤科	特色专科（专病）	20	6.40	13	170.00	5.00	10	10.00	191.40
39	微山县中医院	疼痛科	特色专科（专病）	15	5.40	30	157.78	18.00	10	10.00	191.18
40	梁山县中医院	针灸推拿理疗	特色专科（专病）	20	4.60	9	200.00	85.00	19	19.00	308.60
41	泰安市中医二院	中风病	特色专科（专病）	20	4.60	4	70.00	10.00	26	20.00	104.60
42	泰安市中医二院	骨伤科	特色专科（专病）	20	9.91	4	170.00	5.00	14	14.00	198.91
43	东平县中医院	脑病	特色专科（专病）	20	5.00	11	120.90	5.00	9	9.00	139.90
44	肥城市中医院	骨伤科	特色专科（专病）	20	20.00	1	40.00	120.00	20	20.00	200.00
45	新泰市中医院	骨伤科	特色专科（专病）	20	5.00	13	174.20	10.00	5	5.00	194.20
46	宁阳县中医院	针灸推拿科	特色专科（专病）	20	6.15	136	59.52	7.20	10	10.00	82.87
47	荣成市中医院	针灸推拿科	特色专科（专病）	20	5.00	5	167.00	0.00	7	7.00	179.00
48	乳山市中医院	妇科	特色专科（专病）	20	2.00	7	172.00	0.00	13	13.00	187.00
49	莒县中医医院	针灸推拿科	特色专科（专病）	20	5.06	4	76.00	0.00	40	20.00	101.06
50	蒙阴县中医医院	糖尿病	特色专科（专病）	20	4.20	50	151.48	12.95	6	6.00	174.63

续表

序号	单位	专科名称	专科类别	床位添置		诊疗、设备购置		房屋修缮（万元）	人员培训		规划投资合计（万元）
				（张）	（万元）	（台件）	（万元）		（人）	（万元）	
51	费县中医医院	骨伤专科	特色专科（专病）	20	10.00	17	90.00	20.41	5	10.00	130.41
52	苍山县中医医院	中风病	特色专科（专病）	20	14.05	42	70.03	25.65	19	19.00	128.73
53	沂南县中医医院	脑病	特色专科（专病）	12	14.40	18	140.48	0.00	5	7.98	162.86
54	平邑县中医医院	中风科	特色专科（专病）	20	9.60	18	153.70	26.83	14	14.00	204.13
55	平邑县中医医院	眼科	特色专科（专病）	20	4.00	15	222.00	0.00	15	15.00	241.00
56	莒南县中医医院	针灸推拿科	特色专科（专病）	20	16.00	10	103.00	0.00	6	10.50	129.50
57	临沭县中医医院	骨伤科	特色专科（专病）	20	4.00	3	72.50	0.00	5	5.00	81.50
58	乐陵市中医院	骨伤科	特色专科（专病）	20	6.00	3	79.00	12.58	12	12.00	109.58
59	陵县中医院	肝病科	特色专科（专病）	20	14.12	3	123.10	21.40	14	14.00	172.62
60	齐河县中医院	颈肩腰腿痛科	特色专科（专病）	20	6.00	11	81.00	13.53	12	12.00	112.53
61	山东省宁津县中医院	中风科	特色专科（专病）	20	3.00	15	152.00	29.62	17	17.00	201.62
62	临邑县中医院	中风科	特色专科（专病）	20	6.49	5	42.00	14.53	20	20.00	83.02
63	聊城市东昌府区中医院	骨伤科	特色专科（专病）	20	8.90	4	170.00	14.78	10	10.00	203.68
64	高唐县中医院	中医骨伤专科	特色专科（专病）	20	17.20	6	161.00	21.27	10	10.00	209.47
65	阳谷县中医院	骨科	特色专科（专病）	20	8.80	14	122.39	12.90	7	7.00	151.09
66	山东省阳信县中医医院	中医脑病科	特色专科（专病）	20	8.00	17	145.34	9.27	12	12.00	174.61
67	邹平县中医院	肿瘤科	特色专科（专病）	20	10.00	1	120.00	2.27	10	10.00	142.27
68	郓城县中医院	中风病	特色专科（专病）	20	6.00	90	95.65	80.00	17	17.00	198.65
69	山东省单县中医院	骨伤科	特色专科（专病）	20	5.96	26	200.00	80.00	6	10.00	295.96
特色专科（专病）小计				1 307	710.27	1 180	8 215.90	1 766.03	888	831.88	11 524.08
合　计				1 737	1 102.72	1 794	11 965.24	2 358.22	1 269	1 123.88	16 550.06

省卫生厅 省财政厅关于印发《山东省医学领军人才培养工程实施办法》的通知

2009年9月17日 鲁卫科教国合发〔2009〕9号

各市卫生局、财政局、厅直有关单位、高等医学院校及附院：

为深入贯彻落实山东省委、省政府《关于贯彻落实中发〔2009〕6号文件精神进一步深化我省医药卫生体制改革的实施意见》（鲁发〔2009〕16号），加快实施人才强医战略，推进卫生科技发展，培养高层次创新人才，提高我省医疗卫生技术水平，实现卫生强省建设目标，省卫生厅、财政厅决定在全省实施山东省医学领军人才培养工程。现将《山东省医学领军人才培养工程实施办法》印发给你们，请各地各单位结合实际，认真贯彻执行。

附件：山东省医学领军人才培养工程实施办法

附件：

山东省医学领军人才培养工程实施办法

第一章 总 则

第一条 为深入贯彻落实山东省委、省政府《关于贯彻落实中发〔2009〕6号文件精神进一步深化我省医药卫生体制改革的实施意见》（鲁发〔2009〕16号），加快实施人才强医战略，推进卫生科技创新发展，培养高层次创新人才，实现卫生强省建设目标，制定本办法。

第二条 山东省医学领军人才培养工程的目标任务是：在全省范围内选拔20名德才兼备的优秀卫生科技人才，经过5年的培养，造就成为具有创新性思维、医德高尚、学术精湛，在重大疾病预防与诊治、特别是疑难重症救治方面具有独特技术和卓越疗效、在全国有显著学术地位和较高知名度的领军人才。

第三条 省卫生厅、财政厅成立山东省医学领军人才培养工程领导小组（以下简称领导小组），负责山东省医学领军人才培养工程的组织领导。领导小组下设办公室，设在省卫生厅科技教育与国际合作处，负责山东省医学领军人才培养工程的具体组织实施和日常管理工作。同时成立山东省医学领军人才培养工程评审专家委员会，负责医学领军人才初选人员的评议。

第二章 遴选原则、范围和条件

第四条 山东省医学领军人才培养工程的实施坚持以人为本、鼓励创新的原则，坚持公开、公平、竞争、择优的原则。

第五条 山东省医学领军人才培养对象面向全省医疗卫生机构遴选。两院院士不在遴选范围。

第六条 拟申请人员所在单位应具备支持相应学科发展和入选人才培养的综合实力及支撑条件，能够提供匹配经费，并列入单位预算。

拟申请人员所在学科应具有较好的研究基础和发展优势；具有明确的发展目标、稳定的研究方向和良好的发展潜力，综合实力和学术地位居国内先进或省内领先水平；具有结构合理、团结协作的学术团队；具有较完备的仪器设备、图书资料和研究场地等相关条件。

第七条 申请者必须符合以下基本条件：

（一）遵纪守法，爱岗敬业，治学严谨，医德高尚。具有强烈的事业心、责任感和求实、创新、协作、奉献的科学精神。

（二）具有坚实的理论基础和较强的创新意识，掌握本学科领域的研究进展和前沿动态，有较强的组织能力、管理能力、协调能力和带领本学科在其前沿领域赶超或保持国内外先进水平的能力。

（三）具有较强的解决本专业疑难复杂问题的能力和经验，在本学科领域已取得重大学术价值和国内外重要影响的创新性成果。

（四）具有博士学位、正高级专业技术职称，年龄在55周岁以下。

（五）近五年首位主持过国家级课题（国家“863”、“973”、“十五”科技攻关计划、“十一五”科技支撑计划、国家自然科学基金课题）；或首位主持省、部级科研课题2项以上（含2项），取得显著的社会、经济、技术效益。

（六）近五年取得过以下成绩之一：

1. 作为主研人员（前3位）获得过国家级科技奖励（国家自然科学奖、国家技术发明奖、国家科技进步奖）；或作为首研人员获得国家发明专利、或省部级科技奖励一等奖、或2项以上（含2项）省部级科技奖励二等奖。

2. 以第一作者或通讯作者在国外有影响的专业期刊发表研究论著5篇以上、在国内核心期刊或统计源期刊发表论著15篇以上。

3. 以第一作者撰写并出版2部以上（含2部）具有重大学术价值的专著或全国统编高等院校教材。

4. 在疑难杂症的诊断治疗、常见病多发病的预防和治疗、重大公共卫生突发事件的处置中做出突出贡献、得到社会和同行公认。

第三章 遴选程序

第八条 山东省医学领军人才遴选按照本人申请、单位推荐、专家评议、择优确定的程序进行。

（一）申请者本人提出申请，填写《山东省医学领军人才申请书》，报所在单位进行审核。

（二）所在单位对申请材料的科学性和真实性进行审核，填写单位意见并作出承诺，报领导小组办公室。

（三）领导小组办公室负责对申请者资格进行形式审查，形式审查合格的，报山东省医学领军人才培养工程评审专家委员会。评审专家委员会按照评审标准对初选人员进行同行评议、面试答辩和综合打分，在规定限额内择优拟定入选人员，报领导小组。

（四）领导小组研究确定入选人员，并进行公示。公示无异议后，公布入选人员名单。

（五）入选人员、所在单位和山东省卫生厅签订目标责任书，明确各方权利和义务。

第四章 资金管理

第九条 山东省医学领军人才培养工程入选人员由省财政专项经费、单位匹配经费连续五年给予资助。省财政每人每年给予专项支持，所在单位按照不低于1∶1比例进行匹配。支持和鼓励吸引社会资金对入选人员进行资助。

第十条 根据目标责任书确定的培养计划、内容、实施进度和上一年度考核情况，分年度拨付财政专项经费。

第十一条 山东省医学领军人才培养工程专项经费（含单位匹配经费）主要用于山东省医学领军人才入选人员的科学研究、学科建设、业务培训、学术交流、出国研修、国际合作交流等，不包括办公设施、仪器设备的购置费用；不得用于清偿债务、发放或变相发放福利等与工程无关的项目支出。

第十二条 山东省医学领军人才培养工程入选人员享有专项经费的支配权。专项经费纳入单位预算管理，专款专用，实行单独记账，专项核算。纳入审计部门审计。

第五章 管理与考核

第十三条 建立优胜劣汰机制，对山东省医学领军人才培养工程入选人员实行动态管理。入选人员要严格按照目标责任书规定的目标和任务，认真落实各项计划，每年12月底向省领导小组办公室提交年度工作报告。领导小组办公室按照目标责任书内容进行考核评估，考核未达到责任书要求，或弄虚作假、违背学术道德准则的，随时予以淘汰，并退还已拨付的财政专项经费。

第十四条 卫生行政部门和有关单位要积极为入选人员创造有利条件，在科研立项、学术研究、学科建设、成果推广与奖励等方面给予优先支持。积极宣传表彰他们取得的重大成果和工作成绩，提高其在国内外学术领域的知名度和影响力，为他们脱颖而出、尽快成长营造良好的氛围和环境。

第十五条 山东省医学领军人才培养工程入选人员任期内取得的成果权归我省聘用单位所有。由山东省医学领军人才培养工程专项经费资助取得的成果需标注：“山东省医学领军人才培养工程专项经费资助（英文为：Supported by Shandong Provincial Outstanding Medical Academic Professional Program）”字样。

第六章 附 则

第十六条 本办法自公布之日起施行。

第十七条 本办法由省卫生厅、省财政厅负责解释。

省卫生厅 省财政厅 省妇女联合会关于印发《山东省农村妇女“两癌”检查项目实施方案》的通知

2009年9月14日 鲁卫妇社发〔2009〕19号

各市卫生局、财政局、妇联：

为全面贯彻落实省委省政府《关于贯彻落实中发〔2009〕6号文件精神，进一步深化我省医药卫生体制改革的实施意见》（鲁发〔2009〕16号）、省政府《医药卫生体制改革近期重点实施方案（2009~2011年）》（鲁政发〔2009〕90号）和卫生部、全国妇联制定下发的《关于印发〈农村妇女“两癌”检查项目管理方案〉的通知》（卫妇社发〔2009〕61号）文件精神，加强全省农村妇女宫颈癌、乳腺癌（以下简称“两癌”）检查工作，省卫生厅、省财政厅与省妇联决定在全省农村妇女中开展“两癌”检查项目，并成立山东省农村妇女“两癌”检查项目领导小组。现将《山东省农村妇女宫颈癌检查项目实施方案》、《山东省农村妇女乳腺癌检查项目实施方案》印发给你们，请认真贯彻执行。

附件：1. 山东省农村妇女宫颈癌检查项目实施方案

2. 山东省2009年农村妇女乳腺癌检查项目实施方案

3. 山东省农村妇女“两癌”检查项目领导小组

4. 山东省农村妇女“两癌”检查项目领导小组办公室

附件1：

山东省农村妇女宫颈癌检查项目实施方案

为提高我省农村妇女宫颈癌的早诊早治率，降低死亡率，提高广大农村妇女健康水平，根据卫生部、全国妇联《关于印发〈农村“两癌”检查项目管理方案〉的通知》要求，特制定本实施方案。

一、项目目标

（一）总目标

通过宣传、健康教育和为我省项目地区35～59岁的农村妇女进行宫颈癌检查等方式，掌握我省农村妇女健康状况，提高宫颈癌早诊早治率，降低死亡率；探索建立以政府主导、多部门协作、区域医疗资源整合、全社会参与的妇女宫颈癌防治模式和协作机制，提高医疗卫生机构的服务能力，逐步提高广大农村妇女自我保健意识和健康水平。

（二）年度目标

1. 2009～2011年为28万农村妇女开展宫颈癌检查。2009年宫颈癌检查完成5.6万人，2010年和2011年每年分别完成宫颈癌检查11.2万人。

2. 提高检查人员的技术水平和服务质量，到2010年承担农村妇女宫颈癌检查人员培训覆盖率达到90%以上。

3. 到2010年，项目县妇女宫颈癌防治知识知晓率在2009年基础上提高30%。

4. 掌握项目县适龄农村妇女宫颈癌患病情况。

5. 建立全省宫颈癌检查可疑病例转诊和治疗绿色通道。

6. 通过试点，总结经验，进一步探索适合基层的宫颈癌检查服务模式和优化方案，逐步形成定期为农村妇女进行宫颈癌检查的制度化、规范化、长效化工作机制。

二、项目范围

（一）项目试点县

济南章丘市、枣庄山亭区、临沂费县、菏泽单县等四个试点县。

项目对象为试点县35～59岁的农村户籍妇女。

（二）项目内容

1. 妇科检查：包括盆腔检查及阴道分泌物湿片显微镜检查/革兰染色检查。

2. 宫颈脱落细胞液基细胞学（TCT）检查。

宫颈脱落细胞检查：包括刷取、固定、TCT制片、巴氏染色以及采用TBS描述性报告对宫颈脱落细胞进行评价。

3. 阴道镜检查：对宫颈脱落细胞检查结果可疑者或阳性者进行阴道镜检查。

4. 组织病理学检查：对阴道镜检查结果可疑或阳性者进行组织病理学检查。

（三）人员培训

1. 管理人员培训内容：项目管理方法、项目实施方案（包括项目管理制度和具体要求，如工作计划、信息上报和相关要求，财务管理的要求等）。

2. 医疗技术人员培训内容：宫颈癌的相关专业知识（流行病学、细胞及组织病理学、临床检查方法及诊断标准等）；宫颈脱落细胞TCT制片方法和巴氏染色要点、TBS分类方法和诊断要点、阴道镜检查等检查的操作方法、注意事项、诊断标准及组织病理学的诊断标准、检查报告填写要求等。

3. 培训对象：项目县相关管理和业务技术人员。

（四）开展多种形式的妇女宫颈癌健康教育和社会宣传，提高健康知识知晓率。

三、组织实施

目标人群选择采用多阶段随机整群抽样，由卫生部门负责具体实施。2009年8～9月上旬，印发项目实施方案，组织开展人员培训；9～12月，按照方案要求组织项目实施，完成2009年项目检查任务。

（一）组织领导

1. 省卫生厅和省妇联共同成立农村妇女宫颈癌检查工作领导小组。领导小组下设办公室，办公室设在省卫生厅妇幼保健与社区卫生处。

各项目地区卫生行政部门和妇联组成同级农村妇女宫颈癌检查工作领导小组，下设办公室，负责项目日常管理工作。

2. 省妇联做好项目的动员和宣传工作，并与卫生厅建立密切合作、分工负责、协调配合的工作机制，共同推进农村妇女宫颈癌检查项目的实施。

3. 各项目地区财政部门为宫颈癌检查提供经费保障，在保证项目配套经费的基础上，增加经费投入，确保项目的组织、宣传、培训、信息管理和质量控制等工作经费。

4. 项目地区公安部门要向领导小组办公室或其委托的妇幼保健机构提供辖区内农村户籍适龄妇女人口相关信息。

5. 乡镇政府、居（村）委会负责本辖区内项目的具体组织实施，并做好宣传动员、登记管理及“宫颈癌自愿免费检查知情同意书”（附件2）的发放等工作，保证适龄妇女检查率的落实；及时将检查结果反馈给检查对象，按照有关要求每月将检查结果反馈至乡镇卫生院或社区卫生服务机构。

（二）各级领导小组办公室职责

省领导小组办公室职责：负责全省农村妇女宫颈癌检查工作的宣传、组织、协调、监督和管理等；制定全省妇女宫颈癌检查项目实施方案；成立省级专家技术指导组，指导项目质控工作；对项目相关信息进行管理；定期向卫生部和省领导小组报告项目进展情况。

市领导小组办公室职责：负责本市农村妇女宫颈癌检查工作的宣传、组织、协调、监督和管理等；制定本市项目实施方案；成立市级专家技术指导组，指导项目质控工作；审核项目县工作计划；确定市级定点医疗卫生机构；督导项目实施，并对项目信息进行管理；对项目资金使用情况进行统计、审核；定期向省领导小组办公室上报进展情况。

县领导小组办公室职责：负责本县农村妇女宫颈癌检查工作的宣传、组织、协调、监督和管理等；制定本县项目实施方案和工作计划；成立县级专家技术指导组，指导项目质控工作；确定辖区内定点医疗卫生机构，建立转诊机制；负责项目的宣传、发动和具体实施；对项目相关信息进行管理；对项目资金使用情况进行统计；定期向市领导小组办公室上报进展情况。

（三）各相关机构职责

1. 项目地区妇幼保健机构按照项目要求，制定辖区内宫颈癌检查工作计划和流程；负责提供健康教育、咨询和宫颈癌检查技术服务；负责相关信息的收集、汇总、分析和上报；开发制作健康教育宣传材料；组织专家进行宫颈癌检查技术指导及质量控制；做好阳性患者及可疑病例追访，追访率达到90%以上。

2. 定点诊断治疗机构对检查出的可疑病例、阳性患者提供相应的诊断治疗服务，将结果进行登记，同时将检查结果及时反馈至转送病人的妇幼保健机构。

（四）专家技术指导组职责

按照项目统一要求，成立包括管理、妇女保健、妇科、病理、检验、阴道镜等专业的省、市、县级专家组，在领导小组办公室组织下承担农村妇女宫颈癌检查工作人员的培训和考核，指导完成质量控制工作。

（五）定点医疗卫生机构和人员基本要求

1. 定点医疗保健机构

(1) 须经县级及以上卫生行政部门确认后才能开展相关项目工作。

(2) 应具备相应的诊治能力和仪器设备。

(3) 从事农村妇女宫颈癌检查任务的医疗技术人员须具备医师资质并经培训、考核合格。

2. 定点诊断治疗机构

为保证后续诊断、治疗的可靠性，确保患者能够得到准确诊断和及时救治，项目县所在市确定1~2所医疗保健机构承担宫颈癌检查后续诊断治疗任务。

诊断治疗机构基本标准和要求：

(1) 对宫颈癌等妇科疾病具有较强诊断治疗能力；

(2) 对定点医疗保健机构转诊的可疑病例，建立绿色通道，提供方便快捷的诊断和治疗；

(3) 安排专人负责信息上报及相关事宜的沟通协调；

(4) 每月5日之前将上月诊断治疗结果及时反馈到诊治对象所在县的妇幼保健机构。

(六) 宫颈癌检查工作流程

工作流程见《山东省农村妇女宫颈癌检查流程图》(附件1)。

1. 人群选择

乡镇政府、村(居)委会组织有关人员，在妇联、公安、民政等部门的配合下，登记辖区内符合项目要求的适龄妇女，填写“宫颈癌检查登记册”(附件3)，并动员其检查，签署“宫颈癌自愿免费检查知情同意书”，组织安排受检对象持本人身份证或户口簿到定点医疗保健机构进行检查。受检对象抽样方法参考附件4。

2. 检查流程

(1) 乡镇卫生院或社区卫生服务机构负责对受检对象进行妇科盆腔检查、阴道/宫颈分泌物湿片显微镜检查/革兰染色检查和宫颈脱落细胞刷取、固定和标记，并填写相关个案登记表。集中将标记好的宫颈脱落细胞标本和详细填写的宫颈细胞学检查申请单及相关联系卡送至定点县级及以上医疗保健机构，进行宫颈脱落细胞TCT制片、巴氏染色及TBS描述性报告。

(2) 县级及以上医疗保健机构负责进行宫颈脱落细胞TCT制片、巴氏染色及TBS描述性报告，并填写宫颈细胞学检查表格。对检查出的可疑病例或阳性患者进行登记，并将报告结果反馈至受检对象所在辖区的乡镇卫生院或社区卫生服务机构，使其完成个案登记表相关内容的填写。乡镇卫生院和社区卫生服务机构负责将检查结果反馈给辖区内受检对象，并通知可疑病例和阳性患者到定点医疗保健机构进行阴道镜检查。

(3) 县级及以上医疗保健机构负责对宫颈细胞学检查结果为可疑或阳性的妇女提供阴道镜检查。对阴道镜检查可疑或阳性者进行组织病理学检查，并将阴道镜和病理检查结果进行登记，同时将检查结果反馈至受检对象所在辖区的乡镇卫生院或社区卫生服务机构，使其完成个案登记表相关内容的填写。乡镇卫生院和社区卫生服务机构负责将检查结果反馈给辖区内受检对象，向其发放“宫颈癌自愿免费检查反馈卡”(附件5，以下简称“反馈卡”)，督促确诊患者进行进一步治疗。

(4) 乡镇卫生院或社区卫生服务机构负责对可疑或确诊患者进行追访，并将追访结果记录在个案登记表内。

3. 可疑病例的诊断治疗

各定点诊断治疗机构为持有“反馈卡”的妇女提供诊断治疗服务，并做好登记，于每月5日前将上月诊断治疗结果反馈到县级妇幼保健机构，由县级妇幼保健机构将诊断结果反馈到受检对象所在辖区的乡镇卫生院或社区卫生服务机构，使其完成个案登记表的填写。

(七) 信息收集和管理

有关医疗卫生机构应妥善保存个人检查资料，做好保密工作。负责填写“宫颈癌检查个案登记表”的初检医疗机构每月将“宫颈癌检查登记册”及“宫颈癌检查个案登记表”相关数据汇总后填写在“宫颈癌检查汇总表”中，并于每季度第一个月的10日前将上一季度的“宫颈癌检查汇总表”上报至辖区妇幼保健机构。辖区妇幼保健机构对上报数据进行核实、整理和分析后，于每季度第一个月的15日前将本辖区上一季度的“宫颈癌检查汇总表”数据及工作进展情况上报县（区）卫生行政部门办公室和省卫生厅项目办公室。省卫生厅项目办公室每半年将本省“宫颈癌检查汇总表”数据上报省卫生厅和中国疾病预防控制中心妇幼保健中心。

（八）质量控制

1. 工作管理

（1）省卫生厅对项目的实施进行统一的领导和管理，并组织专家组定期检查、督导和评估。

（2）项目地区卫生行政部门负责领导协调及组织实施工作；确定项目地区妇幼保健机构作为实施本项目中宫颈癌检查的主要负责单位，并确定技术指导单位和专家。

（3）严格按照管理方案实施。省卫生厅负责对承担宫颈癌检查工作的管理和技术人员进行统一培训，并组织考核，技术人员考核合格后方可参加项目实施工作。

（4）建立各级质量控制小组，实施质量考核和复核会诊制度，避免误诊、漏诊。

2. 工作实施

（1）项目工作开始之前，进行地区动员，完成各类专业技术人员的培训。应根据当地实际情况，进行工作程序的预实施。

（2）临床检查及辅助检查的各项操作应符合临床检查及辅助检查的操作规程。

（3）用于检查的仪器和设备应符合相关仪器设备的标准和要求，定期检查和校验相关技术指标和参数，以保证检查质量。

（4）严格按照项目方案进行宫颈癌检查和结果填写，完成各类检查表中的每项内容。

（5）在工作实施现场完成各种表（册）的初步审核，以保证基本信息的完整性和准确性。

3. 质量控制标准和方法

（1）宫颈脱落细胞学检查的质量控制：阳性涂片按20%抽查，阴性涂片按5%～10%抽查，抽取涂片全部由专家复核，涂片合格率达80%。

（2）妇科检查的质量控制：检查现场的消毒隔离状况，观察所有检查人员的操作程序及卡册填写情况，现场复核5%～10%的检查妇女，诊断结果符合率达到80%。

（3）阴道镜检查的质量控制：分别抽查10%结果为正常的报告和5%的结果为异常的报告，由专家进行复核，报告结果规范率应达到90%。

（4）组织病理学检查的质量控制：抽查10%的病理切片，由专家进行复核，诊断结果符合率应达到90%。

（5）病例追访：对检查中发现的可疑或异常、确诊病例进行追访随访，追访率应达到90%。

（6）数据的质量控制：随机抽取上月3%～5%的各类表册进行检查及复核，错漏项率应小于5%，完整率应达到95%。

四、项目监督和评估

（一）省卫生厅制定督导评估方案，定期组织检查，对项目的管理、资金运转、实施情况、质量控制及效果进行督导和评估。

（二）市、县项目领导小组定期组织检查，对项目实施情况进行督导和评估，建立例会制度，发现问题及时协调解决，保证此项工作顺利如期完成。

五、经费管理

专项补助资金要及时拨付，专款专用，任何单位和个人不得以任何形式截留、挤占和挪用。严格按照国家和省有关专项资金管理的规定，加强项目经费管理，提高资金使用效益。

附件：1. 山东省农村妇女宫颈癌检查流程图

2. 山东省农村妇女宫颈癌自愿免费检查知情同意书

3. 山东省农村妇女宫颈癌检查登记册
4. 山东省农村妇女宫颈癌检查对象抽样方法
5. 山东省农村妇女宫颈癌自愿免费检查反馈卡
6. 山东省宫颈癌检查项目省级专家技术指导组成员名单

附件1：

山东省农村妇女宫颈癌检查流程图

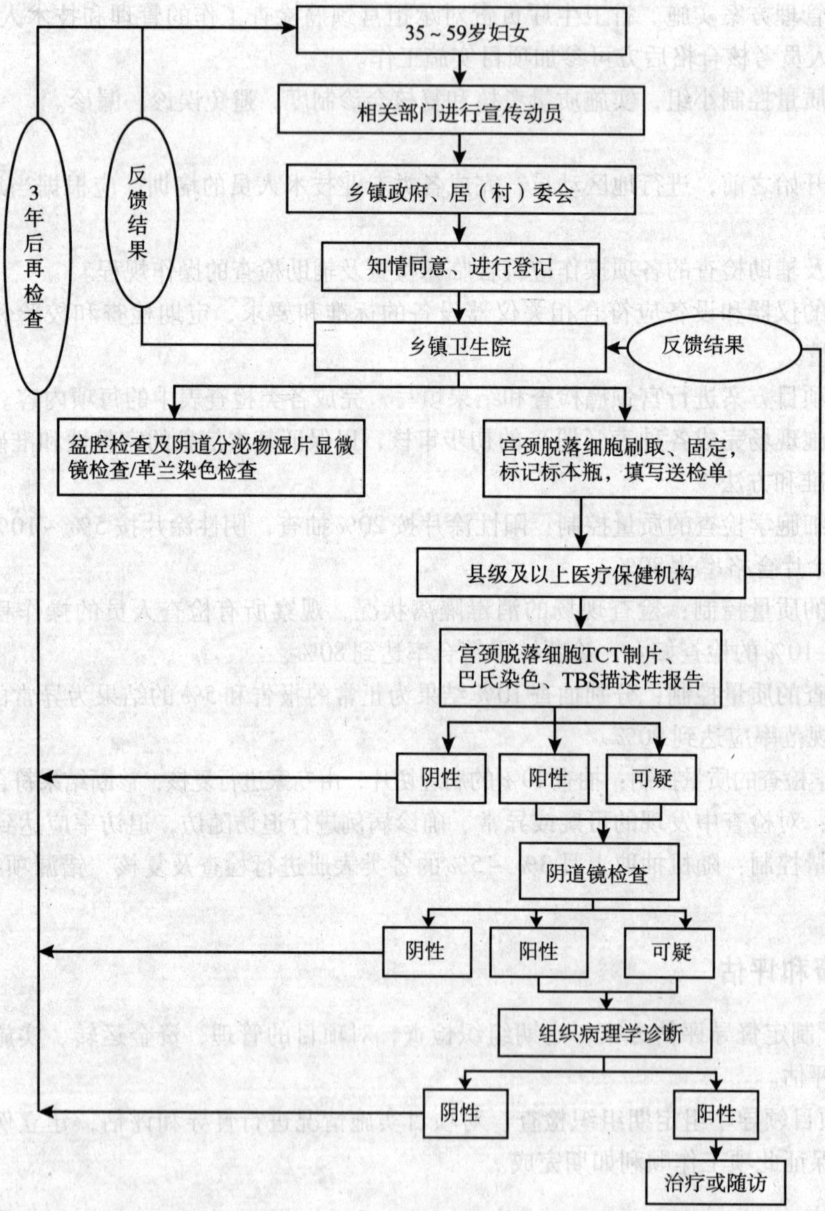

附件2：

山东省农村妇女宫颈癌自愿免费检查知情同意书

为保障妇女的生殖健康，早期发现危及妇女健康的常见疾病，决定为35～59岁农村妇女免费进行宫颈癌、生殖道感染检查。

本次检查只是初步检查，不是最后的诊断。如果本次检查未发现异常，请继续定期检查；如果有可疑异常情况，请前往指定的诊断治疗医疗机构做进一步检查和治疗。

如果您是农村适龄妇女，愿意参加本次检查，请在本知情同意书上签名。本次检查要耽误您半天的时间，我们将竭诚为您提供服务，并对您的个人信息给予保密。

请于____年____月__日到____年____月____日____时到____时携带本人身份证前往______参加免费检查。

本人已经完全了解检查的有关事宜，同意参加检查。

签名：

日期：

附件3：

山东省农村妇女宫颈癌检查登记册

编号	姓名	年龄	身份证号	户籍地址	联系电话	在过去一年内是否做过宫颈癌筛查				是否自愿参加免费检查		备注
						筛查结果			未查	是	否（注明原因）	
						正常	异常	不清楚				

不愿参加免费检查的原因：1. 人户分离 2. 最近已经进行相关检查 3. 检查方法不能满足本人需要 4. 没有时间 5. 自己没病不想检查 6. 未婚 7. 其他（在上表中注明原因）

附件4：

山东省农村妇女宫颈癌检查对象抽样方法

抽样方法采用二阶段分层整群随机抽样的方法，抽样工作由县（市、区）领导小组办公室负责。

1. 项目乡镇的抽取

各项目地区根据乡镇的地理位置即距县政府距离的远、中、近将乡镇分为三层，在每层中将所有的乡镇进行编号，然后将编号分别写在小纸条上，采用抓阄的方法随机整群抽取1～2个乡镇作为项目乡镇。

2. 项目村的抽取

（1）各项目乡镇根据行政村的地理位置即距镇政府距离的远、中、近将行政村分为三层，在每层中将所有的行政村进行编号，然后将编号分别写在小纸条上，采用抓阄的方法随机整群抽取几个行政村作为项目村，如若所抽取村仍不能满足所要求的检查人数，应再重新随机抽取一个村直到满足要求为止（根据样本量的大小确定抽取项目乡村的个数）。

（2）项目村中所有35～59岁妇女均进行检查。有拒绝参加者，应记录其拒绝的原因。

附件5：

山东省农村妇女宫颈癌自愿免费检查反馈卡

宫颈癌检查反馈卡

卡　号：□□□□□□□□□□□□□

姓　名：________　年　龄：________　联系电话：________

地　址：____________________________________

医疗保健机构：________　检查日期：________

检查结果：①未见明显异常：

②可疑异常：________________________________

注：1. 本卡个人信息由本人如实填写，医疗卫生机构、日期及结果由承担宫颈癌检查的医疗保健机构填写。

2. 本次检查只是初步检查，不是最后的诊断。检查结果可疑异常者，请携带本卡到指定的医疗机构做进一步检查。

- -

生殖道感染检查反馈卡

卡　号：□□□□□□□□□□□□□

姓　名：________　年　龄：________　联系电话：________

地　址：____________________________________

医疗保健机构：________　检查日期：________

检查结果：①未见明显异常：

②可疑异常：________________________________

注：1. 本卡个人信息由本人如实填写，医疗保健机构、日期及结果由承担宫颈癌检查的医疗保健机构填写。

2. 本次检查只是初步检查，不是最后的诊断。检查结果可疑异常者，请到医疗机构诊治（费用自理）。

附件6：

山东省宫颈癌检查项目省级专家技术指导组成员名单

组　长：

孔北华	山东大学齐鲁医院	教授/主任医师

成　员：

周凤荣	山东省妇幼保健所	主任医师
于　明	济南市妇幼保健院	副主任医师
杨兴升	山东大学齐鲁医院	教授/主任医师
刘　薇	山东省立医院	副主任医师

卢志明	山东省立医院	主任医师
邹　雄	山东大学齐鲁医院	教授/主任医师
张友忠	山东大学齐鲁医院	教授/主任医师
荣风年	山东省千佛山医院	主任医师
孙　青	山东省千佛山医院	主任医师
仲伟霞	山东省肿瘤防治医院	研究员

附件 2：

山东省2009年农村妇女乳腺癌检查项目实施方案

为贯彻《中共中央国务院关于深化医药卫生体制改革的意见》，落实山东省《深化医药卫生体制改革的意见》和《医药卫生体制改革近期重点实施方案（2009～2010年）》确定的重点工作，提高乳腺癌早诊早治率，降低死亡率，保护农村妇女健康。2009～2011年在全省范围内实施农村妇女乳腺癌检查项目。根据2009年工作任务和国家有关要求，结合我省工作实际，制定本方案。

一、项目目标和任务

（一）总目标

自2009年开始，为我省35～59岁农村妇女进行乳腺癌检查。通过宣传、健康教育和定期筛查等方式，逐步提高农村妇女自我保健能力和健康水平，探索适合我国乳腺癌筛查的优化方案。

（二）年度任务

1. 2009～2011年为3.6万农村妇女开展乳腺癌检查，其中2009年完成1.2万。

2. 提高筛查人员的技术水平和服务质量，到2010年承担农村妇女乳腺癌检查人员培训覆盖率达到90%以上。

3. 通过开展乳腺癌检查试点，总结适合我国实际情况的乳腺癌优化筛查方案。

4. 通过宣传、健康教育和定期筛查等方式，逐步提高农村妇女自我保健能力和健康水平。

二、项目范围和内容

（一）项目范围

按照国家《农村妇女乳腺癌检查项目管理方案》要求和项目选点原则，选择淄博桓台县、烟台招远市、东营广饶县、泰安肥城市、德州陵县、滨州邹平县等6个项目点（县），开展农村妇女乳腺癌检查工作，每个点2000人，2009年共计筛查1.2万人。

（二）项目内容

1. 开展多种形式的乳腺癌防治健康知识和社会宣传，发动适龄人口积极参与乳腺癌筛查。

2. 选定检查目标人群，建立总人口数据库，获得人口结构的详细信息，建立待筛查调查对象的详细人口档案。所有参加检查的对象均签署知情同意书。

3. 开展技术培训及现场指导工作。对承担项目的6个县市不少于60名技术骨干进行培训，并在进行乳腺癌检查的同时，专家到现场进行技术指导。

4. 乳腺临床检查、彩超检查、钼靶X－线检查及乳腺离体组织的病理诊断。对接受筛查的妇女均进行乳腺的视诊、触诊，可疑者和高危人群进行乳腺彩超检查，彩超检查可疑或阳性者，进行钼靶X－线检查，对钼靶X－线检查结果阳性者和可疑者，作粗针吸检查或组织学检查，获得最后病理诊断。

5. 建立受筛人员筛查信息数据库及随访。

三、项目组织与分工

（一）组织领导

省卫生厅成立项目领导小组，组织制定项目工作方案和检查工作方案；项目实施工作的组织、协调、监督、管理等。组织成立专家技术指导组，组织制定技术方案、指导项目质量控制工作；对相关信息进行管理。开展人员培训；管理相关信息，定期向项目领导小组通报进展情况。

（二）职责分工

1. 省级卫生行政部门负责项目的组织、协调和监督指导；制定实施方案；确定妇女乳腺癌检查及确诊机构，建立转诊机制；组织成立专家技术指导组；开展人员培训；管理相关信息；对项目实施监督，定期向卫生部项目领导小组通报进展情况。

2. 项目市、县卫生行政部门负责组织实施本辖区的乳腺癌检查工作。制定工作方案，做好本地区项目实施的组织协调、技术指导、质量控制和督导检查。

3. 省级专家技术指导组负责解读国家项目技术方案，制定我省项目技术方案，按照国家的统一要求，对承担乳腺癌检查工作的人员进行培训、考核，指导完成质量控制工作。

4. 项目县（市）的相关医疗卫生保健机构，负责选定检查目标人群，建立总人口数据库及待筛查调查对象的详细人口档案；开展健康教育和咨询服务；进行基本情况调查，收集知情同意书，实施乳腺癌筛查、早诊和治疗服务并进行随访，建立受筛人员筛查信息数据库并统计上报。

四、项目具体实施

（一）选定项目点

根据卫生部、财政部、全国妇联《农村妇女乳腺癌检查项目管理方案》要求和项目选点原则，由省肿瘤防治办公室组织专家，以我省开展全死因登记和肿瘤发病登记工作及项目依托单位的积极性、现有技术条件和开展癌症检查能力为基础，承担癌症早诊早治项目县（市、区）为重点，结合各市推荐的县（市、区）人民医院或县妇幼保健院，采取实地调研、审查申报资料与沟通交流等形式筛选我省项目点。

根据卫生部、财政部、全国妇联《农村妇女乳腺癌检查项目管理方案》要求，项目点的选定由省卫生厅及项目省级专家组结合县区实际情况确定，报经卫生部同意后方可开展工作。

（二）项目选点原则

1. 综合考虑项目点的技术水平和经济发展水平；

2. 选取人群依从性较好的农村人口作为目标人群；

3. 开展过常规肿瘤随访登记和第三次全死因回顾调查的农村县优先；

4. 政府重视妇女健康，支持开展乳腺癌检查工作；

5. 卫生部门与其他部门有良好的合作与配合；

6. 现有临床、B超、影像（钼靶X线）、病理、流行病学以及医疗安全等技术条件满足开展乳腺癌检查的需要；

7. 技术单位有开展乳腺癌检查的积极性，并能进行良好合作；

8. 医疗保障部门有政策支持乳腺癌早诊早治工作。

（三）工作方法和步骤

1. 宣传动员。针对重点人群，采取针对性强的宣传方式，对选定的适龄妇女进行乳腺癌检查的重要意义和乳腺癌防治知识进行广泛宣传，提高妇女乳腺癌防治知识覆盖率和筛查服务参与率。

2. 人员培训。对所有参与项目工作的专业人员进行技术培训，从理性上掌握乳腺癌筛查的工作内容、工作方法、步骤。开展乳腺癌筛查现场培训，从流行病学调查、临床手诊、B超检查、钼靶X线检查、病理诊断等技术环节，提高专业技术人员理论与实践的结合能力。对参与项目的工作人员进行项目管理方法和项目实施方案的培训。

培训工作应在检查工作开展前1~2个月完成。保证各项工作措施和技术措施的落实。

3. 人群选择。从当地公安机关户籍部门或选定的村会计登记的存户口簿获得目标人群总人口及结构的详细信息，建立待筛查调查对象的详细人口档案。采用多阶段随机整群抽样的方法抽取辖区内所有年龄为35~59岁的当地妇女组成筛查人群。

4. 确定高危人群。发放“乳腺癌自愿免费检查知情同意书”，登记选定的符合筛查条件的适龄妇女；在问卷调查的基础上确定乳腺癌高危人群。

5. 实施检查。按照“农村妇女乳腺癌检查项目技术方案”，对已登记的适龄妇女进行乳腺临床体检、超声检查和钼靶X线检查。对高度怀疑的病变（钼靶X线检查结果阳性者和可疑者）作粗针吸检查或组织学检查，获得最后病理诊断。

6. 建立受筛人员筛查信息数据库。将检查结果及时告知受检妇女本人，对可疑或确诊患者进行追访，提出相关诊疗建议，并记录个案登记表。

7. 现场技术指导。省级专家技术指导组组织专家到现场进行技术指导及工作质量控制，解决筛查工作中遇到的问题。

（四）项目培训

1. 组织参加国家“乳腺癌筛查规范化诊断标准和操作方法”师资培训。开展对我省项目点技术和工作人员进行乳腺癌检查统一培训，组织考核，合格后参加项目实施工作。

2. 培训内容包括流行病学调查、临床手诊、B超检查、钼靶X线检查、病理诊断等技术环节。

（五）经费管理

专项补助资金要及时拨付，专款专用，任何单位和个人不得以任何形式截留、挤占和挪用。严格按照国家和省有关专项资金管理的规定，加强项目经费管理，提高资金使用效益。

（六）信息收集和管理

1. 参加筛查的医疗卫生保健机构负责掌握筛查数据信息，妥善保存个人的筛查资料，并及时将相关数据报送当地疾病预防控制中心。

2. 项目点的疾病预防控制中心负责收集整理、分析、统计、汇总筛查数据，并将汇总数据上报省肿瘤防治办公室。

3. 省肿瘤防治办公室将数据汇总后报告省卫生厅，省卫生厅审核后报卫生部。

五、质量控制与监督评价

（一）项目督导

省、市、县各级对项目的前期准备、人群选择、宣传动员、实施检查、质量评估等各阶段进行全程督导。

（二）质量控制

1. 建立质量控制体系和各级质量控制小组，实施质量考核及复核会诊制度，加强质量控制，实施质量考核，尽量避免误诊、漏诊；

2. 组织省级专家组对项目依托单位进行检查，并对项目实施情况进行督导和评估。

（三）项目评价

筛查过程中的资料采取分散和集中管理相结合的原则，每半年由省专家组负责综合管理、汇总、检查各项目点的工作实施进度和资料收集整理情况，具体评价指标：

1. 任务完成率：实际筛查人数/应筛查人数。

2. 患病率：在受检人群中检出乳腺癌及癌前病变的比例。

3. 阳性检出率：检出乳腺癌的病人占所有被检者的比例，包括乳腺自检阳性率、临床体检阳性率、超声检查阳性率、钼靶X线检查阳性率。

4. 健康知识知晓率：在妇女中进行乳腺健康知识调查，知晓合格者占调查总人数的比例。

六、项目执行时间

2009~2011年。

附件：1. 山东省农村妇女乳腺癌检查流程图

2. 山东省农村妇女乳腺癌检查项目地区基本情况调查表

3. 山东省农村妇女乳腺癌知情同意书

4. 山东省农村妇女乳腺癌检查项目医院乳腺临床检查表

5. 山东省农村妇女乳腺癌检查项目医院超声检查诊断报告书

6. 山东省农村妇女乳腺癌检查项目医院病理检查报告单

附件1：

山东省农村妇女乳腺癌检查流程图

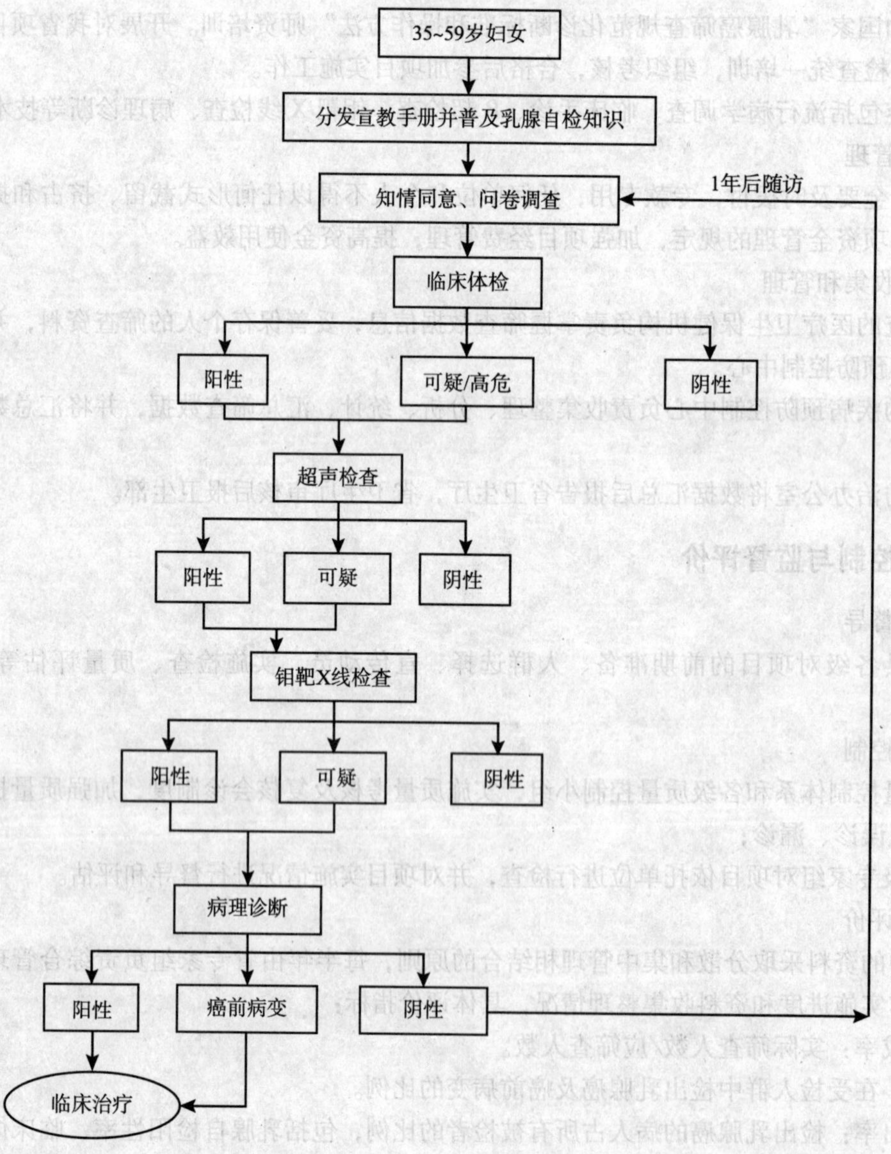

附件 2：

山东省农村妇女乳腺癌检查项目承担地区基本情况调查表

单位名称：　　　　省　　　　市　　　　县（市）

人口情况			
年龄组	男	女	合计
0 ~			
1 ~			
5 ~			
10 ~			
15 ~			
20 ~			
25 ~			
30 ~			
35 ~			
40 ~			
45 ~			
50 ~			
55 ~			
60 ~			
65 ~			
70 ~			
75 ~			
80 ~			
85 ~			
合计			

附件 3：

山东省农村妇女乳腺癌知情同意书

姓名＿＿＿＿＿＿＿＿

住址＿＿＿＿＿＿＿＿　　　　编号□□□□□□□□□□□□

乳腺癌是妇女最常见的恶性肿瘤之一，近年，其发病率几乎在世界范围内呈明显上升趋势。我国在世界上虽属乳腺癌较低发国家，但近年发病率也在明显上升。

乳腺癌的治疗效果与发现时的病期早晚有关。I 期乳腺癌 90% 以上能治愈，II 期及 III 期效果就稍差，治愈率降至 70% 和 50% 左右，而原位癌几乎 100% 可以治愈。早期发现乳腺癌，不但治愈率高，而且可以做“保乳”手术，术后各种辅助治疗也可减少，因此不但可节省医疗费用，也可有较高的生活质量。

早期发现是控制乳腺癌发展的主要有效措施之一，并且早期发现及早期治疗的技术成熟。因此，我们应用国内外公认和较成熟的乳腺癌检查方法开展了本次乳腺癌筛查活动。

检查过程

首先为您进行普查登记，并配合调查员进行问卷调查，以便我们能了解您的一般情况、家族史和各种危险因素暴露史。然后由专业医师为您进行临床检查、乳腺X线摄片或B超检查。

参加检查的注意事项

尽管放射检查对于人体可能有一定影响，但一次检查剂量不会对被检查者今后产生不良伤害。另外，做乳腺X线摄片检查时因要夹紧乳腺，所以可能感觉有些不适，但对被检查者无任何不良影响。由于任何检查都有一定的漏诊率，请您定期体检。

检查费用

本次检查是政府为保护广大妇女健康所采取的措施，根据个人不同需要进行手诊、B超检查和钼靶X线检查，完全免费。但如果发现异常需要进一步做病理诊断和临床治疗，则不属于这次检查范围内。

保密性

本检查记录将被保密存放，而且您不会在任何书面或口头报告中被提及。由于研究需要，研究者可能会回顾您的医疗记录并将其信息保密。

自愿原则

您的参加系自愿性质，并且在任何时间都有退出的权利。如果您对本筛查有任何疑问，可以与 **** 单位 **** 医生联系。电话： **********

自我声明

我已充分理解了这份知情同意书，我同意参加这次筛查。

参加者签字：________________ 日期：________

证人声明

我已经向受检对象宣读和解释了这份知情同意书。她已经理解并同意参加本项目。

证人签字：________________ 日期：________

附件4：

山东省农村妇女乳腺癌检查项目______医院乳腺临床检查表

编号□□□□□□□□□□□

姓名________ 年龄________ 检查日期________ 检查号________

联系电话________

1. 皮肤 左：□1 正常 □2 酒窝征 □3 橘皮样 □4 兼有
右：□5 正常 □6 酒窝征 □7 橘皮样 □8 兼有

2. 乳头 左：□1 正常 □2 上抬 □3 凹陷 □4 糜烂
右：□5 正常 □6 上抬 □7 凹陷 □8 糜烂

3. 溢液 左：□1 无 □2 单管 □3 多管 □4 清水样 □5 黄色 □6 乳样 □7 血性
右：□8 无 □9 单管 □10 多管 □11 清水样 □12 黄色 □13 乳样 □14 血性

4. 腺体 左：□1 正常 □2 条索状 □3 局限性增厚 □4 结节性增厚 □5 肿块
右：□6 正常 □7 条索状 □8 局限性增厚 □9 结节性增厚 □10 肿块

5. 肿块 左：□1 无 □2 外上 □3 外下 □4 内上 □5 内下 □6 中央
右：□7 无 □8 外上 □9 外下 □10 内上 □11 内下 □12 中央
（如左右均无肿块，则5.1~5.5不用填写）

5.1 大小： 左：□1. <1cm □2. 1~2cm □3. 2~5cm □4. >5cm
右：□5. <1cm □6. 1~2cm □7. 2~5cm □8. >5cm

5.2 形状： 左：□1 圆形 □2 椭圆形 □3 分叶形 □4 不规则形
右：□5 圆形 □6 椭圆形 □7 分叶形 □8 不规则形

5.3 硬度： 左：□1 软 □2 较硬 □3 硬 右：□4 软 □5 较硬 □6 硬

续表

5.4 边缘：	左：□1 清楚	□2 不清楚	右：□3 清楚	□4 不清楚	
5.5 表面：	左：□1 光滑	□2 不光滑	右：□3 光滑	□4 不光滑	
5.6 活动度：	左：□1 活动	□2 较差	□3 固定于皮肤	□4 固定于胸壁	
	右：□5 活动	□6 较差	□7 固定于皮肤	□8 固定于胸壁	
6. 副乳：□1 无	□2 有				
7. 腋淋巴结	左：□1 未触及	□2 触及不疑癌	□3 触及可疑癌		
	右：□4 未触及	□5 触及不疑癌	□6 触及可疑癌		
8. 锁骨上淋巴结	左：□1 未触及	□2 触及不疑癌	□3 触及可疑癌		
	右：□4 未触及	□5 触及不疑癌	□6 触及可疑癌		
9. 是否需进一步检查	□1 是（□1.1 月经后 2～3 天复诊	□1.2 钼靶 X 线检查）			
	□2 否				
初步诊断印象：	□1 未见异常	□2 良性疾病＿＿＿	□3 良性肿瘤＿＿＿		
	□4 可疑恶性	□5 恶性			
备注：＿＿＿＿＿＿＿＿＿＿＿＿＿＿＿＿					
报告书写医师：		复核医师：		日期：	

附件 5：

山东省农村妇女乳腺癌检查项目＿＿＿＿医院超声检查诊断报告书

编号□□□□□□□□□□□

姓名＿＿＿＿＿＿＿＿	年龄＿＿＿＿＿	B 超号＿＿＿＿＿＿
检查部位＿＿＿＿＿＿＿＿	检查日期＿＿＿＿＿＿年＿＿＿＿月＿＿＿＿日	
临床诊断＿＿＿＿＿＿＿＿＿＿	X 线诊断＿＿＿＿＿＿＿＿＿＿	

乳腺超声描述：

□1 未见异常

□2 增生：左：□1 未见增生　□2 小叶增生　□3 囊性增生　□4 瘤样增生

右：□1 未见增生　□2 小叶增生　□3 囊性增生　□4 瘤样增生

□3 乳导管扩张：左：□1 未见扩张　□2 均匀性　□3 局限性　□4 扩张伴占位

右：□1 未见扩张　□2 均匀性　□3 局限性　□4 扩张伴占位

乳腺肿块描述：

位置：左＿＿＿＿＿右＿＿＿＿＿　大小（cm）：左＿＿＿＿＿×＿＿＿＿＿右＿＿＿＿＿×＿＿＿＿＿

形状：左：□1 椭圆形　□2 圆形　□3 不规则

右：□1 椭圆形　□2 圆形　□3 不规则

长径方向（与皮肤）：左：□1 平行于皮肤　□2 不平行于皮肤

右：□1 平行于皮肤　□2 不平行于皮肤

边界表现：左：□1 界面锐利　□2 高回声晕

右：□1 界面锐利　□2 高回声晕

回声类型：左：□1 无回声　□2 强回声　□3 复合回声　□4 弱回声　□5 等回声

右：□1 无回声　□2 强回声　□3 复合回声　□4 弱回声　□5 等回声

续表

后方回声特征：左：□1 无改变 □2 增强 □3 衰减 □4 混合型 右：□1 无改变 □2 增强 □3 衰减 □4 混合型
血流分布：左：□1 无 □2 有（□病变内，□周边） □3 少血流 □4 富血流 右：□1 无 □2 有（□病变内，□周边） □3 少血流 □4 富血流
边缘特征：左：□1 清晰 □2 不清晰 □3 成角 □4 微小分叶 □5 毛刺状 右：□1 清晰 □2 不清晰 □3 成角 □4 微小分叶 □5 毛刺状
钙化：左：□1 无 □2 有（□点状 □簇状 □弧形 □分支状 □粗大 □病变外 □病变内） 右：□1 无 □2 有（□点状 □簇状 □弧形 □分支状 □粗大 □病变外 □病变内）
周围组织：左：□1 导管扩张 □2Coop's 韧带受累 □3 水肿 □4 结构变形 □5 皮肤增厚 □6 皮肤挛缩 右：□1 导管扩张 □2Coop's 韧带受累 □3 水肿 □4 结构变形 □5 皮肤增厚 □6 皮肤挛缩
特殊情况：左：□1 簇状小囊肿 □2 复杂性囊肿 □3 皮下或皮肤肿物 □4 异物 右：□1 簇状小囊肿 □2 复杂性囊肿 □3 皮下或皮肤肿物 □4 异物
腋窝淋巴结：左：□1 正常 □2 良性 □3 恶性 右：□1 正常 □2 良性 □3 恶性
超声提示： □1 未见异常 □2 良性病变____□3 良性肿瘤____□4 可疑恶性 □5 恶性 备注：____________

附件6：

山东省农村妇女乳腺癌检查项目________医院病理检查报告单

编　号□□□□□□□□□□□ 病理号：
姓名：__________ 性别：　女　 年龄：__________ 病案号：__________
病房：__________ 送检医师：__________ 收检日期：__________
肿瘤/病变部位：□1 左 □2 右
切缘情况：□1 未受累：肿瘤距切缘最近距离________mm □2 受累：（成分：□1 浸润癌 □2 导管内癌）
肿瘤/病变大小：______×______×______mm 浸润成分大小：______×______×______mm
微小钙化：□1 无 □2 有 有丝分裂数目：______个/10HPF
是否累及其他组织：□1 无 □2 有（1 皮肤、2 脂肪、3 胸壁、4 胸肌、5 其他______）
组织学分型：__________（2003WHO）__________（传统）
组织学分级________级
导管内癌成分 □1 无 □2 有
化疗反应 □1 无 □2 有（□Ⅰ □Ⅱ □Ⅲ）
导管内癌组织学特性：核分级 □Ⅰ □Ⅱ □Ⅲ；坏死：□1 无 □2 有
亚型：（□1 粉刺、□2 筛状、□3 乳头状、□4 微乳头状、□5 实性、□6 平坦型、□7 其他________）
其他病理学发现____________
淋巴管侵犯：□1（－） □2（＋） □3（＋＋） □4（＋＋＋）

续表

血管侵犯： □1（－） □2（＋） □3（＋＋） □4（＋＋＋）
淋巴结情况：前哨：______/______；腋尖：______/______；锁下：______/______ 后组：______/______；肌间：______/______；外侧组：______/______ 其他：______ 淋巴结转移灶最大径______mm
其他象限病变：______ 特殊检查：______
病理 TNM 分期：T______N______M______ 期别：______
诊断：______
检查医师： 年 月 日

附件3：

山东省农村妇女“两癌”检查项目领导小组

组　长：包文辉　　省卫生厅厅长
副组长：阮凤英　　省财政厅巡视员
　　　　仇冰玉　　省卫生厅副厅长
　　　　郭翠芬　　省妇联副主席
　　　　王元宁　　省卫生厅副巡视员
成　员：宋新生　　省财政厅社会保障处处长
　　　　丁凤深　　省卫生厅妇幼保健与社区卫生处处长
　　　　宗　玲　　省卫生厅疾病控制处处长
　　　　盛巧俐　　省妇女儿童工作委员会办公室专职副主任（正处）
　　　　邱枫林　　省卫生厅规划财务处处长
　　　　张爱国　　省卫生厅农村卫生管理处处长
　　　　万书臻　　省卫生厅医政处处长
　　　　王　辉　　省卫生厅科技教育与国际合作处处长

附件4：

山东省农村妇女“两癌”检查项目领导小组办公室

主　任：丁凤深　　（兼）省卫生厅妇幼保健与社区卫生处处长
副主任：贾青顺　　省卫生厅妇幼保健与社区卫生处副处长
　　　　高　岱　　省卫生厅疾病控制处副处长
成　员：孔静珣　　省妇女儿童工作委员会办公室副主任
　　　　汤　青　　省财政厅社会保障处主任科员
　　　　郑晓霞　　省卫生厅妇幼保健社区卫生处主任科员
　　　　王南南　　省卫生厅疾病控制处主任科员
　　　　刘瑞建　　省妇幼保健所业务部主任
　　　　王家林　　省肿瘤医院科教科科长
　　　　范媛媛　　省妇幼保健所主治医师

省卫生厅　省财政厅　省人口和计划生育委员会关于印发《山东省基本公共卫生服务项目实施方案》的通知

2009年9月29日　鲁卫妇社发〔2009〕23号

各市卫生局、财政局、人口和计划生育委员会：

为全面贯彻落实省委省政府《关于贯彻落实中发〔2009〕6号文件精神，进一步深化我省医药卫生体制改革的实施意见》（鲁发〔2009〕16号）、省政府《医药卫生体制改革近期重点实施方案（2009～2011年）》（鲁政发〔2009〕90号）和卫生部、财政部、国家人口和计划生育委员会《关于促进基本公共卫生服务逐步均等化的意见》（卫妇社发〔2009〕70号）文件精神，进一步做好我省基本公共卫生服务工作，省卫生厅、财政厅、人口和计划生育委员会决定在全省实施基本公共卫生服务项目。现将《山东省基本公共卫生服务项目实施方案》印发给你们，请认真贯彻执行。

附件：山东省基本公共卫生服务项目实施方案

附件：

山东省基本公共卫生服务项目实施方案

为深化我省医药卫生体制改革，进一步做好全省基本公共卫生服务工作，根据卫生部、财政部、国家人口和计划生育委员会《关于促进基本公共卫生服务逐步均等化的意见》（卫妇社发〔2009〕70号），结合我省实际，制定本实施方案。

一、工作目标

通过实施基本公共卫生服务项目，明确政府责任，对城乡居民健康问题实施干预措施，减少主要健康危险因素，有效预防和控制主要传染病及慢性病，提高基本公共卫生服务和突发公共卫生事件应急处置能力，使城乡居民逐步享有均等化的基本公共卫生服务。

2009年，巩固和提高城市社区基本公共卫生服务水平，做好为农村地区居民提供服务的准备工作并逐步展开。到2011年，省定基本公共卫生服务项目得到普及，城乡居民免费享有基本公共卫生服务，城乡和地区间基本公共卫生服务差距明显缩小。到2020年，基本公共卫生服务逐步均等化的机制基本完善，重大疾病和主要健康危险因素得到有效控制，城乡居民健康水平得到进一步提高。

二、主要任务

省级相关部门根据国家基本公共卫生服务项目，结合全省经济社会发展状况、主要公共卫生问题和干预措施效果，进一步规范全省基本公共卫生服务项目，并随着经济社会发展、基本公共卫生服务需要和财政承受能力适时调整。鼓励有条件的地方根据当地公共卫生问题、经济发展水平和财政承受能力等因素，可在省定基本公共卫生服务项目基础上增加服务内容。

现阶段，全省基本公共卫生服务项目主要包括：建立居民健康档案，健康教育，预防接种，传染病防治，高血压、糖尿病等慢性病管理，儿童保健，孕产妇保健，老年人保健和重性精神疾病管理等（见附件1）。

三、保障措施

（一）加强公共卫生服务体系建设

基本公共卫生服务项目主要由城市社区卫生服务机构、乡镇卫生院和村卫生室等城乡基层医疗卫生机构免费为全体居民提供。

各地要加强专业公共卫生机构和医院对城乡基层医疗卫生机构的业务指导，在专业公共卫生机构、城乡基层医疗卫生机构和医院之间建立分工明确、功能互补、信息互通、资源共享的工作机制。要进一步优化公共卫生资源配置，建立健全疾病预防控制、健康教育、妇幼保健、精神卫生、应急救治、采供血、卫生监督、计划生育等专业公共卫生服务网络，完善以基层医疗卫生服务网络为基础的医疗服务体系的公共卫生服务功能。

（二）不断提高公共卫生服务能力

大力培养公共卫生专业技术人才，强化全科医师、社区护士和农村卫生人员的公共卫生知识和技能培训，提高公共卫生服务能力，切实提高其理论水平和公共卫生事件预测预警、处置能力，促进公共卫生服务管理水平和工作效率的提高。各地要进一步调整疾病预防控制、妇幼保健、精神卫生等预防保健机构的职能，促进基本公共卫生服务下沉到基层卫生服务机构。

城乡基层医疗卫生机构要深入家庭，全面掌握辖区居民主要健康问题，主动采取有效的健康干预措施，实行团队服务和责任医师制度，将公共卫生服务与基本医疗服务相结合，强化对居民的健康管理，有效控制主要健康危险因素的危害，提高居民健康水平。各级专业公共卫生机构要转变公共卫生服务模式，定期深入工作场所、学校、社区和家庭，开展卫生学监测评价，研究制定公共卫生防治策略，指导医疗卫生机构开展基本公共卫生服务。

人口和计划生育部门继续组织开展计划生育技术服务，主要包括避孕节育、优生优育科普宣传，避孕方法咨询指导，发放避孕药具，实施避孕节育和恢复生育力手术，随访服务，开展计划生育手术并发症及避孕药具不良反应诊治等。

（三）规范公共卫生服务项目管理

省卫生厅、财政厅、人口和计划生育委员会等相关部门根据我省城乡基层医疗卫生机构的服务和条件，研究制定和推广省定基本公共卫生服务规范（见附件2），健全管理制度和工作流程，提高服务质量和管理水平。各地要结合实际，在省定基本公共卫生服务项目的基础上，合理确定当地基本公共卫生服务项目的内容、服务规范，健全管理制度和工作流程，按规范要求为居民提供服务。对已实施政府购买城市社区公共卫生服务项目的地区，要以省定项目为基础，认真梳理，周密组织，做好对接，确保全面涵盖，并全力做好其他应开展的政府购买社区公共卫生服务项目。

（四）健全公共卫生服务经费保障机制

各级政府要根据实现基本公共卫生服务逐步均等化的目标，完善政府对公共卫生的投入机制，逐步增加公共卫生投入。基本公共卫生服务按项目为城乡居民免费提供，经费标准按单位服务综合成本核定，所需经费由政府预算安排。2009 年人均基本公共卫生服务经费标准不低于15元，2011 年不低于20元。基本公共卫生服务补助经费要按照政府购买服务的方式，根据基层医疗卫生机构承担和完成项目数量、质量以及单位服务综合成本项目补助定额在全面考核的基础上核定。单位服务综合成本及项目补助定额，由财政、卫生主管部门在合理分摊有关基本公共卫生服务成本的基础上，按照合理弥补人工、耗材等成本的原则确定。其中，对乡村医生承担的基本公共卫生服务任务所需经费，按照政府购买服务、绩效考核以考定补的原则，从基本公共卫生服务补助经费中统筹安排。

（五）强化基本公共卫生服务绩效考核

建立健全省、市、县（市、区）三级绩效考核机制。省级相关部门按照政府购买基本公共卫生服务的原则，制定基本公共卫生服务项目的绩效考核标准（见附件3），负责全省项目全面督查和年度考核。各市每半年组织对所辖县（市、区）进行一次考核评估。各县（市、区）相关部门每季度对所辖承担基本公共卫生服务任务的基层医疗卫生机构进行自查自评。

基本公共卫生服务项目考核包括基本公共卫生服务项目实施情况、项目资金和财务管理情况、项目实施效果等。其中，城市社区卫生服务机构的考核工作纳入全省政府购买城市社区公共卫生服务项目考核，参照相关的考核标准和流程进行。经省确认的各市基本公共卫生服务项目的考核结果作为拨付省级财政补助资金的主要参考依据。考核在90分（含90分）以上的，全额拨付；80（含80分）~90分之间的，拨付70%；60（含60分）~80分之间的，拨付50%；60分以下的为不合格，不予拨付。各地要按基本公共卫生服务均等化的要求，逐步增加乡镇卫生院和村卫生室等农村基层医疗卫生机构开展的基本公共卫生服务项目，拓展服务内容，实现城乡基本公共卫生服务项目一体化考核。要进一步细化考核标准，充分发挥考核结果在激励、监督和资金安排等方面的作用，将考核结果与经费补助以及单位主要领导的年度考核和任免挂钩，作为人员奖惩及核定绩效工资的依据。要注重群众参与考核评价，建立信息公开制度，将政府考核与社会监督结合起来。

四、项目进度

（一）2009年8~9月（摸底准备阶段）：认真学习基本公共卫生服务项目有关文件，制定全省基本公共卫生项目实施方案和绩效考核标准；部署项目工作，分解安排工作任务，落实项目补助经费；建立专门组织机构，摸清各种底数，积极向广大群众宣传省定基本公共卫生项目相关政策，为基本公共卫生项目顺利开展奠定基础。

（二）2009年10~11月（全面实施阶段）：全省各市城乡全面启动实施基本公共卫生项目，定期指导检查项目执行情况，组织基层卫生专业人员和管理人员培训。

（三）2009年12月（检查总结阶段）：组织专家对全省基层医疗卫生机构进行督导检查，对项目执行情况进行评估，总结运行中出现的各种问题，及时对项目实施方案和考核标准进行修改和补充。

五、加强组织领导

（一）提高认识，精心组织。促进基本公共卫生服务逐步均等化关系人民群众的切身利益，关系千家万户的幸福安康。各级政府要把深化基本公共卫生服务项目的实施作为落实科学发展观的重要举措和关注民生、促进社会和谐的重要内容，纳入当地经济社会发展总体规划，纳入各地政府的年度考核目标，加强组织领导，保证基本公共卫生服务各项任务的落实，有效控制重大疾病和主要健康危险因素，增强全民健康素质。各市卫生、财政、计生等部门要根据本方案的要求做好调查研究，制定当地具体实施方案，认真组织落实。要加强统筹协调，落实各相关部门的工作职责，确保财政投入足额按时到位，保证项目顺利实施。

（二）统筹规划，科学管理。各级各部门要充分认识实施基本公共卫生服务项目在医改全局中的重要地位，结合当地经济社会发展情况和人民群众健康需要，科学规划、合理确定本地区基本公共卫生服务项目。要做好调查研究，广泛听取意见，制定具体实施方案，认真组织落实，加快促进基本公共卫生服务逐步均等化工作。在实施过程中，要不断总结经验，尽快建立健全一整套长效管理机制。

（三）扩大宣传，督导落实。基本公共卫生服务项目是对提高群众健康水平具有重要影响的项目，涉及面广，任务重，政策性强，要采取多种方式，加强宣传，让广大城乡居民了解自身能够免费享有的基本公共卫生服务内容，提高群众的知晓率，鼓励群众参与。要建立督查机制，加强督查考核，将促进基本公共卫生服务逐步均等化作为重大民生问题纳入政府任期考核目标，省卫生、财政部门每年组织对各地进行督导检查和考核评估，逐步使城乡居民平等享有基本公共卫生服务，切实提高全省居民健康水平。

附件：1. 山东省基本公共卫生服务项目
2. 山东省基本公共卫生服务规范（试行）
3. 山东省基本公共卫生服务项目考核标准（试行）

附件 1：

山东省基本公共卫生服务项目

一、建立居民健康档案

以妇女、儿童、老年人、残疾人、慢性病人等人群为重点，在自愿的基础上，为辖区常住人口建立统一、规范的居民健康档案，健康档案主要信息包括居民基本信息、主要健康问题及卫生服务记录等；健康档案要及时更新，并逐步实行信息化管理。

二、健康教育

针对健康素养基本知识和技能、优生优育及辖区重点健康问题等内容，向城乡居民提供健康教育宣传信息和健康教育咨询服务，设置健康教育宣传栏并定期更新内容，开展健康知识讲座等健康教育活动。

三、预防接种

为适龄儿童接种乙肝疫苗、卡介苗、脊灰疫苗、百白破疫苗、白破疫苗、麻疹疫苗、甲肝疫苗、流脑疫苗、乙脑疫苗、麻腮风疫苗等国家免疫规划疫苗；在重点地区，对重点人群进行针对性接种，包括肾综合征出血热疫苗、炭疽疫苗、钩体疫苗；发现、报告预防接种中的疑似异常反应，并协助调查处理。

四、传染病防治

及时发现、登记并报告辖区内发现的传染病病例和疑似病例，参与现场疫点处理；开展结核病、艾滋病等传染病防治知识宣传和咨询服务；配合专业公共卫生机构，对非住院结核病人、艾滋病病人进行治疗管理。

五、儿童保健

为 0～36 个月婴幼儿建立儿童保健手册，开展新生儿访视及儿童保健系统管理。新生儿访视至少 2 次，儿童保健 1 岁以内至少 4 次，第 2 年和第 3 年每年至少 2 次。进行体格检查和生长发育监测及评价，开展心理行为发育、母乳喂养、辅食添加、意外伤害预防、常见疾病防治等健康指导。

六、孕产妇保健

为孕产妇建立保健手册，开展至少 5 次孕期保健服务和 2 次产后访视。进行一般体格检查及孕期营养、心理等健康指导，了解产后恢复情况并对产后常见问题进行指导。

七、老年人保健

对辖区 65 岁及以上老年人进行登记管理，进行健康危险因素调查和一般体格检查，提供疾病预防、自我保健及伤害预防、自救等健康指导。

八、慢性病管理

对高血压、糖尿病等慢性病高危人群进行指导。对 35 岁以上人群实行门诊首诊测血压。对确诊高血压和糖尿病患者进行登记管理，定期进行随访，每次随访要询问病情、进行体格检查及用药、饮食、运动、心理等健康指导。

九、重性精神疾病管理

对辖区重性精神疾病患者进行登记管理；在专业机构指导下对在家居住的重性精神疾病患者进行治疗随访和康复指导。

附件2：

山东省基本公共卫生服务规范

（试行）

2009.8

目　　录

山东省居民健康档案管理服务规范

一、服务对象

辖区内常住居民。

二、服务内容

社区卫生服务中心（站）、乡镇卫生院、村卫生室负责为其直接服务人口建立居民健康档案，主要包括以下内容：

1. 居民健康档案内容

居民健康档案内容包括个人基本信息、健康体检、重点人群管理记录和其他医疗卫生服务记录。

（1）个人基本情况包括姓名、性别等基础信息和家族史、既往史等基本健康信息。

（2）健康体检包括一般健康检查、生活行为方式、健康状况及其疾病用药情况、健康评价等。

（3）重点人群管理记录包括国家基本公共卫生服务项目要求的0~3岁儿童保健、孕产妇保健、老年人保健、慢性病患者管理等各类重点人群的随访和管理记录。

（4）其他医疗卫生服务记录包括上述记录之外的其他接诊记录、住院记录、转诊记录、会诊记录等。

2. 居民健康档案的建立方式

社区卫生服务中心（站）、乡镇卫生院、村卫生室等基层医疗机构负责向辖区内居民提供建立健康档案服务。

（1）辖区居民到基层医疗卫生机构接受服务时，由首诊医生负责为其建立居民健康档案，并根据其主要健康问题和卫生服务需要填写相应记录。

（2）通过入户服务（调查）、疾病筛查、健康体检等多种方式，由基层医疗卫生机构责任医护人员分期、分批在居民家中或工作现场为辖区内重点人群建立居民健康档案，并根据其主要健康问题和卫生服务需要填写相应记录。

（3）在医疗卫生服务提供过程中建立的健康档案相关记录表单，装入居民健康档案袋统一存放，并随着全省社区卫生信息协同应用系统的建立，逐步实现健康档案信息化管理。

3. 居民健康档案的使用

（1）已建档居民到基层医疗卫生机构复诊时，在调取其健康档案后，由接诊医生根据复诊情况，及时填写、更新和补充相应记录内容。

（2）入户医疗卫生服务时，应事先查阅服务对象的健康档案并携带相应表单，在服务过程中记录、补充相应内容。

（3）需要转诊、会诊的服务对象，由接诊医生填写转诊、会诊记录。

（4）所有的服务记录由责任医生统一汇总、及时归档。

4. 健康档案管理

（1）提供建立居民健康档案服务的机构必须配备专（兼）职管理人员，接受过本项目组织的培训，并成绩合格。应制定本单位居民健康档案管理制度，并严格执行。

（2）健康档案管理要具有必需的档案库房，配备档案装具，按照防盗、防光、防高温、防火、防潮、防尘、防鼠、防虫等要求妥善保管健康档案，指定专（兼）职人员负责健康档案管理工作，保证健康档案完整、安全；电子健康档案要建立数据备份，安装防火墙。

（3）基层医疗卫生机构应使用多途径的信息采集方式建立居民健康档案。健康档案应及时更新，保持资料的连续性。

（4）健康档案的建立要遵循自愿与引导相结合的原则，在使用过程中要注意保护服务对象的个人隐私。

（5）居民健康档案统一编码，采用18位编码制，包括16位家庭档案码和2位个人档案编码。其中，以国家统一的行政区划编码（前6位），乡镇和街道（7、8位），村（居）委会（9、10、11位），村（居）委会为方便管理自行划分的片区（12位）和家庭编号（13、14、15、16位）、个人编号（17、18位）编制居民健康档案唯一编码。同时将建档居民的身份证号作为统一的身份识别码。

（6）遵照国家有关专项技术规范要求记录相关内容，记录内容应齐全完整、真实准确、书写规范，基础内容无缺失。

（7）健康档案管理和服务人员在使用、管理、考核等工作中有权使用健康档案，其他机构或个人需要使用健康档案时，必须向健康档案管理机构提出书面申请，管理机构批准并经本人或其监护人同意后，方可使用。

（8）居民健康档案为社会公共信息资源，应长期保存，医疗保健机构撤销、合并等，必须将所保存的健康档案交辖区县（区、市）卫生行政部门，或县（区、市）卫生行政部门指定的医疗保健机构，拒不执行并造成档案流失、损毁的，依法追究责任。

5. 逐步实现居民健康档案管理信息化

建设覆盖全省的健康档案管理信息网络。参照国家有关标准，开发居民健康档案信息管理软件，全省统一使用，提高居民健康档案信息管理水平，为医学研究、科学决策等提供服务。2011年，建成覆盖全省的计算机网络平台，全省居民健康档案管理基本实现信息化。

三、服务流程

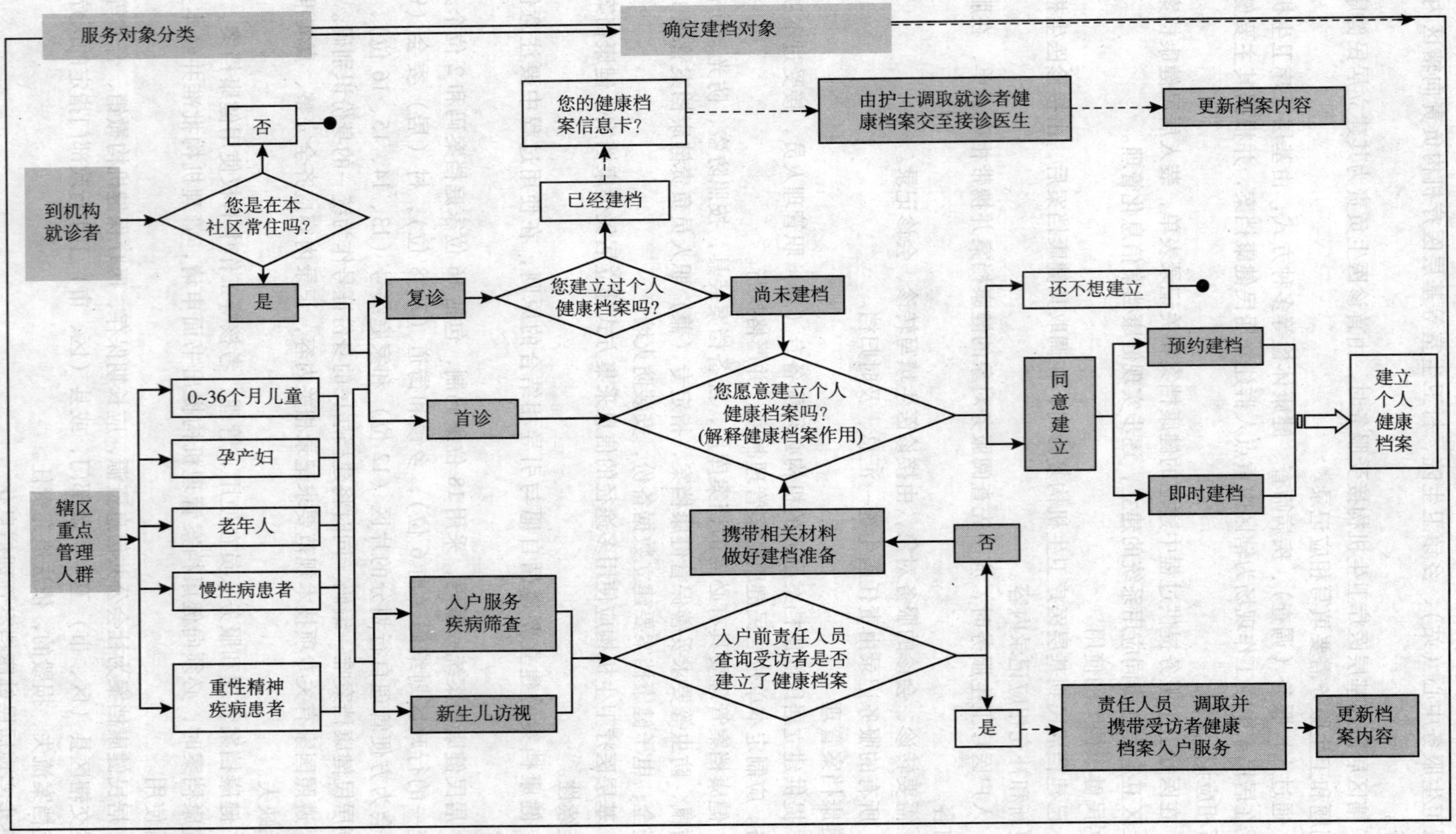
服务对象分类
确定建档对象
到机构就诊者
您是在本社区常住吗?
否
是
复诊
首诊
您建立过个人健康档案吗?
已经建档
您的健康档案信息卡?
由护士调取就诊者健康档案交至接诊医生
更新档案内容
尚未建档
您愿意建立个人健康档案吗?(解释健康档案作用)
还不想建立
同意建立
预约建档
即时建档
建立个人健康档案
辖区重点管理人群
0~36个月儿童
孕产妇
老年人
慢性病患者
重性精神疾病患者
入户服务疾病筛查
新生儿访视
入户前责任人员查询受访者是否建立了健康档案
否
携带相关材料做好建档准备
是
责任人员 调取并携带受访者健康档案入户服务
更新档案内容

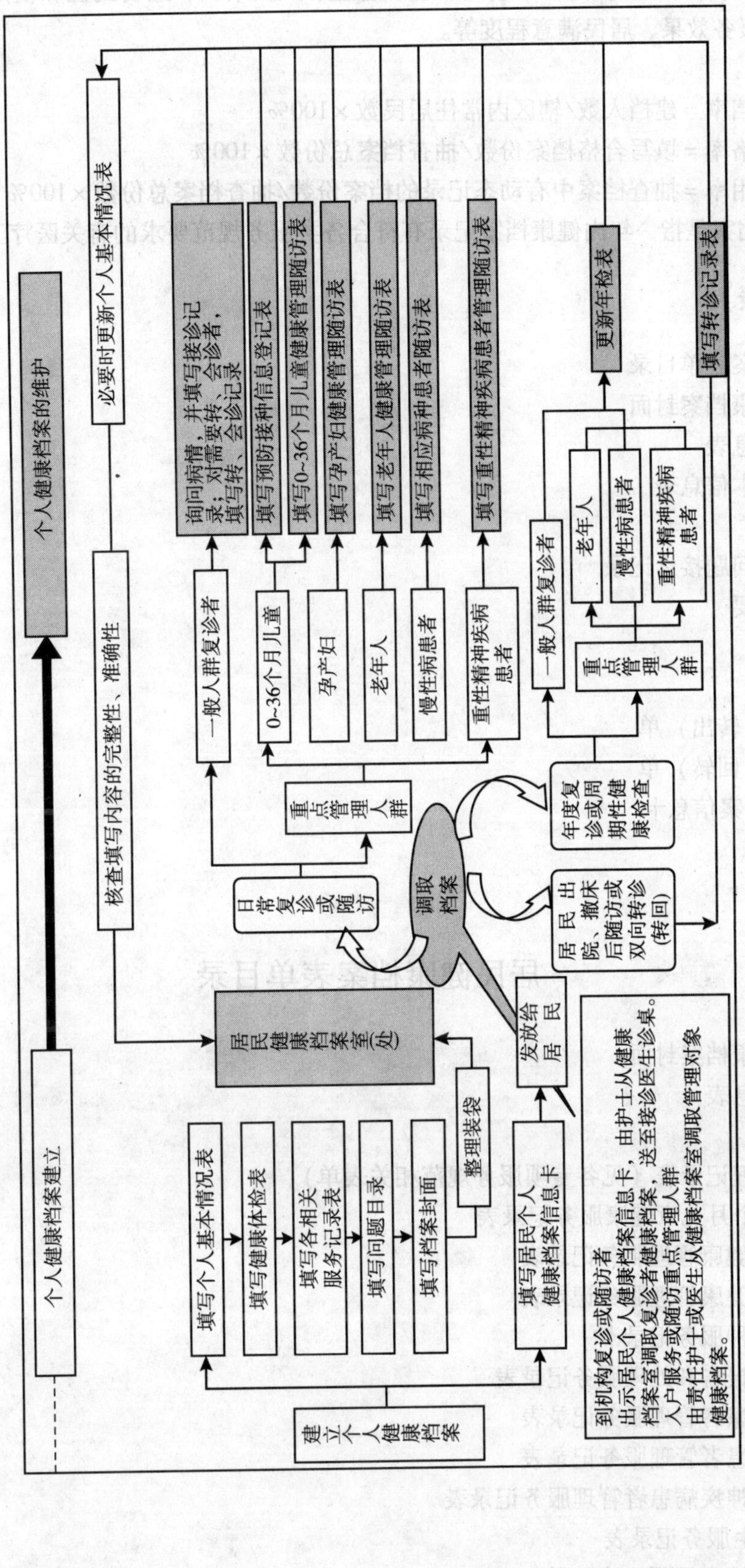
个人健康档案建立
个人健康档案的维护
建立个人健康档案
填写个人基本情况表
填写健康体检表
填写各相关服务记录表
填写问题目录
填写档案封面
整理装袋
居民健康档案室(处)
核查填写内容的完整性、准确性
必要时更新个人基本情况表
填写居民个人健康档案信息卡
发放给居民
到机构复诊或随访者出示居民个人健康档案信息卡，由护士从健康档案室调取复诊者健康档案，送至接诊医生诊桌。入户服务或随访重点管理人群由责任护士或医生从健康档案室调取管理对象健康档案。
调取档案
日常复诊或随访
重点管理人群
一般人群复诊者
0~36个月儿童
孕产妇
老年人
慢性病患者
重性精神疾病患者
询问病情，并填写接诊记录；对需要转、会诊者，填写转、会诊记录
填写预防接种信息登记表
填写0~36个月儿童健康管理随访表
填写孕产妇健康管理随访表
填写老年人健康管理随访表
填写相应病种患者随访表
填写重性精神疾病患者管理随访表
居民出院、撤床后随访或双向转诊(转回)
年度复诊或周期性健康检查者
一般人群复诊者
重点管理人群
老年人
慢性病患者
重性精神疾病患者
更新年检表
填写转诊记录表

四、考核指标

（一）考核主要内容：项目实施计划制定、组织管理、人员培训、经费到位和使用、建档数量和质量、档案更新与管理、服务效果、居民满意程度等。

（二）考核指标：

1. 健康档案建档率＝建档人数/辖区内常住居民数×100%

2. 健康档案合格率＝填写合格档案份数/抽查档案总份数×100%

3. 健康档案使用率＝抽查档案中有动态记录的档案份数/抽查档案总份数×100%

有动态记录的档案是指一年内健康档案记录有符合各类服务规范要求的有关医疗卫生服务记录。

五、附件（表）

1. 居民健康档案表单目录
2. 居民个人健康档案封面
3. 家庭基本信息表
4. 个人健康基本信息表
5. 健康体检表
6. 暂时性健康问题接诊记录
7. 住院信息摘要
8. 会诊记录表
9. 转诊记录表
10. 双向转诊（转出）单
11. 双向转诊（回转）单
12. 居民健康档案信息卡

附表1：

居民健康档案表单目录

1. 居民个人健康档案封面
2. 个人基本信息表
3. 健康体检表
4. 重点人群管理记录表（见各专项服务规范相关表单）
   4.1　0～36个月儿童健康服务记录表
   4.2　孕产妇健康管理服务记录表
   4.3　老年人健康管理服务记录表
   4.4　预防接种服务记录卡
   4.5　传染病报告和处理服务记录表
   4.6　高血压患者管理服务记录表
   4.7　糖尿病患者管理服务记录表
   4.8　重性精神疾病患者管理服务记录表
5. 其他医疗卫生服务记录表
   5.1　暂时性健康问题接诊记录
   5.2　会诊记录表

5.3 转诊记录表

5.4 双向转诊单

5.4.1 双向转诊（转出）单

5.4.2 双向转诊（回转）单

附表2：

居民个人健康档案封面

家庭档案号：□□□□□□□□□□□□□□□□□□□

山东省城市社区居民健康档案

街道（乡镇）______居（村）委会______

户主姓名______联系电话______

家庭住址______路______小区

______楼号______单元______室

家庭成员______人　建立健康档案______人份

建档单位______建档医生______

建档日期______年______月______日

附表3：

家庭基本信息表

1. 家庭成员一览表：

编　号	与户主关系	姓　名	性　别	出生日期	居住状况
1					
2					
3					
4					
5					
6					
7					

备注：

1.（1）与户主关系：1）户主　2）配偶　3）子女　4）（外）孙子女　5）父母　6）（外）祖父母　7）兄弟姐妹　8）其他

（2）居住状况：1）本地户籍常住　2）本地户籍不常住　3）外地户籍常住　4）不详

2. 住房类型：1）平房　2）楼房　居住面积（m^2）______

3. 厕所类型：1）坐式抽水式马桶　2）蹲式冲水式厕所　3）公共厕所　4）其他______

4. 家庭人均月收入：______元#

5. 是否低保户：1）是　2）否

6. 家庭通常每个月吃______斤油______克盐/月

7. 家系图#

备注：#表示选填项目

附表4：

个人健康基本信息表

1. 人口学资料

居民姓名________________个人档案号________________（18位）

身份证号：________________

工作单位________________联系电话________________

E－MAIL#________________建档医生________________

建档日期________年______月______日

居住地址：______省______市______区（县）______街道（乡）______居委会

详细地址：________________

所属片区：________________

居住状况：1）本地户籍常住　2）本地户籍不常住　3）外地户籍常住　4）不详

1.1　性别：1）男　2）女□

1.2　出生日期________年______月______日

1.3　民族：1）汉族　2）回族　3）其他______□

1.4　文化程度：1）文盲半文盲　2）小学　3）初中　4）高中或中专□
5）大专　6）本科　7）硕士及以上　9）不详

1.5　职业：1）农林牧渔水利业生产人员　2）生产运输设备操作人员及有关人员　3）专业技术人员　4）办事人员和有关人员　5）商业、服务业人员　6）国家机关、党群组织、企事业单位负责人　7）在校学生　8）家务　9）待业　10）离退休人员　11）婴幼、学龄前儿童　12）军人　13）其他劳动者□□

1.6　婚姻状况：1）未婚　2）已婚　3）丧偶　4）离异　5）已婚分居　6）其他□

1.7　医疗费支付类型：1）自费　2）公费医疗　3）城镇职工基本医疗保险　4）城镇居民基本医疗保险　5）新型农村合作医疗　6）社会医疗保险　7）商业医疗保险　8）其他（可多选）□□

1.8　医疗保险号：

1.9　新农合号：

2. 生活行为习惯

2.1　吸烟

2.1.1　你现在是否还在吸烟？□

1）是，平均每天吸烟____支（跳转至2.2）　2）否

2.1.2　过去一周中，您平均每天有多长时间处于其他人吸烟的烟雾中（被动吸烟）？□

1）没有　2）0～15分钟　3）16～30分钟　4）31～60分钟　5）61分钟～2小时　6）2小时以上

2.2　饮酒

请您回忆在过去一年里的饮酒情况，填写下表。

酒　类	不　喝	平均饮酒次数（选择其一填写）	次　数	平均每次饮酒量
高度白酒（>40度）	□	○每天○每周○每月○每年		两
中度白酒（20～40度）	□	○每天○每周○每月○每年		两
葡萄酒、黄酒、米酒	□	○每天○每周○每月○每年		两
啤酒（1杯=250毫升）	□	○每天○每周○每月○每年		杯

2.3 体力活动

2.3.1 过去1年里，您从事的工作劳动强度主要属于下列哪一种？□

1）极轻（卧床或很少活动） 2）轻度（办公室工作、修电器钟表，酒店服务员，讲课等） 3）中度（学生日常活动、汽车驾驶、电工安装、金属切削等） 4）重度（非机械化农业劳动、炼钢、舞蹈、体育运动、装卸） 5）极重

2.3.2 过去一年，你是否进行体育锻炼或运动？□

1）是 2）否（跳转至2.4.1）

2.3.3 您体育锻炼的主要类型是什么？□□

1）慢跑 2）气功 3）太极拳 4）跳舞 5）散步 6）游泳 7）登山 8）速跑 9）球类运动 10）其他____

2.3.4 过去一年，您平均锻炼的次数？□

1）每天锻炼 2）每周3次及以上 3）每周1~2次 4）每月1~3次 5）基本不锻炼

2.3.5 平均每次锻炼的时间是多少分钟？□

1）<10分钟 2）10分钟 3）20分钟 4）30分钟 5）1小时以上

2.4 其他

2.4.1 你平时的膳食习惯如何？□

1）荤素均衡 2）荤食为主 3）素食为主 4）嗜盐 5）嗜油 6）嗜糖 7）其他

2.4.2 您平时心理状况如何？□

1）正常 2）紧张 3）忧虑 4）失眠 5）不详

2.4.3 您平时每天睡眠__________小时，睡眠情况如何？□

1）正常 2）入睡困难 3）早醒 4）梦游

3. 健康状况

3.1 健康问题目录（既往史和现病史）：1）健康无疾病（跳转至3.2） 2）有疾病（填下表）□

疾病名称	诊断日期	诊断单位	处理情况	转归情况
		□□		
		□□		
		□□		
		□□		
		□□		
		□□		
		□□		

诊断单位：1）省级医院 2）市级医院 3）县（市、区）级医院 4）社区卫生服务中心（站） 5）街道（乡镇）卫生院 6）单位医院 7）村卫生室 8）个体诊所 9）未就诊 10）不详

3.2 家族史：1）无家族史（跳转至3.3） 2）有家族史（跳转至3.21）□

3.2.1 （外）祖父□□/□□/□□/□□/□□/□□/□□/其他________

3.2.2 （外）祖母□□/□□/□□/□□/□□/□□/□□/其他________

3.2.3 父亲□□/□□/□□/□□/□□/□□/□□/其他________

3.2.4 母亲□□/□□/□□/□□/□□/□□/□□/其他

3.2.5 兄弟姐妹□□/□□/□□/□□/□□/□□/□□/其他________

1）高血压 2）高血脂 3）冠心病 4）脑卒中 5）乳腺癌 6）肺癌 7）肝癌 8）胃癌 9）食道癌 10）卵巢癌 11）结肠癌 12）直肠癌 13）糖尿病 14）血友病 15）精神病 16）肥胖 17）癫痫 18）高度近视 19）哮喘 20）其他 21）拒绝回答

3.3 血型：1）A 2）AB 3）B 4）O 5）Rh阴性 6）不详□□

3.4　过敏史：1）无　2）青霉素　3）磺胺　4）其他__________　5）不详□

3.5　暴露史：1）无　2）化学品__________　3）毒物__________　4）射线__________□

3.6　遗传病史：1）无　2）有：疾病名称______□

3.7　有无残疾：1）无残疾　2）听力残疾　3）言语残疾　4）肢体残疾　5）智力残疾　6）视力残疾　7）精神残疾（可多选）□□□

4. 体格检查

4.1　身高（厘米）	□□□.□	4.6　收缩压/舒张压（mmHg）	□□□/□□□
4.2　体重（千克）	□□□.□	4.7　心电图　1）正常　2）不正常	□
4.3　体重指数（BMI）	□□□.□	4.8　空腹血糖（mmol/L）#	□□□.□
4.4　腰围（厘米）	□□□.□	4.9　餐后2小时血糖（mmol/L）#	□□□.□
4.5　视力	左眼□.□	4.10　甘油三酯（mmol/L）#	□□□.□
	右眼□.□	4.11　总胆固醇（mmol/L）#	□□□.□

附表5：

健康体检表

<table>
<tr><td colspan="2">体检机构</td><td colspan="2"></td><td colspan="2">责任医生</td><td colspan="2"></td></tr>
<tr><td colspan="2">联系电话</td><td colspan="2"></td><td colspan="2">体检日期</td><td colspan="2">年　月　日</td></tr>
<tr><td>内容</td><td colspan="7">检查项目</td></tr>
<tr><td>症状</td><td colspan="7">□无不适症状　□头痛　□头晕　□心悸　□胸闷　□胸痛　□慢性咳嗽　□咳嗽　□呼吸困难　□多饮　□多尿　□体重下降　□乏力　□关节肿痛　□视物模糊　□手脚麻木　□消瘦　□尿痛　□便秘　□腹泻　□恶心呕吐　□眼花　□耳鸣　□其他________</td></tr>
<tr><td rowspan="5">一般状况</td><td>体温</td><td colspan="2">℃</td><td>脉搏</td><td colspan="3">次/分</td></tr>
<tr><td rowspan="2">呼吸</td><td colspan="2" rowspan="2">次/分</td><td rowspan="2">血压</td><td>收缩压</td><td colspan="2">mmHg</td></tr>
<tr><td>舒张压</td><td colspan="2">mmHg</td></tr>
<tr><td>身高</td><td colspan="2">cm</td><td>体重</td><td colspan="3">kg</td></tr>
<tr><td>腰围</td><td colspan="2">cm</td><td>体重指数（BMI）</td><td colspan="3">kg/m^2</td></tr>
<tr><td rowspan="3">脏器功能</td><td>视力</td><td colspan="6">左眼________右眼________
（矫正视力：左眼________右眼________）</td></tr>
<tr><td>听力</td><td colspan="6">○听力　○听不清或无法听见（耳鼻喉科专科就诊）</td></tr>
<tr><td>运动功能</td><td colspan="6">○可顺利完成
○无法独立完成其中任何一个动作（上级医院就诊）</td></tr>
<tr><td rowspan="4">查体</td><td>皮肤、巩膜</td><td colspan="6">○正常　○黄染　○苍白</td></tr>
<tr><td>淋巴结</td><td colspan="6">○未触及　○锁骨上　○腋窝　○其他________</td></tr>
<tr><td>肺</td><td colspan="6">桶状胸：○否　○是
呼吸音：○正常　○异常________
啰　音：○干啰音　○湿啰音________</td></tr>
<tr><td>心脏</td><td colspan="6">心率______次/分
心律：○齐　○不齐　○绝对不齐
杂音：○无　○有________</td></tr>
</table>

续表

<table>
<tr><td rowspan="5">查体</td><td>腹部</td><td>压痛：○无　○有______
包块：○无　○有______
肝大：○无　○有______
脾大：○无　○有______
移动性浊音：○无　○有______</td></tr>
<tr><td>下肢水肿</td><td>○无　○单侧　○双侧不对称　○双侧对称</td></tr>
<tr><td>肛门指诊</td><td>○正常　○触痛　○包块　○其他
前列腺：○正常　○异常</td></tr>
<tr><td>其他</td><td></td></tr>
<tr><td colspan="2"></td></tr>
<tr><td rowspan="12">辅助检查</td><td>血常规</td><td>Hb ______g/L　WBC ______/L　PLT ______/L　其他______</td></tr>
<tr><td>尿常规</td><td>尿蛋白______尿糖______尿酮体______尿潜血______其他______</td></tr>
<tr><td>大便潜血</td><td>○阴性　○阳性</td></tr>
<tr><td>肝功能</td><td>ALT ______U/L，AST ______U/L，ALB ______g/L，TBIL ______umol/L，
DBIL ______umol/L</td></tr>
<tr><td>肾功能</td><td>Scr ______umol/L，BUN ______mmol/L</td></tr>
<tr><td>血脂（mmol/L）</td><td>CHO ______，TG ______，LDL－C ______，HDL－C</td></tr>
<tr><td>空腹血糖</td><td>mmol/L　｜　HBsAg　｜　○阴性　○阳性</td></tr>
<tr><td>眼底</td><td>○正常　○异常</td></tr>
<tr><td>心电图</td><td>○正常　○异常</td></tr>
<tr><td>B 超</td><td>○正常　○异常</td></tr>
<tr><td>胸片</td><td>○正常　○异常</td></tr>
<tr><td>其他</td><td>○正常　○异常</td></tr>
<tr><td>结论及建议</td><td colspan="2"></td></tr>
</table>

本表系居民接受健康检查的记录（或转录在其他医疗机构接受健康检查的信息）

附表 6：

暂时性健康问题接诊记录

诊疗时间：　　年　　月　　日	接诊医师签名：
症状	

续表

检查结果	
诊断（结论）	
处理措施	

（可作为接诊社区卫生服务机构的门诊病历记录）

附表7：

住院信息摘要

入/出院时间	年 月 日/ 年 月 日	医疗机构名称	
主治医师		医师联系电话	
出院诊断		ICD－10编码	
是否手术	○是 ○否	病案号	

续表

主要治疗措施			
疾病转归 ○痊愈 ○好转 ○恶化 ○后遗症			

附表8：

会诊记录表

姓名：　　　　　　　　　　　编号：______________________

填写内容：主要会诊原因（病人的主要情况）、会诊医生及其所在医院、会诊意见等
会诊医生：______________ 责任医生：______________ 会诊日期______年______月______日

附表9：

转诊记录表

姓名：　　　　　　　　　　　编号______________________

转出存根粘贴处	
转回存根粘贴处	

附表 10：

双向转诊（转出）单

________医院：

现有患者______因病情需要，需转入贵院，请予以接诊。请接诊医生填写回执单，交我______（机构名称）双向转诊管理办公室。

患者性别______年龄______家庭住址______联系电话______

初步诊断______转诊目的______

第一联 上级医院存留

主要现病史：

主要既往史：

主要检查结果：

已施处置：

经治医生（签字）：

联系电话：

______（机构名称）（转诊章）

年　月　日

回执单

________（机构名称）：

患者______性别______年龄______，于______年______月______日因病情需要，由贵机构转入我院______科______床，病案号______

第二联 基层医疗卫生机构存留

此致

接诊医生（签字）：

联系电话：

______医院（转诊章）

年　月　日

附表11：

双向转诊（回转）单

____________（机构名称）：

现有患者__________因病情需要，现转回贵机构，请予以接诊。请接诊医生填写回执单，交我院双向转诊管理办公室。

第一联 基层医疗卫生机构存留

诊断结果____________门诊（住院）病案号________________

疾病编码/处置编码________________________

主要检查结果：

治疗经过、下一步治疗方案及康复建议：

经治医生（签字）：

联系电话：

____________医院（转诊章）

年　月　日

回执单

____________医院：

患者______性别______年龄______，已于______年____月____日因病情需要转回我______（机构名称），患者健康档案号________

此致

第二联 上级医院存留

接诊医生（签字）：

联系电话：

____________（机构名称）（转诊章）

年　月　日

附表 12：

居民健康档案信息卡

姓名： 编号______

（正面）

姓名		性别		出生日期	年 月 日
家庭健康档案编号	□□□□-□□□□			个人健康档案编号	□□□□-□□□□-□□
血型	□A□B□O□AB			特殊血型	□Rh 阴性□Rh 阳性
□高血压□糖尿病□脑卒中□冠心病□COPD□儿童哮喘□结核病□其他疾病________					
过敏史：					

（反面）

家庭住址		家庭电话	
紧急情况联系人		联系人电话	
所属机构名称		联系电话	
责任医生或护士		联系电话	
其他说明：			

山东省健康教育服务规范

一、服务对象

辖区内居民。

二、服务内容

1. 辖区居民健康教育：宣传普及《中国公民健康素养66条》。

2. 青少年、妇女、老年人、残疾人、0~36个月儿童父母等重点人群健康教育。

3. 合理营养、控制体重、加强锻炼、应付紧张、改善睡眠、戒烟、限盐、限酒、控制药物依赖等可干预的健康危险因素基本知识健康教育。

4. 重点慢性病和传染病健康教育：包括高血压、糖尿病、冠心病、哮喘、乳腺癌和宫颈癌、结核病、肝炎、艾滋病等健康问题。

5. 公共卫生问题健康教育：包括食品卫生、突发公共卫生事件等卫生问题。

具体方法如下：

1. 制定年度健康教育工作计划。基层医疗卫生机构要做好健康教育的年度计划，保证可操作性和可实施性。计划应包括六个方面的具体内容：健康教育的内容、形式与时间、实施和质量控制方法、组织实施流程、人员安排、设备和材料准备、效果评价等。

2. 发放健康教育资料。一是发放印刷资料，包括健康教育折页、健康教育处方和健康手册等。放置在基层医疗卫生机构的候诊区、诊室、咨询台等处，供居民免费索取。每个机构每年提供不少于12种内容的印刷资料。二是播放音像资料，包括录像带、VCD、DVD等视听传播资料，基层医疗卫生机构正常应诊时间，在门诊候诊区或观察室内循环播放。

3. 设置健康教育宣传栏。社区卫生服务中心和乡镇卫生院宣传栏不少于2个，社区卫生服务站和村卫生室宣传栏不少于1个，每个宣传栏的面积不少于2平方米。宣传栏一般设置在机构的户外、健康教育室、候诊室、输液室或收费大厅的显眼处，距地面1.5~1.6米高的位置。专栏应标有机构名称，应根据健康教育规律、季节、疾病流行情况、社会活动等及时更新，社区卫生服务中心和乡镇卫生院健康教育宣传栏内容每年更新不少于12次，社区卫生服务站和村卫生室每年更新不少于6次。

4. 开展公众健康咨询活动。在各种卫生宣传日、健康主题日、节假日，利用会议、集会、电影放映等社会活动，开展特定主题的健康教育宣传活动和公众健康咨询活动，发放健康教育宣传资料。社区卫生服务中心和乡镇卫生院每年公众健康咨询宣传活动不少于6次。

5. 举办健康教育讲座。以普及居民健康素养基本知识技能和预防传染病、慢性病、多发病为重点内容，以高血压、糖尿病、结核病等慢性病、精神分裂症患者及家属、孕产妇、0~36个月儿童家长等为主要对象，定期举办健康讲座，引导居民学习和掌握健康知识及必要的健康技能，促进辖区内居民的身心健康。社区卫生服务中心和乡镇卫生院每月举办健康教育讲座应不少于1次。

6、健康教育工作资料档案管理。城市社区卫生服务机构、乡镇卫生院、村卫生室要有完整的健康教育活动记录，应及时收集、整理、妥善保管健康教育素材、记录、总结、评价等资料，包括文字、图片、影音文件等，逐步建立完备的工作档案，以便工作考核和效果评价。

三、服务流程

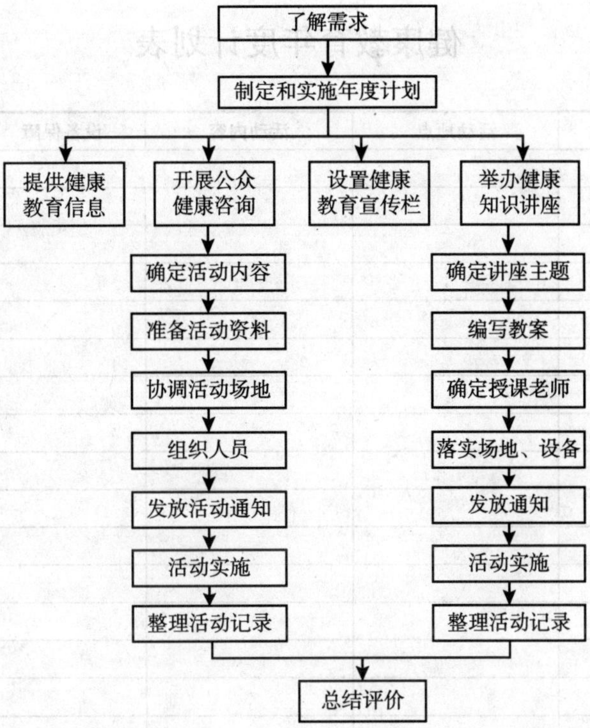

四、服务要求

1. 配备专（兼）职人员开展健康教育工作，每年至少接受上一级健康教育专业知识和技能培训不少于8学时。

2. 具备开展健康教育的场地、设备、设施，并保证设施设备完好，正常使用。

3. 基层医疗卫生机构要做好健康教育的年度计划，保证其可操作性和可实施性。计划应包括六个方面的具体内容：确定每次健康教育的内容、形式与时间、实施质量控制的方法、组织实施过程的流程、选定工作人员、落实设备。

4. 健康教育内容要通俗易懂，并确保其科学性、时效性。

5. 要有完整的健康教育活动记录和资料，包括文字、图片、影音文件等，并存档保存。每年做好年度健康教育工作的总结评价。

6. 基层医疗卫生服务机构要加强与街道办事处、乡政府、村（居）委会、预防保健机构、综合医院、社会团体等辖区其他单位的沟通和协调。

五、考核指标

1. 每年发放不少于12种健康教育印刷材料。

2. 每年播放不少于6种的健康教育音像材料。

3. 每年组织不少于6次面向公众的健康教育咨询活动。

4. 是否按照标准设置了健康宣传栏、宣传栏内容是否每季度更换1次。

5. 每年举办不少于12次健康教育讲座。

6. 机构有具体的健康教育计划、总结、评价和健康教育活动的完整记录。

六、附表

1. 健康教育年度计划表

2. 健康教育活动记录表

附表1：

健康教育年度计划表

活动形式	活动时间	活动地点	活动内容	设备保障	资金预算	负责人
提供健康教育资料						
1.						
2.						
3.						
4.						
5.						
6.						
7.						
8.						
9.						
10.						
11.						
12.						
13.						
14.						
15.						
16.						
17.						
18.						
健康教育宣传栏						
19.						
20.						
21.						
22.						
公众健康教育咨询						
23.						
24.						
25.						
26.						
27.						
28.						
健康教育讲座						
29.						
30.						
31.						
32.						
33.						
34.						
35.						
36.						
37.						
38.						
39.						
40.						

附表 2：

健康教育活动记录表

填表时间： 年 月 日

活动时间：	活动地点：
活动形式：	主办单位：
活动对象：	合作伙伴：
参与人数：	宣传品发放种类及数量：
活动记录：	
存档材料请附后 □书面材料 □图片材料 □印刷材料 □影音材料 □居民签到表 □其他材料	

负责人（签字）

山东省预防接种服务规范

一、服务对象

辖区内 0～6 岁适龄儿童和其他重点人群。

二、服务内容

1. 儿童预防接种证（卡）管理。及时为辖区所有 0～6 岁适龄儿童建立预防接种证和预防接种卡等儿童预防接种档案。

2. 根据国家免疫规划疫苗免疫程序，确定受种对象。在重点地区，对重点人群进行针对性接种，包括出血热疫苗、炭疽疫苗和钩体疫苗。为 1994～2001 年出生儿童进行乙肝疫苗群体性预防接种工作。

3. 采取预约、通知单、电话、手机短信、网络、口头、广播通知等适宜方式，通知儿童监护人，告知接种疫苗的种类、时间、地点和相关要求。在边远山区、海岛、牧区等交通不便的地区，可采取入户巡回的方式进行预防接种。在流动人口相对集中的地方，可设立临时接种点，适度增加门诊开放的频率和服务时间等，提供便利的接种服务。

4. 接种前的工作。接种工作人员在接种前应查验儿童预防接种证、卡（簿）或电子档案，核对受种者姓名、性别、出生日期及接种记录，确定本次受种对象、接种疫苗的品种，并填写知情同意书。

5. 接种工作人员在实施接种前，应当告知受种者或者其监护人所接种疫苗的品种、作用、禁忌、不良反应以及注意事项，询问受种者的健康状况以及是否有接种禁忌等，并如实记录告知和询问情况。

6. 接种时的工作。接种工作人员在接种操作前再次查验核对受种者姓名、预防接种证、接种凭证和本次接种的疫苗品种，核对无误后严格按照《预防接种工作规范》规定的剂量、接种部位、疫苗接种方法、安全注射等要求予以接种。

7. 接种后的工作。告知儿童监护人，受种者在接种后应留在留观室观察 30 分钟。接种后及时在预防接种证、卡（簿）上记录所接种疫苗的年、月、日及批号。与儿童监护人预约下次接种疫苗的种类、时间和地点。

8. 处理、报告和登记疑似预防接种异常反应。如发现疑似预防接种异常反应，接种人员应及时诊治，按照“常见的预防接种一般反应处置原则”进行处理。及时填写相关记录表，并向所在地的县级疾病预防控制机构、药品不良反应监测机构报告。

三、服务流程

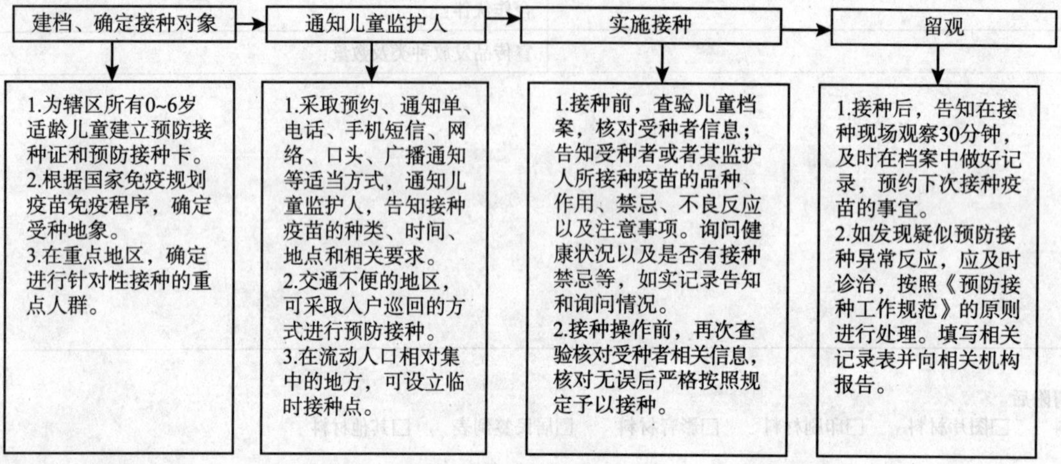

四、服务要求

1. 接种单位要求。接种单位必须具有《医疗机构执业许可证》；具有经过县级及以上卫生行政部门组织的预防接种专业培训并考核合格的执业医师、执业助理医师、护士或者乡村医生；具有符合《疫苗储存和运输管理规范》规定的冷藏设施、设备和冷链管理制度。

2. 接种人员要求。承担预防接种的人员应当具备执业医师、执业助理医师、护士或者乡村医生资格，并经过县级及以上卫生行政部门组织的预防接种专业培训，考核合格后方可上岗。

3. 规范疫苗、冷链管理。严格执行《疫苗流通和预防接种管理条例》和《疫苗储存和运输管理规范》进行疫苗的领发和冷链管理，保证疫苗质量。

4. 儿童预防接种证（卡）管理。严格执行《预防接种工作规范》，由实施接种工作人员填写，书写工整、文字规范、填写准确。

5. 主动发现预防接种对象。基层医疗卫生机构要积极通过民政、公安等多种渠道，采取各种办法，主动发现未建卡建证的儿童。

6. 接种服务。至少每半年对责任区内儿童的预防接种卡进行1次核查和整理。合理安排接种门诊日，有条件的机构每周至少开展2次接种服务。

五、考核指标及解释

1. 建证率＝年度辖区内建立预防接种证人数/年度辖区内应建立预防接种证人数×100%。

2. 建卡率＝年度辖区内建立预防接种卡人数/年度辖区内应建立预防接种卡人数×100%。

3. 某种疫苗接种率＝年度辖区内某种疫苗年度实种人数/某种疫苗年度应种人数×100%。

六、附表

1. 疫苗免疫程序

2. 预防接种卡

附表 1：

疫苗免疫程序

疫　苗	接种对象月（年）龄	接种剂次	接种部位	接种途径	接种剂量/剂次	备　注
乙肝疫苗	0、1、6 月龄	3	上臂三角肌	肌内注射	酵母苗 5μg/0.5ml，CHO 苗 10μg/1ml、20μg/1ml	出生后 24 小时内接种第 1 剂次，第 1、2 剂次间隔≥28 天
卡介苗	出生时	1	上臂三角肌中部略下处	皮内注射	0.1ml	
脊灰疫苗	2、3、4 月龄，4 周岁	4		口服	1 粒	第 1、2 剂次，第 2、3 剂次间隔均≥28 天
百白破疫苗	3、4、5 月龄，18～24 月龄	4	上臂外侧三角肌	肌内注射	0.5ml	第 1、2 剂次，第 2、3 剂次间隔均≥28 天
白破疫苗	6 周岁	1	上臂三角肌	肌内注射	0.5ml	
麻风疫苗（麻疹疫苗）	8 月龄	1	上臂外侧三角肌下缘附着处	皮下注射	0.5ml	
麻腮风疫苗（麻腮疫苗、麻疹疫苗）	18～24 月龄	1	上臂外侧三角肌下缘附着处	皮下注射	0.5ml	
乙脑减毒活疫苗	8 月龄，2 周岁	2	上臂外侧三角肌下缘附着处	皮下注射	0.5ml	
A 群流脑疫苗	6～18 月龄	2	上臂外侧三角肌附着处	皮下注射	30μg/0.5ml	第 1、2 剂次间隔 3 个月
A＋C 流脑疫苗	3 周岁，6 周岁	2	上臂外侧三角肌附着处	皮下注射	100μg/0.5ml	2 剂次间隔≥3 年；第 1 剂次与 A 群流脑疫苗第 2 剂次间隔≥12 个月
甲肝减毒活疫苗	18 月龄	1	上臂外侧三角肌附着处	皮下注射	1ml	
出血热疫苗（双价）	16～60 周岁	3	上臂外侧三角肌	肌内注射	1ml	接种第 1 剂次后 14 天接种第 2 剂次，第 3 剂次在第 1 剂次接种后 6 个月接种
炭疽疫苗	炭疽疫情发生时，病例或病畜间接接触者及疫点周围高危人群	1	上臂外侧三角肌附着处	皮上划痕	0.05ml（2 滴）	病例或病畜的直接接触者不能接种
钩体疫苗	流行地区可能接触疫水的 7～60 岁高危人群	2	上臂外侧三角肌附着处	皮下注射	成人第 1 剂 0.5ml，第 2 剂 1.0ml 7～13 岁剂量减半，必要时 7 岁以下儿童依据年龄、体重酌量注射，不超过成人剂量 1/4	接种第 1 剂次后 7～10 天接种第 2 剂次
乙脑灭活疫苗	8 月龄（2 剂次）2 周岁，6 周岁	4	上臂外侧三角肌下缘附着处	皮下注射	0.5ml	第 1、2 剂次间隔 7～10 天
甲肝灭活疫苗	18 月龄，24～30 月龄	2	上臂三角肌附着处	肌内注射	0.5ml	2 剂次间隔≥6 个月

注：1. CHO 疫苗用于新生儿母婴阻断的剂量为 20μg/ml。2. 未收入药典的疫苗，其接种部位、途径和剂量参见疫苗使用说明书。

附表2：

预防接种卡

儿童编码：________________
身份证号：________________
出生证号：________________
儿童姓名：__________性别：______出生日期：______年______月______日______时
出生医院：________________　　　　　出生体重：__________千克
监护人姓名：__________与儿童关系：______联系电话：__________
家庭住址：______省______市______县______乡（镇、街道）______村（居委会）
户籍地址：______省______市______县______乡（镇、街道）
异常反应史：________________________________
接种禁忌：________________________________
传染病史：________________________________
迁入时间：____年____月____日　迁出时间：____年____月____日　迁出原因：______
建卡日期：______年______月______日　建卡人：______

疫苗与剂次		接种日期	接种部位	疫苗批号	有效日期	生产企业	接种医生	备　注
乙肝疫苗	1							
	2							
	3							
卡介苗								
脊灰疫苗	1							
	2							
	3							
	4							
百白破疫苗	1							
	2							
	3							
	4							
白破疫苗								
麻风疫苗								
麻腮风疫苗	1							
	2							
麻腮疫苗								
麻疹疫苗	1							
	2							
A群流脑疫苗	1							
	2							

续表

疫苗与剂次		接种日期	接种部位	疫苗批号	有效日期	生产企业	接种医生	备 注
A+C群流脑疫苗	1							
	2							
乙脑减毒活疫苗	1							
	2							
乙脑灭活疫苗	1							
	2							
	3							
	4							
甲肝减毒活疫苗								
甲肝灭活疫苗	1							
	2							

填表说明

1. “儿童编码”为儿童18位唯一码，由“建档县国标码6位+建档接种单位编码4位（乡编号2位+接种单位编号2位）+出生年份4位+流水号4位”组成，可通过儿童预防接种信息管理系统自动生成，是查询儿童信息的识别码，也是条形码等识别介质中的识别码。与“身份证号”和“出生证号”一样，“儿童编码”确定后，不得更改。

2. “儿童姓名”可暂缺，儿童取名后应及时补充记录；“出生日期”和其他各种日期均为公历日期，按年/月/日格式填写；“监护人姓名”只填写一个，并在“与儿童关系”中注明母亲、父亲或其他关系；“家庭住址”应详细填写至门牌号，“户籍住址”只填写至乡级。“异常反应史”、“接种禁忌”和“传染病史”在每次接种前询问后填写。

3. 每次完成接种后，接种医生应将接种日期、接种部位、疫苗批号、生产企业、接种单位等内容登记到预防接种证中，并及时签名；同时将接种日期、接种部位、疫苗批号、有效日期、生产企业、接种医生等内容登记到儿童预防接种卡中。其中，“接种部位”只填写注射用疫苗的接种部位：1—左侧，2—右侧；“有效日期”指有效截至日期。

4. “备注”栏用于记录某疫苗某剂次接种的其他重要信息，例如：接种乙肝疫苗的种类（酵母苗/CHO苗）、接种百白破疫苗的种类（全细胞苗/无细胞苗）、特殊情况下的不同接种剂量，等等。

山东省传染病报告和处理服务规范

一、服务对象

辖区内法定传染病病例、疑似病例、密切接触者及相关人群。

二、服务内容

1. 培训

定期对本单位医护人员进行传染病防治知识、技能的培训。参加省、市、县疾控机构组织的对医师的传染病病例诊断标准的培训。

2. 发现、登记

填写门诊日志及入、出院登记本。首诊医生在诊疗过程中发现传染病病例、疑似病例时，必须认真填写门诊日志、出入院登记/转诊本，并由首诊医生或其他执行职务的人员负责按照要求填写《中华人民共和国传染病报告卡》。

3. 报告

（1）报告程序与方式

已开通传染病疫情监测信息系统的单位，使用传染病疫情监测信息系统报告，《传染病报告卡》按时间及病种顺序整理归档，作为本单位报告传染病的业务依据。未开通传染病疫情监测信息系统的单位，视疫情具体情况按法律法规的要求通过传真、电话等方式尽快进行疫情报告，同时送（寄）出传染病报告卡，在《传染病登记本》上记录报告卡的基本信息，作为本单位报告传染病的业务依据。根据疫情，当怀疑有传染病暴发流行的可能时，应向当地卫生行政部门报告。

（2）报告时限

发现甲类传染病和乙类传染病中的肺炭疽、传染性非典型肺炎、脊髓灰质炎、人感染高致病性禽流感及其他按甲类管理传染病的病例或疑似病例时，或发现其他传染病和不明原因疾病暴发时，应于2小时内将传染病报告卡通过网络报告；未实行网络直报的，应于2小时内以最快的通讯方式（电话、传真）向当地县级疾病预防控制机构报告，并于2小时内寄送出传染病报告卡。

对其他乙、丙类传染病病例、疑似病例和规定报告的传染病病原携带者，在诊断后实行网络直报的责任报告单位应于24小时内进行网络报告；未实行网络直报的责任报告单位应于24小时内寄送出传染病报告卡。

（3）做好传染病报告的订正和补报工作

4. 处理

（1）病例转诊。将病人及其病历记录复印件一并转至具备相应救治能力的医疗机构。

（2）消毒处理。依照法律、法规的规定，对本单位内被传染病病原体污染的场所、物品以及医疗废物，实施消毒和无害化处置。

（3）病例随访。协助疾病控制机构做好重点管理传染病居家病例的随访工作。

（4）密切接触者管理。协助疾病控制机构查找密切接触者，按照有关要求协助做好管理工作。

5. 协助上级专业防治机构做好重大传染病治疗管理。按照国家及我省确定的重大传染病防控计划，协助管理辖区内病例。逐步分担辖区结核病、艾滋病患者及感染者、血吸虫病、疟疾、慢性丝虫病、麻风病、狂犬病、手足口病、甲类与按照甲类管理的传染病、我省确定的监测传染病等病例的治疗管理工作，协助疫苗针对传染病病例监测工作，相关技术要求参照各病种有关项目规定。

三、服务流程

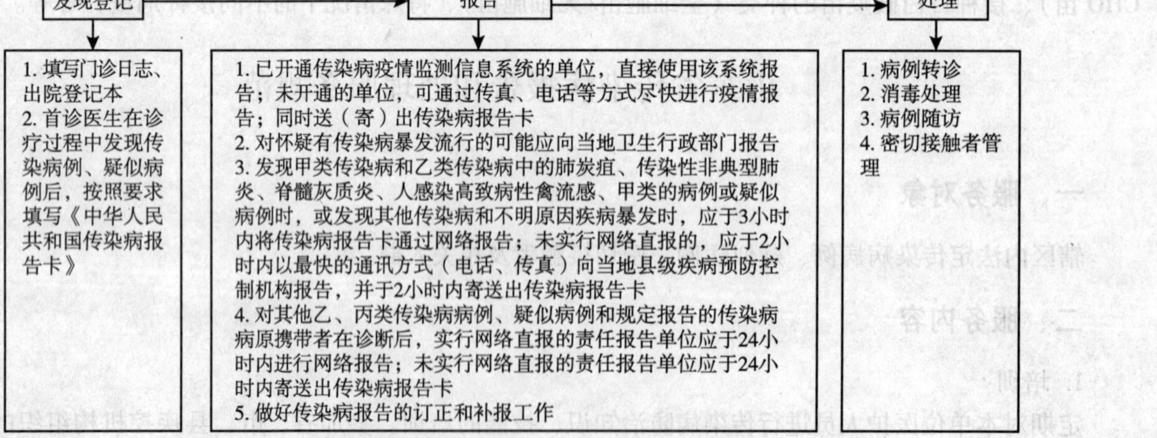

四、服务要求

1. 乡镇卫生院、社区卫生服务中心要建立健全传染病报告管理制度。配备专（兼）职人员负责传染病疫情报告管理工作，定期对工作人员进行传染病防治知识、技能的培训。

2. 传染病病种报告、报告卡填写等工作按照国家法律法规及有关管理规范执行。

3. 做好相关服务记录，《传染病报告卡》应至少保留三年。

五、考核指标及解释

1. 传染病疫情报告率＝网络直报系统中的报告卡片数/登记传染病病例数×100%。

2. 传染病疫情报告及时性＝网络直报及时的传染病病例数/登记传染病病例数×100%。

六、附件（表）

中华人民共和国传染病报告卡

附件：

中华人民共和国传染病报告卡

卡片编号：____________　　报卡类别：　1. 初次报告　2. 订正报告

报告卡带“＊”的为必填项目

患者姓名＊：________（患儿家长姓名：________）
身份证号：□□□□□□□□□□□□□□□□□□□□性别＊：□男　□女
出生日期＊：________年______月______日（如出生日期不详，实足年龄：________年龄单位：□岁□月□天）
工作单位：　　　　　　　　　　　　　　　　　　　　　　联系电话：
病人属于＊：□本县区□本市其他县区□本省其他地市□外省□港澳台□外籍
现住址（详填）＊______省______市______县（区）______乡（镇、街道）______村______（门牌号）
患者职业＊：
□幼托儿童、□散居儿童、□学生（大中小学）、□教师、□保育员及保姆、□餐饮食品业、□商业服务、□医务人员、□工人、□民工、□农民、□牧民、□渔（船）民、□干部职员、□离退人员、□家务及待业、□其他（　）、□不详
病例分类＊：（1）□疑似病例、□临床诊断病例、□实验室确诊病例、□病原携带者、□阳性检测结果（献血员） （2）□急性、□慢性（乙型肝炎、血吸虫病填写）
发病日期＊：________年______月______日（病原携带者填初检日期或就诊时间）
诊断日期＊：________年______月______日
死亡日期＊：________年______月______日
甲类传染病＊： □鼠疫、□霍乱
乙类传染病＊：
□传染性非典型肺炎、□艾滋病、病毒性肝炎（□甲型、□乙型、□丙型、□戊型、□未分型）、□脊髓灰质炎、□人感染高致病性禽流感、□麻疹、□流行性出血热、□狂犬病、□流行性乙型脑炎、□登革热、□甲型 H1N1 流感炭疽（□肺炭疽、□皮肤炭疽、□未分型）、痢疾（□细菌性、□阿米巴性）、肺结核（□涂阳、□仅培阳、□菌阴、□未痰检）、伤寒（□伤寒、□副伤寒）、□流行性脑脊髓膜炎、□百日咳、□白喉、□新生儿破伤风、□猩红热、□布鲁氏菌病、□淋病、梅毒（□Ⅰ期、□Ⅱ期、□Ⅲ期、□胎传、□隐性）、□钩端螺旋体病、□血吸虫病、疟疾（□间日疟、□恶性疟、□未分型）
丙类传染病＊： □流行性感冒、□流行性腮腺炎、□风疹、□急性出血性结膜炎、□手足口病、□麻风病、□流行性和地方性斑疹伤寒、□黑热病、□包虫病、□丝虫病，□除霍乱、细菌性和阿米巴性痢疾、伤寒和副伤寒以外的感染性腹泻病。

续表

其他法定管理以及重点监测传染病：□肠出血性大肠杆菌感染性腹泻 □不明原因传染病
订正病名：________ 退卡原因：________ 报告单位：________ 联系电话：________ 报告医生：________ 填卡日期*：____年____月____日
备注：

《中华人民共和国传染病报告卡》填卡说明

卡片编码：由报告单位自行编制填写。

患者姓名：填写患者的名字（性病/AIDS等可填写代号），如果登记身份证号码，则姓名应该和身份证上的姓名一致。

家长姓名：14岁以下的患儿要求填写患者家长姓名。

身份证号：尽可能填写。既可填写15位身份证号，也可填写18位身份证号。

性　　别：在相应的性别前打√。

出生日期：出生日期与年龄栏只要选择一栏填写即可，不必既填出生日期，又填年龄。
低龄儿童患者尽可能用出生日期。

实足年龄：对出生日期不详的用户填写年龄。

年龄单位：对于新生儿和只有月龄的儿童请注意选择年龄单位，默认为岁。

工作单位：填写患者的工作单位，如果无工作单位则可不填写。
学生与幼托儿童患者填写学校（幼儿园）与班级。

联系电话：填写患者的联系方式。

病例属于：在相应的类别前打√。用于标识病人现住地址与就诊医院所在地区的关系。

现住地址：现住址必须完整，农村填写到行政村下的自然村，有门牌号的应记录，城镇居民填写到门牌号。基本格式为“某某省，某某市，某某县（区），某某乡镇（街道），某某行政村（居委会）某某自然村”。如果不能填全，至少须详细填写到乡镇（街道）。现住址的填写，原则是指病人发病时的居住地，不是户籍所在地址。

职　　业：在相应的职业名前打√。

病例分类：在相应的类别前打√。乙肝、血吸虫病例须分急性或慢性填写。

发病日期：本次发病日期。

诊断日期：本次诊断日期。

死亡日期：死亡病例或死亡订正时填入。

疾病名称：在做出诊断的病名前打√。

其他传染病：如有，则分别填写病种名称，也可填写不明原因传染病和新发传染病名称。

订正病名：填写订正前所报告的病种名称。

退卡原因：填写卡片填报不合格的原因。

报告单位及联系电话：填写报告传染病的单位及其负责疫情管理的联系电话。

报告医生：报告医生签名。

填卡日期：填写本卡日期。

备　　注：用户可填写一些文字信息，如传染途径、最后确诊非传染病病名等。

注：报告卡带“*”部分为必填项目。

山东省0~36个月儿童健康管理服务规范

一、服务对象

辖区内0~36个月常住儿童。

二、服务内容

1. 新生儿第1次访视：新生儿出院后1周内，在新生儿家中进行。了解出生时情况、预防接种情况、新生儿疾病筛查情况等，观察家居环境，重点询问和观察吃奶、睡眠、大小便、黄疸、脐部情况等。对新生儿进行体格检查，测量体温。根据新生儿的具体情况，有针对性地对家长进行母乳喂养、护理和常见疾病预防指导。若发现危重症状，及时转诊。如果发现新生儿未接种卡介苗和第1剂乙肝疫苗，告诉家长尽快到基层医疗卫生机构补种。第2次访视：新生儿28～42天，在新生儿家中进行。重点询问和观察吃奶、睡眠、大小便、黄疸情况等。对新生儿进行体格检查、测量和发育评估。根据实际情况，工作人员填写新生儿访视记录和健康体检表。

2. 婴幼儿健康体检：满月后的健康管理均在基层医疗卫生机构进行，时间分别在3个月、6个月、8个月、12个月、18个月、24个月、30个月、36个月时，共8次。健康管理内容包括询问上次随访到这次之间的儿童发育和患病情况，为儿童进行体格检查、生长发育和心理行为发育评估，进行心理行为发育、母乳喂养、辅食添加、伤害预防、常见疾病防治等健康指导。

3. 对低体重、消瘦、发育迟缓者，分析原因，对家长进行针对性健康指导，及时转诊。有条件的地区可开展听力、语言、行为的评估，对此类发育评估落后的孩子及时转诊。

4. 在儿童8个月、18个月、30个月时分别进行1次血常规检测。对轻度贫血儿童的家长进行健康指导，中、重度贫血儿童建议转诊。

5. 除上述规定时间外，在儿童接受免疫规划范围内的预防接种时，基层医疗卫生机构应对儿童进行身高、体重测量，并记录在生长发育图上，接受预防接种前进行预防接种禁忌症的评估。

三、服务流程

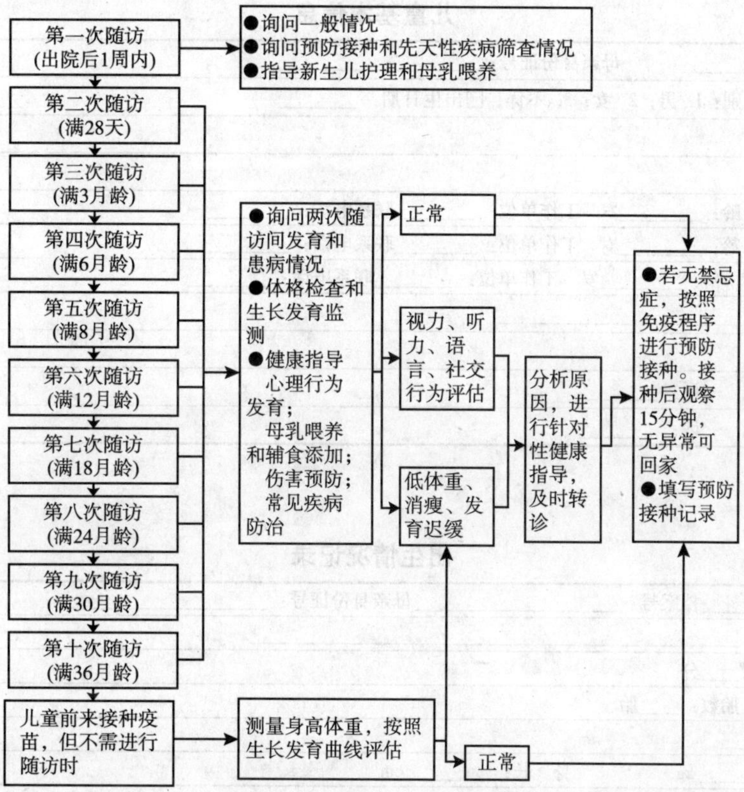

四、服务要求

1. 开展儿童健康体检的机构应当具备所需的基本设备和条件。

2. 儿童健康体检人员应取得相应的执业资格，并接受过儿童保健专业技术培训，考核合格。

3. 按照国家有关儿童保健工作规范的要求进行儿童体检工作。

4. 基层医疗卫生机构要通过孕产妇保健、预防接种、门诊等途径掌握辖区中的适龄儿童数。

5. 加强宣传，告知服务内容，使更多的儿童家长愿意接受服务。

6. 儿童健康管理在时间上应与预防接种相结合。

7. 每次服务后及时记录相关信息，纳入儿童健康档案管理。

五、考核指标及解释

1. 新生儿访视率＝年度辖区内接受1次及以上访视的新生儿人数/年度辖区内登记的活产数×100%。

2. 儿童健康体检率＝年度辖区内进行1次及以上健康体检的0～36个月儿童数/年度辖区内登记的全部0～36个月儿童数×100%。

3. 儿童系统管理率＝年度辖区中按相应要求的频次管理的0～36个月儿重数/年度辖区内登记的全部0～36个月儿童数×100%。

六、附表

1. 儿童基本信息
2. 出生情况记录
3. 新生儿疾病筛查
4. 新生儿访视记录
5. 儿童健康检查记录

附表1：

儿童基本信息

卡　　号：________	母亲身份证号：________
儿童姓名：______　性别：1. 男；2. 女；3. 不详；□出生日期：______	
建档时间：______	
父母或监护人情况：	
父亲姓名：______　年　龄：______岁　工作单位：______联系电话：______	
母亲姓名：______　年　龄：______岁　工作单位：______联系电话：______	
监护人姓名：______　年　龄：______岁　工作单位：______　联系电话：______	
住　址：________	
邮政编码：______	
建档单位：______　电　话：______	
托幼机构：______　电　话：______	

附表2：

出生情况记录

卡　号：________	档案号：________	母亲身份证号：________
分娩时孕__周　地　点：________		
时　间：______　____时____分		
第____胎　第____产　胎数：____胎		
分娩方式：________		
新生儿情况：体　重：______kg　身　长：______cm		
窒息：1）无，2）有□　复苏措施：________		
Apgar评分：1分钟______分　5分钟______分　10分钟______分		
出生缺陷：1）无，2）有□　诊断：________		
喂养情况：第一次授乳在生后______小时　喂养方式：________		
吃奶：________		
疾病情况及处理________		

附表3：

新生儿疾病筛查

卡　　号：__________	档案号：__________	身份证号：
是否已做甲状腺功能低下和苯丙酮尿症两种疾病筛查：		
初筛日期：__________	结果：PKU	甲低：
复筛日期：__________	结果：PKU	甲低：
诊　断：__________		
是否已做听力筛查：		
初筛日期：______	结果：OAE ______	声阻抗：______
复筛日期：______	结果：OAE ______	40hz-aerp（R）：______
40hz-aerp（L）：______	ABR（L）：______	ABR（R）：______
诊　断：__________		

附表4：

新生儿访视记录

卡　　号__________	档案号：__________	母亲身份证号：__________
访视日期：______	访视次数：______	实足日龄：______
喂养： 食　欲：______ 方　式：______	大便性状：______ 睡眠情况：______	吸吮力：______ 体　重（kg）：______
体　温：______	黄　疸：______	□　腔：______
皮　肤：______	胸　部：______	腹　部：______
脐　带：______	会　阴：______	
指导事项：__________		
检查者：__________		

附表5：

儿童健康检查记录

健康检查时间：□初生儿□42天□3月□6月□9月□12月□18月□24月□30月□36月

卡　　号：______	档　案　号：______	母亲身份证号：______	
姓名：______	出生日期：______	检查日期：______	满___月___天
基本体检信息：			
体重：______kg＊	身长：______cm＊	胸围：______cm＊	头围：______cm＊
坐高：______cm	前囟：______cm	后囟：______cm	牙齿数目（个）：______
萌出月龄（月）：______ 皮下脂肪：三角肌______cm	龋齿数（个）：______ 腹壁：______cm		
皮肤黏膜：______	头颈部：______	眼部：______	耳部：______
胸部：______			
心：1）正常，2）无异常，3）收缩期杂音，4）舒张期杂音			□
肺：1）正常，2）无异常，3）湿啰声，4）干啰声，5）水泡音，6）哮鸣声，7）捻发声，8）呼吸音粗			□
腹：1）正常，2）软，3）腹部膨隆，4）板状腹，5）舟状腹，6）蛙状腹			□

续表

肝：1）正常，2）未及，3）肋下 □
脾：1）正常，2）未及，3）肋下 □
胸廓：1）对称，2）畸形 □
脊柱四肢：1）正常，2）畸形 □
骨骼：1）正常，2）颅骨软化，3）乒乓头，4）方颅，5）肋外翻，6）鸡胸，7）漏斗胸，8）手镯 □
面色：1）红润，2）黄疸，3）苍白，4）其他 □
皮肤：1）洁，2）湿疹，3）血管瘤，4）黄疸 □
毛发：1）正常，2）稀黑，3）稀，4）黑多，5）多，6）稀黄，7）枕秃 □
口腔：1）正常，2）未查，3）鹅口疮，4）充血，5）溃疡，6）口腔黏膜出血 □
生殖器：1）女性正常，2）睾丸未降（左侧），3）睾丸已降（左侧），4）睾丸未降（右侧），5）睾丸已降（右侧），6）外生殖器畸形，7）正常 □
骨碱酶：1）正常，2）异常，3）未查 □
分髋试验：1）阳性，2）阴性 □
上肢肌张力：1）正常，2）高，3）低 □
下肢肌张力：1）正常，2）高，3）低 □
乙肝表面抗原：1）阴性（－），2）阳性（＋），3）未查，4）其他 □
甲肝抗体：1）阳性（＋） 2）阴性（－） □
淋巴结：1）未及 2）肿大 3）正常 □
听力左：1）未检，2）通过，3）未通过□；听力右：1）未检，2）通过，3）未通过 □
视力左：1）未检，2）通过，3）未通过□；视力右：1）未检，2）通过，3）未通过 □
其他：
DDST：1）正常，2）异常，3）可疑，4）不能测查 □
Hb：________ g/L RBC：________ 10^{12}/L WBC：________ 10^{9}/L
发育初筛：1）正常 2）可疑 3）迟缓 4）其他 □ 智力指导：________ 活动指导：________其他疾病：________
微量元素：
锌：1）正常，2）偏高，3）偏低，4）未查 □
铁：1）正常，2）偏高，3）偏低，4）未查 □
钙：1）正常，2）偏高，3）偏低，4）未查 □
锡：1）正常，2）偏高，3）偏低，4）未查 □
铅：1）正常，2）偏高，3）偏低，4）未查 □
碘：1）正常，2）偏高，3）偏低，4）未查 □
镁：1）正常，2）偏高，3）偏低，4）未查 □
铜：1）正常，2）偏高，3）偏低，4）未查 □
铬：1）正常，2）偏高，3）偏低，4）未查 □
既往史：
□病理性黄疸 □缺血缺氧性脑病 □病毒性脑炎 □支气管肺炎 其他________
神经：
□吮吸反射 □拥抱反射 □握持反射 □跟腱反射 □Kernig 征

续表

□Brudzinski 征　□腹壁反射______　□提睾反射______　其他______
评价结果： 身高评价：________　体重评价：________ W/H：________　头评价：________
体检结果：
1）佝偻病（无），2）佝偻病（有），3）佝偻病（重度）□ 1）贫血（无），2）贫血（中度），3）贫血（轻度），4）贫血（重度），5）贫血（极重度）□ 1）营养正常，2）营养不足（轻度），3）营养不足（中度），4）营养不足（重度），5）营养过剩（轻度），6）营养过剩（中度），7）营养过剩（重度），8）以往营养不良，现在营养正常□ 检查诊治情况：________
指导事项________　检　查　者：________　下次检查日期：________＊

山东省孕产妇保健服务规范

一、服务对象

辖区内所有孕产妇。

二、服务内容

1. 做好新婚或者孕前卫生咨询及优生优育指导，孕12周前为孕妇建立《孕产妇保健手册》，进行1次孕早期保健服务和指导。

（1）孕妇健康情况评估：询问病史、家族史等，观察体态、精神等，并进行一般体检、妇科检查和实验室检查（血常规、尿常规、肝功能、肾功能等）。

（2）开展孕早期卫生、心理和营养保健指导，特别要强调避免致畸因素和疾病对胚胎的不良影响。

（3）对发现有妊娠结局的孕妇，需及时转诊到上级医疗机构做进一步诊查，并在2周内对转诊结果进行随访。

2. 孕16～24周、24～28周各进行1次产前保健服务，对孕妇的健康状况和胎儿的生长发育情况进行评估和指导。

（1）孕妇健康情况评估：通过询问、观察、产科检查、实验室检查对孕妇健康和胎儿的生长发育状况进行评估，识别需要作产前诊断和有异常需要转诊的孕妇。

（2）对未发现异常的孕妇，除了进行孕期的一般保健、心理、运动和营养指导外，孕16～20周重点进行预防出生缺陷的产前筛查和产前诊断的宣传告知，并建议到上级医院进行相应检查。

（3）孕24～28周重点加强自我监护方法指导、母乳喂养指导和分娩准备教育，建议孕24～28周到上级医疗机构进行妊娠期糖尿病筛查，并落实孕28周转上级医疗机构继续产前检查和住院分娩。

（4）对发现有异常的孕妇，要转上级医疗机构。

（5）对出现危急征象的孕妇，要立即转上级医疗机构急诊。

3. 孕28～36周、37～40周各进行1次产前保健服务，有高危因素的孕妇酌情增加产前保健次数。了解孕妇的健康情况和胎儿的生长发育的情况，并进行指导。

（1）询问前次产前检查之后有无特殊情况出现。

（2）测量体重及血压，检查有无水肿及其他异常，复查血常规、尿常规。

（3）复查胎位，听胎心率，测宫高、腹围，并注意胎儿大小与孕周是否相符。

（4）进行保健宣传教育并预约下次复诊日期。

4. 产妇分娩出院后，分别于7天内和14～28天到产妇家中进行产后随访各1次，进行产褥期保健，加强母乳喂养和新生儿护理指导。有条件的地区，产后28天随访可在医疗机构进行。

（1）通过观察、询问和检查，了解产妇一般情况、乳房、子宫、出血和恶露、会阴或腹部伤口恢复等情况。

（2）对康复正常的产妇和一般异常如母乳喂养、产后便秘、痔疮、会阴伤口等问题的产妇要进行产褥期保健指导和相关问题处理。

（3）发现有其他异常如产后感染、产后出血、子宫复旧不佳、妊娠合并症未恢复者以及产后抑郁等问题的产妇，应及时转至上级医疗机构治疗。

（4）通过观察、询问和检查了解新生儿的基本情况。

（5）对生长发育正常的新生儿或有一般异常问题者，可以进行新生儿保健指导和对相关问题进行处理，出生30天后转入儿童系统保健。

（6）对发现患先天性疾病新生儿或有其他不能处理的异常问题者转上级医疗机构。

5. 产后42天对产妇进行健康检查。

（1）为正常产妇做产后健康检查，异常产妇到原分娩医疗机构检查。

（2）通过询问、观察、一般体检和妇科检查，必要时做实验室及相关检查对产妇恢复情况进行评估。

（3）对康复正常者进行计划生育、卫生保健、坚持6个月母乳喂养等指导。

三、服务流程

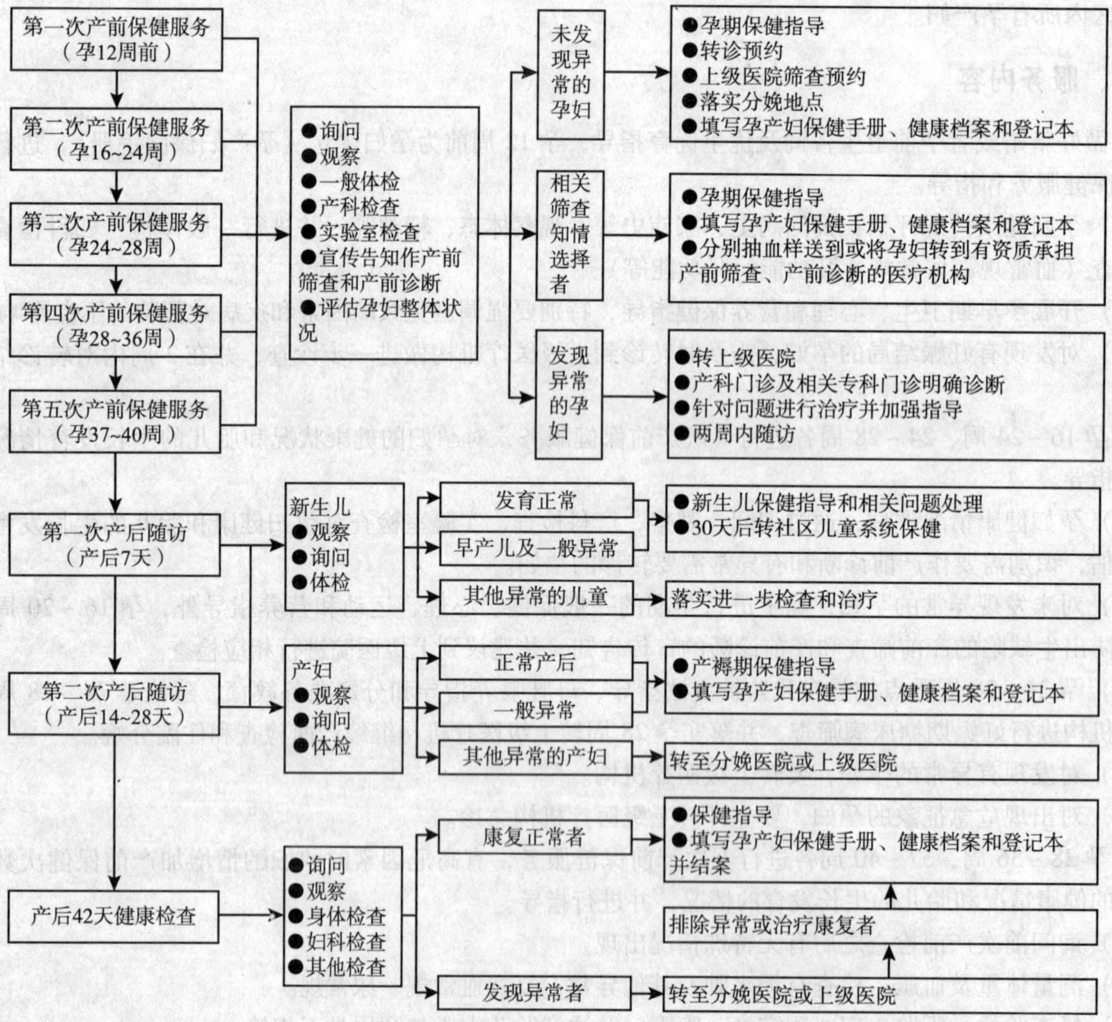

四、服务要求

1. 开展孕产妇保健的机构应当具备所需的基本设备和条件。

2. 孕产妇保健人员应取得相应的执业资格，并接受过孕产妇保健专业技术培训，考核合格。

3. 按照国家有关孕产妇保健工作规范的要求进行孕产妇保健工作。

4. 加强与村（居）委会、妇联、计生等相关部门的联系，掌握辖区内孕产妇人口信息。

5. 加强宣传，告知服务内容，使更多的居民愿意接受服务。提高早孕建册率。

6. 将每次保健服务的信息及检查结果准确、完整地记录在《孕产妇保健手册》、《孕产妇健康档案》和《孕产妇保健服务登记本》上。

五、考核指标及解释

1. 早孕建册率 = 辖区内怀孕 12 周之前建册的人数/该地该时间段内活产数 × 100%。

2. 合格产前检查率 = 辖区内按照规范要求，在孕期接受 5 次产前保健服务的人数/该地该时间段内活产数 × 100%。

3. 产后访视率 = 辖区内产后 28 天内的接受过一次及以上产后访视的产妇人数/该地区该时间段活产数 × 100%。

六、附表

1. 孕产妇基本信息
2. 第一次产前保健服务记录表
3. 第二、三、四、五次产前保健服务记录表
4. 住院分娩简要记录
5. 产后访视记录
6. 产后 42 天健康检查记录

附表 1：

孕产妇基本信息

卡　　号：________档案号：________身份证号：________	
孕妇姓名：________年龄：________	
文化程度：1）文盲　2）小学　3）初中　4）高中　5）中专　6）大专　7）本科　8）硕士　9）博士　10）其他	□
职业：1）工人，2）农民，3）教师，4）公务员，5）自由职业者，6）个体户，7）军人，8）医生，9）无业，10）其他	□
户口所在地：________乡、镇（街道）________号（村） 民族：1）汉族，2）回族，3）其他	□
现　住　址：________乡、镇（街道）________村（号）　电话：________	
产后休养地：________乡、镇（街道）________村（号）　电话：________	
工作单位：________　　电　话：________	
丈夫姓名：________　年　龄：________　文化程度：________　民族：________	
工作单位：________　电　话：________ 职业：1）工人，2）农民，3）教师，4）公务员，5）自由职业者，6）个体户，7）军人，8）医生，9）无业，10）其他	□
建档单位：________　建档时间：________　电话：________	

附表2：

第一次产前保健服务记录表

姓名：　　　　　　　　　　　　　　编号

住院号		本人年龄		户口	1本市 2外地 ☐	
丈夫姓名		丈夫年龄		胎次		产次
联系电话				丈夫电话		

户口地址			
产后休养地址			
末次月经	年 月 日	预产	年 月 日
建册日期	年 月 日	建册	
既往疾病史	1无 2心脏病 3肾脏病 4肝脏病 5高血压 6贫血 7糖尿病 8其他		

第一次产前检查日期		孕周	
身高（cm）		体重（kg）	
BMI指数		血　压	
心脏听诊		肺部听诊	
妇科检查	外阴	阴道	
	宫颈	子宫	
	附件		
实验室检查	血常规：		
	尿常规：		
	肝功能*：		
	肾功能*：		
	白带*：		
梅毒筛查结果*：			
HIV结果*：			
总体评估			

年龄≥35或<18岁 ☐	生殖道异常或手术史 ☐
遗传性疾病史 ☐	内分泌疾病 ☐
妊娠剧吐 ☐	精神神经疾病 ☐
血色素<110g/L ☐	传染性疾病（含STIs、RTIs等） ☐
RPR阳性 ☐	免疫性疾病 ☐
肝肾功能异常 ☐	阴道出血 ☐
BMI指数异常 ☐	妊娠剧吐 ☐
妊娠期合并症、并发症 ☐	急腹痛 ☐
处理及建议：	

注：*有条件的地区，可选择开展的项目

附表 3：

第二、三、四、五次产前保健服务记录表

姓名：　　　　　　　　编号________

检查日期	孕周	自觉症状					血压 mmHg	体重 kg	宫高 cm	腹围 cm	胎位	胎心音 bpm	水肿	尿蛋白	血红蛋白 g/l	处理及建议			预约日期	备注	检查医生签字
		胎动	腹痛	阴道出血	头晕眼花	其他										保健指导	相关检查	转诊指征			

附表4：

住院分娩简要记录

基本信息：
卡号：______档案号：______身份证号：______
住院号：______
分娩地点：______分娩日期：______
孕周：______周 孕次：______次 产次：______次 胎方位：______
分娩方式：1无，2）顺产，3吸头，4臀位助产，5剖宫产，6产钳 □ 胎数：______
产程时间：
第一产程：______小时______分 第二产程：______小时______分
第三产程：______小时______分 共计：______小时______分
与分娩相关的其他情况：
胎盘娩出：______
出血量：______毫升 产后血压：______mmHg 是否高危：______
产时异常情况：______
会阴情况：______
母婴同室：______
并发症： 先兆子痫□子痫□羊水过多□骨盆异常□前置胎盘□急产□滞产□胎盘早剥□胎内宫内窘迫□

附表5：

产后访视记录

卡号：______ 档案号：______ 孕妇身份证号：______		
孕妇姓名：______ 分娩日期：______ 访视次数：______		
产后天数（天）：______ 体温（℃）：______		
血压（mmHg）		______
乳房	乳汁	______
	红肿	______
	乳头	______
子宫情况	宫高	______
	质地	______
	压痛	______
会阴情况：______		
恶露	色	______
	味	______
	量	______
其他		______
处理		______
访视者		______
分娩方式：______ 新生儿性别：1）男，2）女□ 体重：______kg		
母亲出院诊断：______ 特殊情况：______		
婴儿出院诊断：______ 特殊情况：______		
住院期间婴儿喂养方式：______		

附表 6：

产后 42 天健康检查记录

基本信息：
卡号：______ 档案号：______ 母亲身份证号：______
姓名：______ 检查日期：______ 产后天数：______天
母亲的一般情况：
血压：______mmHg 乳房：______
妇科检查：
外阴：______ 阴道：______ 宫颈：______
子宫：______ 附件：______
异常情况：______
处理：______
检查医师：

山东省老年人健康管理服务规范

一、服务对象

辖区内 65 岁及以上常住居民。

二、服务内容

1. 每年进行 1 次老年人健康管理。

2. 健康生活方式和健康状况评估：包括吸烟、饮酒、体育锻炼、饮食、慢性疾病常见症状和既往所患疾病、治疗及目前用药情况。

3. 体格检查：包括血压、体重、皮肤、淋巴结、乳腺、心脏、肺部、腹部、四肢肌肉关节等体格检查以及视力、听力和活动能力的一般检查。

4. 辅助检查：每年检查 1 次随机血糖（指血）。有条件的地区建议增加血常规、尿常规、大便潜血、血脂、B 超、眼底检查、肝肾功能、心电图检查以及认知功能和情感状态的初筛检查。

5. 告知居民健康体检结果并进行相应干预。

（1）对发现已确诊的高血压患者和 2 型糖尿病患者纳入相应的慢性病患者管理。

（2）对存在危险因素且未纳入其他疾病管理的居民要定期随访。

（3）告知居民一年后进行下一次健康检查。

6. 对所有老年居民进行慢性病危险因素和流感疫苗接种、骨质疏松预防及防跌倒措施、意外伤害和自救等健康教育。

三、服务流程

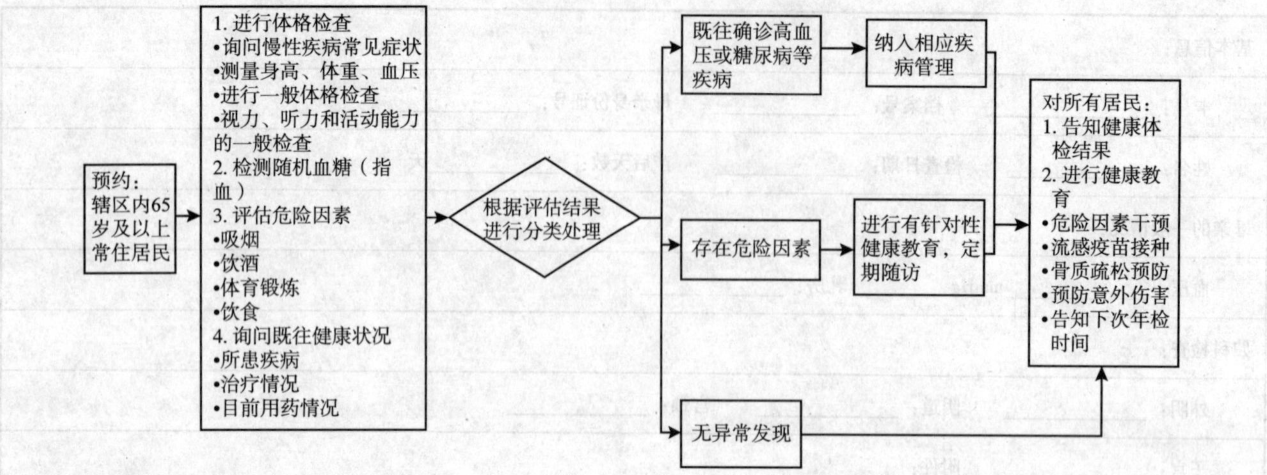

四、服务要求

1. 加强与村（居）委会、派出所等相关部门的联系，掌握辖区内老年人人口信息。
2. 加强宣传，告知服务内容，使更多的老年居民愿意接受服务。
3. 预约65岁及以上居民到基层医疗卫生机构接受健康管理。对行动不便、卧床居民可提供上门服务。
4. 每次年检后及时将相关信息记入健康档案。

五、考核指标及解释

1. 老年居民健康管理率＝接受健康管理人数/年内辖区内65岁及以上常住居民数×100%。
2. 健康检查表完整率＝填写完整的健康检查表数/抽样的健康检查表数×100%。

六、附表

1. 老年人健康体检年检表
2. 老年人健康管理随访表

附表1：

老年人健康体检年检表

姓名：　　　　　　　　　　编号＿＿＿＿＿＿＿＿＿＿

年检日期			责任医生		
内容	检查项目				
症状	1 头痛　2 头晕　3 心悸　4 胸闷　5 胸痛　6 慢性咳嗽　7 咳痰　8 呼吸困难　9 多饮　10 多尿　11 体重下降　12 乏力　13 关节肿痛　14 视力模糊　15 手脚麻木　16 消瘦　17 尿痛　18 便秘　19 腹泻　20 恶心呕吐　21 眼花　22 耳鸣　23 其他＿＿ □/□/□/□/□/□/□/□				
一般状况	体温	℃	脉搏		次/分
	呼吸	次/分	血压	左侧	/ mmHg
				右侧	/ mmHg
	身高	cm	体重		kg
	腰围	cm	BMI		kg/m^2
	老年人认知功能*	1 粗筛阴性　　2 粗筛阳性 3 简易智力状态检查量表，总分＿＿＿＿			□/□
	老年人情感状态*	1 粗筛阴性　　2 粗筛阳性 3 老年人抑郁评分检查，总分＿＿＿＿			□/□
	生活质量*	SF36 评分＿＿＿＿			

续表

年检日期		责任医生	
内容	检查项目		
脏器功能	视力	左眼____ 右眼____ （矫正视力：左眼____ 右眼____）	
	听力	1听见 2听不清或无法听见	□
	运动功能	1可顺利完成 2无法独立完成其中任何一个动作	□
查体	皮肤、巩膜	1正常 2黄染 3苍白	□
	淋巴结	1未触及 2锁骨上 3腋窝 4其他____	□
	肺	桶状胸：1否 2是 呼吸音：1正常 2异常____ 啰音：1正常 2干啰音 3湿啰音 4其他____	□ □ □
	心脏	心率____次/分 心律：1齐 2不齐 3绝对不齐 杂音：1无 2有____	□ □
	腹部	压痛：1无 2有____ 包块：1无 2有____ 肝大：1无 2有____ 脾大：1无 2有____ 移动性浊音：1无 2有____	□ □ □ □ □
	下肢水肿	1无 2单侧 3双侧不对称 4双侧对称	□
	肛门指诊*	1正常 2触痛 3包块 4其他 前列腺：1正常 2异常	□ □
	其他		
健康辅助检查	血常规*	Hb g/L WBC /L PLT /L 其他	
	尿常规*	尿蛋白 尿糖 尿酮体 尿潜血 其他	
	大便潜血*	1阴性 2阳性（见大肠癌筛查）	□
	肝功能*	ALT____U/L，AST____U/L，ALB____g/L， TBIL____umol/L，DBIL____umol/L	
	肾功能*	Scr____umol/L，BUN____mmol/L	
	血脂* mmol/l	CHO____，TG____，LDL－C____，HDL－C____	
	随机血糖	____mmol/L mg/dl	
	空腹血糖*	____mmol/L HBsAg* 1阴性 2阳性	□
	眼底*	1正常 2异常	□
	心电图*	1正常 2异常	□
	胸片*	1正常 2异常	□
	其他*		
特殊人群检查*	糖尿病 足背动脉搏动	1有 2无	□
	糖尿病 糖化血红蛋白	%	
	高血压 血生化	K^+____ Na^+____	
	COPD 症状 咳嗽	0分：无咳嗽 1分：轻度（间断咳嗽，不影响正常工作和生活） 2分：中度（介于轻度与重度之间） 3分：重度（昼夜频繁咳嗽或连续咳嗽，影响工作和睡眠）	□
	COPD 症状 咯痰	0分：无痰 1分：少（昼夜咯痰量<10ml） 2分：中（昼夜咯痰量10～50ml） 3分：多（昼夜咯痰量>50ml）	□

续表

年检日期				责任医生		
内容			检 查 项 目			
特殊人群检查*	COPD	症状	呼吸困难	0分：剧烈运动（如跑步）时感气短 1分：快步走或上楼时感气短 2分：平地正常速度行走100米感气短 3分：日常活动（如穿衣、起床）感气短 4分：静息状态下感气短		□
		查体	口唇紫绀	1无　2有		□
			颈静脉	1正常　2怒张		□
			哮鸣音	0分：无哮鸣音 1分：少（偶闻或仅在咳嗽，深呼吸时可闻少量哮鸣音） 2分：中（双肺可闻散在哮鸣音） 3分：多（双肺满布哮鸣音）		□
		其他	6分钟步行距离	米（稳定期患者）		
			血氧饱和度	SaO_2　%		
			肺功能	FEV1/FVC　%，FEV1		%
			COPD患者生活质量	SGRQ评分		
生活行为习惯	体育锻炼		锻炼频率	1每天　2每周一次以上　3偶尔　4不锻炼		□
			每次锻炼时间	分钟	坚持锻炼时间	年
			锻炼方式			
	饮食习惯		1荤素均衡　2荤食为主　3素食为主　4嗜盐　5嗜油　6嗜糖			□/□/□
	吸烟史		是否吸烟	1从不吸烟　2过去吸，已戒烟　3吸烟		□
			吸烟量	平均每天吸烟　支		
			开始吸烟时间*	岁	戒烟时间*	岁
	饮酒史		饮酒频率	1从不　2偶尔　3经常　4每天		□
			饮酒量	平均每天饮酒　两		
			是否戒酒*	1未戒酒　2已戒酒，戒酒时间　岁		□
			开始饮酒时间*	岁	开始饮酒时间*	岁
			主要饮酒品种	1白酒　2啤酒　3红酒　4黄酒		□/□
现存健康问题	脑血管疾病		1缺血性卒中　2脑出血　3蛛网膜下腔出血 4短暂性脑缺血发作　5其他			□/□/□/□/□
	肾脏疾病		1糖尿病肾病　2肾功能衰竭　3急性肾炎 4慢性肾炎　5其他			□/□/□/□/□
	心脏疾病		1心肌梗死　2心绞痛　3冠状动脉血运重建 4充血性心力衰竭　5心前区疼痛　6其他			□/□/□/□/□/□
	血管疾病		1夹层动脉瘤　2动脉闭塞性疾病　3其他			□/□/□
	眼部疾病		1视网膜出血或渗出　2视乳头水肿　3白内障　4其他			□/□/□
	神经系统		1无　2有			□
	其他疾病		1　　2　　3			
住院治疗情况	住院史		入/出院时间	原　因**	医疗机构名称	病案号
			/			
			/			
	家庭病床史		建/撤床时间	原　因**	医疗机构名称	病案号
			/			
			/			

续表

年检日期		责任医生		
内容	检 查 项 目			
用药情况	服药依从性：1 规律服药 2 间断服药 3 不服药 □			
	药物 1	用法 每次 mg（片） 每天 次		
	药物 2	用法 每次 mg（片） 每天 次		
	药物 3	用法 每次 mg（片） 每天 次		
	药物 4	用法 每次 mg（片） 每天 次		
	药物 5：胰岛素	用法		
吸氧 *	平均每日________小时			
非免疫规划预防接种史	流感疫苗	1 未接种 2 一次 3 二次 □		
	肺炎球菌疫苗	1 从未接种 2 近五年内接种 3 五年前接种 □		
	其他疫苗名称 1			
	其他疫苗名称 2			
健康评价	1 年检无异常 2 有异常 异常 1________ 异常 2________ 异常 3________ 异常 4________ □			
健康教育处方	定期随访： □ 1 无需 2 每两年 3 每年 4 每 3 个月	危险因素控制： □/□/□/□/□/□/□ 1 戒烟 2 健康饮酒 3 饮食 4 锻炼 5 减体重（目标________ 6 流感疫苗接种 7 肺炎疫苗接种 8 其他________		

注：* 有条件的地区，可选择开展的项目

** 如因慢性病急性发作或加重而住院/家庭病床，请特别说明

填表说明

本表项目内容应参照表格内容进行，检查结果应如实填写，未进行的检查项目不填写。检查出现异常结果，应在相应项目后填写相关说明。特别须说明的项目：

1. 症状：项目可以多选，在方框内填写相应症状编号的数字，如有其他症状，请在“其他”一栏中具体描述。

2. 一般状况：填写体温、脉搏、呼吸、血压、身高、体重、腰围的测量数值，计算体质指数（BMI）的数值。

老年人认知功能粗筛方法：告诉被检查者“我将要说三件物品的名称，如铅笔、卡车、书。请您立刻重复，过 1 分钟后再次重复。”如患者无法立即重复或 1 分钟后无法完整回忆三件物品名称为粗筛阳性，需进一步进行简易智力状态检查（详见附件）。

老年人情感状态粗筛方法：询问被检查者“你经常感到伤心或抑郁吗?”或“你的情绪怎么样?”如回答“是”或“我想不是十分好”，为粗筛阳性，需进一步进行抑郁量表检查（详见附件）。

生活质量：SF36 评分详见附件及相应软件。

3. 脏器功能：

视力填写具体数值。

听力检查：在被检查者耳旁轻声耳语“你叫什么姓名?”，注意检查者的脸在被检查者视线之外。判断被检查者听力状况。

运动功能检查：请被检查者完成以下动作：“两手触枕后部”；“捡起这支笔”；“从椅子上站起，行走几步，转身，坐下。”判断被检查者运动功能。

4. 查体：在相应描述后的方框内填写对应被选项序号的数字。如有异常请在横线上具体说明，如其他淋巴结部位、个数；心脏杂音描述；肝脾肋下触诊大小；前列腺触诊大小等。

5. 一般人群检查：检查（包括在本机构外做的）结果在相应栏内填写。

尿常规中的“尿蛋白、尿糖、尿酮体、尿潜血”阴性填“-”，阳性填“+”。如果血常规、尿常规中的其他结果阳性，请填入其他一栏中。

心电图填写诊断结果。

表中列出的检查项目以外的实验室检查结果填写在“其他”一栏。

6. 体育锻炼：指主动锻炼，即有意识地为强体健身而进行的活动。不包括因工作或其他需要而必须进行的活动，如为上班骑自行车、做强体力工作，等等。

7. 饮食习惯：项目可以多选，在方框内填写相应选项编号的数字。

8. 吸烟史：从不吸烟者不必填写“开始吸烟时间”、“戒烟时间”、“吸烟量”等。

9. 饮酒史：调查时不饮酒者不必填写其他有关饮酒史项目。饮酒量应折合相当于白酒“××两”。白酒1两折合葡萄酒4两，黄酒半斤，啤酒1瓶、果酒4两。

10. 生活方式：

心理状况：可以多选。填写患者目前的心理状态选择紧张、抑郁、焦虑、良好，如果有需要说明的情况，具体填写。

遵医行为是指患者是否遵照医生的指导去改善生活方式。在良好、一般、差中选择适合患者目前情况的一项。其含义为良好＝“完全按照医生建议”，一般＝“部分按照医生建议”，差＝“拒绝接受医生建议”。

职业暴露史指患者职业原因造成的化学品、毒物或射线接触史。如有，需填写具体化学品、毒物、射线名或填不详。

居住环境：在相应描述后的方框内填写对应被选项序号的数字。

11. 现存健康问题：在相应描述后的方框内填写对应被选项序号的数字，可以多选。

12. 住院治疗情况：应逐项填写。时间填写年月，年必须写四位。如因慢性病急性发作或加重而住院/家庭病床，请特别说明。医疗机构名称应写全称。

13. 用药情况：指目前服用药物，尽量填写化学名（通用名）而非商品名，用法按医生医嘱填写。

14. 非免疫规划预防接种史：在相应描述后的方框内填写对应被选项序号的数字。其他疫苗名称填写应完整准确。

附表2：

老年人健康管理随访表

姓名：　　　　管理卡编号：　　　　个人档案号：

项目＼日期	年 月 日	年 月 日	年 月 日	年 月 日
症状				
无不适				
新出现症状				
原症状持续				
转诊				
心理状态与指导				
好				
可疑抑郁				
心理指导				
转诊				

续表

项目	日期	年　月　日	年　月　日	年　月　日	年　月　日
危险因素与指导					
生活方式指导	体重	kg	kg	kg	kg
	吸烟	支/天	支/天	支/天	支/天
	饮酒频次	次/周	次/周	次/周	次/周
	饮酒量	两/次	两/次	两/次	两/次
	运动	次/周　分钟/次	次/周　分钟/次	次/周　分钟/次	次/周　分钟/次
	饮食	1 合理　2 基本合理　3 不合理	1 合理　2 基本合理　3 不合理	1 合理　2 基本合理　3 不合理	1 合理　2 基本合理　3 不合理
	遵医行为	1 良好　2 一般　3 差	1 良好　2 一般　3 差	1 良好　2 一般　3 差	1 良好　2 一般　3 差
疾病预防知识教育					
	疫苗接种				
	疾病预防知识				
	冠心病预防				
	骨质疏松预防				
下次随访注意事项					
下次随访目标					
下次随访日期					
随访医生签名					

说明：1. 症状：新出现症状：填写新出现的症状及出现时间；原症状持续：填写原症状及持续时间；转诊：填写转诊去向及转诊时间。

2. 心理状态与指导：在相应状态后打“√”，没有打“×”，需转诊要填写转诊去向及时间。

3. 危险因素与指导：饮酒者填写平均每天的酒精摄入量。

4. 疾病预防知识教育：填写医生进行的疾病预防教育的具体内容，教育过的打”√”，没有的打“×”。

山东省高血压患者管理服务规范

一、服务对象

辖区内 18 岁及以上高血压患者。

二、服务内容

1. 高血压筛查

（1）对辖区内 35 岁及以上常住居民，每年在其第一次到基层医疗卫生机构就诊时为其测量血压。

（2）对第一次发现血压超过 140/90mmHg 的居民在去除可能引起血压升高的因素后预约其复查，若再次高于正常，建议转诊到上级医院确诊。

（3）对第一次发现血压超过 130/85mmHg 的居民，要建议其至少每半年测量一次血压，并进行相应的健康教育。

（4）对已确诊的原发性高血压患者纳入高血压患者管理。

2. 对确诊的原发性高血压患者，基层医疗卫生机构每年要提供至少四次随访。

（1）测量血压并评估是否存在危急症状，如出现收缩压≥180mmHg和/或舒张压≥110mmHg或意识改变、剧烈头痛或头晕、恶心呕吐、视力模糊、眼痛、心悸胸闷、喘憋不能平卧及处于妊娠期或哺乳期同时血压高于正常等危险情况之一，或存在不能处理的其他疾病时，须在处理后紧急转诊。对于紧急转诊者，基层医疗卫生机构应在两周内主动随访其转诊情况。

（2）若不需紧急转诊，询问上次就诊到此次就诊期间的症状。

（3）测量身高、体重、心率、脉搏、腰围，计算BMI。

（4）询问患者生活方式，包括吸烟、饮酒、体育锻炼、饮食等。

（5）了解患者服药情况。

（6）根据患者血压控制情况和症状体征，对患者进行评估和分类干预。

（7）对血压控制满意，无药物不良反应、无新发并发症或原有并发症无加重的患者，三个月后进行下一次随访管理。

（8）对第一次出现血压控制不满意或药物不良反应的，结合其药物依从性，必要时增加现有药物剂量、更换或增加不同类的降压药物，两周时随访。

（9）对连续2次出现血压控制不满意或药物不良反应难以控制以及出现新的并发症或原有并发症加重的，建议患者转诊到上级医院，两周内主动随访其转诊情况。

（10）对所有的患者进行有针对性健康教育，与患者一起制定生活方式改进目标并在下一次随访时评估进展，告诉患者出现哪些异常时应立即就诊。

3. 高血压患者每年应至少进行1次健康检查，可与随访相结合。内容包括血压、体重、随机血糖（指血），一般体格检查和视力、听力、活动能力的一般检查，有条件的地区建议增加血常规、尿常规、血脂、眼底检查、心电图、大便潜血、B超、K（钾）、Na（钠）检查、认知功能和情感状态的初筛检查。

三、服务流程

1. 高血压筛查流程图

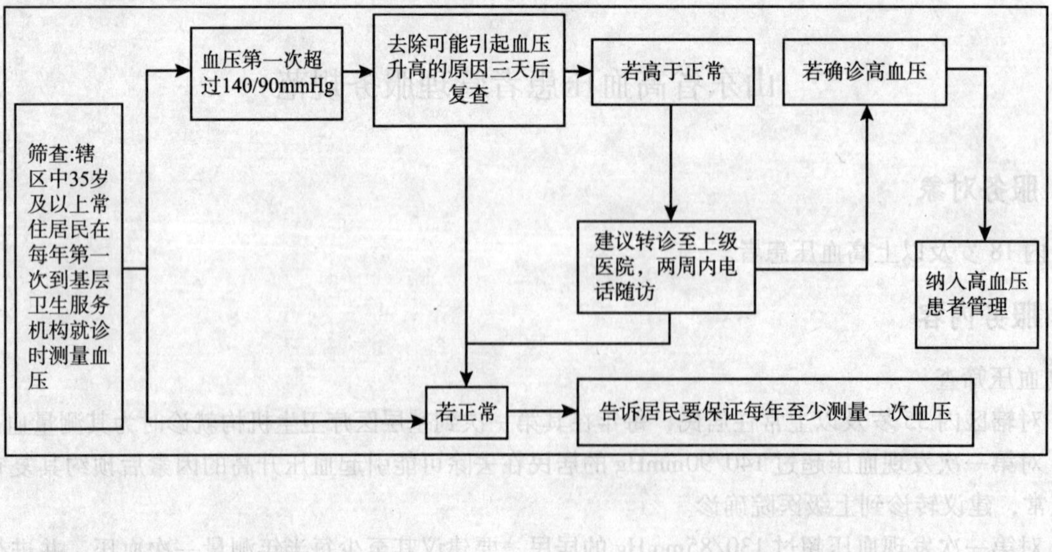

2. 高血压患者随访流程图

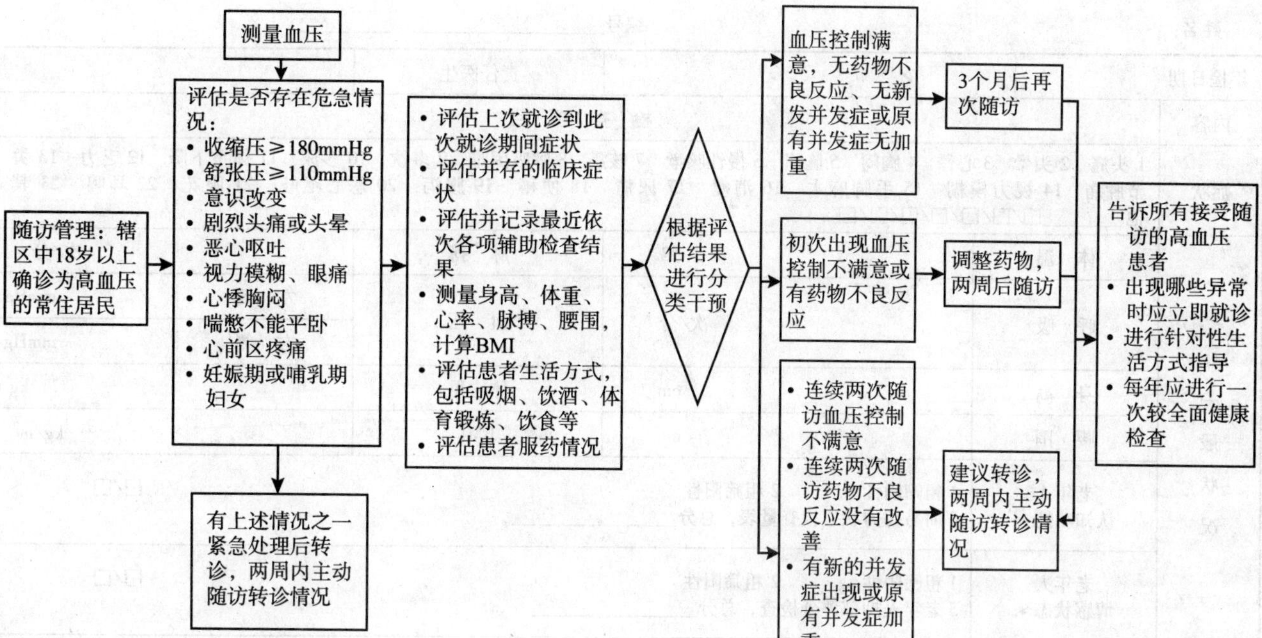

四、服务要求

1. 高血压患者的随访管理由医生负责，应与门诊服务相结合，对未能按照管理要求接受随访的患者，基层医疗卫生机构应主动与患者联系，保证管理的连续性。

2. 随访管理包括预约患者到门诊就诊、电话追踪和家庭访视等方式。

3. 基层医疗卫生机构要通过本地区社区卫生诊断和门诊服务等途径筛查和发现高血压患者，掌握辖区高血压的患病情况。

4. 加强宣传防治，告知服务内容，使更多患者和居民愿意接受服务。

5. 每次提供服务后及时将相关信息记入健康档案。

五、考核指标及解释

1. 高血压患者管理率 = 年内已管理高血压人数/年内辖区内高血压患者数 × 100%。

辖区高血压患病总人数估算：辖区常住成年人口总数 × 成年人高血压患病率（通过当地居民普查、社区卫生诊断获得或是选用本地区近期高血压患病率指标）。

2. 高血压患者规范管理率 = 按照要求进行高血压患者管理的人数/年内管理高血压患者人数 × 100%。

3. 管理人群血压控制率 = 血压达标人数/已管理的高血压人数 × 100%。

六、附表

1. 高血压患者健康体检年检表
2. 高血压患者管理卡
3. 高血压患者随访表

附表1：

高血压患者健康体检年检表

姓名：　　　　　　　　　　　　　　　　编号________

年检日期			责任医生	
内容	检查项目			
症状	1头痛 2头晕 3心悸 4胸闷 5胸痛 6慢性咳嗽 7咳痰 8呼吸困难 9多饮 10多尿 11体重下降 12乏力 13关节肿痛 14视力模糊 15手脚麻木 16消瘦 17尿痛 18便秘 19腹泻 20恶心呕吐 21眼花 22耳鸣 23其他　□/□/□/□/□/□/□/□			
一般状况	体温	℃	脉搏	次/分
	呼吸	次/分	血压	左侧　/　mmHg 右侧　/　mmHg
	身高	cm	体重	kg
	腰围	cm	BMI	kg/m^2
	老年人认知功能*	1粗筛阴性　2粗筛阳性 3简易智力状态检查量表，总分________　□/□		
	老年人情感状态*	1粗筛阴性　2粗筛阳性 3老年人抑郁评分检查，总分________　□/□		
	生活质量*	SF36评分________		
脏器功能	视力	左眼________　右眼________　（矫正视力：左眼________　右眼________）		
	听力	1听见　2听不清或无法听见　□		
	运动功能	1可顺利完成　2无法独立完成其中任何一个动作　□		
查体	皮肤、巩膜	1正常　2黄染　3苍白　□		
	淋巴结	1未触及　2锁骨上　3腋窝　4其他________　□		
	肺	桶状胸：1否　2是　□ 呼吸音：1正常　2异常________　□ 啰音：1正常　2干啰音　3湿啰音　4其他________　□		
	心脏	心率____次/分　心律：1齐　2不齐　3绝对不齐　□ 杂音：1无　2有________　□		
	腹部	压痛：1无　2有________　□ 包块：1无　2有________　□ 肝大：1无　2有________　□ 脾大：1无　2有________　□ 移动性浊音：1无　2有________　□		
	下肢水肿	1无　2单侧　3双侧不对称　4双侧对称　□		
	肛门指诊*	1正常　2触痛　3包块　4其他　□ 前列腺：1正常　2异常　□		
	其他			
健康辅助检查	血常规*	Hb　g/L　WBC　/L　PLT　/L　其他		
	尿常规*	尿蛋白　尿糖　尿酮体　尿潜血　其他		
	大便潜血*	1阴性　2阳性（见大肠癌筛查）　□		
	肝功能*	ALT________U/L，AST________U/L，ALB________g/L， TBIL________umol/L，DBIL________umol/L		
	肾功能*	Scr________umol/L，BUN________mmol/L		

续表

年检日期					责任医生	
内容	检 查 项 目					
健康辅助检查	血 脂 * mmol/l			CHO ______，TG ______，LDL－C ______，HDL－C ______		
	随机血糖			______ mmol/L mg/dl		
	空腹血糖 *			______ mmol/L	HBsAg * 1 阴性 2 阳性	□
	眼 底 *			1 正常 2 异常		□
	心电图 *			1 正常 2 异常		□
	胸 片 *			1 正常 2 异常		□
	其 他 *					
特殊人群检查 *	糖尿病		足背动脉搏动	1 有 2 无		□
			糖化血红蛋白	______ %		
	高血压		血生化	K⁺ ______ Na⁺ ______		
	COPD	症状	咳 嗽	0 分：无咳嗽 1 分：轻度（间断咳嗽，不影响正常工作和生活） 2 分：中度（介于轻度与重度之间） 3 分：重度（昼夜频繁咳嗽或连续咳嗽，影响工作和睡眠）		□
			咯 痰	0 分：无痰 1 分：少（昼夜咯痰量 <10ml） 2 分：中（昼夜咯痰量 10～50ml） 3 分：多（昼夜咯痰量 >50ml）		□
			呼吸困难	0 分：剧烈运动（如跑步）时感气短 1 分：快步走或上楼时感气短 2 分：平地正常速度行走 100 米感气短 3 分：日常活动（如穿衣、起床）感气短 4 分：静息状态下感气短		□
		查体	口唇紫绀	1 无 2 有		□
			颈静脉	1 正常 2 怒张		□
			哮鸣音	0 分：无哮鸣音 1 分：少（偶闻或仅在咳嗽，深呼吸时可闻少量哮鸣音） 2 分：中（双肺可闻散在哮鸣音） 3 分：多（双肺满布哮鸣音）		□
		其他	6 分钟步行距离	米（稳定期患者）		
			血氧饱和度	SaO_2 %		
			肺功能	FEV1/FVC %，FEV1		%
			COPD 患者生活质量	SGRQ 评分		
生活行为习惯	体育锻炼		锻炼频率	1 每天 2 每周一次以上 3 偶尔 4 不锻炼		□
			每次锻炼时间	分钟	坚持锻炼时间	年
			锻炼方式			
	饮食习惯			1 荤素均衡 2 荤食为主 3 素食为主 4 嗜盐 5 嗜油 6 嗜糖		□/□/□
	吸烟史		是否吸烟	1 从不吸烟 2 过去吸，已戒烟 3 吸烟		□
			吸烟量	平均每天吸烟 支		
			开始吸烟时间 *	______ 岁	戒烟时间 *	______ 岁
	饮酒史		饮酒频率	1 从不 2 偶尔 3 经常 4 每天		□
			饮酒量	平均每天饮酒 两		
			是否戒酒 *	1 未戒酒 2 已戒酒，戒酒时间 岁		□
			开始饮酒时间 *	______ 岁	开始饮酒时间 *	______ 岁
			主要饮酒品种	1 白酒 2 啤酒 3 红酒 4 黄酒		□/□

续表

年检日期		责任医生	

内容	检 查 项 目		
现存健康问题	脑血管疾病	1 缺血性卒中 2 脑出血 3 蛛网膜下腔出血 4 短暂性脑缺血发作 5 其他	□/□/□/□/□
	肾脏疾病	1 糖尿病肾病 2 肾功能衰竭 3 急性肾炎 4 慢性肾炎 5 其他	□/□/□/□/□
	心脏疾病	1 心肌梗死 2 心绞痛 3 冠状动脉血运重建 4 充血性心力衰竭 5 心前区疼痛 6 其他	□/□/□/□/□
	血管疾病	1 夹层动脉瘤 2 动脉闭塞性疾病 3 其他	□/□/□
	眼部疾病	1 视网膜出血或渗出 2 视乳头水肿 3 白内障 4 其他	□/□/□
	神经系统	1 无 2 有	□
	其他疾病	1 2 3	

住院治疗情况		入/出院时间	原 因**	医疗机构名称	病案号
	住院史	/			
		/			
		建/撤床时间	原 因**	医疗机构名称	病案号
	家 庭 病床史	/			
		/			

用药情况			
	服药依从性：1 规律服药 2 间断服药 3 不服药		□
	药物1	用法 每次 mg（片） 每天 次	
	药物2	用法 每次 mg（片） 每天 次	
	药物3	用法 每次 mg（片） 每天 次	
	药物4	用法 每次 mg（片） 每天 次	
	药物5：胰岛素	用法	
吸氧*	平均每日__________小时		

非免疫规划预防接种史			
	流感疫苗	1 未接种 2 一次 3 二次	□
	肺炎球菌疫苗	1 从未接种 2 近五年内接种 3 五年前接种	□
	其他疫苗名称1		
	其他疫苗名称2		

健康评价	
	1 年检无异常 2 有异常 异常1 __________ 异常2 __________ 异常3 __________ 异常4 __________ □

健康教育处方		
	定期随访： □ 1 无需 2 每两年 3 每年 4 每3个月	危险因素控制： □/□/□/□/□/□ 1 戒烟 2 健康饮酒 3 饮食 4 锻炼 5 减体重（目标__________） 6 流感疫苗接种 7 肺炎疫苗接种 8 其他__________

注：* 有条件的地区，可选择开展的项目

** 如因慢性病急性发作或加重而住院/家庭病床，请特别说明。

附表2：

高血压患者管理卡

管理卡编号________________ 个人档案编号________________ 姓名________________

性　别________________ 婚姻________ 职业____________ 出生日期____年____月____日

联系电话____________ 管理组别____________ ①重点组 ②好转组 ③稳定组

病例来源（单选）：○健康档案 ○首诊测压 ○人群调查/体检 ○社区门诊

现住址____

建档机构________________ 建档医生________________ 建卡日期____年____月____日

oooooooooooooooooooooooooooooooooooooooooooooooooooooooooooooooooooooooooooooooooooooooooooooooooooooooooooooooo

家族史（多选）：□高血压 □冠心病 □脑卒中 □糖尿病 □以上都无 □不详 □拒答

目前症状（多选）：□头晕头痛 □恶心呕吐 □眼花耳鸣 □呼吸困难 □心悸胸闷 □鼻衄出血不止

□四肢发麻 □下肢水肿 □其他________

高血压并发症情况：

脑血管疾病（多选）： □缺血性卒中 □脑出血 □短暂性脑缺血发作（TIA）

心脏疾病（多选）： □心肌梗死 □心绞痛 □充血性心力衰竭

肾脏疾病（多选）： □高血压肾病 □肾功能衰竭

眼部疾病（多选）： □视网膜出血或渗出 □视乳头水肿

近期药物治疗情况：

用药名称1________________ 使用方法________________

用药名称2________________ 使用方法________________

用药名称3________________ 使用方法________________

生活习惯：

吸烟____支/天； 饮酒____次/周，__两（酒精）/次；运动：____次/周，____分钟/次

生活自理能力（单选）：○完全自理 ○部分自理 ○完全不能自理

体检结果：

身高____cm；体重____kg BMI____kg/m² 腰围____cm

血压____/____mmHg （○服药 ○未服药）空腹血糖____mmol/L

高密度脂蛋白____mmol/L 低密度脂蛋白____mmol/L

甘油三脂____mmol/L 总胆固醇____mmol/L

心电图检查________________________________

终止管理日期：____年____月____日

终止理由：____ ①死亡 ②迁出 ③失访____（注明原因） ④拒绝

附表3：

高血压患者随访表

管理卡编号________________ 个人档案编号________ 姓名________________

性　别________________ 婚姻________ 职业________ 出生日期____年____月____日

联系电话____________ 现住址________________________

随访日期		年　月　日	年　月　日	年　月　日	年　月　日
A 管理级别＊（填代码）					
B 随访方式＊（填代码）					
C 症状＊（填代码）		/ / /	/ / /	/ / /	/ /
D 并发症＊（填代码）		/ / /	/ / /	/ / /	
生活行为	吸烟（支/天）				
	饮酒频率（次/周）				
	饮酒量（换算酒精：两/次）				
	运动频率（次/周）				
	每次持续时间（分钟/次）				

续表

随访日期		年　月　日	年　月　日	年　月　日	年　月　日
体检结果	血压（mmHg）	/	/	/	/
	身高（cm）				
	体重（kg）				
	空腹血糖（mmol/L）				
	甘油三脂（mmol/L）				
	高密度脂蛋白（mmol/L）				
	低密度脂蛋白（mmol/L）				
	总胆固醇（mmol/L）				
用药情况	E 服药依从性＊（填代码）				
	药物名称 1				
	用法				
	药物名称 2				
	用法				
	药物名称 3				
	用法				
转诊	医院/科别				
	原因				
F 目前的非药物治疗措施＊（填代码）		/ / /	/ / /	/ / /	/ / /
G 此次随访分类＊（填代码）					
本次随访医生建议					
下次随访时间		年　月　日	年　月　日	年　月　日	年　月　日
随访医生签名					

A 管理级别　①重点组　②好转组　③稳定组　B 随访方式　①门诊　②家庭　③电话　④其他（请注明）

C 症状　①头晕头疼　②恶心呕吐　③眼花耳鸣　④呼吸困难　⑤心悸胸闷　⑥鼻衄出血不止　⑦四肢发麻　⑧下肢水肿　⑨其他症状（请注明）

D 并发症　①缺血性卒中　②脑出血　③短暂性脑缺血发作（TIA）　④心肌梗死　⑤心绞痛　⑥充血性心力衰竭　⑦高血压性肾病　⑧肾功能衰竭　⑨视网膜出血　⑩视乳头水肿　⑪无并发症　⑫其他并发症______

E 服药依从性　①规律　②间断　③不服药

F 目前的非药物治疗措施　①限盐　②减少吸烟量或戒烟　③减少饮酒量或戒酒　④减少膳食脂肪　⑤减轻体重　⑥有规律体育运动　⑦放松精神　⑧未采取措施

G 此次随访分类　①控制满意　②控制不满意　③不良反应　④并发症

山东省糖尿病患者管理服务规范

一、服务对象

辖区内确诊的 18 岁及以上糖尿病患者。

二、服务内容

1. 糖尿病筛查

对工作中发现的糖尿病高危人群进行有针对性的健康教育，建议居民每年至少测量 1 次血糖。

2. 对确诊的糖尿病患者，基层医疗卫生机构要提供每年至少 4 次的面对面随访管理。

（1）对所有糖尿病患者在随访管理时测量空腹血糖和血压，并评估是否存在危急症状，如：血糖 > 16.7mmol/L 或血糖 < 3.9mmol/L；收缩压 ≥ 180mmHg 和/或舒张压 ≥ 110mmHg；有意识改变、呼气有烂苹果样丙酮味、心慌、出汗、食欲减退、恶心、呕吐、口渴、多尿、腹痛、有深大呼吸、皮肤潮红；持续

性心动过速（每分钟心率超过 100 次/分）；体温超过 39℃或有其他的突发异常，如视力突然骤降及处于妊娠期或哺乳期同时血糖高于正常等，出现以上危险情况之一或存在不能处理的其他疾病，须在处理后紧急转诊。对于紧急转诊的患者，基层医疗卫生机构应在 2 周内主动随访其转诊情况。

（2）若不需紧急转诊，询问上次就诊到此次就诊期间的症状。

（3）测量身高、体重、心率、脉搏、腰围、臀围、足背动脉搏动，计算 BMI。

（4）询问患者生活方式，包括吸烟、饮酒、体育锻炼、饮食控制等。

（5）了解患者服药情况。

（6）根据患者血糖控制情况和症状体征，对患者进行分类干预。

（7）对血糖控制满意，无药物不良反应、无新发并发症以及原有并发症无加重的患者，每年至少进行 4 次面对面的随访管理。

（8）对第一次出现空腹血糖控制不满意（空腹血糖≥7. 0mmol/L）或药物不良反应的，结合其药物依从性，应与患者进一步沟通交流，排除患者存在的糖尿病误区后，必要时增加现有药物剂量、更换或增加不同类的降糖药物，两周时随访。

（9）对连续两次出现空腹血糖控制不满意或药物不良反应难以控制以及出现新的并发症或原有并发症加重的，建议患者转诊到上级医院，两周内主动随访其转诊情况。

（10）对所有的患者进行有针对性健康教育，与患者一起制定生活方式改进目标并在下一次随访时评估，告诉患者出现哪些异常时应立即就诊。

3. 糖尿病患者每年至少进行 1 次较全面健康检查，可与随访相结合。内容包括血压、体重、空腹血糖（指血）测量，一般体格检查和视力、听力、活动能力的一般检查，有条件的地区建议增加糖化血红蛋白、血常规、尿常规、血脂、眼底检查、心电图、大便潜血、腹部 B 超和认知功能、情感状态的初筛检查。

三、服务流程

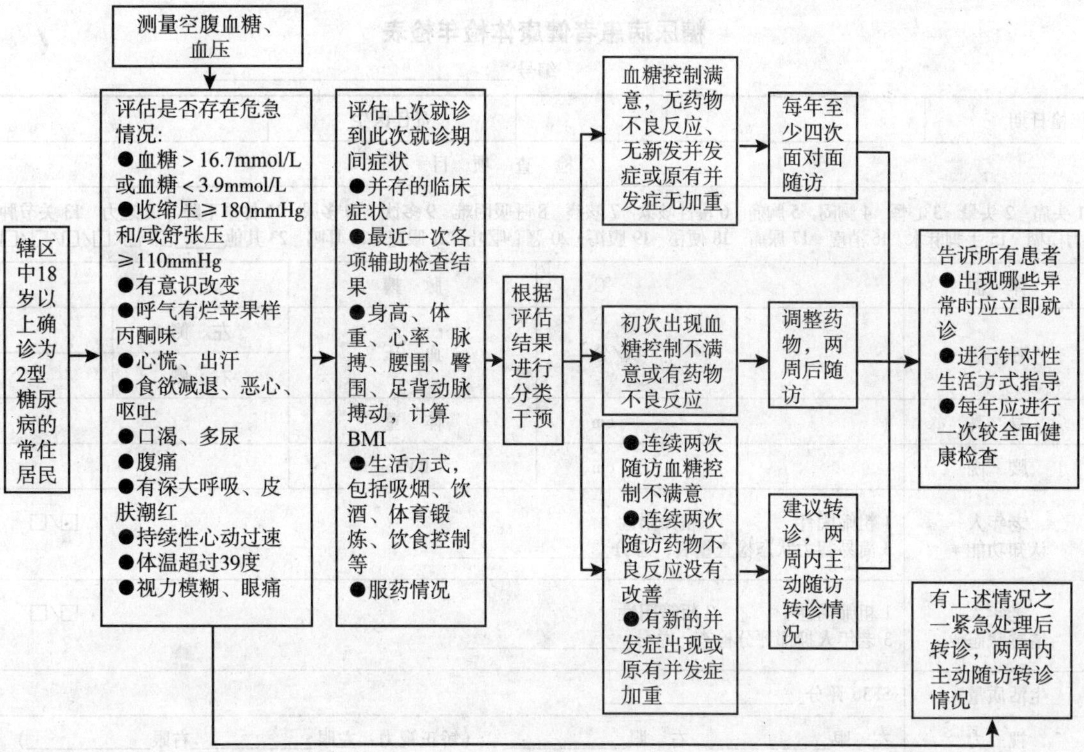

四、服务要求

1. 糖尿病患者的随访管理由医生负责，应与门诊服务相结合，对未能按照管理要求接受随访的患者，基层医疗卫生机构应主动与患者联系，保证管理的连续性。

2. 随访管理包括预约患者到门诊就诊、电话追踪和家庭访视等方式。

3. 基层医疗卫生机构要通过社区卫生诊断和门诊服务等途径筛查和发现糖尿病患者，掌握辖区内糖尿病的患病情况。

4. 加强宣传，告知服务内容，使更多的居民愿意接受服务。

5. 每次提供服务后及时将相关信息记入健康档案。

五、考核指标及解释

1. 糖尿病患者管理率＝年内已管理糖尿病人数/年内辖区内糖尿病患病总人数×100%。

辖区糖尿病患病总人数估算：辖区常住成年人口总数×成年人糖尿病患病率（通过当地居民普查、社区卫生诊断获得或是选用本省（全国）近期糖尿病患病率指标）。

2. 糖尿病患者规范管理率＝按照要求进行糖尿病患者管理的人数/年内管理糖尿病患者人数×100%。

3. 管理人群血糖控制率＝空腹血糖达标人数/已管理的糖尿病人数×100%。

六、附表

1. 糖尿病患者健康体检年检表
2. 糖尿病患者管理卡
3. 糖尿病患者随访表

附表 1：

糖尿病患者健康体检年检表

姓名：　　　　　　　　　　　　　　编号____________________

<table>
<tr><td colspan="2">年检日期</td><td colspan="2"></td><td>责任医生</td><td colspan="3"></td></tr>
<tr><td>内容</td><td colspan="7">检 查 项 目</td></tr>
<tr><td>症状</td><td colspan="7">1头痛 2头晕 3心悸 4胸闷 5胸痛 6慢性咳嗽 7咳痰 8呼吸困难 9多饮 10多尿 11体重下降 12乏力 13关节肿痛 14视力模糊 15手脚麻木 16消瘦 17尿痛 18便秘 19腹泻 20恶心呕吐 21眼花 22耳鸣 23其他______ □/□/□/□/□/□/□/□</td></tr>
<tr><td rowspan="8">一般状况</td><td>体 温</td><td colspan="2">℃</td><td>脉 搏</td><td colspan="3">次/分</td></tr>
<tr><td rowspan="2">呼 吸</td><td colspan="2" rowspan="2">次/分</td><td rowspan="2">血 压</td><td>左 侧</td><td colspan="2">/ mmHg</td></tr>
<tr><td>右 侧</td><td colspan="2">/ mmHg</td></tr>
<tr><td>身 高</td><td colspan="2">cm</td><td>体 重</td><td colspan="3">kg</td></tr>
<tr><td>腰 围</td><td colspan="2">cm</td><td>BMI</td><td colspan="3">kg/m²</td></tr>
<tr><td>老年人认知功能*</td><td colspan="5">1 粗筛阴性 2 粗筛阳性
3 简易智力状态检查量表，总分______</td><td>□/□</td></tr>
<tr><td>老年人情感状态*</td><td colspan="5">1 粗筛阴性 2 粗筛阳性
3 老年人抑郁评分检查，总分______</td><td>□/□</td></tr>
<tr><td>生活质量*</td><td colspan="6">SF36 评分______</td></tr>
<tr><td rowspan="3">脏器功能</td><td>视 力</td><td colspan="6">左 眼______ 右 眼______ （矫正视力：左眼______右眼______）</td></tr>
<tr><td>听 力</td><td colspan="5">1 听见 2 听不清或无法听见</td><td>□</td></tr>
<tr><td>运动功能</td><td colspan="5">1 可顺利完成 2 无法独立完成其中任何一个动作</td><td>□</td></tr>
</table>

续表

年检日期				责任医生	
内容	检 查 项 目				
查体	皮肤、巩膜		1 正常 2 黄染 3 苍白		□
	淋巴结		1 未触及 2 锁骨上 3 腋窝 4 其他______		□
	肺		桶状胸：1 否 2 是 呼吸音：1 正常 2 异常______ 啰 音：1 正常 2 干啰音 3 湿啰音 4 其他______		□ □ □
	心 脏		心率______次/分 心律：1 齐 2 不齐 3 绝对不齐 杂 音：1 无 2 有______		□ □
	腹 部		压痛：1 无 2 有______ 包块：1 无 2 有______ 肝大：1 无 2 有______ 脾大：1 无 2 有______ 移动性浊音：1 无 2 有______		□ □ □ □ □
	下肢水肿		1 无 2 单侧 3 双侧不对称 4 双侧对称		□
	肛门指诊 *		1 正常 2 触痛 3 包块 4 其他 前列腺：1 正常 2 异常		□ □
	其 他				
健康辅助检查	血常规 *		Hb g/L WBC /L PLT /L 其他		
	尿常规 *		尿蛋白 尿糖 尿酮体 尿潜血 其他		
	大便潜血 *		1 阴性 2 阳性（见大肠癌筛查）		□
	肝功能 *		ALT ______ U/L, AST ______ U/L, ALB ______ g/L, TBIL ______ umol/L, DBIL ______ umol/L		
	肾功能 *		Scr ______ umol/L, BUN ______ mmol/L		
	血 脂 mmol/l *		CHO ______, TG ______, LDL－C ______, HDL－C ______		
	随机血糖		______ mmol/L mg/dl		
	空腹血糖 *		______ mmol/L	HBsAg *	1 阴性 2 阳性 □
	眼 底 *		1 正常 2 异常		□
	心电图 *		1 正常 2 异常		□
	胸 片 *		1 正常 2 异常		□
	其 他 *				
特殊人群检查 *	糖尿病	足背动脉搏动	1 有 2 无		□
		糖化血红蛋白	______ %		
	高血压	血生化	K^+ ______ Na^+ ______		
	COPD 症状	咳 嗽	0 分：无咳嗽 1 分：轻度（间断咳嗽，不影响正常工作和生活） 2 分：中度（介于轻度与重度之间） 3 分：重度（昼夜频繁咳嗽或连续咳嗽，影响工作和睡眠）		□
		咯 痰	0 分：无痰 1 分：少（昼夜咯痰量 <10ml） 2 分：中（昼夜咯痰量 10～50ml） 3 分：多（昼夜咯痰量 >50ml）		□
		呼吸困难	0 分：剧烈运动（如跑步）时感气短 1 分：快步走或上楼时感气短 2 分：平地正常速度行走 100 米感气短 3 分：日常活动（如穿衣、起床）感气短 4 分：静息状态下感气短		□

续表

<table>
<tr><td colspan="3">年检日期</td><td colspan="2"></td><td>责任医生</td><td colspan="2"></td></tr>
<tr><td>内容</td><td colspan="7">检 查 项 目</td></tr>
<tr><td rowspan="8">特 殊
人 群
检查 *</td><td rowspan="8">COPD</td><td rowspan="3">查体</td><td>口唇紫绀</td><td colspan="3">1 无 2 有</td><td>□</td></tr>
<tr><td>颈静脉</td><td colspan="3">1 正常 2 怒张</td><td>□</td></tr>
<tr><td>哮鸣音</td><td colspan="3">0 分：无哮鸣音
1 分：少（偶闻或仅在咳嗽，深呼吸时可闻少量哮鸣音）
2 分：中（双肺可闻散在哮鸣音）
3 分：多（双肺满布哮鸣音）</td><td>□</td></tr>
<tr><td rowspan="4">其他</td><td>6 分钟步行距离</td><td colspan="4">米（稳定期患者）</td></tr>
<tr><td>血氧饱和度</td><td colspan="4">SaO_2 %</td></tr>
<tr><td>肺功能</td><td colspan="4">FEV1/FVC %，FEV1 %</td></tr>
<tr><td>COPD 患者生活质量</td><td colspan="4">SGRQ 评分</td></tr>
<tr><td colspan="6"></td></tr>
<tr><td rowspan="14">生活
行为
习惯</td><td rowspan="3" colspan="2">体育锻炼</td><td>锻炼频率</td><td colspan="3">1 每天 2 每周一次以上 3 偶尔 4 不锻炼</td><td>□</td></tr>
<tr><td>每次锻炼时间</td><td>分钟</td><td>坚持锻炼时间</td><td colspan="2">年</td></tr>
<tr><td>锻炼方式</td><td colspan="4"></td></tr>
<tr><td colspan="2">饮食习惯</td><td colspan="4">1 荤素均衡 2 荤食为主 3 素食为主 4 嗜盐 5 嗜油 6 嗜糖</td><td>□/□/□</td></tr>
<tr><td rowspan="3" colspan="2">吸烟史</td><td>是否吸烟</td><td colspan="3">1 从不吸烟 2 过去吸，已戒烟 3 吸烟</td><td>□</td></tr>
<tr><td>吸烟量</td><td colspan="4">平均每天吸烟 支</td></tr>
<tr><td>开始吸烟时间 *</td><td>岁</td><td>戒烟时间 *</td><td colspan="2">岁</td></tr>
<tr><td rowspan="5" colspan="2">饮酒史</td><td>饮酒频率</td><td colspan="3">1 从不 2 偶尔 3 经常 4 每天</td><td>□</td></tr>
<tr><td>饮酒量</td><td colspan="4">平均每天饮酒 两</td></tr>
<tr><td>是否戒酒 *</td><td colspan="3">1 未戒酒 2 已戒酒，戒酒时间 岁</td><td>□</td></tr>
<tr><td>开始饮酒时间 *</td><td>岁</td><td>开始饮酒时间 *</td><td colspan="2">岁</td></tr>
<tr><td>主要饮酒品种</td><td colspan="3">1 白酒 2 啤酒 3 红酒 4 黄酒</td><td>□/□</td></tr>
<tr><td colspan="7"></td></tr>
<tr><td colspan="7"></td></tr>
<tr><td rowspan="7">现存
健康
问题</td><td colspan="2">脑血管疾病</td><td colspan="4">1 缺血性卒中 2 脑出血 3 蛛网膜下腔出血
4 短暂性脑缺血发作 5 其他</td><td>□/□/□/□/□</td></tr>
<tr><td colspan="2">肾脏疾病</td><td colspan="4">1 糖尿病肾病 2 肾功能衰竭 3 急性肾炎
4 慢性肾炎 5 其他</td><td>□/□/□/□/□</td></tr>
<tr><td colspan="2">心脏疾病</td><td colspan="4">1 心肌梗死 2 心绞痛 3 冠状动脉血运重建
4 充血性心力衰竭 5 心前区疼痛 6 其他</td><td>□/□/□/□/□</td></tr>
<tr><td colspan="2">血管疾病</td><td colspan="4">1 夹层动脉瘤 2 动脉闭塞性疾病 3 其他</td><td>□/□/□</td></tr>
<tr><td colspan="2">眼部疾病</td><td colspan="4">1 视网膜出血或渗出 2 视乳头水肿 3 白内障 4 其他</td><td>□/□/□</td></tr>
<tr><td colspan="2">神经系统</td><td colspan="4">1 无 2 有</td><td>□</td></tr>
<tr><td colspan="2">其他疾病</td><td colspan="5">1 2 3</td></tr>
</table>

续表

年检日期		责任医生			
内容	检 查 项 目				
住院治疗情况	住院史	入/出院时间	原 因 **	医疗机构名称	病案号
		/			
		/			
	家 庭 病床史	建/撤床时间	原 因 **	医疗机构名称	病案号
		/			
		/			
用药情况	服药依从性：1 规律服药 2 间断服药 3 不服药 □				
	药物 1	用法 每次 mg（片） 每天 次			
	药物 2	用法 每次 mg（片） 每天 次			
	药物 3	用法 每次 mg（片） 每天 次			
	药物 4	用法 每次 mg（片） 每天 次			
	药物 5：胰岛素	用法			
吸氧 *	平均每日________小时				
非免疫规划预防接种史	流感疫苗	1 未接种 2 一次 3 二次 □			
	肺炎球菌疫苗	1 从未接种 2 近五年内接种 3 五年前接种 □			
	其他疫苗名称 1				
	其他疫苗名称 2				
健康评价	1 年检无异常 2 有异常 异常 1 ________ 异常 2 ________ 异常 3 ________ 异常 4 ________ □				
健康教育处方	定期随访： □ 1 无需 2 每两年 3 每年 4 每 3 个月	危险因素控制： □/□/□/□/□/□ 1 戒烟 2 健康饮酒 3 饮食 4 锻炼 5 减体重（目标________） 6 流感疫苗接种 7 肺炎疫苗接种 8 其他________			

注：* 有条件的地区，可选择开展的项目

** 如因慢性病急性发作或加重而住院/家庭病床，请特别说明。

附表 2：

糖尿病患者管理卡

管理卡编号________ 个人档案编号________ 姓名________

性 别________ 婚姻________ 职业________ 出生日期____年____月____日

联系电话________ 管理组别________①常规管理 ②强化管理

病例来源（单选）：○健康档案 ○健康体检 ○门诊 ○其他

现住址________

建档机构________ 建档医生________ 建卡日期____年____月____日

oooooooooooooooooooooooooooooooooooooooooooooooooooooooooooooooooooooooooooooooooooooooooooooooooooooooooooooooooooooooooo

家族史（多选）：□高血压 □冠心病 □脑卒中 □糖尿病 □以上都无 □不详 □拒答

目前症状（多选）：□多饮 □多食 □多尿 □视力模糊 □感染 □手脚麻木 □下肢浮肿

□消瘦 □乏力 □其他________

糖尿病类型（单选）：○1 型糖尿病 ○2 型糖尿病 ○其他________

确诊日期：________年____月____日 确诊单位：________

糖尿病并发症情况：

（多选）□肾脏病变 时间：________年 □心脏病变 时间：________年 □足部病变________ 时间：________年

□神经病变 时间：________年 □视网膜病变 时间：________年 □脑血管病变 时间：________年

近期药物治疗情况：

口服降糖药：

用药名称1 ________________ 使用方法________________

用药名称2 ________________ 使用方法________________

胰岛素用量：________________

生活习惯：

吸烟______支/天； 饮酒______次/周，__两（酒精）/次；运动______次/周，______分钟/次

生活自理能力（单选）：○完全自理 ○部分自理 ○完全不能自理

体检结果

身高________cm 体重________kg BMI________kg/m² 腰围________cm 血压______/______mmHg

空腹血糖________mmol/L 餐后2h血糖________mmol/L 高密度脂蛋白________mmol/L

低密度脂蛋白________mmol/L 甘油三脂________mmol/L 总胆固醇________mmol/L

尿微量蛋白（单选）○有 ○无 糖化血红蛋白________%

终止管理日期：______年______月______日

终止理由：________①死亡 ②迁出 ③失访________（注明原因） ④拒绝

附表3：

糖尿病管理随访表

管理卡编号____________ 个人档案编号________________________ 姓名____________

性 别____________ 婚姻____________ 职业____________ 出生日期______年______月______日

联系电话________________ 现住址________________________

随访日期		年 月 日	年 月 日	年 月 日	年 月 日
A管理级别＊（填代码）					
B随访方式＊（填代码）					
C症状＊（填代码）		/ / /	/ / /	/ / /	/ / /
D并发症＊（填代码及确诊时间）		/ / /	/ / /	/ / /	/ / /
生活行为	吸烟（支/天）				
	饮酒频率（次/周）				
	饮酒量（换算酒精：两/次）				
	运动频率（次/周）				
	每次持续时间（分钟/次）				
体检结果	血压（mmHg）	/	/		/
	体重（kg）				
	腰围（cm）				
	空腹血糖（mmol/L）				
	餐后2h血糖（mmol/L）				
	糖化血红蛋白（%）				
	甘油三脂（mmol/L）				
	高密度脂蛋白（mmol/L）				
	低密度脂蛋白（mmol/L）				
	总胆固醇（mmol/L）				
用药情况	E用药依从性＊（填代码）				
	药物名称1				
	用法				
	药物名称2				
	用法				
	药物名称3				
	用法				

续表

随访日期		年 月 日	年 月 日	年 月 日	年 月 日
转诊	医院/科别				
	原因				
F 目前的非药物治疗措施＊（填代码）		/ / /	/ / /	/ / /	/ / /
G 此次随访分类＊（填代码）					
本次随访医生建议					
下次随访时间		年 月 日	年 月 日	年 月 日	年 月 日
随访医生签名					

A 管理级别 ①常规管理 ②强化管理
B 随访方式 ①门诊 ②家庭 ③电话 ④其他（请注明）
C 症状 ①多饮 ②多食 ③多尿 ④视力模糊 ⑤感染 ⑥手脚麻木 ⑦下肢浮肿 ⑧其他
D 并发症 ①肾脏病变 ②神经病变 ③心脏病变 ④视网膜病变 ⑤足部病变 ⑥脑血管病变 ⑦酮症酸中毒 ⑧非酮症高血糖高渗性昏迷 ⑨低血糖昏迷 ⑩乳酸性酸中毒
E 服药依从性 ①规律 ②间断 ③不服药
F 目前的非药物治疗措施 ①限盐 ②减少吸烟量或戒烟 ③减少饮酒量或戒酒 ④减少膳食脂肪 ⑤减轻体重 ⑥有规律体育运动 ⑦心理指导 ⑧未采取措施
G 此次随访分类 ①控制满意 ②控制不满意 ③不良反应 ④并发症

山东省重性精神疾病患者管理服务规范

一、服务对象

辖区内诊断明确、在家居住的重性精神疾病患者。重性精神疾病是指以精神分裂症为代表的，临床表现有幻觉、妄想、严重思维障碍等精神病性症状，且患者对其症状缺乏现实检验能力的一组精神疾病。

二、服务内容

1. 为重性精神疾病患者建立健康档案

重性精神疾病患者在纳入管理时，除需要原承担治疗任务的专业医疗机构提供疾病档案信息外，还应进行一次全面评估，为其建立健康档案。建档登记的内容包括患者及监护人姓名、联系方式等基本情况、患者精神疾病家族史、初次发病时间、既往诊断和治疗情况、既往主要症状、生活和劳动能力、目前症状、服药依从性、自知力、社会功能情况、康复措施、总体评价及后续治疗康复意见等。

2. 随访管理

对于纳入管理的患者，每年至少随访 4 次，每次随访的主要目的是提供精神卫生、用药和家庭护理理念等方面的信息，督导患者服药，防止复发，及时发现疾病复发或加重的征兆，给予相应处置或转诊，并进行危机干预。具体内容如下：

（1）危重情况处理：主要目的是明确患者有无病情复发或变化的危险并及时处理。检查其有无近期出现睡眠障碍、言语行为怪异，有无消极自杀、兴奋或冲动等危险行为，以及有无意识障碍、进食困难、呼吸困难、心慌气短、抽搐、高热伴肌强直等躯体症状。

（2）分类干预：若无上述的危重情况，则进一步对患者原有的病情进行评估。检查患者的精神状况，包括感觉、知觉、思维、情感和意志行为、自知力等，询问患者的躯体疾病、社会功能状况、服药依从性及各项实验室检查结果等，并根据患者的精神症状是否消失、自知力是否完全恢复和工作、社会功能是否恢复以及患者是否存在药物不良反应或躯体疾病情况，对患者进行以下分类干预：

1）对病情稳定（精神症状基本消失，自知力恢复，社会功能处于一般或良好状态、服药依从性良好）的患者：若无其他异常，继续执行上级医院制定的治疗方案，按时随访；若出现药物不良反应或躯体疾病情况发生变化，要查找原因对症治疗，两周时随访；若对症治疗后有所好转，可继续现方案治疗，两周时随访；若没有好转，需转诊到上级医院，两周内随访。

2）对病情基本稳定（精神症状、自知力、社会功能状况任一方面有改善，服药依从性良好、处于“病情不稳定”和“病情稳定”之间）的患者：如无其他异常，继续现治疗方案，两周时随访；若出现药物不良反应或躯体疾病恶化者，要查找原因对症治疗；对症治疗后有所好转，可继续现方案治疗，两周时随访；若没有好转，或者出现精神症状恶化，需转诊到上级医院，两周内主动随访。

3）对病情不稳定（指精神症状明显，自知力缺失，社会功能较差、服药依从性差）的患者：若无其他异常，基层医疗卫生机构医生可在现用药物基础上按规定剂量范围进行调整，有必要时与患者原主管医生取得联系，两周时随访；调整过一次剂量后，可连续观察4~6周，若患者症状稳定或虽然明显但比上次已有好转，可维持目前治疗方案，两周时随访；若仍无效果，转诊到上级医院，两周内随访。若同时伴有躯体症状恶化或药物不良反应，要将患者转诊到上级医院，两周内随访。

（3）每次随访根据患者的病情和控制情况，对患者和其家属进行针对性的健康教育和生活技能训练等方面的康复指导。

（4）每年进行1次综合评价，包括患者家族成员中新发精神疾病情况、诊断和治疗调整情况、患者一年中的主要症状表现、生活和劳动能力、服药依从性、自知力、社会功能情况、康复措施、总体评价及后续治疗康复意见等。

三、服务流程

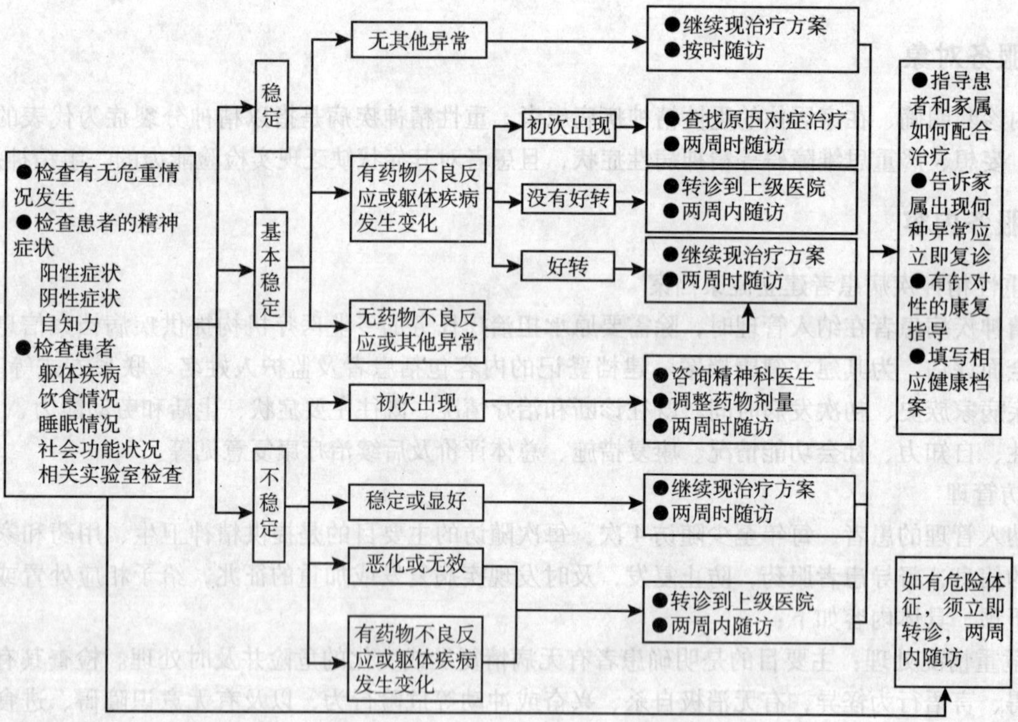

四、服务要求

1. 配备接受过重性精神疾病管理相关培训的专（兼）职人员开展相关管理工作。

2. 与相关部门加强联系，及时为辖区内新发现的重性精神疾病患者建立健康档案并按时更新。

3. 随访管理包括预约患者到门诊就诊、电话追踪和家庭访视等方式。

4. 加强宣传，鼓励和帮助病人进行生活功能康复训练，指导病人参与社会活动，接受职业训练。

五、考核指标及解释

1. 重性精神疾病患者服药依从率＝最近一次随访医生判断能够遵医嘱按时服药的患者例数/机构当月管理的患者数×100%。

2. 重性精神疾病患者复发率＝最近一次随访时分类为病情不稳定的病例数/按照规范要求进行管理的确诊重性精神疾病患者数×100%。

3. 重性精神疾病患者管理率＝每年完成4次随访的患者/所有登记在册的确诊重性精神疾病患者数×100%。

六、附表

1. 重性精神疾病患者评估表

2. 重性精神疾病患者随访表

附表1：

重性精神疾病患者评估表（　　年度）

姓名：　　　　　　　　编号________

患者监护人姓名		与患者关系	
监护人住址		监护人电话	
辖区村（居）委会联系人、电话			
精神疾患家族史	1无　2有：疾病名称________；与患者关系________　□		
初次发病时间			
既往诊断情况	诊断________确诊医院________确诊日期________		
既往治疗情况	门诊	1未治　2间断门诊治疗　3持续门诊治疗　□	
	住院	曾住精神专科医院________次　□	
治疗　效果	1痊愈　2好转　3无效　□		
既往主要症状	1幻觉　2交流困难　3猜疑　4喜怒无常　5行为怪异　6兴奋话多　7悲观厌世　8自语自笑　9孤僻懒散　10其他________　□/□/□/□/□/□/□/□/□/□		
发病对家庭社会的影响	1妨碍或攻击他人　2毁坏物品　3追逐异性　4无故外走　5纵火　6自伤或自杀　7其他________　□/□/□/□/□/□/□/□		
生活和劳动能力	1好　2中　3差　□		
目前主要症状	1交流困难　2猜疑　3喜怒无常　4行为怪异　5兴奋话多　6伤人毁物　7悲观厌世　8无故外走　9睡眠障碍　10饮食紊乱　11其他________　□/□/□/□/□/□/□/□		
自知力	1自知力完全　2自知力不全　3自知力缺失　□		
社会功能情况	个人生活料理	1良好　2一般　3较差　□	
	家务劳动	1良好　2一般　3较差　□	
	生产劳动及工作	1良好　2一般　3较差　□	
	学习能力	1良好　2一般　3较差　□	
	社会人际交往	1良好　2一般　3较差　□	
康复措施	1生活劳动能力　2职业训练　3学习能力　4社会交往　5其他________□/□/□		
总体评估	1不稳定　2基本稳定　3稳定　□		

续表

今后 治疗 康复 意见	治疗形式：1 专科住院　2 专科门诊　3 辖区管理 □ 药物治疗： 康复措施：1 心理康复　2 生活劳动能力　3 职业训练　4 学习能力　5 社会交往 □ 6 其他：
下次年检时间	医生签字

附表 2：

重性精神疾病患者随访表

姓名：　　　　　　　　　　编号＿＿＿＿＿＿＿＿＿＿

随访日期	＿＿＿＿年＿＿月＿＿日		
目前症状	1 交流困难　2 猜疑　3 喜怒无常　4 行为怪异　5 兴奋话多　6 伤人毁物 7 悲观厌世　8 无故外走　9 其他＿＿＿＿＿＿ □/□/□/□/□/□/□/□		
自知力	1 自知力完全　2 自知力不全　3 自知力缺失 □		
睡眠情况	1 可　2 一般　3 差 □		
饮食情况	1 可　2 一般　3 差 □		
社会功能情况	个人生活料理	1 良好　2 一般　3 较差 □	
	家务劳动	1 良好　2 一般　3 较差 □	
	生产劳动及工作	1 良好　2 一般　3 较差 □	
	学习能力	1 良好　2 一般　3 较差 □	
	社会人际交往	1 良好　2 一般　3 较差 □	
躯体疾病			
实验室检查			
目前服用药物	药物 1：	用法：每日　　次	每次剂量
	药物 2：	用法：每日　　次	每次剂量
	药物 3：	用法：每日　　次	每次剂量
	药物 4：	用法：每日　　次	每次剂量
药物不良反应			
服药依从性	1 自行坚持服药　2 在家属监督下服药　3 间断服药　4 拒绝服药 □		
康复措施			
评估分类	1 不稳定　2 基本稳定　3 稳定		
是否转诊	1 否　2 是 □	转诊医院：	
指导意见			
下次随访日期	＿＿＿＿年＿＿月＿＿日	随访医生签名	

附表3：

山东省基本公共卫生服务项目考核标准（试行）

考核分类	服务项目	分值	服务内容	实施标准	考核指标
项目工作完成	建立居民健康档案12分	10	建立统一、规范的居民健康档案，开展服务，及时更新居民健康档案	主要信息包括：居民个人基本信息、健康体检、重点人群管理记录及其他医疗卫生服务记录等。通过多种形式的服务，对辖区居民尤其是0~3岁儿童、孕产妇、老年人、慢性病患者等各类重点人群进行随访和管理，并根据其健康问题和卫生服务需要更新健康档案；重点人群健康信息每年至少更新4次。	本项考核得分＝健康档案建档率（建档人数/辖区内常住居民人数×100%）×5＋健康档案合格率（填写合格档案份数/抽查档案总份数×100%）×5。
		2	实施居民健康档案信息化管理	安装并使用居民健康电子档案软件，实施居民健康档案信息化管理。	本项考核得分＝居民健康电子档案建档率（建档人数/辖区内常住居民数×100%）×2。
	健康教育10分	1	制定健康教育工作计划和干预策略	确定开展每次健康教育活动的内容、形式、时间、实施质量控制的方法、组织实施过程、工作人员和设备；配备专（兼）职人员；具备开展健康教育的场地、设备，并保证设备完好，正常使用。	无健康教育工作计划和干预策略不得分；工作计划和干预策略具有较强的可操作性，内容全面得0.2分；有专（兼）职人员得0.2分；场地、设备、设施落实到位得0.6分，各项如有不规范，酌情扣分，扣完为止。
		2	发放健康教育印刷资料	印刷资料包括健康教育折页、健康教育处方、健康手册和医学科普读物等。每个机构每年提供不少于12种内容的印刷资料。	本项考核得分＝健康教育印刷材料发放率（每年发放健康教育印刷材料种类/12×100%）×2。
		1	播放健康教育音像资料	音像资料包括录像带、VCD、DVD等视听传播资料，每个机构每年播放音像资料不少于6种。	本项考核得分＝健康教育音像材料播放率（每年播放健康教育音像材料种类/6×100%）×1。
		2	设置健康教育宣传栏	社区卫生服务中心和乡镇卫生院宣传栏不少于2个，每个宣传栏的面积不少于2平方米，每年更新12次。	无宣传栏不得分；宣传栏面积少于2平方米不得分；更新少一次扣0.1分，扣完为止。
				社区卫生服务站和村（居）卫生室宣传栏不少于1个，每个宣传栏的面积不少于2平方米，每年更新6次。	无宣传栏不得分；宣传栏面积少于2平方米不得分；更新少一次扣0.2分，扣完为止。
		2	开展公众健康咨询活动	利用各种世界健康主题日或节假日，开展健康咨询活动并发放宣传资料。每个机构每年至少开展6次公众健康咨询活动。	本项考核得分＝公众健康咨询活动完成率（每年组织公共健康教育活动次数/6×100%）×2。
		2	举办健康知识讲座	针对高血压、糖尿病、结核病、精神分裂症患者或家属、孕产妇、0~36个月儿童家长等，定期举办健康讲座，每个机构每月至少需要举办1次健康知识讲座。	本项考核得分＝健康教育知识讲座完成率（每年举办健康教育知识讲座次数/12×100%）×2。
	预防接种3分	1	为0~6岁儿童建卡建证	为辖区所有适龄儿童建立预防接种证和预防接种卡等儿童预防接种档案，每半年对辖区内儿童的预防接种卡（证）进行1次核查和整理。	本项考核得分＝预防接种建证（卡）率〔年度辖区内建立预防接种证（卡）人数/年度辖区内应建立预防接种证（卡）人数×100%〕×1。
		1	为适龄儿童按规定全程接种疫苗	为适龄儿童按规定全程接种疫苗，包括乙肝疫苗、卡介苗、脊灰疫苗、百白破疫苗、白破疫苗、麻疹疫苗、乙脑疫苗、麻腮风疫苗、流脑疫苗、甲肝疫苗等疫苗，并定期组织开展补种工作。及时发现、报告预防接种中的疑似异常反应，并协助专业机构完成现场调查和处理。	本项考核得分＝疫苗接种率（年度辖区内某种疫苗年度实种人数/某种疫苗年度应种人数×100%）×1； 不能发现、报告预防接种中的疑似异常反应不得分；未定期开展查漏补种工作扣0.5分；不能协助专业机构完成现场调查和处理扣0.5分，扣完为止。
		1	为15岁以下儿童补种乙肝疫苗	为适龄儿童补种乙肝疫苗	本项考核得分＝乙肝疫苗补种率（年度辖区内乙肝疫苗年度实补种人数/乙肝疫苗年度应补种人数×100%）×1。

续表

考核分类	服务项目	分值	服务内容	实施标准	考核指标
项目工作完成	传染病防治2分	2	对辖区发现的传染病进行登记并及时报告，参与现场疫点处理	建立传染病报告和突发公共卫生事件报告制度；及时发现、登记并报告辖区内发现的传染病病例和疑似病例，法定报告传染病无漏报；能够协助专业机构开展疫点处理，排查密切接触者，留观随访，指导落实消毒预防等措施。结合本地区人群特点开展结核病、艾滋病等重点传染病防治的健康知识宣传，在专业机构指导下开展咨询服务。	未建立传染病报告和突发公共卫生事件报告制度不得分；不能及时发现、登记并报告辖区内发现的传染病病例和疑似病例扣0.5分；不能协助专业机构开展疫点处理扣0.5分：未开展结核病、艾滋病等传染病防治知识宣传和咨询服务扣0.5分。扣完为止。
	儿童保健7分	3	开展新生儿访视	为辖区内新生儿开展新生儿访视3次，包括新生儿健康检查、指导母乳喂养、新生儿护理等。	本项考核得分＝新生儿访视率（年度辖区内接受1次及以上访视的新生儿人数/年度辖区内登记的活产数×100%）×3。
		2	为辖区内0～36个月婴幼儿建立儿童保健手册，掌握辖区儿童数量及分布	设立儿童保健科，配备专职儿童保健人员；为辖区内0～36个月婴幼儿建立儿童保健手册，掌握辖区儿童数量及分布。	本项考核得分＝0～36个月儿童保健建册率（建册人数/辖区内应建册总人数×100%）×2；未设立儿童保健科不得分，未配备专职儿童保健人员扣1分。
		2	对辖区内0～36个月婴幼儿开展儿童系统管理，包括体弱儿筛查及专案管理工作	对辖区内0～36个月儿童进行系统管理，1岁以内婴儿每年健康检查4次，第2年和第3年幼儿每年健康检查2次，包括生长发育监测及评价、辅食添加指导、心理行为发育咨询指导、出生缺陷的发现及转诊、婴幼儿常见疾病的防治、意外伤害预防等，对体弱儿、高危婴幼儿进行转诊及管理。	本项考核得分＝儿童系统保健管理率（年度辖区按要求频次管理的儿童数/年度辖区内登记全部儿童数×100%）×2；未按规定开展儿童系统管理不得分。
	孕产妇保健7分	3	为辖区内孕产妇建立保健手册，掌握孕产妇数量及分布	设立妇女保健科，配备专职妇女保健人员；为辖区内孕产妇免费建立孕产妇保健手册，掌握孕产妇数量及分布；对孕产妇死亡进行监测。	本项考核得分＝早孕建册率（辖区内怀孕12周之前建册的人数/该时间段内活产数×100%）×3； 未设立妇女保健科不得分，未配备专职妇女保健人员扣1.5分：未开展孕产妇死亡监测扣1.5分，监测漏报率不高于5%，每上升1个百分点扣0.6分，扣完为止。
		2	开展孕期系统保健管理	对每个孕产妇至少进行5次孕期指导，包括体格检查和产科检查（体重、血压、宫高、胎心、胎位等）、孕期心理、孕期营养等指导。	本项考核得分＝合格产前检查率（辖区内按照要求在孕期接受5次产前保健服务的人数/该时间段内活产数×100%）×2
		2	开展产后访视	对辖区内产妇进行至少2次产后访视和1次产后健康检查，了解产后恢复情况并对产后常见问题进行指导；开展计划生育技术、卫生保健和母乳喂养方面的指导和咨询。	本项考核得分＝产妇产后访视率（辖区内产后28天内接受一次及以上产后访视的产妇人数/该时间段内活产数×100%）×2；计划生育、卫生保健和母乳喂养知识知晓率不低于95%，每下降1个百分点扣0.2分，扣完为止。
	老年人保健4分	2	对辖区内65岁及以上老年人实行健康管理	掌握辖区内65岁及以上老年人口数量和有关情况，建立健康档案，实行动态管理。	本项考核得分＝65岁及以上老年人健康管理率（接受管理的人数/年内辖区65岁及以上常住居民数×100%）×2。
		1	每年为65岁及以上老年人进行一次体格检查	每年为65岁及以上老年人进行一次体格检查，包括健康危险因素调查、一般体格检查等。	本项考核得分＝健康检查表完整率（填写完整的健康检查表数/抽样的健康检查表数×100%）×1。
		1	每年为65岁及以上老年人进行一次健康指导	每年为65岁及以上老年人进行一次健康指导，包括自我保健及伤害预防、自救等。	本项考核得分＝健康指导覆盖率（接受健康指导人数/年内辖区内65岁及以上常住居民数×100%）×1。
	慢性病管理9分	3	对所辖高血压患者进行筛查	建立35岁以上人群门诊首诊测血压制度，对辖区内35岁及以上常住居民，每年在其第一次到基层医疗卫生机构就诊时为其测量血压。对已确诊的原发性高血压患者纳入高血压患者管理。	本项考核得分＝35岁以上首诊患者测血压率（35岁以上首诊患者测血压人数/35岁以上首诊患者总人数×100%）×3；未建立35岁以上人群门诊首诊测血压制度不得分。

续表

考核分类	服务项目	分值	服务内容	实施标准	考核指标
项目工作完成	慢性病管理9分	2	实行高血压患者管理	对确诊的高血压患者，每年提供至少4次随访。每次随访包括进行健康评估、病情监测、行为干预、用药指导、健康教育、效果评价等，每次提供服务后及时将相关信息记入健康档案。	本项考核得分＝高血压患者的规范化管理率（按照要求进行高血压患者管理的人数/年内管理高血压患者人数×100%）×2。
		1	对所辖高血压患者进行健康检查	高血压患者每年至少进行1次健康检查，可与随访相结合。内容包括血压、体重、随机血糖（指血），一般体格检查和视力、听力、活动能力的一般检查。	本项考核得分＝高血压患者健康体检率（高血压患者健康体检人数/高血压患者管理人数×100%）×1。
		2	实施糖尿病患者管理	对糖尿病患者进行每年至少4次的面对面随访管理。每次随访包括：测量空腹血糖和血压、询问上次就诊到此次就诊期间的症状、询问患者生活方式、了解患者服药情况及对患者进行分类干预等，每次提供服务后及时将相关信息记入健康档案。	本项考核得分＝糖尿病患者规范管理率（按照要求进行糖尿病患者管理的人数/年内管理糖尿病患者人数×100%）×2。
		1	对所辖糖尿病患者进行健康检查	每年至少进行1次健康检查，可与随访相结合。内容包括血压、体重、空腹血糖（指血）测量，一般体格检查和视力、听力、活动能力的一般检查。	本项考核得分＝糖尿病患者健康体检率（糖尿病患者健康体检人数/糖尿病患者管理人数×100%）×1。
	重性精神疾病管理6分	2	对辖区内重性精神疾病患者进行登记管理	辖区重性精神疾病病人登记率≥60%。	辖区重性精神疾病病人的登记率每下降1个百分点扣0.2分，扣完为止。
		4	在专业机构指导下对居家的重性精神病人进行治疗随访和康复指导	在专业机构指导下管理居家的重性精神病人，每年至少随访4次，做好康复指导，并进行1次综合评估。	本项考核分值＝重性精神疾病患者管理率（每年完成4次随访的患者/辖区内所有登记在册的居家重性精神疾病患者数×100%）×4；未进行康复指导工作扣2分，扣完为止。
项目实施效果	居民、患者测评30分	10	居民、患者对基本公共卫生服务的知晓情况	居民、患者对基本公共卫生服务的知晓率＝知道基本公共卫生服务内容的人数/调查人数（不少于30人）×100%≥95%。	每下降1个百分点扣1分，扣完为止。
		10	居民、患者对健康知识的掌握情况	居民、患者对健康知识知晓率＝健康知识问卷答对题数/问卷题数×调查人数（不少于30人）×100%≥95%。	每下降1个百分点扣1分，扣完为止。
		10	居民、患者对基本公共卫生服务的满意情况	居民、患者对基本公共卫生服务的满意率＝对机构开展基本公共卫生服务感到满意的人数/调查人数（不少于30人）×100%≥95%。	每下降1个百分点扣1分，扣完为止。
项目组织管理	加强组织管理、推动项目有序开展10分	4	建立健全项目管理制度	健全项目管理办法，完善问责制度和日常监督检查制度。	未建立项目管理办法的扣2分；未建立问责制度扣2分；未建立日常督导检查制度扣2分，扣完为止。
		4	严格项目资金管理	建立完善资金管理制度，实行项目资金专账管理，专款专用，账册清晰，原始凭证真实，资料符合规定。	未建立资金管理制度扣2分；未实行专账管理扣2分；其余有一项不符合要求扣1分，扣完为止。
		2	项目正常有序开展	年内未发生上访、投诉、举报及重大纠纷等恶性事件。	发生一起扣0.5分，扣完为止。
		—	无违规违纪情况	经有关部门检查未发现违规违纪现象。	如有发现，扣10分。

省卫生厅 省残联 省财政厅关于印发《山东省贫困白内障患者复明项目实施方案》的通知

2009年9月16日 鲁卫医字〔2009〕79号

各市卫生局、残联、财政局，省（部）属医疗单位：

为全面实施国家“百万贫困白内障患者复明工程”项目，按时完成我省承担的复明手术任务，省卫生厅、省残联、省财政厅联合制定了《山东省贫困白内障患者复明项目实施方案》（以下称《方案》），现印发给你们，并就实施“山东省贫困白内障患者复明项目”（简称“省复明项目”）有关事宜通知如下：

一、充分认识项目实施的重要意义

“百万贫困白内障患者复明工程”（简称“百万复明工程”）从重大民生问题入手，利用中央财政专项补助经费，自2009年起用三年的时间，使全国百万贫困白内障患者得到及时的手术治疗，充分体现了党和政府对贫困白内障患者的关爱，对防盲治盲工作的重视，是国家近期实施的重大公共卫生服务项目之一，是落实医改重点工作的重要部署。实施好“省复明项目”是深化医药卫生体制改革，促进公共卫生服务逐步均等化的重要举措，是加强我省防盲治盲工作，落实《2006~2010山东省防盲治盲规划》工作的有利契机。实施好这一项目可以坚定人民群众和医疗卫生队伍对改革的信心和决心，共享改革成果。各级卫生、残联、财政部门及有关单位，要从坚持“以人为本”，贯彻落实科学发展观的高度，从深化医药卫生体制改革的全局出发，充分认识“百万贫困白内障患者复明工程”项目和“省复明项目”的重要作用和意义，统一思想，提高认识，加强领导，切实把这一项目组织好、实施好。

二、精心组织，确保完成项目任务

各市、县（市、区）卫生局、残联、财政部门要按照《方案》要求，明确职责，精心组织，密切配合，科学实施，提高项目实施的效果和效益，确保目标人群受益。各项目市县要根据辖区内实际情况，建立项目管理的工作机构和工作制度，设立专（兼）职人员负责项目实施与管理，及时制定本市的项目实施细则，做到科学规划，精心部署，统筹安排，稳步推进，加强督导监管，确保各项工作落到实处。各级项目办要建立信息报送制度，确定专人管理，按照《方案》要求及时报送项目实施的有关工作情况、筛查、手术、工作进度等有关信息，确保信息准确、及时、不漏项、不漏报。今年项目任务要于年底前完成，时间紧、任务重，各项目办要及时制定月工作计划，通过“白内障复明手术信息报告系统”和“山东省白内障患者筛查信息报告系统”及时了解筛查、手术实施和本地区项目进展情况，并按月报送项目进展情况。各市、县（市、区）卫生局、残联要加强对项目工作的督导。省卫生厅和省残联将对各市项目执行进度定期通报、调度，确保我省任务按时限、保质保量地完成。

三、做好筛查和实施手术的衔接，确保质量和安全

筛查工作是完成项目任务的关键环节，各级残联负责项目的筛查及组织工作。各级残联部门要按照《方案》要求统筹协调，制定程序流畅、衔接紧密地工作流程，并在筛查过程中补充完善。各级残联要充分发挥基层残疾人机构的组织协调作用，精心组织好白内障患者的全面筛查工作，认真审核患者相关信息

并做好筛查信息的录入工作，确保目标人群真正从“省复明项目”中获益。各级卫生行政部门充分发挥各级防盲技术指导机构、基层防盲治盲工作网络及乡镇卫生院、社区卫生服务机构的作用，指定医疗机构和手术定点医院选派医务人员配合残联做好筛查工作。各市要成立市级眼科专家组，负责各县区手术定点医院开展贫困白内障患者复明手术的技术指导。各手术定点医院要严格手术适应症，规范患者的诊断、治疗和术后随访等工作，以提高手术治疗效果，降低手术并发症，发现问题及时纠正，确保医疗质量和医疗安全，并按有关规定及时将贫困白内障患者的信息录入“白内障复明手术信息报告系统”。

四、加强检查督导，确保取得实效

各市、县（市、区）卫生局、残联、财政部门要切实加强对“省复明项目”实施情况的督导和管理，重点加强对项目执行情况和项目资金使用情况的监管，务必做到专款专用，严禁挪作他用。一经发现，追究责任人的责任。要注意总结经验，发现问题，及时改进。要做好项目实施文件、声像资料等有关材料的收集整理和保存，按规定移交档案管理部门。要加强对项目的宣传报道，扩大社会影响，使更多的贫困白内障患者了解项目的有关内容，及时接受手术治疗，并大力宣传先进典型和成功做法。要将定点医院、受助者名单、监督电话向社会公示，接受群众监督。通过项目的实施，进一步健全基层眼保健网络，加强防盲治盲队伍建设，完善防盲治盲工作体系，不断提高基层眼保健服务能力，确保人民群众享受到深化医药卫生体制改革的成果。各级卫生局残联要对各级项目实施情况进行不定期检查和通报，及时总结经验，确保项目取得实效。

请各市于9月25日前，将实施细则、成立项目管理机构情况及组成人员名单、信息联络员的姓名和联系方式、电子邮箱，分别报送省卫生厅和省残联。各地在项目实施过程中发现的问题和建议也请及时报省卫生厅、省残联。

联系人：
省卫生厅医政处　伊鸿鹏
联系电话：0531－67876155
传　　真：0531－67876263
E－mail：sdpkfm@163. com
省残联康复部　卢希清
联系电话：0531－86158931
传　　真：0531－86158913
E－mail：123zgr@163. com
附件：山东省贫困白内障患者复明项目实施方案

附件：

山东省贫困白内障患者复明项目实施方案

为贯彻落实《中共中央国务院关于深化医药卫生体制改革的意见》、《国务院关于医药卫生体制改革近期重点实施方案（2009～2011年）》的工作要求，为解决我省部分贫困患者白内障致盲的问题，提高白内障患者复明手术率，根据卫生部、中国残联印发的《“百万贫困白内障患者复明工程”项目实施方案》，结合我省实际，制定本实施方案。

一、项目目标

（一）山东省贫困白内障患者复明项目（以下简称“省复明项目”），利用中央财政专项补助经费及省市县补助经费，为具有我省常住户口，符合手术条件的部分贫困白内障患者实施手术治疗，帮助贫困白内障患者恢复光明，提高生活质量，促进社会和谐发展。

（二）通过项目实施，进一步加强我省基层医院眼科建设，提高基层眼科医务人员医疗技术水平，建立健全我省初级眼保健网络，到2011年，所有县（市、区）至少有一所医院设置眼科，并能开展白内障手术和其他较复杂的眼科手术，逐步建立白内障患者发现一例复明一例的长效工作机制，为创建白内障无障碍省奠定基础。

二、具体内容

（一）项目内容

"省复明项目"与山东省贫困白内障患者"光明工程"整合，自2009年开始实施至2011年结束，为期三年，实施范围为我省17市部分贫困白内障患者。

2009年完成2.5万例贫困白内障患者复明手术，重点完成双眼盲及视力≤0.1的贫困白内障患者手术。2010年、2011年逐步完成视力≤0.2、<0.3的贫困白内障复明手术。2009年11月底前，对全省视力<0.3的白内障患者进行全面筛查摸底，建立筛查档案和数据库，采取边筛查、边手术的方式实施项目任务。2010年和2011年新增白内障患者，由各县（市、区）残联及时组织筛查。

（二）任务分配

省卫生厅与省残联根据各市贫困人口数量、贫困白内障患者的分布情况、以往开展防盲治盲工作情况、山东省50岁及以上人群盲与低视力流行病学调查的结果、各市创建"白内障无障碍市"等有关情况，确定2009年的手术任务（附件1）。各市结合本地区实际情况及时将手术任务分配至各县（市、区）及定点医院。

2010年和2011年，我省将根据国家分配我省的任务数量、各市白内障患者全面筛查的底数及项目任务完成情况，调整确定各市的项目任务。

（三）执行时间

执行时间为2009年至2011年。2009年任务执行时间至今年年底。

三、实施原则

（一）省级指导，各市实施，部门配合。省卫生厅、省残联共同负责实施方案的制定和组织指导，省财政厅负责经费安排。各级市、县卫生、残联、财政部门各司其职，密切配合协调，确保项目按计划科学规范的实施和任务的完成。

（二）统筹规划，整体安排，突出重点。各市要将本项目与目前正在开展的其他项目和日常防盲治盲工作结合起来，针对本市医疗资源分布和质量、目标人群医疗服务需求和经济状况，统筹规划，合理安排，切实抓好项目的落实，提高项目实施效果和效益，确保目标人群受益。

（三）以点带面，稳步推进，整体提高。在项目实施过程中，要充分发挥县级医院和初级卫生保健网的作用，逐步建立健全初级眼保健网络，加强防盲治盲队伍建设、培训和设备的配置，完善防盲治盲工作体系，着力提高县级医疗机构眼科建设水平、医疗技术水平及基层眼保健的服务能力，促进防盲治盲整体水平的提高和防盲治盲规划的落实。

四、组织实施

（一）明确工作职责

1. 省卫生厅、省残联负责制定项目实施方案、提出工作目标和要求，对各市项目执行情况进行指导和监督。卫生部门负责组织手术和质量控制；残联负责组织白内障患者筛查、制定输送方案、信息录入并督促落实；民政部门负责贫困患者认定；财政厅负责安排中央财政补助经费，制定补助方案，并对使用情况进行监督。各级各部门按照分工履行工作职责。

2. 各市卫生局和残联负责制定本市实施细则并组织实施。市、县（区）卫生局组织定点医院实施手术和医疗质量的控制。市、县残联按照项目要求详细制定辖区内白内障患者全面筛查和手术患者月输送计划，逐级上报，确保按期完成项目任务。各县级残联部门负责患者筛查、输送病员及筛查信息录入、统计报告、培训等工作。

3. 各市级定点医院实施复杂手术，对手术定点医院进行技术指导。手术定点医院负责复明手术的实施、预防和减少并发症确保医疗安全，并配合残联做好筛查工作。

（二）建立工作机构，制定工作制度

省卫生厅、残联、财政厅联合成立项目领导小组，下设办公室（附件2），负责全省项目的组织、协调、指导、督查与管理。主要任务是综合协调、制定实施方案、确定手术定点医院，组织培训、上报各种报表及相关信息、经费管理、项目宣传、主要医用耗材招标采购，以及项目督导评估、总结经验和建立工作档案等。各市、县卫生局、残联和财政局也要成立相应组织和项目办公室，负责本市的项目实施、组织、协调、指导和管理。县（区、市）项目办负责辖区内项目日常管理，组织实施手术、患者信息汇总上报、人员培训和项目档案及声像资料的收集整理归档等工作。

各级项目办要制定分工明确的工作制度、程序和考核机制，采取定期或不定期的督导方式，及时了解工作进展情况，研究、解决项目执行中出现的问题，确保各项工作要求有效落实。

（三）制定实施细则

各市卫生局、残联要按照本实施方案要求，结合本市医疗资源分布、贫困白内障患者盲情、防盲治盲工作进展情况制定本市的实施细则。各项具体工作任务要责任到人，制定完成任务的进度、时限、责任人、具体要求，做好各个环节的衔接，采取切实可行、及时有效的措施，确保项目保质保量按期完成。

（四）确定手术和技术指导定点医院

1. 按照合理布局、利于管理、保证质量和安全、方便患者、减轻其经济负担和往返费用的原则，根据定点医院的基本标准由设区的市卫生局组织定点医院的申报（附件3），优先选择符合条件的县级医疗机构或县眼科专科医疗机构承担手术任务，并确定市级技术指导医院，经市卫生局初审和省专家组审核，报省卫生厅审批。定点医院实行动态管理，市项目办要根据手术任务完成、信息报送、医疗质量安全等有关情况进行调整，按程序报批。未确定为定点医院，但符合基本标准的县级医院，可向县（区）卫生局申请，按程序审批后视情况增补为定点医院。经各市申报和审核，现确定第一批定点医院198家，其中省级技术指导医院9家，市级技术指导医院40家，县级手术定点医院149家（附件4）。

2. 省、市级定点医院主要实施儿童和复杂白内障手术，进行技术指导。为确保复明手术质量和安全，县级定点医院必须将6岁以下儿童白内障和各种复杂性白内障患者转市或省级定点医院进行手术。对虽确定为县级定点医院但手术技术力量薄弱、尚不能独立开展白内障手术的医院，首先由市卫生局确定市级定点医院进行技术支持，必要时可申请省级定点医院组派医疗队或复明手术车前往支持。省级定点医院对项目市实行划片技术指导、质量控制和组派专家实施复杂手术（附件5）。

3. 个别未确定定点医院的县（市、区），由设区的市卫生局确定其他定点医院承担手术任务或组织市级技术指导医院组派医疗队赴该县进行手术和现场带教，帮助医院提高眼科技术水平和业务能力，完成项目任务，必要时可申请省级专家进行技术指导，以保证医疗质量和医疗安全。

（五）成立专家指导组

为确保“省复明项目”的顺利实施，成立山东省贫困白内障患者复明项目专家指导组（附件6），负责对手术定点医院进行技术指导和质量控制，提高手术治疗疗效，降低手术并发症，确保医疗质量和医疗安全。

（六）签订任务书

省卫生厅、省残联与各市卫生局、残联签订项目任务书（附件7）。各市、县（市、区）卫生局、残联也要逐级与项目执行部门及单位层层签订任务书，确保项目按要求实施，并按时、保质、保量完成项目任务。

（七）招标采购耗材

为保证耗材质量，降低手术成本和医疗费用，由省卫生厅负责白内障手术主要耗材（人工晶体、粘弹剂、手术缝线）的集中招标工作，采取委托具备资质的招标代理机构进行招标采购，确定每种耗材品目的中标厂商、型号规格及中标单价。各定点医院根据耗材需求直接与中标供应商联系，由供货商统一配送。

五、实施措施

（一）组织筛查

1. 各地要根据项目要求，结合本市防盲治盲工作规划，由残联牵头、卫生部门配合，按照计划安排，深入乡村农户，认真组织开展白内障患者的全面筛查工作，了解本地区白内障的发病和分布情况，摸清白内障患者的底数及经济状况。要充分发挥县（市、区）、乡镇（街道办）残联和村（居）残疾人协会等基层残联的组织协调作用，及时发现贫困白内障患者并组织好输送，确保任务的完成。县级残联要做好患者的筛查档案登记、将初筛的贫困白内障患者转至乡镇卫生院和社区卫生服务机构进行初检，并做好与定点医院的衔接，及时将患者转至白内障手术定点医院确诊和手术。县区级残联负责将筛查信息录入“山东省白内障患者筛查信息报告系统”（http：//www. sdws. gov. cn：86/），并按月报送筛查的相关信息。各项目县（市、区）要于2009年11月底前完成全面筛查任务，其中50岁及以上人群筛查率要达到80%以上，2010年7月底前筛查率达到100%的要求，确保筛查任务保质保量地完成。

2. 贫困白内障患者是指城乡低保家庭成员、农村五保户以及当地政府规定的其他特殊困难人员，持低保证或所在县（市、区）民政部门提供的贫困证明，有白内障患者手术适应指征的白内障患者。

3. 各项目办要结合本地实际，通过电视、广播电台、报纸等各种媒体，采取多种形式宣传项目的重要性和意义，让更多的群众了解党和国家关注民生、关注白内障患者、做好白内障复明工程的决心，普及白内障及防盲治盲科普知识，使广大群众充分了解、积极支持和参与复明项目，为项目的顺利实施创造条件。

（二）实施手术

定点医院要加强组织领导与管理，成立以院长为组长、各相关科室领导参加的医疗保障领导小组，落实责任科室，建立医院主要领导亲自抓、专人具体负责、任务分工明确、流程合理的工作机制。

1. 各定点医院积极配合当地残联进行白内障患者的筛查和确诊工作，确定其是否符合白内障手术条件，并认真做好术前的各项准备工作。

2. 要严格掌握手术适应症并与患者签订手术知情同意书。在实施手术时，要严格手术标准和操作规范，按照《白内障复明手术操作规范及质量控制标准》（附件8）执行，坚持高标准、高质量地完成每一例手术。

3. 要根据患者具体情况，实施手术。严格执行诊疗规程，严把消毒灭菌关，防止院内感染发生，减少手术并发症，杜绝医疗事故，确保手术质量和医疗安全。

4. 手术车的主要耗材、术前检查、检验项目等由县（市、区）项目办确定的定点医院完成，手术车完成手术任务后，由各项目县（市、区）与手术车所在医院结算有关费用。

（三）手术信息报送

各定点医院要保存好患者的病案资料、贫困证明及山东省贫困白内障患者复明项目手术报告表（附件9）等资料，确定专人负责在手术四天内按时规范填报“白内障复明手术信息报告系统”的各项内容。

（四）工作进度和时限要求

各项目办要按照每年任务量和时限要求，分解任务，制定月计划，确定责任人，加强督导和检查。2009年10月底前，各项目市必须完成2009年手术任务量的50%以上，11月底前完成全面筛查任务和手术任务量的80%以上，确保年底前完成2009年“省复明项目”全部任务。

（五）建立项目信息报送制度

为及时准确了解和掌握“省复明项目”实施工作动态和成效，更好地决策和指导项目工作，交流工作经验，推广先进典型，省项目办在山东省防盲网（www. sdeyecare. org）开辟“山东省贫困白内障患者复明项目”专栏，刊登工作信息。各市、县要强化信息报送意识，明确分管领导，落实一名信息联络员，具体负责信息的采集、组稿和报送工作。报送内容包括：领导调研视察、项目贯彻落实情况、重要工作动态、工作新思路、新举措和先进经验、先进人物事迹、社会的反响、其他应当报送的各类信息，以及照片、录像等资料。报送信息务求真实可靠，具有可读性、完整性、新闻性，要紧紧围绕项目的实施情况，做到早发现、早收集、早报送，不断推动项目又好又快开展。各市每月报送信息不少于4条，各省级定点医院每月至少1条。信息编排投稿邮箱：sdeyecare@126. com。

（六）建立项目档案的管理制度

各项目办和有关单位要重视项目档案的管理，与档案部门共同确定各种项目文件、会议、培训、督导、实施复明手术的人员名单、报表、照片、声像资料等有关材料的归档范围和保管期限，制定切实可行的档案管理制度，明确专人负责档案资料的收集与管理，确保项目实施档案的齐全、完整和规范，并于项目完成年度按照有关规定移交档案管理部门。

（七）人员培训

省项目办负责培训设区市项目办负责人员、省专家指导组成员及定点医院技术负责人。设区市项目办负责培训县（区、市）项目工作人员、市专家组成员及定点医院医务人员；县（区、市）项目办负责培训乡镇、村和社区筛查人员。

（八）手术费用种类

复明手术分为免费手术和减费手术。对无手术经费支付能力、自愿接受免费手术的贫困患者，定点医院要对其施行免费复明手术，费用严格控制在项目补助和配套经费内。对有一定支付能力自愿接受减费手术的贫困患者可施行减费手术，患者可选用不同价位的手术耗品和手术服务，超过项目当年补贴的费用，由个人支付。

六、经费保障与管理

（一）经费筹集

国家“百万贫困白内障患者复明工程”项目实施方案确定，2009~2011年，中央和省级财政对贫困白内障患者手术费用实行补助。不足部分及残联患者筛查等资金由市、县多渠道统筹解决。

（二）经费管理

省财政厅会同有关部门制定开展此项工作的项目资金管理办法，并负责经费使用情况的监督管理。

七、监督管理

各级卫生和残联部门负责项目的监督和管理。各项目办要对定点医院信息上报情况进行督促、规范和指导，通过“白内障复明手术信息报告系统”和“山东省白内障患者筛查信息报告系统”及时了解手术实施情况和本地区项目进展情况，确保项目任务的完成。各项目市、县每季度对项目实施情况进行一次督导，并对项目执行情况进行定期或不定期检查。督导内容包括：总体进展情况、患者筛查及登记情况、定点医院手术质量、资金使用情况、信息报告等。各设区的市将项目进展情况以及“省复明项目”执行进度表（附件10），分别于每年的1月、4月、7月和10月的5日前汇总报送省项目办，省项目办汇总后分别报卫生部、中残联。

2009年项目的实施情况实行月报告制度，分别于每月的5日前将上月工作报表报送省项目办。对管理不善、项目执行效果不力的市、县和定点医院进行调整。贫困白内障患者实施项目手术后，其姓名和主要信息要在其所在村委会或社区居委会给予公示。省、市、县要及时征求患者和群众的意见并公布项目监督电话、电子信箱，以接受社会监督和工作建议。各地要加强对项目经费的监管，确保专款专用，任何单位和个人不得以任何理由挤占或挪用。发现弄虚作假以及违规使用经费的，追究主要领导和有关人员的责任。省卫生厅和省残联将对各市项目实施情况进行抽查、评价和汇总，并将结果适时公示。

附件：1. 山东省贫困白内障患者复明项目2009年手术数量分配表

2. 山东省贫困白内障患者复明项目领导小组及办公室成员名单

3. 山东省贫困白内障患者复明项目定点医院基本标准及审批表
4. 山东省贫困白内障患者复明项目定点医院（第一批）
5. 山东省贫困白内障患者复明项目省级定点医院划片负责市安排表
6. 山东省贫困白内障患者复明项目省级专家指导组名单
7. 山东省贫困白内障患者复明项目任务书
8. 白内障复明手术操作规范及质量控制标准
9. 山东省贫困白内障患者复明项目手术报告表
10. 山东省贫困白内障患者复明项目执行进度表

附件1：

山东省贫困白内障患者复明项目2009年手术数量分配表

市	任务量（例数）	备注
济南	1 200	
青岛	1 000	
淄博	2 500	
枣庄	700	
东营	1 000	
烟台	2 500	
潍坊	1 500	
济宁	700	
泰安	1 500	
威海	500	
日照	1 000	
莱芜	1 000	
临沂	2 900	其中山东中医药大学第二附属医院手术车1 000例
德州	1 500	
聊城	1 500	
滨州	2 500	其中山东省立医院手术车400例
菏泽	1 500	其中省立医院手术车600例
合　计	25 000	

附件2：

山东省贫困白内障患者复明项目领导小组及办公室成员名单

项目领导小组

组　长：刘玉芹　　省卫生厅副厅长

副组长：周克明　　省残联巡视员

万书臻　　省卫生厅医政处处长

宋新生　　省财政厅社会保障处处长

成　员：邱枫林　　省卫生厅规划财务处处长

鞠少华　　省残联康复部部长

安淑敏　　省卫生厅医政处副调研员

秦成勇　　省立医院副院长

项目办公室

主　任：万书臻　　省卫生厅医政处处长

副主任：邱枫林　　省卫生厅规划财务处处长

安淑敏　　省卫生厅医政处副调研员

卢希清　　省残联康复部副部长

任　勇　　省防盲治盲工作指导组办公室副主任

王利华　　省防盲治盲工作指导组办公室副主任

毕宏生　　山东中医药大学第二附属医院副院长

党光福　　省千佛山医院眼科主任

史伟云　　山东省眼科医院院长

秘　书：伊鸿鹏　　省卫生厅医政处副主任科员

李　运　　省防盲治盲工作指导组办公室秘书

李朝峰　　山东中医药大学第二附属医院办公室副主任

成　员：

孙志毅　　山东中医药大学第二附属医院医疗服务部主任助理

刘兆强　　省立医院眼科中心主治医师

刘宝玉　　省防盲治盲工作指导组办公室文秘

附件3：

山东省贫困白内障患者复明项目定点医院基本标准及审批表

一、医院要求

二级以上综合医院或眼科专科医院，设有眼科，可用于眼科的床位不少于10张。

二、眼科技术人员要求

具有从事眼科专业的执业医师2人以上，其中1人为副高以上职称。承担白内障手术的医生具有丰富的白内障手术和术后处理经验。

三、完成白内障复明手术要求

眼科平均每年完成白内障复明手术不低于100例，单纯性白内障手术脱残率≥90%，人工晶体植入率≥90%。

四、手术室的要求

1. 手术室各项规章制度健全，灭菌、消毒符合医院感染质量控制要求。
2. 根据功能区域和消毒隔离要求，无菌区、清洁区、污染区划分明确，各区域之间有清晰的标志。
3. 眼科应具备独立的手术间，室内具有空气调节与消毒设施。手术间须配备专门的麻醉、急救设备，保证手术安全。

4. 严格遵守无菌技术操作原则。手术包必须高压灭菌，做到一人一包。

五、设备要求

1. 裂隙灯1台。
2. 眼科手术显微镜1台。
3. 眼科显微手术器械（5套，需满足连续手术工作要求）。
4. 眼科A/B超及角膜曲率仪。
5. 白内障手术包（5个，需满足连续手术工作要求）。
6. 眼底镜1台。
7. 快速消毒锅1台。

六、开展复杂白内障手术的定点医院还应具备以下条件

1. 具有成熟的婴幼儿全身麻醉技术。麻醉师应具有3～24个月婴幼儿麻醉经验。具备功能完好的麻醉机、综合监护仪等全身麻醉设备，配套设施齐全。有充足、齐全的麻醉药品和急救药品。

2. 手术医生的要求。承担复杂白内障手术的医生，必须经过了专业的白内障技术培训，具有副主任医师以上职称，并有丰富的白内障手术经验。

3. 能够提供安全的麻醉后护理。手术室设有麻醉苏醒室，病房内配备心电监护仪，并有必要的抢救设备和措施。

山东省贫困白内障患者复明项目手术定点医院审批表

申请单位（盖章）　　　　　　　　填报时间：200　年　月　日

单位全称：						
地址：					邮编：	
单位负责人：			填表人：		联系电话：	
项目联系人：			手机：		传真：	
电子邮址：						
1. 眼科基本情况						
机构类型	1. 县以上综合医院　2. 县级医院　3. 眼科专科医院 4. 其他（请√注明）					
科室	1. 眼科　　　2. 五官科　　　（请√注明）					
可用于眼科床位数						
2. 眼科医疗工作情况						
	2006年	2007年	2008年	2009年	2010年	2011年
眼科门诊人次数						
眼科出院人次数						
眼科床位数						

3. 眼科卫生技术人员情况				
眼科执业医师总人数	高级职称医师人数	主治医师人数	住院医院人数	能独立完成白内障囊外摘除+IOL植入术医师人数

续表

4. 上一年度白内障复明手术情况				
手术类型	数量	IOL 植入率（%）	脱盲率（%）	脱残率（%）
囊外摘除（大切口）+人工晶体植入				
小切口+人工晶体植入				
超声乳化+人工晶体植入				
合计				

5. 眼科设备情况		
品名	规格型号	数量
检眼镜		
裂隙灯		
眼科 A/B 超		
晶状体超声乳化系统		
手术显微镜		
电脑验光仪		
角膜曲率仪		
眼压计		
试镜箱		
快速消毒锅		
白内障手术器械		
白内障手术包		

6. 其他				
批量手术接待能力 （每日手术量）（请√注明）	<10 例	10～20 例	20～30 例	30～40 例
县卫生局意见 盖 章 年 月 日				
市卫生局意见 盖 章 年 月 日				
省卫生厅意见 盖 章 年 月 日				

注：1. 眼科医疗工作情况指上一年度眼科工作情况

2. 脱残：矫正视力大于等于 0.3。脱盲：矫正视力大于等于 0.05

附件4：

山东省贫困白内障患者复明项目定点医院

（第一批）

级别	市	医疗机构名称
省级 9家		山东省立医院
		山东省千佛山医院
		山东大学齐鲁医院
		山东大学第二医院
		山东中医药大学附属医院
		山东中医药大学第二附属医院
		青岛大学医学院附属医院
		山东省眼科医院
		济南军区总医院
市级 40家	济南	济南市中心医院
		济南市第二人民医院
		济南明水眼科医院
	青岛	青岛市立医院
		青岛第八人民医院
		青岛市海慈医疗集团海慈医院
		青岛眼科医院
	淄博	淄博市中心医院
		淄博市第一医院
	枣庄	枣庄市立医院
	东营	东营市人民医院
		胜利油田中心医院
	烟台	烟台毓璜顶医院
		烟台市烟台山医院
	潍坊	潍坊医学院附属医院
		潍坊市人民医院
		潍坊眼科医院
	济宁	济宁医学院附属医院
		济宁市第一人民医院
	泰安	泰山医学院附属医院
		泰安市中心医院
		中国人民解放军八十八医院
	威海	威海市立医院
		中国人民解放军第四〇四医院

续表

级别	市	医疗机构名称
市级 40 家	日照	日照市人民医院
		日照市中医医院
	莱芜	莱芜市人民医院
		莱芜市中医医院
	临沂	临沂市人民医院
		临沂市中医医院
		鲁南眼科医院
	德州	德州市人民医院
	聊城	聊城市人民医院
		聊城市第二人民医院
		聊城市光明眼科医院
	滨州	滨州医学院附属医院
		滨州市人民医院
		滨州沪滨眼科医院
	菏泽	菏泽市立医院
		单县中心医院
县级 149 家	济南	济南市长清区人民医院（*）
		长清区中医医院（*）
		平阴县人民医院
		济阳县中医院（*）
		商河县人民医院
		商河县中医院
	青岛	青岛市中心医院
		青岛市黄岛区中医医院（*）
		青岛市城阳区医院
		胶州市人民医院
		即墨市人民医院
		平度市人民医院
		胶南市人民医院
		莱西市人民医院
	淄博	淄博市中医医院（*）
		淄川区医院（*）
		博山区医院（*）
		临淄区人民医院
		桓台县人民医院
		高青县人民医院
		沂源县人民医院
		齐鲁石化医院集团中心医院
		淄博康明眼科医院

续表

级别	市	医疗机构名称
县级149家	枣庄	枣庄市中医医院
		枣庄市市中区人民医院
		枣庄市台儿庄人民医院（*）
		枣庄市峄城区中医院
		枣庄市薛城区人民医院
		滕州市中心人民医院
		枣庄矿业集团中心医院
	东营	东营市东营区人民医院
		东营市河口区人民医院（*）
		垦利县人民医院
		利津县中心医院
		广饶县人民医院
		广饶县中医院
	烟台	烟台市福山区人民医院
		烟台市牟平区人民医院
		牟平区中医医院
		龙口市人民医院
		烟台市莱阳中心医院
		莱州市人民医院
		蓬莱市人民医院
		招远市人民医院
		栖霞市人民医院
		海阳市人民医院
		海阳市中医院（*）
		长岛县人民医院（*）
		烟台市开发区医院
		烟台康爱眼科医院
		烟台光明眼科医院
		莱山京华眼科医院
	潍坊	潍坊市寒亭区人民医院
		潍坊市坊子区人民医院
		益都中心医院
		诸城市人民医院（*）
		寿光市人民医院
		高密市人民医院
		昌邑市人民医院
		临朐县人民医院
		青州眼科医院
		昌乐县人民医院
		安丘市人民医院
		安丘市眼科医院

续表

级别	市	医疗机构名称
县级 149家	济宁	济宁交通医院
		曲阜市人民医院
		兖州市人民医院
		邹城市人民医院
		微山县人民医院
		鱼台县人民医院
		金乡县人民医院
		嘉祥县人民医院
		汶上县人民医院
		泗水县人民医院
		梁山县人民医院
		济宁京华眼科医院
	泰安	泰安市中医医院
		泰安市妇幼保健院
		泰安市第一人民医院
		泰安市中医二院
		新泰市人民医院
		新泰市中医医院
		肥城光明医院
		宁阳县第一人民医院
		东平县人民医院
		肥城矿业中心医院
		新汶矿业集团有限责任公司协庄煤矿医院
	威海	威海市人民医院
		威海市文登中心医院
		荣成市人民医院
		乳山市人民医院

续表

级别	市	医疗机构名称
县级 149家	日照	东港区人民医院
		岚山区人民医院
		五莲县人民医院
		莒县人民医院
	莱芜	莱芜市莱城区人民医院
		莱芜钢铁集团有限公司医院
	临沂	临沂市妇幼保健院
		山东医学高等专科学校附属医院
		临沂市兰山区人民医院
		临沂市罗庄区人民医院
		临沂市河东区人民医院
		郯城县第一人民医院
		苍山县人民医院
		莒南县红十字会光明医院
		沂水中心医院
		蒙阴县人民医院
		蒙阴县中医医院（*）
		平邑县人民医院
		费县人民医院（*）
		沂南县人民医院
		临沭县人民医院

续表

级别	市	医疗机构名称
县级 149 家	德州	德州市立医院
		乐陵市人民医院
		禹城市人民医院
		陵县人民医院（*）
		平原县第一人民医院
		夏津县人民医院
		武城县人民医院
		齐河县人民医院（*）
		临邑县人民医院
		临邑县第二人民医院
		宁津县人民医院
		庆云县人民医院（*）
	聊城	聊城市中医医院
		临清市人民医院
		阳谷县人民医院
		莘县人民医院
		茌平县第三人民医院（*）
		东阿县人民医院
		冠县人民医院（*）
		高唐县人民医院
	滨州	滨城区市立医院
		阳信县中医医院（*）
		无棣县人民医院
		沾化县人民医院
		博兴县人民医院
		邹平县中心医院
		滨州市中心医院
	菏泽	牡丹区中心医院（*）
		曹县人民医院
		定陶县人民医院
		成武县人民医院
		巨野县人民医院
		郓城县人民医院
		郓城工业园区医院
		鄄城县人民医院（*）
		东明县人民医院（*）
		菏泽新东方眼科医院

注：带（*）的定点医院必须由市级或省级定点划片指导医院专家赴现场指导开展手术。待专家确定该院具备独立开展复明手术能力，按程序申报批准后，方能独立开展复明手术。

附件5：

山东省贫困白内障患者复明项目省级定点医院划片负责市安排表

省级定点医院	划片负责市、医疗机构
山东省立医院	东营、滨州、菏泽
山东省千佛山医院	淄博、日照
山东大学齐鲁医院	聊城、德州
山东大学第二医院	济宁、潍坊
山东中医药大学第二附属医院 山东中医药大学附属医院	莱芜、临沂、枣庄
山东省眼科医院	泰安、威海
青岛大学附属医院	青岛、烟台
济南军区总医院	部队系统医疗机构

附件6：

山东省贫困白内障患者复明项目省级专家指导组名单

组　长：万书臻　　山东省卫生厅医政处处长
副组长：王利华　　山东省立医院主任医师
毕宏生　　山东中医药大学第二附属医院主任医师
党光福　　山东省千佛山医院主任医师
史伟云　　山东省眼科医院主任医师
安淑敏　　山东省卫生厅医政处副调研员
成　员：吴欣怡　　山东大学齐鲁医院主任医师
赵桂秋　　青岛大学附属医院主任医师
张　晗　　山东大学第二医院主任医师
王静波　　山东中医药大学附属医院主任医师
李　运　　山东省立医院主任医师
张玉光　　济南市第二人民医院主任医师
曹　景　　青岛市第八人民医院主任医师
李凯军　　淄博市中心医院主任医师
秦民安　　枣庄市立医院副主任医师
徐教伦　　东营市人民医院主任医师
李元彬　　烟台毓璜顶医院副主任医师
黄旭东　　潍坊眼科医院主任医师
帅开地　　济宁市人民医院副主任医师
杜允宏　　泰安市中心医院副主任医师
吕博文　　威海市人民医院主任医师
王　芹　　日照市人民医院副主任医师
李钟实　　莱芜市人民医院主任医师

刘方毅　临沂市人民医院主任医师
张吉平　德州市人民医院主任医师
张　军　聊城市人民医院主任医师
侯爱学　滨州市人民医院主任医师
刘　健　单县中心医院副主任医师
顾　问：李春华　山东医学高等专科学校教授
秘　书：李　运　（兼）

附件7：

山东省贫困白内障患者复明项目
任　务　书

为贯彻落实《中共中央国务院关于深化医药卫生体制改革的意见》、《国务院关于医药卫生体制改革近期重点实施方案（2009～2011年）》提出的工作要求，提高贫困白内障患者复明手术率，并减轻其就医负担，卫生部、财政部、中国残联从2009年起实施为期3年的“百万贫困白内障患者复明工程”项目，逐步消除因白内障导致的可避免盲。为了全面实施国家下达的“百万贫困白内障患者复明工程”项目，按时完成我省承担的复明手术任务，承担本项目任务的市卫生局、残联承诺按照《山东省贫困白内障患者复明项目实施方案》要求，共同完成以下任务，确保目标人群受益，特签署本任务书。

一、按照规定时限完成“省复明项目”贫困白内障患者的复明手术任务。

二、2009年11月底前，完成本市白内障患病人数的全面筛查任务，视力<0.3的50岁及以上人群中白内障患者筛查率达到80%以上，2010年7月底前筛查率达到100%的要求，确保筛查任务保质保量的完成。

三、手术质量达到《白内障复明手术质量控制标准》要求。

四、2011年项目完成后，所属县（市、区）须达到至少有一家医疗机构设置眼科，并建立健全三级眼保健体系。

山东省卫生厅　　　　　　　　　　市卫生局
山东省残联　　　　　　　　　　　市残联

2009年　　月　　日

附件8：

白内障复明手术操作规范及质量控制标准

一、操作规范

（一）术前检查（术前评估）：手术前1～2天，完成所必须的检查项目。

1. 视力、矫正视力（最佳矫正视力小于0.3）、光定位。
2. 检查眼压。
3. 冲洗泪道（泪囊炎患者治愈后方可手术）。
4. 裂隙灯检查晶体的混浊程度，排除眼部活动性炎症等病变。必要时散瞳检查眼底。
5. 眼科A/B超+角膜曲率检查，人工晶体测算。
6. 血常规、凝血四项、尿常规、肝、肾功、血糖；乙肝表面抗原、丙肝抗体、梅毒、HIV（阳性者手术排在每日手术的最后一台，手术器械需用高压消毒2遍或者84消毒液浸泡后高压消毒)。

7. 心电图、胸透、测血压（≤160/95mmHg）。

8. 角膜内皮细胞计数（非必需）。

（二）术前用药

1. 术前滴用抗生素眼药水，4~6次/日，用药2~3天；或每小时一次，用药1天。

2. 术前30分钟用托品卡胺散瞳3次。

（三）手术过程

1. 麻醉方式：表面麻醉或球后/球周阻滞麻醉；手术切口前用三型安尔碘5~10ml（1ml三型安尔碘/20ml无菌注射用水）冲洗结膜囊，或用生理盐水冲洗结膜囊。

2. 手术方式：

白内障囊外摘除术（ECCE）+人工晶体植入术（IOL）；

超声乳化白内障摘除术（phaco）+人工晶体植入术（IOL）；

3. 眼内植入物：人工晶体。

4. 术中用耗品：粘弹剂、一次性手术刀、缩瞳剂、眼内灌注液或平衡液、显微手术缝线等。

5. 手术用设备：手术显微镜、超声乳化仪。

6. 注意事项：手术前应充分散瞳。

7. 麻醉：可以根据患者的情况选择麻醉方式，注意避免麻醉过程中出现的并发症。手术室、手术器械、仪器等要严格按照消毒灭菌操作规程，防止院内感染发生。手术操作中要严格遵守无菌操作，避免感染。

8. 切口：ECCE手术巩膜切口应避免过大，减少手术源性散光，phaco手术切口应小于3.5mm。两种手术切口均须有一定长度的隧道切口，以增加切口自闭性。手术中避免操作粗暴，以减少角膜内皮、虹膜和其他眼内组织损伤。

（四）术后处理

1. 检查视力，裂隙灯，眼压；

2. 术后用药：抗菌药物+类固醇激素眼药水，必要时加用非甾体类消炎眼药水，根据具体情况应用1~2周。

二、手术质量控制标准

根据国际盲与低视力的标准，视力≥0.05为脱盲，视力≥0.3为脱残。

（一）视力标准和人工晶体植入率

1. 视力标准：对于单纯白内障患者，省、市级医院眼科实施白内障复明手术后裸眼视力≥0.3的比率≥95%，县、区级医院眼科实施白内障复明手术后裸眼视力≥0.3的比率≥90%。

2. 人工晶体植入率：对于单纯的白内障患者，定点医院实施白内障复明手术的人工晶体植入率≥90%。

3. 考核评估　项目进行期间，省卫生厅、各市卫生局要定期或不定期组织质控人员对手术质量进行检查评估。方法：随机抽取50例患者作为一个检查区间，如检查发现无合并其他眼部疾病的单纯白内障患者，因医疗过失导致术后裸眼视力恢复达不到相应质量标准，暂停该项目手术资格；并进一步查找原因，限期整改，相关医生到指定上级医院接受培训，经省专家组审查合格后方可恢复该项目手术资格。

（二）严重手术并发症

1. 对有以下严重手术并发症，一旦出现1例，将立即暂停该单位手术资格。经省卫生厅组织专家考察后，查找原因，限期整改，相关医师应到指定上级单位培训，经专家组和省卫生厅审查合格后方可再次进行手术。对于多次出现严重并发症并引起医疗纠纷的单位，将取消该单位的白内障复明手术资格。

2. 严重并发症包括：（1）麻醉导致眼球穿通伤；（2）麻醉损伤视神经导致患者失明；（3）感染性眼内炎；（4）角膜内皮功能失代偿；（5）手术源性视网膜脱离；（6）晶状体核脱入玻璃体腔并导致了严重并

发症；（7）其他手术并发症导致患者最终视力小于术前视力，并引起医疗纠纷。

3．手术后并发症处理：一旦出现上述严重手术并发症，及时联系上级医院会诊处理。

（三）医疗过失与医疗事故

各定点医院在进行“省复明项目”手术期间，若出现医疗事故或重大医疗过失，该定点医院应立即停止手术，经整改并由省项目办和省专家指导组审查验收合格后，方可继续开展复明手术。

附件9：

山东省贫困白内障患者复明项目手术报告表

一）患者术前情况

患者姓名：		性　别：	
年　龄：		联系电话：	
证　件　号：			
相关疾病：	□糖尿病　□高血压　□其他（请注明）________		
手　术　眼：	○右眼　○左眼		

二）术前检查

1. 裸眼视力：

OD（右眼）：		OS（左眼）：	

2. 矫正视力：

OD（右眼）：		OS（左眼）：	

3. 眼压：	OD（右眼）________ mmHg（只能用数字，并保留小数点后1位） OS（左眼）________ mmHg（只能用数字，并保留小数点后1位）
4. 白内障分类：	□年龄相关性　□先天性　□外伤性　□并发症 □其他（请注明）________
5. 瞳　孔：	□正常　□后粘连　□其他（请注明）________

三）手术情况

手术日期：		手术医生：	
手术方式：	□大切　□囊外摘除术　□小切口囊外摘除术　□超声乳化吸除术 □其他（请注明）________		
植入人工晶状体：	○是　○否		
术中并发症：	□晶状体后囊膜破裂或悬韧带断裂　□虹膜根部离断 □玻璃体丢失/前部玻璃体切除　□晶状体核沉入玻璃体 □脉络膜上腔出血　□球后出血 □其他（请用文字注明）________		
手术经费来源：	□医疗保障（含公费医疗、城镇职工医疗保险、城镇居民医疗保险、新农合、医疗救助） □自费　□视中项目资助 □中西部地区儿童先天性疾病和贫困白内障患者复明救治项目 □健康快车　□余彭年项目　□亮晶工程 □其他项目（请注明项目具体名称和出资方）________		

续表

四）术后情况

<table>
<tr><td colspan="3">（一）3日疗效评价：</td></tr>
<tr><td>术后裸眼视力：</td><td></td><td>术后矫正视力：</td></tr>
<tr><td>并发症：</td><td colspan="2">□切口渗漏或破裂 □眼内炎 □人工晶状体偏位 □角膜水肿
□前房出血 □视网膜脱离 □虹膜损伤 □虹膜炎
□玻璃体积血 □脉络膜上腔出血
□其他（请注明）________</td></tr>
<tr><td colspan="3">（二）3个月疗效评价：</td></tr>
<tr><td>术后裸眼视力：</td><td></td><td>术后矫正视力：</td></tr>
<tr><td>并发症：</td><td colspan="2">□晶状体后囊膜混浊 □大泡性角膜病变 □黄斑囊样水肿
□视网膜脱离 □眼内炎 □人工晶状体偏位
□虹膜睫状体炎 □继发性闭角型青光眼
□继发性开角型青光眼 □其他（请注明）________</td></tr>
</table>

五）需要说明的其他情况

注：

1. 本表一、二、三项由术者在术后立即填写、不能空项，交由录入员网络上报。
2. □选项者可复选，○选项者只能单选。
3. 填写本表的范围包括：白内障摘除联合人工晶体植入、单纯白内障摘除、二期人工晶体植入、联合其他手术的白内障手术（如青光眼、玻切等）、脱位或半脱位晶体摘除等。

附件10：

山东省贫困白内障患者复明项目执行进度表

________卫生局（盖章）

项目执行时间段：________年　第____季度（月）

填表人：　　　　　　填表时间：　　　　　　联系电话：

类别	本季度筛查人数 ①	本季度手术人数 ②	累计筛查人数 ③	累计手术人数 ④	任务量 ⑤	项目执行进度 ④/⑤
人数						

注：本表按季度统计和上报。请分别于每年的1月、4月、7月、10月5日前报送本表和本季度项目执行工作情况。2009年实行月报制度，请于每月5日前将上月工作情况汇总报省项目办。

省卫生厅　省发展和改革委员会　省经济和信息化委员会　省监察厅　省财政厅　省人力资源和社会保障厅　省商务厅　省食品药品监督管理局转发《卫生部　国家发展改革委等九部委关于印发〈国家基本药物目录管理办法（暂行）〉的通知》的通知

2009 年 10 月 15 日　鲁卫办字〔2009〕83 号

各市卫生局、发改委、经贸委、监察局、财政局、劳动和社会保障局、商务主管部门、食品药品监督管理局，省（部）属医疗机构，大企业卫生处：

现将卫生部、国家发展改革委等九部委关于印发《国家基本药物目录管理办法（暂行）》的通知转发给你们，请遵照执行。

附件：卫生部　国家发展和改革委员会　工业和信息化部　监察部　财政部　人力资源和社会保障部　商务部　国家食品药品监督管理局　国家中医药管理局关于印发《国家基本药物目录管理办法（暂行）》的通知

附件：

卫生部　国家发展和改革委员会　工业和信息化部　监察部　财政部　人力资源和社会保障部　商务部　国家食品药品监督管理局　国家中医药管理局关于印发《国家基本药物目录管理办法（暂行）》的通知

2009 年 8 月 18 日　卫药政发〔2009〕79 号

各省、自治区、直辖市和新疆生产建设兵团卫生厅（局）、发展改革委、物价局、工业和信息化主管部门、监察厅（局）、财政厅（局）、人力资源社会保障厅（局）、商务厅（局）、食品药品监管局、中医药局：

为贯彻落实《中共中央　国务院关于深化医药卫生体制改革的意见》，根据《国务院关于印发医药卫生体制改革近期重点实施方案（2009～2011 年）的通知》，卫生部、国家发展改革委、工业和信息化部、监察部、财政部、人力资源社会保障部、商务部、食品药品监管局、中医药局制定了《国家基本药物目录管理办法（暂行）》。现印发给你们，请遵照执行。

附件：国家基本药物目录管理办法（暂行）

附件：

国家基本药物目录管理办法（暂行）

为落实《中共中央　国务院关于深化医药卫生体制改革的意见》和《国务院关于印发医药卫生体制改革近期重点实施方案（2009～2011年）的通知》精神，建立国家基本药物目录遴选调整管理机制，制定本办法。

第一条　基本药物是适应基本医疗卫生需求，剂型适宜，价格合理，能够保障供应，公众可公平获得的药品。政府举办的基层医疗卫生机构全部配备和使用基本药物，其他各类医疗机构也都必须按规定使用基本药物。

第二条　国家基本药物目录中的药品包括化学药品、生物制品、中成药。化学药品和生物制品主要依据临床药理学分类，中成药主要依据功能分类。

第三条　国家基本药物工作委员会负责协调解决制定和实施国家基本药物制度过程中各个环节的相关政策问题，确定国家基本药物制度框架，确定国家基本药物目录遴选和调整的原则、范围、程序和工作方案，审核国家基本药物目录，各有关部门在职责范围内做好国家基本药物遴选调整工作。委员会由卫生部、国家发展和改革委员会、工业和信息化部、监察部、财政部、人力资源和社会保障部、商务部、国家食品药品监督管理局、国家中医药管理局组成。办公室设在卫生部，承担国家基本药物工作委员会的日常工作。

第四条　国家基本药物遴选应当按照防治必需、安全有效、价格合理、使用方便、中西药并重、基本保障、临床首选和基层能够配备的原则，结合我国用药特点，参照国际经验，合理确定品种（剂型）和数量。

国家基本药物目录的制定应当与基本公共卫生服务体系、基本医疗服务体系、基本医疗保障体系相衔接。

第五条　国家基本药物目录中的化学药品、生物制品、中成药，应当是《中华人民共和国药典》收载的，卫生部、国家食品药品监督管理局颁布药品标准的品种。除急救、抢救用药外，独家生产品种纳入国家基本药物目录应当经过单独论证。

化学药品和生物制品名称采用中文通用名称和英文国际非专利药名中表达的化学成分的部分，剂型单列；中成药采用药品通用名称。

第六条　下列药品不纳入国家基本药物目录遴选范围：

（一）含有国家濒危野生动植物药材的；

（二）主要用于滋补保健作用，易滥用的；

（三）非临床治疗首选的；

（四）因严重不良反应，国家食品药品监督管理部门明确规定暂停生产、销售或使用的；

（五）违背国家法律、法规，或不符合伦理要求的；

（六）国家基本药物工作委员会规定的其他情况。

第七条　按照国家基本药物工作委员会确定的原则，卫生部负责组织建立国家基本药物专家库，报国家基本药物工作委员会审核。专家库主要由医学、药学、药物经济学、医疗保险管理、卫生管理和价格管理等方面专家组成，负责国家基本药物的咨询和评审工作。

第八条　卫生部会同有关部门起草国家基本药物目录遴选工作方案和具体的遴选原则，经国家基本药物工作委员会审核后组织实施。制定国家基本药物目录的程序：

（一）从国家基本药物专家库中，随机抽取专家成立目录咨询专家组和目录评审专家组，咨询专家不参加目录评审工作，评审专家不参加目录制订的咨询工作；

（二）咨询专家组根据循证医学、药物经济学对纳入遴选范围的药品进行技术评价，提出遴选意见，形成备选目录；

（三）评审专家组对备选目录进行审核投票，形成目录初稿；

（四）将目录初稿征求有关部门意见，修改完善后形成送审稿；

（五）送审稿经国家基本药物工作委员会审核后，授权卫生部发布。

第九条 国家基本药物目录在保持数量相对稳定的基础上，实行动态管理，原则上3年调整一次。必要时，经国家基本药物工作委员会审核同意，可适时组织调整。调整的品种和数量应当根据以下因素确定：

（一）我国基本医疗卫生需求和基本医疗保障水平变化；

（二）我国疾病谱变化；

（三）药品不良反应监测评价；

（四）国家基本药物应用情况监测和评估；

（五）已上市药品循证医学、药物经济学评价；

（六）国家基本药物工作委员会规定的其他情况。

第十条 属于下列情形之一的品种，应当从国家基本药物目录中调出：

（一）药品标准被取消的；

（二）国家食品药品监督管理部门撤销其药品批准证明文件的；

（三）发生严重不良反应的；

（四）根据药物经济学评价，可被风险效益比或成本效益比更优的品种所替代的；

（五）国家基本药物工作委员会认为应当调出的其他情形。

第十一条 国家基本药物目录的调整应当遵循本办法第四条、第五条、第六条、第九条的规定，并按照本办法第八条规定的程序进行。属于第十条规定情形的品种，经国家基本药物工作委员会审核，调出目录。

第十二条 国家基本药物目录遴选调整应当坚持科学、公正、公开、透明。建立健全循证医学、药物经济学评价标准和工作机制，科学合理地制定目录。广泛听取社会各界的意见和建议，接受社会监督。

第十三条 中药饮片的基本药物管理暂按国务院有关部门关于中药饮片定价、采购、配送、使用和基本医疗保险给付等政策规定执行。

第十四条 鼓励科研机构、医药企业、社会团体等开展国家基本药物循证医学、药物经济学评价工作。

第十五条 本办法由卫生部负责解释。

第十六条 本办法自发布之日起施行。

省卫生厅　省发展和改革委员会　省经济和信息化委员会　省监察厅　省财政厅　省人力资源和社会保障厅　省商务厅　省食品药品监督管理局转发《卫生部　国家发展改革委等九部委关于印发〈关于建立国家基本药物制度的实施意见〉的通知》的通知

2009年10月15日　鲁卫办字〔2009〕84号

各市卫生局、发改委、经贸委、监察局、财政局、劳动和社会保障局、商务主管部门、食品药品监督管理局，省（部）属医疗机构，大企业卫生处：

现将卫生部、国家发展改革委等九部委关于印发《关于建立国家基本药物制度的实施意见》的通知转发给你们，请遵照执行。

根据省政府意见，政府举办的基层医疗卫生机构增加使用非目录药品，具体品种由省级卫生行政部门会同发展改革（医改办）、价格、经济和信息化、财政、人力资源社会保障、食品药品监管、中医药等部门组织专家论证，从国家基本医疗保险药品目录（甲类）范围内选择，确因地方特殊疾病治疗需要的，也可以从目录（乙类）中选择。增加药品应是多家企业生产品种。

附件：卫生部　国家发展和改革委员会　工业和信息化部　监察部　财政部　人力资源和社会保障部　商务部　国家食品药品监督管理局　国家中医药管理局关于印发《关于建立国家基本药物制度的实施意见》的通知

附件：

卫生部　国家发展和改革委员会　工业和信息化部　监察部　财政部　人力资源和社会保障部　商务部　国家食品药品监督管理局　国家中医药管理局关于印发《关于建立国家基本药物制度的实施意见》的通知

2009年8月18日　卫药政发〔2009〕78号

各省、自治区、直辖市和新疆生产建设兵团卫生厅（局）、发展改革委、物价局、工业和信息化主管部门、监察厅（局）、财政厅（局）、人力资源社会保障厅（局）、商务厅（局）、食品药品监管局、中医药局：

为加快建立国家基本药物制度，卫生部、国家发展改革委、工业和信息化部、监察部、财政部、人力资源社会保障部、商务部、食品药品监管局、中医药局制定了《关于建立国家基本药物制度的实施意见》，已经国务院深化医药卫生体制改革领导小组同意。现印发给你们，请遵照执行。

附件：关于建立国家基本药物制度的实施意见

附件：

关于建立国家基本药物制度的实施意见

为保障群众基本用药，减轻医药费用负担，根据《中共中央　国务院关于深化医药卫生体制改革的意见》和《国务院关于印发医药卫生体制改革近期重点实施方案（2009～2011年）的通知》，现就建立国家基本药物制度提出以下意见：

一、基本药物是适应基本医疗卫生需求，剂型适宜，价格合理，能够保障供应，公众可公平获得的药品。政府举办的基层医疗卫生机构全部配备和使用基本药物，其他各类医疗机构也都必须按规定使用基本药物。

国家基本药物制度是对基本药物的遴选、生产、流通、使用、定价、报销、监测评价等环节实施有效管理的制度，与公共卫生、医疗服务、医疗保障体系相衔接。

二、国家基本药物工作委员会负责协调解决制定和实施国家基本药物制度过程中各个环节的相关政策问题，确定国家基本药物制度框架，确定国家基本药物目录遴选和调整的原则、范围、程序和工作方案，审核国家基本药物目录。委员会由卫生部、国家发展和改革委员会、工业和信息化部、监察部、财政部、人力资源和社会保障部、商务部、国家食品药品监督管理局、国家中医药管理局等部门组成。办公室设在卫生部，承担国家基本药物工作委员会的日常工作。

三、制定和发布国家基本药物目录。在充分考虑我国现阶段地区、不同所有制企业平等参与、公平竞争。充分依托现有资源，逐步形成全国基本药物集中采购信息网络。

四、完善国家药品储备制度，确保临床必需、不可替代、用量不确定、企业不常生产的基本药物生产供应。

五、加强基本药物购销合同管理。生产企业、经营企业和医疗卫生机构按照《合同法》等规定，根据集中采购结果签订合同，履行药品购销合同规定的责任和义务。合同中应明确品种、规格、数量、价格、回款时间、履约方式、违约责任等内容。各级卫生行政部门要会同有关部门督促检查。

六、国家发展改革委制定基本药物全国零售指导价格。制定零售指导价格要加强成本调查监审和招标价格等市场购销价格及配送费用的监测，在保持生产企业合理盈利的基础上，压缩不合理营销费用。基本药物零售指导价格原则上按药品通用名称制定公布，不区分具体生产经营企业。

七、在国家零售指导价格规定的幅度内，省级人民政府根据招标形成的统一采购价格、配送费用及药品加成政策确定本地区政府举办的医疗卫生机构基本药物具体零售价格。鼓励各地在确保产品质量和配送服务水平的前提下，探索进一步降低基本药物价格的采购方式，并探索设定基本药物标底价格，避免企业恶性竞争。

八、实行基本药物制度的县（市、区），政府举办的基层医疗卫生机构配备使用的基本药物实行零差率销售。各地要按国家规定落实相关政府补助政策。

九、建立基本药物优先和合理使用制度。政府举办的基层医疗卫生机构全部配备和使用国家基本药物。在建立国家基本药物制度的初期，政府举办的基层医疗卫生机构确需配备、使用非目录药品，暂由省级人民政府统一确定，并报国家基本药物工作委员会备案。配备使用的非目录药品执行国家基本药物制度相关政策和规定。其他各类医疗机构也要将基本药物作为首选药物并达到一定使用比例，具体使用比例由卫生行政部门确定。

医疗机构要按照国家基本药物临床应用指南和基本药物处方集，加强合理用药管理，确保规范使用基本药物。

十、政府举办的基层医疗卫生机构增加使用非目录药品品种数量，应坚持防治必需、结合当地财政承受能力和基本医疗保障水平从严掌握。具体品种由省级卫生行政部门会同发展改革（价格）、工业和信息化、财政、人力资源社会保障、食品药品监管、中医药等部门组织专家论证，从国家基本医疗保险药品目录（甲类）范围内选择，确因地方特殊疾病治疗必需的，也可从目录（乙类）中选择。增加药品应是多家企业生产品种。

民族自治区内政府举办的基层医疗卫生机构配备使用国家基本药物目录以外的民族药，由自治区人民政府制定相应管理办法。

十一、患者凭处方可以到零售药店购买药物。零售药店必须按规定配备执业药师或其他依法经资格认定的药学技术人员为患者提供购药咨询和指导，对处方的合法性与合理性进行审核，依据处方正确调配、销售药品。

十二、基本药物全部纳入基本医疗保障药品报销目录，报销比例明显高于非基本药物。具体办法按医疗保障有关规定执行。

十三、加强基本药物质量安全监管。完善基本药物生产、配送质量规范，对基本药物定期进行质量抽检，并向社会及时公布抽检结果。加强和完善基本药物不良反应监测，建立健全药品安全预警和应急处置机制，完善药品召回管理制度，保证用药安全。

十四、加强基本药物制度绩效评估。统筹利用现有资源，完善基本药物采购、配送、使用、价格和报销信息管理系统，充分发挥行政监督、技术监督和社会监督的作用，对基本药物制度实施情况进行绩效评估，发布监测评估报告等相关信息，促进基本药物制度不断完善。

十五、2009 年，每个省（区、市）在 30% 的政府办城市社区卫生服务机构和县（基层医疗卫生机构）实施基本药物制度，包括实行省级集中网上公开招标采购、统一配送，全部配备使用基本药物并实现零差率销售；到2011年，初步建立国家基本药物制度；到2020年，全面实施规范的、覆盖城乡的国家基本药物制度。

十六、国家基本药物制度是一项全新的制度，要加强合理用药舆论宣传与教育引导工作，提高全民对基本药物的认知度和信赖度，营造良好社会氛围。

各地要根据医药卫生体制改革的总体要求，落实政府责任，切实履行职责，坚持改革与投入并重，结合当地实际，积极稳妥地建立和实施国家基本药物制度。

省卫生厅　省发展和改革委员会　省经济和信息化委员会　省财政厅　省人力资源和社会保障厅　省安全生产监督管理局关于印发山东省职业病防治规划（2009～2015年）的通知

2009年12月23日　鲁卫法监发〔2009〕19号

各市卫生局、发展改革委、经贸委、财政局、劳动局、安监局，各大企业，省直各有关单位：

为进一步加强职业病防治工作，保障劳动者健康权益，根据《国务院办公厅关于印发国家职业病防治规划（2009～2015年）的通知》（国办发〔2009〕43号）要求，现将《山东省职业病防治规划（2009～2015年）》印发给你们，请结合当地实际，认真贯彻执行。

附件：山东省职业病防治规划（2009～2015年）

附件：

山东省职业病防治规划（2009～2015年）

为贯彻落实党的十七大和《中共中央　国务院关于深化医药卫生体制改革的意见》（中发〔2009〕6号）精神，进一步加强职业病防治工作，保护劳动者健康，根据《职业病防治法》和《国家职业病防治规划（2009～2015年）》，结合我省实际，制定本规划。

一、山东省职业病防治现状与问题

职业病防治事关劳动者身体健康和生命安全，事关经济发展和社会稳定大局。党和政府历来高度重视职业病防治工作。党的十七大提出贯彻落实以人为本的科学发展观，要求坚持预防为主，完善重大疾病防控体系。《中共中央　国务院关于深化医药卫生体制改革的意见》（中发〔2009〕6号）明确提出，要加强对严重威胁人民健康的职业病等疾病的监测与预防控制。《职业病防治法》实施以来，我省职业病防治工作在省委和省政府的关怀领导下，在各级各部门的密切配合和共同努力下取得了长足进步。广泛开展了《职业病防治法》与职业卫生知识培训、职业病危害源头治理和重点职业病专项整治，规范用人单位职业健康管理和劳动用工管理，严肃查处危害劳动者身体健康和生命安全的违法行为，全省职业病防治意识逐步增强，大中型企业职业卫生条件有了较大改善，职业病高发势头得到一定遏制。有效保护了劳动者的健康和权益，促进了我省经济社会的健康可持续发展。

但是，当前我省职业病防治形势依然严峻，突出问题：一是我省作为工业大省，存在职业病危害因素的企业数量多、行业复杂，如煤炭开采、金属非金属及其他采矿业、化学及石油化工业、建材制造业、设备制造业、鞋业、箱包及玩具制造业等，职业病危害因素种类齐全，接触职业病危害因素的劳动者数量大。许多中小企业工作场所劳动条件恶劣，劳动者缺乏必要的职业病防护。二是职业病病人数量大，尘肺病发病严重，且呈逐年增长趋势。近十年，我省尘肺病发病占新发职业病的71.79%，中毒占22.77%，全省报告3万多职业病人，其中尘肺病人26 000多例占据七成以上，居各类职业病之首。我省每年仅因尘肺病造成的直接经济损失就达8亿元。三是某些职业病不仅严重损害劳动者身体健康，甚至影响社会稳定，成为严重的公共卫生问题。近年来，我省因职业病发生纠纷、上访事件时有发生，给社会稳定带来隐患。四是职业病防治面临许多新问题。传统职业病危害尚未完全控制，近年来随着新型产业的发展，新的职业危害又不断出现，如三氯乙烯中毒、正己烷中毒等，成为我省职业病防治的新课题。五是中小企业职业病危害突出。我省90%以上企业为中小型企业，这类企业工作场所劳动条件恶劣，劳动者自我保护意识差，职业病危害尤其严重，是我省职业病防治工作的重点。

产生上述问题的原因：一是用人单位职业病防治责任不落实。一些用人单位没有真正树立以人为本的理念，对职业病危害的认识不足，对劳动者健康重视不够，防治主体责任不落实，没有采取有效的综合治理措施，违法行为大量存在。二是政府监管存在薄弱环节。一些地方没有处理好经济发展与保护劳动者健康的关系，职业病防治未能纳入地方经济社会发展规划，监管机构不健全，基层监管力量薄弱，有的甚至存在严重的地方保护主义，职业卫生监督执法工作难以正常、有效开展。部门之间工作衔接不够，没有形成合力。部分地方和部门监管措施不到位，执法不够严格，对违法行为处理不力。三是职业卫生技术服务网络建设有待进一步加强。基层普遍缺乏职业卫生专业人员，人才流失，经费缺乏，能力不足，资源配置不尽合理，不能适应职业病防治工作的需要。四是防治工作基础比较薄弱。许多工业企业特别是中小企业生产工艺落后，设施、设备简陋，职业病防治管理水平低，投入不足。职业病防治相关法律法规和技术标准不够完善，信息网络不健全，职业病预防、控制技术亟须提高，宣传教育培训力度不够，应急救援能力有待加强。

我省工业生产装备水平不高和工艺技术相对落后的状况将长期存在，在煤炭、冶金、化工等职业病危害较严重的行业，改善工作环境需要一个过程。在城镇化、工业化过程中，大量农民进城就业，他们流动性大，健康保护意识不强，职业病防护技能缺乏，加大了职业病防治监管的难度。随着经济和科技的发展，新技术、新工艺、新材料广泛应用，新的职业危害风险以及职业病不断出现，防治工作面临新的挑战。

二、指导思想、基本原则和规划目标

（一）指导思想

以邓小平理论和“三个代表”重要思想为指导，深入贯彻落实科学发展观，以保护劳动者健康为根本目的，落实用人单位责任，加强政府领导，强化行政监管，依靠科技进步，立足我省实际，突出重点，全面推进职业病防治工作，促进我省经济社会持续健康发展。

（二）基本原则

1. 预防为主，防治结合。坚持标本兼治、重在治本，控制职业病危害源头，采取工程技术、个体防护和健康管理等综合治理措施，预防控制职业病危害。

2. 统筹规划，分步实施。既着眼长远，不断完善制度和监管体系，又立足当前，着力解决目前防治工作中的突出问题。

3. 宣传动员，社会参与。广泛开展职业病防治宣传教育，增强用人单位的法律意识和社会责任感，提高劳动者的自我保护意识，充分发挥社会监督作用。

（三）规划目标

1. 完善体制，提高防治水平。建立和完善政府统一领导、部门协调配合、行业规范管理、用人单位负责、职工群众监督的职业病防治体制，显著提高综合防治能力和水平。

2. 突出责任意识，遏制高发势头。增强用人单位第一责任人意识，主动做好职业病防治工作。采取措施，改善劳动条件和工作场所作业环境，基本遏制严重职业病的高发势头，切实保障劳动者健康权益。

3. 加强能力建设，健全防治网络。依托现有资源，结合本地实际，建立与职责任务相适应、功能完善、规模适度的省、市、县三级职业病防治网络，不断加强能力建设和人员培训，构建全省职业病防治技术支撑体系。

4. 工作指标。

（1）到2015年，新发尘肺病病例年均增长率控制在5%以内；

（2）基本控制重大急性职业病危害事故的发生，硫化氢、一氧化碳、氯气等主要急性职业中毒较2008年下降20%；

（3）主要慢性职业中毒得到有效控制，基本消除急性职业性放射性疾病；

（4）到2015年，存在职业病危害的用人单位负责人、劳动者职业卫生培训率达到90%以上；

（5）用人单位职业病危害项目申报率达到80%以上；

（6）工作场所职业病危害告知率和警示标识设置率达到90%以上；

（7）工作场所职业病危害因素监测率达到70%以上，粉尘、毒物、放射性物质等主要危害因素监测合格率达到80%以上；

（8）可能产生职业病危害的建设项目预评价率达到60%以上，控制效果评价率达到65%以上；

（9）从事接触职业病危害作业劳动者的职业健康体检率达到80%以上，接触放射线工作人员个人剂量监测率达到90%以上；

（10）到2015年，职业病防治监督覆盖率比2008年提高20%以上，严重职业病危害案件查处率达到100%；

（11）职业病监管网络不断健全完善，基本职业卫生服务覆盖到社区、乡镇；

（12）省级化学中毒和核辐射医疗救治基地的能力建设和管理得到进一步加强，职业病防治、应急救援能力不断提高；

（13）到2015年，全省有劳动关系的劳动者工伤保险覆盖率达到90%以上；职业病患者得到及时救治，各项权益得到有效保障。

三、主要任务

（一）强化用人单位责任意识，落实职业病防治责任

1. 建立健全职业病防治工作责任制。存在职业病危害的用人单位要设置职业病防治领导机构，设置或指定职业卫生管理机构或组织、配备专、兼职专业人员，设立职业健康监督管理人员，制定职业病防治计划和实施方案，建立健全职业卫生管理制度，采取切实可行的管理措施。对可能产生职业病危害的各类建设项目，要做好施工前的预评价和竣工验收时的控制效果评价。

2. 加强职业病防护、管理工作。用人单位要依法如实申报职业病危害项目，优先采用有利于防治职业病和保护劳动者健康的新技术、新工艺和新材料，逐步替代危害严重的技术、工艺和材料。加强作业场所职业病危害因素监测、评价与控制，为劳动者提供符合职业卫生标准和要求的工作场所、环境和条件。产生职业病危害的用人单位要在醒目位置设置公告栏，公布有关规章制度、操作规程、事故应急救援措施和工作场所职业病危害因素检测结果；在产生严重危害的作业岗位设置警示标识和警示说明。使用有毒物品作业的用人单位要取得职业卫生安全许可证，配备应急救援人员和必要的救援器材、设备，制定应急救援预案。任何单位和个人不得将产生危害的作业转移给不具备防护条件的单位和个人。用人单位要对劳动者进行上岗前的职业卫生培训和在岗期间的职业卫生培训，指导劳动者正确使用职业病防护设备和个人防护用品。

3. 加强职业健康管理和病人救治。对从事接触职业病危害作业的劳动者，要依法组织其进行上岗前、在岗期间和离岗时的职业健康检查，并将检查结果如实告知本人。要为劳动者建立职业健康监护档案。对

遭受或可能遭受急性职业病危害的劳动者，要及时组织救治、进行健康检查和医学观察。及时安排疑似职业病病人进行诊断，做好职业病病人的治疗、康复、定期检查和妥善安置，确保职业病病人的权益。

4. 依法规范用工行为。用人单位在与劳动者签订劳动合同时要履行职业病危害告知义务，依法参加工伤保险，落实有害作业岗位津贴和女职工、未成年工特殊保护政策。在高危行业推行职业卫生专项集体合同制度。

（二）加强尘肺病、重大职业中毒等重点职业病的防治

1. 尘肺病防治。以防治煤工尘肺、矽肺、石棉肺为重点，实施粉尘危害综合治理工程，开展尘肺病防治技术和发病规律调查研究。提高生产机械化水平，推进清洁生产技术的研发和推广。逐步淘汰不符合国家产业政策的工艺、设备和材料，关闭粉尘危害严重、不具备防治条件的小矿山、小水泥厂、小冶金厂、小陶瓷厂等。

2. 重大职业中毒防治。实施硫化氢、一氧化碳、氯气、氨气、苯、重金属等重大职业中毒隐患防范治理工程，开展中毒隐患排查，对生产设施、设备、场所进行治理。加快有毒化学品生产、销售、使用行业、企业的技术改造。开展职业中毒发病规律、健康损害机理、危害因素检测、职业健康监护及防护技术研究，制定重大职业中毒防治指南。

3. 职业性放射性疾病防治。实施放射性职业病危害治理工程，开展危害控制试点，研究放射性职业病发病机理及关键防治技术和措施，降低因放射线造成的矿工肺癌等疾病发病率。加强对核技术应用行业的职业病危害评价和放射卫生监督管理，完善安全防护措施，降低作业场所的放射性危害；落实接触放射线工作人员个人剂量监测和健康监护管理制度。

（三）加强职业病防治能力建设

1. 加强对重点职业病的监测与预警。开展对煤工尘肺、矽肺、石棉肺、铅中毒、苯中毒、镉中毒、锰中毒、汞中毒、职业性肿瘤和放射性职业病危害等的监测，及时掌握职业病在高危人群、高危行业和高危企业的发病特点和发展趋势，研究重大职业病危险源的分布情况，开展职业健康风险评估和预警。

2. 健全职业病防治网络体系。充分利用现有资源，加强专业人才队伍建设，逐步完善覆盖城乡的职业病危害因素检测和评价、职业健康检查、职业病诊断治疗等职业病防治网络。加强省、市化学中毒和核辐射医疗救治的能力建设和管理，提高重大职业病危害事故应急处置能力。加强相关专业人才培养，重点培养与基本职业卫生服务相适应的基层专业人才。

3. 推进信息化建设。依托国家职业病防治信息采集标准和相应信息的采集、传输、管理规范，及时收集、分析相关动态信息，逐步实现全省职业病防治信息互联互通、平台共用、数据共享和规范管理。

4. 加强监管体系建设。进一步明确责任，建立部门之间协商合作机制，理顺职业卫生监管职能，从职业病危害控制、企业市场准入、税收征管、劳动用工等环节入手，多管齐下、密切配合，各负其责、各司其职，共同做好职业卫生监督管理工作。加强职业病防治监管队伍建设，充实人员，加强培训，增加投入，配备必要的设备，创造必要的工作条件，不断提高监管能力和水平。

（四）开展职业病危害防治科研及成果应用

发挥省级职业病防治研究机构的科研优势和学科带头作用，围绕尘肺病防治、职业中毒监测检验、诊断、救治、控制等职业病防治的重点、难点，开展职业病危害防治科技攻关，以尘肺病、职业中毒、职业性肿瘤的预防控制关键技术为突破口，以防尘、防毒、防辐射、防噪声、防振动等防护技术为重点，加强粉尘、放射性物质、毒物、物理因素等职业病危害因素检测、防护和应急救援技术的研究及开发应用。

（五）加强培训和宣传教育

制定职业病防治宣传教育规划和计划，健全职业病防治宣传教育体系和网络。加强对基层领导干部的职业病防治知识培训。强化对存在职业病危害的用人单位主要负责人、管理人员和劳动者的培训，积极推进作业场所健康教育。把职业病防治相关法律法规纳入全民普法教育范围，列为健康教育和职业教育的重要内容。充分发挥新闻媒体作用，深入开展多种形式的职业病防治宣传教育活动，在全社会形成

关心劳动者健康、重视职业病防治的良好氛围。发挥舆论监督和公众监督作用，鼓励群众举报职业病防治违法行为。

（六）完善工伤保险制度

扩大工伤保险覆盖范围，保障参保职工的合法权益。完善工伤保险政策，健全工伤保险费率调整机制，逐步提高保险待遇和标准。进一步探索工伤预防在职业病控制工作中的积极作用，积极开展患职业病职工的康复工作，逐步完善适合我省的职业病预防、补偿和康复制度。

四、保障措施

（一）提高认识，统筹规划，加强对职业病防治工作的领导

各市要把职业病防治工作放到更加突出的位置，将职业病防治重要指标、主要任务纳入经济社会发展计划。要制定本地区职业病防治规划，层层分解目标，明确具体措施，建立健全责任追究制。探索建立政府部门、用人单位和劳动者三方代表组成的职业病防治工作机制。

（二）突出重点，加大力度，强化职业病防治监管

各市要针对本地区职业病危害特点，加大重点行业、重点企业、重点人群的监督检查力度，强化行政执法，严肃查处违反《职业病防治法》、损害劳动者健康及其相关权益的违法行为。对不履行或不认真履行工作职责的，要依法依纪追究相关责任人和负责人的责任；对因失职、渎职导致重大职业病危害事件发生，或者造成重大人员伤亡和经济损失、社会影响恶劣的，要依法追究主要负责人的责任。各市、各有关部门要加强信息沟通，相互配合，形成监管合力。

（三）重视和发挥社会监督作用

设立公开监督电话，建立群众投诉举报制度，加强职业病防治工作的社会监督。各级各部门要认真对待群众举报行为，核实举报内容，核查属实的要依法予以查处。用人单位要进一步完善工会组织，做到凡是与企业确立了劳动关系或事实上形成劳动关系的劳动者，都要引导他们加入工会。重点抓好非公有制经济组织和进城务工人员工会的组建，加强县、乡镇、社区工会的建设，完善工会组织体系。重视和发挥工会组织对劳动者的维权作用。主动参与职业病防治工作，重点做好平等协商、集体合同签订工作，实行民主管理、民主监督，开展群众性劳动保护监督检查活动，切实履行工会组织在职业病防治中的“群众监督”职能。

（四）加大经费投入，加强能力建设

建立多渠道的职业病防治筹资机制，鼓励和引导社会力量参与职业病防治。用人单位用于预防和治理职业病危害、工作场所卫生检测、健康监护和职业卫生培训等费用，按照国家有关规定在生产成本中据实列支。各级财政要按照有关规定落实职业病防治补助政策，保证必需的工作经费。财政对职业病防治工作的投入要与当地经济社会发展水平相适应，并随着经济发展逐步增加。

（五）积极开展国际、国内合作

进一步加强与其他国家、国际组织和国外民间团体以及国内先进省市的交流与合作，学习借鉴国内外先进经验和成果。

五、监督、考核与评估

建立职业病防治工作考核目标体系，是量化评价职业病防治工作质量的重要依据和指标。为保证本规划的切实实施，应建立职业病防治考核、评估体系，对规划目标实行考核、评价，通过自查、抽查、中期评估、终期评估等方法，对职业病防治实施的效果进行综合评价，并将考核评价结果纳入各级各部门政绩考核的内容。各市要督促各部门所负责的规划目标的贯彻落实，提高各级各部门对职业病防治工作的重视程度，以推动全省职业病防治工作的开展。同时对于完善职业病防治责任追究机制，确保本规划的顺利实施也将起到积极作用。

各市应每年进行自查，做好年度总结。自查方案由各市自行制定，每年由各市有关部门分别向上级主

管部门报送年度总结报告。

省有关部门将适时组织开展本规划实施的督查、考核和评价工作。

省物价局转发《国家发展改革委办公厅关于制定重组乙型肝炎疫苗等14种国家免疫规划疫苗出厂价格的通知》的通知

2009年8月14日　鲁价格发〔2009〕164号

各市物价局：

现将《国家发展改革委办公厅关于制定重组乙型肝炎疫苗等14种国家免疫规划疫苗出厂价格的通知》（发改办价格〔2009〕1612号）转发给你们，请遵照执行。

各经营单位经营附件所列14种国家免疫规划疫苗时，要严格按照国家和省相关规定执行。

附件：国家发展改革委办公厅关于制定重组乙型肝炎疫苗等14种国家免疫规划疫苗出厂价格的通知

附件：

国家发展改革委办公厅关于制定重组乙型肝炎疫苗等14种国家免疫规划疫苗出厂价格的通知

2009年7月28日　发改办价格〔2009〕1612号

各省、自治区、直辖市发展改革委、物价局：

根据药品价格管理有关规定，我们研究制定了重组乙型肝炎疫苗等14种国家免疫规划疫苗出厂价格（具体见附表）。现印发你们，请按照执行。

附：14种国家免疫规划疫苗出厂价格（含税）表

附：

14种国家免疫规划疫苗出厂价格（含税）表

金额单位：元

序号	药品通用名称	剂型	单剂次用量	出厂价格
1	重组乙型肝炎疫苗	液体制剂	5ug	1.9
			10ug	3.1
			20ug	3.9
2	皮内注射用卡介苗	冻干制剂	0.1ml	0.75

续表

序号	药品通用名称	剂型	单剂次用量	出厂价格
3	脊髓灰质炎减毒活疫苗糖丸	糖丸	1粒	0.53
	口服脊髓灰质炎减毒活疫苗	液体制剂	0.1ml	0.97
4	吸附无细胞百白破联合疫苗	液体制剂	0.5ml	3.4
	吸附百白破联合疫苗	液体制剂	0.5ml	0.28
5	吸附白喉破伤风联合疫苗	液体制剂	0.5ml	0.32
6	麻疹减毒活疫苗	冻干制剂	0.5ml	1.1
7	麻疹、腮腺炎、风疹三联减毒活疫苗	冻干制剂	0.5ml	20.8
	麻疹风疹联合减毒活疫苗	冻干制剂	0.5ml	5.8
	麻疹腮腺炎联合减毒活疫苗	冻干制剂	0.5ml	5.6
8	乙型脑炎减毒活疫苗	冻干制剂	0.5ml	7.2
	乙型脑炎灭活疫苗（乙型脑炎纯化疫苗）	液体制剂	0.5ml	6.5
		冻干制剂	0.5ml	7.2
9	A群脑膜炎球菌多糖疫苗	冻干制剂	30ug	0.70
10	A群C群脑膜炎球菌结合疫苗	冻干制剂	10ug	10.5
	A群C群脑膜炎多糖疫苗	冻干制剂	100ug	3.5
11	甲型肝炎减毒活疫苗	冻干制剂	1ml	19.5
	甲型肝炎灭活疫苗	液体制剂	0.5ml	32.1
12	双价肾综合征出血热纯化疫苗	液体制剂	1ml	8.5
13	皮上划痕人用炭疽活疫苗	冻干制剂	0.05ml	15.3
14	钩端螺旋体疫苗	液体制剂	0.5ml	0.50

省商务厅　省公安厅　省财政厅　省环境保护厅　省畜牧兽医局　省卫生厅　省工商行政管理局　省质量技术监督局　省食品药品监督管理局转发商务部　公安部　财政部　环境保护部　农业部　卫生部　工商总局　质检总局　食品药品监管局关于加强猪肉质量安全监管工作的意见的通知

2009年10月29日　鲁商务流通字〔2009〕343号

各市商务主管部门、公安局、财政局、环境保护局、畜牧兽医局、卫生局、工商局、质监局、食品药品监管局：

现将《商务部、公安部、财政部、环境保护部、农业部、卫生部、工商总局、质检总局、食品药品监管局关于加强猪肉质量安全监管工作的意见》（商秩发〔2009〕437号）转发给你们，请各有关部门按照工作职责认真贯彻执行。

附件：商务部　公安部　财政部　环境保护部　农业部　卫生部　工商总局　质检总局　食品药品监管局　关于加强猪肉质量安全监管工作的意见

附件：

商务部　公安部　财政部　环境保护部　农业部　卫生部　工商总局　质检总局　食品药品监管局关于加强猪肉质量安全监管工作的意见

2009 年 8 月 25 日　商秩发〔2009〕437 号

各省、自治区、直辖市、计划单列市及新疆生产建设兵团商务主管部门、公安厅（局）、财政厅（局）、环境保护局（厅）、农业厅（局）、卫生厅（局）、工商局、质量技术监督局、食品药品监管局：

猪肉卫生和质量安全直接关系人民群众身体健康和生命安全。目前，我国生猪屠宰行业技术管理水平落后，覆盖生猪养殖、屠宰、加工、流通和消费等环节的全过程监管体系尚未形成，对猪肉质量安全构成了较大隐患。为加强监管，确保人民群众吃上放心肉，根据《中华人民共和国食品安全法》（以下简称《食品安全法》）、《中华人民共和国动物防疫法》（以下简称《动物防疫法》）和《生猪屠宰管理条例》（以下简称《条例》）等法律法规，提出如下意见：

一、加强规划指导，严格准入门槛

（一）商务部将制定《全国生猪屠宰行业发展规划纲要（2009～2013）》，指导各地制定（修订）生猪屠宰企业设置规划。各地商务主管部门要在政府统一领导下，会同公安、财政、环保、农业、卫生、质检等部门，坚持“合理布局、控制总量、保证质量、适当集中、方便群众”的原则，综合考虑当地生猪养殖规模、交通运输条件、环境承载能力、市场消费需求等因素，抓紧制定（修订）生猪屠宰企业设置规划，淘汰落后产能，优化区域布局，避免过度竞争。各地的生猪屠宰企业设置规划要在2009 年底前完成，并报商务部备案。

（二）各地商务、财政、环保、农业、卫生、工商、质检等部门，要建立会商机制，严格按照《条例》和商务部制定的《生猪屠宰管理条例实施办法》规定的条件及相关标准，逐一审核本地生猪屠宰企业，共同提出书面审核意见，对不符合设置规划、达不到规定条件和标准的生猪屠宰企业，责令限期整改，逾期仍未达到标准的，要报请设区市市级人民政府取消其定点资格。对边远和交通不便地区的小型屠宰场点设置，各地要制定管理办法，在严格把握卫生、质量安全生产标准及动物防疫条件审查前提下予以审批。要通过全面审核、严格执行规划和标准，逐步建成符合行业技术管理要求，确保猪肉卫生和质量安全，满足和引导市场消费需求的现代化、规模化、标准化生猪屠宰加工、销售体系。

（三）商务部将依据《食品安全法》、《动物防疫法》和《条例》的规定和要求，按照相关屠宰加工、检验、检疫、无害化处理等设备和工艺技术标准以及屠宰规模、质量安全管理状况等条件，制定《生猪定点屠宰厂（场）分级管理办法》，对生猪定点屠宰厂（场）实行分级管理，鼓励卫生和质量安全保障能力强的生猪屠宰企业实行品牌战略，支持生猪屠宰企业采用先进技术和管理手段不断提高肉品安全水平，开展连锁经营和跨区域销售，确保人民群众吃上放心肉。各地财政、环保、农业、卫生、工商、质检等部门要严格监管，大力支持，积极配合。

二、切实履行职责，实现全过程监管

（四）财政部门要支持屠宰环节病害猪无害化处理和“放心肉”服务体系建设，保证必要的工作经费。

（五）环境保护部门要严格执行环境影响评价、排污许可等制度，强化污水处理设施等现场环境执法检查，对不能稳定达标或超污染物排放总量的生猪屠宰企业，依法实行限期治理，限期治理期间责令限制生产、限制排放或者停产整治。

（六）农业部门要加强饲料、饲料添加剂和兽药等投入品的监管，加大对养殖环节使用瘦肉精等违禁药品及滥用兽药行为的查处力度，发现涉嫌构成犯罪的，及时移送公安机关；严格做好防疫条件审查及产地检疫、屠宰检疫等工作，监督做好病死猪的无害化处理工作，指导生猪养殖场健全完善生猪养殖档案，积极推进生猪规模化、标准化养殖基地及动物标识和疫病可追溯体系建设，逐步提高规模化养殖的比重。

（七）商务主管部门要会同公安、环保、农业、卫生、工商、质检等部门严厉打击私屠滥宰不法行为，要监督生猪屠宰企业严格执行入厂检查验收、宰前静养观察、肉品品质检验、无害化处理、肉品冷藏吊挂运输等制度；推行生猪屠宰企业和生猪养殖基地挂钩制度，扩大生猪屠宰企业自养或协议养殖生猪规模；推动生猪屠宰企业完善内部可追溯系统，如实记录从生猪进场到肉品出场全程信息。

（八）卫生部门要会同农业、商务、工商、质检、食品药品监管等部门，组织有关食品安全标准的制（修）订。

（九）工商行政管理部门要严厉打击销售私宰肉、无检疫及肉品品质检验合格证章猪肉的行为，发现涉嫌犯罪的，要及时移送公安机关；积极推行“场（市场）厂（屠宰厂）挂钩”和猪肉挂牌销售管理制度；监督肉品经营者执行索证索票和台账制度，如实记录肉品来源和流向。

（十）质检部门要监督猪肉制品生产企业严格执行入厂猪肉等原料查验和索证索票制度，坚决打击利用病害肉等不合格猪肉制售肉制品的行为，发现涉嫌构成犯罪的，及时移送公安机关。

（十一）食品药品监管部门要监督餐饮服务经营者和各类集体食堂，严格执行采购查验和索证索票制度，妥善保存进货记录、票据等相关信息，确保所使用的猪肉产品来自定点屠宰企业。

三、加强部门协作配合，形成工作合力

（十二）各地要加强组织领导，成立由政府分管领导牵头的猪肉卫生质量安全监管工作领导小组，研究部署解决影响猪肉卫生和质量安全的相关问题。各地商务主管部门要建立相关部门参加的工作协调机制，定期召开会议，切实加强和实现对猪肉产销环节全过程的监管，防止重大事故发生。

（十三）各地商务主管部门要根据工作需要与相关部门共同合作，建成覆盖生猪养殖、屠宰加工、猪肉流通环节的完整信息链条和监测体系。要加强配合，共同做好肉品质量安全信息可追溯系统的建设工作，实现猪肉质量安全责任的全程追溯。

（十四）各地商务、公安、环保、农业、卫生、工商、质检、食品药品监管等部门要从实际出发，积极开展联合执法，及时组织打击私屠滥宰和制售病害肉、注水肉等不法行为的专项整治行动；依法监督生猪屠宰企业按要求配备符合肉品安全生产要求的设施设备；依法监督跨区域销售的生猪屠宰企业按要求配备符合猪肉质量安全要求的冷链运输设备，以及仅限于供应当地市场的小型屠宰场点生猪产品非法流通的行为；加强运输环节监管。坚决查处和纠正各种违法行为，对构成犯罪的，要依法追究刑事责任。

省物价局　省财政厅　省民政厅关于启动低收入居民基本生活费用价格指数与最低生活保障标准挂钩联动的通知

2009年5月4日　鲁价调发〔2009〕80号

各市物价局、财政局、民政局：

2008年全省城镇、农村低收入价格指数同比分别上涨6.8%和7.6%，各市涨幅也均超过了5%，达到了省政府规定的启动低收入居民基本生活费用价格指数与最低生活保障标准挂钩联动的条件。为贯彻落实好省委、省政府关于物价上涨挂钩联动的要求，根据2008年低收入价格指数上涨情况和当前实际，现就启动联动机制有关事项通知如下：

一、切实提高对挂钩联动机制工作的认识

实行挂钩联动、适当提高低保标准是安民生、扩内需的一项具体措施。省委九届六次全委会明确要求落实好该联动机制，今年《政府工作报告》又做了进一步部署和安排。各级物价、财政、民政部门要切实增强落实挂钩联动机制工作的责任感和紧迫感，按照省委、省政府的部署和要求，结合当地实际，认真落实好挂钩联动政策，努力促进经济平稳较快增长和社会和谐稳定。

二、启动挂钩联动机制的具体办法

按照城乡低保属地管理原则和省政府关于建立和实行物价上涨与提高困难群众生活补贴和保障标准联动机制的有关规定，就启动挂钩联动机制明确以下办法：

（一）城市低保挂钩联动：各市、县（市、区）要根据2008年城镇低收入价格指数上涨情况，结合当地实际，做好2009年启动城镇物价上涨与低保标准挂钩联动工作（挂钩联动低保标准＝当地上年底的城镇低保标准×上年当地城镇低收入价格同比指数），并与临时性物价政策以及正常提高低保标准工作搞好衔接。省属低保对象执行属地政策。

（二）农村低保挂钩联动：省政府决定今年提高农村低保标准100元，其中已考虑了2008年农村低收入价格指数涨幅实行挂钩联动应提高的标准，各地要按照当地实际，认真抓好落实。

（三）启动挂钩联动所需资金按现行渠道解决。

三、强化联动工作的责任落实

各级物价、财政、民政等部门要根据职责分工，加强协调配合，共同实施好挂钩联动工作。物价部门要牵头制定和完善当地挂钩联动方案，协同有关部门做好低收入价格指数编制工作。民政、财政部门牵头测算具体提高的低保标准和所需资金金额，适时向当地政府提出调整低保标准及资金安排的意见，并做好发放工作。

经当地政府批准启动挂钩联动机制后，各地要及时将落实情况分别报省物价局、财政厅、民政厅。

中共山东省纪律检查委员会　中共山东省委组织部　中共山东省委　山东省人民政府　信访局　中共山东省委农村工作领导小组办公室　省监察厅　省民政厅　省司法厅　省财政厅　省国土资源厅　省农业厅　省人口和计划生育委员会转发中央纪委等12部委《关于印发〈关于开展村务公开和民主管理“难点村”治理工作的若干意见〉的通知》的通知

2009年4月24日　鲁民〔2009〕34号

各市纪委、组织部、信访局、农工办、监察局、民政局、司法局、财政局、国土资源局、农业局（农委）、

人口计生委：

现将中央纪委等12部委《关于印发〈关于开展村务公开和民主管理“难点村”治理工作的若干意见〉的通知》（民发〔2009〕20号）转发给你们，并提出以下意见，请结合实际认真贯彻落实。

一、充分认识村务公开和民主管理“难点村”治理工作的重要性，增强责任感和紧迫感。近年来，在各级党委、政府高度重视下，我省村务公开和民主管理工作取得了显著成效，为促进全省农村改革发展稳定发挥了重要作用。全省“难点村”现有500多个，虽然数量不多，但如不认真解决，势必影响到村务公开和民主管理工作整体水平的提高，势必影响农村经济社会又好又快发展。中央纪委等12个部委下发的《关于开展村务公开和民主管理“难点村”治理工作的若干意见》，对开展“难点村”治理工作作出了全面部署。治理“难点村”，解决制约村务公开和民主管理的突出问题，有利于促进基层组织建设均衡发展，有利于把党和国家各项强农惠农政策落到实处，有利于调动农民群众的主动性、创造性，促进农村经济社会平稳较快发展。省委、省政府对治理工作高度重视，各级各有关部门一定要充分认识开展村务公开和民主管理“难点村”治理工作的重要性，切实增强责任感和紧迫感，把这件涉及农民群众切身利益的实事好事抓紧抓好。

二、建立村务公开和民主管理“难点村”治理的长效机制。“难点村”治理工作是一项长期的、复杂的系统工程，需要建立长效机制。各地要建立“难点村”治理整顿转化的责任落实机制。县（市、区）、乡镇（街道）党委书记要切实履行“第一责任人”和“直接责任人”的职责。要建立起县（市、区）、乡镇（街道）领导干部包后进村制度，成立专门领导小组，具体负责“难点村”整顿工作。要建立“难点村”治理的动态管理机制。县（市、区）、乡镇（街道）党委、政府要进行定期排查，摸准“难点村”的实际情况，登记造册，动态管理，挂牌销号。对转化效果明显、达到转化目标要求的，给予销号；对转化效果不理想的，继续加大治理整顿力度；对新排查出的后进村庄，及时纳入整顿行列。要建立“难点村”治理的督查考核机制。采取不定期抽查和暗访的方式，进一步加大督查力度。对督查发现的问题，进行通报，并直接反馈县（市、区）主要领导，责令整改。要把“难点村”治理工作纳入农村党的建设“三级联创”活动，转化情况作为考核领导班子和领导干部工作实绩的一项重要内容。

三、切实加强对村务公开和民主管理“难点村”治理工作的组织领导。“难点村”治理工作任务繁重，责任重大。各级各有关部门要把治理工作摆上重要议事日程，深入基层，加强调查研究，对基层难以攻克的“难点村”，县、乡两级要抽调专门力量，逐一派驻工作组，与基层干部群众一起摆问题，找原因，寻求解决的办法。各有关部门要各司其职，各负其责，形成工作合力，推动村务公开和民主管理“难点村”治理工作深入开展，务求取得实效。

附件：中央纪委　中央组织部　中央农村工作领导小组办公室　监察部　民政部　司法部　财政部　国土资源部　农业部　人口计生委　国家预防腐败局　国家信访局关于印发《关于开展村务公开和民主管理“难点村”治理工作的若干意见》的通知

附件：

中央纪委　中央组织部　中央农村工作领导小组办公室　监察部　民政部　司法部　财政部　国土资源部　农业部　人口计生委　国家预防腐败局　国家信访局关于印发《关于开展村务公开和民主管理“难点村”治理工作的若干意见》的通知

2009年2月24日　民发〔2009〕20号

各省、自治区、直辖市纪委、组织部、农委（农工部、农办），监察厅（局）、民政厅（局）、司法厅

(局)、财政厅（局)、国土资源厅（局)、农业厅（局)、人口计生委、信访局：

经中央领导同志同意，现将《关于开展村务公开和民主管理“难点村”治理工作的若干意见》印发你们，请结合实际遵照执行。治理工作中的重大情况，请及时报全国村务公开协调小组办公室。

附件：关于开展村务公开和民主管理“难点村”治理工作的若干意见

附件：

关于开展村务公开和民主管理“难点村”治理工作的若干意见

近年来，在各级党委和政府的高度重视下，村务公开和民主管理工作取得了显著成效，对于促进农村改革发展稳定发挥了重要作用。但也应看到，一些地方还存在村务公开和民主管理的“难点村”。在这些村庄，有的村级组织不健全，村级班子软弱涣散，村干部能力不强问题没有得到根本解决；有的政策法规不落实，村务不公开或假公开，村务管理不民主现象长期存在；有的群众对村干部意见多，党群干群关系紧张，经济社会发展落后，等等。村务公开和民主管理“难点村”虽然是少数，但如不认真解决，势必影响村务公开和民主管理工作整体水平的提高，势必影响农村经济社会又好又快发展。为深入贯彻落实党的十七大和十七届三中全会精神，经全国村务公开协调小组研究决定，从2009年至2011年，在指导做好村务公开和民主管理面上工作的同时，开展“难点村”专项治理，力争用三年的时间，使现有“难点村”面貌发生根本性转变。为此，提出以下意见。

一、指导思想和目标要求

治理“难点村”，要以邓小平理论和“三个代表”重要思想为指导，深入贯彻落实科学发展观，按照党的十七大和十七届三中全会精神要求，以解决村民群众最关心最直接最现实的利益问题为切入点，以村级组织建设为重点，以健全和完善村务公开和民主管理制度为着力点，保障村民群众的合法权益，促进农村社会和谐，推动农村经济社会又好又快发展。

治理“难点村”工作，要达到以下目标要求：

（一）提高农村基层干部群众民主法制素质。干部群众对坚持党的领导、人民当家做主、依法治国有机统一的思想认识得到有效提高，对推行村务公开和民主管理的自觉性得到有效提升，对搞好村务公开和民主管理的要求认识明确，基层干部组织开展村务公开和民主管理实践的能力明显增强。

（二）健全并落实村务公开和民主管理制度。自觉将各级党委政府强农惠农政策、社会各界支持新农村建设的项目、新农村建设各项资金及其使用情况、农村集体资产和资源处置情况，以及对村干部的民主评议、考核和审计结果等事项，纳入公开的内容，接受群众监督，真正做到凡是与村民群众切身利益密切相关的事项，坚持由村民群众民主决策，不由个人或少数人说了算。村民会议、村民代表会议制度得到落实。

（三）加强农村基层组织。村党组织的领导核心作用明显发挥，村委会能够履行法定职责，在村党组织领导下，积极协助乡镇政府开展工作。村务公开监督机构、村民民主理财机构建立健全，发挥作用。村级群团组织和社会组织不断发展，活动规范化、经常化。

（四）促进各项工作。党在农村的各项方针政策得到贯彻落实，村民群众反映强烈的突出问题得到有效解决，村内各项事业得到发展，群众生活水平稳步提高，党群干群关系和谐，社会稳定，村风文明。

二、主要原则

（一）坚持治理工作与促进农村科学发展相结合。围绕促进农村改革发展稳定大局，坚持以人为本，把“难点村”治理工作与深入学习实践科学发展观活动结合起来，与促进农村各项事业发展结合起来，与保障村民群众物质利益和民主权利结合起来，不搞形式主义，不做表面文章，务求实效，为农村经济社会全面协调可持续发展打牢基础。

（二）坚持发扬民主，走群众路线。尊重农民意愿，充分发挥村民群众的主体作用，调动村民群众参与的积极性和主动性。认真听取村民群众的意见和建议，自觉接受监督，努力解决影响和制约村务公开和民主管理中的突出问题，把群众满意作为评价治理工作成效的根本依据。

（三）坚持从实际出发，分类指导。根据本地区农村经济社会发展的实际情况，有针对性地提出具体的治理方案和治理方法，对症下药，有什么问题就解决什么问题，什么问题突出就重点解决什么问题，不搞一刀切，确保治理工作取得实效。

（四）坚持上下结合，综合治理，标本兼治。根据产生“难点村”的不同原因，采取相应措施，属于村的问题，从村级层面下功夫；属于政府及其职能部门的问题，就从政府或者职能部门这个层面解决。系统研究制约影响村务公开和民主管理的各种因素，充分运用政治、法律、经济、行政等手段，多管齐下，从源头上解决问题。

（五）坚持制度建设，着力形成长效机制。尊重村民群众的首创精神，及时总结推广治理“难点村”的成功经验，并在实践中不断丰富、完善和提高。加强“难点村”治理的制度建设，形成带有普遍规律性和指导性的政策措施，形成治理“难点村”的长效机制，不断提高治理“难点村”的工作水平。

三、主要任务

（一）加强农村基层组织建设，解决村级组织软弱涣散、村干部能力不强的问题。加强农村基层组织建设是做好治理工作的关键环节。抓好以村党组织为核心的村级组织配套建设，充分发挥村党组织的领导核心作用，领导和支持村委会、集体经济组织、共青团、妇代会、民兵等组织依法开展工作。建立健全村务公开监督机构、村民民主理财机构，保障其履行职责，监督村务公开制度的落实、村集体资产管理使用和财务收支等活动。注重从农村致富能手、退伍军人、外出务工返乡农民中选拔村干部。引导高校毕业生到村任职，鼓励党政机关和企事业单位优秀年轻干部到村帮助工作，鼓励优秀民营企业经营管理人员、县乡机关和企事业单位退居二线、提前离岗或退休干部职工中的党员回村任职，建设一支守信念、讲奉献、有本领、重品行的农村基层干部队伍。整合培训资源，广泛培训农村基层干部，提高他们的思想素质和开展农村工作的水平。通过财政转移支付和党费补助等途径，形成农村基层组织建设、村干部报酬和养老保险、党员干部培训资金保障机制。抓紧村级组织活动场所建设和农村党员干部现代远程教育工作，两年内覆盖全部行政村。

（二）完善村务公开和民主管理制度，解决村务不公开、管理不民主的问题。制度建设是专项治理工作的基础。认真贯彻落实《中共中央办公厅国务院办公厅关于健全和完善村务公开和民主管理制度的意见》（中办发〔2004〕17号），以财务公开为重点，不断丰富村务公开的内容。在巩固村务公开栏形式的基础上，积极推行村民点题公开、建立信息公开平台等做法，创新公开形式。加强对农村集体资金、资产、资源的管理和审计，建立健全财务管理制度。完善村级会计委托代理服务，实行村务公开答疑纠错的监督制度，保证村务公开及时便捷、全面真实。完善村民自治章程和村规民约等，健全村民会议和村民代表会议议事规则，推进村级事务管理的制度化、规范化、程序化。加强法制宣传教育，引导村民群众规范有序地参与村级公共事务的决策和管理。积极探索新形势下开展村务公开和民主管理的途径和方式，保障村民群众享有正当的民主权利。

（三）加强农村党风廉政建设，解决群众反映强烈的突出问题。农村党风廉政建设是做好治理工作的重要保证。严肃查处违法征占耕地、不给农民合理经济补偿的违法违纪案件。做好被征地农民社会保障工作，做到先保后征，使被征地农民生活水平不降低，长远生计有保障。清理整顿农村财务管理混乱村，查处党政机关干部、村干部等侵占村集体资产和资金、铺张浪费给集体造成损失等问题。

（四）帮助发展农村经济和社会事业，解决“难点村”经济和社会发展长期落后的问题。发展是根本解决“难点村”问题的决定性因素。引导村级组织和村民根据市场要求和本村的实际条件，大力发展集体经济，增强集体组织服务功能，促进农民增收。培育农民新型合作组织，大力发展专业合作经济。积极组织和引导文化、教育、医疗卫生、计划生育、社会保障、社会管理等政府公共服务覆盖到农村，缩小城乡公共服务差距，促进城乡基本公共服务均等化。积极探索对接互助形式，鼓励城市社区和“强村”、“强企”结对帮助“难点村”发展经济，增强“难点村”自身发展能力。

（五）强化农村社会管理，消除可能引发农村社会不稳定的因素。强化农村社会管理，是做好专项治理工作的重要条件。坚持服务农民、依靠农民，完善农村社会管理体制机制，加强农村社区建设，培育农村服务性、公益性、互助性社会组织，推动形成政府行政管理和村民自我管理的有效衔接、政府依法行政和村民依法自治的良性互动的局面。坚决纠正和制止村党支部和村委会换届选举中的“贿选”和其他违法违纪行为，反对和制止利用宗教、宗族势力干预农村公共事务。加强农村精神文明建设，做好教育和思想疏导工作，化解人民内部矛盾。坚决依法打击农村黑恶势力和各类刑事犯罪，加强社会治安综合治理，维护农村正常生产生活秩序。加强农村警务建设，逐步建立以驻村民警为主导，以群防群治队伍为补充，人防、物防、技防相结合的安全防范机制和防控网络，全面提升农村社区安全防范水平。有条件的村庄，要依托社区资源，组织开展以社区保安、联防队员为主体，专职人员和义务志愿者相结合的邻里守望、看楼护院、看村护家等活动。建立健全村党组织主导的群众维权机制，引导村民群众以理性合法的方式表达利益诉求，维护自身权益。

四、方法步骤

（一）宣传教育、统一思想。做好思想发动和宣传教育工作，把农村基层干部思想、行动统一到治理工作的要求上，把村民群众动员、凝聚到治理工作的实践上。

（二）调查研究、摸清底数。在乡（镇）自查的基础上，以县（市、区）为基本单位，认真做好调查研究，摸清本地区“难点村”的具体情况，包括“难点村”的数量、产生原因、表现形式、影响后果等，并对本地区“难点村”情况进行综合分析，有关情况及时报上一级村务公开协调（领导）机构。

（三）抓好试点、积累经验。在摸清底数、掌握情况的基础上，可以选择一些不同类型的“难点村”开展治理试点工作。各级村务公开协调（领导）机构要及时总结推广治理经验，可以采用现场会、培训班、学习班等方式，对参与治理工作的有关干部进行政策、业务等方面的培训，为全面开展治理工作打好基础。

（四）结合实际、制定方案。省、自治区、直辖市要根据试点经验和“难点村”的综合情况，制定出带有普遍适用性、指导性的治理方案和程序；市、县、乡三级要根据省、自治区、直辖市总体部署和要求，结合本地“难点村”的具体情况制定有针对性的工作方案。

（五）抽调人员、组建工作组。以县、乡为主体，集中精力，抽调专门力量组成工作组，深入“难点村”宣传发动党员和群众，从抓村党支部和村委会班子建设和解决好群众最关心最现实的利益问题入手，开展“难点村”的治理工作。

（六）协同治理、加强督查。县、乡两级要定期报告“难点村”治理情况，省、市两级村务公开协调（领导）机构要根据各县（市、区）工作进展情况，安排各成员单位深入基层，就村民反映的突出问题开展专项督查，推动治理工作健康有序开展。在县、乡两级治理工作结束后，要组织力量进行检查验收。检查验收要充分听取村民的意见和反映，并作为考核治理工作的依据。

（七）攻坚克难、不留死角。省、市两级要对县、乡难于攻克的“难点村”，抽调力量组成工作组深入基层进行调研，与县、乡干部一道分析问题，找准原因，寻求解决的办法，帮助县、乡共同攻克难点。对检查验收不合格的，要督促进行整改完善，确保治理工作不走过场，取得实效。

五、组织领导

"难点村"治理工作任务繁重，责任重大，各地区各部门要在党委和政府统一领导下，把治理工作列入重要议事日程，切实抓紧抓好。

（一）**加强领导、齐抓共管**。做好"难点村"治理工作，县级是关键，乡级是基础，县、乡两级主要负责同志是第一责任人，县、乡两级党委和政府要把"难点村"治理作为推进农村改革发展的重要任务，作为深入学习实践科学发展观活动的配套性工程，列入工作考核目标，采取得力措施，确保治理工作顺利开展。各省、自治区、直辖市要建立健全村务公开协调（领导）机构，发挥好协调指导作用，各成员单位要加强协作，形成合力。各职能部门要切实履行职责，抓好工作落实。

（二）**强化问责、加强督查**。采取派工作督导组、召开专题督办会议、建立督查通报制度等形式，推广典型经验，表彰先进，鞭策后进。建立"难点村"治理台账，实行销号制，做到治理工作不达标，帮扶工作组不离村。对治理工作走过场的，要给予批评教育，并进行补课。对工作不力、进展缓慢的，要予以通报。对出于个人利益考虑，不积极解决群众反映强烈的突出问题，甚至充当违法犯罪分子和黑恶势力保护伞，严重失职渎职的干部，应及时采取组织措施，给予党纪政纪处分，构成犯罪的，移送司法机关处理。

（三）**把握政策、讲究策略**。要妥善处理各方面的利益关系，统筹协调和兼顾不同阶层、不同方面群众的利益，把一切积极因素充分调动起来，促进治理工作扎实稳妥进行。要注意依靠农村社会组织和村民群众的力量，通过社会关爱、邻里扶助以及群众间的精神抚慰和思想疏导，把人民内部矛盾和社会问题解决在萌芽状态，解决在基层。要注意掌握政策，具体情况具体分析，分清是非，保护那些坚持原则、公道正派、群众认可、有能力、有干劲干部的积极性。

（四）**建立机制、动态管理**。建立和完善"难点村"治理的动态管理机制，采取有力措施巩固治理成果。对经过整治并已经销号的"难点村"，要实行跟踪检查，对反弹的"难点村"要重新治理。特别是对整治工作中启动的帮扶项目，要抓好落实。对新出现的"难点村"，要及时进行治理。

各省、自治区、直辖市村务公开协调（领导）机构，全国村务公开协调小组各成员单位，要按照本意见的精神，结合实际，制定贯彻落实的具体措施。

省民政厅　省公安厅　省财政厅　省住房和城乡建设厅　省卫生厅转发民政部等五部门《关于进一步加强城市街头流浪乞讨人员救助管理和流浪未成年人解救保护工作的通知》的通知

2009年9月15日　鲁民〔2009〕66号

各市民政局、公安局、财政局、建委（建设局）、卫生局：

最近，民政部、公安部、财政部、住房和城乡建设部、卫生部联合下发了《关于进一步加强城市街头流浪乞讨人员救助管理和流浪未成年人解救保护工作的通知》（民发〔2009〕102号），对加强城市街头流浪乞讨人员救助管理和流浪未成年人解救保护工作的相关政策和有关部门的职责任务作出明确规定。现转发给你们，望认真贯彻落实。

附件：民政部　公安部　财政部　住房城乡建设部　卫生部关于进一步加强城市街头流浪乞讨人员救助管理和流浪未成年人解救保护工作的通知

附件：

民政部　公安部　财政部　住房城乡建设部　卫生部关于进一步加强城市街头流浪乞讨人员救助管理和流浪未成年人解救保护工作的通知

2009年7月16日　民发〔2009〕102号

各省、自治区、直辖市民政厅（局）、公安厅（局）、财政厅（局）、住房和城乡建设厅（市政管委、市容委、建委）、卫生（厅）局，新疆生产建设兵团民政局、公安局、财务局、建设局、卫生局：

自2003年8月《城市生活无着的流浪乞讨人员救助管理办法》颁布实施以来，在各级政府高度重视、有关部门支持配合下，救助管理工作总体上进展顺利。但是，一些城市街头流浪乞讨人员增多，组织、胁迫、诱骗、利用未成年人流浪乞讨和组织未成年人违法犯罪等侵害未成年人权益的现象严重，严重侵害公民权利、扰乱公共秩序、危害社会稳定。为进一步做好城市街头流浪乞讨人员救助和管理工作，维护流浪乞讨未成年人的合法权益，现通知如下：

一、充分认识做好街头流浪乞讨人员救助管理和流浪未成年人解救保护工作的重要意义

当前，我国经济社会快速发展，人民生活不断改善，社会保障制度逐步完善，但由于人口流动、家庭困难、意外事件、个体选择等原因，流浪乞讨现象仍有发生，特别是流浪未成年人存在被拐卖、拐骗，胁迫、诱骗、利用乞讨或从事违法犯罪活动，遭受摧残和虐待的现象。流浪未成年人是特殊社会弱势群体，需要全社会的关心和帮助。各级民政、公安、城管、卫生、财政部门一定要从广大人民群众根本利益出发，切实增强责任感和紧迫感，积极主动，各尽其职，多管齐下，打击震慑违法犯罪、教育警醒群众、弘扬正气。要始终坚持以人为本，狠抓落实，将这项工作作为深入学习贯彻落实科学发展观的重要举措，进一步做好流浪未成年人解救保护工作。

二、认真履行部门职责，协调配合做好落实工作

街头流浪乞讨人员救助、管理和解救、保护流浪未成年人工作，事关权利保护和社会稳定，涉及多个部门，具有很强的政策性。各级政府、各个部门要依照有关法律法规，认真履行各自职责，协调配合，齐心协力做好这一工作。

（一）民政部门要加强街头救助，协助配合公安、城管、卫生等部门做好街头管理和打击解救工作。

一是组织、指导、监督救助管理机构做好街头救助。劝导、引导街头流浪乞讨人员进入救助管理站接受救助，不愿入站的，根据其实际情况提供必要的饮食、衣被等服务；坚持“先救治，后救助”的原则，配合医疗机构做好街头流浪乞讨人员中的危重病人、精神病人、危险传染病人的救治工作。

二是坚持“先解救，后救助”的原则，配合公安机关做好被拐卖、拐骗、胁迫、诱骗、利用乞讨的残疾人、未成年人的调查、取证和解救工作。对于公安机关解救、护送来站的未成年人，救助管理站（流浪未成年人救助保护中心）要做好接收工作，福利机构做好婴幼儿临时代养工作。铁路公安机关解救的被拐卖未成年人，由乘车地救助管理站（流浪未成年人救助保护中心）接收，福利机构做好婴幼儿临时代养工作。对于受助未成年人，要利用指纹识别技术建立数字档案，配合公安机关做好救助管理机构、社会福利机构中未成年人的采血工作。

三是协助有关部门开展街头治理工作。民政部门在街头救助时，发现流浪乞讨人员滋扰他人，扰乱社

会秩序，污损、占据公共设施妨害他人正常使用和破坏城市市容环境的，要向公安机关、城市管理部门提出执法建议。

四是强化站内服务和管理。要从维护受助人员权益出发，改善设施环境，实行人性化、亲情化服务，保障受助人员的基本生活。要把未成年人与其他救助对象分开，根据未成年人的特点，合理安排生活起居和文体娱乐、教育培训等活动。对残疾、智障、受到伤害或有心理问题的，积极进行医护和康复。加大站内人员和接领人的甄别、核查力度，防止未成年人被冒领冒认和犯罪分子藏匿其中。要做好站内安全防范工作，确保站内人员安全。

五是做好返乡、安置和流出地预防工作。要畅通受助人员返乡渠道，对父母或其他监护人无力接回的，经协商后可由救助管理机构接回或送回。对符合条件的安置对象，安置到社会福利机构，并积极探索社会代养、家庭寄养等社会安置模式。督促流出地人民政府将符合条件的返乡困难群众纳入社会保障范围，充分发挥村（居）委会等基层组织的作用，监督监护人履行监护义务，防范虐待、遗弃老年人、残疾人、未成年人，防范强迫其外出流浪。

六是鼓励和支持社会组织或个人为流浪乞讨人员提供庇护、饮食、衣被等帮助，探索开展社工干预、心理辅导、行为矫治、教育培训，帮助流浪乞讨人员回归家庭和社会。

（二）公安机关要强化街头管理和打击解救工作力度，协助民政、卫生部门做好街头救助和站内管理工作。

一是做好接、报警工作。接到群众举报线索，要快速出警，及时处理，做到件件有记录，件件有人管。坚持解救与打击并重的原则，及时开展调查工作，确保打击有力，解救到位。

二是强化立案工作。各级公安机关要本着对人民群众高度负责的态度，强化立案工作。凡是接到举报发现拐卖、拐骗、胁迫、诱骗、利用未成年人乞讨或组织未成年人违法犯罪的，接待民警要认真询问案情，及时出警，对涉嫌犯罪的分别按照拐卖儿童罪、拐骗儿童罪、组织儿童乞讨罪、组织未成年人进行违反治安管理活动罪立案侦查；构成违反治安管理行为的，依法给予治安管理处罚。

三是加强对街面等流浪乞讨人员主要活动场所的巡查。要加强对繁华街区、桥梁涵洞、地下通道、热力管线、废弃房屋、火车站、风景游览区等流浪乞讨人员集中活动和露宿区域的巡查。发现街头流浪乞讨人员中危重病人、精神病人的，要按照民政部、公安部、财政部《关于进一步做好城市流浪乞讨人员中危重病人、精神病人救治工作的指导意见》（民发〔2006〕6号）的要求，会同民政、卫生等部门救治。发现流浪未成年人的，护送到救助管理机构接受救助。发现利用婴幼儿或未成年人乞讨的，要现场取证，调查盘问。对无血缘关系、来历不明和疑似被拐卖、拐骗、组织、胁迫、诱骗、利用乞讨的，要控制犯罪嫌疑人，解救未成年人。对利用婴幼儿、未成年人乞讨的监护人，教育、警告后护送到救助管理站接受救助；构成犯罪的，依法追究刑事责任。

四是加强流浪乞讨儿童的采血和检验比对工作。对街头流浪乞讨和被组织从事违法犯罪活动的未成年人一律采血，经DNA检验后将数据录入全国打拐DNA数据库。各地在采血和检验比对工作中，不得以任何理由收取费用。

五是加大打击力度。要依法从重从快打击虐待和故意伤害流浪未成年人，以及拐卖、拐骗、组织、胁迫、诱骗、利用未成年人乞讨牟利或组织其进行违法犯罪活动的犯罪分子和团伙。认定是被拐卖、拐骗的未成年人，要立即解救，尽快送返其监护人身边。对暂时找不到其监护人的，护送到救助管理站接受救助，并继续查找其监护人。对亲生父母或其他监护人利用未成年人乞讨的，要予以批评教育，情节严重的，依照《治安管理处罚法》第四十一条，予以治安管理处罚；构成犯罪的，依法追究刑事责任。

六是做好有害乞讨行为的管理工作，协助民政部门开展街头救助，对流浪乞讨人员强讨恶要、滋扰他人、扰乱公共秩序、危害交通安全的行为依法处置。属于救助对象的，送救助管理机构救助。

七是协助救助管理站做好安全防范工作。有条件的地方可以结合社区警务布点，在救助管理站设立警务室或警务联络员。要依法严厉打击聚众闹事、结伙冲击、围攻救助管理站的违法犯罪活动，确保站内人员安全和工作秩序。

（三）城市管理部门要依法做好防范街头流浪乞讨人员影响市容环境卫生行为的管理工作，协助民政、卫生部门做好街头救助工作。

一是依法处置街头流浪乞讨人员占据、损毁公共设施妨碍他人正常使用的行为和随处涂画、制造噪音等破坏环境卫生等违反城市管理规定的行为。

二是协助民政部门做好街头救助工作。在街头执法发现流浪乞讨人员的，告知、引导、护送其到救助管理站接受救助。发现危重病人、精神病人的，联系医疗卫生部门救治。

（四）卫生部门负责流浪乞讨人员医疗救治工作。要按照《关于实施城市生活无着的流浪乞讨人员救助管理办法有关机构编制和经费问题的通知》（财社〔2003〕83号）和《关于进一步做好城市流浪乞讨人员中危重病人、精神病人救治工作的指导意见》（民发〔2006〕6号）规定，指定定点医疗机构，按照“先救治、后救助”的原则收治有关流浪乞讨人员。

（五）财政部门要做好对城市街头流浪乞讨人员救助、管理，以及对流浪未成年人解救保护的经费保障工作。要按照上述各部门职责任务和国家预算管理有关规定，将应由政府承担的救助、管理城市街头流浪乞讨人员，以及解救、保护流浪未成年人工作经费，分别列入有关部门预算给予保障。

三、健全机制，狠抓落实

（一）健全机制。各地要加强领导，统一认识，明确责任，协作配合，建立健全工作机制。要坚持“分级管理，条块结合”的原则，建立政府统一领导、部门分工负责、社会广泛参与的管理体制和运行机制，共同营造帮助街头流浪乞讨人员回归家庭、社会的良好氛围。

（二）狠抓落实。公安部决定将此项工作列入全国打击拐卖儿童妇女工作综治考核并列入刑侦工作绩效考核。民政部决定将此项工作列入全国民政系统社会治安综合治理工作考核内容，认真督查。对行动迟缓、工作不力，造成严重后果的单位和个人，将报请综治部门实行“一票否决制”并追究有关责任。

中共山东省委组织部　省民政厅　省财政厅关于调整部分优抚对象等人员抚恤和生活补助标准的通知

2009年11月12日　鲁民〔2009〕94号

各市党委组织部，各市民政局、财政局：

根据民政部、财政部《关于调整部分优抚对象等人员抚恤和生活补助标准的通知》（民发〔2009〕135号）精神，经研究，决定从2009年10月1日起调整我省部分优抚对象等人员抚恤和生活补助标准，现就有关问题通知如下：

一、调整残疾军人（含伤残人民警察、伤残国家机关工作人员、伤残民兵民工）的残疾抚恤金、烈属（含因公牺牲军人遗属、病故军人遗属）的定期抚恤金、在乡退伍红军老战士（含红军失散人员）的生活补助标准，调整后达到的标准见附表。

二、各地要按照《军人抚恤优待条例》规定，适当提高在乡老复员军人的生活补助标准，使其生活达到当地农村居民平均生活水平。中央财政在现行补助标准的基础上，每人每月增加70元。调整后的在乡老复员军人生活补助标准：抗战时期入伍的每人每年不低于4 360元，其他时期入伍的每人每年不低于3 860元。

三、各地要按照每人每月不低于200元、不高于十级残疾军人抚恤金标准的原则，调整带病回乡退伍军人生活补助标准，每人每月提高标准不低于70元。省在中央每人每月补助80元的基础上，对枣庄、临沂、德州、聊城、滨州、菏泽6个市按照每人每月80元补助标准安排补助资金，对潍坊、济宁、泰安、日照、莱芜5个市按照每人每月60元补助标准安排补助资金，对济南、淄博、东营、烟台、威海5个市按照每人每月40元补助标准安排补助资金。不足部分由市、县两级财政负责落实。

四、对在农村的和城镇无工作单位且家庭生活困难的参战退役人员提高生活补助标准，每人每月提高70元，达到每人每月200元。省在中央每人每月补助80元的基础上，对枣庄、临沂、德州、聊城、滨州、菏泽6个市按照每人每月80元补助标准安排补助资金，对潍坊、济宁、泰安、日照、莱芜5个市按照每人每月60元补助标准安排补助资金，对济南、淄博、东营、烟台、威海5个市按照每人每月40元补助标准安排补助资金。不足部分由市、县两级财政负责落实。

五、对不符合评残和享受带病回乡退伍军人生活补助条件，但患病或生活困难的农村和城镇无工作单位的原8023部队退役人员，以及其他参加核试验军队退役人员提高生活补助标准，每人每月提高70元，达到每人每月200元。省在中央每人每月补助80元的基础上，对枣庄、临沂、德州、聊城、滨州、菏泽6个市按照每人每月80元补助标准安排补助资金，对潍坊、济宁、泰安、日照、莱芜5个市按照每人每月60元补助标准安排补助资金，对济南、淄博、东营、烟台、威海5个市按照每人每月40元补助标准安排补助资金。不足部分由市、县两级财政负责落实。

六、对建国前加入中国共产党的农村老党员和未享受离退休待遇的城镇老党员调整生活补助标准，每人每月提高70元，补助标准调整为：1937年7月6日前入党，达到每人每月370元；1937年7月7日至1945年9月2日入党的，达到每人每月310元；1945年9月3日至1949年9月30日入党的，达到每人每月230元。已享受优抚对象抚恤补助的老党员，不执行上述补贴标准，仍按每人每月50元标准发给生活补贴。已对老党员实行定额补贴的地方，补贴标准低于上述标准的，按照补差原则发给补贴；补贴标准高于上述标准的，仍按原补贴标准发给补贴。在中央补助50%的基础上，省给予适当补助，不足部分由市县解决。

七、此次调整抚恤和生活补助标准中央财政核拨经费和省财政负担的补助经费，由省财政另行下达。各级组织、民政、财政部门要落实地方应安排的资金，切实加强资金管理，保证及时、准确、足额地把抚恤金和生活补助费发放到优抚对象等人员手中。

附件：1. 残疾军人、伤残人民警察、伤残国家机关工作人员、伤残民兵民工残疾抚恤金标准表

2. 烈属、因公牺牲军人遗属、病故军人遗属定期抚恤金标准表

3. 在乡退伍红军老战士、红军失散人员生活补助标准表

附件1：

残疾军人、伤残人民警察、伤残国家机关工作人员、伤残民兵民工残疾抚恤金标准表

（从2009年10月1日起执行） 单位：元/年

残疾等级	残疾性质	抚恤金标准
一级	因战	26 080
	因公	25 250
	因病	24 430
二级	因战	23 600
	因公	22 360
	因病	21 530
三级	因战	20 700
	因公	19 460
	因病	18 220
四级	因战	16 970
	因公	15 320
	因病	14 080

续表

残疾等级	残疾性质	抚恤金标准
五级	因战	13 250
	因公	11 590
	因病	10 760
六级	因战	10 350
	因公	9 800
	因病	8 280
七级	因战	7 870
	因公	7 040
八级	因战	4 970
	因公	4 550
九级	因战	4 140
	因公	3 310
十级	因战	2 900
	因公	2 480

附件2：

烈属、因公牺牲军人遗属、病故军人遗属定期抚恤金标准表

（从2009年10月1日起执行）

单位：元/年

	烈　属	因公牺牲军人遗属	病故军人遗属
城镇	8 060	7 230	6 810
农村	4 880	4 670	4 470

附件3：

在乡退伍红军老战士、红军失散人员生活补助标准表

（从2009年10月1日起执行）

单元：元/年

在乡退伍红军老战士	红军失散人员
18 320	8 060

省人民政府　残疾人工作委员会关于成立山东省残疾人社会保障体系和服务体系建设领导小组及其办公室的通知

2009年9月15日　鲁残工委〔2009〕4号

各市人民政府残疾人工作委员会，省政府残疾人工作委员会各成员单位：

为全面贯彻《中共中央、国务院关于促进残疾人事业发展的意见》（中发〔2008〕7号），深入落实《中共山东省委、山东省人民政府关于加快推进残疾人事业发展的实施意见》（鲁发〔2009〕12号）精神，切实加强我省残疾人社会保障体系和服务体系建设，着力改善我省残疾人生存发展状况，进一步提高为残疾人服务的能力，推动实现残疾人事业同全省经济社会协调发展，经研究，决定成立省残疾人社会保障体系和服务体系建设（简称“两个体系建设”）领导小组。

领导小组组成人员如下：

组　长： 郭兆信　副省长

副组长： 张传亭　省政府副秘书长

仉兴玉　省残联理事长

成　员： 李永健　省发展改革委副主任

张志勇　省教育厅副厅长

杨丽丽　省民政厅副厅长

阮凤英　省财政厅巡视员

李伯平　省人力资源社会保障厅副厅长

刘玉芹　省卫生厅副厅长

牟顺娥　省残联副理事长

乔贵良　省残联副理事长

张志超　省残联副理事长

周克明　省残联巡视员

郭旭光　省残联纪检组长

领导小组职责：按照国务院残工委关于两个体系建设的总体部署和要求，结合山东实际，研究决策两个体系建设重大事项，协调出台相关政策，督促落实各项措施，推动实现全省一体化残疾人保障体系和服务体系建设目标，指导各地完成两个体系建设任务。

领导小组下设办公室：

主　任： 仉兴玉（兼）

副主任： 张志超　省残联副理事长

成　员： 陈仁祥　省发展改革委社会处副调研员

梁斌言　省教育厅基教处调研员

杨同书　省民政厅社会福利处副处长

袁永斌　省财政厅社保处调研员

衣军强　省人力资源社会保障厅就业办副主任

万书臻　省卫生厅医政处处长

李永进　省残联办公室主任

李金山　省残联组织部部长

李新兰　省残联计划财务部部长

王建忠　省残联维权部部长

鞠少华　省残联康复部部长

杨忠民　省残联教育就业部部长

管洪锋　省残联宣传文体部部长

领导小组办公室职责：组织开展两个体系建设工作调研；汇集整理相关法规政策和信息资料；组织参与两个体系建设重要文件的起草；指导调度地方两个体系建设工作，总结推广各地经验做法；及时做好信息上报和有关会议组织工作；完成领导小组交办的其他工作。

领导小组办公室联系人：张文涛　于惠东

联系电话：0531－86158912，传真：0531－86158913

电子邮箱：sdclbgs@163.com

省人民政府　残疾人工作委员会关于印发《山东省人民政府残疾人工作委员会工作规则》和《山东省人民政府残疾人工作委员会联络员制度（暂行）》的通知

2009年11月13日　鲁残工委〔2009〕5号

省政府残工委各成员单位：

2009年11月10日，省政府残疾人工作委员会召开全体会议，审议通过了《山东省人民政府残疾人工作委员会工作规则》、《山东省人民政府残疾人工作委员会联络员制度（暂行）》。现印发给你们，请遵照执行。

附件：1. 山东省人民政府残疾人工作委员会工作规则

2. 山东省人民政府残疾人工作委员会联络员制度（暂行）

附件1：

山东省人民政府残疾人工作委员会工作规则

一、省政府残疾人工作委员会（以下简称省政府残工委）是省政府负责残疾人事业发展的工作机构，由省政府有关部门组成，根据残疾人工作需要，邀请省委有关部门参加。省政府残工委主任由联系省残联工作的副省长担任，成员由相关部门负责人组成。省政府残工委下设秘书处，秘书处设在省残疾人联合会，负责省政府残工委日常工作。

二、省政府残工委主要职责：在省政府领导下，统筹协调残疾人事业发展的方针、政策、法规、规划的制定与实施，组织、协调、指导、督促有关部门做好各项残疾人工作，研究解决残疾人工作中的重大问题，组织开展全省性重点工作和重要活动；统筹指导省残疾人社会保障体系和服务体系建设领导小组工作；指导各市、县（市、区）政府残工委工作；承担省委、省政府及国务院残工委和有关部门交办的其他事项。

三、省政府残工委秘书处主要职责：组织联络员活动，密切与各成员单位的联系，编发工作简报，沟通交流工作信息；围绕工作中遇到的热点、重点和难点问题，组织开展专题调研和理论研究；负责省政府残工委议定事项的督办工作，组织实施目标责任考核；承担省政府残工委会议及其他活动的具体组织服务工作。

四、省政府残工委根据工作需要，可召开全体成员会议、主任办公会议和专题会议。会议的时间和议题，由秘书处商有关单位研究提出，报主任审定。

（一）全体会议原则上每年召开1次，由主任主持，全体成员参加。主要任务是研究全省残疾人工作中的重大事项，部署全省残疾人事业的重要工作，通报全省残疾人事业进展情况。

（二）主任办公会议根据需要不定期召开，由主任召集，副主任成员单位参加，有关单位列席。主要任务是研究重要专项业务或解决临时性重要问题。

（三）专题会议根据需要不定期召开，由主任或主任委托副主任召集，与议题有关的成员单位参加。主要任务是研究、协调和处理残疾人工作中的专项工作问题。

五、省政府残工委成员因故不能出席全体会议、主任办公会议和专题会议时，要委派本单位有关负责同志列席，如对议题有意见，应在会前提出并函告秘书处。

六、省政府残工委会议议定有关事项，以省政府残工委文件或会议纪要印发。以省政府残工委名义发文，由主任或主任委托的副主任签发，必要时商请有关部门联合发文；以省政府残工委秘书处名义发文，由秘书长签发。有关成员单位要积极落实并及时报告情况，秘书处要做好议定事项的督办工作。

七、各成员单位要按照《山东省人民政府残疾人工作委员会成员单位职责分工》和重大工作分解的要求，各司其职，将残疾人工作切实纳入本部门工作计划和目标管理。

八、各成员单位确定1名处级干部作为联络员与秘书处保持联系。在秘书处设立省政府残工委联络员办公室，具体负责联络员活动的组织工作，办公室主任由省残联1名副理事长担任。

九、省政府残工委根据成员单位履职情况，适当时机开展年度目标管理考核，对各市残疾人工作实施年度目标考核，定期对残疾人工作成绩突出的单位和个人予以表彰奖励。

十、本规则经省政府残工委全体会议研究后实施。

附件2：

山东省人民政府残疾人工作委员会联络员制度（暂行）

一、为加强省政府残工委秘书处同各成员单位联络员的沟通和交流，推动我省残疾人工作，根据《山东省人民政府残疾人工作委员会工作规则》有关规定，特制定本制度。

二、省政府残工委各成员单位要确定1名处级干部作为联络员与秘书处保持联系，及时沟通工作开展情况。

三、在省政府残工委秘书处设立省政府残工委联络员办公室，具体负责联络员活动组织等工作。办公室主任由省残联一名副理事长担任，副主任由残工委副主任成员单位联络员担任。

四、根据实际工作需要，以部门业务为界别，设立7个协作组。各组组长由联络员办公室副主任担任，省残联各部室负责人担任各协作组联络员，负责各组具体联络等工作。

五、联络员办公室主任、副主任每年至少要集体活动1~2次；各协作组要通过联合调研、召开座谈会、外出考察等形式，每年至少集体活动1次，取得至少1项工作成果。各组要建立活动档案，每年年底前形成活动总结和下年度工作打算。

六、本制度（暂行）报经省政府残工委主任同意后执行。

省残疾人联合会　省财政厅关于印发《山东省贫困残疾儿童康复救助工程（项目）实施意见》的通知

2009年4月14日　鲁残联发〔2009〕14号

各市残联、财政局：

自2005年实施山东省贫困残疾儿童康复救助工程以来，已帮助万余名贫困残疾儿童进行康复，改善了受助儿童的功能状况，取得了显著成效。为使这项工作经常化、制度化，不断加大救助力度，省残联、省财政厅决定从2009年起继续实施贫困残疾儿童康复救助工程。现将《山东省贫困残疾儿童康复救助工程

（项目）实施意见》印发给你们，请结合当地实际认真贯彻执行。

一、提高认识，加大残疾儿童救助力度。残疾儿童康复是一项拯救和修复生命的抢救性工程，早发现、早干预、早康复是残疾儿童康复的关键。中共中央国务院《关于促进残疾人事业发展的意见》（中发〔2008〕7号）明确提出，要优先开展残疾儿童抢救性治疗和康复，对贫困残疾儿童康复给予补助，研究建立残疾儿童康复救助制度。各地要坚持“儿童优先”原则，以实施救助工程为契机，切实把扶助残疾儿童康复纳入重要议事日程，加大救助力度，把造福残疾儿童的好事办实，实事办好。

二、精心组织，确保康复救助工程顺利实施。各市残联、财政局要根据省里的实施意见，结合本地实际，制定切实可行的具体实施方案和工作措施。要认真组织和安排好年度残疾儿童康复救助计划，按照职责分工，进一步完善各项制度规定，认真选择实施康复训练任务的定点机构和康复技术人员，搞好筛查摸底，选好受助对象，严把工作流程，确保康复效果。

三、巩固效果，确保残疾儿童得到持续、有效的康复训练。为巩固受助儿童的康复效果，各市应将享受本项目救助期满的儿童及时纳入国家、省及地方“十一五”康复训练计划，继续给予康复救助。要协调定点康复机构为受助儿童提供各种形式的延伸服务，抓好家长培训项目的落实，建立以家庭训练为主、机构（社区）指导为辅的康复训练制度。

四、加大投入，发挥资金使用效益。各市、县（市、区）可在省级补助的基础上，加大投入力度，增加救助计划；各级政府投入的康复救助资金要与康复任务挂钩，实行专款专用，主要用于残疾儿童康复训练补助、康复训练器具购置以及康复培训等。残疾儿童康复训练器具由省残联通过政府采购集中购买，统一配发到各定点机构。残疾儿童康复训练经费按确定的补助标准，由各市、县（市、区）财政部门在核实各训练机构实际完成训练任务和质量的前提下直接支付。各市残联、财政局要严格掌握《山东省贫困残疾儿童康复救助卡》的使用条件和使用范围，确保救助项目公开、透明，同时加强资金监管，提高使用效益。省残联、省财政厅将根据项目实施情况进行专项检查。

五、搞好宣传，逐步扩大救助面和社会影响力。要采取多种形式，通过广播、电视、报刊等各种新闻媒体公开发布“山东省残疾儿童康复救助工程”的救助对象、救助范围、救助方式和工作流程，便于接受社会监督；要加大宣传力度，及时报道救助项目的开展情况和受助效果，使残疾儿童康复救助得到社会各界更多的关注和支持。

附件：山东省贫困残疾儿童康复救助工程（项目）实施意见

附件：

山东省贫困残疾儿童康复救助工程（项目）实施意见

为进一步加大对贫困家庭残疾儿童的康复救助力度，省残联、省财政厅决定，自2009年起继续实施贫困残疾儿童康复救助工程。

一、任务目标

自2009年起，每年至少为2 400名残疾儿童补贴康复训练经费，其中：智障1 200名，脑瘫800名，孤独症400名；为500名低视力儿童配发助视器；为部分定点康复机构配发康复训练器具；为康复机构培训130名康复技术人员；培训残疾儿童家长2 000名，以帮助贫困家庭的残疾儿童改善功能。

二、救助条件及标准

家庭人均收入低于当地城乡居民最低生活保障线的10岁以下智障、脑瘫、孤独症、低视力儿童。按照家庭经济收入，先低保，再较低收入的家庭（暂定家庭年人均收入在低保线上浮30%）、病情先重后轻、年龄先小后大的原则进行救助。

救助标准：脑瘫和孤独症每人年儿童康复训练补助定额为2 400元，智障儿童每人年定额为1 200元；低视力儿童每人配发一套价值200元的助视器。每名儿童只能享受一个年度的救助。

三、救助方式

残疾儿童的康复训练项目采取《山东省贫困残疾儿童康复救助卡》（以下简称《康复救助卡》）记账方式实施康复救助。由项目县（市、区）残联为受助对象核发《康复救助卡》。受助患儿凭卡在本地定点康复机构接受康复训练。此卡有效使用期限为一年。低视力儿童由家长带领，持当地残联证明信，到定点低视力康复机构检查，符合条件者免费配发助视器。

四、职责分工

1. 财政部门　省财政负责安排项目资金，按项目计划分年度下达资金；将属政府采购的康复训练器具列入政府采购计划；对项目资金使用情况实施监督检查。市、县财政部门负责按项目完成情况或进度拨款，有条件的地方可投入相应的专项经费，用于贫困残疾儿童的康复救助，对项目资金实施监督检查、评估。

2. 省残联　负责全省项目的组织实施工作；每年向各市下达当年任务指标（附件1）；申报康复训练器具配置方案，实施政府采购；开展康复技术人员培训；监督检查评估项目执行情况，总结年度工作。

3. 各市残联　根据省下达的任务，结合本地实际，制定实施方案，明确项目负责人，负责项目的组织管理，确定项目实施县（市、区）及定点康复训练机构，申报配发康复训练器具项目的受助机构；组织各项目县（市、区）残联与受助康复机构签订器具使用协议；负责协调解决受助期满儿童延伸康复训练与服务问题；审查参加省培训学员资格；组织开展残疾儿童家长培训；监督、检查、评估救助项目实施情况，完成统计汇总，总结工作。

4. 县（市、区）残联　制定项目实施方案；明确项目负责人，建立工作制度，组织并管理项目实施；进行残疾儿童康复需求调查、筛选，审批救助儿童名单；推荐定点康复训练机构及配发康复器具受助机构，并与受助机构签订康复器具使用协议；组织家长分期参加市级培训；负责项目统计工作、完成年报数据库录入。

5. 定点康复机构　认真执行项目实施方案，管好用好"康复救助卡"，落实工作制度，对受助儿童提供优质、优惠的康复训练与服务，选派学员参加省级培训，对基层康复人员和儿童家长给予技术指导与培训，做好受助期满儿童的定期回访和家庭训练指导与服务，保质保量地完成项目任务。

五、工作流程

（一）脑瘫、智障和孤独症儿童康复训练项目

1. 确定定点康复机构。各市要根据现有定点康复机构的服务能力及完成任务质量情况，确定本期救助任务定点康复机构，与其签订合作协议，明确双方责任和《康复救助卡》（附件3）管理办法及工作制度。对不具备承担任务能力的康复机构要进行调整。

2. 确定救助对象。符合救助条件的残疾儿童，由法定监护人到所在街道（乡镇）残联提出申请，经定点康复机构诊断并评估其康复潜力后，家长填写《山东省贫困脑瘫/智障/孤独症儿童康复救助项目审批情况登记表》（附件2），街道审核后报县（市、区）残联审批，并发放《康复救助卡》。

3. 开展康复训练。受助者凭《康复救助卡》到指定康复机构进行康复训练。康复机构要对受助患儿有针对性地制定训练计划，科学规范地实施康复训练，为每个受助患儿建立《康复训练档案》，按照初次、中期、末期进行训练效果评估，同时填写《脑瘫/智障/孤独症儿童康复训练效果评估表》（附件4）。

4. 登记审核。定点康复机构将受助患儿的康复训练每周在《康复救助卡》登记1次，补助费按月记入《康复救助卡》。《康复救助卡》年度训练期间由患儿家长保存，训练期满后交康复训练机构作为经费结算依据，由残联存档。每年1月5日前，将上年度救助儿童《康复训练登记表》（附件5）内容录入中国残联

数据库台账，完成年报统计工作。同时，由定点康复机构填写《贫困脑瘫/智障/孤独症儿童康复救助项目汇总表》（另发），报市残联汇总并上报省残联。

（二）低视力儿童配发助视器项目

各市根据省下达的任务，与定点低视力康复机构共同开展贫困低视力儿童调查，组织低视力儿童进行助视器检查验配。根据不同需求，每个低视力儿童配发3件不同类型的助视器。所有领取配发产品的低视力儿童，必须由其家长在《低视力助视器配发审批及受助情况登记表》（附件6）上签字，由配发机构存档。每年1月，由各市残联向省残联上报《低视力助视器配发情况汇总表》（附件7）。

（三）康复机构配发康复训练器具项目

省残联将年度康复训练器具配置方案报政府采购。各市残联按照省残联下达的指标，推荐符合条件的受助机构，填写《康复机构配发康复训练器具审批及受助情况登记表》（附件8），上报省残联，由生产厂家将康复训练器具直接送货至受助机构，并进行安装与使用指导。

（四）康复技术人员培训项目

由省残联根据培训计划，发挥省康复专家作用，确定课程设置和培训教材，组织开展康复专业技术人员培训，抓好管理，评估教学效果，颁发结业证书。

（五）残疾儿童家长培训项目

由各市残联举办家长培训班，确定课程设置，选择师资，组织残疾儿童家长开展专题知识讲座，指导患儿家长开展家庭康复训练。

六、工作进度

每年1月底前，各市根据省下达的任务分解指标；项目执行县（市区）残联按照工作流程组织患儿筛查，确定救助对象；2月底前对残疾儿童实施康复训练。12月底前，各市向省残联上报统计报表及项目执行报告。

附件：1. 2009年度贫困残疾儿童康复救助项目任务分配表

2. 脑瘫/智障/孤独症儿童康复救助项目审批情况登记表

3. 残疾儿童康复救助卡

4－1. 脑瘫儿童康复训练效果评估表

4－2. 智障儿童康复救助项目训练效果评估表

4－3. 孤独症儿童康复救助项目训练效果评估表

5－1. 山东省贫困残疾儿童康复救助工程肢体（脑瘫）残疾机构/社区康复训练登记表

5－2. 山东省贫困残疾儿童康复救助工程智力残疾儿童康复训练/家长培训登记表

5－3. 山东省贫困残疾儿童康复救助工程新收训孤独症儿童登记表

6. 山东省贫困残疾儿童康复救助工程低视力助视器配发审批及受助情况登记表

7. 山东省贫困残疾儿童康复救助工程低视力助视器配发情况汇总表

8. 山东省贫困残疾儿童康复救助工程配发康复训练器具审批表

9. 20____年山东省贫困残疾儿童康复救助工程残疾儿童家长培训项目统计表

附件1：

2009年度贫困残疾儿童康复救助项目任务分配表

地市	康复训练项目（名）			配发助视器（名）	专业人员培训项目		家长培训项目	配发康复器具项目（套）	
	脑瘫儿童	智障儿童	孤独症儿童	低视力儿童	脑瘫康复	智障康复	名	智障	孤独症
济南	60	110	40	30	4	4	180		
青岛					4	4			
淄博	40	60	20	30	3	3	100		1
枣庄	40	60	30	30	3	3	100	1	

续表

地市	康复训练项目（名）			配发助视器（名）	专业人员培训项目		家长培训项目	配发康复器具项目（套）	
	脑瘫儿童	智障儿童	孤独症儿童	低视力儿童	脑瘫康复	智障康复	名	智障	孤独症
东营	30	40	20	20	3	3	60	1	
烟台	50	80	30	40	4	4	140		1
潍坊	60	100	20	40	4	4	160	1	1
济宁	70	80	20	40	5	5	120	1	1
泰安	40	80	20	30	4	4	120	1	1
威海	20	50	20	40	3	3	80		
日照	30	40	20	20	3	3	80	1	1
莱芜	10	30	10	10	2	2	40		1
临沂	120	180	30	40	6	6	280	1	1
德州	40	70	20	20	3	3	120	1	
聊城	30	60	20	20	3	3	120		
滨州	30	40	20	20	3	3	80	1	1
菏泽	70	100	20	40	5	5	220		1
省直	60	20	40	30	3	3			1
合计	800	1 200	400	500	65	65	2 000	9	11

附件2：

脑瘫/智障/孤独症儿童康复救助项目审批情况登记表

（20　）年度

______市______县（市、区）

<table>
<tr><td>姓名</td><td></td><td>性别</td><td></td><td>出生年月</td><td></td><td>康复救助卡编号</td><td></td></tr>
<tr><td>家庭地址</td><td colspan="3"></td><td>邮政编码</td><td colspan="3"></td></tr>
<tr><td>疾病诊断</td><td colspan="3"></td><td colspan="4">定点康复训练机构名称</td></tr>
<tr><td>监护人姓名</td><td></td><td>与患者关系</td><td></td><td>联系电话</td><td colspan="3"></td></tr>
<tr><td>家庭经济状况</td><td colspan="4">1. 家庭人均收入低于当地城乡居民最低生活保障线 □
2. 农村领取社会救济金 □ 3. 家庭经济困难 □</td><td>户口类别</td><td colspan="2">农业户 □
非农业户 □</td></tr>
<tr><td>享受医疗保险情况</td><td colspan="7">1. 享受农村合作医疗□ 2. 享受城镇居民医疗保险□ 3. 享受医疗救助□ 4. 无医疗保险□</td></tr>
<tr><td>监护人申请</td><td colspan="7">申请人：
年　月　日</td></tr>
<tr><td>乡镇（街道）残联意见</td><td colspan="3">审核人：
公章：
年　月　日</td><td>县（市、区）残联审批意见</td><td colspan="3">审核人：
公章：
年　月　日</td></tr>
<tr><td>备注</td><td colspan="7"></td></tr>
</table>

注：1. 监护人提出申请时需携带患儿疾病诊断证明及复印件、城乡最低生活保障证明或农村社会救济金领取证明等相关材料及复印件。
2. 本表及有关证明复印件由县（市、区）残联存档。
3. 本表一式两份，由县（市、区）残联发放、审核、审批、存档，报市残联备案。

附件3：

残疾儿童康复救助卡

（样张）

____市____县　　　　　　　　　　　　　　　　　　　　　　　　　　　　编号：

姓名		性别		年龄	
家长姓名			与患者关系		
家庭地址					
疾病名称			家长电话		
定点医院或康复机构名称					
核发单位（章）			核发人： 年　月　日		

20　年　康复训练记录

日期	训练内容	应交金额	实交金额	免交金额	家长签字	康复员签字

1. 此卡仅限本人使用，不得转借；
2. 此卡仅限本工程定点医疗康复机构使用，不得跨部门使用；
3. 患者救助资格有效期1年，过期则不再享受本办法规定的救助；
4. 受助儿童由于自身原因不能坚持训练的，此卡不能兑现现金，由发证单位核准注销，剩余救助款及时增补其他患儿进行救助；
5. 本卡请妥善保管，一旦遗失，由持卡人向原核发单位申请，经核准后补发，凡原卡遗失期间发生的康复训练费用，均由本人自负；
6. 本卡使用期满后，请交定点康复机构。

附件4－1：

脑瘫儿童康复训练效果评估表

患儿姓名____性别____年龄____疾病诊断名称____救助卡编号____

家长姓名____居住地址____联系电话____

定点康复机构____　训练起始时间：　年　月　日

项目		项目实施前	项目实施后		
康复训练情况		未受过训练□ 接受过训练□	初次评估	期中评估	期末评估
患儿康复情况	运动功能	差□　障碍明显□ 一般□	明显改善□　改善□ 无变化□	明显改善□　改善□ 无变化□	明显改善□　改善□ 无变化□
	生活自理能力	差□　障碍明显□ 一般	明显提高□　提高□ 无变化□	明显提高□　提高□ 无变化□	明显提高□　提高□ 无变化□
	社会适应能力	差□　障碍明显□ 一般	明显增强□　增强□ 无变化□	明显增强□　增强□ 无变化□	明显增强□　增强□ 无变化□

续表

项目	项目实施前	项目实施后		
		初次评估	期中评估	期末评估
康复训练情况	未受过训练□ 接受过训练□			
家属对患儿康复信心		丧失□ 有所丧失□ 有所增强□ 增强□	丧失□ 有所丧失□ 有所增强□ 增强□	丧失□ 有所丧失□ 有所增强□ 增强□
评估情况		训练效果明显□ 训练效果一般□ 无训练效果□	训练效果明显□ 训练效果一般□ 无训练效果□	训练效果明显□ 训练效果一般□ 无训练效果□
家长意见		满 意□ 基本满意□ 不满意□ 家长签字：	满 意□ 基本满意□ 不满意□ 家长签字：	满 意□ 基本满意□ 不满意□ 家长签字：
评估意见		医生（康复专业人员）签名 年 月 日	医生（康复专业人员）签名 年 月 日	继续训练□ 特教学校□ 转入普幼或普小□ 家长培训□ 转介□ 其他□ 医生（康复专业人员）签名 康复机构（章） 年 月 日

注：1. 此工作由康复机构定期对受助儿童康复训练效果进行评估，康复医生或康复专业人员填写并保存。训练期满后将此表上报辖区残联存档，并将评估结果分别填入相应的“登记表”、“汇总表”对应栏内。

2. 在对应“□”中划“√”表示。

附件4-2：

智障儿童康复救助项目训练效果评估表

患儿姓名________性别____年龄____疾病诊断名称________救助卡编号________

家长姓名__________居住地址____________________联系电话__________

定点康复机构____________________训练起始时间：____年____月____日

项目		项目实施前	项目实施后		
			初次评估	期中评估	期末评估
康复训练情况		未受过训练□ 接受过训练□			
患儿康复情况	运动功能	差□ 障碍明显□ 一般□	明显改善□ 改善□ 无变化□	明显改善□ 改善□ 无变化□	明显改善□ 改善□ 无变化□
	感知能力	差□ 障碍明显□ 一般□	明显提高□ 提高□ 无变化□	明显提高□ 提高□ 无变化□	明显提高□ 提高□ 无变化□
	认知能力	差□ 障碍明显□ 一般□	明显提高□ 提高□ 无变化□	明显提高□ 提高□ 无变化□	明显提高□ 提高□ 无变化□
	语言交往能力	差□ 障碍明显□ 一般□	明显提高□ 提高□ 无变化□	明显提高□ 提高□ 无变化□	明显提高□ 提高□ 无变化□
	生活自理能力	差□ 障碍明显□ 一般□	明显提高□ 提高□ 无变化□	明显提高□ 提高□ 无变化□	明显提高□ 提高□ 无变化□
	社会适应能力	差□ 障碍明显□ 一般□	明显增强□ 增强□ 无变化□	明显增强□ 增强□ 无变化□	明显增强□ 增强□ 无变化□
家属对患儿康复信心			丧失□ 有所丧失□ 有所增强□ 增强□	丧失□ 有所丧失□ 有所增强□ 增强□	丧失□ 有所丧失□ 有所增强□ 增强□
评估情况			训练效果明显□ 训练效果一般□ 无训练效果□	训练效果明显□ 训练效果一般□ 无训练效果□	训练效果明显□ 训练效果一般□ 无训练效果□

续表

项目	项目实施前	项目实施后		
康复训练情况	未受过训练□ 接受过训练□	初次评估	期中评估	期末评估
家长意见		满意□　基本满意□ 不满意□ 家长签字：	满意□　基本满意□ 不满意□ 家长签字：	满意□　基本满意□ 不满意□ 家长签字：
评估意见		医生（康复专业人员）签名 年　月　日	医生（康复专业人员）签名 年　月　日	继续训练□　特教学校□ 转入普幼或普小□ 家长培训□ 转介□　其他□ 医生（康复专业人员）签名 康复机构（章） 年　月　日

注：1. 此工作由康复机构定期对受助儿童康复训练效果进行评估，康复医生或康复专业人员填写并保存。训练期满后将此表上报辖区残联存档，并将评估结果分别填入相应的"登记表"、"汇总表"对应栏内。

2. 在对应"□"中划"√"表示。

附件4－3：

孤独症儿童康复救助项目训练效果评估表

患儿姓名________性别____年龄____疾病诊断名称________救助卡编号________

家长姓名________________居住地址____________________联系电话____________

定点康复机构________________　　　训练起始时间：　年　月　日

项目		项目实施前	项目实施后		
康复训练情况		未受过训练□ 接受过训练□	初次评估	期中评估	期末评估
患儿康复情况	情绪控制	差□　障碍明显□ 一般□	明显改善□　改善□ 无变化□	明显改善□　改善□ 无变化□	明显改善□　改善□ 无变化□
	语言沟通	差□　障碍明显□ 一般□	明显提高□　提高□ 无变化□	明显提高□　提高□ 无变化□	明显提高□　提高□ 无变化□
	社会交往	差□　障碍明显□ 一般□	明显提高□　提高□ 无变化□	明显提高□　提高□ 无变化□	明显提高□　提高□ 无变化□
	生活自理能力	差□　障碍明显□ 一般□	明显提高□　提高□ 无变化□	明显提高□　提高□ 无变化□	明显提高□　提高□ 无变化□
家属对患儿康复信心			丧失□　有所丧失□ 有所增强□　增强□	丧失□　有所丧失□ 有所增强□　增强□	丧失□　有所丧失□ 有所增强□　增强□
评估情况			训练效果明显□ 训练效果一般□ 无训练效果□	训练效果明显□ 训练效果一般□ 无训练效果□	训练效果明显□ 训练效果一般□ 无训练效果□
家长意见			满　意□　基本满意□ 不满意□ 家长签字：	满　意□　基本满意□ 不满意□ 家长签字：	满　意□　基本满意□ 不满意□ 家长签字：
评估意见			医生（康复专业人员）签名 年　月　日	医生（康复专业人员）签名 年　月　日	继续训练□　特教学校□ 转入普幼或普小□ 家长培训□ 转介□　其他□ 医生（康复专业人员）签名 康复机构（章） 年　月　日

注：1. 此工作由康复机构定期对受助儿童康复训练效果进行评估，康复医生或康复专业人员填写并保存。训练期满后将此表上报辖区残联存档，并将评估结果分别填入相应的"登记表"、"汇总表"对应栏内。

2. 在对应"□"中划"√"表示。

附件5－1：

山东省贫困残疾儿童康复救助工程肢体（脑瘫）残疾机构/社区康复训练登记表

（　　年度）

填表单位（公章）：

<table>
<tr><td>姓　名</td><td></td><td>性　别</td><td>□男 □女</td><td>出生年月</td><td colspan="2">年　月</td></tr>
<tr><td>家庭住址</td><td colspan="3"></td><td>户口类别</td><td colspan="2">□农业户
□非农业户</td></tr>
<tr><td rowspan="2">亲属姓名</td><td rowspan="2"></td><td rowspan="2">与残疾人关系</td><td rowspan="2"></td><td rowspan="2">联系电话</td><td>宅电</td><td></td></tr>
<tr><td>手机</td><td></td></tr>
<tr><td>致残原因</td><td colspan="6">□先天性或发育障碍　□疾病　□早产　□产伤　□窒息
□感染　□创伤或意外伤害　□中毒　□原因不明　其他______</td></tr>
<tr><td>肢残类别</td><td colspan="6">□偏瘫　□截瘫　□脑瘫　□骨关节疾患　□截/缺肢
□畸形　□颅脑损伤　□脊柱脊髓伤病　□周围神经损伤
□儿麻后遗症　其他</td></tr>
<tr><td>既往医疗、康复情况</td><td colspan="6">□手术　□康复治疗　□药物治疗　□使用假肢、矫形器及辅助器具
□传统方法　其他______</td></tr>
<tr><td>家庭经济状况</td><td colspan="6">□家庭人均收入低于当地城乡居民最低生活保障线
□农村领取社会救济金
□家庭经济困难　□以上三个都不符合</td></tr>
<tr><td>康复训练起始时间</td><td colspan="6">年　月　日～　年　月　日</td></tr>
<tr><td>康复训练场所</td><td colspan="6">□机构　名称______联系电话______
□社区和家庭</td></tr>
<tr><td>康复训练效果</td><td colspan="6">□显效　□有效　□无效</td></tr>
</table>

填表人：　　审核人：　　填表日期：

填表说明：此表为《中国残疾人事业统计台账》项目数据库的基础表，也是省贫困残疾儿童康复救助工程核拨康复训练项目经费的依据，各定点医院机构要认真逐项填写，不要空项，按时完成上报。每年12月31日前由县（市、区）残联根据此表完成数据库录入及上报工作。

附件5－2：

山东省贫困残疾儿童康复救助工程智力残疾儿童康复训练/家长培训登记表

（　　年度）

填表单位（公章）：

<table>
<tr><td>姓　名</td><td></td><td>性　别</td><td>□男 □女</td><td>出生年月</td><td colspan="2">年　月</td></tr>
<tr><td>家庭住址</td><td colspan="3"></td><td>户口类别</td><td colspan="2">□农业户
□非农业户</td></tr>
<tr><td rowspan="2">家长姓名</td><td rowspan="2"></td><td rowspan="2">与残疾儿童关系</td><td rowspan="2"></td><td rowspan="2">联系电话</td><td>宅电</td><td></td></tr>
<tr><td>手机</td><td></td></tr>
<tr><td>致残原因</td><td colspan="6">□遗传　□发育障碍　□疾病　□创伤或意外伤害　□中毒与过敏反应
□不良文化因素　□原因不明　其他______</td></tr>
<tr><td>智残级别</td><td colspan="6">□一级　□二级　□三级　□四级</td></tr>
<tr><td>既往医疗康复情况</td><td colspan="6">□药物治疗　□手术　□康复治疗　□传统方法
□上学　□上幼儿园　其他______</td></tr>
<tr><td>家庭经济状况</td><td colspan="6">□家庭人均收入低于当地城乡居民最低生活保障线
□农村领取社会救济金
□家庭经济困难</td></tr>
<tr><td>是否接受过对贫困残疾儿童的救助</td><td>□是
□否</td><td colspan="5">接受救助项目______</td></tr>
<tr><td>康复训练起止时间</td><td colspan="6">年　月　日～　年　月　日</td></tr>
</table>

续表

康复训练场所	□机构　名称______联系电话______ □社区和家庭
是否接受家长培训	□是　□否　接受培训的次数：____次
康复训练效果	□显效　□有效　□无效

填表人：　　　　审核人：　　　　填表日期：

填表说明：此表为《中国残疾人事业统计台账》项目数据库的基础表，也是省贫困残疾儿童康复救助工程核拨康复训练项目经费的依据，各定点医院机构要认真逐项填写，不要空项，按时完成上报。每年12月31日前由县（市、区）残联根据此表完成数据库录入及上报工作。

附件5－3：

山东省贫困残疾儿童康复救助工程新收训孤独症儿童登记表

填表单位（公章）：

儿童姓名		性别	□男　□女	
出生日期		民族	□汉族　□少数民族	
家长姓名		身份证号码		
联系方式	宅电		手机	
家长是否接受培训	□是　□否		接受培训次数	
家庭经济状况	□家庭人均收入低于当地城乡居民最低生活保障 □农村领取社会救济金 □家庭经济困难			
通讯地址			邮政编码	
进入机构时间	年　月　日			
诊断机构				
诊断工具				
程度划分	□轻度　□中度　□重度			
康复训练前情况	情绪控制□1分□2分□3分　语言沟通□1分□2分□3分 社会交往□1分□2分□3分　生活自理□1分□2分□3分			
离开机构时康复训练情况	情绪控制□1分□2分□3分　语言沟通□1分□2分□3分 社会交往□1分□2分□3分　生活自理□1分□2分□3分			
是否接受贫困救助	□是　□否			
训练后走向	□普幼及普小　□特殊教育学校　□其他			

填表人：　　审核人：　　填表日期：　年　月　日

填表说明：此表由各地孤独症儿童康复训练机构填写，每年12月31日前报县（市、区）残联备案，并据此完成省贫困残疾儿童康复救助工程康复训练项目"汇总表"，除省直单位及济南康复机构外，其他地区此表暂不录入《中国残疾人事业统计台账》项目数据库。

附件6：

山东省贫困残疾儿童康复救助工程低视力助视器配发审批及受助情况登记表

市　　　　______县（市、区）　　　　年度

姓　名		性别		年龄		出生年月
家庭地址			联系电话			
家庭经济状况			户口类别	农村 □ 城市 □		
视力情况	双眼矫正视力：					

续表

<table>
<tr><td>监护人申请</td><td colspan="5">申请人：
年 月 日</td></tr>
<tr><td>乡镇（街道）残联意见</td><td colspan="5">审核人：
公章
年 月 日</td></tr>
<tr><td>县（市、区）残联审批意见</td><td colspan="5">审核人：
公章
年 月 日</td></tr>
<tr><td>配发种类、型号</td><td colspan="2"></td><td>配发数量（件）</td><td colspan="2"></td></tr>
<tr><td>助视器配发机构</td><td colspan="2"></td><td>验配人员签名</td><td colspan="2"></td></tr>
<tr><td>配发时间</td><td></td><td>受助人或监护人签名</td><td></td><td>配戴效果</td><td>满 意 □
不满意 □</td></tr>
</table>

说明：1. 助视器配发每人最多不超过3件； 2. 本表配发机构和当地残联各存档一份。

附件7：

山东省贫困残疾儿童康复救助工程低视力助视器配发情况汇总表

序号	姓名	性别	年龄	家庭住址	助视器配发种类	配发件数	家长姓名	联系电话	配发机构	配发人	联系电话

注：年终汇总后，市残联存档一份，报省残联一份。

附件8：

山东省贫困残疾儿童康复救助工程配发康复训练器具审批表

（20 年度）

______市 年 月 日

<table>
<tr><td rowspan="8">康复器具受助机构情况</td><td>单位名称</td><td colspan="3"></td><td>配发器具种类</td><td></td></tr>
<tr><td>详细地址</td><td colspan="3"></td><td>邮编</td><td></td></tr>
<tr><td>项目负责人姓名</td><td></td><td>职务</td><td></td><td>联系电话</td><td></td></tr>
<tr><td>现有康复训练技术人员（名）</td><td></td><td colspan="2">本机构开展儿童康复训练的起始时间</td><td colspan="2"></td></tr>
<tr><td>配发器具保管人姓名</td><td></td><td>职务</td><td></td><td>训练场地面积</td><td>______平方米</td></tr>
<tr><td>单位类别</td><td colspan="5">市级残联系统 □ 市级卫生机构 □ 市级教育机构□
县级残联系统 □ 县级卫生机构 □ 县级教育机构□
社区康复指导（站）□ 社区卫生服务中心（站）□ 其 他 □</td></tr>
<tr><td colspan="6">本年度承担省级儿童康复训练任务： 脑瘫____名 智障____名 孤独症____名</td></tr>
</table>

续表

辖区残疾儿童数量	脑瘫____名　智障____名　孤独症____名　多重残疾____名
市残联意见： 审核人： （公章） 年　月　日	
省残联意见： （公章） 年　月　日	
备注	

注：1. 此表一式两份，由市残联填写并上报省残联审批；
2. 字迹清晰，逐项填写，不要空项；
3. “单位类别”栏，在对应“□”中打“√”表示。

附件9：

20____年山东省贫困残疾儿童康复救助工程残疾儿童家长培训项目统计表

____市　　项目负责人________　　填表人________　　填表日期____年____月____日

序号	培训情况			患儿情况			患儿受助情况				家长姓名	家长与患儿关系	家庭地址	联系电话
	主办单位	培训内容	培训天数	姓名	年龄	疾病名称	本年度受训	明年待训	曾接受过训练	无条件受训				

说明：1. 本表由市残联填写、存档，于每年1月底前将电子表通过电子邮件报省残联康复部。
2. 患儿受助情况栏，在对应栏下打“√”表示。

省卫生厅　省民政厅　省财政厅　省公安厅　省教育厅　省人力资源和社会保障厅　省残疾人联合会关于成立山东省残疾人“人人享有康复服务”审评工作领导小组的通知

2009年7月24日　鲁残联发〔2009〕30号

各市卫生局、民政局、财政局、公安局、教育局、劳动保障局、残联：

2002年11月，省委办公厅、省政府办公厅转发省卫生厅、民政厅、财政厅、公安厅、教育厅、劳动保障厅、残联《关于进一步加强残疾人康复工作的意见》（鲁办发〔2002〕11号），提出到2015年实现我省残疾人“人人享有康复服务”的目标。2006年6月，省卫生厅等六部门联合转发了卫生部、民政部、财政部、公安部、教育部、中国残联《关于印发〈中国残疾人“人人享有康复服务”审评方案〉的通知》（鲁残联康字〔2006〕46号），要求各地做好《中国残疾人“人人享有康复服务”评价指标体系（2005～2015）》的使用及审评工作。

为确保2015年我省残疾人“人人享有康复服务”目标如期实现，切实做好审评工作，现成立山东省残疾人“人人享有康复服务”审评工作领导小组，下设办公室，负责组织有关工作。名单如下：

组　长：仉兴玉　省残联理事长

副组长：刘玉芹　省卫生厅副厅长

杨丽丽　省民政厅副厅长

周克明　省残联巡视员

成　员：万书臻　省卫生厅医政处处长

苏道义　省民政厅社会福利处处长

袁永斌　省财政厅社会保障处调研员

魏桂领　省公安厅治安警察总队副总队长

关延平　省教育厅基础教育处处长

亓　军　省人力资源和社会保障厅工伤保险处处长

鞠少华　省残联康复部部长

领导小组办公室：

主　任：鞠少华（兼）省残联康复部部长

副主任：禹文燕　省残联康复部调研员

成　员：安淑敏　省卫生厅医政处副调研员

杨同书　省民政厅社会福利处副处长

王业官　省财政厅社会保障处副主任科员

管　山　省公安厅治安警察总队副调研员

梁斌言　省教育厅基础教育处调研员

许庆军　省人力资源和社会保障厅工伤保险处副处长

李连谨　省残疾人辅助器具中心主任

省卫生厅 省民政厅 省财政厅 省公安厅 省教育厅 省人力资源和社会保障厅 省残疾人联合会关于印发《山东省残疾人“人人享有康复服务”审评实施细则（试行）》的通知

2009年8月4日 鲁残联发〔2009〕31号

各市卫生局、民政局、财政局、公安局、教育局、劳动保障局、残联：

为进一步规范我省残疾人“人人享有康复服务”审评工作，根据卫生部、民政部、财政部、公安部、教育部和中国残联印发的《中国残疾人“人人享有康复服务”审评方案》，参照中国残疾人“人人享有康复服务”审评工作领导小组办公室制定的《中国残疾人“人人享有康复服务”审评实施细则（试行）》，结合我省实际，制定了《山东省残疾人“人人享有康复服务”审评实施细则（试行）》，现印发给你们。请按照有关要求，认真组织学习，及时安排部署，做好日常工作指导和本市初步审评等工作，促进残疾人“人人享有康复服务”目标的实现。

附件：山东省残疾人“人人享有康复服务”审评实施细则（试行）

附件：

山东省残疾人“人人享有康复服务”审评实施细则（试行）

为实现2015年残疾人“人人享有康复服务”的目标，依据卫生部等六部门制定的《中国残疾人“人人享有康复服务”审评方案》和《中国残疾人“人人享有康复服务”审评实施细则（试行）》，制定本实施细则。

一、审评对象

本实施细则所指审评对象为向省提出审评申请的各市。

二、审评方式

审评工作将采取听取汇报、查阅资料、召开座谈会、问卷调查、电话访问、实地考察等多种方式进行。

三、省审评组组成

省审评组由省审评工作领导小组及其办公室成员、省审评工作专家组成员组成。

四、审评程序

审评工作分为年度自评、阶段抽查和集中审评三个阶段。本实施细则所指审评为省对各市实现残疾人“人人享有康复服务”目标情况进行的审评。

省审评工作领导小组办公室从申报市提供的80%的县（市、区）名单中，随机抽取代表不同经济发展水平的一个县和一个市（区）；每个县随机抽取一个乡镇，每个市（区）随机抽取一个街道；每个乡镇随机抽取一个村，每个街道随机抽取一个社区进行审评验收。

省审评组将重点实地审评被抽中地区残疾人“人人享有康复服务”达标情况。没有被抽中的县（市、区），须向省审评组提交书面材料。省审评组将根据实地审评情况和各地上报的书面材料，综合得出审评结论。

五、审评资料准备

被审评地区要按照卫生部等部门制定下发的《中国残疾人“人人享有康复服务”审评方案》要求逐项准备相应资料。资料准备的起始时间为2006年6月。

（一）市

——残疾人“人人享有康复服务”审评报告

——将残疾人“人人享有康复服务”纳入发展规划、列入部门考核目标的相关文件。

——成立残疾人“人人享有康复服务”领导小组与残疾人康复工作办公室文件及成员名单，相关会议纪要（记录）。

——将残疾人康复经费纳入财政预算，经费拨付及使用情况等相关文件、材料，自2006年残疾人康复经费年度筹集资金及同期上级补助资金情况。

——残疾人医疗及康复保障政策相关文件、材料。

——市对所辖县（市、区）残疾人“人人享有康复服务”达标情况评审报告。

——自2006年以来残疾人“人人享有康复服务”达标情况年度自评报告。

——残疾人“人人享有康复服务”审评数据库的使用情况。

——残疾人康复工作实施情况相关材料（工作计划、总结、检查落实情况等）。

——全市残疾人基本情况，开展康复需求摸底调查、建档立卡、康复服务等相关材料。

——各项康复领域开展业务情况汇总（年度统计报表、白内障致盲患者手术率、低视力者助视器验配率、聋儿康复训练率、聋儿机构康复训练率、智力残疾儿童康复训练率、智力残疾儿童机构康复训练率、肢体残疾人康复训练率、肢体残疾人机构康复训练率、缺肢者假肢装配率、精神病患者监护率、精神病患者肇事肇祸率、残疾人基本辅助器具配置率等）。

——各项康复救助项目实施情况汇总。

——全市残疾人社区康复工作情况、康复服务网络建设情况、医疗卫生机构残疾人康复服务工作达标情况等相关材料（政府及卫生行政管理部门规划、文件，工作计划、总结、检查落实情况等）。

——所辖社区（村）居民委员会社区康复协调员配备情况相关材料（配备社区康复协调员的文件、名册、待遇，业务培训档案等）。

——康复技术指导机构达标建设情况相关材料（成立文件、协议和工作计划与总结等）。

——开展全市康复管理及技术人员业务培训情况材料（文件、培训档案）。

——相关宣传资料。

——其他相关资料。

（二）县（市、区）

——县（市、区）残疾人“人人享有康复服务”审评报告。

——将残疾人“人人享有康复服务”纳入发展规划、列入部门考核目标的相关文件。

——成立残疾人“人人享有康复服务”领导小组与残疾人康复工作办公室文件及成员名单，相关会议纪要（记录）。

——将残疾人康复经费纳入财政预算，经费拨付及使用情况等相关文件、材料，自2006年残疾人康复经费年度筹集资金及同期上级补助资金情况。

——残疾人医疗及康复保障政策相关文件、材料。

——自2006年以来残疾人“人人享有康复服务”达标情况年度自评报告。

——残疾人“人人享有康复服务”审评数据库的使用情况。

——残疾人康复工作实施情况相关材料（政府及相关部门规划、文件、工作计划、总结、检查落实情况等）。

——全县（市、区）残疾人基本情况，开展康复需求摸底调查、建档立卡、康复服务等相关材料。

——各项康复领域开展业务情况（残疾人名册、服务档案、年度统计报表、白内障致盲患者手术率、低视力者助视器验配率、聋儿康复训练率、聋儿机构康复训练率、智力残疾儿童康复训练率、智力残疾儿童机构康复训练率、肢体残疾人康复训练率、肢体残疾人机构康复训练率、缺肢者假肢装配率、精神病患者监护率、精神病患者肇事肇祸率、残疾人基本辅助器具配置率等）。

——康复技术指导机构达标建设情况相关材料（成立文件、协议和工作计划与总结等）。

——开展辖区内康复管理及技术人员业务培训情况相关材料（文件、培训档案）。

——所辖街道（乡镇）残疾人社区康复工作实施情况、康复服务网络建设情况、医疗卫生机构残疾人康复服务工作达标情况相关材料（政府及卫生行政管理部门规划、文件，工作计划、总结、检查落实情况等）。

——所辖社区（村）居民委员会社区康复协调员配备情况相关材料（配备社区康复协调员的文件、名册、待遇，业务培训档案等）。

——相关宣传资料。

——其他相关资料。

（三）街道（乡镇）

——开展残疾人康复工作的机构与人员名单。

——残疾人社区康复工作实施情况。

——医疗卫生机构开展残疾人康复服务工作情况。

——辖区内康复人员业务培训情况相关材料（文件、培训档案）。

——社区（村）居民委员会社区康复协调员配备情况相关材料（配备社区康复协调员的文件、名册、待遇，业务培训档案等）。

——辖区残疾人康复服务详细材料（名册、康复需求调查表、康复服务记录、康复服务转介情况、医疗及康复救助等）。

——相关宣传资料。

——其他相关资料。

（四）社区（村）

——辖区残疾人康复服务详细材料（名册、康复需求调查表、康复服务记录、康复服务转介情况、服务档案、工作记录、培训材料、上岗资格证明等）。

——社区卫生服务站（村卫生室）、社区康复站开展残疾人康复工作情况。

——残疾人及亲友知识普及培训情况（培训档案及相关资料）。

——相关宣传资料。

——其他相关资料。

六、审评工作流程

（一）听取市、县（市、区）两级汇报

（二）现场考察

每个县（市、区）随机抽检2个县级残疾人康复技术指导中心，现场考察1个街道（乡镇）及社区卫生服务中心（乡镇卫生院），1个社区（村）及社区康复站，走访5户残疾人家庭，问卷调查20位残疾人。

（三）省审评工作组会议

（四）召开审评反馈会议

七、审评评分依据与审评方法

市得分由两部分组成：被抽检查的两个县（市、区）得分占总分的80%，其余未被抽检的县（市、区）得分占总分的20%。

详见附件：中国残疾人“人人享有康复服务”评价指标体系指标名称和《中国残疾人“人人享有康复服务”审评评分依据及审评方法》。

八、审评意见汇总上报与反馈

省审评组汇总审评记录及相关资料，对审评结果进行综合分析后，形成审评意见，报省审评工作领导小组。省审评工作领导小组对审评结果进行认定。将结果反馈给该市残疾人“人人享有康复服务”审评工作领导小组并向社会公示。

附件：1. 中国残疾人“人人享有康复服务”评价指标体系指标名称

2. 中国残疾人“人人享有康复服务”审评评分依据及审评方法

附件1：

中国残疾人“人人享有康复服务”评价指标体系指标名称

指标	分项指标	计分
1. 将残疾人“人人享有康复服务”目标纳入当地经济社会发展规划，列入政府及相关部门工作考核目标		3
2. 成立残疾人康复工作办公室并开展工作		3
3. 多渠道筹集残疾人康复资金		5
4. 医疗及康复保障	4.1 城镇残疾人参加城镇基本医疗保险情况	2
	4.2 农村残疾人参加新型农村合作医疗情况	2
	4.3 残疾人获得城乡医疗救助情况	1
5. 县（市、区）康复技术指导机构达标数		6
6. 街道、乡镇残疾人社区康复工作实施率		5
7. 街道、乡镇医疗卫生机构残疾人康复服务工作达标率		5
8. 社区居民委员会、村民委员会康复协调员配备率		4
9. 残疾人康复服务建档率		6
10. 康复服务覆盖率	10.1 白内障致盲患者手术率	7
	10.2 低视力者助视器验配率	4
	10.3 聋儿康复训练率 其中：聋儿机构康复训练率	6（3）
	10.4 智力残疾儿童康复训练率 其中：智力残疾儿童机构康复训练率	6（3）
	10.5 肢体残疾人康复训练率 其中：肢体残疾人机构康复训练率	6（3）
	10.6 缺肢者假肢装配率	4
	10.7 精神病患者监护率 其中：精神病患者肇事肇祸率	7（2）
11. 残疾人基本辅助器具配置率		5
12. 残疾人及其亲友残疾预防、康复知识普及率		4
13. 残疾人全面康复服务转介有效率		4
14. 残疾人及其亲友康复服务满意率		5
合计		100

附件2：

中国残疾人“人人享有康复服务”审评评分依据及审评方法

指标1：将残疾人“人人享有康复服务”目标纳入当地经济社会发展规划，列入政府及相关部门工作考核目标（3分）

评分依据：

1. 县（市、区）政府制订残疾人“人人享有康复服务”实施办法。(1分)

2. 政府工作目标中明确提出残疾人“人人享有康复服务”的工作要求。(1分)

3. 残疾人“人人享有康复服务”的各项内容纳入相关部门工作计划。(1分)

审评方法：查阅相关文件、听取汇报等。

指标2：成立残疾人康复工作办公室并开展工作（3分）

评分依据：

1. 成立残疾人康复工作办公室。(1分)

2. 工作制度健全，有工作计划。(1分)

3. 相关工作记录详实。(1分)

审评方法：查阅成立康复工作办公室文件、成员名单、工作计划及记录等相关文件、材料等。

指标3：多渠道筹集残疾人康复资金（5分）

评分依据：

1. 县（市、区）政府通过财政预算、彩票公益金和社会捐助等多渠道筹集残疾人康复资金。(1分)

2. 县（市、区）本级筹集康复资金不低于同期上级补助资金。(1分)

3. 县（市、区）康复经费纳入经常性财政预算，逐年增长。(3分)。

审评方法：查阅将残疾人康复经费纳入财政预算等相关文件，拨款单据、拨付经费通知、经费使用说明等。

指标4.1：城镇残疾人参加基本医疗保险情况（2分）

评分依据：

1. 制定城镇残疾人加入基本医疗保险的扶持政策。(1分)

2. 城镇残疾人基本医疗保险参保率达到当地平均水平。(1分)

基本医疗保险包括城镇职工基本医疗保险、工伤保险和城镇居民基本医疗保险。

审评方法：查阅相关文件，实地考查，问卷调查等。

指标4.2：农村残疾人参加新型农村合作医疗情况（2分）

评分依据：

1. 制定农村残疾人加入新型农村合作医疗的扶持政策。(1分)

2. 农村残疾人新型农村合作医疗参合率达到当地平均水平。(1分)

审评方法：查阅相关文件，实地考查，问卷调查等。

指标4.3：残疾人获得城乡医疗救助情况（1分）

评分依据：

制定残疾人医疗救助的优惠政策，城市和农村贫困残疾人在医疗和康复方面费用减免、药物、辅助器具、捐助及优惠政策等方面得到医疗救助。

审评方法：查阅相关文件，实地考查，问卷调查等。

指标5：县（市、区）康复技术指导机构达标数（6分）

评分依据：

1. 成立各类康复技术指导机构。(3分)

按照要求成立康复技术指导机构，一类、二类、三类、四类地区分别达到6个、5个、4个和3个。每少1个减0.5分，不足目标值一半的计0分。

2. 各类康复技术指导机构发挥作用。(3分)

各类康复技术指导机构发挥技术示范、人员培训、基层指导、知识普及、咨询转介等作用。各类机构未充分发挥作用的酌情减分。

审评方法：查阅成立技术指导中心的相关文件，查阅成立各类指导中心的协议；现场考查工作情况，查阅培训记录、转介记录和开展讲座材料、宣传资料，问卷调查等。

指标6：街道、乡镇残疾人社区康复工作实施率（5分）

评分依据：

达到社区康复工作要求的街道、乡镇数占全县（市、区）街道、乡镇总数的比例，一类、二类、三类、四类地区分别达到100%、90%、70%和60%。每少5%减0.5分，不足目标值一半的计0分。

审评方法：查阅相关文件，实地考查，问卷调查等。

指标7：街道、乡镇医疗卫生机构残疾人康复服务工作达标率（5分）

评分依据：

达到残疾人康复服务工作要求的街道、乡镇医疗卫生机构数占全县（市、区）街道、乡镇医疗卫生机构总数的比例，一类、二类、三类、四类地区分别达到100%、90%、70%和60%。每少5%减0.5分，不足目标值一半的计0分。

审评方法：查阅相关文件，实地考查，问卷调查等。

指标8：社区居民委员会、村民委员会社区康复协调员配备率（4分）

评分依据：

配备专（兼）职社区康复协调员的社区居民委员会、村民委员会数占全县（市、区）社区居民委员会、村民委员会总数的比例，一类、二类、三类、四类地区分别达到100%、90%、70%和60%。每少5%减0.5分，不足目标值一半的计0分。

审评方法：查阅相关文件，查阅社区康复协调员名单，实地考查，问卷调查等。

指标9：残疾人康复服务建档率（6分）

评分依据：

建立康复服务档案的残疾人数占全县（市、区）有康复需求的残疾人总数的比例，一类、二类、三类、四类地区分别达到100%、90%、80%和70%。每少5%减0.5分，不足目标值一半的计0分。

注：筛出的有康复需求的残疾人占全县（市、区）总人口的比例不低于2%。

审评方法：查阅相关文件、资料，抽查核实，问卷调查等。

指标10.1：白内障致盲患者手术率（7分）

评分依据：

接受白内障复明手术的人数占有手术指征的白内障致盲总人数的比例，一类、二类、三类、四类地区分别达到95%、90%、85%和80%。每少2.5%减0.5分。

注：筛出的有手术指征的白内障致盲人数占全县（市、区）总人口的比例不低于0.8‰。

审评方法：查阅相关文件、资料，抽查核实，问卷调查等。

指标10.2：低视力者助视器验配率（4分）

评分依据：

配用助视器的低视力人数占需要配用助视器的低视力总人数的比例，一类、二类、三类、四类地区分别达到40%、30%、25%和10%。每少2.5%减0.5分，不足目标值一半的计0分。

注：筛出的需要配用助视器的低视力人数占全县（市、区）总人口的比例不低于2.5‰。

审评方法：查阅相关文件、资料，抽查核实，问卷调查等。

指标10.3：聋儿康复训练率（3分）

评分依据：

在机构、社区和家庭进行康复训练的0~6岁听力语言残疾儿童数占有康复需要的0~6岁听力语言残疾儿童总数的比例，一类、二类、三类、四类地区分别达到90%、72%、54%和45%。每少5%减0.5分，不足目标值一半的计0分。

注：筛出的有康复需求的0~6岁听力语言残疾儿童数占全县（市、区）总人口的比例不低于0.07‰。

审评方法：查阅相关文件、资料，抽查核实，问卷调查等。

指标10.3-1：聋儿机构康复训练率（3分）

评分依据：

进入各级聋儿康复机构，由经过专业培训的教师进行康复训练并定期进行评估的0~6岁听力语言残疾儿童数占有康复需求的0~6岁听力语言残疾儿童总数的比例，一类、二类、三类、四类地区分别达到72%、48%、24%和15%。每少5%减0.5分，不足目标值一半的计0分。

注：筛出的有康复需求的0~6岁听力语言残疾儿童数占全县（市、区）总人口的比例不低于0.07‰。

审评方法：查阅相关文件、资料，抽查核实，问卷调查等。

指标10.4：智力残疾儿童康复训练率（3分）

评分依据：

在机构、社区和家庭进行康复训练的智力残疾儿童人数占当地需要进行康复训练的智力残疾儿童总人数的比例，一类、二类、三类、四类地区分别达到90%、80%、70%和60%。每少5%减0.5分。

注：筛出的需要进行康复训练的智力残疾儿童数（0~17岁）占全县（市、区）总人口的比例不低于0.81‰。

审评方法：查阅相关文件、资料，抽查核实，问卷调查等。

指标10.4-1：智力残疾儿童机构康复训练率（3分）

评分依据：

在各级康复、医疗、教育、社会福利等机构进行康复训练的智力残疾儿童人数占需要进行康复训练的智力残疾儿童总人数的比例，一类、二类、三类、四类地区分别达到70%、50%、40%和30%。每少5%减0.5分，不足目标值一半的计0分。

注：筛出的需要进行康复训练的智力残疾儿童数（0~17岁）占全县（市、区）总人口的比例不低于0.81‰。

审评方法：查阅相关文件、资料，抽查核实，问卷调查等。

指标10.5：肢体残疾人康复训练率（3分）

评分依据：

在机构、社区和家庭进行康复训练的肢体残疾人数占当地需要进行康复训练的肢体残疾人总数的比例，一类、二类、三类、四类地区分别达到90%、80%、70%和60%。每少5%减0.5分。

注：筛出的需要进行康复训练的肢体残疾人数占全县（市、区）总人口的比例不低于11.3‰。

审评方法：查阅相关文件、资料，抽查核实，问卷调查等。

指标10.5-1：肢体残疾人机构康复训练率（3分）

评分依据：

在各级康复、医疗等机构进行康复训练的肢体残疾人数占需要进行康复训练的肢体残疾总人数的比例，一类、二类、三类、四类地区分别达到70%、50%、40%和30%。每少5%减0.5分，不足目标值一半的计0分。

注：筛出的需要进行康复训练的肢体残疾人数占全县（市、区）总人口的比例不低于11.3‰。

审评方法：查阅相关文件、资料，抽查核实，问卷调查等。

指标10.6：缺肢者假肢装配率（4分）

评分依据：

已装配假肢的下肢缺肢者人数占适合装配假肢的下肢缺肢者总人数的比例，一类、二类、三类、四类地区分别达到90%、80%、70%和60%。每少5%减0.5分，不足目标值一半的计0分。

注：筛出的适合装配假肢的下肢缺肢者人数占全县（市、区）总人口的比例不低于0.05‰。

审评方法：查阅相关文件、资料，抽查核实，问卷调查等。

指标10.7：精神病患者监护率（5分）

评分依据：

在国家任务县（市、区）达到精神病人检出率的基础上，通过监护小组、家庭、工疗站、社会就业单位以及精神卫生机构，接受社会化、综合性、开放式治疗和康复的精神病人数占经调查摸底、建档立卡的精神病总人数的比例，一类、二类、三类、四类地区均达到90%。每少5%减0.5分。

注：经调查摸底、建档立卡的精神病人数占全县（市、区）总人口的比例不低于6‰。

审评方法：查阅相关文件、资料，抽查核实，问卷调查等。

指标10.7-1：精神病患者肇事肇祸率（2分）

评分依据：

精神病患者肇事肇祸程度达到违反社会治安管理条例以上的总人次数占经调查摸底、建档立卡的精神病患者总人数的比例，一类、二类、三类、四类地区分别小于0.2%、0.2%、0.5%和0.5%。每超过0.05%减0.5分，超过目标值一半的计0分。

注：经调查摸底、建档立卡的精神病人数占全县（市、区）总人口的比例不低于6‰。

审评方法：查阅相关文件、资料，抽查核实，问卷调查等。

指标10.8：残疾人基本辅助器具配置率（5分）

评分依据：

根据残疾人的康复需要，采取多种方式和渠道获得基本辅助器具的残疾人数占需要配置辅助器具的残疾人总人数的比例，一类、二类、三类、四类地区分别达到100%、90%、80%和70%。每少5%减0.5分，不足目标值一半的计0分。

注：筛出的需要配置辅助器具的残疾人数占全县（市、区）总人口的比例不低于20‰。

审评方法：查阅相关文件、资料，抽查核实，问卷调查等。

指标10.9：残疾人及其亲友残疾预防、康复知识普及率（4分）

评分依据：

通过广播、电视、网络、报刊、杂志、科普读物、宣传折页、培训、公益活动等多种方式，获得残疾预防和康复知识的残疾人及其亲友的人数占被调查的残疾人及其亲友人数的比例，一类、二类、三类、四类地区分别达到95%、85%、75%和65%。每少5%减0.5分，不足目标值一半的计0分。

审评方法：查阅相关文件、资料，实地考查，随机访问，召开座谈会，问卷调查等。

指标10.10：残疾人全面康复转介有效率（4分）

评分依据：

转介有效的残疾人数占得到转介服务的残疾人数的比例，一类、二类、三类、四类地区分别达到90%、80%、70%和60%。每少5%减0.5分，不足目标值一半的计0分。

审评方法：查阅相关文件、资料，抽查核实，问卷调查等。

指标10.11：残疾人及其亲友康复服务满意率（5分）

评分依据：

对康复服务满意的残疾人及其亲友的人数占被调查的得到康复服务的残疾人及其亲友人数的比例，一类、二类、三类、四类地区均达到80%。每少5%减0.5分，不足目标值一半的计0分。

审评方法：实地考查，随机访问，召开座谈会，问卷调查等。

十、

企业财务类

财政部关于印发《资产评估机构职业风险基金管理办法》的通知

2009年2月24日　财企〔2009〕26号

各省、自治区、直辖市财政厅（局）：

为加强和规范资产评估机构职业风险基金的管理，完善资产评估机构职业责任保障机制，我部制定了《资产评估机构职业风险基金管理办法》，现印发给你们，请遵照执行。执行中如发现问题，请及时向我部反映。

附件：资产评估机构职业风险基金管理办法

附件：

资产评估机构职业风险基金管理办法

第一条　为规范资产评估机构职业风险基金的管理，完善资产评估机构职业责任保障机制，提高抵御风险能力，制定本办法。

第二条　资产评估机构应当按照本办法规定提取、使用职业风险基金。

第三条　资产评估机构应当于每一个会计年度终了前，以本年度评估业务收入为基数，按照不低于5%的比例从管理费用中提取职业风险基金，并设立专户核算。

第四条　资产评估机构提取的职业风险基金应当用于下列支出：

（一）因职业责任引起的民事赔偿；

（二）与民事赔偿相关的律师费、诉讼费等法律费用。

本条第一款支出事项发生后，资产评估机构向相关责任人追偿的部分，应当纳入职业风险基金管理。

第五条　资产评估机构持续经营期间，应当保证结余的职业风险基金不低于近5年评估业务收入总和的5%。

资产评估机构因赔付造成职业风险基金余额低于近5年评估业务收入总和5%的，应当于本会计年度终了前提取补足职业风险基金。

具有证券、期货相关业务评估资格的资产评估机构，因补提职业风险基金导致净资产不足200万元的，股东或合伙人应当在三个月内注资补足净资产。

第六条　资产评估机构在符合本办法第五条第一款规定的前提下，经股东会或合伙人决议，可将已计提5年以上（不含5年）结存的职业风险基金转作当年可供分配的利润进行分配，同时应当完善相关内部管理制度。

第七条　资产评估机构合并的，合并前各方已提取的职业风险基金应当并入合并后机构。

第八条　资产评估机构分立的，已提取的职业风险基金应当按照权利与责任一致的原则，在分立各方之间进行分配，并在分立协议中予以约定。

第九条　资产评估机构清算时，职业风险基金余额应当核转清算收益。

第十条　资产评估机构可以在机构所在省通过购买职业责任保险的方式，提高抵御职业责任风险的能力。

资产评估机构购买职业责任保险符合本办法规定的，可不再提取购买保险年度的职业风险基金。

第十一条 资产评估机构购买职业责任保险的，应当与保险公司签订书面保险合同。保险合同除了符合有关法律规定外，还应当约定以下事项：

（一）投保范围为资产评估机构的评估业务收入；

（二）赔偿范围应当与本办法第四条第一款规定的职业风险基金支出范围一致；

（三）追溯期应当追溯至首次购买保险年度；

（四）累计赔偿限额不得低于已购买保险年度评估业务收入总和的5%。

第十二条 资产评估机构职业责任保险的追溯期超过5年，且累计赔偿限额已不低于近5年评估业务收入总和5%的，可不再增加职业责任保险累计赔偿限额，并可将5年以前计提的职业风险基金余额予以分配。

第十三条 资产评估机构分支机构的职业风险基金，由总机构统一提取和使用。

具有分支机构的资产评估机构购买职业责任保险的，投保范围应包括其分支机构的评估业务收入。

第十四条 资产评估机构应当按照《财政部关于加强资产评估机构后续管理有关问题的通知》（财企〔2008〕62号）的规定，将职业责任保险保单复印件、经会计师事务所审计的累计职业风险基金账户信息，随同年度会计报表等资料一并报所在地的省级财政部门、评估协会备案。

具有证券、期货相关业务评估资格的资产评估机构应当按照《财政部　证监会关于从事证券期货相关业务的资产评估机构有关管理问题的通知》（财企〔2008〕81号）的规定，将职业责任保险保单复印件、经会计师事务所审计的累计职业风险基金账户信息，随同资产评估机构基本情况表等资料一并报财政部、证监会、中国资产评估协会备案。

第十五条 财政部以及省级财政部门对资产评估机构提取、使用、分配职业风险基金以及购买职业责任保险的情况进行监督。

资产评估机构违反本办法规定的，由省级以上财政部门责令限期改正，记入诚信档案，并向社会公告。

第十六条 本办法自2009年2月24日起施行。本办法施行前有关资产评估机构职业风险基金的规定与本办法不符的，以本办法为准。

财政部　工商总局关于加强以非货币财产出资的评估管理若干问题的通知

2009年3月30日　财企〔2009〕46号

党中央有关部门，国务院各部委、各直属机构，总后勤部、武警总部，全国人大常委会办公厅，全国政协办公厅，各中央管理企业，各省、自治区、直辖市、计划单列市财政厅（局）、工商行政管理局，新疆生产建设兵团财务局、工商局：

为了加强以实物、知识产权、土地使用权等非货币财产出资的评估管理，规范以非货币财产出资评估行为，依据《中华人民共和国公司法》、《中华人民共和国公司登记管理条例》等有关法律法规，现就以非货币财产出资评估管理有关事项通知如下：

一、有下列情形之一的，应当进行资产评估：

（一）投资人以非货币财产出资的；

（二）在验资或申请工商登记时，验资机构或投资人发现用作出资的非货币财产与评估基准日时的资产状态、使用方式、市场环境等方面发生显著变化，或者由于评估假设已发生重大变化，可能导致资产价值发生重大变化的；

（三）法律、行政法规规定的其他需要进行资产评估的事项。

二、以非货币财产出资评估，投资人应当委托依法设立的资产评估机构进行。

三、以非货币财产出资的投资人，应当对所提供的非货币财产的真实性、合法性承担责任。

四、资产评估机构从事以非货币财产出资评估业务时，应当严格遵循有关的资产评估准则和规范，并对评估结论的合理性承担法律责任。

资产评估机构在执行以非货币财产出资评估业务时，可以聘请相关专业的专家协助工作，但不能因此减轻或免除资产评估机构及注册资产评估师应当承担的法律责任。

五、资产评估机构应当遵循独立、客观、公正的原则，不得迎合委托方要求出具虚假的评估报告，不得以给予“回扣”、恶性压价等不正当竞争方式承揽以非货币财产出资评估业务。

六、投资人及其他任何单位和个人不得干预以非货币财产出资的评估业务和评估结果，相关专业的专家在协助资产评估机构执业时，应当只对评估对象的技术状况发表专业意见，不得对评估报告及评估结果是否合理发表意见。

七、财政、工商管理部门应当建立信息通报机制，对以非货币财产出资的投资人和从事以非货币财产出资评估业务的资产评估机构违反上述规定的，应当按国家有关规定进行处理。

八、中国资产评估协会应当加强行业自律和专业指导工作，建立相关专业的专家库，建立并完善相关的诚信信息档案和数据库，为以非货币财产出资评估创建必要的平台，以提高资产评估的执业质量、行业公信力和影响力。

九、本通知印发后，过去有关规定与本通知内容相抵触的，以本通知为准。

财政部关于当前应对金融危机　加强企业财务管理的若干意见

2009年4月9日　财企〔2009〕52号

有关中央部门，有关中央管理企业，各省、自治区、直辖市、计划单列市财政厅（局）：

当前，国际金融危机还在扩散和蔓延，对我国实体经济的影响日益加深。部分企业出现生产经营压力加大、库存积压严重、运营资金趋紧、盈利水平下降等突出问题，企业财务风险进一步加大。为应对国际金融危机，党中央、国务院实施积极的财政政策和适度宽松的货币政策，提出“扩内需保增长、调结构上水平、抓改革增活力、重民生促和谐”的宏观调控要求。各级政府陆续出台了财税、金融、产业等一系列政策措施，形成了促进经济平稳较快发展的政策体系。各类企业积极采取应对措施，调整发展战略，改善经营管理，取得了积极成效。但是，我国企业生产经营仍然面临外部环境恶化、投资风险加剧、资产质量下降、财务负担加重等新情况新问题。为提高企业防范和化解财务风险的能力，增强企业发展实力，保持企业平稳健康发展，现就当前进一步加强企业财务管理有关重要事项提出如下意见：

一、充分认识加强企业财务管理的重要意义。随着国际金融危机对我国实体经济影响的不断加深，企业的经营风险最终将转变为财务风险。在应对国际金融危机中，继续保持企业平稳健康发展，提高企业抗风险能力，对于确保我国经济平稳运行、实现中央提出的宏观调控目标具有重要意义。企业财务管理处于企业管理的中心环节，企业经营成果最终都要反映到财务成果上来。因此，越是在特殊困难的时候，越要重视和加强企业财务管理，始终把加强企业财务管理放在更加突出的位置。各类企业应当按照国家统一的财务制度规定，强化财务管理，切实提高企业经营管理水平，有效应对国际金融危机，防范企业财务风险，保持企业和经济平稳健康发展。

二、积极稳妥地推进企业并购重组。并购重组是推进经济结构战略性调整的重要举措，也是企业实施国际化经营的有效途径。在国际金融危机日益加深的形势下，企业既要抓住有利时机，积极参与全球资源配置、实施跨国并购，也要认真贯彻落实国家制定出台的产业调整与振兴规划，按照市场化原则，积极稳妥地开展并购重组工作。应根据企业发展战略、财务状况和风险承受能力，分析研究并购重组的必要性和可行性，避免因盲目扩张造成不必要的损失。树立和强化风险防范意识，按照国家法律法规和企业内部管理制度，严格履行内部决策和审批程序，审慎开展并购重组。加强对被兼并企业的整合力度，优化调整业务流程，扩大并购重组协同效应。开展境外并购重组的企业，要高度关注国际市场汇率变化等经济风险，深入研究被投资国的政治、法律环境及社会状况等因素，规避境外投资风险。

三、切实加强企业金融衍生品投资管理。借鉴和运用金融衍生品工具，是企业积极参与市场竞争、规避市场风险的一个重要手段。在我国经济融入世界经济一体化的形势下，企业应加强对国际国内经济、金融、市场等形势的分析判断，掌握金融创新产品，熟悉市场运行规则，合理运用金融工具，重点加强对金融衍生品投资的管理。重视专业人才的引进和培养，充分发挥专业人才优势，按照市场监管要求开展交易活动，有效控制金融产品投资风险。增强风险防范意识，健全企业内部金融衍生品投资控制制度，完善管理和决策程序，杜绝金融衍生品投机行为。根据企业主营业务发展需要，审慎从事套期保值等金融衍生品投资，合理选择交易品种，控制交易数量和交易期限，严格遵守交易规则，敏锐应对市场变化。要加强外汇资产管理，减少汇兑损失。

四、改进和加强企业对外担保业务管理。国际金融危机的日益加深，使企业开展对外担保业务的风险增大。企业应加强市场调研，了解被担保方企业的生产经营状况，稳妥地开展对外担保业务。按照国家法律法规的规定，建立企业内部担保业务工作规程，加强企业对外担保业务的管理。健全企业担保业务审批管理制度，严格履行审批程序，从严控制企业对外提供担保、抵押、质押等业务。慎重评估被担保方的资产状况及偿债能力，制定完备的风险控制预案，把担保风险控制在最低程度。

五、切实强化企业应收账款和预付账款管理。国际金融危机使我国企业面临的外部环境更加复杂多变，经营风险与财务风险骤增，特别是外贸出口企业面临的经营风险更大。企业应当高度重视应收账款和预付账款管理，强化合同订单管理，提高预收账款比例，减少预付款金额。加强货款回收管理，落实催收责任，提高应收款周转速度。强化应收账款和预付账款风险预警预报，采取必要的保险或再保险办法，降低坏账比例。密切关注进口国政治经济形势，认真研判进口国企业的生产经营状况，适时调整出口策略和方式。重点加强国外客户授信管理，客观评估国外客户信用状况及支付能力，及时调整出口销售结算方式，严格控制因出口带来的坏账风险。

六、着力加强企业成本管理和控制。市场需求萎缩，企业面临营业收入下滑、成本费用刚性支出、盈利能力下降等多重困难。严格控制企业成本，是企业应对国际金融危机冲击的重要举措。进一步优化业务和管理流程，推行全面预算管理，强化各项预算定额和费用标准的约束力。树立过紧日子的思想，强化精细管理，推进挖潜增效，降低企业成本费用水平。重点加强对原材（燃）料及辅助材料的采购管理，妥善处理集中采购与分散采购的关系，努力把原材（燃）料及辅助材料成本控制在预算范围内。大力倡导节俭意识，尽可能减少非生产性支出，努力降低管理费用。规范企业员工薪酬管理制度，合理确定企业管理人员薪酬水平，避免拉大经营管理者与员工之间的薪酬差距。

七、积极缓解企业库存压力。经济减速和外需乏力是企业库存压力不断加大、严重影响企业正常生产经营的重要因素。应采取综合措施，有效缓解企业库存压力，不断提高企业产销率。坚持以销定产，准确把握产品市场发展态势，加强市场形势预测，科学合理组织生产，适时调整产品结构。对涉及国家战略安全及国计民生的重要物资，要主动配合国家有关部门加大国家及商业收储力度，减轻企业库存压力。充分发挥现有营销网络优势，拓展国际国内营销区域，消除营销盲点，努力扩大区域销售份额，不断提高产品市场占有率。重点加强对发展中国家等新兴市场的开拓力度，培育和发展新的外贸增长点，扩大外贸出口。紧紧抓住家电、汽车下乡等政策机遇，更加重视农村市场开发，完善企业农村市场营销网络体系，努力开辟农村消费市场。

八、重视加强企业现金流管理。稳定充足的现金流，是企业应对危机、稳健经营、健康发展的重要保证。应全面树立以资金管理为主导的企业财务管理理念，强化现金流管理意识，高度重视企业现金流管理。应妥善处理资金集中管理与分散管理的关系，倡导资金集中管理，降低资金成本，增强资金保障能力。强化资金计划管理，增加现金流入，控制现金流出，保障资金安全。努力缩短资金循环周期，防范资金风险，保障资金运转安全。健全企业现金流管理制度，建立有效的管理信息系统，进一步改进和加强对现金流的动态监控，确保企业资金链不断裂。

九、调整完善企业财务战略。企业财务战略决定着企业财务管理活动的范围和方向，也是企业开展财务工作的基本纲领。应根据外部经济环境变化及企业发展战略，适时调整企业财务战略，增强企业财务战略的指导性、实效性和约束力。充分发挥企业财务战略的统领作用，科学安排企业年度筹资、投资、经营、收益分配等现金流计划，调整完善企业资本营运、资产管理及收益分配等财务管理事项，推动落实企业发展战略和经营目标，不断提升企业的市场竞争力。

十、注重加强企业财务风险分析和预测。财务风险分析和预测是企业控制未来财务风险的重要方法，也是企业进行经营决策的重要依据。准确把握宏观经济形势和市场发展变化，高度关注宏观经济运行信息及重要指标，主动调整企业各项财务指标和目标任务，对企业未来财务活动和财务成果作出科学预判，当好企业战略决策的参谋助手。加强经济、财务、市场、政策等信息体系建设，强化财务风险分析和预测与企业发展战略的相互衔接，合理运用财务风险分析和预测方法，提高企业财务管理水平，提升企业的战略决策能力。注重发挥企业财务信息的预警作用，加强企业财务风险监测预警工作，发现重大经营风险或财务风险，要及时向主管财政机关报告。

十一、积极贯彻落实各项财税等政策措施。把加强企业财务管理与落实各项财税政策紧密结合起来，增强应对国际金融危机的能力。认真贯彻中央提出的宏观调控政策，正确运用国家财政、税收、金融等政策手段，有效应对国际金融危机。积极落实国家产业调整与振兴规划，推进企业技术进步和产业升级。充分利用国家节能减排、促进中小企业发展、支持外经贸发展、促进产业技术成果转化等政策措施，积极推进企业转变发展方式，增强发展后劲。积极运用国家科技创新政策，加快企业技术中心或工程中心建设，不断推进企业自主创新，增强核心竞争力。根据国家产业政策和企业发展战略，科学配置企业资本、技术、管理、劳动等生产要素，改造提升企业生产工艺及技术装备，增强企业竞争力。

十二、切实加强企业财务人员队伍建设。拥有一支政治过硬、业务精通的财务人员队伍，对于企业应对当前国际金融危机冲击更加重要。高度重视企业财务人员队伍建设，培养一批懂管理、会算账、善理财的高素质财务工作人员。根据企业发展战略和业务发展需要，研究制订企业财务人员培训规划，结合企业财务工作实际，合理安排企业财务人员培训工作。加大企业财务人员培训力度，重点培训《企业财务通则》、《企业会计准则》、《企业内部控制基本规范》等财务会计制度、财政企业政策及各类税收法律法规，提高财务人员政策水平和业务素质，不断夯实企业财务工作基础。注重学习研究国家宏观经济政策，拓宽企业财务人员视野，充实企业财务人员宏观经济知识，提高企业财务人员综合素质。加强企业财务人员职业道德素质建设，严格遵守国家财经法规制度，增强预防腐败的能力。

财政部　商务部关于做好保持外贸稳定增长有关资金管理工作的通知

2009 年 7 月 14 日　财企〔2009〕126 号

各省、自治区、直辖市、计划单列市财政厅（局）、商务主管部门，新疆生产建设兵团财务局、商务局：

根据中央保持对外贸易稳定增长的有关精神，2009 年中央财政安排专项资金，支持企业开拓新兴市场、建设境外营销网络、促进出口结构调整等外经贸业务。现将资金管理的有关事项通知如下：

一、专项资金使用原则

（一）符合WTO（世界贸易组织）规则及我国对外承诺；

（二）符合保持对外贸易稳定增长的有关要求；

（三）符合公共财政的要求；

（四）符合公开、公平、公正原则。

二、专项资金使用方向

（一）支持企业开拓新兴市场，主要是支持企业和行业组织到新兴市场举办或参加展览，开展贸易促进活动。已获得中小企业国际市场开拓资金支持的项目，不再享受本项支持政策。

（二）支持企业建设境外营销网络，主要是支持我国有条件、有实力并已开展相关工作的企业或行业组织建设和完善境外营销及售后服务网络，开展商标注册、专利申请、质量认证、品牌培育活动等。

（三）促进出口结构调整，主要是支持国家汽车出口基地、国家科技兴贸创新基地、机电和高新技术产业的公共服务平台建设；支持国家鼓励发展的重点机电和高新技术行业的共性技术研发；支持农轻纺行业出口公共服务平台和出口农产品质量可追溯体系建设。

三、专项资金采取切块方式下达地方，由财政部按预算级次拨付至省级财政部门。各地要高度重视专项资金的管理和使用，根据本地区外经贸发展需要，在本通知规定的支持方向内，统筹安排用于支持外经贸稳定增长的业务。同时，认真组织相关企业和行业组织实施属地化申报项目，并积极带动地方和社会投入，努力实现外经贸健康发展。

四、各地财政、商务主管部门要加强协作、明确分工、落实责任，共同做好专项资金的管理和使用。商务主管部门负责提出符合本地实际情况的资金支持方向和资金使用计划，会同财政部门组织申报和评审；财政部门负责资金预算管理并审定商务部门提出的资金使用计划，提出资金监管要求和拨付程序，会同商务主管部门对资金使用情况进行监督检查。

五、各地财政、商务主管部门要切实按照本通知要求，结合本地区实际情况，共同制定专项资金管理办法，并在本通知下发后2个月内报财政部、商务部备案。

六、各地财政、商务主管部门应加强专项资金使用情况和项目执行情况的监督检查，切实做好追踪问效工作，于2009年12月31日前将专项资金的项目安排和资金使用情况、带动本地区地方和社会投入情况、帮助企业应对危机等情况报财政部、商务部。同时，各省级商务主管部门要按照《商务部办公厅关于进一步加强中央外贸发展基金管理工作的通知》（商规字〔2006〕38号）的要求，加强资金归口管理工作，即由商务系统财务部门统一牵头研究提出资金使用计划，统一组织业务部门协商同级财政部门，统一牵头报送资金使用情况，统一协调有关部门对资金使用情况进行监督检查。

七、根据实际工作需要，各地可在专项资金中列支相关管理性支出，具体用于专项资金项目评审验收、绩效评估和监督检查等，支出比例不超过本地区专项资金总额的1%，并予严格控制，厉行节约。

八、各地专项资金使用效果和相关材料报送情况将作为以后年度相关资金安排的重要参考因素。

九、任何单位不得以任何形式骗取和截留专项资金，对违反规定的，按照《财政违法行为处罚处分条例》（国务院令第427号）予以处理。

财政部　商务部关于印发《中小外贸企业融资担保专项资金管理暂行办法》的通知

2009年8月7日　财企〔2009〕160号

各省、自治区、直辖市、计划单列市、新疆生产建设兵团财政厅（局）、商务主管部门：

为贯彻落实国务院关于进一步稳定外需的政策措施，支持担保机构扩大中小外贸企业融资担保业务，缓解中小外贸企业融资难问题，我们制定了《中小外贸企业融资担保专项资金管理暂行办法》，现印发给你们，请遵照执行。

附件：中小外贸企业融资担保专项资金管理暂行办法

附件：

中小外贸企业融资担保专项资金管理暂行办法

第一章 总 则

第一条 为支持担保机构扩大中小外贸企业融资担保业务，缓解中小外贸企业融资难问题，中央财政安排中小外贸企业融资担保专项资金（以下简称专项资金）。为规范专项资金管理，提高资金使用效率，根据《中华人民共和国预算法》及其实施细则有关规定，制定本办法。

第二条 本办法所称中小外贸企业是指上年度或本年度有出口实绩的中小企业。

第三条 专项资金的管理和使用应当遵循公开透明、定向使用、科学管理、加强监督的原则，确保资金的使用效率。

第二章 支持对象及方式

第四条 专项资金用于鼓励担保机构开展中小外贸企业融资担保业务。

第五条 申请专项资金的担保机构，必须同时具备以下资格条件：

（一）依法设立，具有独立法人资格。

（二）财务管理制度健全，按规定提取、管理和使用各项准备金。

（三）会计信用、纳税信用和银行信用良好。

第六条 专项资金采取三种支持方式：

（一）鼓励担保机构为中小外贸企业提供融资担保服务，对担保机构开展的中小外贸企业融资担保业务，按照不超过担保额的2%给予资助。

（二）鼓励担保机构提供低费率担保服务，在不提高其他费用标准的前提下，对担保费率低于银行同期贷款基准利率50%的中小外贸企业融资担保业务给予奖励，奖励比例不超过银行同期贷款基准利率50%与实际担保费率之差。

（三）支持信用担保欠发达地区地方政府出资设立担保机构，开展中小外贸企业融资担保业务，可按照不超过地方政府出资额的30%给予资助。用于注资支持设立担保机构的资助额最高不超过中央下达当地专项资金的30%。

第三章 资金审核及拨付

第七条 财政部会同商务部按照因素法，综合考虑各地区外贸出口、中小外贸企业数量、担保业务开展等情况，将专项资金分配给各省、自治区、直辖市、计划单列市及新疆生产建设兵团财政部门（以下简称省级财政部门），一次性下达资金预算指标并拨付资金。

第八条 各省级财政和商务主管部门根据财政部下达的预算资金及有关工作要求，研究制定符合本地实际的资金使用方案和具体操作办法，并在本办法下发后1个月内报财政部和商务部备案。

第九条 省级商务主管部门会同省级财政部门按照属地原则按季组织专项资金的项目申报和审核，提出资金使用计划。

省级财政部门负责专项资金预算安排，审定省级商务主管部门提出的资金使用计划，按季办理专项资金划拨手续，在每季度结束后1个月内拨付到担保机构。拨款文件同时抄报财政部和商务部。

第十条 采取本办法第六条第（一）款、第（二）款支持方式的，担保机构收到的专项资金用于弥补代偿损失；采取本办法第六条第（三）款支持方式的，专项资金作为国家资本金投入担保机构。

第四章 监督管理

第十一条 财政部、商务部对专项资金管理和使用情况进行不定期抽查。地方财政和商务主管部门应当加强对本地专项资金管理和使用等情况的监督检查。

第十二条 省级财政和商务主管部门应就每季度专项资金使用情况、政策实施效果、存在问题等形成书面材料，于每季度结束后一个半月内上报财政部和商务部。

第十三条 专项资金专款专用，任何单位或者个人不得滞留、截留、挤占、挪用专项资金，对以虚报、冒领等手段骗取和滞留、截留、挤占、挪用专项资金的，一经查实，财政部将收回已安排的专项资金，并按照《财政违法行为处罚处分条例》（国务院令第427号）的相关规定进行处理。

第五章 附 则

第十四条 本办法自印发之日起施行。

第十五条 本办法由财政部会同商务部负责解释。

财政部 国家发展改革委 科技部 工业和信息化部 商务部 国资委 银监会 证监会 保监会关于鼓励政府和企业发包 促进我国服务外包产业发展的指导意见

2009年9月23日 财企〔2009〕200号

各省、自治区、直辖市、计划单列市财政厅（局）、发展改革委、科技厅（局）、工业和信息化主管部门、商务主管部门、国资委、银监局、证监局、保监局：

服务外包产业是智力人才密集型的现代服务业，具有信息技术承载度高、附加值大、资源消耗低、环境污染少、吸纳大学生就业能力强、国际化水平高等特点。贯彻落实科学发展观，按照保增长、扩内需、调结构的工作要求，支持和鼓励服务外包产业的发展，对当前和今后的经济发展具有重要意义。根据《国务院办公厅关于促进服务外包产业发展问题的复函》（国办发〔2009〕9号）的精神，为鼓励政府和企业通过购买服务等方式，将数据处理等不涉及秘密的业务外包给专业公司，促进我国服务外包产业又好又快发展，现提出如下指导意见：

一、积极支持服务外包产业发展，各级政府要抓住服务外包产业发展的难得机遇，把促进政府和企业发包作为推动我国服务外包产业的重点。加大服务外包的宣传力度，改变国内对外包模式的传统观念，让服务外包得到各级政府和大中型企业的认可。

二、积极发挥服务外包示范城市的示范和带动作用，在发展政务信息化建设、电子政务，以及企业信息化建设、电子商务过程中，鼓励政府和相关部门整合资源，将信息技术的开发、应用和部分流程性业务发包给专业的服务供应商，扩大内需市场，培育国内服务外包业的发展。

三、本着合理配置，节约资源的原则，进一步发挥政府采购的政策功能作用，鼓励采购人将涉及信息技术咨询、运营维护、软件开发和部署、测试、数据处理、系统集成、培训及租赁等不涉及秘密的可外包业务发包给专业企业，不断拓宽购买服务的领域。凡购买达到政府采购限额标准以上的外包服务，必须按照政府采购有关规定，采购我国符合国家相关标准要求、具备相应专业资质的外包企业的服务。

四、制定相关的发包规范和服务供应商提供服务的技术标准，积极引导和促进中央企业和地方企业加大外包力度，让服务外包企业有更多的机会参与国内企业外包业务。

五、研究建立服务外包企业服务评价制度机制，选择具有一定承接能力的信息技术服务等服务外包企业，优先承接政府服务外包业务。扶持服务外包企业做强做大，尽早形成一批服务外包龙头企业。

六、积极研究政府职能部门或大中型企业将其现有的IT和相关服务部门进行业务剥离，采用多种形式与专业的服务外包供应商整合，扩大服务对象和业务规模，提升业务水平。

七、在已有软件与信息服务外包公共支撑平台基础上，进一步建立和完善发包项目信息和接包企业对接平台，促进发、接包业务的顺利对接。积极搭建大中型企业和服务外包企业之间的桥梁，组织安排大中型企业和服务外包商的洽谈会，建立两者之间的沟通渠道。研究支持组建服务外包企业与大中型企业的合作联盟，加强业务交流和沟通，鼓励大中型企业分步骤地将业务外包。

八、加强对地方政府和企业相关人员的培训，培养一批熟悉服务外包业务，深入了解市场的中高层管理人员，做好政府和企业发包的工作。

九、综合运用财政、金融、税收、政府采购等政策手段，积极推动服务外包产业的快速发展。通过政策扶持加强对服务外包企业的品牌宣传和推介，打造中国服务外包品牌。

十、政府或企业在开展服务外包业务时要遵守国家法律，严格按照《中华人民共和国保守国家秘密法》的规定，加强保密管理。同时增强服务外包过程中的发包、接包、分包、转包等环节的法律风险意识，促进服务外包行业的规范运作。

财政部关于企业公益性捐赠股权有关财务问题的通知

2009年10月20日　财企〔2009〕213号

党中央有关部门，国务院各部委、各直属机构，全国人大常委会办公厅，全国政协办公厅，解放军总后勤部、武警总部，各省、自治区、直辖市、计划单列市财政厅（局），新疆生产建设兵团财务局，各中央管理企业：

《财政部关于加强企业对外捐赠财务管理的通知》（财企〔2003〕95号）印发后，为规范境内企业的对外捐赠行为，维护所有者权益，促进社会公益事业的发展，发挥了积极作用。随着我国资本市场的不断完善和社会公益意识的增强，企业对外捐赠出现了新的情况。为了进一步推进社会公益事业的发展，引导企业规范开展公益性捐赠，现就企业以持有的股权（含企业产权、公司股份，下同）进行公益性捐赠有关财务问题通知如下：

一、由自然人、非国有的法人及其他经济组织投资控股的企业，依法履行内部决策程序，由投资者审议决定后，其持有的股权可以用于公益性捐赠。

二、企业以持有的股权进行公益性捐赠，应当以不影响企业债务清偿能力为前提，且受赠对象应当是依法设立的公益性社会团体和公益性非营利的事业单位。企业捐赠后，必须办理股权变更手续，不再对已捐赠股权行使股东权利，并不得要求受赠单位予以经济回报。

三、公益性捐赠涉及上市公司股权的，捐赠方和受赠方应当遵照《证券法》及有关证券监管的其他规定，履行相关承诺和信息披露义务。

四、本通知自印发之日起执行。财政部原有关财务规定与本通知不符的，以本通知规定为准。

财政部　证监会关于加强证券评估机构后续管理有关问题的通知

2009年11月6日　财企〔2009〕235号

各省、自治区、直辖市财政厅（局），证监会各省、自治区、直辖市、计划单列市监管局：

为加强具备证券期货相关业务评估资格的资产评估机构（以下简称证券评估机构）的动态管理，根据《财政部　证监会关于从事证券期货相关业务的资产评估机构有关管理问题的通知》（财企〔2008〕81号）有关规定，现对证券评估机构有关后续管理问题通知如下：

一、关于证券评估机构年度备案管理问题

（一）年度报备是证券评估机构动态管理的一项重要内容，各证券评估机构应当建立健全相关备案管理制度，并指派专门人员负责。

（二）证券评估机构应当委托与本机构不存在关联关系且具有证券资格的会计师事务所审计年度财务会计报告。审计报告应当披露评估业务收入金额以及其中证券业务和非证券业务的收入金额、各类应收应付款主要构成、股东借款情况、职业风险基金提取和使用情况。

（三）年度报备的上年度评估业务和收入汇总表，所列业务和收入应当按照本通知第二条的规定进行统计。

（四）证券评估机构应当履行行业和社会责任，并据实填报履行行业和社会责任情况表（附件1）。

（五）证券评估机构将年度报备书面材料和电子文本分别报送财政部、证监会和中国资产评估协会。对证券评估机构年度备案材料中涉及财企〔2008〕81号文件规定条件的主要内容，财政部、证监会、中国资产评估协会将向社会公示。

未按规定时间、内容进行报备的证券评估机构，财政部、证监会、中国资产评估协会将予以通报批评。

二、关于评估业务收入计算问题

（一）证券评估机构评估业务收入，区分为“直接委托的评估业务收入”和“非直接委托的评估业务收入”。在证券评估资格管理中，对财企〔2008〕81号文件第一条第（二）款第7项规定的“最近3年每年不少于500万元，合计不少于2 000万元的评估业务收入”，是指证券评估机构不改变会计核算原则并经审计核实的“直接委托的评估业务收入”，其发生的“非直接委托的评估业务收入”仍按原有规定核算和管理，但不予计算。

（二）证券评估机构接受评估（咨询）报告使用者委托并签订业务约定书，履行了评估准则规定的相关程序，编制了评估工作底稿，向委托方开具了发票，取得了收款的权利，并同时具备下列情形之一的，

计算为“直接委托的评估业务收入”：

1. 对单项资产或企业整体资产的价值向委托方出具了评估报告；

2. 在对单项资产或企业整体资产的价值判断基础上，向委托方出具了书面评估咨询意见；

3. 因委托方原因终止评估项目未出具评估报告或评估咨询意见的，应当具备评估项目终止协议或者评估项目相关经济行为终止的证明文件；

4. 因证券评估机构主动终止评估项目未出具评估报告或评估咨询意见的，应当具备证券评估对终止原因的合理说明。

（三）证券评估机构与其他评估机构合并的，合并前各方取得的评估业务收入不再合并计算。

三、关于内部管理问题

（一）证券评估机构应当建立健全质量控制制度，采取有效的防护措施，合理保证本机构及其人员的独立性，避免利益冲突。

（二）证券评估机构应当按照《企业财务通则》（财政部令第41号）要求，完善内部财务制度，加强财务管理，规范财务行为，防范财务风险。

（三）除了执行业务所需的周转金以外，证券评估机构一般不得长期借款给股东及其他个人。证券评估机构借款给股东的，不得导致净资产扣减股东借款后低于200万元。由于不可抗力原因需要的个人借款，应当说明事由、金额、还款承诺，并经过股东会决议。

（四）证券评估机构开展资产营运管理，应当为评估业务和机构可持续发展提供财务保障，并不得从事股权投资。

（五）证券评估机构应当严格遵守国家有关现金管理、银行结算、发票管理等规定。大额现金收付和机构之间的款项往来，应当通过银行转账，开具或者取得合法凭证。

（六）证券评估机构评估业务收入的确认原则应当符合《企业会计准则》的规定，并保持一贯性。对于已出具评估报告但未确认评估收入，或者因终止评估项目未出具评估报告但已确认评估收入的情况，在年度备案时应当予以说明。

四、关于监督检查问题

（一）财政部、证监会依法对证券评估机构进行监督。证券评估机构涉及证券评估资格管理的以下事项，应当由财政部、证监会、中国资产评估协会组成联合检查组进行实地检查：

1. 符合财企〔2008〕81号文件第一条第（二）款第2项至第5项条件的情况；

2. 发生财企〔2008〕81号文件第七条第（一）款应予特别关注的情形；

3. 备案材料与实际情况不符的。

（二）联合检查组进行实地检查，提前5个工作日通知证券评估机构，按照证券评估资格审批工作规则进行。证券评估机构及其注册资产评估师对实地检查应当予以配合。

联合检查组经过实地检查后，应当形成检查报告，提出处理意见。

（三）财政部、证监会根据财企〔2008〕81号文件第七条第（三）款的规定，采取出具警示函（附件2）、责令整改（附件3）等措施，列明证券评估机构不符合财企〔2008〕81号文件规定的情形以及监管措施的具体要求，并予公告。

（四）证券评估机构整改后仍未达到财企〔2008〕81号文件第一条第（二）款规定条件的，财政部、证监会将依法撤回其证券评估资格。

五、关于建立诚信档案问题

（一）财政部、证监会、中国资产评估协会逐步建立统一的证券评估机构诚信档案。

（二）证券评估机构发生的以下情形，将被记入诚信档案：

1. 不按规定进行报备的；
2. 报备材料与事实不符的；
3. 不配合财政部、证监会进行监督管理的；
4. 因不符合财企〔2008〕81号文件规定条件而被责令整改期间承接证券评估业务的；
5. 因执行证券业务受到刑事处罚、行政处罚或行业自律惩戒的；
6. 其他影响证券评估机构诚信记录的情形。

（三）财政部、证监会、中国资产评估协会定期将证券评估机构诚信记录向社会公布。

六、其他事项

（一）中国资产评估协会要加强行业自律管理，指导、监督证券评估机构按照资产评估准则的规定规范执业，协助财政部、证监会开展监管工作，不断完善证券评估监管信息系统。

（二）本通知自下发之日起执行。

附件：1. ____年度履行行业和社会责任情况表

2. 财政部　证监会关于对____公司采取出具警示函措施的决定

3. 财政部　证监会关于对____公司采取责令改正措施的决定

附件1：

____年度履行行业和社会责任情况表

资产评估机构名称：　　　　　　　　　　评估机构代码：

参与活动类别	具体情况
财政部、证监会组织的行业检查	1.
	2.
财政部、证监会组织的行业调查研究	1.
	2.
资产评估法制及准则体系建设	1.
	2.
中国资产评估协会组织的行业检查	1.
	2.
中国资产评估协会组织的行业调查研究	1.
	2.
担任、参与的重要社会职务和活动	1.
	2.
公益捐赠	1.
	2.
其他（请说明）	1.
	2.

注：1. “具体情况”一栏用于说明参与的项目、人数、时间等详细情况；

2. 凡参与其他有利于行业建设、行业形象的活动，均可自行添加项目。

附件 2：

财政部　证监会关于对____公司采取出具警示函措施的决定

[　] __号

____公司：

经查，你公司________________。

上述行为违反了《财政部　证监会关于从事证券期货相关业务的资产评估机构有关管理问题的通知》（财企〔2008〕81 号）的规定。按照《财政部　证监会关于从事证券期货相关业务的资产评估机构有关管理问题的通知》（财企〔2008〕81 号）的规定，现提醒你公司关注以下事项：____，并及时采取____等措施。

你公司应当在____年__月__日前向财政部、证监会提交书面报告，财政部、证监会将组织检查验收。

如果对本监督管理措施不服，你公司可以在收到本决定书之日起 60 日内向财政部、证监会提出行政复议申请，也可以在收到本决定书之日起 3 个月内向有管辖权的人民法院提起诉讼。复议与诉讼期间，上述监督管理措施不停止执行。

年　月　日

附件 3：

财政部　证监会关于对____公司采取责令改正措施的决定

[　] __号

____公司：

经查，你公司________________。

上述行为违反了《财政部　证监会关于从事证券期货相关业务的资产评估机构有关管理问题的通知》（财企〔2008〕81 号）的规定。按照《财政部　证监会关于从事证券期货相关业务的资产评估机构有关管理问题的通知》（财企〔2008〕81 号）的规定，现要求你公司立即停止上述行为，并在____年__月__日前予以改正，并达到如下要求：______。

你公司应当在____年__月__日前向财政部、证监会提交书面报告，财政部、证监会将组织检查验收。

如果对本监督管理措施不服，你公司可以在收到本决定书之日起 60 日内向财政部、证监会提出行政复议申请，也可以在收到本决定书之日起 3 个月内向有管辖权的人民法院提起诉讼。复议与诉讼期间，上述监督管理措施不停止执行。

年　月　日

财政部关于认真做好资产评估收费制度改革工作的通知

2009年12月4日　财企〔2009〕268号

各省、自治区、直辖市财政厅（局）：

为规范资产评估收费行为，维护社会公共利益和当事人的合法权益，促进资产评估行业健康发展，国家发展改革委、财政部联合发布了《资产评估收费管理办法》（发改价格〔2009〕2914号），对现行资产评估收费制度进行了重大改革。为了贯彻实施《资产评估收费管理办法》，做好资产评估收费制度改革工作，现就有关问题通知如下：

一、统一认识，高度重视。资产评估收费问题，既影响着评估机构服务成本的补偿水平，也影响到相关当事方的经济利益，关系到经济领域预防腐败体系的建立健全。规范资产评估机构收费行为，健全相关管理制度，是资产评估行业健康、有序发展的重要保障。

新发布的《资产评估收费管理办法》从2010年1月1日起实施，现行的原国家物价局、原国家国有资产管理局于1992年联合制定的资产评估收费制度即将废除。在2009年12月底前，各地方如果未向社会公布重新制定的资产评估收费办法和收费标准，将使资产评估收费处于无章可循的境地。因此，各省级财政部门要高度重视资产评估收费制度的改革工作，切实做好贯彻实施《资产评估收费管理办法》的各项准备工作。

二、掌握内容，推进改革。各省级财政部门要掌握资产评估收费制度改革的内容和要求，《资产评估收费管理办法》对现行的资产评估收费制度做了重大改革，主要有：

（一）调整单一的收费类型，对资产评估收费实行政府指导价和市场调节价；

（二）调整评估收费计费基础，取消以资产评估结果作为评估收费计算标准的做法，实行计件收费、计时收费或计件与计时收费相结合的收费方式；

（三）调整了只规定上限，而不规定下限的收费做法，对实行政府指导价的法定资产评估服务，实行基准价以及按一定幅度上下浮动的收费标准；

（四）根据社会经济和评估行业发展情况，明确了资产评估收费定价应当考虑的各项因素。

三、明确任务，注重实效。各省级财政部门要尽快结合本地实际情况，务必在2009年12月底之前全面清理涉及资产评估收费的各种政策，认真研究提出本地区的资产评估收费办法和收费标准，通过加强制度规范，着力解决资产评估行业目前存在的任意压价恶性竞争的突出问题，并按规定与同级价格主管部门协商制定。

在研究提出法定资产评估服务收费的基准价及其上下浮动幅度时，应当遵循《资产评估收费管理办法》第六条、第七条、第九条的要求，同时注意以下事项：

（一）评估收费要与评估执业质量、评估机构及评估人员承担的经济责任相匹配；

（二）合理体现资产评估工作价值，确保资产评估机构提供服务的成本得到补偿，并有利于吸收和培养高素质的评估人才；

（三）适当考虑证券评估业务与普通评估业务的差异性，证券评估收费要与证券评估业务的社会影响力、复杂程序、服务要求和执业成本相匹配；

（四）考虑跨地区执业的客观需要以及评估业务在不同地区的同质要求，注意地区之间不同价格水平的衔接。

四、加强领导，分工协调。各省级财政部门要加强资产评估收费制度改革的组织领导，在提出本地区资产评估收费办法和收费标准的意见时，要加强调查研究，充分听取省级资产评估协会和当地资产评估机构的意见。各省级资产评估协会要积极配合财政部门开展资产评估收费制度改革工作，充分发挥行业监管的作用，尽快为财政部门提供研究所需的基础资料。对《资产评估收费管理办法》贯彻落实情况，要加强监督检查，建立日常监管制度，如有问题，及时向我部报告。

财政部关于推动评估机构做大做强做优的指导意见

2009 年 12 月 29 日　财企〔2009〕453 号

各省、自治区、直辖市、计划单列市财政厅（局）：

为认真贯彻党的十七大关于"规范发展行业协会和市场中介组织"的精神和《国务院关于加快发展服务业的若干意见》（国发〔2007〕7 号）的要求，加快培养一批与我国经济发展水平相适应、具有较大规模、较强实力和较高水平的评估机构，推动评估行业科学发展，现提出以下意见：

一、推动评估机构做大做强做优的必要性

（一）评估机构做大做强做优是市场经济发展的客观需要。

资产评估是市场经济发展的产物，20 年来为推动国有企业改革、规范资本市场运作、促进经济社会发展发挥了十分重要的作用。评估行业已成为市场经济不可或缺的专业中介服务行业。但是，由于起步晚、基础差，评估机构规模普遍偏小，评估业务覆盖面不足，与我国的经济发展水平和经济发展规模不相适应，与经济全球化的进程和我国经济在国际上的地位不相适应。随着我国市场经济不断完善，企业规模不断壮大，各类经济活动的范围和领域不断扩展，迫切需要一批具有较大规模、较强实力、较高执业水平，能满足国内经济发展需求，并能参与国际竞争的评估机构。

（二）评估机构做大做强做优是维护国家经济安全和社会公众利益的重大保障。

评估行业不仅肩负着促进经济发展的使命，还承担着维护国家经济安全和社会公众利益的重任。当前，我国改革开放向纵深推进，国有经济布局和结构的战略性调整、知识产权战略的实施以及垄断性行业体制、金融体制、资本市场等各项重大改革全面展开，对外开放在更广领域、更大范围和更高层次进行，维护国家经济安全和社会公众利益的任务十分艰巨，需要由较大规模、较强实力、较高水平的评估机构独立承担国内重要项目评估服务，以确保国家经济信息安全和社会公众利益。

（三）评估机构做大做强做优是评估行业自身发展的内在要求。

市场经济发展为评估行业发展提供了广阔空间，也对评估行业提出了新的要求。随着我国市场经济不断发展和完善，评估服务领域越来越广，评估技术越来越复杂，评估市场竞争越来越激烈，对评估行业提出了新的挑战，对评估机构的人才、技术、质量和管理提出了更高要求。因此，评估机构迫切需要通过做大做强做优聚集高素质的人才，加强评估理论研究和技术创新，严格执业质量控制，加强机构内部管理，形成机构的核心竞争力，进一步提高执业水平和社会公信力。

二、推动评估机构做大做强做优的指导思想、基本原则和发展目标

（一）指导思想。

以邓小平理论和"三个代表"重要思想为指导，全面贯彻落实科学发展观，结合评估行业发展的实际，实施评估行业结构调整，转变评估行业发展方式，进一步健全行政监管与行业自律相结合的管理体制，

加大政策支持力度，引导评估机构做大做强做优，提高评估行业社会公信力，促进评估行业可持续健康发展。

（二）基本原则。

一是解放思想、创新理念。要按照有利于市场经济，有利于评估行业发展的要求，借鉴其他中介行业和国外评估行业的经验，创新体制、机制和制度，解决阻碍评估行业发展的突出问题。

二是政策引导、市场选择。要研究制定相关扶持政策措施，发挥政策引导作用，鼓励和支持评估机构按照市场化的方式自主选择适合自身特点的发展模式。

三是积极探索、稳步推进。要积极探索推动评估机构做大做强做优的模式、途径和方法，鼓励采取兼并联合重组等方式，加强指导，统筹协调，及时总结，有序推进。

（三）发展目标。

推动评估机构做大做强做优，要立足于进一步增强评估机构的综合服务能力，提高评估行业社会公信力，更好地适应社会经济发展的要求。“做大”是指评估机构在业务收入、人员数量等方面达到较大规模；“做强”是指评估机构具有较强的专业服务能力和核心竞争力；“做优”是指评估机构具有较高的服务质量和执业水平。

争取用3到5年的时间，培育出3到5家年业务收入超过2亿元，评估师人数达到200人，具有较强的综合服务能力，能够参与国际竞争的“旗舰型”评估机构；30家左右年收入超过3千万元，评估师人数达到50人，具有较强的核心竞争力，能够胜任国内大型企业和上市公司评估业务的评估机构；100家左右年收入超过500万元，适应区域经济发展需要，具有地区竞争力的评估机构。

争取用3到5年的时间，造就具有行业先进文化理念、引领评估理论研究和技术创新、擅于培养评估人才、广受社会尊重的“评估大师”10名；培养职业道德过硬、评估理论水平较高、技术功底扎实、享有较高诚信声誉的“评估名师”100名；打造一支忠于评估事业、恪守职业道德、胜任评估专业的优秀评估师队伍。

三、评估机构做大做强做优的方式和要求

（一）积极探索做大做强做优的方式，实现跨越式发展。

评估机构要结合自身情况，根据平等自愿原则，积极探索做大做强做优的方式。鼓励评估机构实行强强联合、强弱联合，通过兼并联合重组等方式，实现规模化、品牌化、跨区域发展。在兼并联合重组过程中，要妥善处理好股权变化、人员安排、业务衔接、档案管理、法律责任等方面的问题，要切实整合执业资源、执业标准和管理制度，实现优势互补。

（二）坚持评估技术创新，积极拓宽评估业务领域。

评估机构要高度重视技术创新，提升研发能力，建立研发部门，积极开展新评估方法和技术的研究，大型评估机构研发费用应当不少于年业务收入的3%；要建立信息数据库，积极参与行业课题研究。

评估机构要关注市场需求，研究政策动态，努力开拓新的业务领域。一是实现服务对象多元化，要从单纯为国有企业服务延伸到为各类所有制企业、政府部门、事业单位和具有一定财产的个人服务；二是实现评估业务多元化，要从传统的法定评估业务扩展到企业价值、知识产权等其他评估业务和相关的咨询业务；三是实现服务地域多元化，要从区域化服务拓展到跨地区服务，并抓住机遇走出国门从事国际评估业务。

（三）完善内部治理结构，加强执业质量控制。

评估机构要建立并完善科学的股东及合伙人进退机制、激励约束机制、内部决策机制、利益分配机制等，不断改善和改进机构内部治理。

评估机构要加强内部制度建设，规范执业标准、规范内部培训体系、规范业务承揽方式、规范质量控制，规范执业流程。要加强内部财务管理，按规定建立执业风险保障制度，防范财务风险，健全会计核算体系，严格报备业务收入。

评估机构要完善质量管理机制，建立首席评估师制度。首席评估师为评估机构当然的权益合伙人或股

东，统一负责评估报告审核及内部质量控制。

（四）建立人才培养机制，注重机构文化建设。

评估机构要重视吸引人才和培养人才，为做大做强做优奠定人才基础。要制定符合自身发展的人才培养计划，按照评估机构工资总额2.5%的比例从业务成本中提取使用职工教育经费，培养适应行业发展要求和国际化需要的各类人才。要建立有效的激励与约束机制，为人才成长提供平台，为人才发挥作用创造条件。要加强人力资源的管理，建立人才考核评价机制。

评估机构要始终注重文化建设，加强职业道德教育，坚持诚信执业的理念，增强向心力、凝聚力，形成有利于评估机构健康发展的核心价值观，构建注重诚信建设、具有专业精神、重视社会责任的和谐评估机构。

四、完善评估机构做大做强做优的政策措施

（一）改革评估市场准入制度。

适时修订资产评估机构审批管理办法。规范评估机构的组织形式，允许评估机构采取有限责任公司、股份公司、普通合伙、特殊普通合伙等组织形式。规范评估机构名称，打破多种专业资格对评估机构名称的限制。规范评估机构出资人条件，扩大出资人范围。改革分支机构管理，完善分支机构运行方式，选择有条件的评估机构按照母子公司体制实行集团化试点。明确评估机构法律责任，实行评估机构动态管理，完善评估机构退出机制。

（二）加大政策扶持力度。

实施积极的政策措施支持评估行业的发展。对评估协会组织的评估师境外培训、高等院校建立评估学科基地等给予必要的支持。评估机构设立海外分支机构、开拓海外评估市场、承接离岸服务外包的评估业务按有关规定可申请财政资金支持。要争取在国际交流、人才落户等方面给予政策支持。

要结合社会经济发展的需要，大力拓展评估服务领域。鼓励有规模、有实力、有核心竞争力的评估机构更多地为行政事业资产管理、金融资产管理、以企业财务报告为目的的评估、知识产权评估、税基评估、财政资金绩效评价、政府采购评价等新兴市场提供专业服务，更多地为中国企业境外投资、境外机构来华投资提供专业服务，着力推动上市公司资产和权益价值的动态评估。结合政府职能转变的需要，鼓励政府部门购买评估专业服务。

（三）创造良好的执业环境。

要切实打破制约评估机构发展的行政壁垒、行业限制和地方保护，加强与发展改革、审计、工商行政、住房城乡建设、国土资源、金融监管、国有资产监管、证券监管等有关部门、机构的沟通协调，有效治理行政干预、商业贿赂、变相实行二次准入等行为。规范评估项目的招投标管理。深化评估收费制度的改革，加强对评估收费的监督检查，为评估执业创造公平竞争的环境。

（四）加大行业服务力度。

行业协会要继续以“服务于会员”为宗旨，加强对市场的分析和新兴市场的研究，加快基础数据和信息化建设，完善行业人才队伍培养的制度体系，完善会员奖励、表彰机制，加强新型评估成果的推广和行业管理与建设的宣传。要加强国际交流与合作，积极推动国际间评估组织的会员互认，引进国外相关评估资质，培养选拔一批能够从事国际业务的高端人才，为评估机构走向国际创造条件。要充分利用同各监管方、委托方、行业主管部门的沟通平台，及时反映评估行业诉求，有效解决评估机构共同的执业难题。

五、改进和加强评估机构的监管

（一）规范行政许可，完善行政监管。

按照法律法规规章，严格审批评估机构的设立和变更，加强评估机构后续监管，防止出现“重审批、

轻监管”的现象。建立健全财政部门与其他相关部门和行业协会的沟通协调机制，形成监管合力。完善执业质量检查制度和评估机构年度报备制度，严肃惩处违规行为，及时撤回不符合设立条件的评估机构的行政许可，对严重违规的评估机构依法吊销资格，对涉嫌违法的评估机构和个人依法移送司法机关处理。

（二）发挥协会作用，加强自律管理。

健全各级协会自律管理职能，实行团体会员分层管理。中国资产评估协会直接承担证券业评估机构的自律管理，地方协会重点对服务于当地经济的中小评估机构和分支机构进行自律管理。

行业协会要进一步提升自律管理的能力和水平，完善评估准则体系，完善执业质量检查制度，完善重大项目报备制度，完善评估师注册制度和会员管理制度。要健全会员诚信档案制度，建立会员诚信公示制度和诚信档案动态发布制度。要开展评估机构综合评价，加强评估机构内部治理指引。要建立评估机构和评估师违规执业、低价竞标问责制，加大自律惩戒力度。

（三）加强行业党建，提供政治保障。

行业协会要认真贯彻党的十七大和十七届四中全会精神，加强评估行业党建工作。加大评估机构党组织建设力度，具备条件的评估机构都要建立党组织。加强党员的教育和管理，建立党员考核评价体系。创新评估机构党组织的活动方式，将党建与评估机构建设有机结合起来，增强党建工作的针对性、有效性。发挥基层党组织的战斗堡垒作用和党员的先锋模范作用。

六、推动评估机构做大做强做优的组织领导

中国资产评估协会要加强协调，积极落实，具体推动，确保评估机构做大做强做优取得实效。各省、自治区、直辖市财政部门及地方协会要充分认识评估机构做大做强做优的重大意义，认真落实评估机构做大做强做优的各项政策措施，结合本地区的实际情况，积极研究制定具体措施和办法，推动本地区评估机构做大做强做优，促进评估行业科学发展。

省财政厅关于做好国有资本经营预算季报编报工作的通知

2009年3月31日　鲁财企〔2009〕24号

各市财政局：

为做好国有资本经营预算季报编报工作，推动全省国有资本经营预算试行工作规范开展，根据《山东省人民政府关于试行国有资本经营预算的意见》（鲁政发〔2008〕49号）和《财政部关于做好地方国有资本经营预算季报编制工作的通知》（财企〔2009〕34号）要求，我们制定了国有资本经营预算季报格式及填报说明，现印发给你们，并将有关事项通知如下：

一、国有资本经营预算季报表包括国有资本经营预算主要指标表和补充指标表。其中，已试行国有资本经营预算的市财政局汇总填列主要指标表和补充指标表；未试行国有资本经营预算的市财政局仅汇总填列补充指标表。

二、各市财政局在报送国有资本经营预算主要指标表和补充指标表的同时，还应报送以下有关文字材料：

（一）试行国有资本经营预算的基本情况，包括试行范围、时间、制度建设等；

（二）当年国有资本经营预算的编制、上报、审核、执行等情况；

（三）国有资本经营预算收入情况，包括国有资本收益收取比例等；

（四）国有资本经营预算支出情况，包括当期支出的重点、方向及具体项目支出情况等；

（五）国有资本经营预算试行中的问题及建议；

（六）未按照鲁政发〔2008〕49号文件的规定试行国有资本经营预算的情况，包括是否收取国有资本收益、国有资本收益的管理方式（纳入一般预算管理、预算外专户管理、其他方式）等。

三、各市财政局国有资本经营预算季报汇总数据和文字材料应于每季末10日内上报。

四、各市公布的有关国有资本经营预算制度应送省财政厅。2009年4月10日前，请各市财政局将地方已公布的有关国有资本经营预算制度集中报省财政厅。2009年4月10日后公布的有关国有资本经营预算制度，请于公布后10日内及时报省财政厅。

五、为提高国有资本经营预算季报编报质量，省财政厅将及时对国有资本经营预算季报编报工作情况进行总结和考核，并将有关情况予以通报。

联系人及电话：王志福　0531－82669623

传真：0531－82610249

Email：binzhouwzf@163.com

附件：1.　　年　　季度国有资本经营预算报表

2. 国有资本经营预算季度报表编报说明

附件1：

年　　季度国有资本经营预算报表

填报单位名称：________________________

主管负责人：________________________

填表人：________________________

联系电话：________________________

编制日期：____年____月____日

山东省财政厅印制

____年____季度国有资本经营预算主要指标表

编制单位： 单位：万元

项　目	行号	市本级			县级		
		本年预算数	本季执行数	本年累计执行数	本年预算数	本季执行数	本年累计执行数
一、国有资本经营预算收入	1						
（一）利润收入	2						
01. 烟草企业	3						
02. 石油石化企业	4						
03. 电力企业	5						
04. 电信企业	6						
05. 煤炭企业	7						
06. 有色冶金采掘企业	8						
07. 钢铁企业	9						
08. 化工企业	10						
09. 运输企业	11						
10. 电子企业	12						
11. 机械企业	13						
12. 投资服务企业	14						
13. 纺织轻工企业	15						
14. 贸易企业	16						
15. 建筑施工企业	17						
16. 房地产企业	18						
17. 建材企业	19						
18. 境外企业	20						
19. 对外合作企业	21						
20. 医药企业	22						
21. 农林牧渔企业	23						
22. 其他企业	24						
（二）股利、股息收入	25						
01. 国有控股公司股利、股息收入	26						
02. 国有参股公司股利、股息收入	27						
03. 其他国有资本经营预算企业股利、股息收入	28						
（三）产权转让收入	29						
01. 国有股权、股份转让收入	30						
02. 国有独资企业产权转让收入	31						
03. 其他国有资本经营预算企业产权转让收入	32						
（四）清算收入	33						
01. 国有股权、股份清算收入	34						
02. 国有独资企业清算收入	35						
03. 其他国有资本经营预算企业清算收入	36						
（五）其他国有资本经营预算收入	37						
其中：国有资本经营预算调入资金	38						
（六）上年结转收入	39						
二、国有资本经营预算支出	40						
（一）按支出性质分类	41						
01. 资本性支出	42						

续表

项目	行号	市本级			县级		
		本年预算数	本季执行数	本年累计执行数	本年预算数	本季执行数	本年累计执行数
02. 费用性支出	43						
03. 其他支出	44						
（二）按行业分类	45						
01. 农业企业	46						
02. 林业企业	47						
03. 水利企业	48						
04. 公路水路运输企业	49						
05. 民用航空运输企业	50						
06. 采掘企业	51						
07. 制造企业	52						
08. 建筑企业	53						
09. 电力企业	54						
10. 工业和信息企业	55						
11. 商品流通企业	56						
12. 旅游企业	57						
13. 涉外发展企业	58						
14. 其他企业	59						
（三）国有资本经营预算调出资金	60						
（四）结转下年支出	61						

____年____季度国有资本经营预算补充指标表

编制单位： 单位：万元、户、个

项目	行号	季末数
一、试行国有资本经营预算的有关情况	1	—
（一）国有及控股、参股企业户数	2	
其中：纳入国有资本经营预算试行范围的企业户数	3	
本季国有资本经营预算收入涉及企业户数	4	
本季国有资本经营预算支出涉及企业户数	5	
本年国有资本经营预算收入涉及企业户数	6	
本年国有资本经营预算支出涉及企业户数	7	
（二）国有资本经营预算收入历年累计数	8	
（三）国有资本经营预算支出历年累计数	9	
（四）县级国有资本经营预算试行情况	10	—
1. 试行国有资本经营预算的县（市、区）个数	11	
2. 试行国有资本经营预算的县级企业户数	12	
3. 县级国有资本经营预算收入历年累计数	13	
4. 县级国有资本经营预算支出历年累计数	14	
二、未试行国有资本经营预算的有关情况	15	—
（一）国有资本收益收取本季数	16	
1. 纳入一般预算管理	17	
2. 预算外专户管理	18	
3. 其他管理方式（需作文字说明）	19	
（二）国有资本收益支出本季数	20	

续表

项　目	行号	季末数
1. 支持国有企业改革发展	21	
2. 其他（需作文字说明）	22	
（三）国有资本收益收取历年累计数	23	
（四）国有资本收益支出历年累计数	24	

附件2：

国有资本经营预算季度报表编报说明

国有资本经营预算季度报表包括国有资本经营预算主要指标表和补充指标表，现将有关指标填报说明如下：

一、国有资本经营预算主要指标表

（一）该表由已试行国有资本经营预算的市财政局填列。已经试行国有资本经营预算的地方是指按照《山东省人民政府关于试行国有资本经营预算的意见》（鲁政发〔2008〕49号）规定的预算管理模式，制定了相关的配套制度，并且单独编制国有资本经营预算的市。市本级未试行国有资本经营预算，但县级已试行国有资本经营预算的，由市级财政部门汇总县级数据填列该表。

（二）该表指标根据政府收支分类科目的有关国有资本经营预算分类标准填列，其中："国有资本经营预算收入"的各项目根据"收入分类科目"的相关指标填列；"国有资本经营预算支出—按支出性质分类"各项目根据"支出经济分类科目"相关指标填列；"国有资本经营预算支出—按行业分类"各项目和"国有资本经营预算调出资金"根据"支出功能分类科目"的相关指标填列。

（三）"上年结转收入"是指根据上年预算实际执行情况，结转本年继续使用的国有资本经营预算指标。

（四）"结转下年支出"是指根据本年预算编制和执行情况，结转下年继续使用的国有资本经营预算指标。

（五）市本级试行国有资本经营预算指标应与县级试行国有资本经营预算指标分别填列。

（六）"本年预算数"是指经地方人民政府或人民代表大会批准的当年国有资本经营预算数据。

（七）"本季执行数"是指本季度国有资本经营预算的实际执行数。

（八）"本年累计执行数"是指截至本季末，本年国有资本经营预算的实际执行数。

（九）"国有资本经营预算收入"的"本季执行数"和"本年累计执行数"以实际入库时间为准；"国有资本经营预算支出"的"本季执行数"和"本年累计执行数"以下达预算指标时间为准。

（十）如一般预算等调入国有资本经营预算资金，须在"其他国有资本经营预算收入"中单独列示。

（十一）公式

1. 1行=2行+25行+29行+33行+37行+39行；

2. 2行=3行+4行+5行+6行+7行+8行+9行+10行+11行+12行+13行+14行+15行+16行+17行+18行+19行+20行+21行+22行+23行+24行；

3. 25行=26行+27行+28行；

4. 29行=30行+31行+32行；

5. 33行=34行+35行+36行；

6. 37行≥38行；

7. 40行=41行+60行+61行=45行+60行+61行；

8. 41 行 =42 行 +43 行 +44 行；
9. 45 行 =46 行 +47 行 +48 行 +49 行 +50 行 +51 行 +52 行 +53 行 +54 行 +55 行 +57 行 +58 行 +59 行；
10. 41 行 =45 行。

二、国有资本经营预算补充指标表

（一）该表由各市财政局填列。

（二）该表由“试行国有资本经营预算的有关情况”和“未试行国有资本经营预算的有关情况”两部分构成，其中：“试行国有资本经营预算的有关情况”由已经试行国有资本经营预算的市财政局填列；“未试行国有资本经营预算的有关情况”由尚未试行国有资本经营预算的市财政局填列。

（三）“国有资本经营预算收入历年累计数”、“国有资本经营预算支出历年累计数”、“县级国有资本经营预算收入历年数”是指根据鲁政发〔2008〕49 号文件，自试行国有资本经营预算起至本季末，国有资本经营预算收入和支出的历年累计数。

（四）未试行国有资本经营预算的市财政局，需根据实际情况填列“未试行国有资本经营预算的有关情况”。其中，采取其他方式管理国有资本收益收取和支出的情况，须作文字说明；尚未收取国有资本收益的地方也须在文字材料中明示。

（五）公式

1. 16 行 =17 行 +18 行 +19 行；
2. 20 行 =21 行 +22 行。

省财政厅关于印发《山东省财政企业信息工作考核评比暂行办法》的通知

2009 年 4 月 14 日　鲁财企〔2009〕26 号

各市财政局：

为改进和规范企业信息考核评比工作，完善企业信息工作激励机制，促进企业信息工作质量和水平不断提高，更好地为全省财政经济工作提供企业信息服务，省财政厅研究制订了《山东省财政企业信息工作考核评比暂行办法》，现印发给你们，请结合实际认真贯彻执行。

附件：山东省财政企业信息工作考核评比暂行办法

附件：

山东省财政企业信息工作考核评比暂行办法

为规范财政企业信息考核评比工作程序，完善激励机制，促进企业信息管理工作开展，进一步巩固和加强全省企业财务管理信息体系建设，提升企业信息质量和水平，制定本暂行办法。

一、考评依据和原则

（一）考评依据

1. 《企业财务会计报告条例》；

2.《企业财务通则》；

3.《财政部关于开展企业财务快报改革试点工作的通知》（财企〔2004〕398号）；

4.《山东省财政厅关于进一步改进和加强企业财务信息体系基础建设和管理的指导意见》（鲁财企〔2008〕41号）。

（二）考评原则

1. 准确性原则，要求报送的数据客观、真实、准确；

2. 完整性原则，要求报送的数据口径统一、全面完整；

3. 时效性原则，要求信息按规定时间报送，不迟报、不漏报。

二、考评对象

本办法中的考评对象为各市财政局。

三、考评内容

（一）企业财务基础信息

1. 月度企业财务快报数据；

2. 月度、季度和年度企业经济运行分析；

3. 重点财源企业、直报点财务分析。

（二）财政企业工作专项信息

1. 区域企业经济运行动态专题分析；

2. 反映企业改革发展和财政财务管理创新等方面的动态专题信息；

3. 省财政厅部署的有关调研任务完成情况。

四、考评区间

将每年的1~12月作为一个考评区间，实行月度考核、季度通报，全年成绩按12个月的累计得分进行综合评定。

五、考评标准

对纳入各市财务信息收集范围的快报企业报送情况、快报企业户数增减情况、快报企业缴纳税金占国税和地税（以下简称“两税”）收入比重、快报企业信息质量、直报点分析提报情况、经济运行及专题分析数量、成长型中小企业财务信息提报情况进行量化考核。本套考核指标基本分100分，同时建立相应的奖励加分和问责减分指标，得分上不封顶，根据各市累计得分由高到低排名。

（一）快报企业报送情况（基本分20分）。纳入各市企业信息快报收集范围的企业全部在规定时间（次月7日16时）之前报送财务信息的，可得满分；如有缺报或超过报送时间的，按照缺报或迟报企业户数占应报户数的比例，每1%扣一分，直至本项得0分。全年超过3次未按规定时间报送快报数据的，取消当年先进单位评选资格。

（二）快报企业户数增减情况（基本分20分）。按当期各市快报企业实际户数，比上年末每增加1%，加0.5分，每减少1%，减0.5分。如本市企业增减变动后净户数减少，但企业上缴税金总额占“两税”收入比重未降低的，原则上本项不予扣分。本项最低得10分。

（三）快报企业缴纳税金占“两税”收入比重（本项不确定基本分，总分上不封顶）。按当期各市快报企业汇总上缴税金占各市“两税”收入总额的比重（实际考核中，剔除中央企业集中汇缴税金等不可比因素），每1%得1分。

（四）快报企业信息质量（基本分20分）。按当期各市快报企业出错户数占快报企业户数的比例，每1%扣1分，直至本项得0分。

（五）直报点分析提报情况（本项基本分 20 分）。按当期各市直报点分析数量占各市财政局直报点总户数的比例，每缺报 1% 扣 0.5 分，直至本项得 0 分。

（六）经济运行及专题分析报送情况（本项不确定基本分）。按当期各市财政局根据鲁财企〔2008〕41 号文件要求提供的经济运行分析和专题分析的数量和质量计分，包括财政部、省财政厅部署的临时调研信息，按规定时间每上报 1 项计 5 分，省财政厅根据各市报送质量适当加分（每项信息加分不超过 5 分）。全年 3 次未及时报送专题分析以及不按省财政厅要求开展专项调研、上报调度指标严重失真、调研报告明显失实的，取消当年先进单位评选资格。

反映本市财政企业工作措施和经验等方面的工作信息，被省财政厅《财政情况》采用的，每条加 5 分；被省政府、财政部采用的，每条再加 10 分。

（七）成长型中小企业财务信息提报情况（本项基本分 20 分）。各市快报财务信息的成长型中小企业占各市成长型中小企业总户数的比重，达到 60% 得基本分，每超过 1% 加 0.5 分，每减少 1% 减 0.5 分。全年各月财务信息报送户数平均达不到 60% 的，本项不得分。

六、表彰奖励

（一）财政企业信息工作先进单位。依据本办法规定的考核标准，根据年终累计得分综合排名，确定年度财政企业信息工作先进单位。

（二）财政企业信息工作先进个人。省财政厅根据各市财政局年终综合排名确定先进个人限额，各市财政局根据控制限额，从负责企业信息工作的人员中推荐先进个人候选人，经省财政厅核实后予以表彰。

（三）各市企业信息工作综合考评情况，作为省财政厅财政企业专项资金分配指标的重要参考依据。

七、执行时间

本办法自 2009 年 1 月 1 日起执行。省财政厅印发的《驻鲁企业月度财务税收信息快报考核评比办法（试行）》（鲁财企〔2003〕5 号）及《山东省重点利税大户财税信息报送暂行办法》（鲁财企〔2005〕40 号）中的第十一条　重点利税大户联系点直报加分标准同时废止。

附件：山东省财政企业信息工作先进个人推荐表

附件：

山东省财政企业信息工作先进个人推荐表

________市财政局（公章）

序号	姓名	职务/职称

省财政厅 省对外贸易经济合作厅关于强化财政扶持政策促进外经贸平稳较快发展的实施意见

2009年4月30日 鲁财企〔2009〕32号

各市财政局、外经贸局，省属有关企业：

为贯彻落实《山东省人民政府关于促进外经贸平稳较快发展的意见》（鲁政发〔2009〕7号），有效应对国际金融危机的冲击，现结合我省实际，制定以下实施意见。

一、支持转变外贸发展方式，保持外贸稳定增长

1. 支持优势产品扩大出口。对出口业绩显著并且拥有自主知识产权或出口品牌的高新技术产品、机电产品以及传统优势产品和劳动密集型产品扩大出口予以扶持，支持出口商品国际竞争力的提高。

2. 支持服务外包产业发展。对服务外包示范基地公共服务平台建设、外包人才培训予以扶持，支持培育一批重点外包人才实训示范基地和具备国际资质的外包龙头企业及高素质外包人才，不断拓展服务外包市场。

3. 支持提升出口农产品质量。对全省出口农产品质量安全区域化管理示范基地、区域性检测中心建设予以扶持，推动农产品出口原料基地化、加工标准化、管理信息化、市场多元化。

4. 支持开拓多元化国际市场。支持企业在巩固传统市场的同时，积极开拓新兴市场，鼓励企业充分利用国际知名的专业展览会或综合性贸易展会，扩大与新兴市场的贸易往来。支持培育我省境外品牌展会，搭建山东出口商品展示平台。

5. 支持企业规避出口风险。支持企业建立出口信用风险防范体系，鼓励企业合理利用出口信用保险，保障出口收汇安全，对省内企业投保出口信用保险给予扶持。

6. 支持提高国际贸易争端和国际金融危机应对能力。对政府有关部门（机构）统一组织的应对国际贸易摩擦培训和各类外经贸业务培训予以扶持，从根本上提高企业应对国际贸易摩擦与国际金融危机冲击的能力。

二、支持提高利用外资质量和水平，促进产业结构调整

7. 支持引进重大外资项目。对符合全省经济发展战略的重大利用外资项目进行奖励，把利用外资与扩大投资需求、促进产业结构调整优化结合起来，引导外资更多地投向重大民生工程、先进制造业、节能环保产业、高新技术产业、现代服务业等重点领域，不断提高利用外资的质量和水平。

8. 支持引进先进技术、关键设备和重要资源。对引进省内急需的先进技术、关键设备以及重要资源和原材料等予以扶持，推动产业结构调整和经济发展方式转变。

9. 支持境内外招商及贸易洽谈活动。对省委、省政府确定的重大境内外招商及贸易洽谈活动给予支持，鼓励创新招商方式，加快建立“政府推动，企业为主，市场化运作”的招商引资新机制。

三、支持实施“走出去”战略，加快境外资源开发

10. 支持境外资源合作开发和境外合作区建设。对省内企业到境外从事矿业、林业、农业等紧缺战略

资源合作开发，以及境外经贸合作区建设等进行扶持，积极缓解我省能源和资源紧张的压力。

11. 支持对外承包工程业务。对省内企业 2009 年新签订的对外承包工程和对外设计咨询项目给予奖励，重点支持 EPC 总承包、工程换资源、境外资源开发与承包工程相结合，促进对外承包工程业务发展，提升对外承包工程的质量和水平。

12. 支持外派劳务基地建设。根据《山东省外派劳务基地综合考核评价暂行办法》规定，对省外派劳务基地县和专业基地进行综合考核评价，对先进外派劳务基地县和专业基地给予奖励，提高我省外派劳务人员综合素质，打造“山东劳务”海外品牌，扩大海外就业。

四、支持园区基础设施建设，推动产业集聚

13. 支持我省西部省级开发区基础设施建设。对我省西部地区经济开发区基础设施建设贷款给予贴息，帮助改善基础条件和投资环境，增强对外开放载体功能，充分发挥西部经济开发区对当地经济发展的带动作用。

省财政厅关于印发《省级包装行业技术研发资金管理办法》的通知

2009 年 5 月 15 日　鲁财企〔2009〕33 号

各市财政局，省直有关部门：

为规范包装行业技术研发资金管理，支持包装行业积极开发新产品和采用新技术，促进循环经济和绿色包装产业发展，根据财政部《包装行业高新技术研发资金管理办法》和财政预算管理等有关规定，省财政厅研究制订了《省级包装行业技术研发资金管理办法》，现印发你们，请遵照执行。执行中如有问题，请及时向省财政厅反映。

附件：省级包装行业技术研发资金管理办法

附件：

省级包装行业技术研发资金管理办法

第一章　总　　则

第一条　为支持包装行业积极开发新产品和采用新技术，促进循环经济和绿色包装产业发展，省财政设立省级包装行业技术研发资金（以下简称研发资金）。为加强和规范研发资金的使用管理，根据财政部《包装行业高新技术研发资金管理办法》和财政预算管理等有关规定，制定本办法。

第二条　研发资金采取无偿资助和贷款贴息两种支持方式。对以自筹为主投入的研发项目，一般采取无偿资助的方式；对以银行贷款为主投入的研发项目，一般采取贷款贴息的方式。

第三条　研发资金的使用和管理应当遵循“科学合理、规范透明、突出重点、择优扶持”的原则。

第二章 支持范围

第四条 研发资金主要用于包装企业为增强自主创新能力，提升企业竞争力而实施的高新技术项目产品研发、技术创新、新技术推广等过程中所发生的有关费用支出补助。

第五条 研发资金重点支持符合国家产业政策、环境保护和循环经济政策的下列项目：

（一）由有关部门认定的具有国际领先水平或填补国内空白的新型包装制品、包装材料和包装机械研发项目；

（二）由设区的市及以上部门立项的包装新材料、新技术设计开发项目、应用技术项目；

（三）保障人身健康安全及符合环境保护要求的新型环保包装材料项目；

（四）包装减量化和节能化项目、包装废弃物处理和利用项目；

（五）拥有自主知识产权和自主品牌的研发项目；

（六）符合国家包装行业政策的其他新技术项目。

第三章 项目申报

第六条 省财政厅根据全省产业发展规划和包装行业发展重点等，每年对研发资金项目申报等工作作出部署。

第七条 符合申报条件的企业按隶属关系向同级财政部门提出项目资金申请。

市级财政部门负责组织对本地区范围内申请企业的资格条件及相关材料进行审核，并于每年4月30日前，将资金申请及项目申报材料报送省财政厅。

省属企业的资金申请及项目申报材料直接报送省财政厅。

第八条 申请研发资金的企业应同时具备下列资格条件：

（一）具有独立法人资格、法人治理结构规范的包装制品、包装材料、包装机械及装备生产企业；

（二）财务管理制度健全，按规定要求及时向财政部门报送财务快报等有关财务信息；

（三）会计信用和纳税信用良好；

（四）上年研发投入占销售收入的比重在3%以上；

（五）设有省级及以上技术中心的项目给予优先支持。

第九条 申请研发资金的企业应当提出书面申请，并提供下列资料：

（一）企业法人执照副本及章程（复印件）；

（二）企业生产经营情况，包括经营的主要产品、生产技术、主要经济指标等；

（三）项目可行性研究报告；

（四）经会计师事务所审计的上年度会计报表和审计报告，包括资产负债表、损益表、现金流量表等；

（五）环保部门出具的环保评价意见；

（六）研发项目所需资金来源及其有效凭证，申请贴息的项目须出具项目单位与有关金融机构签订的贷款协议；

（七）其他需提供的资料。

第四章 资金下达

第十条 省财政厅将组织专家对各市和省属企业上报的申请材料进行评审，并根据评审结果，综合考虑项目分布、预算资金规模等因素确定支持项目和支持金额，并按预算级次逐级拨付补助资金。

第十一条 企业收到财政部门拨付的研发项目补助资金后，应按照《企业财务通则》的相关规定进行财务处理。

第五章 监督检查

第十二条 省财政厅负责对研发资金项目执行情况和资金使用情况进行监督、检查。

第十三条 项目承担单位要严格执行国家有关财经政策和财务制度，科学、合理、有效地使用研发资金，任何单位、个人不得以任何借口截留、挤占、挪用，并自觉接受财政、审计等部门的监督检查。

第十四条 各级财政部门要切实加强对研发资金申请、分配和使用的监督管理。对弄虚作假骗取资金，或不按规定用途使用研发资金的项目，将取消该单位资金申请资格，并按照《财政违法行为处罚处分条例》（国务院令第427号）进行严肃处理。

第六章 附　　则

第十五条 本办法由省财政厅负责解释。

第十六条 本办法自发文之日起施行。

附：1. 包装行业技术研发资金项目汇总表

2. 包装行业技术研发资金项目申报表

3.《包装行业技术研发资金项目申报表》填写说明

附1：

包装行业技术研发资金项目汇总表

市财政局　　　　　　　　　　　　　　　　　　　　金额单位：万元

序号	企业名称	项目名称	项目投资总额	项目资金来源					申请省财政补助
				小计	自有资金	银行贷款	地方政府补助	其他	

附2：

包装行业技术研发资金项目申报表

项目名称：

企业名称：（公章）

企业所在地：省 市 县

填报日期：年 月 日

一、企业基本情况

<table>
<tr><td>企业名称</td><td colspan="5"></td></tr>
<tr><td>通讯地址</td><td colspan="2"></td><td>邮编</td><td colspan="2"></td></tr>
<tr><td>法人代表</td><td></td><td>电话</td><td></td><td>手机</td><td></td></tr>
<tr><td>联系人</td><td></td><td>电话</td><td></td><td>手机</td><td></td></tr>
<tr><td>传真</td><td colspan="2"></td><td>E－mail</td><td colspan="2"></td></tr>
<tr><td>企业类型</td><td colspan="5"></td></tr>
<tr><td>中国包联现会员等级</td><td colspan="5">□副会长　□常务理事　□理事　□会员</td></tr>
<tr><td>省市包协现会员等级</td><td colspan="5">□副会长　□常务理事　□理事　□会员</td></tr>
<tr><td>从业人数</td><td>人</td><td>大专以上人数</td><td>人</td><td>中级职称以上人数</td><td>人</td></tr>
<tr><td rowspan="3">上年度经济效益</td><td>资产总额</td><td>万元</td><td>销售收入</td><td colspan="2">万元</td></tr>
<tr><td>利润总额</td><td>万元</td><td>上缴税金</td><td colspan="2">万元</td></tr>
<tr><td>资产负债率</td><td>%</td><td>出口创汇总额</td><td colspan="2">万美元</td></tr>
<tr><td colspan="2">是否设有省级以上企业技术中心</td><td></td><td>有关认定部门</td><td colspan="2"></td></tr>
<tr><td colspan="2">最近3年研发投入资金</td><td colspan="4">万元</td></tr>
<tr><td colspan="2">上年研发投入资金</td><td>万元</td><td>占销售收入的比重（%）</td><td colspan="2"></td></tr>
</table>

企业产品结构简述：

二、项目基本情况

项目名称				
项目起始时间	年 月	项目计划完成时间	年 月	
项目负责人		出生年月		最高学历
项目来源				
技术来源				
开发形成				
技术产权及使用形式				
项目现处阶段				
项目获得专利情况	已获专利授权数	项	已获专利授理数	项
专利类型				
研发成果应用领域				
项目自开展以来已实现指标	年均就业人数	人	累计净利润	万元
	累计资金投入	万元	累计缴税总额	万元
	累计工业增加值	万元	累计创汇	万美元
	累计产品销售收入	万元	市场占有率	%
项目执行期内计划实现指标	新增就业人数	人	累计净利润	万元
	新增资金投入	万元	累计缴税总额	万元
	累计工业增加值	万元	累计创汇	万美元
	累计产品销售收入	万元	市场占有率	%
项目投资来源和申请资金类别				
项目投资总额	万元	已完成投资	万元	
计划新增投资	万元	其中固定资产投资	万元	
		其中流动资金投资	万元	
企业自筹资金	万元	银行贷款资金	万元	
申请财政专项资金	万元	□无偿资助 □贷款贴息		
其他	万元			

附 3：

《包装行业技术研发资金项目申报表》填写说明

一、填写要求

申请企业要按此说明规定认真录入相关内容，并打印出完整的申报表。申报表可以复印，但每份需加盖公章。本申报表各项内容必须如实填写，各项栏目不得空缺，无内容时填“无”。本申报表填好后需连同企业生产经营情况说明、项目可行性研究报告、企业法人执照副本及章程、经会计师事务所审计的上年度会计报表和审计报告、环保部门出具的环保评价意见、研发项目所需资金来源及其有效凭证和其他需提供的资料，各一式七份，装订成册，连同电子文件一式两份（需与纸质文件一致），一并申报。

二、指标说明

1. 企业名称：应填写具有独立法人资格的单位全称。

2. 联系人：指负责项目申报工作的专职人员。

3. 企业类型：应与工商登记相符，如国有企业、集体企业、股份合作企业、联营企业、有限责任公司、股份有限公司、私营企业、港澳台商投资企业、外商投资企业、其他企业等类型。

4. 中国包联现会员等级：目前在中国包装联合会注册批准的会员等级。

5. 省市包协现会员等级：目前在省、直辖市、自治区和计划单列市注册批准的会员等级。

6. 上年度经济效益：应与申报企业上年度财务审计报告的相关数据一致。

7. 有关认定部门：指国家科技部或省、自治区、直辖市、计划单列市科委按照国家有关文件对企业进行审核、认定，设立的省级以上企业技术中心。应在附件中提供相关文件。

8. 最近 3 年研发投入资金：指企业最近 3 年投入的研发资金总额，应将相关证明材料在附件中提供。

9. 上年研发投入资金占销售收入的比例：指上年度研发投入资金与上年度企业销售收入的比值。

10. 企业产品结构简述：指企业主要产品名称，占销售收入总额的比例。叙述应简要、清晰。

11. 项目名称：应填写国家标准或行业标准中规定的名称或型号，无相应标准的产品，项目名称填写应规范、确切，不要使用“系列”、“高效”、“技术”等修饰词。

12. 项目起始时间：指项目实际起始的时间，可以是申请资金之前，但最晚也应与申请本项目资金支持的时间一致，及与申请书封面填报的时间一致。

13. 项目计划完成时间：指研发资金支持项目的完成时间，也是“可行性研究报告”中所列项目各项目标达到验收的时间。

14. 项目来源：指申报项目提出研发的单位，如：国家攻关计划、“863”计划、国家级其他计划、省部级计划、其他单位委托、自主开发等。

15. 技术来源：指自有技术、产学研合作开发技术、国内其他单位技术、引进技术本企业消化创新或国外技术等。

16. 开发形式：指独立开发、委托开发或合作开发。

17. 技术产权及使用方式：指技术开发的所有权单位，如：合作开发的所有权为共同所有，应填写全部相关单位。

18. 项目现处阶段：指“研发阶段”、“中试阶段”、“工业化试验阶段”、“批量生产（产业化）阶段”。

19. 专利类型：指申报项目获专利授权或专利受理的类型，如：发明专利、实用新型专利、外观设计专利等。

20. 研发成果应用领域：指申报项目中研发成果的应用领域，如复合软包装材料的应用领域应填写为“食品包装、化妆品包装、日用化工产品包装等”。

21. 项目执行期内计划实现指标：指项目从起始时间到计划完成时间内，该项目实际可实现的累计指标，而不是达到的生产能力。此项指标是项目验收时的主要考核依据。

省财政厅转发《财政部关于企业重组有关职工安置费用财务管理问题的通知》的通知

2009年7月14日 鲁财企〔2009〕44号

各市财政局，省直有关部门，省属企业：

现将《财政部关于企业重组有关职工安置费用财务管理问题的通知》（财企〔2009〕117号，以下简称《通知》）转发给你们，请遵照执行。国家出资企业通过改制、产权转让、合并、分立、托管等方式实施重组，应切实以《通知》规范企业重组行为，正确评估企业净资产价值，维护职工和国有权益。

附件：财政部关于企业重组有关职工安置费用财务管理问题的通知

附件：

财政部关于企业重组有关职工安置费用财务管理问题的通知

2009年6月25日 财企〔2009〕117号

党中央有关部门，国务院各部委、各直属机构，总后勤部、武警总部，全国人大常委会办公厅，全国政协办公厅，各中央管理企业，各省、自治区、直辖市、计划单列市财政厅（局），新疆生产建设兵团财务局：

国家出资企业在改制、产权转让、合并、分立、托管等方式实施重组过程中，职工安置问题事关有关人员的切身利益、企业的健康持续发展以及构建和谐社会大局。当前，在有关职工安置费用的财务管理中，存在制度不健全、政策不统一、执行不规范等问题，导致国有资产流失和社会分配不公。为进一步规范企业重组行为，正确评估企业净资产价值，维护职工和国有权益，现就涉及产权关系变动、股权结构调整的企业重组中，有关职工安置费用财务管理问题通知如下：

一、企业重组过程中，按照国家有关规定支付给解除、终止劳动合同的职工的经济补偿，以及为移交社会保障机构管理的职工一次性缴付的社会保险费，按照《企业财务通则》（财政部令第41号）第六十条规定执行，其中产权转让的按本通知第七条规定执行。

二、企业重组过程中涉及的离退休人员和内退人员有关费用，应按照“人随资产、业务走”的原则，由承继重组前企业相关资产及业务的企业承担。

企业对上述费用实行预提的，在重组过程中评估企业净资产价值时，根据权责一致原则，对企业资产未来可能实现的收益，也应当予以评估确认。

企业对预提的上述费用不符合本通知规定的，在重组过程中评估企业净资产价值时，应当按照本通知规定予以调整确认。

三、企业重组过程中，对符合重组企业所在设区的市以上人民政府规定的离退休人员统筹外费用，经批准可以从重组前企业净资产中预提，预提年限应当按照中国保监会发布的《中国人寿保险业务经验生命表》计算。

国家对离休人员安置另有规定的，从其规定。

四、企业重组过程中，对符合法律、行政法规以及国务院劳动保障部门规定条件的内退人员，其内退期间的生活费和社会保险费，经批准可以从重组前企业净资产中预提。

内退人员的生活费标准不得低于本地区最低工资标准的70%，同时不得高于本企业平均工资的70%，并应与企业原有内退人员待遇条件相衔接，经职工代表大会审议后，在内退协议中予以明确约定。

五、重组企业按照本通知第三、四条预提的有关费用，应当分别计算离退休人员和内退人员的预提年限，并以重组基准日相关费用为基数，以同期限历史平均通胀率计算未来各期企业应支付的费用后，再按照同期限银行贷款利率进行贴现计算。预提费用计算公式如下：

$$\text{一次性预提费用} = \sum_{t=1}^{T} \frac{f_t \times (1 + r_1)^t}{(1 + r_2)^t}$$

其中，T为预提年限，f_t为预提年限内第t期费用，r_1为预提年限同期限内历史平均通胀率，r_2为预提年限同期限银行贷款利率。

六、企业实行分立式重组，将离退休人员和内退人员移交存续企业或者由上级集团公司集中管理的，上述预提费用由重组后企业以货币资金形式支付给管理单位。重组后企业如货币资金不足，可以自重组完成日起5年内分期支付，但应当按照重组基准日5年期银行贷款利率向管理单位支付分期付款的利息。有关利息支出作为重组后企业财务费用处理。

七、企业重组涉及产权转让的，按照本通知第一条、第二条规定应当支付、缴付或者预提的各项职工安置费用，在资产评估之前不得从拟转让的净资产中扣除，也不得从转让价款中直接抵扣，应当从产权转让收入中优先支付。对已经按照《企业会计准则》预提的职工安置费用余额，在资产评估之前应当调增拟转让的净资产。

八、重组企业离退休人员及内退人员的管理单位应当对预提费用实行专户管理，并按约定从专户中向相关人员支付费用。预提资金不足支付相关费用的或者有结余的，按《企业会计准则》的相关规定计入管理单位当期损益。

九、本通知自发布之日起施行。以前各地区、各部门有关财务规定与本通知不一致的，以本通知为准。本通知施行前已经按规定报经批准的企业重组行为与本通知不一致的，不予追溯调整。

省财政厅　省安全生产监督管理局转发《财政部国家安全监管总局关于印发〈中央下放地方政策性关闭破产有色金属矿山企业尾矿库闭库治理安全工程项目和补助资金管理暂行办法〉的通知》的通知

2009年8月24日　鲁财企〔2009〕58号

各市财政局、安监局，省国资委，有关省属企业：

现将《财政部　国家安全监管总局关于印发〈中央下放地方政策性关闭破产有色金属矿山企业尾矿库闭库治理安全工程项目和补助资金管理暂行办法〉的通知》（财企〔2009〕120号，以下简称《通知》）转发给你们。请严格按照《通知》要求，认真做好中央下放地方政策性关闭破产有色金属矿山企业尾矿库闭库治理工作。

附件：财政部　国家安全监管总局关于印发《中央下放地方政策性关闭破产有色金属矿山企业尾矿库闭库治理安全工程项目和补助资金管理暂行办法》的通知

附件：

财政部　国家安全监管总局关于印发《中央下放地方政策性关闭破产有色金属矿山企业尾矿库闭库治理安全工程项目和补助资金管理暂行办法》的通知

2009年7月8日　财企〔2009〕120号

有关省、自治区、直辖市财政厅（局）、安全生产监督管理局：

中央下放地方资源枯竭型矿山企业实施政策性关闭破产后，遗留的部分尾矿库因年久失修、缺乏必要的治理和维护，存在严重的安全隐患，亟待治理。根据《中共中央办公厅　国务院办公厅关于进一步做好资源枯竭矿山关闭破产工作的通知》（中办发〔2000〕11号）、《国务院办公厅关于进一步加强矿山安全生产工作的紧急通知》（国办发明电〔2008〕35号）等文件精神，经研究，中央财政将对中央下放地方政策性关闭破产矿山企业存在安全隐患的尾矿库进行闭库治理给予适当的资金补助。经征求意见，我们制定了《中央下放地方政策性关闭破产有色金属矿山企业尾矿库闭库治理安全工程项目和补助资金管理暂行办法》（见附件），现印发给你们。请你们严格按照办法的规定，落实好补助政策，力争用三年左右时间完成中央下放地方政策性关闭破产有色金属矿山企业尾矿库闭库治理工作。

附件：中央下放地方政策性关闭破产有色金属矿山企业尾矿库闭库治理安全工程项目和补助资金管理暂行办法

附件：

中央下放地方政策性关闭破产有色金属矿山企业尾矿库闭库治理安全工程项目和补助资金管理暂行办法

第一章　总　　则

第一条　为保证中央下放地方政策性关闭破产有色金属矿山企业尾矿库闭库治理安全工程项目的有效实施，及时消除尾矿库安全隐患，保障人民群众生命财产安全，提高资金使用效率，制定本办法。

第二条　本办法适用于经全国企业兼并破产和职工再就业工作领导小组批准实施了政策性关闭破产的中央下放地方的有色金属矿山企业遗留的未实施闭库治理、经鉴定属于危库险库病库、且未由重组企业或其他企业使用的尾矿库（以下统称尾矿库）。

第三条　尾矿库闭库治理工作由尾矿库责任企业或地方政府指定的单位（以下统称治理责任单位）承担，并实行项目管理。地方县级以上（含县级）政府及其安全监管部门具体负责尾矿库闭库治理安全工程项目的监督管理，中央财政对尾矿库闭库治理的安全工程项目资金给予适当补助。

第四条　尾矿库闭库的治理责任单位按下述情形确定：

（一）现由原关闭破产企业上级集团公司（单位）管理的尾矿库，该集团公司（单位）为治理责任单位；

（二）已经移交所在地政府或其他企业管理且未使用的尾矿库，其接收单位为治理责任单位；

（三）企业整体关闭破产、目前无主管单位的尾矿库，由行政区域县级以上（含县级）人民政府负责确定治理责任单位。

第二章 项目实施

第五条 尾矿库治理责任单位负责委托有相应资质的安全评价机构和环境影响评价机构，编制尾矿库闭库安全评价报告和环境影响评价报告，并按规定报送并经安全监管部门备案和环境保护部门批复。

第六条 尾矿库治理责任单位负责委托有相应资质的设计单位编制尾矿库闭库设计，并报省级安全监管部门审批。

第七条 尾矿库治理责任单位根据审核通过的尾矿库闭库设计方案，编制资金申请报告，并报省级财政部门初审。

第八条 省级财政部门会同省级安全监管部门对尾矿库治理责任单位提交的尾矿库闭库治理安全工程项目申请报告进行初审。初审通过的项目由省级财政部门和安全监管部门联合上报财政部、国家安全监管总局。申请报告应附闭库设计及治理方案、闭库安全评价报告、环境影响评价报告、资金申请报告等材料（含电子文档）。

第九条 财政部会同国家安全监管总局对省级财政部门、安全监管部门上报的通过初审的尾矿库闭库治理安全工程项目申请报告进行合规性审核，对通过审查的项目下达核准和资金补助通知。

第十条 尾矿库治理责任单位要按照国家建设工程项目管理的规定，建立健全项目管理的各项规章制度，不得擅自改变主要治理内容和治理标准。

第十一条 尾矿库治理责任单位必须委托有相应资质的施工单位进行工程施工，与工程施工单位签订专门的安全管理协议，明确各自的安全管理职责，严格执行建设项目安全环保设施的相关规定，确保施工安全和工程质量。

第十二条 尾矿库闭库治理安全工程项目实行工程招投标制和监理制，尾矿库治理责任单位负责组织项目施工、监理招标等工作。

第十三条 尾矿库治理责任单位应在项目开工前向省级安全监管部门上报项目开工情况；尾矿库闭库治理安全工程项目不能按计划实施的，尾矿库治理责任单位应当及时向省级安全监管部门报告情况，说明原因，并提出改进措施。

第十四条 尾矿库闭库治理安全工程项目竣工后，由省级安全监管部门组织竣工验收，尾矿库治理责任单位要按照国家有关规定妥善保管项目有关档案和验收材料。

第三章 补助资金管理

第十五条 本办法所称尾矿库闭库治理安全工程项目资金是指闭库治理中因整治尾矿坝、库区和排洪系统或采用取砂回填方式闭库所发生的各项直接费用。

第十六条 中央财政对尾矿库闭库治理安全工程项目资金，按下述比例给予补助：

（一）现由原关闭破产企业上级集团公司（单位）或接收单位管理的尾矿库，中央财政补助70%；

（二）对企业整体关闭破产或无主管单位的尾矿库，中央财政补助90%；

（三）特别困难地区（国家级贫困县或少数民族自治县〈旗〉），由中央财政全额负担。

第十七条 财政部按照核准的尾矿库闭库治理安全工程项目资金和规定的补助比例，核定并下达中央财政专项补助资金。

第四章 监督检查

第十八条 财政部、国家安全监管总局对尾矿库闭库治理安全工程项目实施情况进行检查，并对重点尾矿库闭库治理安全工程项目竣工验收情况进行抽查。

第十九条 省级财政部门要严格审查尾矿库闭库治理安全工程项目的工程投资概算，做好初审工作，确保中央财政专项补助资金的合理使用，并监督落实好治理工程项目的地方配套资金。

第二十条 省级安全监管部门要认真做好尾矿库闭库治理安全工程项目安全评价报告备案和闭库设计及治理方案的初审工作，确保闭库治理工作科学、合理。

第二十一条 对于违反规定，虚报冒领、截留、挪用尾矿库闭库治理资金的，中央财政将追回补助资金。同时，按照《财政违法行为处罚条例》（国务院令第427号）规定进行处理。

第二十二条 对指令或授意项目单位提供虚假情况、骗取中央财政资金的，以及对项目单位的资金申请报告审查不严、造成资金损失的，要依据《行政机关公务员处分条例》等有关规定严肃追究有关单位和人员的责任，构成犯罪的，由司法机关依法追究刑事责任。

第二十三条 中介机构在评价、设计、监理等过程中弄虚作假或提出的意见严重失真的，安全监管、环境保护等有关部门将依照有关规定，给予通报批评、取消资格、降低资质等级等相应处罚，并向社会公布。

第五章 附 则

第二十四条 本办法由财政部会同国家安全监管总局负责解释。

第二十五条 本办法自印发之日起施行。

省财政厅转发《财政部关于印发〈临时存储乳粉财政贴息资金管理办法〉的通知》的通知

2009年8月28日 鲁财企〔2009〕62号

济南、淄博市财政局：

为支持乳制品生产企业收购原料奶，维护奶农利益，缓解当前乳制品生产企业库存存积严重问题，中央财政对乳制品生产企业临时存储乳粉继续实施财政贴息政策。为规范国家临时存储乳粉财政贴息资金管理，提高资金使用效益，财政部制定了《临时存储乳粉财政贴息资金管理办法》（财企〔2009〕167号），现转发给你们，请遵照执行。

附件：财政部关于印发《临时存储乳粉财政贴息资金管理办法》的通知

附件：

财政部关于印发《临时存储乳粉财政贴息资金管理办法》的通知

2009年8月10日 财企〔2009〕167号

北京、河北、山西、内蒙古、黑龙江、上海、安徽、江西、山东、青岛、河南、湖南、广东、四川、陕西、宁夏、新疆、甘肃省（自治区、直辖市、计划单列市）财政厅（局）：

为支持乳制品生产企业收购原料奶，维护奶农利益，缓解当前乳制品生产企业库存积压严重问题，根据国务院领导批示和《国务院关于当前稳定农业发展促进农民增收的意见》（国发〔2009〕25 号）精神，以及《商务部　财政部　工业和信息化部关于印发〈临时存储乳粉管理规定〉的通知》（商运发〔2009〕358 号），中央财政对乳制品生产企业临时存储乳粉继续实施财政贴息政策。为规范国家临时存储乳粉财政贴息资金管理，提高资金使用效益，我部制定了《临时存储乳粉财政贴息资金管理办法》，现印发给你们，请遵照执行。

附件：临时存储乳粉财政贴息资金管理办法

附件：

临时存储乳粉财政贴息资金管理办法

第一条　为规范国家临时存储乳粉财政贴息资金管理，根据《中华人民共和国预算法》、《临时存储乳粉管理规定》和财政预算管理有关规定，制定本办法。

第二条　本办法所称临时存储乳粉财政贴息资金，是指根据党中央国务院决策，由中央财政安排的，专项用于国内乳制品生产企业承担国家临时存储乳粉计划的贴息资金。

第三条　中央财政对企业执行国家临时存储乳粉计划所占用的资金，按照一年期贷款基准利率予以贴息。

第四条　企业临时存储乳粉所需资金可通过银行贷款解决，也可以自有资金支付。

第五条　临时存储乳粉的价格，参照下达乳粉存储计划当期企业生产存储乳粉的成本价格确定。

第六条　财政部根据商务部、财政部、工业和信息化部下达的临时存储乳粉计划预拨贴息资金，预拨资金原则上不超过贴息资金总额的 80%。预拨资金通过存储企业所在省（区、市）财政厅（局）下达，财政厅（局）在收到预拨资金后 10 个工作日内将资金拨付给存储企业。

第七条　临时存储乳粉计划完成后 10 日内，存储企业应按规定向地方财政厅（局）、商务主管部门、工业主管部门提出清算利息申请。企业报送的材料包括：企业生产经营情况（重点说明生产规模、产品品种及乳粉库存积压情况等），上一年度财务会计报告，承诺书，乳粉存储计划执行情况等。并填报临时存储乳粉清算利息申请表（见附件）。

第八条　地方财政厅（局）、商务主管部门、工业主管部门对存储企业清算利息申请进行初审后，加盖各部门公章，联合上报财政部、商务部、工业和信息化部。

第九条　经财政部、商务部、工业和信息化部审核后，由财政部对利息补贴进行清算，对符合《临时存储乳粉管理规定》条件的，将剩余利息补贴拨给存储企业所在省（区、市）财政厅（局），财政厅（局）在收到贴息资金后 10 个工作日内将资金拨付给存储企业。对没有完成临时存储乳粉计划的企业，将收回相应的财政贴息资金。

第十条　乳粉存储企业要严格按国家规定管理和使用贴息资金，并自觉接受财政、审计部门的检查监督。

第十一条　对违反规定的，将根据《财政违法行为处罚处分条例》（国务院令第 427 号）及国家有关规定追究责任，涉嫌犯罪的移送司法机关处理。

第十二条　本办法由财政部负责解释。

第十三条　本办法自印发之日起施行。

附：临时存储乳粉清算利息申请表

附：

临时存储乳粉清算利息申请表

填报单位：（盖章）

企业入储乳粉（吨）	入储乳粉每吨实际成本（万元）	入储乳粉日期	计息天数（天）	一年期贷款基准利率（%）	计息积数
(1)	(2)	(3)	(4)	(5)	(6) = (1) * (2) * (4) * (5)/365/100
小计	—	—	—		
企业轮出乳粉（吨）	轮出乳粉每吨实际成本（万元）	轮出乳粉日期	计息天数（天）	一年期贷款基准利率（%）	计息积数
(7)	(8)	(9)	(10)	(11)	(12) = (7) * (8) * (10) * (11)/365/100
小计	—	—	—		
实际应当拨付利息（元）	—	—	—		

说明：1. 计息天数是指企业入储乳粉或者轮出乳粉当天离存储乳粉计划结束剩余的天数；
2. 实际应当拨付利息 = 企业入储乳粉计息积数小计 - 企业轮出乳粉计息积数小计；
3. 轮出乳粉每吨实际成本是指每批轮出乳粉入储时的实际成本；
4. 企业上报申请表时同时报送电子版。

省财政厅 省发展和改革委员会 省科学技术厅 省中小企业办公室关于印发《山东省省级创业投资引导基金管理暂行办法》的通知

2009年9月18日 鲁财企〔2009〕68号

各市财政局、发展改革委、科技局、中小企业局（办），有关省属企业：

现将《山东省省级创业投资引导基金管理暂行办法》印发给你们，请遵照执行。执行中如有问题，请及时向我们反映。

附件：山东省省级创业投资引导基金管理暂行办法

附件：

山东省省级创业投资引导基金管理暂行办法

第一章 总 则

第一条 为了规范省级创业投资引导基金管理和运作，有效控制运作风险，加快我省创业投资企业发展，支持中小企业创新创业，根据《创业投资企业管理暂行办法》（国家发展改革委等十部委第39号令）、《国务院办公厅转发发展改革委等部门关于创业投资引导基金规范设立与运作指导意见的通知》（国办发〔2008〕116号）和《山东省人民政府办公厅关于转发省发展改革委等部门山东省省级创业投资引导基金设立方案的通知》（鲁政办发〔2009〕57号）的规定，结合本省实际，制定本办法。

第二条 本办法所称省级创业投资引导基金（以下简称“引导基金”）是由省政府设立、不以营利为目的，并按市场化方式运作的政策性基金。

有条件的市和开发区要根据本地财力状况和创业投资发展情况，设立本级创业投资引导基金。

第三条 引导基金的来源主要包括四个方面：支持创业投资企业发展的财政性专项资金；引导基金的投资收益与担保收益；闲置资金存放银行或购买国债所得的利息收益；个人、企业或社会机构无偿捐赠的资金等。

第四条 引导基金主要用于引导和扶持省内外社会资本按照《创业投资企业管理暂行办法》规定，在本省行政区域内发起设立新的创业投资企业，并鼓励创业投资企业主要投资于本省行政区域内符合《国家重点支持的高新技术领域》的未上市中小企业，优先扶持处于种子期、创建期的科技型中小企业和中小高新技术企业。

科技型中小企业是指主要从事高新技术产品研究、开发、生产和服务，成立期限在5年以内的企业，且职工人数不超过300人，年销售额不超过3 000万元人民币，净资产不超过2 000万元人民币；中小高新技术企业是指经认定的高新技术企业，且职工人数不超过500人，年销售额不超过2亿元人民币，资产总额不超过2亿元人民币。

第二章　决策管理与运行机制

第五条　引导基金理事会为引导基金的决策机构，由省发展改革委、财政厅、科技厅、中小企业办和山东省鲁信投资控股集团有限公司（以下简称“鲁信集团”）的有关负责同志组成，对省政府负责。理事会办公室由上述部门主管处室及鲁信集团专职机构负责同志组成，设在省发展改革委。

鲁信集团受理事会委托，履行引导基金名义出资人职责，对外行使引导基金的权益和承担相应责任与义务。

第六条　理事会主要负责引导基金重大事项的指导和决策，建立健全创业投资项目评审、新闻媒体公示和资金托管制度，研究制定对受托管理机构的经营考核和激励约束机制，监督引导基金规范运作。理事会办公室负责落实理事会决策事项，承担理事会的日常事务性工作。

理事会聘请政府有关部门、创业投资行业自律组织的代表和相关投资领域专家组成评审委员会，对引导基金支持方案进行独立评审。理事会根据评审委员会全体成员三分之二以上通过的评审结果，对拟投资项目进行决策。

第七条　鲁信集团及受托管理机构主要负责参股创业投资企业和跟进投资企业的调查评估、注资组建、运行监管、退出回收等日常管理工作。

引导基金受托管理机构应专设引导基金管理部，配备创业投资经验丰富的专职管理人员负责受托管理业务，并按照有关制度规定，规范会计核算和财务管理。报经理事会审查认定后，由鲁信集团与其签署引导基金受托管理协议。

第八条　理事会选择一家商业银行对引导基金进行托管，承担引导基金的资金保管、拨付、结算以及日常监管工作。

资金托管银行负责对引导基金实行动态监管，定期向理事会办公室、鲁信集团报告资金情况。发现引导基金异常流动时，应采取适当应急措施并及时报告。

第九条　引导基金管理费由理事会按照有关规定核定。其中咨询评估费、媒体公示费、中介机构审计费等有关费用在管理费中列支。

第三章　运作原则及方式

第十条　引导基金按照“政府引导、市场运作，科学决策、防范风险”的原则进行投资运作，吸引和扶持省内外资本在本省行政区域内设立创业投资企业。

对有条件的市和开发区设立的引导基金拟扶持的创业投资企业、省级以上高新技术产业开发区的创业投资企业，省级引导基金予以优先扶持。

第十一条　引导基金运作以参股方式为主，视运作情况可采用融资担保、跟进投资等其他方式。

（一）参股。向创业投资企业进行股权投资，吸引社会资本共同发起设立创业投资企业。参股投资比例不超过创业投资企业实收资本的35%，且不能成为第一大股东。参股投资期限一般不超过7年。

对省级引导基金和有条件的市和开发区设立的引导基金确定共同参股扶持同一家创业投资企业的，政府引导基金的合计参股比例不得超过50%。

（二）融资担保。根据信贷征信机构提供的信用报告，对历史信用记录良好的创业投资企业，可采用融资担保方式，支持其通过债权融资增强投资能力。

（三）跟进投资。当创业投资企业投资创业早期企业或需要政府重点扶持和鼓励的高新技术等产业领域的创业企业时，引导基金可以按适当股权比例向该创业企业投资。

跟进投资一般不超过创业投资企业实际投资额的50%，投资期限一般不超过5年。跟进投资形成的股权，委托共同投资的创业投资企业管理，并签订《股权托管协议》，明确双方的权利、责任、义务和股权退出的条件、时间等。

第四章　扶持对象与申报程序

第十二条　申请引导基金扶持的创业投资企业或创业投资管理企业应当符合以下条件：

（一）创业投资企业的实收资本不低于5 000万元人民币，或者首期实收资本不低于3 000万元人民币，且全体投资者承诺在注册后的3年内补足不低于5 000万元人民币实收资本，所有投资者以货币形式出资。

创业投资管理企业的实收资本不低于500万元人民币，其受托管理的创业投资基金应不低于1亿元人民币；

（二）投资领域明确；

（三）至少配备3名具有5年以上创业投资或相关业务经验的高级管理人员，且高管人员已经取得良好的管理业绩；

（四）其管理团队成员、主发起人或自身有对中小企业投资的成功案例；

（五）严格执行国家企业财务、会计制度规定，具备规范健全的内部财务管理制度和会计核算办法；

（六）企业领导班子诚信度高，管理和运作规范，具备科学有效的投资决策程序和风险控制、信用管理机制。

第十三条　引导基金参股设立的创业投资企业应按规定在省创业投资企业管理部门备案，并接受监管。其投资运作应遵循以下原则：

（一）实收资本投资到本省行政区域内中小企业的比例不低于70%；

（二）投资于本省行政区域内处于种子期、创建期且符合《国家重点支持的高新技术领域》的科技型中小企业和中小高新技术企业的资金比例不少于实收资本的50%或引导基金出资额的2倍；

（三）对单个创业企业的累计投资不得超过参股创业投资企业实收资本的20%；

（四）投资对象仅限于未上市企业，但所投资的企业上市后，参股创业投资企业所持股份的未转让部分及其配售部分不在此限；

（五）不得投资于其他创业投资企业。

第十四条　申请跟进投资的创业投资企业应具备本办法第十二条规定的条件，并符合以下要求：

（一）按规定在省创业投资企业管理部门备案，并接受监管；

（二）跟进投资的创业企业应为本省行政区域内的科技型中小企业和中小高新技术企业；

（三）申请跟进投资的项目已经创业投资企业选定，或实际完成投资1年内；

（四）共同投资的创业投资企业不得先于引导基金退出其在被投资企业的股权。

第十五条　引导基金投资形成的股权可以通过上市、股权转让、企业回购及破产清算等方式退出。在有受让人的情况下，引导基金可以随时退出，其他股东具有优先受让权。

引导基金在企业破产清算时具有优先清偿权。

第十六条　引导基金参股的申请、报批程序：

（一）公开征集。按照理事会审议通过的引导基金年度工作计划，理事会办公室在规定的时间内，面向社会公开征集拟申请引导基金参股的创业投资企业。

各市可以推荐报送当地符合条件的创业投资企业。

（二）受理。理事会办公室负责受理申请，根据引导基金设立方案和管理办法的有关条款进行初审后，确定初步名单。

申请引导基金参股的主发起人报送具体的发起设立或增资扩股方案，应充分论证引导基金参股的必要性和可行性，明确公司组织架构、专业管理团队配备和确保引导基金资产安全、固定收益回报的保障措施等。同时还应体现对社会资本的杠杆放大作用，社会资本所占的比例应不低于30%。

（三）考察。鲁信集团及受托管理机构对初步名单中的创业投资机构进行尽职调查，核对申请材料的真实性，提出初步参股方案，形成详尽的调查报告。

理事会办公室根据鲁信集团提交的调查报告，按照一定的淘汰率，确定进入专家评审阶段的创业投资机构名单，连同有关申请材料一并提交评审委员会审议。

（四）评审。评审委员会对创业投资企业提出的申请参股方案和尽职调查报告进行独立评审，评审委员会三分之二以上成员通过的评审结果作为决策依据。

（五）公示。对评审通过的拟扶持创业投资企业，理事会办公室在指定的媒体予以公示，公示期为10个工作日。

（六）决策。对公示结束后没有发现问题的创业投资企业，将有关材料上报理事会。由理事会根据评审委员会通过的评审结果作出决定。

（七）实施。理事会办公室将理事会的决策意见下达鲁信集团和托管银行；鲁信集团指导受托管理机构根据理事会决策意见签订参股投资协议，并负责引导基金投资后形成股权的监督、管理、转让、退出等事项；托管银行根据理事会办公室、鲁信集团的拨款通知向创业投资企业拨付参股资金，并对引导基金实行动态监管。

融资担保、跟进投资等其他方式的申请、报批，按照受理、考察、评审、公示、决策、实施的程序执行。

第五章　风险控制与收益分配

第十七条　引导基金不得用于贷款或股票、期货、房地产、金融衍生品等投资，不得用于赞助、捐赠等支出，闲置资金只能存放银行或购买国债。

第十八条　引导基金参股投资的收益，参照同期国债利率或银行同期贷款基准利率协商确定。参股3年之内退出的（包括3年），一般按照同期国债利率收取固定股息收益；5年以内退出的（包括5年），一般按照银行同期贷款基准利率收取固定股息收益；参股期限超过5年的，按照同股同权的原则，参与创业投资企业分红。

第十九条　跟进投资的收益按《股权托管协议》确定的比例，向共同投资的创业投资企业支付管理费和效益奖励，剩余的投资收益一并纳入引导基金收益进行分配。

第二十条　引导基金应按照有关规定从收益中提取风险准备金，建立风险补偿机制。

第二十一条　引导基金收益在提取相应的管理费用和风险准备金后形成的结余，应首先用于还本付息。不足部分经审查批准后，从省财政安排的专项资金中列支。

第六章　绩效考核与监督检查

第二十二条　引导基金所扶持的创业投资企业应在每个季度终了15日内向理事会办公室、鲁信集团报送上一季度的投资运作报告和财务会计报表，在每个年度终了4个月内报送上一年度的投资运作报告和财务会计报告。

第二十三条　引导基金所扶持的创业投资企业应接受理事会办公室、鲁信集团或其委托的中介机构对企业投资运作和会计核算、财务管理等方面情况的审计检查。

对审计检查发现的问题，创业投资企业应在规定时间内予以整改。对拒不整改或反复整改后未达到规定要求的，理事会办公室、鲁信集团应采取终止协议、收回资金和以后5年内不再受理其引导基金申请等处置措施。

第二十四条　引导基金受托管理机构应接受理事会办公室、鲁信集团或其委托的中介机构对引导基金的日常管理与运作事务的审计检查。

根据审计检查结果，理事会办公室对引导基金受托管理机构进行考核。如考核不达标，理事会办公室报请理事会责成鲁信集团指导、监督受托管理机构予以限期整改。

第二十五条 鲁信集团应定期向理事会报送引导基金投资计划、参股创业投资企业及跟进投资企业运作情况和相应的财务文件，接受理事会或其委托的中介机构对引导基金的日常管理与运作事务的审计检查。

第二十六条 托管银行应在每个季度终了10日内向理事会办公室、鲁信集团报送上一季度的资金托管报告，并在每个年度终了1个月内报送上一年度的资金托管报告。发现引导基金出现异常流动现象时应随时报告。

根据托管银行的履行协议情况和服务质量，理事会对托管银行进行考核。对连续两年考核不达标的资金托管银行，理事会应终止委托协议，另行选择其他符合条件的托管银行。

第二十七条 省财政厅应会同省发展改革委、科技厅、中小企业办切实加强引导基金监管，按照公共性原则，建立有效的引导基金绩效考核制度，定期对引导基金政策目标、政策效果及其资产情况进行评估，并纳入公共财政考核评价体系。引导基金绩效考核办法另行制定。

第二十八条 引导基金理事会及办公室、鲁信集团及受托管理机构、所扶持的创业投资企业应按照有关规定，规范管理、运作和使用引导基金。

对引导基金运作中的各种违规行为和创业投资企业弄虚作假、骗取财政资金或不按规定用途使用、截留转移、挥霍浪费财政资金等行为，依据《财政违法行为处罚处分条例》等有关规定进行严肃处理。构成犯罪的，移交司法部门依法追究刑事责任。

第七章　附　　则

第二十九条 本办法由省财政厅会同省发展改革委、科技厅、中小企业办负责解释。
第三十条 本办法自印发之日起施行。

省财政厅　省煤炭工业局　省安全生产监督管理局山东煤矿安全监察局转发《财政部　安全监管总局煤矿安监局关于印发〈中央财政整顿关闭小煤矿专项资金管理办法〉的通知》的通知

2009年9月18日　鲁财企〔2009〕70号

各市财政局、煤炭管理部门、煤矿安全监察分局：

为推动地方煤矿整顿关闭工作深入开展，按时完成国家下达的“十一五”后三年（2008～2010年）整顿关闭小煤矿工作任务，财政部、安全监管总局和煤矿安监局制定下发了《中央财政整顿关闭小煤矿专项资金管理办法》，现转发给你们，请认真贯彻执行。

请各市财政局会同煤炭管理部门、煤矿安全监察分局按通知要求，于每年2月底前向省财政厅、省煤炭工业局、山东煤监局上报煤矿整顿关闭工作报告。

附件：财政部　安全监管总局　煤矿安监局关于印发《中央财政整顿关闭小煤矿专项资金管理办法》的通知

附件：

财政部　安全监管总局　煤矿安监局关于印发《中央财政整顿关闭小煤矿专项资金管理办法》的通知

2009年8月20日　财企〔2009〕175号

有关省、自治区、直辖市财政厅（局）、煤炭行业管理和煤矿安全监管部门，各省级煤矿安全监察机构：

为推动各地煤矿整顿关闭工作深入开展，按时完成国家下达的“十一五”后三年（2008～2010年）整顿关闭小煤矿的工作任务，我们研究制定了《中央财政整顿关闭小煤矿专项资金管理办法》，现印发给你们，请遵照执行。

附件：中央财政整顿关闭小煤矿专项资金管理办法

附件：

中央财政整顿关闭小煤矿专项资金管理办法

第一条　为推动各地煤矿整顿关闭工作深入开展，按期完成国家“十一五”后三年整顿关闭小煤矿工作计划，提高中央财政关闭小煤矿专项资金使用效益，制定本办法。

第二条　本办法所称的小煤矿是指列入国家制定下达的“十一五”后三年煤矿整顿关闭工作计划确定的生产能力在30万吨/年以下的煤矿。

第三条　关闭小煤矿专项资金以实际关闭小煤矿数量为考核主体，兼顾生产能力、职工人数、地区差异状况等因素，遵循“突出重点、公开透明、严格管理、确保实效”的原则进行分配。

第四条　关闭小煤矿专项资金申请应符合以下条件：

（一）按照国家关闭小煤矿计划的目标和要求，按期完成小煤矿整顿关闭任务；

（二）已关闭小煤矿相关证照（采矿许可证、安全生产许可证、煤炭生产许可证、营业执照）已被注销，并按标准关闭到位；

（三）已在新闻媒体公告关闭矿井名单。

第五条　专项资金补助金额原则上按以下公式测算：

某省（区、市）获得补助金额＝该省（区、市）关闭煤矿总数×单位补助基数×（1＋矿井平均生产能力系数＋在职职工平均人数系数＋地区差异系数）。

其中：

1. 单位补助基数根据预算安排的年度专项资金总额、当年关闭矿井实际数量、淘汰落后能力等因素确定。

2. 矿井平均生产能力系数：3万吨/年以下（含3万吨/年）取值0；3万～6万吨/年（含6万吨/年）取值0.1；6万吨/年以上取值0.2。

3. 职工平均人员系数：30人/万吨以下（含30人/万吨）取值0，30人～45人/万吨（含45人/万吨）取值0.1，45人/万吨以上取值0.2。

4. 地区差异系数：华北、华东地区和其他地区的产煤大省取值0；东北、中南和西南地区取值0.1；西北地区及新疆生产建设兵团取值0.2。

第六条　被关闭矿井的生产能力按照煤炭生产许可证登记的生产能力为准。被关闭的矿井职工人数以签订的劳动合同数量为准。

第七条 各省级财政部门会同同级煤矿整顿关闭工作牵头部门、煤矿安全监察机构在认真审查核实相关资料的基础上，按照要求每年于3月底前向财政部、安全监管总局、煤矿安监局上报煤矿整顿关闭工作报告。

工作报告应重点说明关闭小煤矿基本情况，实施效果，以及关闭小煤矿对当地能源供应、财政收支影响等情况。

第八条 财政部会同安全监管总局、煤矿安监局对各地上报的资料进行审核后，确定专项资金分配计划，下达专项资金。

第九条 关闭小煤矿专项资金采取"以奖代补"方式，通过中央财政专款形式拨付给省级财政部门，由各省级财政部门会同同级煤矿整顿关闭工作牵头部门、煤矿安全监察机构组织实施，资金主要用于关闭小煤矿的职工安置、消除安全隐患、补助地方关闭小煤矿财政支出等。

第十条 各省级财政部门要加强对资金的监督管理，根据本地区实际情况制定具体实施办法，确保资金使用安全有效。

第十一条 财政部驻各地财政监察专员办事处对各地关闭小煤矿情况和专项资金使用情况进行不定期监督检查，发现违规违法问题严肃处理。

第十二条 本办法由财政部负责解释。

省财政厅　省商务厅关于印发《山东省促进对外贸易稳定增长专项资金管理暂行办法》的通知

2009年9月23日　鲁财企〔2009〕71号

各市财政局、商务主管部门，有关省属企业：

现将《山东省促进对外贸易稳定增长专项资金管理暂行办法》印发给你们，请遵照执行。执行中如有问题，请及时向省财政厅、省商务厅反映。

附件：山东省促进对外贸易稳定增长专项资金管理暂行办法

附件：

山东省促进对外贸易稳定增长专项资金管理暂行办法

第一章　总　　则

第一条 为规范财政专项资金管理，促进对外贸易稳定增长，更好地发挥财政资金在"保增长、调结构"，扩大外贸出口，优化出口结构，转变外贸增长方式等方面的作用，根据《财政部　商务部关于做好保持外贸稳定增长有关资金管理工作的通知》（财企〔2009〕126号文件）和财政预算管理有关规定，结合我省实际制定本办法。

第二条 本办法所称促进对外贸易稳定增长专项资金（以下简称专项资金）是指由中央财政下拨地方管理，专项用于促进对外贸易稳定增长的资金。

第三条 专项资金的管理和使用原则：

（一）符合 WTO（世界贸易组织）规则及我国对外承诺；

（二）符合保持对外贸易稳定增长的有关要求；

（三）符合公共财政的要求，最大限度地体现财政资金的引导及带动作用；

（四）符合公开、公平、公正原则；

（五）符合定向使用、择优支持、科学管理、加强监督的原则。

第四条 省财政厅和省商务厅共同负责专项资金的使用管理。省商务厅负责提出资金扶持方向、资金使用计划，会同财政部门组织项目申报和评审；省财政厅负责资金预算管理并审定省商务厅提出的资金使用计划，提出资金监管要求和拨付程序，会同省商务厅依据项目评审结果，确定项目安排意见，并对专项资金使用情况进行监督检查。

第二章 支持内容和方式

第五条 专项资金支持方向。

（一）支持企业开拓新兴市场。主要是支持企业和行业组织到新兴市场举办或参加展览，开展贸易促进活动。

（二）支持企业建设境外营销网络。主要是支持有条件、有实力并已开展相关工作的企业或行业组织建设和完善境外营销及售后服务网络，开展商标注册、专利申请、质量认证、品牌培育活动等。

（三）促进出口结构调整。主要是支持国家科技兴贸创新基地、机电、高新技术、农产品、纺织、轻工行业出口公共服务平台建设；支持重点机电和高新技术行业的共性技术研发；支持出口农产品质量可追溯体系建设。

第六条 专项资金具体支持内容及标准。

（一）支持开拓新兴市场活动

根据专项资金使用方向、规模和全省对外贸易发展需要，由省商务厅、省财政厅研究确定《重点新兴市场开拓活动名录》。

对我省企业参加《重点新兴市场开拓活动名录》范围内的展览会等贸易促进活动给予资助。其中，对展览活动所发生的展位费、公共布展费、大型展品运输费、宣传费等给予资助，资助比例不超过实际支付费用的70%。

已获得中小企业国际市场开拓资金等相关财政资金支持的新兴市场开拓活动，不再享受本项支持。

（二）支持企业建设境外营销网络

1. 对我省企业或行业组织并购、建设境外营销、售后服务网络、境外研发中心所发生的并购费用、办公场所、店面、仓库租赁（购置）费用、装修费用支出、境外研发中心海外研发设计专家聘请费用、相关信息管理系统软件开发（购置）费用支出等给予资助，资助比例不超过各项实际支付费用的50%。每个境外营销及售后服务网络累计资助金额最高不超过100万元。

2. 对我省企业在境外开展商标注册、专利申请、质量认证等所发生的注册费、专利申请费、认证费等给予资助，资助比例不超过实际支付费用的50%，且每项认证（注册）费用的资助金额最高不超过5万元。

3. 对我省企业并购境外国际知名品牌、在境外相关媒体投放自主品牌广告、参与境外知识产权保护案件等相关品牌培育活动所发生的并购费、广告费、律师费等给予资助，资助比例不超过实际支付费用的50%，且每个企业的品牌培育活动费用资助金额最高不超过50万元。

（三）促进出口结构调整

1. 公共服务平台建设。一是对科技兴贸创新基地设立的信息服务、认证、研发、试验检测、培训和国际孵化器等公共服务平台；行业组织和龙头企业在汽车、机床等重点领域建立研发设计中心、技术标准制定和认证中心、质量控制和产品测试验证中心等公共服务平台所需要的仪器设备、信息管理系统等购置费用给予资助，资助比例不超过实际支付费用的50%，且每个平台建设项目资助金额一般不超过150万元，对国家级科技兴贸创新基地平台建设项目资助金额最高不超过300万元。

二是对纺织、轻工行业组织、龙头企业及其他社会团体以本行业出口企业为服务对象，通过提供主要面向出口市场的研发、设计、质量控制、产品检测中心等公共服务平台所需的仪器设备、信息管理技术等购置费用给予资助，资助比例不超过实际支付费用的50%，且每个平台建设项目资助金额一般不超过100万元。

2. 共性技术研发项目。对机电和高新技术重点行业的重点出口企业，包括船舶及船用设备、汽车及零部件、机床、工程及农业机械、集成电路、通信设备和电力、冶金和石化成套设备、新一代通信产品、数字化家电和视听设备、计算机网络、生物医药、新能源、新材料等重点行业的重点出口企业和列入《中国高新技术产品出口目录》的高新技术产品重点出口企业，开展的共性技术和关键核心技术研究开发项目所发生的设备购置费、实验费、中试费等支出给予资助，资助比例一般不超过研发总投入的20%，且每个研发项目资助金额最高不超过100万元。

3. 出口农产品质量安全示范区、出口农产品区域性检测中心和质量可追溯体系建设。依据《山东省出口农产品质量安全示范区考核管理办法》，对经考核达标的出口农产品质量安全示范区建立健全出口农产品质量安全标准化体系、可追溯体系、监控评估预警体系、企业质量安全诚信体系、生产环节化学投入品控制体系及多元化国际市场体系等给予资助，资助比例不超过实际投资金额的50%，每个示范区的资助金额一般不超过100万元，对典型带动作用突出的示范区最高支持金额不超过300万元。

对出口农产品区域性检测中心建设和农产品出口企业根据良好农业规范（GAP）、危害分析与关键控制点（HACCP）、有机产品等标准及相关规定要求，建立出口产品溯源和追踪体系所发生的检测设备购置、信息管理系统开发（购置）等支出给予资助，资助比例不超过实际支付费用的50%，且每个出口农产品区域性检测中心项目资助金额最高不超过100万元，每个出口农产品质量可追溯体系项目的资助金额最高不超过50万元。

第三章　项目申报

第七条　根据专项资金预算规模和外贸发展需要，由省财政厅会同省商务厅确定专项资金支持重点和相关申报要求。

第八条　申请专项资金支持的企业应具备的基本条件：

（一）在山东省境内依法登记注册，具有独立法人资格，拥有进出口经营资格。

（二）财务制度健全，财务状况和资信情况良好。近三年来在境内外无不良经营记录，无严重违法违规行为，无挪用和恶意拖欠政府性资金行为等。

（三）申请企业应具有出口实绩，其中，申请促进出口结构调整项目资助的企业年度出口额应达到800万美元以上，对农轻纺行业企业出口业绩排名全省前10位的，可适当降低标准。

（四）申请境外营销网络和研发中心项目资助的企业，需取得国家商务主管部门颁发的《中国企业境外投资批准证书》或在境外合法注册的相关证明材料，且中方投资额原则上不低于20万美元。

（五）申请品牌培育活动项目资助的企业须在境内已注册商标、在主要出口市场已注册商标或正在受理中，且商标持有人为中方。

（六）申请公共服务平台建设项目资助的企业或行业组织须与服务对象签订提供优惠服务的协议或合同，其中行业组织的会员单位数量原则上不少于100家。

（七）申请共性和关键核心技术研发项目资助的企业须拥有自主知识产权，且研发项目已竣工完成。

第九条　申请专项资金应提供的申报材料：

（一）资金申请报告。包括企业简介、项目基本情况、项目总投资、资金来源和使用情况、项目实施效果等。

（二）申请企业营业执照、对外贸易经营者备案登记表、海关出口证明或出口企业的海关代码（复印件）。

（三）上年度财务审计报告。

（四）新兴市场开拓活动的组展通知、展会批复、邀请函、收费标准、展会总结等证明材料。

（五）设立境外营销网络或境外研发中心的核准文件、批准证书或在境外注册的证明材料。

（六）境外商标注册证书（正在办理注册的证明材料），境外专利证书，通过国际通行的质量管理体系、环境管理体系、职业健康安全管理体系、行业标准认证等的证明材料。

（七）并购国际知名品牌、在境外相关媒体投放自主品牌广告或参与境外知识产权保护案件等的相关证明材料。

（八）申请公共服务平台项目资助的，须说明服务平台的运营模式，能提供的服务项目和产品、与服务对象的服务协议和服务对象的评价。

（九）共性技术研发项目可行性研究报告和专家论证意见及项目完成后的验收报告和专家鉴定意见，包括项目预期经济和社会效益指标；会计师事务所提供的研发项目专项审计报告（审计报告应当包括项目实施基本情况、项目投资筹集和到位情况、资金支出情况、及项目经济指标完成情况等）；技术查新报告、技术检测报告、专利、认证证书、项目出口和纳税成果证明等其他相关的材料。

（十）出口农产品质量安全示范区领导小组组成情况、办公室成员列表；出口农产品质量安全标准化体系、化学投入品控制体系等出口农产品质量安全示范区建设的各种基础材料。

（十一）申请出口农产品质量可追溯体系项目资助的，需提供企业的现有管理方式、基地建设、注册备案、认证、实验室等出口农产品质量可追溯体系建立的基本情况。

（十二）费用支出情况说明。包括相关合同、资金支付或汇出证明、发票等相关原始凭证和记账凭证（复印件）。

（十三）要求报送的其他材料。

第十条 符合以下条件的企业将优先给予扶持：

（一）年度出口额2 000万美元以上的企业。

（二）获得商务部和山东省“重点培育和发展的出口名牌”称号的企业。

（三）国家汽车零部件出口基地企业。

（四）科技兴贸创新基地内的龙头企业。

第十一条 申报程序。

申请企业按照属地化原则将相关申报资料报送所在地市级财政、商务主管部门，各市财政、商务主管部门按照本办法规定对申请资料进行初审，并将符合资助条件的项目于规定时间前联合向省财政厅、商务厅申报。

驻青岛的省属企业将申请材料按规定时间直接报送省财政厅、省商务厅。

第四章 资金审核与下达

第十二条 财政厅和商务厅共同委托财务、技术专家对各地报送项目资料进行评审，并依据评审结果，确定资助项目和金额。

第十三条 财政部门按预算级次逐级拨付专项资金。

第五章 监督检查

第十四条 项目企业收到专项资金后，要按照现行的财务规定进行账务处理，确保专款专用，并妥善保管相关原始单据及凭证备查，对财政部门和商务主管部门的专项检查，应积极予以配合。

第十五条 各市财政和商务主管部门要共同做好扶持项目实施情况和专项资金使用情况的监督检查和追踪问效工作，并于每年的11月底前将专项资金的项目实施和资金使用情况、带动本地区地方和社会投入情况、帮助企业应对危机情况等报省财政厅、省商务厅。

第十六条 对全省的项目安排和资金使用等相关情况，由省财政厅、省商务厅按规定时间联合上报财政部、商务部。

第六章 罚 则

第十七条 任何单位不得以任何形式骗取和截留专项资金，对违反规定的，省财政厅、省商务厅将全额收回专项资金并按照《财政违法行为处罚处分条例》予以处理。

第七章 附 则

第十八条 根据实际工作需要，可在专项资金中按不超过1%的比例安排必要的经费，用于项目评审、验收、绩效评估和监督检查等相关管理性支出。

第十九条 本办法由省财政厅和商务厅负责解释。

第二十条 本办法自发布之日起施行。

省财政厅 省人民政府国有资产监督管理委员会转发《财政部 国资委 证监会 社保基金会关于印发〈境内证券市场转持部分国有股充实全国社会保障基金实施办法〉的通知》的通知

2009年9月27日 鲁财企〔2009〕75号

各市财政局、国资委，省直有关部门，有关省属企业：

现将《财政部 国资委 证监会 社保基金会关于印发〈境内证券市场转持部分国有股充实全国社会保障基金实施办法〉的通知》（财企〔2009〕94号）转发给你们，请认真贯彻执行。

附件：财政部 国资委 证监会 社保基金会关于印发《境内证券市场转持部分国有股充实全国社会保障基金实施办法》的通知

附件：

财政部 国资委 证监会 社保基金会关于印发《境内证券市场转持部分国有股充实全国社会保障基金实施办法》的通知

2009年6月19日 财企〔2009〕94号

国务院有关部委，有关直属机构，各省、自治区、直辖市、计划单列市财政厅（局）、国有资产监督管理委员会（办公室），中国证券登记结算有限责任公司，有关国有股东、上市公司：

经国务院批准，现将《境内证券市场转持部分国有股充实全国社会保障基金实施办法》印发给你们，请认真贯彻执行。

附件：境内证券市场转持部分国有股充实全国社会保障基金实施办法

附件：

境内证券市场转持部分国有股充实全国社会保障基金实施办法

第一章 总 则

第一条 按照中央关于多渠道筹集社会保障基金的决定精神，根据国务院关于在境内证券市场实施国有股转持的有关政策，制定本办法。

第二条 本办法所称国有股东是指经国有资产监督管理机构确认的国有股东。

第三条 本办法所称国有资产监督管理机构，是指代表国务院和省级以上（含计划单列市）人民政府履行出资人职责、负责监督管理企业国有资产的特设机构和负责监督管理金融类企业国有资产的各级财政部门。

第四条 本办法所称国有股是指国有股东持有的上市公司股份。

第五条 本办法所称国有股转持是指股份有限公司首次公开发行股票并上市时，按实际发行股份数量的10%，将上市公司部分国有股转由全国社会保障基金理事会（以下简称社保基金会）持有。

第二章 转持范围、比例和方式

第六条 股权分置改革新老划断后，凡在境内证券市场首次公开发行股票并上市的含国有股的股份有限公司，除国务院另有规定的，均须按首次公开发行时实际发行股份数量的10%，将股份有限公司部分国有股转由社保基金会持有，国有股东持股数量少于应转持股份数量的，按实际持股数量转持。

第七条 股权分置改革新老划断后至本办法公布前首次公开发行股票并上市的股份有限公司，由经国有资产监督管理机构确认的上市前国有股东承担转持义务。经确认的国有股东在履行转持义务前已发生股份转让的，须按其承担的转持义务以上缴资金等方式替代转持国有股。

第八条 本办法公布后首次公开发行股票并上市的股份有限公司，由经国有资产监督管理机构确认的国有股东承担转持义务。

第九条 混合所有制的国有股东，由该类国有股东的国有出资人按其持股比例乘以该类国有股东应转持的权益额，履行转持义务。具体方式包括：在取得国有股东各出资人或各股东一致意见后，直接转持国有股，并由该国有股东的国有出资人对非国有出资人给予相应补偿；或者由该国有股东的国有出资人以分红或自有资金一次或分次上缴中央金库。

第十条 对符合直接转持股份条件，但根据国家相关规定需要保持国有控股地位的，经国有资产监督管理机构批准，允许国有股东在确保资金及时、足额上缴中央金库情况下，采取包括但不限于以分红或自有资金等方式履行转持义务。

第三章 转持程序

第十一条 股权分置改革新老划断后至本办法公布前首次公开发行股票并上市的股份有限公司的转持程序：

1. 国有资产监督管理机构根据现有资料对转持公司中的国有股东身份和转持股份数量进行初步核定，并由财政部、国资委、证监会和社保基金会将上市公司名称、国有股东名称及应转持股份数量等内容向社会联合公告。应转持股份自公告之日起予以冻结。

2. 国有股东对转持公告如有疑义，应在公告发布后30个工作日内向国有资产监督管理机构反馈意见，由国有资产监督管理机构予以重新核定。

3. 对于以转持股份形式履行转持义务的，国有资产监督管理机构向中国证券登记结算有限责任公司（以下简称中国结算公司）下达国有股转持通知，并抄送社保基金会。中国结算公司在收到国有股转持通知后15个工作日内，将各国有股东应转持股份，变更登记到社保基金会转持股票账户。

对于以上缴资金方式履行转持义务的，国有股东应及时足额就地上缴中央金库，凭一般缴款书（复印件）到中国结算公司办理股份解冻手续。

4. 国有股东在国有股转持程序完成后30个工作日内，应将转持股份情况，或以其他方式履行转持义务情况以及一般缴款书（复印件）等有关文件报国有资产监督管理机构备案，并抄送财政部和社保基金会。

第十二条 本办法公布后首次公开发行股票并上市的股份有限公司的转持程序：

1. 首次公开发行股票并上市的股份有限公司的第一大国有股东向国有资产监督管理机构申请确认国有股东身份和转持股份数量。国有资产监督管理机构确认后，出具国有股转持批复，并抄送社保基金会和中国结算公司。国有股转持批复应要求国有股东向社保基金会作出转持承诺，并载明各国有股东转持股份数量或上缴资金数量等内容。该批复应作为股份有限公司申请首次公开发行股票并上市的必备文件。

2. 对于以转持股份形式履行转持义务的，中国结算公司在收到国有股转持批复后、首次公开发行股票上市前，将各国有股东应转持股份，变更登记到社保基金会转持股票账户。对于以上缴资金方式履行转持义务的，国有股东须按国有股转持批复的要求，及时足额就地上缴到中央金库。

3. 国有股东在国有股转持工作完成后30个工作日内将转持股份情况，或以其他方式履行转持义务情况以及一般缴款书（复印件）等有关文件报国有资产监督管理机构备案，并抄送财政部和社保基金会。

第四章 转持股份的管理和处置

第十三条 转由社保基金会持有的境内上市公司国有股，社保基金会承继原国有股东的禁售期义务。对股权分置改革新老划断至本办法公布前首次公开发行股票并上市的股份有限公司转持的股份，社保基金会在承继原国有股东的法定和自愿承诺禁售期基础上，再将禁售期延长三年。

第十四条 社保基金会转持国有股后，享有转持股份的收益权和处置权，不干预上市公司日常经营管理。

第十五条 国有股转持给社保基金会和资金上缴中央金库后，相关国有单位核减国有权益，依次冲减未分配利润、盈余公积金、资本公积金和实收资本，并做好相应国有资产产权变动登记工作。对于转持股份，社保基金以发行价入账，并纳入基金总资产统一核算。对国有股东替代转持上缴中央金库的资金，财政部应及时拨入社保基金账户。

第十六条 财政部负责对转持国有股充实全国社保基金的财务管理实施监管。财政部可委托专业中介机构定期对社保基金会转持国有股的运营情况进行审计。

第十七条 社保基金会应设立专门账户用于接收转持股份，按本办法转持国有股以及转持股份在社保基金各账户之间转账，免征过户费。

第十八条 国有股转持过程中涉及的信息披露事项，由相关方依照有关法律法规处理。

第五章 附 则

第十九条 本办法由财政部商有关部门负责解释。

第二十条 境外上市公司减转持工作仍按现有相关规定执行。

第二十一条 本办法自公布之日起施行。

省财政厅关于印发《山东省大中型水库移民后期扶持结余资金使用管理暂行实施办法》的通知

2009年11月16日 鲁财企〔2009〕80号

各市财政局：

为促进我省大中型水库库区和移民安置区经济社会发展，规范大中型水库移民后期扶持结余资金管理，根据《国务院关于完善大中型水库移民后期扶持政策的意见》（国发〔2006〕17号）及《财政部关于印发大中型水库移民后期扶持结余资金使用管理暂行办法的通知》（财企〔2008〕37号）等有关规定，省财政厅研究制定了《山东省大中型水库移民后期扶持结余资金使用管理暂行实施办法》，现予印发，请遵照执行。

附件：山东省大中型水库移民后期扶持结余资金使用管理暂行实施办法

附件：

山东省大中型水库移民后期扶持结余资金使用管理暂行实施办法

第一章 总 则

第一条 为促进大中型水库库区（以下简称库区）和移民安置区经济及社会发展，规范大中型水库移民后期扶持结余资金（以下简称结余资金）的使用管理，根据《国务院关于完善大中型水库移民后期扶持政策的意见》（国发〔2006〕17号）、《财政部关于印发大中型水库移民后期扶持结余资金使用管理暂行办法的通知》（财企〔2008〕37号）的有关规定，制定本办法。

第二条 本办法所称结余资金包括：

（一）中央财政安排给我省的结余资金；

（二）我省因移民人口自然变化产生的结余资金。

第三条 结余资金的使用管理遵循“统筹规划、先急后缓，突出重点、相对集中”的原则，确保专款专用、专项核算。达到明显改善移民生产生活条件的效果。

第四条 结余资金采取无偿补助方式。结余资金的使用应与现有的专项规划衔接，与其他渠道资金统筹安排，用于库区和移民安置区的项目扶持。

第二章 扶持范围

第五条 结余资金主要用于支持实施经批准的库区和移民安置区基础设施建设和经济发展规划（以下

简称项目规划），解决移民遗留问题，以及库区和移民安置区临时性、突发性事件的应急处置补助支出。具体包括：

（一）库区和移民安置区基本口粮田建设及水利设施配套项目；

（二）库区和移民安置区农村饮水安全、沼气、交通、供电、通信广播等基础设施建设项目；

（三）库区和移民安置区的文化、教育、卫生等社会事业设施建设项目；

（四）库区和移民安置区的生态建设和环境保护项目；

（五）库区和移民安置区劳动力技能培训和职业教育及职业介绍项目；

（六）库区和移民安置区有市场前景的种植业、养殖业、林业、畜牧业、渔业、旅游业、加工业、服务业等生产开发项目；

（七）支持库区和移民安置区经济社会发展的其他项目；

（八）库区和移民安置区临时性、突发性等事件的应急处置补助支出；

（九）省政府确定的库区移民后期扶持资金支出。

第三章　资金管理

第六条　中央分配给我省的结余资金，由省财政厅会同省移民管理机构，参照经核定的各市农村移民人数等情况，分配下达结余资金。对后期扶持规划和项目规划实施进度快、效果好的，在下年度安排结余资金时予以适当倾斜；未按规定实施、实施进度慢、效果差的，不予支持或适当扣减。

第七条　国家核定给我省移民人口指标暂未落实的，其后期扶持资金由省里统筹用于解决大中型水库移民遗留问题。省财政厅会同省移民管理机构对各市的申报材料进行审核批准后，按预算级次逐级下达。

第八条　省核定各市移民人数因人口自然变化产生的结余资金，根据省移民工作领导小组《加强大中型水库移民后期扶持人口自然变化管理的指导意见》（鲁水移领字〔2008〕1号），凡是不再纳入扶持范围的，自核定后的下一季度起不再将后扶资金发放给个人。结余资金由各县（市、区）实行财政专户储存，统一调配，用于项目扶持。

第九条　每年3月底前，各市财政部门应会同同级移民管理机构，根据经批准的项目规划及其实施情况，向省财政厅、省移民管理机构申请本年度结余资金预算。

第十条　结余资金年度预算上报资料主要包括：

（一）本市结余资金年度预算申请文件；

（二）结余资金年度预算申请表（附件）；

（三）本市结余资金年度后期扶持人口自然变化资料；

（四）经批准的本市项目规划实施情况；

（五）其他需要报送的材料。

第十一条　库区和移民安置区发生的临时性、突发性事件，可申请中央财政资金。发生上述事件时，相关市财政部门会同同级移民管理机构，向省财政厅、省移民管理机构提出申请。省财政厅会同省移民管理机构对各市申报材料进行审核后，向财政部提出申请，根据财政部资金安排情况逐级下达。

第十二条　每年3月底前，各市移民管理机构应编制上年度结余资金使用决算，报同级财政部门审批，并将批复结果上报省财政厅和省移民管理机构备案。

第十三条　结余资金支出列政府收支分类科目第2130335项“大中型水库移民后期扶持基金支出”。

第四章　监督检查

第十四条　各市财政部门和移民管理机构应加强结余资金的财务管理，按规定用途使用资金，督促有关单位加快项目建设进度，确保资金使用安全规范，提高资金使用效益。有下列情形之一的，不予安排结余资金。

（一）未按本办法规定申报结余资金年度预算或未编制上年度结余资金使用决算；

（二）未按规定报送人口自然变化资金使用情况；

（三）截留、挪用结余资金；

（四）虚报结余资金扶持项目；

（五）其他违反本办法及有关法律法规的行为。

第十五条 结余资金的使用单位应接受财政、移民机构、审计、监察等部门的监督检查，任何单位不得以任何理由阻挠或逃避。

第十六条 对于违反本办法规定截留、挪用结余资金的单位或个人，按照《财政违法行为处罚处分条例》（国务院令第427号）、《违反大中型水库移民后期扶持基金征收使用管理规定责任追究办法》（监察部、人事部、财政部令第13号）进行处罚，涉嫌犯罪的，应当移交司法机关依法追究刑事责任。

第五章 附 则

第十七条 各市财政部门应依据本办法制定相应的管理实施细则，报省财政厅备案。

第十八条 本办法由山东省财政厅负责解释。

第十九条 本办法自印发之日起施行。

附件：____年山东大中型水库移民后期扶持结余资金年度预算申请表

附件：

______年山东大中型水库移民后期扶持结余资金年度预算申请表

编制单位：　　　　　　　　　　　　　　　　　　　　　　　　单位：万元

序号	项目类别	总投资		累计完成投资		本年度投资计划安排	申请本年度结余资金
			其中：结余资金		其中：结余资金		
	总计						
	按项目类型汇总						
一	基本口粮田建设及水利设施建设						
二	农村饮水安全、沼气、交通、供电、通信广播等基础设施						
三	文化、教育、卫生等社会事业设施建设						
四	环境保护和生态建设						
五	劳动力技能培训和职业教育及职业介绍项目						
六	种植业、养殖业、林业、畜牧业、渔业、旅游业、加工业、服务业等生产开发项目						
七	其他						

省财政厅转发《财政部关于提高化学矿山维持简单再生产费用标准的通知》的通知

2009年12月2日　鲁财企〔2009〕82号

各市财政局，省直有关部门，有关省属企业：

现将《财政部关于提高化学矿山维持简单再生产费用标准的通知》（财企〔2009〕240号）转发给你们，请认真贯彻执行。

附件：财政部关于提高化学矿山维持简单再生产费用标准的通知

附件：

财政部关于提高化学矿山维持简单再生产费用标准的通知

2009年11月13日　财企〔2009〕240号

各省、自治区、直辖市、计划单列市财政厅（局），有关企业：

为支持资源型产业的发展，解决化学矿山维持简单再生产资金严重不足的问题，决定调整化学矿山维持简单再生产费用（以下简称维简费）提取标准。现就有关事项通知如下：

一、从2009年1月1日起，将化学矿山维简费标准提高到每吨原矿提取14～18元。其中，大中型化学矿山企业维简费标准为18元/吨，其他化学矿山企业可根据自身条件在14～18元/吨的范围内自行确定提取标准。企业提取的维简费全部计入生产成本。

二、维简费提取标准一经确定，不得随意改动。

三、财政部、原化学工业部《关于调整重点化学矿山维简费提取标准的通知》[（91）财工字第888号] 同时废止。

省财政厅转发《财政部关于企业加强职工福利费财务管理的通知》的通知

2009年12月2日　鲁财企〔2009〕83号

各市财政局，省直有关部门，各省属企业：

现将《财政部关于企业加强职工福利费财务管理的通知》（财企〔2009〕242号）转发给你们，请认真贯彻执行。

附件：财政部关于企业加强职工福利费财务管理的通知

附件：

财政部关于企业加强职工福利费财务管理的通知

2009年11月12日　财企〔2009〕242号

党中央有关部门，国务院各部委、各直属机构，全国人大常委会办公厅，全国政协办公厅，解放军总后勤部，武警总部，各省、自治区、直辖市、计划单列市财政厅（局），新疆生产建设兵团财务局，各中央管理企业：

为加强企业职工福利费财务管理，维护正常的收入分配秩序，保护国家、股东、企业和职工的合法权益，根据《公司法》、《企业财务通则》（财政部令第41号）等有关精神，现通知如下：

一、企业职工福利费是指企业为职工提供的除职工工资、奖金、津贴、纳入工资总额管理的补贴、职工教育经费、社会保险费和补充养老保险费（年金）、补充医疗保险费及住房公积金以外的福利待遇支出，包括发放给职工或为职工支付的以下各项现金补贴和非货币性集体福利：

（一）为职工卫生保健、生活等发放或支付的各项现金补贴和非货币性福利，包括职工因公外地就医费用、暂未实行医疗统筹企业职工医疗费用、职工供养直系亲属医疗补贴、职工疗养费用、自办职工食堂经费补贴或未办职工食堂统一供应午餐支出、符合国家有关财务规定的供暖费补贴、防暑降温费等。

（二）企业尚未分离的内设集体福利部门所发生的设备、设施和人员费用，包括职工食堂、职工浴室、理发室、医务所、托儿所、疗养院、集体宿舍等集体福利部门设备、设施的折旧、维修保养费用以及集体福利部门工作人员的工资薪金、社会保险费、住房公积金、劳务费等人工费用。

（三）职工困难补助，或者企业统筹建立和管理的专门用于帮助、救济困难职工的基金支出。

（四）离退休人员统筹外费用，包括离休人员的医疗费及离退休人员其他统筹外费用。企业重组涉及的离退休人员统筹外费用，按照《财政部关于企业重组有关职工安置费用财务管理问题的通知》（财企〔2009〕117号）执行。国家另有规定的，从其规定。

（五）按规定发生的其他职工福利费，包括丧葬补助费、抚恤费、职工异地安家费、独生子女费、探亲假路费，以及符合企业职工福利费定义但没有包括在本通知各条款项目中的其他支出。

二、企业为职工提供的交通、住房、通讯待遇，已经实行货币化改革的，按月按标准发放或支付的住房补贴、交通补贴或者车改补贴、通讯补贴，应当纳入职工工资总额，不再纳入职工福利费管理；尚未实行货币化改革的，企业发生的相关支出作为职工福利费管理，但根据国家有关企业住房制度改革政策的统一规定，不得再为职工购建住房。

企业给职工发放的节日补助、未统一供餐而按月发放的午餐费补贴，应当纳入工资总额管理。

三、职工福利是企业对职工劳动补偿的辅助形式，企业应当参照历史一般水平合理控制职工福利费在职工总收入的比重。按照《企业财务通则》第四十六条规定，应当由个人承担的有关支出，企业不得作为职工福利费开支。

四、企业应当逐步推进内设集体福利部门的分离改革，通过市场化方式解决职工福利待遇问题。同时，结合企业薪酬制度改革，逐步建立完整的人工成本管理制度，将职工福利纳入职工工资总额管理。

对实行年薪制等薪酬制度改革的企业负责人，企业应当将符合国家规定的各项福利性货币补贴纳入薪酬体系统筹管理，发放或支付的福利性货币补贴从其个人应发薪酬中列支。

五、企业职工福利一般应以货币形式为主。对以本企业产品和服务作为职工福利的，企业要严格控制。国家出资的电信、电力、交通、热力、供水、燃气等企业，将本企业产品和服务作为职工福利的，应当按商业化原则实行公平交易，不得直接供职工及其亲属免费或者低价使用。

六、企业职工福利费财务管理应当遵循以下原则和要求：

（一）制度健全。企业应当依法制订职工福利费的管理制度，并经股东会或董事会批准，明确职工福利费开支的项目、标准、审批程序、审计监督。

（二）标准合理。国家对企业职工福利费支出有明确规定的，企业应当严格执行。国家没有明确规定的，企业应当参照当地物价水平、职工收入情况、企业财务状况等要求，按照职工福利项目制订合理标准。

（三）管理科学。企业应当统筹规划职工福利费开支，实行预算控制和管理。职工福利费预算应当经过职工代表大会审议后，纳入企业财务预算，按规定批准执行，并在企业内部向职工公开相关信息。

（四）核算规范。企业发生的职工福利费，应当按规定进行明细核算，准确反映开支项目和金额。

七、企业按照企业内部管理制度，履行内部审批程序后，发生的职工福利费，按照《企业会计准则》等有关规定进行核算，并在年度财务会计报告中按规定予以披露。

在计算应纳税所得额时，企业职工福利费财务管理同税收法律、行政法规的规定不一致的，应当依照税收法律、行政法规的规定计算纳税。

八、本通知自印发之日起施行。以前有关企业职工福利费的财务规定与本通知不符的，以本通知为准。金融企业另有规定的，从其规定。

十一、

金融与国际合作类

金融企业国有资产转让管理办法

2009 年 3 月 17 日　财政部令第 54 号

第一章　总　　则

第一条　为了规范金融企业国有资产转让行为，加强国有资产交易的监督管理，维护国有资产出资人的合法权益，防止国有资产流失，根据有关法律、行政法规，制定本办法。

第二条　本办法所称金融企业国有资产，是指各级人民政府及其授权投资主体对金融企业各种形式的出资所形成的权益。

本办法所称金融企业，包括所有获得金融业务许可证的企业和金融控股（集团）公司。

第三条　县级以上人民政府财政部门（以下简称财政部门）和县级以上人民政府或者财政部门授权的投资主体转让所持金融企业国有资产，国有及国有控股金融企业（以下统称转让方）转让所持国有资产给境内外法人、自然人或者其他组织（以下统称受让方），适用本办法。

第四条　金融企业国有资产转让应当遵守法律、行政法规和产业政策规定。

第五条　金融企业国有资产转让包括非上市企业国有产权转让和上市公司国有股份转让。

金融企业国有资产转让以通过产权交易机构、证券交易系统交易为主要方式。符合本办法规定条件的，可以采取直接协议方式转让金融企业国有资产。

第六条　拟转让的金融企业国有资产权属关系应当明晰。权属关系不明确或者存在权属纠纷以及法律、行政法规和国家有关政策规定禁止转让的金融企业国有资产不得转让。

转让已经设立担保物权的金融企业国有资产，应当符合《中华人民共和国物权法》、《中华人民共和国担保法》等有关法律、行政法规的规定。

第七条　金融企业国有资产转让按照统一政策、分级管理的原则，由财政部门负责监督管理。财政部门转让金融企业国有资产，应当报本级人民政府批准。政府授权投资主体转让金融企业国有资产，应当报本级财政部门批准。

金融企业国有资产转让过程中，涉及政府社会公共管理和金融行业监督管理事项的，应当根据国家规定，报经政府有关部门批准。

以境外投资人为受让方的，应当符合国家有关外商投资的监督管理规定，由转让方按照有关规定报经政府有关部门批准。

第八条　财政部门是金融企业国有资产转让的监督管理部门。

财政部负责制定金融企业国有资产转让监督管理制度，并对中央管理的金融企业及其子公司的国有资产转让工作实施监督管理。

地方县级以上财政部门对本级管理的金融企业及其子公司国有资产转让实施监督管理。

上级财政部门指导和监督下级财政部门的金融企业国有资产转让监督管理工作。

第九条　财政部门对金融企业国有资产转让履行下列监督管理职责：

（一）决定或者批准金融企业国有资产转让事项，审核重大资产转让事项并报本级人民政府批准；

（二）确定承办金融企业国有资产交易业务的产权交易机构备选名单；

（三）负责金融企业国有资产转让情况的监督检查工作；

（四）负责金融企业国有资产转让信息的收集、汇总、分析和上报工作；

（五）本级人民政府授权的其他职责。

第十条 国有及国有控股金融企业在境内外依法设立子公司或者向企业投资的，由该国有及国有控股金融企业按本办法规定负责所设立子公司和投资企业的国有资产的转让工作，并履行下列职责：

（一）按照本办法及国家有关规定，制定企业所属分支机构、子公司的国有资产转让管理办法和工作程序，并报本级财政部门备案；

（二）研究资产转让行为是否有利于促进企业的持续发展；

（三）审议所属一级子公司的资产转让事项，监督一级子公司以下的资产转让事项；

（四）向财政部门、相关金融监督管理部门和其他有关部门报告有关资产转让情况。

第二章 非上市企业国有产权转让

第十一条 非上市企业国有产权的转让应当在依法设立的省级以上（含省级，下同）产权交易机构公开进行，不受地区、行业、出资或者隶属关系的限制。

第十二条 国有及国有控股金融企业转让一级子公司的产权，应当报财政部门审批。除国家明确规定需要报国务院批准外，中央管理的国有及国有控股金融企业转让一级子公司的产权应当报财政部审批；地方管理的金融企业国有资产转让的审批权限，由省级财政部门确定。

国有及国有控股金融企业一级子公司（省级分公司或者分行、金融资产管理公司办事处）转让所持子公司产权，由控股（集团）公司审批。其中，涉及重要行业、重点子公司的重大国有产权转让，或者导致转让标的企业所持金融企业或者其他重点子公司控股权转移的，应当报财政部门审批。

第十三条 转让方应当制定转让方案，并按照内部决策程序交股东会或者股东大会、董事会或者其他决策部门审议，形成书面决议。

转让方案包括转让标的企业产权的基本情况、转让行为的论证情况、产权转让公告以及其他主要内容。转让标的企业涉及职工安置问题的，应当按照国家有关规定办理职工安置工作。

第十四条 转让方应当依照国家有关规定，委托资产评估机构对转让标的企业的整体价值进行评估。

第十五条 非上市企业国有产权转让需要报财政部门审批的，转让方应当在进场交易前报送以下材料：

（一）产权转让的申请书，包括转让原因，是否进场交易等内容；

（二）产权转让方案及内部决策文件；

（三）转让方基本情况及上一年度经会计师事务所审计的财务会计报告；

（四）转让标的企业基本情况、当期财务会计报告和最近一期经会计师事务所审计的财务会计报告；

（五）转让方和转让标的企业国有资产产权证明文件；

（六）转让标的企业资产评估核准或者备案文件；

（七）拟选择的产权交易机构；

（八）意向受让方应当具备的基本条件、支付方式；

（九）律师事务所出具的法律意见书；

（十）财政部门认为必要的其他文件。

转让金融企业产权的，应当对是否符合相关金融监督管理部门的规定进行说明。

第十六条 从事金融企业国有产权交易活动的产权交易机构，应当符合下列基本条件：

（一）遵守有关法律、法规、规章；

（二）具备相应的交易场所、信息发布渠道和专业人员，能够满足金融企业国有产权交易活动的需要；

（三）具有健全的内部管理制度，产权交易操作规范；

（四）能够履行产权交易机构的职责，依法审查产权交易主体的资格和条件；

（五）连续3年没有违法、违规记录；

（六）按照国家有关规定公开披露产权交易信息，并能够按要求及时向省级以上财政部门报告场内金融企业国有产权交易情况。

第十七条 转让方在确定进场交易的产权交易机构后，应当委托该产权交易机构在省级以上公开发行的经济或者金融类报刊和产权交易机构的网站上刊登产权转让公告，公开披露有关非上市企业产权转让信息，征集意向受让方。

产权转让公告期不得少于20个工作日。

第十八条 转让方披露的非上市企业产权转让信息应当包括下列内容：

（一）转让标的企业的基本情况；

（二）转让标的企业的产权构成情况；

（三）产权转让行为的内部决策情况；

（四）转让标的企业最近一期经会计师事务所审计的主要财务指标数据；

（五）转让标的企业资产评估核准或者备案情况；

（六）受让方应当具备的基本条件；

（七）其他需要披露的事项。

需要按本办法办理审批手续的，还应当披露产权转让行为的批准情况。

第十九条 意向受让方一般应当具备下列条件：

（一）具有良好的财务状况和支付能力；

（二）具有良好的商业信用；

（三）受让方为自然人的，应当具有完全民事行为能力；

（四）国家规定的其他条件。

在不违反相关监督管理要求和公平竞争原则下，转让方可以对意向受让方的资质、商业信誉、行业准入、资产规模、经营情况、财务状况、管理能力等提出具体要求。

第二十条 在产权交易过程中，首次挂牌价格不得低于经核准或者备案的资产评估结果。

首次挂牌未能征集到意向受让方的，转让方可以根据转让标的企业情况确定新的挂牌价格并重新公告。如新的挂牌价格低于资产评估结果的90%，应当重新报批。

第二十一条 经公开征集，产生2个以上（含2个）意向受让方时，转让方应当会同产权交易机构共同对意向受让方进行资格审核，根据转让标的企业的具体情况采取拍卖、招投标或者国家规定的其他公开竞价方式实施产权交易。

采取拍卖方式转让非上市企业产权的，应当按照《中华人民共和国拍卖法》及其他有关规定组织实施。

采取招投标方式转让非上市企业产权的，应当按照《中华人民共和国招标投标法》及其他有关规定组织实施。

第二十二条 经产权交易机构公开征集只产生1个符合条件的意向受让方时，产权转让可以采取场内协议转让方式进行，但转让价格不得低于挂牌价格。

采取场内协议转让方式的，转让方应当与受让方进行充分协商，依法妥善处理转让中所涉及的相关事项后，签订产权转让协议（合同，下同）。

第二十三条 确定受让方后，转让方应当与受让方签订产权转让协议。

转让协议应当包括下列内容：

（一）转让与受让双方的名称与住所；

（二）转让标的企业产权的基本情况；

（三）转让方式、转让价格、价款支付时间和方式及付款条件；

（四）产权交割事项；

（五）转让涉及的有关税费负担；

（六）协议争议的解决方式；

（七）协议各方的违约责任；

（八）协议变更和解除的条件；

（九）转让和受让双方认为必要的其他条款。

第二十四条 转让方应当按照产权转让协议的约定及时收取产权转让的全部价款，转让价款原则上应当采取货币性资产一次性收取。如金额较大、一次付清确有困难的，可以约定分期付款方式，但分期付款期限不得超过1年。

采用分期付款方式的，受让方首期付款不得低于总价款的30%，并在协议生效之日起5个工作日内支付；其余款项应当办理合法的价款支付保全手续，并按同期金融机构基准贷款利率向转让方支付分期付款期间利息。在全部转让价款支付完毕前或者未办理价款支付保全手续前，转让方不得申请办理国有产权登记和工商变更登记手续。

受让方以非货币性资产支付产权转让价款的，转让方应当按照有关规定委托资产评估机构进行资产评估，确定非货币性资产的价值。

第二十五条 财政部门应当对转让方报送的材料进行认真审核，确定是否批准相关产权转让事项。

转让事项经批准后，如转让和受让双方调整产权转让比例或者产权转让方案有重大变化，造成与批准事项不符的，应当按照规定程序重新报批。

第二十六条 非上市企业产权转让过程中涉及国有土地（海域）使用权、探矿权、采矿权的，应当按照国家有关规定另行办理相关手续。

第二十七条 非上市企业产权转让完成后，转让和受让双方应当凭产权交易机构出具的产权交易凭证，按照国家有关规定及时办理相关国有产权登记手续。

第三章 上市公司国有股份转让

第二十八条 转让上市金融企业国有股份和金融企业转让上市公司国有股份应当通过依法设立的证券交易系统进行。

第二十九条 转让方应当根据有关规定，办理上市公司股份转让的信息披露事项。

第三十条 转让方为上市公司控股股东，应当将股份转让方案报财政部门审批后实施。

涉及国民经济关键行业的，应当得到相关部门的批准。

第三十一条 转让方为上市公司参股股东，在1个完整会计年度内累计净转让股份（累计减持股份扣除累计增持股份后的余额，下同）比例未达到上市公司总股本5%的，由转让方按照内部决策程序决定，并在每年1月10日前将上一年度转让上市公司股份的情况报财政部门；达到或者超过上市公司总股本5%的，应当事先将转让方案报财政部门批准后实施。

第三十二条 转让方转让上市公司国有股份需要报财政部门审批的，报送材料应当包括：

（一）转让上市公司股份的申请书，包括转让原因、转让股份数量、持股成本、转让价格确定等内容；

（二）上市公司股份转让方案和内部决策文件；

（三）转让方基本情况及上一年度经会计师事务所审计的财务会计报告；

（四）上市公司基本情况及最近一期年度财务会计报告和经会计师事务所审计的财务会计报告；

（五）转让上市公司股份对公司控制权、公司股价和资本市场的影响；

（六）财政部门规定的其他文件。

财政部门应当对转让方报送的材料进行认真审核，确定是否同意上市公司股份转让事项。

第三十三条 转让方采取大宗交易方式转让上市公司股份的，股份转让价格不得低于该上市公司股票当天交易的加权平均价格；当日无成交的，不得低于前1个交易日的加权平均价格。

第三十四条 上市公司股份转让完成后，转让方应当按照国家有关规定及时办理国有产权登记手续。

第四章　国有资产直接协议转让

第三十五条　有下列情况之一，经国务院批准或者财政部门批准，转让方可以采取直接协议转让方式转让非上市企业国有产权和上市公司国有股份。

（一）国家有关规定对受让方有特殊要求；

（二）控股（集团）公司进行内部资产重组；

（三）其他特殊原因。

拟采取直接协议转让方式对控股（集团）公司内部进行资产重组的，中央管理的金融企业一级子公司的产权转让工作由财政部负责；一级以下子公司的产权转让由控股（集团）公司负责，其中：拟直接协议转让控股上市公司股份的，应当将转让方案报财政部审批。

第三十六条　转让方采用直接协议方式转让非上市企业产权的，应当按照本办法第十三条、第十四条、第十五条、第二十三条和第二十四条的规定，组织转让方案制定、资产评估、审核材料报送、转让协议签署和转让价款收取等项工作。

第三十七条　非上市企业产权直接协议转让的价格不得低于经核准或者备案的资产评估结果。

国有金融企业在实施内部资产重组过程中，拟采取直接协议方式转让产权、且转让方和受让方为控股（集团）公司所属独资子公司的，可以不对转让标的企业进行整体评估，但转让价格不得低于最近一期经审计确认的净资产值。

第三十八条　财政部门对金融企业以直接协议转让形式转让非上市企业产权的审核按照本办法第二十五条规定执行。

第三十九条　转让方拟直接协议转让上市公司股份的，应当按照内部决策程序交股东大会、董事会或者其他决策部门进行审议，形成书面决议，并及时报告财政部门。

转让方应当将拟直接协议转让股份的信息书面告知上市公司，由上市公司依法向社会公众进行提示性公告，公告中应当注明，本次股份拟直接协议转让事项应当经财政部门审批。

第四十条　转让方直接协议转让上市公司股份，应当向财政部门提交下列材料：

（一）协议转让上市公司股份的申请书，包括转让原因、转让股份数量、持股成本等内容；

（二）协议转让上市公司股份的内部决策文件及可行性研究报告；

（三）拟公开发布的股份协议转让信息内容；

（四）财政部门规定的其他文件。

第四十一条　财政部门收到转让方提交的直接协议转让上市公司股份材料后，应当认真进行审核，确定是否批准协议转让事项，并在15个工作日内予以答复。

转让方收到财政部门出具的意见后2个工作日内，应当书面告知上市公司，由上市公司依法公开披露国有股东拟直接协议转让上市公司股份的信息。

第四十二条　转让方直接协议转让上市公司股份信息应当包括以下内容：

（一）转让股份数量及所涉及的上市公司名称及基本情况；

（二）受让方应当具备的资格条件；

（三）受让方递交受让申请的截止日期；

（四）财政部门和相关部门的批复意见。

第四十三条　具有下列情形之一的，经财政部门批准后，转让方可以不披露上市公司股份协议转让信息：

（一）国民经济关键行业、领域中对受让方有特殊要求的；

（二）转让方作为国有控股股东，为实施国有资源整合或者资产重组，在控股公司或者集团企业内部进行协议转让的；

（三）上市公司连续2年亏损并存在退市风险或者严重财务危机，受让方提出重大资产重组计划及具体时间表的；

（四）上市公司回购股份涉及转让方所持股份的。

第四十四条 转让方作为上市公司控股股东，拟采取直接协议转让方式转让股份并失去控股权的，应当聘请具有相应资质的专业中介机构担任财务顾问和法律顾问，并提出书面意见。财务顾问和法律顾问应当具有良好的信誉及近3年内无重大违法违规记录。转让方认为必要时，可委托具有证券评估资格的资产评估机构对转让标的资产进行评估。

第四十五条 转让方直接协议转让上市公司股份的，转让价格应当按照上市公司股份转让信息公告日（经批准不须公开股份转让信息的，以股份转让协议签署日为准）前30个交易日每日加权平均价格的加权平均价格或者前1个交易日加权平均价格孰高的原则确定。

转让方作为上市公司国有控股股东，为实施国有资源整合或者资产重组，在内部进行协议转让，且拥有的上市公司权益并不因此减少的，转让价格应当根据上市公司最近一期经审计的净资产、净资产收益率、市盈率等因素合理协商确定。

第四十六条 受让上市公司股份后，受让方拥有上市公司实际控制权的，应当具备以下条件：

（一）具有法人资格；

（二）设立3年以上，最近2年连续盈利且无重大违法违规行为；

（三）具有促进上市公司持续发展和改善上市公司法人治理结构的能力。

第四十七条 受让方确定后，转让方应当及时与受让方签署股份转让协议。

转让协议应当包括但不限于以下内容：

（一）转让方、上市公司、受让方企业名称、法定代表人姓名及住所；

（二）转让方持股数量、拟转让股份数量及价格；

（三）转让方、受让方的权利和义务；

（四）股份转让价款支付方式及期限；

（五）股份登记过户条件；

（六）协议变更和解除条件；

（七）协议争议解决方式；

（八）协议各方的违约责任；

（九）协议生效条件。

第四十八条 上市公司股份的转让方为国有及国有控股金融企业的，转让方在确定受让方后，应当及时向财政部门报送以下材料：

（一）转让方案的实施及选择受让方的有关情况；

（二）上一年度经会计师事务所审计的财务会计报告；

（三）受让方基本情况、公司章程及最近一期经会计师事务所审计的财务会计报告；

（四）上市公司基本情况、最近一期中期财务会计报告及经会计师事务所审计年度财务会计报告；

（五）股份转让协议及股份转让价格的定价说明；

（六）受让方与国有股东、上市公司之间在最近12个月内股权转让、资产置换、投资等重大情况及债权债务情况；

（七）律师事务所出具的法律意见书；

（八）转让上市公司股份对公司股价和资本市场的影响；

（九）财政部门规定的其他文件。

第四十九条 财政部门应当对转让方报送的材料进行认真审核，并出具股份转让批复文件。

第五十条 转让方应当按照本办法第二十四条的规定，收取转让价款，并按照国家有关规定及时办理相关国有产权登记手续。

第五章 法律责任

第五十一条 金融企业国有资产转让过程中出现下列情形之一的，财政部门可以要求转让方立即中止或者终止资产转让活动：

（一）未按本办法有关规定在产权交易机构中进行交易的；

（二）转让方不履行相应的内部决策程序、批准程序或者超越权限，或者未按规定报经财政部门和相关部门审批，擅自转让资产的；

（三）转让方、转让标的企业故意隐匿应当纳入评估范围的资产，或者向中介机构提供虚假会计资料，导致审计、评估结果失真，以及未经审计、评估，造成国有资产流失的；

（四）转让方与受让方串通，低价转让国有资产，造成国有资产流失的；

（五）转让方未按规定落实转让标的企业的债权债务，非法转移债权或者逃避债务清偿责任的；以金融企业国有资产作为担保的，转让该部分资产时，未经担保债权人同意的；

（六）受让方采取欺诈、隐瞒等手段影响转让方的选择以及资产转让协议签订的；

（七）受让方在产权转让竞价过程中，恶意串通压低价格，造成国有资产流失的。

第五十二条 转让方、转让标的企业有本办法第五十一条规定的情形，由财政部门给予警告，并建议有关部门对负有直接责任的人员和其他直接责任人员给予行政处分；造成国有资产损失的，应当建议有关部门依法追究金融企业董事、监事、高级管理人员的责任；由于受让方的责任造成国有资产流失的，受让方应当依法赔偿转让方的经济损失。涉嫌犯罪的，应当移送司法机关。

第五十三条 会计师事务所、资产评估机构、律师事务所、财务顾问机构等社会中介机构在国有资产转让的审计、评估、法律和咨询服务中违规执业的，财政部门应当向其行业主管部门通报有关情况，建议依法给予相应处理。

第五十四条 产权交易机构在金融企业国有资产交易中弄虚作假或者玩忽职守，损害国家利益或者交易双方合法权益的，财政部门可以停止其从事金融企业国有资产交易的相关业务，建议有关部门依法追究产权交易机构及直接责任人员的责任。

第五十五条 金融企业国有资产转让批准机构及其有关人员违反法律、行政法规及本办法规定，造成国有资产流失的，由有关部门依法给予纪律处分；涉嫌犯罪的，移送司法机关。

第六章 附 则

第五十六条 省、自治区、直辖市、计划单列市的财政厅（局）可以根据本办法，制定本地区金融企业国有资产转让管理实施办法，并报财政部备案。

第五十七条 国有及国有控股金融企业因依法行使债权或者担保物权，而受偿于债务人、担保人或者第三人的非上市企业产权转让，比照本办法第二章在产权交易机构进行。

国有及国有控股金融企业因依法行使债权或者担保物权，而受偿于债务人、担保人或者第三人的上市公司股份转让，比照本办法第三章的规定在证券交易系统中进行。

第五十八条 国有及国有控股金融企业持有的国有资产涉及诉讼的，根据人民法院具有法律效力的文件，办理相关转让手续。

第五十九条 国有及国有控股的证券公司、基金管理公司、资产管理公司、信托公司和保险资产管理公司等金融企业出售其所持有的以自营为目的的上市公司股份按照相关规定办理。

第六十条 金融资产管理公司转让不良资产和债转股股权资产的，国家相关政策另有规定的，从其规定。

本办法所称金融资产管理公司，是指中国华融资产管理公司、中国长城资产管理公司、中国东方资产管理公司和中国信达资产管理公司。

第六十一条 中国人民银行总行所属企业、中国投资有限责任公司（含中央汇金投资有限责任公司）、信用担保公司以及其他金融类企业的国有资产转让监督管理工作，比照本办法执行。

第六十二条 本办法自2009年5月1日起施行。

财政部 中国人民银行关于进一步做好专项借款管理工作的通知

2009年3月5日 财金〔2009〕19号

各省、自治区、直辖市、计划单列市财政厅（局），中国人民银行各分行、营业管理部、省会（首府）城市中心支行：

根据国务院关于地方政府向中央专项借款的政策原则，为进一步加强专项借款管理工作，现就有关事项通知如下：

一、有关地方要严格遵守专项借款管理要求，认真履行专项借款协议，切实落实专项借款还款资金，保证按时归还专项借款。

二、自2009年起，对按照专项借款协议规定主动全额归还当年到期借款本金的地方，免收相应借款利息；对地方未能按时归还的借款本金，财政部将根据《中国人民银行 财政部关于印发〈地方政府向中央专项借款管理规定〉的通知》（银发〔2000〕148号）的有关规定，全额扣还应还本金及相应利息。

三、专项借款协议期满后，对以前年度缓扣的专项借款本金，分5年等额偿还，逾期未还的将比照上述规定扣还本息。

四、确因财力有限、按期偿还专项借款有困难的地方政府，可按现行程序向国务院申请延期还款。

五、请有关地方财政部门与当地人民银行分支行协作配合，在认真逐笔核实基础上，共同确定截至2008年末本地区专项借款有关账务，于2009年3月20日前联合报送财政部和中国人民银行。对2007~2008年到期的应付未付专项借款本息，财政部将在办理2008年中央与地方财政结算时，按“本金扣一半，利息全扣”的原则，从给有关地方的税收返还或转移支付资金中扣还。

附件：中央专项借款情况统计表

附件：

中央专项借款情况统计表

填表单位：　　　　2008 年末　　　　单位：万元

项目	借款总额（1）	借款余额（2）		到期应还本息数（3）		到期已还本息数（4）						应还未还本息数（5）			2008 年结算应扣还本息数						借款协议剩余期限
		期末余额	其中：未到期本金	本金	利息	合计		其中：地方归还本息数		中央扣收本息数		本金	利息	其中：因结算时间差形成的计息差额	合计		2007 年到期应扣本息		2008 年到期应扣本息		
						本金	利息	本金	利息	本金	利息				本金	利息	本金	利息	本金	利息	
1. 清理农金会																					
2. 城市信用社																					
3. 信托租赁财务																					
4. 供销社股金部																					
5. 粮食风险基金																					
6. 整顿金融三乱																					
7. 其他																					
合　计																					

注：1. 借款总额（1）－借款余额（2）= 到期已还本金。
2. 借款余额（2）－应还未还本金 = 借款未到期本金。
3. 到期应还本息数（3）－到期已还本息数（4）= 应还未还本息数（5）。
4. 2007 年、2008 年到期应扣本息均按当年到期“本金扣一半、利息全扣”的原则计算扣款金额，不包括 2007 年到期应扣未扣本息的 2008 年延息。
5. 因结算时间差形成的差额包括：历年缓扣本金的延息、2007 年到期应扣未扣本息的 2008 年延息和其他有争议的差额。

财政部关于金融类国有及国有控股企业绩效评价相关事项的通知

2009年4月16日 财金〔2009〕27号

各中央管理金融企业，各省、自治区、直辖市、计划单列市财政厅（局），新疆生产建设兵团财务局，财政部驻各省、自治区、直辖市、计划单列市财政监察专员办事处：

为了规范开展金融类国有及国有控股企业（以下简称金融企业）绩效评价工作，有效发挥绩效评价工作的作用，推动金融企业提高经营管理水平，根据《财政部关于印发〈金融类国有及国有控股企业绩效评价暂行办法〉的通知》（财金〔2009〕3号）等文件规定，现将有关事项通知如下：

一、根据《金融企业财务规则》（财政部令第42号）、《财政部关于印发〈金融企业财务规则—实施指南〉的通知》（财金〔2007〕23号）等文件规定，本办法所称金融企业包括：

（一）执业需取得银行业务许可证的政策性银行、邮政储蓄银行、国有商业银行、股份制商业银行、城市商业银行、农村商业银行、农村合作银行、信用社、新型农村金融机构、信托投资公司、金融租赁公司、金融资产管理公司和财务公司等；

（二）执业需取得保险业务许可证的各类保险企业等；

（三）执业需取得证券业务许可证的证券公司、期货公司和基金管理公司等；

（四）各类金融控股公司、信用担保公司以及金融监管部门所属的从事相关金融业务的企业。

二、财政部组织实施中央管理金融企业的绩效评价工作；省级人民政府财政部门（以下简称省级财政部门）组织实施本地区金融企业的绩效评价工作。

三、为确保绩效评价工作的真实、完整、合理，金融企业应当提供绩效评价基础数据资料及对基础数据进行调整的说明材料。

金融企业绩效评价基础数据资料具体包括：

（一）金融企业的年度财务会计报告；

（二）会计师事务所出具的审计报告；

（三）关于金融企业经营管理情况的说明。

金融企业对基础数据进行调整的说明材料具体包括：

（一）《金融企业绩效评价基础数据调整表》（附件）；

（二）调整事项有关证明材料。

组织实施单位根据被评价金融企业提供的绩效评价基础数据资料和调整说明材料分别进行审查、复核和确认。

四、中央管理金融企业应当于每年5月15日前，一式两份向财政部报送绩效评价的基础数据资料、对基础数据进行调整的说明材料。

地方金融企业向本级财政部门报送绩效评价材料的具体内容和时间要求，由省级财政部门另行规定。

省级财政部门应当于每年5月15日前，分户（按法人单位）将上一年度本地区金融企业调整后的绩效评价基础数据资料和情况说明报送财政部。

五、中央管理金融企业和省级财政部门应当根据《金融企业国有资本保值增值结果确认暂行办法》（财政部令第43号）和财政部年度财务决算工作的安排做好国有资本保值增值结果的确认工作。

六、省级财政部门应当于每年8月30日前，将本地区金融企业绩效评价结果及汇总分析报送财政部。

附件：金融企业绩效评价基础数据调整表

附件：

金融企业绩效评价基础数据调整表

企业名称：____________

调整事项 / 调整指标	指标账面值	调整事项	调整事项说明	指标调整后数值	指标确认值	备注

填报单位：__________（盖章）	主要负责人：______（签章）	总会计师或主要财务会计工作负责人：______（签章）	
审查人意见： ______（签字）	复核人意见： ______（签字）	审核委员会意见： ______（签字）	确认单位： ______（盖章）

注：1. 调整事项说明有关证明材料附后。
2. 表中内容如篇幅较大，可附页说明。

财政部关于印发《财政县域金融机构涉农贷款增量奖励资金管理暂行办法》的通知

2009年4月22日　财金〔2009〕30号

黑龙江、山东、河南、湖南、新疆、云南省（自治区）财政厅，财政部驻黑龙江、山东、河南、湖南、新疆、云南省（自治区）财政监察专员办事处：

现将《财政县域金融机构涉农贷款增量奖励资金管理暂行办法》印发给你们，请遵照执行。为及时办理审核拨付手续，请于6月10日前将2009年奖励资金申请材料报我部（金融司）。奖励资金审核以县域金融机构2008年末涉农贷款余额同比增幅为依据。

附件：财政县域金融机构涉农贷款增量奖励资金管理暂行办法

附件：

财政县域金融机构涉农贷款增量奖励资金管理暂行办法

第一章　总　　则

第一条　为了加强和规范县域金融机构涉农贷款增量奖励资金（以下简称奖励资金）管理，建立和完善财政促进金融支农长效机制，支持三农发展，根据国家有关政策和规定，制定本办法。

第二条　本办法所称县域金融机构涉农贷款增量奖励，是指财政部门对上年涉农贷款平均余额增长幅度超过一定比例，且贷款质量符合规定条件的县域金融机构，对余额超增的部分给予一定比例的奖励。

本办法所称县域金融机构，是指县（含县级市，不含县级区，下同）行政区域内具有法人资格的金融机构（以下简称法人金融机构）和其他金融机构（不含农业发展银行，下同）在县及县以下的分支机构（以下简称金融分支机构）。

本办法所称涉农贷款，是指县域金融机构发放的，支持农业生产、农村建设和农民生产生活的贷款。具体统计口径以《中国人民银行　中国银行业监督管理委员会关于建立〈涉农贷款专项统计制度〉的通知》（银发〔2007〕246号）规定为准。

本办法所称涉农贷款平均余额，是指县域金融机构该年度每季度末涉农贷款余额的算术平均值。

第三条　县域金融机构涉农贷款增量奖励工作遵循政府引导、市场运作、风险可控、管理到位的基本原则。

政府引导，是指财政部门建立奖励机制，发挥财政资金的杠杆作用，引导和激励县域金融机构加大涉农信贷投放，支持农业发展。

市场运作，是指涉农贷款发放工作遵循市场规律，金融机构自主决策，自担风险。

风险可控，是指县域金融机构在增加涉农贷款投放的同时，应当加强风险管理，降低不良贷款率，有效控制风险。

管理到位，是指财政部门规范奖励资金的预决算管理，严格审核，及时拨付，加强监督检查，保证资金安全和政策实施效果。

第二章　奖励条件和比例

第四条　财政部门对县域金融机构上年涉农贷款平均余额同比增长超过15%的部分，按2%的比例给予奖励。对上年末不良贷款率同比上升的县域金融机构，不予奖励。

第五条　奖励资金由中央和地方财政分担。东、中、西部地区，中央与地方财政分担比例分别为3:7，5:5，7:3。东、中、西部地区划分标准按照《关于明确东中西部地区划分的意见》（财办预〔2005〕5号）规定执行。地方财政分担的奖励资金，由省级财政部门统筹确定地方各级财政分担比例。

第六条　财政部可以根据奖励政策实施效果和中央地方财力情况，适时调整实施奖励政策的地区范围、奖励标准、奖励比例和中央与地方分担奖励资金的比例。

第七条　奖励资金纳入县域金融机构当年收入核算。

第三章　奖励资金的预算管理

第八条　中央和地方财政部门根据县域金融机构当年贷款平均余额增量预测和规定的奖励标准，安排专项奖励资金，分别列入下一年度中央和地方财政预算。

第九条　财政部每年向省级财政部门拨付奖励资金，地方各级财政部门按规定转拨，由县级财政部门向县域金融机构据实拨付。

第十条　各级财政部门根据国家关于财政资金管理的规定，做好奖励资金的决算。

省级财政部门应当于拨付奖励资金后，及时编制奖励资金决算，经财政部驻当地财政监察专员办事处（以下简称专员办）审核后，于财政部拨付奖励资金后3个月内报财政部。

第四章　奖励资金申请、审核和拨付

第十一条　县域金融机构按年向县级财政部门申请奖励资金。

第十二条　县域金融机构按照国家财务会计制度、中国人民银行和中国银行业监督管理委员会规定的涉农贷款统计口径和财政部规定的奖励比例，计算涉农贷款平均余额增量和相应的奖励资金，向县级财政部门提出申请。

第十三条　奖励资金申请、审核和拨付，按以下程序办理：

（一）县域金融机构应当于每年2月20日前，向县级财政部门报送当年奖励资金申请书及相关材料。奖励资金申请书及相关材料应当反映上年涉农贷款平均余额、同比增幅、上年末不良贷款率变动情况、可予奖励贷款增量、申请奖励资金金额等信息。金融分支机构以县级分支机构为单位汇总报送。不符合奖励条件的县域金融机构，也应向县级财政部门报送上年涉农贷款情况表，反映上年涉农贷款平均余额、同比增幅、上年末不良贷款率变动情况等数据。

（二）县级财政部门收到县域金融机构的奖励资金申请书及相关材料后，在10个工作日内出具审核意见。

（三）县级财政部门向省级财政部门报送奖励资金申请材料。申请材料包括县域金融机构的奖励资金申请书及相关材料、涉农贷款发放和奖励资金情况表（表2）和县级财政部门审核意见等。

（四）省级财政部门对奖励资金申请材料进行审核汇总后，送专员办审核。

（五）专员办收到省级财政部门的奖励资金申请材料后，在10个工作日内出具审核意见并送省级财政部门。

（六）省级财政部门在每年4月30日之前向财政部报送奖励资金申请材料，包括本省（区、市）和各县涉农贷款发放和奖励资金情况表（表1及表2），并附专员办审核意见。

（七）财政部审核后，据实向省级财政部门拨付奖励资金。

（八）省级财政部门收到财政部拨付的奖励资金后，在10个工作日内转拨资金。

（九）县级财政部门收到奖励资金后，在10个工作日内将奖励资金拨付给县域金融机构。

（十）对法人金融机构，县级财政部门直接将奖励资金拨付给该机构；对金融分支机构，县级财政部门将奖励资金拨付给该机构的县级分支机构。

第五章　监督管理和法律责任

第十四条　法人金融机构应当如实统计和上报涉农贷款发放情况。其他金融机构应当加强对所属分支机构的监管，县级分支机构应当如实统计和汇总上报县级及以下分支机构涉农贷款发放情况。

第十五条　各级财政部门对行政区域内县域金融机构涉农贷款增量奖励的审核工作进行指导，做好奖励审核拨付的组织和协调工作，并会同有关部门对奖励审核拨付工作进行检查，对检查中发现的问题及时处理和反映，保证财政奖励政策落到实处。

第十六条　专员办对行政区域内县域金融机构涉农贷款情况认真审核，出具意见作为中央和省级财政部门审核拨付奖励资金的依据。

专员办应当加强对奖励资金拨付和使用的检查监督，规范审核拨付程序，确保奖励资金专项使用。

第十七条　财政部不定期对奖励资金审核拨付工作进行监督检查，对奖励资金的使用情况和效果进行评价。

第十八条　县域金融机构虚报材料，骗取奖励资金的，财政部门应当追回奖励资金，取消县域金融机构获得奖励的资格，并根据《财政违法行为处罚处分条例》（国务院令第427号）规定对有关单位和责任人员进行处罚。

第十九条　地方各级财政部门和专员办未认真履行审核职责，导致金融机构虚报材料骗取奖励资金，或者挪用奖励资金的，上级财政部门应当责令改正，追回已拨资金，并按《财政违法行为处罚处分条例》规定对有关单位和责任人员进行处罚。

第六章　附　　则

第二十条　各省、自治区、直辖市、计划单列市财政部门可根据当地情况制定奖励资金管理细则。

第二十一条　本办法自印发之日起施行。

附表：1. ____省（自治区、直辖市）涉农贷款发放及奖励资金情况表

2. ____县（市）涉农贷款发放及奖励资金情况表

附表 1：

________省（自治区、直辖市）涉农贷款发放及奖励资金情况表

200 年

填报单位：________省（区、市）财政厅（局）　　　　单位：万元，%

贷款及奖励情况 / 县级财政部门	上年涉农贷款发放额		上年涉农贷款平均余额		可予奖励贷款增量	奖励金额
	金额	同比变动（%）	余额	同比变动		
××县						
××县						
……						
……						
……						
合计						

注：表中各行数据需与各县统计表中汇总数一致。

附表 2：

________县（市）涉农贷款发放及奖励资金情况表

200 年

填报单位：________县（市）财政局　　　　单位：万元，%

贷款及奖励情况 / 金融机构	上年涉农贷款发放额		上年涉农贷款平均余额		上年末贷款不良贷款率		是否符合奖励条件	可予奖励贷款增量	奖励金额
	金额	同比变动	余额	同比变动	不良率	同比变动			
××银行									
××银行									
……									
……									
……									
合计									

注：该表填报所有县域金融机构数据，是否符合奖励条件在“是否符合奖励条件”一栏中说明，不符合奖励条件的机构“可予奖励贷款增量”和“奖励金额”为0。

财政部关于印发《中央财政新型农村金融机构定向费用补贴资金管理暂行办法》的通知

2009年4月22日　财金〔2009〕31号

各省、自治区、直辖市、计划单列市财政厅（局），财政部驻各省、自治区、直辖市、计划单列市财政监察专员办事处：

现将《中央财政新型农村金融机构定向费用补贴资金管理暂行办法》印发给你们，请遵照执行。为及时办理审核拨付手续，请于6月10日前将2009年补贴资金申请材料报我部（金融司）。补贴资金审核以新型农村金融机构2008年末涉农贷款余额为依据。

附件：中央财政新型农村金融机构定向费用补贴资金管理暂行办法

附件：

中央财政新型农村金融机构定向费用补贴资金管理暂行办法

第一章　总　　则

第一条　为了加强和规范新型农村金融机构定向费用补贴资金（以下简称补贴资金）管理，支持新型农村金融机构持续发展，促进农村金融服务体系建设，根据国家有关政策和规定，制定本办法。

第二条　本办法所称新型农村金融机构定向费用补贴，是指财政部对符合规定条件的新型农村金融机构，按上年贷款平均余额给予一定比例的财政补贴。

本办法所称新型农村金融机构（以下简称农村金融机构），是指经中国银行业监督管理委员会（以下简称银监会）批准设立的村镇银行、贷款公司、农村资金互助社三类农村金融机构。

本办法所称贷款平均余额，是指农村金融机构该年度每季度末贷款余额的算术平均值。具体统计口径以《中国人民银行金融统计制度》及相关通知规定为准。

第三条　农村金融机构定向费用补贴工作遵循政府扶持、商业运作、风险可控、管理到位的基本原则。

政府扶持，是指财政部建立定向费用补贴制度，促进农村金融机构加大支农力度，支持其持续发展。

商业运作，是指农村金融机构按商业经营规律，自主决策、自担风险、自负盈亏。

风险可控，是指农村金融机构在加大涉农贷款投放的同时，应当加强内部管理，改善经营指标，控制相关风险。

管理到位，是指财政部门规范补贴资金的预决算管理，严格审核，及时拨付，加强监督检查，保证资金安全和政策实施效果。

第二章　补贴条件和标准

第四条　财政部对上年贷款平均余额同比增长，且达到银监会监管指标要求的贷款公司和农村资金互助社，上年贷款平均余额同比增长、上年末存贷比高于50%且达到银监会监管指标要求的村镇银行，按其上年贷款平均余额的2%给予补贴。

第五条 补贴资金由中央财政承担。

第六条 补贴资金作为农村金融机构当年收入核算。

第三章 补贴资金预算管理

第七条 财政部根据全国农村金融机构当年贷款平均余额预测和规定的补贴标准，安排专项补贴资金，列入下一年度中央财政预算。

第八条 财政部每年向省级财政部门拨付补贴资金，各级财政部门应当按规定转拨，由县级财政部门向农村金融机构据实拨付。

第九条 各级财政部门应当根据国家关于财政资金管理的规定，做好补贴资金的决算。

省级财政部门应当于拨付补贴资金后，及时编制补贴资金决算，经财政部驻当地财政监察专员办事处（以下简称专员办）审核后，于财政部拨付补贴资金后3个月内报财政部。

第四章 补贴资金申请、审核和拨付

第十条 农村金融机构按年向县级财政部门申请补贴资金。

第十一条 农村金融机构按照国家财务会计制度和财政部规定的补贴比例，计算上年贷款平均余额和相应的补贴资金，向县级财政部门提出申请。

第十二条 补贴资金申请、审核和拨付，按以下程序办理：

（一）农村金融机构应当于每年2月20日前，向县级财政部门报送补贴资金申请书及相关材料。补贴资金申请书及相关材料应当反映上年贷款平均余额、同比增长情况、申请补贴资金金额、村镇银行上年末存贷比等数据，并对农村金融机构上年度监管指标情况以及是否达到银监会要求进行说明。不符合补贴条件的农村金融机构，应当向县级财政部门报送上年贷款情况表，包括上年贷款平均余额、同比增长情况。

（二）县级财政部门收到农村金融机构的补贴资金申请材料后，在10个工作日内出具审核意见。

（三）县级财政部门向省级财政部门报送补贴资金申请材料。申请材料包括农村金融机构的补贴资金申请书及相关材料、贷款发放和补贴资金情况表（附1）和县级财政部门审核意见等。

（四）省级财政部门对补贴资金申请材料进行审核汇总后，送专员办审核。

（五）专员办收到省级财政部门的补贴资金申请材料后，在10个工作日内出具审核意见并送省级财政部门。

（六）省级财政部门在4月30日之前向财政部报送补贴资金申请材料，包括本省和各县贷款发放和补贴资金情况表（附1及附2），并附专员办审核意见。

（七）财政部审核后，据实向省级财政部门拨付补贴资金。

（八）省级财政部门收到财政部拨付的补贴资金后，在10个工作日内转拨资金。

（九）县级财政部门收到补贴资金后，在10个工作日内将补贴资金拨付给农村金融机构。

第五章 监督管理和法律责任

第十三条 农村金融机构应当认真如实统计和上报本机构贷款发放和余额情况。

第十四条 各级财政部门对行政区域内农村金融机构的补贴申请工作进行指导，做好补贴审核拨付的组织和协调工作，并会同有关部门对补贴审核拨付工作进行检查，对检查中发现的问题及时处理和反映，保证财政补贴政策落到实处。

第十五条 专员办对行政区域内农村金融机构贷款和各项监管指标完成情况认真审核，出具意见作为中央和省级财政部门审核拨付补贴资金的依据。

专员办应当加强对补贴资金拨付和使用的监督检查，规范审核拨付程序，保证补贴资金专项使用。

第十六条 财政部不定期对补贴资金进行监督检查，对补贴资金的使用情况和效果进行评价，作为调整政策的依据之一。

第十七条 农村金融机构虚报材料，骗取财政补贴资金的，财政部门应当追回补贴资金，取消农村金融机构获得补贴的资格，并根据《财政违法行为处罚处分条例》（国务院令第427号）进行处罚。

第十八条 各级财政部门和专员办未认真履行审核职责，导致农村金融机构虚报材料骗取补贴资金，或者挪用补贴资金的，上级财政部门应当责令改正，采取追回已拨资金，并根据《财政违法行为处罚处分条例》（国务院令第427号）对有关单位和责任人员进行处罚。

第六章 附 则

第十九条 各省、自治区、直辖市、计划单列市财政部门可根据当地情况制定补贴资金管理细则，报财政部备案。

第二十条 本办法自印发之日起施行。

附：1. ____省（自治区、直辖市）贷款发放及补贴资金情况表

2. ____县（市）贷款发放及补贴资金情况表

附1：

____省（自治区、直辖市）贷款发放及补贴资金情况表

填报单位：____省（区、市）财政厅（局）　　20 年　　单位：万元，%

贷款及补贴情况 / 县级财政部门	上年贷款发放金额		上年贷款平均余额		可予补贴贷款余额	补贴金额
	金额	同比变动	余额	同比变动		
××县						
××县						
……						
……						
……						
合计						

注：表中各行数据需与各县统计表中汇总数一致。

附2：

____县（市）贷款发放及补贴资金情况表

填报单位：____县（市）财政局　　20 年　　单位：万元，%

贷款及补贴情况 / 金融机构	上年贷款发放金额		上年贷款平均余额		上年末存贷比	是否符合补贴条件	可予补贴贷款余额	补贴金额
	金额	同比变动	余额	同比变动				
××银行								
××银行								
……								
……								
……								
合计								

注：1. 该表填报所有新型农村金融机构数据，是否符合补贴条件在“是否符合补贴条件”一栏中说明，不符合补贴条件的机构“可予补贴贷款余额”和“补贴金额”为0。

2. “存贷比”一栏只需村镇银行填写。

财政部 人力资源社会保障部 中国人民银行 中华全国妇女联合会关于完善小额担保贷款财政贴息政策 推动妇女创业就业工作的通知

2009年7月27日 财金〔2009〕72号

各省、自治区、直辖市、计划单列市财政厅（局）、人力资源社会保障（人事、劳动保障）厅（局）、妇联，财政部驻各省、自治区、直辖市、计划单列市财政监察专员办事处，中国人民银行上海总部、各分行、营业管理部、省会（首府）城市中心支行、大连、青岛、宁波、厦门、深圳中心支行，各国有商业银行、股份制商业银行、中国邮政储蓄银行：

为深入贯彻落实党的十七届三中全会和中央农村工作会议精神，加快实施扩大就业发展战略，进一步完善下岗失业人员小额担保贷款（以下简称小额担保贷款）财政贴息政策，保障妇女发展权利，做好妇女创业就业工作，经国务院同意，现就有关事项通知如下：

一、对符合现行小额担保贷款申请人条件的城镇妇女，小额担保贷款经办金融机构（以下简称经办金融机构）新发放的个人小额担保贷款最高额度为8万元，还款方式和计、结息方式由借贷双方商定。对符合条件的妇女合伙经营和组织起来就业的，经办金融机构可将人均最高贷款额度提高至10万元。农村妇女贷款额度参照城镇妇女执行，申请人具体条件由各省（自治区、直辖市）财政部门、人力资源社会保障部门、中国人民银行分支机构、妇联组织共同确定。

二、自2009年1月1日起，经办金融机构对符合条件的城镇和农村妇女新发放的微利项目小额担保贷款，由中央财政据实全额贴息（不含东部七省市），展期逾期不贴息。东部七省市贴息资金由地方财政预算安排。本通知印发之日前已经发放、尚未还清的贷款，已结息部分不作追溯调整。

三、妇联组织要充分发挥贴近基层、贴近妇女、贴近家庭的优势，做好农村妇女申请小额担保贷款登记服务，协助经办担保机构和金融机构做好个人资信评估、贷款发放和回收工作，切实防范和控制贷款风险。对妇联组织推荐的借款人，财政部门和人力资源社会保障部门要督促经办担保机构和金融机构简化程序，缩短审批时间，尽快办理担保和贷款发放手续。经办担保机构原则上不要求借款人提供反担保。

四、农村妇女按照自愿原则向当地妇联组织申请小额担保贷款，并经人力资源社会保障部门审核。妇联组织应对借款人申请进行调查，深入了解借款人的生产生活状况，对借款人的贷款需求和信用状况进行评估，按照审慎原则出具贷款推荐意见。对符合条件的借款人，妇联组织应及时提交经办担保机构和金融机构审核。

五、各地人力资源社会保障部门要在现有社区劳动保障平台的基础上，积极探索发挥妇联组织在促进城镇妇女小额担保贷款发放中的作用，进一步做好城镇失业妇女申请小额担保贷款登记服务工作。城镇妇女可以向当地妇联组织申请小额担保贷款，并经人力资源社会保障部门审核。

六、妇联组织要配合人力资源社会保障部门、经办担保机构和金融机构，做好贷前服务、贷中管理和贷后核查工作。加大创业就业妇女培训力度，指导妇女选择合适的创业项目，跟踪项目实施，做到家庭情况清、贷款项目清、贷款数额清、还贷能力清，积极帮助解决承贷妇女困难，切实增强妇女创业就业和增收致富能力。

七、各地财政部门、人力资源社会保障部门、中国人民银行分支机构要高度重视妇女小额担保贷款工作，切实利用妇联组织的组织优势、宣传优势和载体优势，落实好小额担保贷款政策，做好妇女创业就业工作。各级财政部门要对当地妇联组织开展小额担保贷款工作给予经费保障。

八、对基础管理工作扎实、贷款管理工作尽职、小额担保推荐贷款回收率高的妇联组织，纳入现行小额担保贷款奖励机制，由省级财政部门会同人力资源社会保障部门、中国人民银行分支机构、妇联组织等确定考核和奖励标准。奖励资金用于地方各级妇联组织的工作经费补助。

九、各地财政部门、人力资源社会保障部门、中国人民银行分支机构、妇联组织要加强部门沟通协作，建立基层妇联组织小额担保贷款工作联动机制。省级妇联组织要加强对基层妇联组织的考核管理，及时总结地方各级妇联组织开展小额担保贷款工作的好经验、好做法，逐步建立和完善有效的激励约束机制。

请各地财政部门联合当地人力资源社会保障部门、中国人民银行分支机构将本通知速转发至行政区域内相关金融机构。

财政部关于印发《外国政府贷款转贷管理办法》的通知

2009年10月12日　财金〔2009〕114号

各省、自治区、直辖市、计划单列市财政厅（局），新疆生产建设兵团财务局，有关银行、采购公司：

为进一步落实《国际金融组织和外国政府贷款赠款管理办法》（财政部令第38号）和《外国政府贷款管理规定》（财金〔2009〕176号），完善外国政府贷款转贷管理制度，保证贷款工作的顺利进行，提高贷款的使用质量和效益，现将我部制定的《外国政府贷款转贷管理办法》印发你们，请遵照执行。

附件：外国政府贷款转贷管理办法

附件：

外国政府贷款转贷管理办法

第一章　总　　则

第一条　为了加强外国政府贷款（以下简称贷款）转贷管理，建立健全转贷全过程监督管理机制，合理有效地使用资金，根据《国际金融组织和外国政府贷款赠款管理办法》（财政部令第38号）和《外国政府贷款管理规定》（财金〔2008〕176号）制定本办法。

第二条　贷款项下转贷银行的选择和委托、有关协议的签署与执行、财政扣款等相关活动适用本办法。

第三条　贷款转贷应当遵守国家法律法规、贷款法律文件和本办法，遵循分类管理、权责明确、程序清晰、操作规范、风险可控、债务安全的原则。

前款所称贷款法律文件包括政府协议、贷款协议。

第四条　本办法所称转贷是指，财政部将其代表我国政府借入的贷款委托国内银行再贷给国内债务人，并由受托银行负责贷款资金的提取和支付、本息和费用回收以及对外偿付等的活动。

本办法其他有关用语的含义与财政部令第38号和财金〔2008〕176号文件规定一致。

第二章　机构职责

第五条　作为贷款的统一管理部门，财政部履行下列职责：

（一）制定贷款转贷管理规章制度，并组织实施和监督检查；

（二）指导、管理、协调和监督贷款转贷工作；

（三）按规定委托贷款项目的转贷银行；

（四）按规定实行财政扣款，回补转贷银行对外垫付的资金；

（五）组织开展贷款相关的债务统计和监测工作；

（六）对贷款项目实施进行监督检查。

第六条 作为本地区贷款统一管理部门，省级财政部门履行下列职责：

（一）根据财政部确定的原则和规定，制定本地区贷款转贷管理具体实施办法；

（二）指导、协调、监督和管理本地区贷款转贷工作；

（三）制定本地区转贷银行的选择和管理办法，选择一、二类贷款项目的转贷银行，提出贷款项目转贷银行的委托和变更申请；

（四）审核一、二类项目转贷条件，出具还款承诺函或还款保证书（附1、2）；

（五）作为一类项目债务人签署转贷协议，并履行协议规定的义务；作为二类项目的担保人，履行还款保证书规定的担保义务；

（六）按规定设立和管理还贷准备金；

（七）组织开展本地区贷款相关的债务统计与监测工作；

（八）将影响项目还款的有关情况报财政部，抄送相关转贷银行；

（九）核对转贷银行对外垫付的本金、利息和国外银行费用金额，办理相关结算工作。

第七条 转贷银行作为财务代理或自主转贷项目的贷款银行，履行下列职责：

（一）配合财政部门开展一、二类项目的评审，向财政部门出具一、二类项目的风险评价和提示报告；

（二）向财政部出具接受贷款项目转贷委托确认书（附3）抄送省级财政部门；

（三）对贷款项目进行贷前审查；

（四）负责贷款协议和转贷协议的谈判、签署工作，履行贷款协议和转贷协议规定的义务；

（五）审核有关采购单据，确认单据列示的采购内容与采购合同列示的采购内容一致，办理贷款资金的提取和支付；

（六）向债务人催收贷款本金、利息和国外银行费用及转贷协议规定收取的相关费用；

（七）按时足额对外偿还本金、利息和国外银行费用，并为发生拖欠的债务人进行垫付；

（八）按规定管理提前还款资金；

（九）按规定将资金提取、支付、贷款偿还和对外垫付有关情况报送省级财政部门；

（十）按规定做好债务统计和预测工作，及时、准确向财政部门报送有关数据；

（十一）及时将银行内部有关转贷的规定通报省级财政部门和财政部。

第八条 项目单位（债务人）履行下列职责：

（一）履行转贷协议规定的义务；

（二）制定债务偿还计划，按时足额还款；

（三）建立健全财务会计核算制度，根据财政部门要求提供债务统计有关数据；

（四）会同采购公司及时将经有关部门批复的采购合同和采购清单的变更通知省级财政部门和转贷银行；

（五）配合财政部门和转贷银行的管理工作；

（六）将影响还款的有关情况及时报省级财政部门和转贷银行；

（七）妥善保管利用外国政府贷款引进的设备，如项目发生特殊情况，需对外国政府贷款所购设备进行处置的，在办理相关的海关手续前，应当先征得转贷银行和省级财政部门同意。

第三章　转贷委托

第九条　转贷银行应当具备以下条件：

（一）具有专职的转贷业务部门和专职转贷业务人员，熟悉贷款方和我国贷款管理政策和工作程序；

（二）具备与贷款方认可的国外银行发展业务关系的能力和经验；

（三）具有良好的国内和国际市场资信评级。

第十条　一、二类项目的转贷银行由省级财政部门选择，三类项目的转贷银行由项目单位选择。

省级财政部门或项目单位应当根据贷款项目的特点和需求，择优选取转贷银行，并在按规定程序提出拟利用贷款申请时一并上报。如向财政部提交申请后需变更转贷银行，应当向财政部提出变更申请。

第十一条　对于一类、二类项目，转贷银行或其省级分支机构应当对拟承办的项目进行风险评估，并向省级财政部门出具风险评价和提示报告。省级财政部门在向财政部提出拟利用贷款的申请时，应当附送一、二类项目风险评价和提示报告。

风险评价和提示报告应当包括但不限于以下内容：项目单位财务状况、资信状况、运营情况、还款能力、应当提示的潜在风险等。

第十二条　经审核省级财政部门的申请，财政部下达备选项目清单时明确各项目的转贷银行，委托其承办贷款项目的转贷业务。

第十三条　转贷银行同意承接转贷的，应当在备选项目清单下达后30个工作日内向财政部出具接受委托确认书，同时抄送省级财政部门和项目单位。

转贷银行逾期未出具接受委托确认书的，视为不接受委托，省级财政部门或项目单位应当另行选择其他银行，并办理相关手续。

第十四条　贷款项目列入备选清单后，转贷银行应当对贷款项目进行贷前审查。贷前审查包括但不限于以下内容：

（一）项目立项审批情况；

（二）借款人注册登记情况、财务状况及生产经营或运营情况；

（三）项目配套资金落实情况，包括项目总投资、配套资金来源及证明材料；

（四）项目效益指标预测，包括社会、生态、环境以及经济效益指标预测；

（五）还款资金来源及担保意向情况。

对于一、二类项目，转贷银行主要审查项目申请材料和审批文件是否齐备、合规，原则上不进行实地评估。

第四章　转贷协议

第十五条　转贷银行根据政府协议和项目进展情况，及时做好贷款协议和转贷协议的谈判签署工作。

第十六条　转贷银行在贷款方批准项目后，应当与债务人就转贷条件和转贷协议其他内容进行协商。转贷协议包括以下内容：

（一）转贷金额和转贷条件；

（二）转贷资金的提取（以下称提款）、单据审核、省级财政部门的审核；

（三）本金、利息和国外银行费用的偿还；

（四）转贷手续费，规定收取转贷手续费、罚息及违约金的费率、基数、币种等；

（五）结算和支付货币，明确转贷协议项下借款人提取贷款资金，偿还本金，偿付利息、国外银行费用、罚息，以及借款人偿付转贷手续费、违约金、罚息的结算和支付币种；

（六）担保，明确担保方式、担保文件齐备是提款的先决条件；

（七）借贷双方约定的其他权利和义务；

（八）争议解决的约定；

（九）协议生效前提条件，如还款承诺函、还款保证书等有关文件是否齐备等；

（十）其他。

第十七条 转贷条件确定后，转贷银行应当通知省级财政部门向财政部出具一类项目还款承诺函，向转贷银行出具二类项目还款保证书。

省级财政部门在接到转贷银行通知20个工作日内，出具贷款项目的还款承诺函或保证书；如不出具贷款项目的还款承诺函或保证书，省级财政部门应当在上述时限内向转贷银行提交书面意见，并抄送财政部。

转贷银行与债务人就转贷协议内容达成一致意见，并对省级财政部门出具的还款承诺函或还款保证书审核无误后，双方应当及时签署转贷协议，并办理协议生效手续。

第十八条 转贷银行未经财政部同意，不得改变一、二类项目贷款协议规定的贷款金额、贷款期、宽限期、年利率、国外银行费用等贷款条件。如贷款方无特殊要求，转贷银行可对三类项目改变贷款条件。

第十九条 转贷银行可对其转贷的项目收取转贷手续费。转贷手续费是国内转贷银行收取的费用，不包括中外双方律师费和外方银行承诺费等。

转贷协议有效期内，转贷银行应当按转贷协议中规定的日期，对债务人的贷款余额按规定的年费率收取转贷手续费。一、二类项目转贷手续费分档年费率如下：

（一）一类项目，转贷金额1 000万美元以下（含1 000万美元）的项目，年费率不高于0.25%；转贷金额1 000万美元以上至5 000万美元的项目，年费率不高于0.20%；转贷金额5 000万美元以上的项目，年费率不高于0.15%。

（二）二类项目，转贷金额1 000万美元以下（含1 000万美元）的项目，年费率不高于0.30%；转贷金额1 000万美元以上至5 000万美元的项目，年费率不高于0.25%；转贷金额5 000万美元以上的项目，年费率不高于0.20%。

贷款项目的转贷币种为非美元货币的，确定转贷费年费率的转贷金额应当按转贷协议签署日前10个工作日外汇管理局公布的外汇牌价进行折算。

转贷手续费原则上按人民币收取，按转贷协议签署日外汇管理局公布的外汇牌价进行折算。

三类项目的转贷手续费，由转贷银行和债务人参照本办法协商确定。

第二十条 如贷款协议的变更引起转贷协议需进行相应修改的，转贷银行原则上应当报省级财政部门批准。省级财政部门在收到报告后的10个工作日内，应当书面答复转贷银行。

如变更内容不涉及贷款币种、本金金额、贷款利率及贷款期限的，转贷银行和债务人可根据实际情况修改转贷协议，并由转贷银行将有关情况报省级财政部门备案。

第二十一条 转贷银行和债务人在贷款全部偿还完毕前，如需终止转贷协议，原则上应当事先征得省级财政部门和财政部同意。如因转贷银行同意债务人对内提前还款引起转贷协议终止的，转贷银行应当将有关情况报省级财政部门和财政部备案。

第五章 贷后管理

第二十二条 转贷银行应当建立项目负责人制度，对每一个贷款项目指定专人负责跟踪贷款项目的实施情况，建立项目档案，并按规定保管贷款协议、转贷协议等法律文件以及资金支付单据等备查。

第二十三条 债务人或债务人委托采购公司在转贷协议生效后根据项目进度向转贷银行提交提款申请。转贷银行根据政府协议、贷款协议和转贷协议的规定，采取直接支付、提款报账或周转金等方式支付贷款资金，并及时将资金的提取和支付等情况报送债务人和省级财政部门。

第二十四条 转贷银行应当认真审核有关单据，并确认单据和采购合同列示的采购内容一致。转贷银行发现采购内容不一致的，应当先要求采购公司和项目单位对采购内容进行相应调整，并作出相关说明。

经调整仍不符合采购合同的，转贷银行将有关情况报省级财政部门后，省级财政部门应及时处理，重大问题报财政部。

第二十五条 贷款提款执行完毕，转贷银行收到贷款方的通知后15个工作日内，转贷银行应当根据转贷协议规定将还款确认书送达债务人，并抄送省级财政部门。

第二十六条 转贷协议有效期内，转贷银行应当监督贷款资金使用和偿还情况，对贷款资金实行台账管理，定期与债务人对账，确保账务准确和资金安全，并将可能影响项目单位还款的有关情况及时报财政部和省级财政部门。

第二十七条 债务人应当采取措施，规避汇率风险和利率风险。债务人进行风险管理操作，应当及时向省级财政部门报告。转贷银行应当向债务人提出风险管理的建议，为债务人控制债务成本提供参考。

第六章 贷款偿还

第二十八条 转贷银行根据转贷协议规定，向债务人发送还款通知（催收通知），并抄送省级财政部门。

第二十九条 债务人收到还款通知后，应当按时足额偿还。转贷银行依照贷款协议规定的付款程序，按时足额对外偿付。

第三十条 除转贷协议双方另有约定外，如债务人或担保人未足额偿还应付款项，转贷银行应当依次按照贷款本金、利息、国外银行费用、转贷银行按转贷协议规定收取的其他费用的排序以及先本期后前期原则，确认已偿还的款项、金额和拖欠款项、金额。

转贷银行应当及时足额对外垫付本金、利息和国外银行费用，并将有关情况通报省级财政部门。

第三十一条 省级财政部门应当按照财政部有关规定设立还贷准备金。

第三十二条 债务人如提前还款，应当征得转贷银行同意。转贷银行应当将确认后的提前还款金额、方式等书面通知债务人，并及时抄送省级财政部门和财政部。

转贷银行应当按照财政部有关规定管理提前还款资金。

第三十三条 在贷款债务清偿前，债务人如实行资产重组、企业改制或者申请破产的，应当采取措施落实债务责任；省级财政部门和转贷银行应当根据国家法律法规和财政部的有关规定落实债务偿还安排。

第七章 财政扣款

第三十四条 对一、二类项目，财政部将根据转贷银行的申请采取财政扣款等方式，回补转贷银行对外垫付的资金。对2009年1月1日以前签署转贷协议的，财政部将回补转贷银行对外垫付的本金、利息、国外银行费用及按国家规定可收取的有关费用；对2009年1月1日及以后签署转贷协议的，财政部将回补转贷银行对外垫付的本金、利息和国外银行费用。

第三十五条 转贷银行应当于每年3月31日前向财政部报送扣款申请，并附按贷款项目编制的上一年度对外垫付的本金、利息和国外银行费用明细表以及省级财政部门对本地区上一年度转贷银行垫款金额的确认意见。

第三十六条 转贷银行报送财政扣款有关数据时，原币折人民币的汇率应当采用该应扣款年度最后一个工作日外汇管理局公布的外汇牌价。

第三十七条 转贷银行应当于每年1月31日前将上一年度对外垫付的本金、利息和国外银行费用明细表送省级财政部门核对。省级财政部门收到转贷银行提供的垫款明细表后，应当于20个工作日内予以核对并出具确认意见。省级财政部门逾期未向转贷银行出具垫款金额确认意见的，视同对有关数据无异议。转贷银行可直接向财政部报送扣款申请，并对此作出相应说明。

省级财政部门与转贷银行无法就垫款金额达成一致的，经财政部同意，财政扣款可推迟至下一年度。

省级财政部门和转贷银行应尽快予以妥善解决。

第三十八条 财政部与地方财政办理结算，将确认后的垫款金额扣回，发文通知转贷银行办理领款手续，并抄送省级财政部门。

转贷银行收到财政部领款通知后，应当向财政部提出领款申请，并按财政部有关规定办理领款手续。

第八章 统计报告

第三十九条 贷款清偿前，转贷银行应当以总行部门名义行文，于每年7月20日和次年1月20日前将上半年及全年度的贷款债务统计数据（附4）报送财政部，抄送省级财政部门。

转贷银行应当定期与省级财政部门核对贷款债务统计和垫款数据，并就有关问题向财政部作出说明。

第四十条 转贷银行应当指定专人负责统计数据报送工作，确保报送数据的质量和效率。

财政部对各转贷银行报送数据的及时性、准确性和完整性进行综合评审，并对评审结果予以通报或以其他适当形式予以公布。

第九章 罚 则

第四十一条 违反本规定，以虚报、冒领或者其他手段骗取贷款资金的，或者滞留、截留、挪用及其他违反规定使用贷款资金的，或者从政府承贷或者担保的贷款中非法获益的，依照《财政违法行为处罚处分条例》（国务院令第427号）以及相关法律、法规规定处理。

第四十二条 省级财政部门未按本规定第六条履行相应职责，财政部可予以通报批评、限期整改，或在有关问题得到妥善处理前暂停新项目安排等处罚。

第四十三条 转贷银行未按本规定第七条履行相应职责，财政部可予以通报批评、暂停或取消参与贷款转贷业务等处罚，并建议银行监管部门依法处理。

第四十四条 项目单位未按本规定第八条履行相应职责，财政部可予以通报批评、暂停或取消贷款资金的提取和支付、加速未到期贷款债务的偿还、追回已支付资金及其形成的资产、收取资金占用费或者违约金、停止安排贷款，并建议行业主管部门或地方政府依法处理。

第四十五条 采购公司违反本规定，财政部可予以通报批评、暂停或取消参与贷款采购代理业务，并通知有关主管部门，由其依法处理。

第四十六条 供货商违反本规定，与项目单位、采购公司订立不当返款协议、签订虚假合同，套取贷款资金，财政部可予以通报批评、禁止其参与贷款采购业务，并将有关情况告知有关主管部门和贷款方。

第四十七条 财政部门、项目主管部门的工作人员在贷款的管理、资金使用和偿还过程中，贪污受贿、滥用职权、玩忽职守、徇私舞弊的，依法给予行政处分。涉嫌犯罪的，移送司法机关依法处理。

第十章 附 则

第四十八条 国务院有关部门、计划单列企业集团以及中央管理企业贷款的转贷管理工作，参照本办法执行。

第四十九条 本办法自2009年11月1日起施行，《关于外国政府贷款转贷管理的暂行规定》（财债字〔1999〕230号）同时废止。

附：1. 还款保证书
2. 还款承诺函
3. 关于接受转贷项目委托的确认书
4. 外国政府贷款统计表

附1：

还款保证书

（银行）：

根据《中华人民共和国担保法》以及财政部《外国政府贷款转贷管理办法》，我厅（局）愿为下述利用外国政府贷款项目债务的偿还提供连带责任保证：

贷款国别：

项目名称：

贷款人：

借款人：

贷款金额：（币种）（数额大写）

我厅（局）愿为借款人因与贷款人签署的关于上述项目的转贷协议而产生的全部债务（包括本金、利息、国外银行费用、转贷手续费、罚息、违约金和其他应付费用）的偿还提供不可撤销的连带责任保证。如借款人未能根据转贷协议按期如数偿付转贷协议项下的到期债务，我厅（局）保证在收到你行通知后30个工作日内履行连带保证责任。我厅（局）将以足额的贷款币种或与之等额的人民币归还拖欠的贷款本息及国外银行费用。在全部债务未清偿之前，本保证不因贷款人、借款人和保证人的法人代表变更，法人组织机构变动及隶属关系变化而失效。

保证期间自本证书生效之日起至全部债务清偿之日止。

如我厅（局）不能有效履行上述保证责任而导致不能按期对外还款时，贷款人应当先行予以对外垫付。贷款人应当将对外垫付的本息及国外银行费用的明细清单在对外垫款后及时报我厅（局）。我厅（局）审核无误后，将向贷款人出具书面确认，贷款人据此向中央财政申请对我厅（局）采取扣款等措施，并按双方确认的金额以人民币拨付贷款人。

保证人：（盖章）

年 月 日

抄：财政部

附2：

还款承诺函

财政部：

根据《中华人民共和国担保法》以及财政部《外国政府贷款转贷管理办法》，我厅（局）愿为下述利用外国政府贷款项目提供还款承诺：

贷款国别：

项目名称：

贷款金额：（币种）（数额大写）

我厅（局）负责按时偿还转贷协议项下的全部到期债务。

如我厅（局）不能按期有效履行上述承诺，我厅（局）同意财政部对我厅（局）采取财政扣款的方式偿还全部债务。

省（自治区、直辖市或计划单列市）财政厅（局）
（盖章）
年 月 日

附3：

关于接受转贷项目委托的确认书

财政部：

你部《关于 年度部分外国政府贷款备选项目清单等事项的通知》（财办金［ ］ 号）收悉。经研究，我行同意接受你部关于转贷（ 项目名称、项目类别和金额 ）项目的委托，并按照《外国政府贷款转贷管理办法》的规定开展相关工作。

银行
（盖章）
年 月 日

附4：

外国政府贷款统计表

（截至　　年　　月　　日）

制表单位：××××银行

单位：万货币单位

项目序号	项目名称	借款人	贷款来源国	贷款协议生效日	协议币种	贷款协议金额		实际提款额				对外还本金额				对外付息金额				对外债务余额		项目类别
								本期		累计		本期		累计		本期		累计				
						原币	折美元	原币	折美元	原币	折美元	原币	折美元	原币	折美元	原币	折美元	原币	折美元	原币	折美元	
合计																						

财政部关于印发《外国政府贷款采购工作管理办法》的通知

2009 年 12 月 4 日　财金〔2009〕157 号

国务院有关部委、有关直属机构，各省、自治区、直辖市、计划单列市财政厅（局），新疆生产建设兵团财务局，财政部驻各省、自治区、直辖市、计划单列市财政监察专员办事处，有关银行、采购公司、中央管理企业：

为了进一步贯彻实施《国际金融组织和外国政府贷款赠款管理办法》（财政部令第 38 号）和《外国政府贷款管理规定》（财金〔2008〕176 号），完善外国政府贷款采购管理制度，明确有关机构的权利和职责，保证贷款采购工作的顺利进行，现将我部制定的《外国政府贷款采购工作管理办法》印发你们，请遵照执行。

附件：外国政府贷款采购工作管理办法

附件：

外国政府贷款采购工作管理办法

第一章　总　　则

第一条　为了加强外国政府贷款项下采购工作的管理，规范采购行为，保证采购质量，合理、有效地使用贷款资金，根据《国际金融组织和外国政府贷款赠款管理办法》（财政部令第 38 号）和《外国政府贷款管理规定》（财金〔2008〕176 号），制定本办法。

第二条　外国政府贷款（以下简称贷款）项下的采购（以下简称贷款采购）工作适用本办法。

第三条　贷款采购应当遵守国家法律法规、贷款法律文件和本办法，遵循公开透明原则、公平竞争原则、公正原则和诚实信用原则。

前款所称贷款法律文件包括政府协议和贷款协议。

第四条　本办法有关用语的含义与财政部令第 38 号和财金〔2008〕176 号文件规定一致。

第二章　机 构 职 责

第五条　财政部负责制定贷款采购的工作原则和相关政策，制定贷款采购管理制度，对贷款采购工作进行指导、协调、监督和管理。

第六条　省级财政部门按照国家法律法规、贷款法律文件和本办法，对本地区贷款采购工作进行指导、协调、监督和管理；监督贷款采购工作的真实性和合法性。

第七条　项目单位应当按照国家法律法规、贷款法律文件和本办法，组织实施贷款项目，开展贷款采购和合同执行工作；保证采购内容与可行性研究报告等批复以及经贷款方确定的采购清单一致；严格执行采购合同，如实验收货物并负责维护、管理与有效使用；保证贷款采购内容的真实性。

第八条 采购公司受债务人或项目单位委托并在其协助下，依照国家法律法规、贷款法律文件、本办法和委托代理协议等有关规定，开展贷款采购和合同执行工作；保证贷款采购程序和合同执行的合法性和真实性。

第九条 转贷银行负责审核有关采购单据与合同的一致性，并按照贷款法律文件和本办法办理贷款资金的提取和支付等工作。

日元贷款项目的贷款资金提取和支付工作由贷款协议规定的支付结算银行负责。

第十条 有关单位及个人均应就贷款采购工作中的违法违规情况及时向省级财政部门和财政部反映。

第三章 招 标

第十一条 贷款采购应采用公开招标方式。贷款法律文件另有规定的，从其规定。

第十二条 项目单位负责将经批准的可行性研究报告和采购清单等报省级财政部门、转贷银行和采购公司备案。采购清单如需变更或调整，项目单位应当履行审批手续，并经省级财政部门报财政部备案。

贷款法律文件规定采购清单需经贷款方审批的，需办理相关手续。

第十三条 项目单位和采购公司依据采购清单并结合项目实施进度共同制定采购计划，并报送省级财政部门备案。

第十四条 项目单位和采购公司应当在贷款项目经国务院有关部门批准或在贷款协议生效后开展贷款采购的招标工作。贷款法律文件另有规定的，从其规定。

第十五条 项目单位和采购公司共同编制招标文件。其中，项目单位负责招标文件技术部分（中英文），采购公司负责商务部分（中英文）并将技术和商务部分汇编成完整的招标文件。

第十六条 招标文件经项目单位确认后，由采购公司报国内有关部门审批或备案（省级财政部门有要求的，应报送其审批或备案）。贷款法律文件另有规定的，招标文件应当报送贷款方审批或备案。

第十七条 项目单位和采购公司应当依据国内有关法规和贷款法律文件规定共同编写招标公告，并由采购公司通过规定媒介发布。贷款法律文件另有规定的，招标公告应当报送贷款方审批或备案。

第十八条 采购公司根据招标公告规定的时间和地点发售招标文件。

第十九条 招标文件需要澄清或修改的，应当按照规定重新办理审批或备案手续后，由采购公司负责通知所有购买招标文件的潜在投标人。

第四章 评 标

第二十条 评标由采购公司依法组建的评标委员会负责。采购公司应当对评标程序的合法性和合规性负责。

第二十一条 评标委员会对评标结果负责。评标委员会成员应当客观、公正地履行职务，遵守职业道德，对所提出的评审意见承担个人责任。

第二十二条 评标委员会应当按照招标文件确定的评标标准和方法，对投标文件进行评审。国家法律法规以及贷款法律文件另有规定的，从其规定。

第二十三条 评标委员会完成评标后，应当提出书面评标意见，并推荐合格的中标候选人。

第二十四条 项目单位和采购公司根据评标委员会的意见共同编制评标报告，按规定报送国家有关主管部门审批，并按有关省级财政部门的要求报其备案。贷款法律文件另有规定的，评标报告应当报送贷款方审批或备案。

第二十五条 投标人、贷款方或国家有关部门对评标结果提出质疑的，采购公司应当负责组织、协调项目单位和评标委员会共同对质疑作出妥善处理和答复。

第二十六条 对违背国家法律法规和有关招标采购规定的行为，采购公司应当及时予以制止和纠正，暂停评标活动，并向省级财政部门和财政部报告。

第五章 合同签订

第二十七条 评标结果生效后，项目单位和采购公司应当按照招标文件和中标人的投标文件共同与中标人进行合同谈判并签订合同。合同内容应当与招标文件和投标文件相关内容一致，不得有实质性内容变更。

第二十八条 采购公司根据贷款法律文件规定将合同报贷款方审批或备案。需经财政部对外提交的，采购公司应通过财政部向贷款方提交。

第二十九条 合同签订后，采购公司将合同要点（包括合同号、签署日期、买方、卖方、合同金额和币种、采购内容、支付条款等）报送财政部，并抄送项目所在地省级财政部门。

第三十条 合同变更或调整（如数量、型号、规格、价格等发生变化），采购公司和项目单位应当报财政部或国家有关部门以及贷款方办理审批或备案手续，并抄送项目所在地省级财政部门和转贷银行。

第六章 合同执行与监督

第三十一条 合同有关各方共同负责合同执行工作，中标人应当严格履行合同的约定，确保供货内容与合同规定相一致。合同执行过程中，如发生争议和纠纷，有关方应当按照合同约定予以解决。

第三十二条 项目单位应当如实签署货物签收证明和验收证明。工程合同，应当出具监理单位的报告或建设部门或行业主管单位的竣工证明。进口货物提单、发票和装箱单，国内货物签收证明、验收证明，工程合同的监理报告、验工计价证明或竣工证明等应当作为合同的付款凭证。

第三十三条 对可直接从贷款方提取贷款资金的项目（如采用特别账户支付方式的项目）、一类贷款项目以及省级财政部门提出审核单据要求的项目，支付单据应当由省级财政部门依据合同进行审核。

信用证方式支付的合同，可采取事后审核支付单据的方法，但采购公司应当事前将开证申请书或信用证修改申请书报省级财政部门审核。

第三十四条 负责审核合同支付的省级财政部门，应当在收到采购公司提交的付款单据或付款申请、开证申请书或信用证修改申请书后的10个工作日内出具审核意见，逾期视为审核同意。

第三十五条 采购公司、转贷银行和支付银行应当根据合同的约定，本着单单相符、单证相符的原则进行审核，并根据贷款法律文件和本办法办理支付手续。

第三十六条 省级财政部门应当对贷款项目合同执行进行监督与管理，定期或不定期进行现场检查；对可直接从贷款方提取贷款资金的项目，应当对贷款资金提取到国内后的支付情况进行监督和管理。

第三十七条 财政部或经财政部委托的中介机构可对贷款项目的采购工作进行监督和检查。采购当事人应当如实反映情况，提供有关材料。

第三十八条 国务院有关部门或贷款法律文件要求审计贷款项目采购支付情况的，债务人和项目单位应当接受审计，对审计机构的工作予以配合。

第七章 罚 则

第三十九条 对违反有关法律法规、贷款法律文件和本办法进行贷款采购的单位和个人，除依照《财政违法行为处罚处分条例》（国务院令第427号）以及相关法律、法规规定处罚外，财政部可视情况采取通报批评、限期整改、取消相关资质等措施。

第四十条 项目单位违反有关法律法规、贷款法律文件和本办法的，财政部可予以通报批评、暂停贷款资金的提取和支付、加速未到期贷款债务的偿还、取消贷款使用资格。

第四十一条 采购公司违反有关法律法规、贷款法律文件和本办法的，财政部可予以通报批评、限期改正、暂停和取消贷款项目采购代理资格；可建议债务人或项目单位终止委托代理业务，并按规定另行选定其他采购公司。

采购公司一年内两次受到财政部通报批评的，财政部可予以暂停新贷款项目采购代理资格一年或以上。采购公司参与虚假采购或谋取不正当利益的，财政部可取消其贷款项目采购代理资格。

第四十二条 转贷银行违反有关法律法规、贷款法律文件和本办法的，财政部可予以通报批评、暂停或取消参与贷款转贷业务资格。

第四十三条 省级财政部门对采购工作监督管理不力的，财政部可予以通报批评、限期整改，或在有关问题得到妥善处理前暂停新项目安排。

第四十四条 投标人、中标人、供货商、承包商等违反国家相关法律法规、贷款法律文件和本办法的，财政部可予以通报批评、限期整改、暂停或取消参与贷款采购工作资格。财政部可建立不良行为记录名单制度，列入名单的机构、单位或个人将不得参与贷款采购工作。

第四十五条 评标委员会及其成员违反有关法律法规、贷款法律文件和本办法的，财政部可予以通报批评、暂停和取消参与贷款采购工作资格。

第八章　附　　则

第四十六条 属于政府采购项目的贷款采购，应当遵照《中华人民共和国政府采购法》执行。

第四十七条 国务院有关部门以及中央管理企业贷款的采购工作管理，参照本办法执行。

第四十八条 经贷款方批准，贷款项目的采购采用非公开招标方式采购的，参照本办法有关规定执行。

第四十九条 省级财政部门可根据本办法和其他有关规定制定具体实施办法或细则。

第五十条 本办法自2010年1月1日起施行。

财政部关于印发《金融类国有及国有控股企业绩效评价实施细则》的通知

2009年12月25日　财金〔2009〕169号

各省、自治区、直辖市、计划单列市财政厅（局），新疆生产建设兵团财务局，财政部驻各省、自治区、直辖市、计划单列市财政监察专员办事处，各中央管理金融企业：

为了加强对金融类国有及国有控股企业的财务监管，积极稳妥地推进金融类国有及国有控股企业的绩效评价工作，现将《金融类国有及国有控股企业绩效评价实施细则》印发给你们，请遵照执行。执行中有何问题，请及时函告我部。

附件：金融类国有及国有控股企业绩效评价实施细则

附件：

金融类国有及国有控股企业绩效评价实施细则

第一条 为了规范开展金融类国有及国有控股企业（以下简称金融企业）绩效评价工作，根据《财政部关于印发〈金融类国有及国有控股企业绩效评价暂行办法〉的通知》（财金〔2009〕3号）、《财政部关于金融类国有及国有控股企业绩效评价相关事项的通知》（财金〔2009〕27号），制定本实施细则。

第二条 在中华人民共和国境内依法设立的金融企业绩效评价工作，适用本办法，具体包括：

（一）执业需取得银行业务许可证的政策性银行、邮政储蓄银行、国有商业银行、股份制商业银行、城市商业银行、农村商业银行、农村合作银行、信用社、新型农村金融机构、信托公司、金融租赁公司、金融资产管理公司和财务公司等；

（二）执业需取得保险业务许可证的各类保险企业等；

（三）执业需取得证券业务许可证的证券公司、期货公司和基金管理公司等；

（四）各类金融控股公司、信用担保公司以及金融监管部门所属的从事相关金融业务的企业。

第三条 财政部组织实施中央管理金融企业的绩效评价工作；省级人民政府财政部门（以下简称省级财政部门）组织实施本地区金融企业的绩效评价工作。

第四条 金融企业绩效评价工作应当遵循以下原则：

（一）综合性原则：金融企业绩效评价应当通过建立综合的指标体系，对金融企业特定会计期间的财务状况和经营成果进行多角度的分析和综合评判；

（二）客观性原则：金融企业绩效评价应当充分考虑市场竞争环境，依据统一测算的、同一期间的国内行业标准值，客观公正地评判金融企业的经营成果；

（三）发展性原则：金融企业绩效评价应当在综合反映金融企业年度财务状况和经营成果的基础上，客观分析金融企业年度之间的增长状况及发展水平。

第五条 为确保绩效评价工作的客观、公正与公平，绩效评价工作应当以经社会中介机构审计后的财务会计报告为基础。金融企业绩效评价基础数据资料具体包括：

（一）金融企业的年度财务会计报告，其中，金融资产管理公司政策性业务尚未清算前，使用商业化数据进行考核；

（二）会计师事务所出具的审计报告，其中，金融企业不能提供会计师事务所出具的审计报告的，以该金融企业提供的、经财政部门认可的年度会计报表为依据进行考核，若以后发现所提供的财务数据不实，财政部门将追溯调整金融企业的绩效评价结果；

（三）关于金融企业经营情况的说明或财务分析报告。

第六条 金融企业的绩效评价指标具体包括：

（一）盈利能力指标：包括资本利润率（净资产收益率）、资产利润率（总资产报酬率）、成本收入比、收入利润率、支出利润率、加权平均净资产收益率6个指标，主要反映金融企业一定经营期间的投入产出水平和盈利质量；

（二）经营增长指标：包括国有资本保值增值率、利润增长率、经济利润率3个指标，主要反映金融企业的资本增值状况和经营增长水平；

（三）资产质量指标：包括不良贷款率、拨备覆盖率、认可资产率、应收账款比率、净资本与风险准备比率、净资本与净资产比率6个指标，主要反映金融企业所占用经济资源的利用效率、资产管理水平与资产的安全性；

（四）偿付能力指标：包括资本充足率、核心资本充足率、偿付能力充足率、净资本负债率、资产负债率5个指标，主要反映金融企业的债务负担水平、偿债能力及其面临的债务风险。

第七条 金融企业绩效评价各单项指标的权数，依据指标重要性和引导功能确定，具体见分行业金融企业绩效评价结果计分表。各单项指标计分加权形成金融企业绩效评价综合指标得分。

第八条 为了确保绩效评价工作的真实、完整、合理，金融企业可以按照重要性和可比性原则对评价期间的基础数据申请进行适当调整，有关财务指标相应加上客观减少因素、减去客观增加因素。可以进行调整的事项主要包括：

（一）金融企业在评价期间损益中消化处理以前年度资产或业务损失的，可把损失金额作为当年利润的客观减少因素；

（二）金融企业承担政策性业务对经营成果或资产质量产生重大影响的，可把影响金额作为当年利润或资产的客观减少因素；

（三）金融企业会计政策与会计估计变更对经营成果产生重大影响的，可把影响金额作为当年资产或利润的客观影响因素；

（四）金融企业被出具非标准无保留意见审计报告的，应当根据审计报告披露影响经营成果的重大事项，调整评价基础数据；

金融企业申请调整事项对绩效评价指标的影响超过1%的，作为重大影响。

第九条 金融企业发生客观调整因素，相应调整以下绩效评价指标：

（一）收入、成本发生变动时，相应调整资本利润率、净资产收益率、资产利润率、总资产报酬率、成本收入比、收入利润率、支出利润率、加权平均净资产收益率、国有资本保值增值率、利润增长率、经济利润率等；

（二）利润发生变动时，相应调整资本利润率、净资产收益率、资产利润率、总资产报酬率、收入利润率、支出利润率、加权平均净资产收益率、国有资本保值增值率、利润增长率、经济利润率等；

（三）资产发生变动时，相应调整资产利润率、总资产报酬率、国有资本保值增值率、净资本与净资产比率、资本充足率、核心资本充足率、不良贷款率、拨备覆盖率、资产负债率等。

第十条 金融企业对基础数据进行调整的说明材料包括：

（一）《金融企业绩效评价基础数据调整表》（附件1）；

（二）调整事项有关证明材料。

调整事项主要适用于当年基础数据资料的调整，必要时也可调整以前年度事项，由金融企业申报。组织实施单位根据被评价金融企业提供的绩效评价基础数据资料和调整说明材料分别进行审查、复核和确认。

第十一条 财政部根据中央管理金融企业和省级财政部门报送的资料，对金融企业数据进行筛选，剔除不适合参与测算的金融企业数据，保留符合测算要求的数据，建立样本库。

被剔除的金融企业数据主要包括：

（一）根据评价指标的经济特性，不符合计算模型需要的数据，如计算相对值时分母和分子同时为负数的数据；

（二）相关指标与正常金融企业相差很大，如正处于停业、托管或业务清算状态的金融企业数据。

第十二条 金融企业绩效评价标准值根据金融企业年度财务会计报告数据，运用数理统计方法，分年度、分行业统一测算并公布。

金融企业经营多种业务的，以其主营业务为基础，确定评价指标适用的行业。标准值适用情况如下：

（一）政策性银行、邮政储蓄银行、国有商业银行、股份制商业银行、城市商业银行、农村商业银行、农村合作银行、信用社等适用银行业标准值；

（二）各类保险企业适用保险业标准值；

（三）证券公司、期货公司和基金管理公司等适用证券业标准值；

（四）金融资产管理公司、各类信用担保公司、新型农村金融机构、信托公司、金融租赁公司、财务公司以及金融监管部门所属的从事相关金融业务的企业等适用综合金融业标准值；

（五）金融控股集团公司按控股子公司（企业）持有金融业务许可证的类型分别确定所适用的行业标准值，无金融业务许可证的控股子公司（企业）适用综合金融业标准值。金融控股集团公司按控股子公司（企业）各自得分及其资产权重综合计算绩效评价得分。

第十三条 依据所建样本库中金融企业的数据，财政部采用分段简单平均法测算每项财务指标的标准值。具体步骤包括：

（一）对测算样本的财务指标按照实际值从大到小（对于逆向指标，从小到大）进行排序；

（二）将排好序的样本，平均划分为4部分，前25%的样本数据为第一段，前50%的样本数据为第二段，全部样本数据作为第三段，后50%的样本数据为第四段，后25%的样本为第五段；

（三）将每一段样本的财务指标实际值加总，再除以样本个数，得到该段财务指标的简单平均数；

（四）将五段财务指标的简单平均数分别作为该财务指标的"优秀值"、"良好值"、"平均值"、"较低值"和"较差值"，对应五档评价标准的标准系数分别为1.0、0.8、0.6、0.4、0.2。

第十四条 将金融企业调整后的评价指标实际值对照金融企业所处行业标准值，按照以下计算公式，利用绩效评价软件计算各项基本指标得分：

绩效评价指标总得分 = $\sum$ 单项指标得分

单项指标得分 = 本档基础分 + 调整分

本档基础分 = 指标权数 × 本档标准系数

调整分 = 功效系数 ×（上档基础分 − 本档基础分）

上档基础分 = 指标权数 × 上档标准系数

功效系数 =（实际值 − 本档标准值）/（上档标准值 − 本档标准值）

本档标准值是指上下两档标准值中居于较低的一档标准值。

第十五条 考虑到金融企业目前的实际情况，政策性银行的"资本充足率"、"核心资本充足率"两项指标得分暂定为平均值；主营政策性业务的保险公司的"偿付能力充足率"指标得分暂定为平均值。

第十六条 金融企业经济效益上升幅度显著，以及发放较多涉农贷款、中小企业贷款的，给予适当加分，以充分反映不同金融企业努力程度和社会贡献。具体的加分办法如下：

（一）效益提升加分：金融企业资本利润率增长水平超过行业资本利润率平均增长水平10%加1分，超过15%加1.5分，超过20%加2分，超过25%加2.5分，超过30%加3分；

（二）涉农贷款加分：金融企业提供的涉农贷款占比超过10%加1分，超过15%加1.5分，超过20%加2分，超过25%加2.5分，超过30%加3分。其中，涉农贷款占比 = 年末涉农贷款余额/年末贷款余额 ×100%；

（三）中小企业贷款加分：金融企业提供的中小企业贷款占比超过20%加1分，超过25%加1.5分，超过30%加2分，超过35%加2.5分，超过40%加3分。其中，中小企业贷款占比 = 年末中小企业贷款余额/年末贷款余额 ×100%。

第十七条 财政部根据中央管理金融企业和省级财政部门报送的资料，于每年4月15日前分别公布银行业、保险业、证券业和综合金融业4大类金融企业评价指标的标准值，并分行业统一测算资本利润率增长水平，同时公布上一年各行业资本利润率增长的实际值。

第十八条 对被评价金融企业所评价期间（年度）发生以下不良重大事项，予以扣分：

（一）重大事项扣分：金融企业发生属于当期责任的重大资产损失事项、重大违规违纪案件，或发生造成重大不利社会影响的事件，扣1～3分。正常的资产减值准备计提不在此列；

（二）信息质量扣分：金融企业不按照规定提供财务会计信息，或提供虚假财务会计信息，扣1～3分。

第十九条 对存在加分和扣分事项的，财政部门与金融企业和有关部门核实，获得必要证据后，应当填写《金融企业绩效评价加减分事项表》（附件2）。

第二十条 为平滑不同金融行业的年度经营状况，财政部于每年4月15日前公布银行业、保险业、证券业和综合金融业4大行业的绩效评价行业调节系数。

金融企业绩效评价分数 = 本期绩效评价分数 × 行业调节系数。

第二十一条 根据绩效评价分数及分析得出的评价结果，以评价得分、评价类型和评价级别表示。

评价得分用百分制表示。

评价类型是根据评价分数对企业综合绩效所划分的水平档次，用文字和字母表示，分为优（A类）、良（B类）、中（C类）、低（D类）、差（E类）五种类型。

评价级别是对每种类型再划分级次，以体现同一评价类型的不同差异，采用在字母后重复标注该字母的方式表示。

第二十二条 绩效评价结果以85、70、50、40分作为类型判定的分数线。

（一）评价得分达到85分以上（含85分）的评价类型为优（A类），在此基础上划分为3个级别，分别为：AAA≥95分；95分>AA≥90分；90分>A≥85分；

（二）评价得分达到70分以上（含70分）不足85分的评价类型为良（B类），在此基础上划分为3个级别，分别为：85分>BBB≥80分；80分>BB≥75分；75分>B≥70分；

（三）评价得分达到50分以上（含50分）不足70分的评价类型为中（C类），在此基础上划分为2个级别，分别为：70分>CC≥60分；60分>C≥50分；

（四）评价得分在40分以上（含40分）不足50分的评价类型为低（D类）；

（五）评价得分在40分以下的评价类型为差（E类）。

第二十三条 中央管理金融企业应当按要求一式两份向财政部报送绩效评价的基础数据资料、对基础数据进行调整的说明材料。地方金融企业报送绩效评价材料的具体要求由省级财政部门确定。

第二十四条 财政部门在收到金融企业的绩效评价材料后，按规定填列计算《金融企业绩效评价基础数据调整表》、《金融企业绩效评价加分扣分事项表》和《金融企业绩效评价指标及结果计分表》（附件3、附件4、附件5、附件6），并及时将金融企业绩效评价结果反馈给金融企业及相关部门。

第二十五条 省级财政部门应当遵循以上原则要求做好本地区金融企业的绩效评价工作，并于每年11月30日前，将本地区金融企业的绩效评价结果汇总报送财政部。

第二十六条 本实施细则自印发之日起施行，此前有关规定与本实施细则不一致的，以本实施细则为准。

附：1. 金融企业绩效评价基础数据调整表
2. 金融企业绩效评价加减分事项表
3. 银行类金融企业绩效评价结果计分表
4. 保险类金融企业绩效评价结果计分表
5. 证券类金融企业绩效评价结果计分表
6. 综合类金融企业绩效评价结果计分表

附 1：

金融企业绩效评价基础数据调整表

企业名称：____________

调整事项 / 调整指标	指标账面值	调整事项	调整事项说明	指标调整后数值	指标确认值	备注

填报单位：____________（盖章）	主要负责人：________（签章）	总会计师或主要财务会计工作负责人：________（签章）
审查人意见： ________（签字）	复核人意见： ________（签字）	确认单位： ________（盖章）

注：1. 调整事项说明有关证明材料附后。
2. 表中内容如篇幅较大，可附页说明。

附2：

金融企业绩效评价加减分事项表

企业名称：________

加减分指标 / 加减分事项	加减分说明		加减分数	备注
加分事项：				
（一）效益提升加分				
	本企业资本利润率增长率：	本行业资本利润率增长率：		
（二）涉农贷款加分				
（三）中小企业贷款加分				
减分事项：				
（一）重大事项扣分				
（二）信息质量扣分				
审查人意见： ________（签字）	复核人意见： ________（签字）	确认单位： ________（盖章）		

注：1. 加减分事项有关证明材料附后。
2. 表中内容如篇幅较大，可附页说明。

附 3：

银行类金融企业绩效评价结果计分表

企业名称：________

评价内容		指标	权数	一	二	三	四	五	六	七	八	九	十
指标	权重（%）			实际值	本档标准值	上档标准值	功效系数	上档标准系数	上档基础分	本档标准系数	本档基础分	调整分	单项指标得分
盈利能力状况	30	资本利润率	15										
		资产利润率	10										
		成本收入比	5										
经营增长状况	25	国有资本保值增值率	10										
		利润增长率	10										
		经济利润率	5										
资产质量状况	15	不良贷款率	10										
		拨备覆盖率	5										
偿付能力状况	30	资本充足率	15										
		核心资本充足率	15										
绩效评价指标总得分													
评价加分	效益提升		涉农贷款		中小企业贷款		小计						
评价扣分	重大事项		信息质量				小计						
本期绩效评价分数													

审查人意见：	复核人意见：	确认单位意见：
________（签字）	________（签字）	________（盖章）

附4：

保险类金融企业绩效评价结果计分表

企业名称：________

评价内容		指标	权数	一	二	三	四	五	六	七	八	九	十
指标	权重（%）			实际值	本档标准值	上档标准值	功效系数	上档标准系数	上档基础分	本档标准系数	本档基础分	调整分	单项指标得分
盈利能力状况	35	净资产收益率	15										
		总资产报酬率	10										
		收入利润率	5										
		支出利润率	5										
经营增长状况	25	国有资本保值增值率	10										
		利润增长率	10										
		经济利润率	5										
资产质量状况	25	认可资产率	15										
		应收账款比率	10										
偿付能力状况	15	偿付能力充足率	15										
绩效评价指标总得分													
评价加分		效益提升									小计		
评价扣分		重大事项				信息质量					小计		
本期绩效评价分数													

审查人意见：	复核人意见：	确认单位意见：
________（签字）	________（签字）	________（盖章）

附 5：

证券类金融企业绩效评价结果计分表

企业名称：________

评价内容		指标	权数	一	二	三	四	五	六	七	八	九	十
指标	权重（%）			实际值	本档标准值	上档标准值	功效系数	上档标准系数	上档基础分	本档标准系数	本档基础分	调整分	单项指标得分
盈利能力状况	35	加权平均净资产收益率	15										
		资产利润率	10										
		收入利润率	5										
		支出利润率	5										
经营增长状况	25	国有资本保值增值率	10										
		利润增长率	10										
		经济利润率	5										
资产质量状况	15	净资本与风险准备比率	10										
		净资本与净资产比率	5										
偿付能力状况	25	净资本负债率	15										
		资产负债率	10										
绩效评价指标总得分													
评价加分		效益提升									小计		
评价扣分		重大事项			信息质量						小计		
本期绩效评价分数													

审查人意见： ________（签字）	复核人意见： ________（签字）	确认单位意见： ________（盖章）

附6：

综合类金融企业绩效评价结果计分表

企业名称：________

评价内容		指标	权数	一	二	三	四	五	六	七	八	九	十
指标	权重（%）			实际值	本档标准值	上档标准值	功效系数	上档标准系数	上档基础分	本档标准系数	本档基础分	调整分	单项指标得分
盈利能力状况	60	资本利润率	30										
		资产利润率	15										
		成本收入比	15										
经营增长状况	40	国有资本保值增值率	20										
		利润增长率	15										
		经济利润率	5										
绩效评价指标总得分													
评价加分		效益提升									小计		
评价扣分		重大事项			信息质量						小计		
本期绩效评价分数													

审查人意见：	复核人意见：	确认单位意见：
________（签字）	________（签字）	________（盖章）

财政部关于贯彻落实《金融企业国有资产转让管理办法》有关事项的通知

2009 年 12 月 27 日　财金〔2009〕178 号

各省、自治区、直辖市、计划单列市财政厅（局），有关金融企业，有关产权交易机构：

为进一步贯彻落实《金融企业国有资产转让管理办法》（财政部令第 54 号，以下简称《办法》），规范金融企业国有资产转让行为，促进金融国有资产有序流转，加强财政部门对转让行为的监督管理，现将有关事项通知如下：

一、明确职责，做好各项规定的贯彻落实工作

《办法》规定了金融企业国有资产转让的程序，明确了财政部门、国有及国有控股金融企业、产权交易机构和社会中介机构的职责。各相关单位要按照“职责明确、运作规范、把关严格、监管有力”的原则，认真做好《办法》的贯彻落实工作。

（一）地方财政部门要加强金融国有资产转让管理。各省、自治区、直辖市、计划单列市的财政厅（局）（以下简称省级财政部门）要根据《办法》，结合本地区实际情况，制定所管理金融企业及其子公司国有资产转让管理实施办法，并报我部备案。

（二）中央管理的金融企业要严格贯彻落实《办法》。各中央管理的国有及国有控股金融企业要研究制定本集团（控股）企业的国有资产转让管理实施办法和工作程序，并报我部备案；要落实企业内部负责国有资产转让监管的职能部门和人员，明确工作责任；要加强对各级子公司国有资产转让行为的管理和审核，并对进入产权交易机构和证券交易系统的各个工作环节实施跟踪监管，切实维护所有者权益，防止国有资产流失。

（三）产权交易机构要认真履行职责。各承办金融企业国有资产产权转让业务的产权交易机构，要积极配合财政部门做好培训宣传和交易信息采集汇总工作；认真做好产权交易主体资格审查、信息披露、意向受让方登记、公开竞价组织实施、交易结算、出具产权交易凭证、产权交易档案保管和交易信息收集汇总等工作；在产权转让公告中提出的受让条件不得出现具有明确指向性或违反公平竞争的内容；加强机构间的沟通协调，探索制定统一的金融企业国有资产产权交易操作规则。

二、提高认识，严格执行国有资产转让进场交易制度

各级财政部门和各中央管理的国有及国有控股金融企业要充分认识金融国有资产进场交易的重要意义，严格控制直接协议转让的范围，切实执行进场交易制度，充分利用产权交易机构和证券交易系统，缩短投资管理链条，促进国有金融资产的有序流转，确保金融企业国有资产转让公平、公正、公开。

（一）产权交易机构的选择和监管。各省级财政部门要高度重视和扎实做好承办金融企业国有资产交易业务的产权交易机构的选择工作。根据《办法》，尽快确定本地区承办金融企业国有资产交易业务的省级产权交易机构名单，并推荐 1 家产权交易机构承担中央管理金融企业国有资产转让业务。选择和推荐工作结束后，各省级财政部门应将所选择和推荐交易机构的基本情况，以适当方式向社会公告，并在 2010 年 3 月底之前报我部备案；加强对承办交易业务，特别是中央管理金融企业国有资产转让业务的产权交易机构的日常监督管理。对不符合《办法》所规定从事金融企业国有产权交易活动基本条件，或在交易活动中

出现弄虚作假、玩忽职守、损害国家利益或交易双方合法权益的产权交易机构，应立即停止其从事金融企业国有资产交易业务的资格，并向社会公告。

（二）中央管理金融企业选择产权交易机构的范围。各中央管理的国有及国有控股金融企业转让非上市企业国有产权，应当按照收益最大化和便利交易的原则，在北京产权交易所、天津产权交易中心、上海联合产权交易所、重庆联合产权交易所和各省级财政部门推荐确定的省级产权交易机构中进行，不受地区、行业、出资或者隶属关系的限制。

（三）非上市企业国有产权转让的若干特殊规定。《办法》所称重要行业是指金融、军工、电网电力、石油石化、电信、煤炭、民航、航运8大行业。重点子公司是指国有及国有控股金融企业对涉及上述行业的公司拥有控股权，以及对上市公司拥有控股权。根据《办法》，涉及重点子公司的国有产权转让行为应当报财政部门审批；国有及国有控股金融企业拟转让在境内外设立的特殊目的公司所持有的重点子公司产权，应当报财政部门审批；国有控股金融企业拟转让境外非上市子公司产权的，原则上应在《办法》规定的产权交易机构中进行。确因受制于客观条件，无法征集意向受让方的，经充分询价，报经主管财政部门审核批准后，可采取直接协议转让的方式进行。

三、完善程序，规范金融企业国有资产转让行为

各级财政部门和各中央管理的国有及国有控股金融企业，在推进国有金融资产布局和结构调整、促进国有金融资本合理流转的过程中，要按照《办法》规定,严格规范金融企业国有资产转让行为。

（一）加强对金融企业国有资产转让的全过程管理。国有及国有控股金融企业要严格履行内部决策程序和审批程序；按规定做好财务审计和资产评估工作，并以评估值作为转让价格的参考依据；要坚持资产转让进入公开市场，保证转让信息披露完全，杜绝暗箱操作；及时做好转让价款收取、转让鉴证和产权登记工作。涉及上市公司国有股份转让的，还应遵守证券监管部门的相关规定。

（二）加强金融国有资产管理各项基础工作的有机结合。各级财政部门要做好资产转让过程中，涉及的金融企业国有资产产权登记管理和资产评估工作，加强金融国有资产管理各项基础工作的配合力度。

（三）加强对金融国有资产转让活动的监督检查。财政部负责对各省和各中央管理的国有及国有控股金融企业的资产转让行为进行监督检查，发现违法违规行为，将按照有关规定严肃处理。各中央管理的国有及国有控股金融企业要通过对各级子企业国有资产转让事前、事中和事后等环节的审核把关和监督检查，切实履行好相关监管职责。

四、强化信息管理，建立健全金融企业国有资产转让情况报告制度

为做好金融企业国有资产转让信息的统计分析工作，各省级财政部门和各中央管理的国有及国有控股金融企业要充分利用信息化技术，探索建立金融国有资产转让基础信息库，全面掌握所管理企业国有资产转让的有关情况。

（一）做好信息定期报送工作。每年3月底之前，各省级财政部门和各中央管理的国有及国有控股金融企业要将上一年度金融企业国有资产转让情况统计汇总后报我部。

（二）做好研究报告工作。各级财政部门和国有金融企业要注意了解和总结在国有资产转让活动中出现的新情况、新问题，对有关重要情况和重大问题要及时向我部报告。

财政部办公厅关于切实做好日元贷款项目进度报告和竣工报告提交工作的通知

2009年11月7日 财办金〔2009〕109号

各省、自治区、直辖市、计划单列市财政厅（局），神华集团、国家电网公司、中国电力投资集团公司、中国大唐集团公司、西部机场集团公司：

根据中日两国政府签署的日元贷款协议，提交项目进度报告和竣工报告是中方应履行的一项义务。长期以来，日元贷款项目进度报告和竣工报告提交工作执行较好。但近来出现一些单位不够重视、提交报告不及时的问题，给贷款工作造成负面影响。为进一步加强日元贷款项目的执行和管理，现就有关事项通知如下：

一、切实重视项目进度报告和竣工报告提交工作。外国政府贷款是主权外债业务，除了要合规、有效使用贷款并按时足额对外还款外，还必须认真履行贷款协议要求的其他内容。根据日元贷款协议规定，我方应于每年2月和8月向日本国际协力机构提交半年进度报告直至项目竣工，项目竣工后6个月内需提交竣工报告。上述有关报告是掌握项目情况、监督项目进程的主要依据，也是进行中间监理和后评价工作的重要参考。认真及时提交有关报告，不仅是为了履行义务，更是中方提高项目实施能力和管理水平的内在需求。

二、认真完成项目进度报告和竣工报告提交工作。各财政厅（局）和各项目单位要予以高度重视，加强贷款项目的监督和管理，按相关要求和格式编制半年进度报告和竣工报告，并按时提交中国进出口银行转贷部（已受我部委托负责收集工作）。

三、对未能按时提交项目进度报告和竣工报告的单位，我部金融司将依照贷款协议及有关管理规定严肃处理。对未按时提交报告的单位进行通报批评。经催收仍不提交的，将停止该项目当年度的支付或被要求提前还款。对于提交迟缓的地区，将酌情暂缓对该地区新项目的审批。

四、请各单位高度重视此项工作，将其作为提高项目执行和管理水平的有效工具和重要抓手，确保项目顺利实施。

财政部关于加快国际金融组织贷款项目前期准备工作和执行进度的通知

2009年4月7日 财国际〔2009〕39号

各省、自治区、直辖市、计划单列市财政厅（局）（西藏不发），有关项目单位：

为了应对全球金融危机对我国经济带来的不利影响，党中央、国务院近期出台了一系列扩大内需、促进经济增长的措施。我国利用国际金融组织贷款工作应当积极服务于当前“扩内需、促增长”的大局，进一步加快国际金融组织贷款项目前期工作和执行进度，提高资金使用效益，从而对促进经济增长起到积极的推动作用。为了做好此项工作，现就有关事项通知如下：

一、深刻认识加快项目前期准备工作和执行进度的重要意义，增强责任心和紧迫感

截至2008年12月31日，我国利用国际金融组织贷款累计承诺额703.03亿美元，支持项目485个，

累计提款额531.23亿美元。其中，在建项目138个，已承诺未提取贷款额为115.28亿美元。国际金融组织贷款大部分投向农业、交通、城建、环保等国家投资的重点领域。在把好项目立项审批关和保证项目执行质量的前提下，进一步加快项目前期准备工作和执行进度，可以对当前扩大内需、促进经济增长起到直接的支持作用，也有利于项目的早日建成与效益的发挥，推动经济社会的长远发展。因此，各单位要把加快项目前期准备工作和执行进度作为今年以及今后一个时期的重点任务，增强责任心和紧迫感。

二、有针对性地采取措施，推动项目尽早实施和实施进度的加快

各单位应当根据当前及今后一个时期扩大内需的需要和项目不同阶段的工作任务，有针对性地采取措施，包括加快项目前期准备工作，抓紧办理新项目的签约生效程序，加快招标采购工作和资金拨付速度。

（一）加快规划项目前期准备工作。对于已列入规划正处于前期准备阶段的项目，各单位要按照我部《关于进一步加强国际金融组织贷款项目前期工作的若干意见》（财际〔2009〕19号）的要求，抓紧做好国内各项审批工作，既要把好审核关，保证质量，又要积极推进项目的可研、环评、移民、征地等各项准备工作，做好采购计划和实施进度表，配合我部开展对外贷款磋商谈判。

（二）加快签约项目生效和实施工作。为了使新签约的项目尽早实施，各单位要抓紧办理贷款协定的生效手续，做好各方面的准备工作，积极落实配套资金，抓紧编制招标文件，用好追溯贷款。同时，要在项目启动初期尽快开展项目管理、财务管理、提款报账等方面的培训，避免因工作缺乏经验而影响项目进度。

（三）加快在建项目招标采购工作。在项目执行阶段，招标采购工作对扩大内需的贡献最为直接。因此，各单位要认真做好招标采购工作，着重选择国内采购比重较大的项目，尤其是包含大型土建（工程）、设备和货物的合同。一是要加快采购进度，简化国内审批程序，提高工作效率。招标采购要有详细的计划和周密的安排，国内招标部分更要加快实施，并尽可能提前。二是要提高采购工作质量，严格执行国际金融组织“采购指南”和国内有关规定，严禁违法违规招标采购现象的发生。

（四）加快贷款资金拨付进度。贷款资金的及时拨付是项目顺利实施的条件。对于已进入支付高峰期的项目，各单位要抓好合同进度和提款报账，加快贷款资金拨付进度。各单位应当认真查找所管项目提款报账和资金回补速度慢的原因，督促用款单位根据项目进度和用款需要，尽快办理提款报账。对于合格的提款申请，负责管理贷款专户的单位必须在10个工作日内办理支付；对不合格的提款申请，应当尽快通知用款单位进行修改、补充，或者拒绝支付并说明理由。任何单位不得以任何理由截留或挪用国际金融组织贷款资金和国内配套资金。

三、加强进度监测和检查，确保各项措施落到实处

各级财政部门要督促项目单位进一步加强项目进度计划和执行情况监测工作，根据实际情况制定积极的进度监测指标，作为年终考核的依据，并制定奖惩措施。要把项目进度作为项目检查的重要内容，对于项目实施进度缓慢的，应当要求项目单位及时整改。积极推进国际金融组织贷款项目绩效评价试点工作，总结完工项目成功经验，指导新上项目和在建项目的顺利准备和实施。我部将以适当方式对各地项目执行进度情况进行检查和指导，并对项目执行进度缓慢，未及时采取有效措施的地区予以通报批评。各单位要加强协调和配合，对执行中发现的问题及时向我部报告。

财政部国际司关于世界银行调整固定利差贷款适用利差的通知

2009 年 4 月 2 日　财国际〔2009〕45 号

各省（自治区、直辖市、计划单列市）财政厅（局）（西藏不发）、各中央项目办：

世界银行决定从 2009 年 3 月 28 日 0 时（华盛顿时间）起变更固定利差贷款的利差，并根据不同还款期限适用不同利差。世界银行强调，此次变更利差不属于调整贷款定价政策，标准利差未变，仅变动了预计筹资成本及市场风险溢价部分以反映目前世行实际筹资成本。

详细数据见下表：

	2008 年 12 月 17 日后（含 17 日）签约的固定利差贷款	2009 年 3 月 29 日后（含 29 日）签约的固定利差贷款		
		10 年期以内（含 10 年）*	10 年至 14 年期（含 14 年）*	14 年期以上*
标准利差	+0.30%	+0.30%	+0.30%	+0.30%
市场风险溢价	+0.20%	+0.10%	+0.10%	+0.15%
预计的筹资成本	+0.25%	+0.70%	+0.85%	+1.00%
美元利率	LIBOR +0.75%	LIBOR +1.10%	LIBOR +1.25%	LIBOR +1.45%
欧元利率	LIBOR +0.77%	LIBOR +1.10%	LIBOR +1.25%	LIBOR +1.45%
日元利率	LIBOR +0.77%	LIBOR +1.00%	LIBOR +1.15%	LIBOR +1.35%

* 指贷款的平均还款期限

凡 2009 年 3 月 29 日（含 29 日）之后签约的固定利差贷款适用上述利差，对于 2009 年 3 月 29 日前已经谈判或批准但尚未签约的贷款，无需执董会批准，借款人有权重新选择使用浮动或固定利差贷款，或重新选择平均还款期限。

特此通知。

财政部国际司关于印发世界银行贷款 2010～2012 财年规划的通知

2009 年 8 月 5 日　财国际〔2009〕108 号

各省、自治区、直辖市、计划单列市财政厅（局）（西藏不发），铁道部外资中心，水利部外资办，农业部外经中心，林业局世行中心，国务院扶贫办外资中心：

2009 年 5 月，我部率团与世界银行（以下简称世行）完成了 2010～2012 财年世行贷款规划磋商。国务院已于近期批准了该规划。

现将我国 2010～2012 财年利用世行贷款规划印发你单位。请你单位根据本规划和国家有关加强国际金融组织贷款管理的规定，认真做好项目的各项前期准备工作，努力提高项目准备的质量，并请及时向我司通报项目准备进展情况。

附件：世界银行贷款 2010～2012 财年规划

附件：

世界银行贷款 2010 财年规划

序号	项目名称	贷款金额（亿美元）	建设内容
农林水			
1	淮河流域平原洼地治理（水利部）	2.00	安徽、河南、江苏、山东省新改建泵站、加固堤防、疏浚等。
2	河南省黄河滩区生态畜牧产业带建设	0.80	开发草场、畜牧养殖、建立良种繁育中心和技术服务体系。
3	吉林省优质安全农业产品综合开发	1.00	优质经济作物、安全畜禽等开发，农业生态综合治理，农产品安全检测体系。
4	山东林业资源可持续发展	0.60	利用荒山荒滩和盐碱地建设生态林等。
5	重庆市统筹城乡发展与改革试点	0.84	城镇基础设施、农民工就业培训、基层卫生服务体系、新农村建设。
交通			
6	宁夏高速公路建设	2.50	银川机场—甜水堡高速公路 153 公里，另支线 47 公里（211 国道线）。
能源			
7	内蒙古可再生能源	0.30	兴安盟阿尔山、乌兰浩特市生物质发电（秸秆和林木枝桠为原料）、集中供热。
城建			
8	湖北武汉城市交通二期项目	1.00	修建过江通道，新建或改造城市道路形成二环线，完善城市路网。
9	安徽四市城市道路建设	1.00	芜湖、安庆、淮北和六安城市交通基础设施建设。
10	四川小城镇发展	1.00	建设城镇交通、供排水、垃圾处理等基础设施，完善城镇规划等。
11	宁波新农村建设示范项目	0.50	城镇基础设施建设、农村新社区建设、城镇规划完善和体制改革研究。
12	山西太原基础设施建设	1.50	市内道路建设、汾河治理及污水处理工程。
13	云南城建环保建设二期	0.60	云南昭通市供排水及配套管网、河道整治。
14	广西南宁城乡环境综合整治	1.00	内河整治、市县污水处理、环境生态恢复等。
社发			
15	扶贫第五期（扶贫办）	1.00	陕西、重庆、河南三省综合扶贫，配套赠款 500 万美元。
16	职业教育发展（二期）	0.40	山东、辽宁职业教育。
	合计	16.04	
2010 财年备选			
1	林业综合发展（林业局）	1.00	山西、辽宁、河北、安徽和浙江五省建设生态公益林等。
2	新疆坎儿井保护及节水灌溉	1.00	吐鲁番和哈密地区坎儿井保护、恢复、节水灌溉等。
3	广西柳州环境综合治理二期	1.50	柳江上游及城郊结合部城镇污水处理和垃圾处理。
4	节能转贷	1.00	中国民生银行对高能耗企业节能项目转贷款。

世界银行贷款2011财年规划

序号	项目名称	贷款金额（亿美元）	建设内容
农林水			
1	节水灌溉二期（水利部）	0.80	山西、宁夏、河北三省节水灌溉
2	农业经济综合开发示范镇建设（中国中小城镇改革发展中心）	2.00	广东、湖南、湖北、甘肃四省与国内预算内资金结合围绕培育农村主导产业建设乡镇公共基础设施
交通			
3	广西郁江老口航电枢纽	1.00	建设拦河坝、船闸、水电站等航运枢纽设施，渠化千吨级航道等
能源			
4	山西节能减排示范	3.00	热电联产，工业节能改造，工业余热及废水、废物利用，瓦斯发电及利用（项目进度将与相关规划相衔接）
5	山东节能减排服务体系建设和示范	1.50	加强节能服务体系建设、热电联产改造、重点耗能行业节能改造
6	整体煤气化—燃气—蒸汽联合循环发电项目（IGCC）	4.00	中电投河北廊坊IGCC、大唐集团沈阳IGCC试点项目
城建			
7	江苏无锡太湖沿湖地区生态环境综合治理	1.50	无锡太湖沿湖地区生态湿地修复、面源污染治理工程
8	内蒙古巴彦淖尔市水环境综合治理	0.80	净化黄河河套灌区及乌梁素海水体，乌梁素海流域垃圾处理、水质改善和水资源调蓄、中水处理利用，海区渠道疏浚治理；临河城区水环境治理
9	浙江省钱塘江流域小城镇环境综合治理	1.00	钱塘江流域内小城镇污水处理、垃圾处理及供水，探索财政资金、乡镇企业资金和世行贷款结合
10	山东威海市绿色公交走廊示范项目	0.70	公交走廊建设、公交智能化、公交节能环保工程
	总计	16.30	

世界银行贷款2012财年规划

序号	项目名称	贷款金额（亿美元）	建设内容
农林水			
1	宁夏黄河东岸防沙治沙	0.80	荒漠区建设生态林及配套水利设施
2	四川武都引水二期灌溉工程	1.00	绵阳武都水库直灌区骨干渠系工程
交通			
3	哈尔滨至佳木斯铁路（国铁七）	3.00	新建哈尔滨至佳木斯铁路客运专线345公里
4	安徽航道整治	1.00	沙颍河航道安徽段综合整治，全长197公里（高等级航道）
5	福建农村公路	0.50	建设农村公路网及通自然村公路2000公里
能源			
6	福建城市垃圾焚烧发电	0.50	南平市城市垃圾焚烧发电
7	山东新能源	1.00	生物质发电和风力发电
8	长春市集中供热	1.00	长春市城北区集中供热工程
9	新疆乌鲁木齐集中供热改造	1.00	城市主热网自控和调度优化改造升级、改造调峰热源环保设备、新建和改造热网管线、改造换热站及供热锅炉
10	节能转贷三期	1.00	中国进出口银行对高耗能企业节能项目转贷款
城建			
11	昆明市城市轨道交通	3.00	建设地铁3号线工程，全长19.1公里
12	甘肃庆阳城市基础设施改善	1.00	城市道路桥梁、道路综合管沟、集中供热、污水处理厂及垃圾处理场等
13	湖北襄樊城市交通	1.00	内环线东段、南段道路工程和公交设施建设
社发及其他			
14	山东省孔孟文化遗产地保护	0.50	孔孟文化遗产地遗址修复和保护
15	广东城乡社保一体化及农民工培训	0.80	在全省建设城乡一体化的基本养老保险、基本医疗保险制度和社会保障管理信息系统，农民工培训等
	总计	17.10	

财政部关于进一步加强国际金融组织贷款债务统计工作的通知

2009 年 11 月 2 日　财国际〔2009〕158 号

各省、自治区、直辖市、计划单列市财政厅（局）（西藏不发）：

为全面掌握各地利用国际金融组织贷款情况，进一步加强国际金融组织贷款债务统计工作，我司于今年 8 月对原国际金融组织贷款债务报表软件进行了修改和完善，并要求各地重新上报 2009 年二季度的数据，各地财政厅（局）对此项工作给予了积极配合和大力支持。在各地上报数据的基础上，我司对各地利用国际金融组织贷款债务数据进行了集中核对。

从各地上报和我司核对情况来看，大部分财政厅（局）重视国际金融组织贷款资金、财务、债务管理基础工作，能够按时向我部报送国际金融组织贷款债务统计报表，而且提供的统计数据准确性较高，如天津、安徽、江苏、青岛、上海、河北、广东等，为加强和改进项目全过程管理奠定了基础。但是，也有部分财政厅（局）对国际金融组织贷款资金、财务、债务统计数据等基础性工作重视不够，错报、漏报现象比较突出。同时，一些省份不能及时报送，个别省份在我们再三催促后才报送。

为贯彻落实部党组关于提高财政科学化、精细化管理水平的要求，加强国际金融组织贷款资金、财务、债务管理基础工作，确保数据准确，债务关系清晰，现将有关要求通知如下：

一、建立定期对账制度

为认真解决目前我司掌握的数据与有关省（区、市）上报数据不一致的问题，我司决定建立与各省（区、市）财政部门定期核对债务统计数据的制度，并将本次数据核对结果一并通知各省（区、市），请各省（区、市）尽快逐笔对账、调账，并于 2010 年 2 月中旬前完成与我司的对账工作。

二、建立通报制度

为进一步提高各省对债务统计工作的重视程度，确保数据报送质量和效率，我司决定建立各省统计数据报送情况年度通报制度（具体评分标准详见附件），自 2009 年三季度起，根据各省（区、市）上报数据的及时性和准确性等指标进行打分，每年通报一次。

三、建立完善相关制度和机制，认真做好国际金融组织资金、财务、债务管理基础工作

请各省（区、市）财政厅（局）按照提高国际金融组织贷款科学化、精细化管理的要求，更加重视债务数据基础工作和财务管理工作，切实采取有效措施，指派专人负责，同时建立相关制度和机制，确保国际金融组织贷款财务管理工作规范、债务数据真实可靠。

附件：1. 国际金融组织贷款债务报表报送情况

2. 国际金融组织贷款债务报表报送情况评分标准

附件1：

国际金融组织贷款债务报表报送情况

排名	省份	报表报送及时性				报表数据准确性	加分	总分
		一季度	二季度	三季度	四季度			
	安徽							
	北京							
	大连							
	福建							
	甘肃							
	广东							
	广西							
	贵州							
	海南							
	河北							
	河南							
	黑龙江							
	湖北							
	湖南							
	吉林							
	江苏							
	江西							
	辽宁							
	内蒙古							
	宁波							
	宁夏							
	青岛							
	青海							
	山东							
	山西							
	陕西							
	上海							
	深圳							
	四川							
	天津							
	厦门							
	新疆							
	云南							
	浙江							
	重庆							

附件2：

国际金融组织贷款债务报表报送情况评分标准

一、及时性（20分）

报表每季度报送一次，每年前三个季度的报表报送时间为每季度结束后20日内，最后一季度为该季度结束后30日内。2009年三季度报送时间为11月20日前。

评分标准为：每季度占5分，迟报5天以内（含5天）扣1分，迟报6～10天（含10天）扣3分，迟报11天以上本季度零分。

二、数据准确性（80分）

若条条项目占所有项目的比重高于10%，则数据准确性得分 =（10% * 条条项目正确个数/条条项目总个数 +90% * 块块项目正确个数/块块项目总个数）*80

若条条项目占所有项目的比重低于10%，则数据准确性得分 = 正确项目个数/项目总个数 *80

（其中，条条项目指我部通过中央部委转贷给各省（区、市）的贷款项目，块块项目指除条条项目以外的贷款项目）

三、加分（10分）

如果当年无新增欠款，历史积欠明显下降或采取有效措施进一步加强了国际金融组织贷款资金、财务、债务管理，或对资金、财务、债务管理工作提出了一些好的意见和建议，可给予适当加分，最高不超过10分。

财政部关于印发《关于进一步加强国际金融组织贷款项目前期工作的若干意见》的通知

2009年2月16日　财际〔2009〕19号

各省、自治区、直辖市、计划单列市财政厅（局）（西藏不发）：

国际金融组织贷款项目的前期工作对于项目的质量和效益至关重要。为进一步加强贷款项目的前期工作，提高项目管理水平，在征求各方意见的基础上，我部组织拟定了《关于进一步加强国际金融组织贷款项目前期工作的若干意见》，现印发给你厅（局），请参照执行。执行中有何问题，请函告我部。

附件：关于进一步加强国际金融组织贷款项目前期工作的若干意见

附件：

关于进一步加强国际金融组织贷款项目前期工作的若干意见

为贯彻落实温家宝总理关于财政部“要认真研究国际金融组织贷款问题，从严控制和管理”的重要指示精神，针对与国际金融组织合作在新时期、新阶段的主要特点和问题，根据《国际金融组织和外国政府贷款赠款管理办法》（财政部令第38号）等相关规定，现就进一步加强国际金融组织贷款项目前期工作提出如下意见：

一、进一步明确职责，高度重视贷款前期工作

根据国务院“三定方案”对部门职责的界定和温总理关于“应明确财政部为政府外债的统一管理部门”的批示精神，财政部作为政府外债的统一管理部门，负责研究确定政府外债的管理原则、制定基本管理制度，对外履行“借款人”义务，负责“借、用、还”全过程管理。地方财政部门作为本级政府国际金融组织贷款的债权、债务代表，承担贷款归口管理部门职能，统一负责本地区国际金融组织贷款的全过程管理。国际金融组织贷款项目前期工作直接关系到贷款的质量和效益，地方财政部门要进一步统一思想，提高认识，切实加强贷款申报、审查、评审、转贷关系确定、还贷责任落实等前期工作，不断规范举借外债行为，防范和化解外债风险。

二、有序开展贷款规划，切实抓好贷款申报

国际金融组织贷款规划工作是政府外债管理的一个重要环节。各省级财政部门要根据财政部令第38号文件的要求，积极做好国际金融组织贷款申报工作。

（一）国际金融组织贷款规划的制定原则是：国际金融组织贷款应当符合国民经济和社会发展战略，符合国际金融组织的贷款要求，体现公共财政职能，体现责权利相统一的原则，实现债务的可持续性和良性循环，促进科学发展。

（二）地方财政部门应当对项目单位提出的国际金融组织贷款申请进行审查。要重点把握项目财务、经济和社会效益、偿债能力、债务风险、配套资金、转贷安排和债务落实等问题，突出创新性和示范性。地方财政部门审查贷款申请，可组织专家调查论证并进行必要的实地考察，相关部门和机构应予配合，并负责提供真实、准确、完整的相关资料及证明文件。审查不合格的项目不得向上级财政部门申报。

（三）地方申请列入国际金融组织贷款规划的项目，省级财政部门应在审查项目单位贷款申请的基础上，向财政部提交贷款申请书。国务院有关部门和其他机构申请列入国际金融组织贷款规划的项目，凡债务由地方承担的，还应同时附送相关省级财政部门出具的还款承诺函。未按规定提交贷款申请书和还款承诺函的项目一律不予列入国际金融组织贷款规划。

（四）贷款申请书需载明贷款的目的和必要性、项目主要内容、项目执行机构设置、贷款及配套资金来源、转贷安排、债务偿还责任、项目所在地区外债负担水平及外债偿债能力等主要内容，并对项目经济和社会效益进行初步分析（具体格式见附1）。

三、周密组织项目评审，提高科学决策水平

省级财政部门对已列入国际金融组织贷款规划的项目应当组织评审。贷款决策的正确与否，关系到项目能否顺利实施，贷款资金的效益能否充分发挥，项目的经济和社会目标能否实现，政府债务能否按期偿还。因此，贷款项目评审是前期工作中极其重要的关键步骤。地方财政部门要严密组织，认真开展此项

工作。

（一）依据项目特点及评审要求，地方财政部门可自行对贷款项目进行评审，也可委托专家或专业评审机构评审。如涉及评审费用，原则上应由同级财政预算列支。

（二）贷款项目评审的重点包括省级政府的债务负担和财政承受能力；贷款项目的财务效益、经济效益和社会效益；地方财政、项目单位和主管部门配套资金的筹措能力；项目单位的财务状况和配套资金的落实情况；筹资方案的可行性，偿还债务保证措施、偿债资金来源分析，还本付息计划和预测；项目执行机构设置、转贷安排，以及其他与项目评审有关的内容等。

（三）贷款项目评审的时间应与国际金融组织以及国内程序等相衔接。省级财政部门一般应在国际金融组织完成项目评估，以及有关部门完成环境影响报告、土地利用报告、可行性研究报告批复等其他国内程序后出具财政评审意见书（具体格式见附 2），并提交财政部审查。财政部将评审合格意见作为上报国务院对外贷款谈判请示的前提条件之一。

四、认真落实项目相关准备，配合抓好对外磋商谈判

省级财政部门接到财政部下达的贷款规划后，应及时通知相关部门和项目单位，结合国际金融组织贷款项目准备程序，积极会同有关部门抓紧开展各项准备工作，配合财政部抓好对外贷款磋商谈判。省级财政部门每半年应以书面形式报告每个项目的准备进展，反映项目准备中存在的问题，项目准备若有延误情况要及时说明原因并提出解决方案。

（一）加强贷款债权债务管理。省级财政部门要认真落实债权债务，使每一级债务人充分意识到所面临的风险和承担的债务责任，认真研究转贷和担保环节存在的问题，指导和监督相关部门建立规范的贷款转贷和担保机制，明确项目单位的还款责任，完善担保、承诺、抵押等手续，确保贷款债权债务的最终落实。地方财政部门要督促项目单位落实配套资金、认真制定还贷计划。

（二）建立和完善贷款项目的管理机构。地方财政部门要督促建立和完善贷款项目执行和实施机构及跨部门协调机制，以保证项目的顺利实施。项目办负责项目准备、协调、执行等具体工作，要配备专业且足够的专职人员，保证机构和人员稳定，提高管理效率。

（三）加强对贷款项目单位的指导。地方财政部门应指导和监督项目单位建立、健全各项规章制度，包括项目管理办法、会计核算办法、财务管理办法等，重视项目单位的前期培训。各有关部门和项目单位应及时向财政部门抄送项目可行性研究报告、环境影响评价报告、移民搬迁报告等。省级财政部门要加强招标采购监督管理的力度。

（四）配合抓好对外谈判磋商工作。财政部统一负责政府外债项目对外磋商谈判工作，省级财政部门要配合财政部认真做好谈判前的各项准备工作，及时组织项目单位及相关部门，认真研究谈判协议文件，对《项目评估报告》、《贷款协定》、《项目协议》、《采购计划》和《支付信》等文件进行审查。省级财政部门应向财政部推荐本地区参加贷款谈判人员名单，并提前报送《贷款谈判建议方案》，具体内容包括谈判重点、主要问题及建议对案。谈判结束后，要及时出具《项目协议文本确认函》等文本，并提出建议签字时间等。

做好国际金融组织贷款前期工作需要多方的共同参与和协作。地方财政部门在项目前期工作中，要切实发挥政府外债统一管理部门的职能，协调好有关部门的关系，衔接好国内审批和国际金融组织贷款准备程序，及时解决项目前期工作中存在的问题，确保项目的顺利实施。

附：1. ××省财政厅关于____项目利用____贷款申请书参考格式

2. ××省____贷款____项目评审意见书参考格式

附1：

××省财政厅关于____项目利用____贷款申请书参考格式

财政部国际司：

为了……（目的），我们拟申请利用____银行贷款建设____项目。

一、贷款的目的和必要性

…………

二、贷款项目主要内容

项目名称

实施地点

项目目标、产出、效果

项目的必要性

项目主要建设内容、实施机构设置安排

项目的经济和社会效益

项目的创新性和示范作用

…………

三、贷款资金及配套资金来源

总投资及拟利用国际金融组织贷款额度，申请使用的贷款条件，配套资金来源等内容。…………

四、××省政府外债规模与承受能力

全省政府外债余额，占全省GDP和年度财政收入的比例，分析财政债务承受能力等内容…………

五、转贷及债务偿还安排

贷款项目的转贷安排、省财政是否担保，最终还款责任是否落实等内容…………

请予批准为盼。

二〇〇　年　月　日

（联系人：　　联系电话：　　　）

附 2：

××省___贷款___项目评审意见书参考格式

财政部国际司：

按照财政部 38 号令规定和财国际〔___〕_号文件精神，现将我省拟利用____贷款________项目的评审意见报告如下。

一、项目概况

（包括项目名称、简介、目的、资金额度等内容……）

项目由我省……、……、……个市承贷，项目区涉及……、……、……、……等_个县（市）。项目实施单位分别为……。项目建设内容主要包括……。

项目申报总投资为　　，其中：（具体描述）。贷款条件：（具体描述）。

二、项目执行机构

项目执行机构安排及落实情况

三、偿债安排情况

主要包括转贷安排、债务偿还安排及责任、配套资金安排、贷款偿还计划等

四、债务风险审核情况

主要内容为省级政府的债务负担和财政承受能力；贷款项目的财务效益、经济效益和社会效益；地方财政、项目单位和主管部门配套资金的筹措能力；项目单位的财务状况和配套资金的落实情况；筹资方案的可行性，偿还债务保证措施、偿债资金来源分析，还本付息计划和预测等。

五、结论性审核意见

例一：按照财政部关于利用国际金融组织贷款的要求，我省在本项目的前期工作中，做了充分的准备和安排。经过对各相关环节的认真审核评价，我们认为该项目评审合格，前期准备基本就绪，已具备谈判和实施条件。

例二：经过对各相关环节的审核评价，我们认为该项目前期准备尚未就绪，建议暂缓对外谈判。

例三：经过对各相关环节认真审核评价，我们认为该项目存在……（如债务风险等方面）重大问题，评审不合格，建议不予对外谈判。

二〇〇　年　月　日

（联系人：　　　联系电话：　　　）

财政部关于停止对国际赠款收取有偿使用费的通知

2009年7月6日 财际〔2009〕68号

各省、自治区、直辖市、计划单列市（不含西藏）财政厅（局），有关项目单位：

为了适应深化部门预算管理体制改革的要求，现就国际赠款资金有偿使用费的收取问题通知如下：

一、对于2009年6月1日以后与我部签署转赠协议或者执行协议的国际赠款，以及与贷款搭配使用的联合融资中的赠款，我部停止向赠款使用单位收取有偿使用费。

二、本通知自2009年6月1日起施行。

省财政厅转发《财政部关于金融类国有和国有控股企业负责人薪酬管理有关问题的通知》的通知

2009年2月4日 鲁财金〔2009〕3号

各市财政局，省直金融机构：

为进一步规范金融类国有和国有控股企业收入分配秩序，加强企业负责人薪酬管理，现将《财政部关于金融类国有和国有控股企业负责人薪酬管理有关问题的通知》转发给你们。请认真遵照执行，并按照本通知要求，研究制定具体落实意见，于2月20日前报送我厅。

联系人：李振华

电话：0531－82669604，82920751（传真）

附件：财政部关于金融类国有和国有控股企业负责人薪酬管理有关问题的通知

附件：

财政部关于金融类国有和国有控股企业负责人薪酬管理有关问题的通知

2009年1月13日 财金〔2009〕2号

各金融类国有和国有控股企业，各省、自治区、直辖市、计划单列市财政厅（局），新疆生产建设兵团财务局：

2008年以来，受国际金融危机影响，国外金融企业普遍调低了负责人薪酬水平。目前，国内各金融企业正在着手清算2008年薪酬总额和拟定2009年薪酬计划，部分金融企业已主动调整了负责人薪酬。在当前特殊的形势下，国有及国有控股金融企业要带头保持员工队伍稳定，规范薪酬管理。现就有关问题通知如下：

一、各国有及国有控股金融企业要根据当前形势，合理控制各级机构负责人薪酬，避免进一步拉大与社会平均收入水平、以及企业内部职工收入水平的差距。要坚决防止脱离国情、当前经济形势、行业发展以及自身实际发放过高薪酬。

二、各国有及国有控股金融企业要重视薪酬管理工作，加强对薪酬工作的领导和监督，坚决贯彻执行国家有关规定，认真履行内部决策程序，严格按照公司治理要求确定相关人员薪酬。

三、各国有及国有控股金融企业要切实规范高级管理人员的职务消费，加强对经营管理费用的控制和审查，纠正和坚决遏制在职务消费中违规开支和讲排场、摆阔气等奢侈浪费行为，逐步缩小直至取消职务消费。

四、各国有及国有控股金融企业根据有关规定暂时停止实施股权激励和员工持股计划。在国家对金融企业股权激励和员工持股政策公布之前，各国有及国有控股金融企业不得实施股权激励或员工持股计划。

五、各国有及国有控股金融企业要按本通知提出具体落实意见，并于2009年1月31日前将有关情况报同级财政部门。各省、自治区、直辖市、计划单列市财政部门汇总所管理的金融企业薪酬情况，2009年2月底前报财政部。

六、其他金融企业参照执行。

省财政厅转发《财政部关于印发〈金融类国有及国有控股企业绩效评价暂行办法〉的通知》的通知

2009年2月5日　鲁财金〔2009〕4号

各市财政局，省直金融企业：

现将《财政部关于印发〈金融类国有及国有控股企业绩效评价暂行办法〉的通知》（财金〔2009〕3号，以下简称《暂行办法》）转发给你们，并结合我省工作实际，提出以下补充规定，请一并遵照执行。

一、各级财政部门负责组织实施本地区所属金融类国有和国有控股企业的绩效评价工作。各金融企业应成立由企业主要负责人、总会计师或财务负责人任组长的绩效评价工作小组，具体负责组织实施本企业的绩效评价工作。

二、为确保绩效评价工作的客观、公正与公平，评价过程中涉及的所有数据，应当以各金融企业经社会中介机构审计后的年度财务会计报告为依据。

三、各金融企业应于每年4月15日前，完成本企业上年度的绩效评价工作，并向同级财政部门报送绩效评价报告。绩效评价报告由正文和附件构成，正文包括：评价过程、评价结果及重要事项说明等内容。附件包括：

1. 绩效评价指标及结果计分表；
2. 经社会中介机构审计后的年度财务会计报告；
3. 绩效评价指标计算过程及说明；
4. 其他基础数据资料、证据及说明。

各金融企业上报的所有书面材料均须加盖企业公章，并提供相应的电子版文件。

四、各市财政局应于每年4月30日前，将本地区所属各金融企业上报的分户材料审核、整理后上报省财政厅。待财政部正式发布当年金融企业绩效评价各项指标的标准值后，于每年7月15日前，将所属金融企业绩效评价结果及汇总分析报送省财政厅。

联系人：李振华

电话：0531－82669604

附件：财政部关于印发《金融类国有及国有控股企业绩效评价暂行办法》的通知

附件：

财政部关于印发《金融类国有及国有控股企业绩效评价暂行办法》的通知

2009年1月13日　财金〔2009〕3号

各中央管理金融企业，各省、自治区、直辖市、计划单列市财政厅（局），新疆生产建设兵团财务局，财政部驻各省、自治区、直辖市、计划单列市财政监察专员办事处：

为了加强对金融类国有及国有控股企业的财务监管，规范金融企业绩效评价工作，综合反映金融企业资产营运质量，推动金融企业提升经营管理水平，促进金融企业健康发展，现印发《金融类国有及国有控股企业绩效评价暂行办法》及《金融类国有及国有控股企业绩效评价指标及结果计分表》、《金融类国有及国有控股企业绩效评价指标计算公式说明》，请遵照执行。执行中有何问题，请及时函告我部。

附件：1. 金融类国有及国有控股企业绩效评价暂行办法

2. 金融类国有及国有控股企业绩效评价指标及结果计分表

3. 金融类国有及国有控股企业绩效评价指标计算公式说明

附件1：

金融类国有及国有控股企业绩效评价暂行办法

第一章　总　则

第一条　为了加强对金融类国有及国有控股企业（以下简称金融企业）的财务监管，规范金融企业绩效评价工作，综合反映金融企业资产营运质量，推动金融企业提升经营管理水平，促进金融企业健康发展，根据《金融企业财务规则》等有关法律法规，制定本办法。

第二条　在中华人民共和国境内依法设立的金融企业绩效评价工作，适用本办法。

第三条　本办法所称绩效评价，是指通过建立评价指标体系，对照相应行业评价标准，对金融企业一个会计年度的盈利能力、资产质量、偿付能力以及经营增长状况等进行的综合评判。

第四条　财政部依据本办法组织实施中央管理金融企业的绩效评价工作；省级人民政府财政部门（以下简称财政部门）依据本办法组织实施本级金融企业的绩效评价工作。

第五条　金融企业绩效评价工作应当遵循以下原则：

（一）综合性原则。金融企业绩效评价应当通过建立综合的指标体系，对金融企业特定会计期间的财务状况和经营成果进行多角度的分析和综合评判。

（二）客观性原则。金融企业绩效评价应当充分考虑市场竞争环境，依据统一测算的、同一期间的国内行业标准值，客观公正地评判金融企业的经营成果。

（三）发展性原则。金融企业绩效评价应当在综合反映金融企业年度财务状况和经营成果的基础上，客观分析金融企业年度之间的增长状况及发展水平。

第六条　为确保绩效评价工作的客观、公正与公平，绩效评价工作应当以社会中介机构审计后的财务会计报告为基础。

第七条　金融企业绩效评价标准根据金融企业年度财务会计报告数据，运用数理统计方法，分年度、分行业统一测算并发布。

根据金融企业目前的实际情况，本办法暂划分为银行业、保险业、证券业和金融控股公司4大类金融企业进行绩效评价。

金融企业经营多种业务的，以其主营业务为基础，确定评价指标适用的行业。

第八条 金融企业绩效评价结果作为评价金融企业绩效、确定金融企业负责人薪酬、加强金融企业经营管理的重要依据，应当以绩效评价报告形式反馈给金融企业及有关部门，并以适当形式予以公开。

第二章 评价指标与权重

第九条 金融企业的绩效评价指标具体包括：

（一）盈利能力指标：包括资本利润率（净资产收益率）、资产利润率（总资产报酬率）、成本收入比、收入利润率、支出利润率、加权平均净资产收益率等6个指标，主要反映金融企业一定经营期间的投入产出水平和盈利质量。

（二）经营增长指标：包括国有资本保值增值率、利润增长率等2个指标，主要反映金融企业的资本增值状况和经营增长水平。

（三）资产质量指标：包括不良贷款率、拨备覆盖率、认可资产率、应收账款比率、净资本与风险准备比率、净资本与净资产比率等6个指标，主要反映金融企业所占用经济资源的利用效率、资产管理水平与资产的安全性。

（四）偿付能力指标：包括资本充足率、核心资本充足率、偿付能力充足率、净资本负债率、资产负债率等5个指标，主要反映金融企业的债务负担水平、偿债能力及其面临的债务风险。

第十条 金融企业绩效评价各单项指标的权重，依据指标的重要性和引导功能确定。各单项指标计分加权形成金融企业绩效评价综合指标得分。

第三章 评价基础数据与调整

第十一条 金融企业绩效评价的基础数据资料主要包括金融企业提供的年度财务会计报告及审计报告、关于经营管理情况的说明等资料。

为确保评价基础数据的真实、完整、合理，金融企业应当按照重要性和可比性原则对评价期间的基础数据进行适当调整，组织实施单位根据被评价金融企业提供的调整说明和有关证明材料对调整事项进行确认。

第十二条 金融企业评价期间会计政策与会计估计发生重大变更的，需要判断变更事项对经营成果的影响，产生重大影响的，应当调整评价基础数据，以保持数据口径基本一致。

第十三条 金融企业评价期间发生资产无偿划入划出的，应当按照重要性原则调整评价基础数据。原则上划入资产应纳入评价范围，无偿划出、关闭、破产（含进入破产程序）资产，不纳入评价范围。

第十四条 金融企业被出具非标准无保留意见审计报告的，应当根据审计报告披露的影响金融企业经营成果的重大事项，调整评价基础数据。

第十五条 金融企业在评价期间损益中消化处理以前年度资产损失的，承担国家某项特殊任务或落实国家专项政策对财务状况和经营成果产生重大影响的，经财政部门认定后，可作为客观因素调整评价基础数据。

第四章 评价标准与评价计分

第十六条 财政部根据省级财政部门和中央管理金融企业报送的资料，考虑无风险投资报酬率等因素，分行业统一测算并发布全国金融企业各项评价指标的标准值。

第十七条 绩效评价标准值按照不同行业及指标类别，划分为优秀、良好、中等、较低、较差5个档次，对应五档评价标准的标准系数分别为1.0、0.8、0.6、0.4、0.2。

标准系数是评价标准的参数，反映评价指标对应评价标准值所达到的档次。

第十八条 评价计分是将金融企业调整后的评价指标实际值对照金融企业所处行业标准值，按照以下计算公式，利用绩效评价软件计算各项基本指标得分：

绩效评价指标总得分 = $\sum$ 单项指标得分

单项指标得分 = 本档基础分 + 调整分

本档基础分 = 指标权数 × 本档标准系数

调整分 = 功效系数 ×（上档基础分 − 本档基础分）

上档基础分 = 指标权数 × 上档标准系数

功效系数 =（实际值 − 本档标准值）/（上档标准值 − 本档标准值）

本档标准值是指上下两档标准值中居于较低的一档标准值。

第十九条 金融企业经济效益上升幅度显著、经营规模较大的，应当给予适当加分，以充分反映不同金融企业努力程度和管理难度。具体的加分办法如下：

（一）效益提升加分。金融企业资本利润率增长率超过行业平均增长水平10%加1分，超过20%加2分，超过30%加3分，超过40%加4分，超过50%及以上加5分。

（二）管理难度加分。金融企业人均资产总额超过行业年度人均资产总额的给予加分，超过行业年度人均资产总额每10%加0.5分，最多加5分。

（三）财政部门认定的其他事项。

以上加分因素合计不得超过10分，超过10分按10分计算。

第二十条 对被评价金融企业所评价期间（年度）发生以下不良重大事项，应当予以扣分：

（一）重大损失扣分。金融企业发生属于当期责任的重大资产损失事项，损失金额超过平均资产总额1‰的，或者资产损失金额未超过平均资产总额1‰，但性质严重并造成重大社会影响的，扣3分。正常的资产减值准备计提不在此列。

（二）信息质量扣分。金融企业不按照规定提供财务会计信息，或因所提供的财务会计信息不真实而受到处理处罚的，扣2分。

（三）财政部门认定的其他事项。

第二十一条 对存在加分和扣分事项的，财政部门应当与金融企业和有关部门进行核实，获得必要的证据，并在金融企业绩效评价报告中予以单独说明。

第五章 评价结果与评价报告

第二十二条 绩效评价结果是指根据绩效评价分数及分析得出的评价结论，以评价得分、评价类型和评价级别表示。

评价得分用百分制表示。

评价类型是根据评价分数对企业综合绩效所划分的水平档次，用文字和字母表示，分为优（A）、良（B）、中（C）、低（D）、差（E）五种类型。

评价级别是对每种类型再划分级次，以体现同一评价类型的不同差异，采用在字母后重复标注该字母的方式表示。

第二十三条 绩效评价结果以85、70、50、40分作为类型判定的分数线。

（一）评价得分达到85分以上（含85分）的评价类型为优（A），在此基础上划分为3个级别，分别为：AAA≥95分；95分>AA≥90分；90分>A≥85分。

（二）评价得分达到70分以上（含70分）不足85分的评价类型为良（B），在此基础上划分为3个级别，分别为：85 分 > BBB≥80 分；80 分 > BB≥75 分；75 分 > B≥70 分。

（三）评价得分达到 50 分以上（含 50 分）不足 70 分的评价类型为中（C），在此基础上划分为 2 个级别，分别为：70 分 > CC≥60 分；60 分 > C≥50 分。

（四）评价得分在 40 分以上（含 40 分）不足 50 分的评价类型为低（D）。

（五）评价得分在 40 分以下的评价类型为差（E）。

第二十四条 金融企业绩效评价报告是根据评价结果编制、反映被评价金融企业绩效状况的文本文件，由报告正文和附件构成。

绩效评价报告正文应当包括：评价过程、评价结果及重要事项说明等内容。绩效评价报告的正文应当文字简洁、重点突出、层次清晰、易于理解。

绩效评价报告附件应当包括：评价指标及结果计分表、评价基础数据及调整情况。

第六章 工作要求与责任

第二十五条 中央管理金融企业应当于每年 5 月 15 日前，向财政部报送绩效评价的基础数据资料以及对基础数据进行调整的说明材料。

第二十六条 地方金融企业向本级财政部门报送绩效评价材料的具体内容和时间要求，由省级财政部门另行规定。

第二十七条 金融企业应当提供真实、全面的绩效评价基础数据资料，金融企业主要负责人、总会计师或主管财务会计工作的负责人应当对提供的年度财务会计报告和相关评价基础资料的真实性、完整性负责。

金融企业在报送绩效评价材料中，存在故意漏报、瞒报以及提供虚假材料等情况的，由本级财政部门责令限期改正，并给予警告。

第二十八条 省级财政部门应当于每年 5 月 15 日前，分户将上一年度本地区金融企业调整后的绩效评价基础数据资料和情况说明报送财政部。

第二十九条 财政部应当于每年 6 月 30 日前发布绩效评价各项指标的标准值。

第三十条 省级财政部门应当于每年 8 月 30 日前，将本地区金融企业绩效评价结果及汇总分析报送财政部。

第三十一条 财政部门的相关工作人员组织开展金融企业绩效评价工作应当恪尽职守、规范程序、加强指导。

对于在绩效评价过程中滥用职权、玩忽职守、徇私舞弊，或者泄露金融企业商业秘密的，依法给予行政处分。

第三十二条 受托开展金融企业审计业务的机构及其相关工作人员应严格执行金融企业绩效评价工作的规定，规范技术操作，确保评价过程独立、客观、公正，评价结论适当，并严守金融企业的商业秘密。

对参与造假、违反程序和工作规定，导致评价结论失实以及泄露金融企业商业秘密的，财政部门将责令不再委托其承担金融企业审计业务，并将有关情况通报其行业主管机关，建议给予相应处罚。

第七章 附 则

第三十三条 金融企业开展内部绩效评价工作，可依据本办法制定具体的工作规范。

第三十四条 各省、自治区、直辖市、计划单列市财政部门可以依据本办法和财政部的其他规定，结合本地区金融企业实际，制定具体的实施办法，报财政部备案。

第三十五条 本办法自印发之日起施行。

附件2：

金融类国有及国有控股企业绩效评价指标及结果计分表

企业名称：

评价内容		银行类		证券类		保险类		金融控股类		一	二	三	四	五	六	七	八	九	十
指标	权重（%）	指标	权数	指标	权数	指标	权数	指标	权数	实际值	本档标准值	上档标准值	功效系数	上档标准系数	上档基础分	本档标准系数	本档基础分	调整分	单项指标得分
盈利能力状况	30～60	资本利润率	15	加权平均净资产收益率	15	净资产收益率	15	资本利润率	30										
		资产利润率	10	资产利润率	10	总资产报酬率	10	资产利润率	15										
		成本收入比	5	收入利润率	5	收入利润率	5	成本收入比	15										
				支出利润率	5	支出利润率	5												
经营增长状况	25～40	国有资本保值增值率	10	国有资本保值增值率	10	国有资本保值增值率	10	国有资本保值增值率	20										
		利润增长率	10	利润增长率	10	利润增长率	10	利润增长率	15										
		经济利润率	5	经济利润率	5	经济利润率	5	经济利润率	5										
资产质量状况	15～25	不良贷款率	10	净资本与风险准备比率	10	认可资产率	15												
		拨备覆盖率	5	净资本与净资产比率	5	应收账款比率	10												
偿付能力状况	15～25	资本充足率	15	净资本负债率	15	偿付能力充足率	15												
		核心资本充足率	15	资产负债率	10														
绩效评价指标总得分																			
评价加分		效益提升				管理难度			其他事项							小计			
评价扣分		重大损失				信息质量			其他事项							小计			
本期绩效评价分数																			

附件3：

金融类国有及国有控股企业绩效评价指标计算公式说明

一、盈利能力指标

1. 资本利润率（净资产收益率）=净利润/净资产平均余额×100%

净资产平均余额=（年初所有者权益余额+年末所有者权益余额）/2

净资产中含资本公积中可供出售金融资产的公允价值变动，为真实反映企业的经营业绩，在指标计算中扣除净资产中的公允价值变动，下同。

2. 资产利润率（总资产报酬率）=利润总额/资产平均总额×100%

资产平均总额=（年初资产总额+年末资产总额）/2

证券公司资产、负债不包括客户资产、负债，下同。

3. 成本收入比=营业费用/营业收入×100%

4. 收入利润率=营业利润/营业收入×100%

5. 支出利润率=营业利润/营业支出×100%

6. 加权平均净资产收益率$=P/(E_0+NP\div 2+E_i\times M_i\div M_0-E_j\times M_j\div M_0\pm E_k\times M_k\div M_0)$

其中：P为扣除非经常性损益后归属于公司普通股股东的净利润；NP为归属于公司普通股股东的净利润；E_0为归属于公司普通股股东的期初净资产；E_i为报告期发行新股或债转股等新增的、归属于公司普通股股东的净资产；E_j为报告期回购或现金分红等减少的、归属于公司普通股股东的净资产；M_0为报告期月份数；M_i为新增净资产下一月份起至报告期期末的月份数；M_j为减少净资产下一月份起至报告期期末的月份数；E_k为因其他交易或事项引起的净资产增减变动；M_k为发生其他净资产增减变动下一月份起至报告期期末的月份数。

二、经营增长指标

1. 国有资本保值增值率=[（年末国有资本±客观增减因素影响额）÷年初国有资本]×100%

2. 利润增长率=（本年利润总额-上年利润总额）/上年利润总额×100%

3. 经济利润率=（净利润-净资产平均余额×资金成本）/净资产平均余额×100%

资金成本系中国人民银行公布的一年期流动资金贷款利率。

三、资产质量指标

1. 不良贷款率=（次级类贷款+可疑类贷款+损失类贷款）/各类贷款余额×100%

银行按照中国银监会的规定计算不良贷款率，以后变化，从其规定。

2. 拨备覆盖率=贷款减值准备/（次级类贷款+可疑类贷款+损失类贷款）×100%

银行按照中国银监会的规定计算拨备覆盖率，以后变化，从其规定。

3. 认可资产率=认可资产/资产总额×100%

其中：认可资产是指保险监管机构对保险公司进行偿付能力考核时，按照一定的标准予以认可，纳入偿付能力额度计算的资产。

4. 应收账款比率=（应收保费+应收利息+其他应收款）/资产总计×100%

5. 净资本与风险准备比率=期末净资本/各项风险准备之和×100%

其中：净资本=净资产-金融资产的风险调整-其他资产的风险调整-或有负债的风险调整-/+中国证监会认定或核准的其他调整项目。

因目前净资本计算只能涉及单体公司，因此涉及证券公司净资本指标的，需用母公司数据。

证券公司按照中国证监会规定的证券公司风险资本准备计算标准计算各项风险资本准备。目前，证券公司提取六项风险准备之和，以后变化，从其规定。

6. 净资本与净资产比率 = 期末净资本/期末净资产 × 100%

四、偿付能力指标

1. 资本充足率 =（资本 - 扣除项）/（风险加权资产 + 12.5 倍的市场风险资本）× 100%

其中：资本扣除项 = 商誉 + 对未并表银行机构资本投资 + 对未并表非银行金融机构资本投资 + 对非自用不动产投资 + 对工商企业资本投资 + 贷款损失准备尚未提足部分。

银行按照中国银监会的规定计算资本充足率，以后变化，从其规定。

2. 核心资本充足率 =（核心资本 - 核心资本扣除项）/（风险加权资产 + 12.5 倍的市场风险资本）× 100%

其中：核心资本 = 实收资本（或普通股）+ 资本公积 + 盈余公积 + 未分配利润 + 少数股权。

核心资本扣除项 = 商誉 +（对未并表银行机构资本投资 + 对未并表非银行金融机构资本投资 + 对非自用不动产投资 + 对工商企业资本投资）× 50% + 贷款损失准备尚未提足部分。

银行按照中国银监会的规定计算核心资本充足率，以后变化，从其规定。

3. 偿付能力充足率 =（实际资本/最低资本）× 100%

其中：实际资本等于认可资产减去认可负债的差额。

认可负债是指保险监管机构对保险公司进行偿付能力考核时，按照一定的标准予以认可，纳入偿付能力额度计算的负债。

最低资本是指保险公司在经营中应具备的偿付能力的最低限额数。

4. 净资本负债率 = 期末净资本/期末负债 × 100%

其中：负债指对外负债，不含代理买卖证券款。

5. 资产负债率 = 期末负债总额/期末资产总额 × 100%

其中：资产指自身资产，不含代买卖证券款对应的资产；负债指对外负债，不含代理买卖证券款。

省财政厅转发《财政部关于延长原料奶收购贷款中央财政贴息政策的通知》的通知

2009年3月27日　鲁财金〔2009〕13号

各市财政局：

现将《财政部关于延长原料奶收购贷款中央财政贴息政策的通知》转发给你们，请遵照执行。各符合贴息条件的乳制品企业，请于2009年4月20日前，向所在市财政局报送相关申请材料。各市财政局审核汇总后，于2009年4月30日前报送省财政厅。

联系人：李振华

电话：0531 - 82669604，82920751（传真）

附件：财政部关于延长原料奶收购贷款中央财政贴息政策的通知

附件：

财政部关于延长原料奶收购贷款中央财政贴息政策的通知

2009年3月9日 财金〔2009〕22号

各省、自治区、直辖市、计划单列市财政厅（局），新疆生产建设兵团财务局，财政部驻各省、自治区、直辖市、计划单列市财政监察专员办事处：

为贯彻落实国务院关于扶持乳制品行业发展的有关精神，进一步加大对乳制品企业的政策扶持力度，帮助乳制品企业解决资金短缺问题，切实保护奶农利益，现就延长原料奶收购贷款中央财政贴息政策有关问题通知如下：

一、国家对原料奶收购贷款财政贴息政策延长至2009年3月底。自2008年10月1日至2009年3月31日，借款人新增的用于原料奶收购的贷款，按贴息期内实际贷款期限据实贴息。

二、延长期贴息率仍按《财政部关于印发〈原料奶收购贷款中央财政贴息管理办法〉的通知》（财金〔2008〕107号）规定的3.105%执行。

三、2009年4月30日前，符合贴息条件的乳制品企业凭经办银行确认的结息凭证，借款合同等材料向所在地财政部门申请贴息。

四、各省级财政部门收到企业贴息申请后，应按财金〔2008〕107号文件规定程序，对贴息申请进行汇总，送财政部驻当地财政监察专员办事处审核后，于2009年5月20日前上报财政部申请贴息。贴息资金拨付按财金〔2008〕107号文件规定执行。

五、各地省级财政部门收到本通知后，请于2009年4月20日前统计上报原料奶收购贷款贴息工作进展情况，包括地方财政出台的配套贴息政策、纳入原料奶收购贷款中央财政贴息范围的企业经营情况、贴息政策实施效果与建议等。

省财政厅转发《财政部关于印发〈中央财政新型农村金融机构定向费用补贴资金管理暂行办法〉的通知》的通知

2009年5月6日 鲁财金〔2009〕19号

各市财政局：

现将《财政部关于印发〈中央财政新型农村金融机构定向费用补贴资金管理暂行办法〉的通知》（财金〔2009〕31号）转发给你们，请遵照执行。为及时办理资金审核拨付手续，请各市财政局以县（市、区）为单位，于5月20日前将补贴资金申请材料报省财政厅。

附件：财政部关于印发《中央财政新型农村金融机构定向费用补贴资金管理暂行办法》的通知

附件：

财政部关于印发《中央财政新型农村金融机构定向费用补贴资金管理暂行办法》的通知

2009年4月22日　财金〔2009〕31号

各省、自治区、直辖市、计划单列市财政厅（局），财政部驻各省、自治区、直辖市、计划单列市财政监察专员办事处：

现将《中央财政新型农村金融机构定向费用补贴资金管理暂行办法》印发给你们，请遵照执行。为及时办理审核拨付手续，请于6月10日前将2009年补贴资金申请材料报我部（金融司）。补贴资金审核以新型农村金融机构2008年末涉农贷款余额为依据。

附件：中央财政新型农村金融机构定向费用补贴资金管理暂行办法

附件：

中央财政新型农村金融机构定向费用补贴资金管理暂行办法

第一章　总　　则

第一条　为了加强和规范新型农村金融机构定向费用补贴资金（以下简称补贴资金）管理，支持新型农村金融机构持续发展，促进农村金融服务体系建设，根据国家有关政策和规定，制定本办法。

第二条　本办法所称新型农村金融机构定向费用补贴，是指财政部对符合规定条件的新型农村金融机构，按上年贷款平均余额给予一定比例的财政补贴。

本办法所称新型农村金融机构（以下简称农村金融机构），是指经中国银行业监督管理委员会（以下简称银监会）批准设立的村镇银行、贷款公司、农村资金互助社三类农村金融机构。

本办法所称贷款平均余额，是指农村金融机构该年度每季度末贷款余额的算术平均值。具体统计口径以《中国人民银行金融统计制度》及相关通知规定为准。

第三条　农村金融机构定向费用补贴工作遵循政府扶持、商业运作、风险可控、管理到位的基本原则。

政府扶持，是指财政部建立定向费用补贴制度，促进农村金融机构加大支农力度，支持其持续发展。

商业运作，是指农村金融机构按商业经营规律，自主决策、自担风险、自负盈亏。

风险可控，是指农村金融机构在加大涉农贷款投放的同时，应当加强内部管理，改善经营指标，控制相关风险。

管理到位，是指财政部门规范补贴资金的预决算管理，严格审核，及时拨付，加强监督检查，保证资金安全和政策实施效果。

第二章　补贴条件和标准

第四条　财政部对上年贷款平均余额同比增长，且达到银监会监管指标要求的贷款公司和农村资金互助社，上年贷款平均余额同比增长、上年末存贷比高于50%且达到银监会监管指标要求的村镇银行，按其上年贷款平均余额的2%给予补贴。

第五条 补贴资金由中央财政承担。

第六条 补贴资金作为农村金融机构当年收入核算。

第三章 补贴资金预算管理

第七条 财政部根据全国农村金融机构当年贷款平均余额预测和规定的补贴标准，安排专项补贴资金，列入下一年度中央财政预算。

第八条 财政部每年向省级财政部门拨付补贴资金，各级财政部门应当按规定转拨，由县级财政部门向农村金融机构据实拨付。

第九条 各级财政部门应当根据国家关于财政资金管理的规定，做好补贴资金的决算。

省级财政部门应当于拨付补贴资金后，及时编制补贴资金决算，经财政部驻当地财政监察专员办事处（以下简称专员办）审核后，于财政部拨付补贴资金后3个月内报财政部。

第四章 补贴资金申请、审核和拨付

第十条 农村金融机构按年向县级财政部门申请补贴资金。

第十一条 农村金融机构按照国家财务会计制度和财政部规定的补贴比例，计算上年贷款平均余额和相应的补贴资金，向县级财政部门提出申请。

第十二条 补贴资金申请、审核和拨付，按以下程序办理：

（一）农村金融机构应当于每年2月20日前，向县级财政部门报送补贴资金申请书及相关材料。补贴资金申请书及相关材料应当反映上年贷款平均余额、同比增长情况、申请补贴资金金额、村镇银行上年末存贷比等数据，并对农村金融机构上年度监管指标情况以及是否达到银监会要求进行说明。不符合补贴条件的农村金融机构，应当向县级财政部门报送上年贷款情况表，包括上年贷款平均余额、同比增长情况。

（二）县级财政部门收到农村金融机构的补贴资金申请材料后，在10个工作日内出具审核意见。

（三）县级财政部门向省级财政部门报送补贴资金申请材料。申请材料包括农村金融机构的补贴资金申请书及相关材料、贷款发放和补贴资金情况表（附1）和县级财政部门审核意见等。

（四）省级财政部门对补贴资金申请材料进行审核汇总后，送专员办审核。

（五）专员办收到省级财政部门的补贴资金申请材料后，在10个工作日内出具审核意见并送省级财政部门。

（六）省级财政部门在4月30日之前向财政部报送补贴资金申请材料，包括本省和各县贷款发放和补贴资金情况表（附1及附2），并附专员办审核意见。

（七）财政部审核后，据实向省级财政部门拨付补贴资金。

（八）省级财政部门收到财政部拨付的补贴资金后，在10个工作日内转拨资金。

（九）县级财政部门收到补贴资金后，在10个工作日内将补贴资金拨付给农村金融机构。

第五章 监督管理和法律责任

第十三条 农村金融机构应当认真如实统计和上报本机构贷款发放和余额情况。

第十四条 各级财政部门对行政区域内农村金融机构的补贴申请工作进行指导，做好补贴审核拨付的组织和协调工作，并会同有关部门对补贴审核拨付工作进行检查，对检查中发现的问题及时处理和反映，保证财政补贴政策落到实处。

第十五条 专员办对行政区域内农村金融机构贷款和各项监管指标完成情况认真审核，出具意见作为中央和省级财政部门审核拨付补贴资金的依据。

专员办应当加强对补贴资金拨付和使用的监督检查，规范审核拨付程序，保证补贴资金专项使用。

第十六条 财政部不定期对补贴资金进行监督检查，对补贴资金的使用情况和效果进行评价，作为调整政策的依据之一。

第十七条 农村金融机构虚报材料，骗取财政补贴资金的，财政部门应当追回补贴资金，取消农村金融机构获得补贴的资格，并根据《财政违法行为处罚处分条例》（国务院令第427号）进行处罚。

第十八条 各级财政部门和专员办未认真履行审核职责，导致农村金融机构虚报材料骗取补贴资金，或者挪用补贴资金的，上级财政部门应当责令改正，采取追回已拨资金，并根据《财政违法行为处罚处分条例》（国务院令第427号）对有关单位和责任人员进行处罚。

第六章 附 则

第十九条 各省、自治区、直辖市、计划单列市财政部门可根据当地情况制定补贴资金管理细则，报财政部备案。

第二十条 本办法自印发之日起施行。

附：1. ____省（自治区、直辖市）贷款发放及补贴资金情况表

2. ____县（市）贷款发放及补贴资金情况表

附1：

____省（自治区、直辖市）贷款发放及补贴资金情况表

填报单位：____省（区、市）财政厅（局） 20 年 单位：万元，%

贷款及补贴情况 / 县级财政部门	上年贷款发放金额		上年贷款平均余额		可予补贴贷款余额	补贴金额
	金额	同比变动	余额	同比变动		
××县						
××县						
……						
……						
……						
合计						

注：表中各行数据需与各县统计表中汇总数一致。

附2：

____县（市）贷款发放及补贴资金情况表

填报单位：____县（市）财政局　　20　年　　单位：万元，%

贷款及补贴情况 / 金融机构	上年贷款发放金额		上年贷款平均余额		上年末存贷比	是否符合补贴条件	可予补贴贷款余额	补贴金额
	金额	同比变动	余额	同比变动				
××银行								
××银行								
……								
……								
……								
合计								

注：1. 该表填报所有新型农村金融机构数据，是否符合补贴条件在“是否符合补贴条件”一栏中说明，不符合补贴条件的机构“可予补贴贷款余额”和“补贴金额”为0。

2.“存贷比”一栏只需村镇银行填写。

省财政厅转发《财政部　中国人民银行关于进一步做好专项借款管理工作的通知》的通知

2009年5月7日　鲁财金〔2009〕21号

各市财政局：

现将《财政部　中国人民银行关于进一步做好专项借款管理工作的通知》（财金〔2009〕19号）转发给你们，并根据国务院关于地方政府向中央专项借款的政策规定，结合我省实际，补充规定如下，请一并遵照执行。

一、自2009年起，对按照专项借款协议规定，主动全额归还当年到期借款本金的市，免收相应借款利息。我省专项借款中，今年到期的清理整顿农村合作基金会专项借款二期协议还款日为2009年1月3日，撤销城市信用社个人债务兑付专项借款协议还款日为2009年3月14日，中国重汽财务公司债务重组专项借款协议还款日为2009年4月3日。按照财政部有关规定，省财政目前已通过垫付方式，将上述借款2009年到期本金归还人民银行。请各市务必于2009年6月15日前，将上述到期应还本金归还省财政厅，逾期不还的，省财政厅将于年终体制结算时，全额扣回应还本金和相应利息。

二、自2009年起，对按照专项借款协议已到期的项目应还未还的本金部分，分5年等额偿还。目前，各市清理整顿农村合作基金会一期、清理撤销信托投资公司和清理整顿供销社社员股金三个专项借款均已到期，其中清理撤销信托投资公司专项借款的还款日为每年的10月12日，清理整顿农村合作基金会一期和清理整顿供销社社员股金两个专项借款的还款日为每年的12月15日。各市应严格按照上述还款日期归还借款，逾期不还的，省财政厅将于年终体制结算时，全额扣回应还本金及相应利息。

三、请各市财政局严格按照中央专项借款管理要求，履行专项借款协议，认真核对还款计划（见附件2），切实落实还款资金，确保按时偿还借款。

附件：1. 财政部　中国人民银行关于进一步做好专项借款管理工作的通知

2. 中央专项借款还款计划

附件1：

财政部　中国人民银行关于进一步做好专项借款管理工作的通知

2009年3月5日　财金〔2009〕19号

各省、自治区、直辖市、计划单列市财政厅（局），中国人民银行各分行、营业管理部、省会（首府）城市中心支行：

根据国务院关于地方政府向中央专项借款的政策原则，为进一步加强专项借款管理工作，现就有关事项通知如下：

一、有关地方要严格遵守专项借款管理要求，认真履行专项借款协议，切实落实专项借款还款资金，保证按时归还专项借款。

二、自2009年起，对按照专项借款协议规定主动全额归还当年到期借款本金的地方，免收相应借款利息；对地方未能按时归还的借款本金，财政部将根据《中国人民银行　财政部关于印发〈地方政府向中央专项借款管理规定〉的通知》（银发〔2000〕148号）的有关规定，全额扣还应还本金及相应利息。

三、专项借款协议期满后，对以前年度缓扣的专项借款本金，分5年等额偿还，逾期未还的将比照上述规定扣还本息。

四、确因财力有限、按期偿还专项借款有困难的地方政府，可按现行程序向国务院申请延期还款。

五、请有关地方财政部门与当地人民银行分支行协作配合，在认真逐笔核实基础上，共同确定截至2008年末本地区专项借款有关账务，于2009年3月20日前联合报送财政部和中国人民银行。对2007～2008年到期的应付未付专项借款本息，财政部将在办理2008年中央与地方财政结算时，按“本金扣一半，利息全扣”的原则，从给有关地方的税收返还或转移支付资金中扣还。

附件：中央专项借款情况统计表

附件：

中央专项借款情况统计表

填表单位： 2008 年末 单位：万元

项目	借款总额（1）	借款余额（2）		到期应还本息数（3）		到期已还本息数（4）						应还未还本息数（5）			2008 年结算应扣还本息数						借款协议剩余期限
		期末余额	其中：未到期本金	本金	利息	合计		其中：地方归还本息数		中央扣收本息数		本金	利息	其中：因结算时间差形成的计息差额	合计		2007 年到期应扣本息		2008 年到期应扣本息		
						本金	利息	本金	利息	本金	利息				本金	利息	本金	利息	本金	利息	
1. 清理农金会																					
2. 城市信用社																					
3. 信托租赁财务																					
4. 供销社股金部																					
5. 粮食风险基金																					
6. 整顿金融三乱																					
7. 其他																					
合 计																					

注：1. 借款总额（1）－借款余额（2）＝到期已还本金。
2. 借款余额（2）－应还未还本金＝借款未到期本金。
3. 到期应还本息数（3）－到期已还本息数（4）＝应还未还本息数（5）。
4. 2007 年、2008 年到期应扣本息均按当年到期“本金扣一半、利息全扣”的原则计算扣款金额，不包括 2007 年到期应扣未扣本息的 2008 年延息。
5. 因结算时间差形成的差额包括：历年缓扣本金的延息、2007 年到期应扣未扣本息的 2008 年延息和其他有争议的差额。

附件2：

中央专项借款还款计划

单位：万元

地市	贷款名称		贷款额	已归还	各年度应还本金								
					其中：暂缓	2009年	2010年	2011年	2012年	2013年	2014年	2015年	2016年
济南	农村基金会一期		16 000	8 000		1 600.00	1 600.00	1 600.00	1 600.00	1 600.00			
		二期	6 000	2 550		900.00	510.00	510.00	510.00	510.00	510.00		
	信托投资公司		0										
	供销社股金		1 500	750		150.00	150.00	150.00	150.00	150.00			
	城市信用社		2 014	805.6		402.80	161.12	161.12	161.12	161.12	161.12		
	重汽重组		42 715	13 350		5 340.00	5 340.00	5 335.00	2 670.00	2 670.00	2 670.00	2 670.00	2 670.00
	小计		68 229	25 455.6		8 392.80	7 761.12	7 756.12	5 091.12	5 091.12	3 341.12	2 670.00	2 670.00
淄博	农村基金会一期		33 000	16 500	5 000	3 300.00	3 300.00	3 300.00	3 300.00	3 300.00			
		二期	35 000	14 875		5 250.00	2 975.00	2 975.00	2 975.00	2 975.00	2 975.00		
	信托投资公司		2 200	1 100		220.00	220.00	220.00	220.00	220.00			
	供销社股金		4 500	2 250		450.00	450.00	450.00	450.00	450.00			
	城市信用社		0										
	小计		74 700	34 725		9 220.00	6 945.00	6 945.00	6 945.00	6 945.00	2 975.00		
枣庄	农村基金会一期		6 000	3 000	5 718.24	600.00	600.00	600.00	600.00	600.00			
		二期	7 500	3 187.5		1 125.00	637.50	637.50	637.50	637.50	637.50		
	信托投资公司		6 000	3 000		600.00	600.00	600.00	600.00	600.00			
	供销社股金		11 000	5 500		1 100.00	1 100.00	1 100.00	1 100.00	1 100.00			
	城市信用社		40 758	16 303.2		8 151.60	3 260.64	3 260.64	3 260.64	3 260.64	3 260.64		
	小计		71 258	30 990.7		11 576.60	6 198.14	6 198.14	6 198.14	6 198.14	3 898.14		
烟台	农村基金会一期		18 000	9 000		1 800.00	1 800.00	1 800.00	1 800.00	1 800.00			
		二期	16 000	6 800.0		2 400.00	1 360.00	1 360.00	1 360.00	1 360.00	1 360.00		
	信托投资公司		7 800	3 900		780.00	780.00	780.00	780.00	780.00			
	供销社股金		0										
	城市信用社		26 000	10 400.0		5 200.00	2 080.00	2 080.00	2 080.00	2 080.00	2 080.00		
	小计		67 800	30 100		10 180.00	6 020.00	6 020.00	6 020.00	6 020.00	3 440.00		

续表

地市	贷款名称	贷款额	已归还	各年度应还本金								
				其中：暂缓	2009 年	2010 年	2011 年	2012 年	2013 年	2014 年	2015 年	2016 年
潍坊	农村基金会一期	30 000	15 000	10 604	3 000. 00	3 000. 00	3 000. 00	3 000. 00	3 000. 00			
	二期	29 000	12 325		4 350. 00	2 465. 00	2 465. 00	2 465. 00	2 465. 00	2 465. 00		
	信托投资公司	0										
	供销社股金	22 000	11 000		2 200. 00	2 200. 00	2 200. 00	2 200. 00	2 200. 00			
	城市信用社	13 587	5 434. 8		2 717. 40	1 086. 96	1 086. 96	1 086. 96	1 086. 96	1 086. 96		
	小计	94 587	43 759. 8		12 267. 40	8 751. 96	8 751. 96	8 751. 96	8 751. 96	3 551. 96		
临沂	农村基金会一期	30 000	15 000		3 000. 00	3 000. 00	3 000. 00	3 000. 00	3 000. 00			
	二期	29 000	12 325		4 350. 00	2 465. 00	2 465. 00	2 465. 00	2 465. 00	2 465. 00		
	信托投资公司	0										
	供销社股金	21 000	10 500		2 100. 00	2 100. 00	2 100. 00	2 100. 00	2 100. 00			
	城市信用社	8 032	3 212. 8		1 606. 40	642. 56	642. 56	642. 56	642. 56	642. 56		
	小计	88 032	41 037. 8		11 056. 40	8 207. 56	8 207. 56	8 207. 56	8 207. 56	3 107. 56		
济宁	农村基金会一期	18 000	9 000	774	1 800. 00	1 800. 00	1 800. 00	1 800. 00	1 800. 00			
	二期	12 000	5 100		1 800. 00	1 020. 00	1 020. 00	1 020. 00	1 020. 00	1 020. 00		
	信托投资公司	0										
	供销社股金	2 000	1 000		200. 00	200. 00	200. 00	200. 00	200. 00			
	城市信用社	13 000	5 200. 0		2 600. 00	1 040. 00	1 040. 00	1 040. 00	1 040. 00	1 040. 00		
	小计	45 000	20 300		6 400. 00	4 060. 00	4 060. 00	4 060. 00	4 060. 00	2 060. 00		
泰安	农村基金会一期	33 000	16 500	7 207	3 300. 00	3 300. 00	3 300. 00	3 300. 00	3 300. 00			
	二期	7 000	2 975		1 050. 00	595. 00	595. 00	595. 00	595. 00	595. 00		
	信托投资公司	1 700	850		170. 00	170. 00	170. 00	170. 00	170. 00			
	供销社股金	20 000	10 000		2 000. 00	2 000. 00	2 000. 00	2 000. 00	2 000. 00			
	城市信用社	64 594	25 837. 6		12 918. 80	5 167. 52	5 167. 52	5 167. 52	5 167. 52	5 167. 52		
	小计	126 294	56 162. 6		19 438. 80	11 232. 52	11 232. 52	11 232. 52	11 232. 52	5 762. 52		
聊城	农村基金会一期	10 000	5 000	3 833	1 000. 00	1 000. 00	1 000. 00	1 000. 00	1 000. 00			
	二期	5 700	2 422. 5		855. 00	484. 50	484. 50	484. 50	484. 50	484. 50		
	信托投资公司	0										
	供销社股金	6 000	3 000		600. 00	600. 00	600. 00	600. 00	600. 00			
	城市信用社	15 159	6 063. 6		3 031. 80	1 212. 72	1 212. 72	1 212. 72	1 212. 72	1 212. 72		
	小计	36 859	16 486. 1		5 486. 80	3 297. 22	3 297. 22	3 297. 22	3 297. 22	1 697. 22		

续表

地市	贷款名称	贷款额	已归还	各年度应还本金								
				其中：暂缓	2009 年	2010 年	2011 年	2012 年	2013 年	2014 年	2015 年	2016 年
菏泽	农村基金会一期	3 000	1 500		300.00	300.00	300.00	300.00	300.00			
	二期	4 000	1 700		600.00	340.00	340.00	340.00	340.00	340.00		
	信托投资公司	0										
	供销社股金	1 500	750		150.00	150.00	150.00	150.00	150.00			
	城市信用社	5 003	2 001.2		1 000.60	400.24	400.24	400.24	400.24	400.24		
	小计	13 503	5 951.2		2 050.60	1 190.24	1 190.24	1 190.24	1 190.24	740.24		
德州	农村基金会一期	20 000	10 000	10 000	2 000.00	2 000.00	2 000.00	2 000.00	2 000.00			
	二期	23 000	9 775		3 450.00	1 955.00	1 955.00	1 955.00	1 955.00	1 955.00		
	信托投资公司	8 600	4 300		860.00	860.00	860.00	860.00	860.00			
	供销社股金	500	250		50.00	50.00	50.00	50.00	50.00			
	城市信用社	35 500	14 200.0		7 100.00	2 840.00	2 840.00	2 840.00	2 840.00	2 840.00		
	小计	87 600	38 525		13 460.00	7 705.00	7 705.00	7 705.00	7 705.00	4 795.00		
滨州	农村基金会一期	15 000	7 500	8 277	1 500.00	1 500.00	1 500.00	1 500.00	1 500.00			
	二期	15 500	6 587.5		2 325.00	1 317.50	1 317.50	1 317.50	1 317.50	1 317.50		
	信托投资公司	0										
	供销社股金	8 000	4 000		800.00	800.00	800.00	800.00	800.00			
	城市信用社	59 521	23 808.4		11 904.20	4 761.68	4 761.68	4 761.68	4 761.68	4 761.68		
	小计	98 021	41 895.9		16 529.20	8 379.18	8 379.18	8 379.18	8 379.18	6 079.18		
日照	农村基金会一期	7 000	3 500		700.00	700.00	700.00	700.00	700.00			
	二期	5 800	2 465		870.00	493.00	493.00	493.00	493.00	493.00		
	信托投资公司	0										
	供销社股金	16 000	8 000		1 600.00	1 600.00	1 600.00	1 600.00	1 600.00			
	城市信用社	29 900	11 960.0		5 980.00	2 392.00	2 392.00	2 392.00	2 392.00	2 392.00		
	小计	58 700	25 925		9 150.00	5 185.00	5 185.00	5 185.00	5 185.00	2 885.00		
莱芜	农村基金会一期	1 000	500		100.00	100.00	100.00	100.00	100.00			
	二期	2 500	1 062.5		375.00	212.50	212.50	212.50	212.50	212.50		
	信托投资公司	0										
	供销社股金	0										
	城市信用社	4 068	1 627.2		813.60	325.44	325.44	325.44	325.44	325.44		
	小计	7 568	3 189.7		1 288.60	637.94	637.94	637.94	637.94	537.94		

续表

地市	贷款名称	贷款额	已归还	各年度应还本金								
				其中：暂缓	2009 年	2010 年	2011 年	2012 年	2013 年	2014 年	2015 年	2016 年
威海	农村基金会一期	0										
	二期	0										
	信托投资公司	24 300	12 150		2 430.00	2 430.00	2 430.00	2 430.00	2 430.00			
	供销社股金	11 000	5 500		1 100.00	1 100.00	1 100.00	1 100.00	1 100.00			
	城市信用社	28 964	11 585.6		5 792.80	2 317.12	2 317.12	2 317.12	2 317.12	2 317.12		
	小计	64 264	29 235.6		9 322.80	5 847.12	5 847.12	5 847.12	5 847.12	2 317.12		
东营	农村基金会一期	0										
	二期	0										
	信托投资公司	0										
	供销社股金	0										
	城市信用社	5 000	2 000		1 000.00	400.00	400.00	400.00	400.00	400.00		
	小计	5 000	2 000		1 000.00	400.00	400.00	400.00	400.00	400.00		
青岛	农村基金会一期	10 000	5 000		1 000.00	1 000.00	1 000.00	1 000.00	1 000.00			
	二期	2 000	850		300.00	170.00	170.00	170.00	170.00	170.00		
	信托投资公司	37 400	18 700		3 740.00	3 740.00	3 740.00	3 740.00	3 740.00			
	供销社股金	0										
	城市信用社	48 900	19 560		9 780.00	3 912.00	3 912.00	3 912.00	3 912.00	3 912.00		
	小计	98 300	44 110		14 820.00	8 822.00	8 822.00	8 822.00	8 822.00	4 082.00		
合计	农村基金会一期	250 000	125 000	51 413.53	25 000.00	25 000.00	25 000.00	25 000.00	25 000.00			
	二期	200.000	85 000		30 000.00	17 000.00	17 000.00	17 000.00	17 000.00	17 000.00		
	信托投资公司	88 000	44 000		8 800.00	8 800.00	8 800.00	8 800.00	8 800.00			
	供销社股金	125 000	62 500		12 500.00	12 500.00	12 500.00	12 500.00	12 500.00			
	城市信用社	400 000	160 000		80 000.00	32 000.00	32 000.00	32 000.00	32 000.00	32 000.00		
	重汽重组	42 715	13 350		5 340.00	5 340.00	5 335.00	2 670.00	2 670.00	2 670.00	2 670.00	2 670.00
	合计	1 105 715	489 850		161 640.00	100 640.00	100 635.00	97 970.00	97 970.00	51 670.00	2 670.00	2 670.00

省财政厅 省发展和改革委员会 省经济和信息化委员会 省环境保护厅关于成立山东省利用世行贷款节能减排示范项目和亚行贷款节能减排促进项目办公室的通知

2009年8月27日 鲁财金〔2009〕39号

各市财政局、经贸委（经委）、发展改革委、环保局，省直有关部门：

为促进节能减排工作，确保完成全省节能减排目标，我省引进了世界银行和亚洲开发银行贷款，准备实施节能减排项目，已分别列入国家备选项目规划。其中，利用世行贷款1.5亿美元，用于电力、化工等领域的节能项目建设；利用亚行贷款1亿美元，支持企业节能改造；争取全球环境基金（GEF）赠款500万美元，用于节能工作机构能力建设。

按照世行、亚行及财政部相关规定，结合项目建设内容，决定分别成立山东省利用世界银行贷款和亚洲开发银行贷款节能减排项目办公室（以下简称“项目办”），负责项目日常管理、指导、协调与监督工作。项目办设在省经济和信息化委员会，成员由省发展和改革委员会、省经济和信息化委员会、省财政厅、省环境保护厅相关人员组成。具体人员名单如下：

主 任：赵旭东 山东省人民政府节约能源办公室副主任

副主任：李晓冬 山东省发展和改革委员会外资处副处长

梁振江 山东省经济和信息化委员会资源节约处调研员

徐德斌 山东省财政厅债务金融处调研员

范斐朗 山东省环境保护厅国际合作处副调研员

省财政厅关于印发《山东省政府外债管理办法》的通知

2009年9月18日 鲁财金〔2009〕52号

各市财政局，各省直外债项目办公室，有关银行、采购代理公司，省直有关企业：

为在政府外债工作中深入贯彻落实科学发展观，进一步推进政府外债科学化、精细化管理，促进全省经济社会又好又快发展，我们对《山东省政府外债管理暂行办法》（鲁财金〔2006〕43号）进行了修订和完善，形成了《山东省政府外债管理办法》。现印发给你们，请遵照执行。

附件：山东省政府外债管理办法

附件：

山东省政府外债管理办法

第一章 总 则

第一条 为进一步规范和加强全省政府外债管理，明确政府外债管理职责，完善政府外债管理体制，防范和化解政府外债风险，更加合理、有效地使用政府外债资金，促进全省经济社会又好又快发展，根据《国际金融组织和外国政府贷款赠款管理办法》（财政部令第 38 号）、《地方政府外债风险管理暂行办法》（财金〔2008〕20 号）、《外国政府贷款管理规定》（财金〔2008〕176 号）和国家有关法律法规，结合我省实际，制定本办法。

第二条 山东省政府外债管理工作适用本办法。政府外债包括国际金融组织贷款、外国政府贷款和各类国际赠款。财政部门作为政府外债的统一管理部门，会同有关部门对政府外债项目实施全过程管理与监督。

第三条 政府外债资金的使用应符合国民经济和社会发展战略，符合优化行业和区域资源配置的要求，体现公共财政职能，促进经济社会及城乡区域协调发展。

第四条 政府外债的管理应坚持责权利相统一的原则，实现债务可持续性和良性循环，有效防范和化解债务风险。

第五条 本办法相关用语的含义如下：

（一）贷款，是指国际金融组织贷款和外国政府贷款；

（二）国际金融组织贷款，是指财政部经国务院批准代表国家向世界银行、亚洲开发银行、国际农业发展基金、欧洲投资银行等国际金融组织统一筹借并形成政府外债的贷款，以及与上述贷款搭配使用的联合融资；

（三）外国政府贷款，是指财政部经国务院批准代表国家向外国政府、北欧投资银行等统一筹借并形成政府外债的贷款，国务院批准的参照外国政府贷款管理的其他国外贷款，以及与上述贷款搭配使用的联合融资；

（四）赠款，是指财政部或者财政部经国务院批准代表国家作为受赠方接受的、不以与贷款搭配使用为前提条件的国际赠款；

（五）贷款、赠款协定，对于国际金融组织贷（赠）款协定是指财政部经授权代表国家与国际金融组织或国外赠款方签署的有关法律文件；对于外国政府贷款协定是指转贷银行受财政部委托，根据政府协议对外签署的有关协议或其他法律文件；

（六）项目协定，是指山东省人民政府与国际金融组织签署的关于项目执行的法律文件；

（七）政府协议，是指财政部经授权与贷款国政府或者机构签署的有关协定、协议、议定书、备忘录或其他法律文件；

（八）转贷协议，是指上级财政部门与下级人民政府之间、财政部门或转贷银行与项目单位之间，根据协定或协议签署的贷款转贷有关法律文件；

（九）项目单位，是指具体负责项目实施、管理贷款资金形成资产并承担相关贷款偿还义务的机构或者法人；

（十）转贷银行，是指受财政部委托，根据政府协议，按照有关规定，开展转贷业务的政策性银行、国有商业银行及股份制商业银行；

（十一）采购公司，是指按照财政部有关规定确定的、并根据有关委托代理协议开展采购工作的机构。

第二章　管理机构与职责

第六条　山东省财政厅是山东省人民政府政府外债的归口管理机构和债权债务代表（外国政府贷款三类项目除外，具体项目分类见本办法第二十条）。其职责包括：

（一）会同省政府有关部门，按照国民经济和社会发展要求，结合行业和区域优化资源配置的需求，研究拟定全省、分行业的政府外债规划；

（二）研究确定山东省政府外债的管理原则，制定政府外债管理的规章制度；

（三）会同有关部门组织政府外债项目的对外谈判、磋商，并完成相关法律文本的签署工作；

（四）指导和管理政府外债项目的申报、评审、转贷、转赠、采购、资金使用、偿还、统计、监测和绩效评价等工作；

（五）根据财政部授权，负责政府外债项目指定账户的管理以及资金的支付与报账提款；

（六）建立政府外债监测、预警体系，防范和化解债务风险。

第七条　各市、县财政局作为同级人民政府政府外债的归口管理机构和债权债务代表（外国政府贷款三类项目除外，具体项目分类见本办法第二十条），负责本地政府外债的统一管理。其职责包括：

（一）根据国家、省有关法律法规，制定本地区政府外债管理办法；

（二）确定本地区政府外债规模，引导政府外债资金投向；

（三）负责本地区政府外债的财务管理与监督工作，包括贷款、赠款资金的申请和拨付，落实和监督配套资金的筹措与使用；

（四）会同有关部门督促项目单位建立健全项目管理、资金管理、会计核算等各项规章制度，及时了解、跟踪、反映和解决项目执行过程中存在的问题，保障资金的安全有效使用；

（五）建立本地区的政府外债统计、监测、预警体系，防范和化解债务风险。

第八条　凡由山东省人民政府承担债务的政府外债项目，均应在项目列入国家规划后，根据项目的性质和需要，在相关行业主管部门设立项目办公室，具体负责项目的组织实施。各市也应设立相应的管理机构。各级项目办公室应根据国民经济和社会发展规划对本行业的发展要求，优化资源配置，认真安排、组织项目的申报和实施工作。其职责包括：

（一）按照本行业的发展要求制定利用政府外债规划，负责组织设计项目内容、在本行业筛选和申报项目、配合国际金融组织和外国政府官员做好前期识别、评估或项目准备技援（PPTA）工作；

（二）负责组织项目单位做好招标采购、工程设计工作，对工程进度、工程质量、技术规范等进行动态监控，配合有关部门做好项目实施过程中的监督检查等工作；汇总编报项目会计决算报表；按季度向财政部门报送项目各项进展情况，对发现的问题及时提出处理意见并召集联席会议研究解决；省级项目办公室还应负责项目执行期间省直项目单位的提款报账资料的审核、上报；

（三）协助财政部门、国际金融组织和外国政府进行项目前期评审和后期绩效评价等工作；

（四）负责所属单位的还款，协助财政部门对其他项目单位的到期债务进行催收；对项目单位的经营情况进行监控，及时披露经营风险；

（五）负责监督项目单位的竣工决算和检查项目完工质量，确保项目手续完备。

第九条　项目单位是政府外债的最终借款人、项目实施主体和债务偿还主体，在整个项目周期内，其职责包括：

（一）科学、合理地编制可行性研究报告，如实提交项目申请材料；遵照国家的法律、法规，国际金融组织和外国政府的相关规定，开展项目立项申报工作；配合财政部门的前期项目评审；

（二）按照要求进行招标采购、工程建设等工作，工程发生重大变更、签证等事项，逐级上报省财政厅、省级项目办公室核准；

（三）与各级项目办公室密切协作，按照可行性研究报告要求落实有关工作，包括落实项目配套资金、保证采购设备物资的有效使用、按照工程计划组织项目实施等；

（四）根据项目进度、资金需求及使用情况，及时办理提款报账业务，并对所提交的原始报账单据的真实性、合法性负责；按照国家会计制度和具体项目财务会计管理规定，对项目进行独立的财务管理和会计核算，建立健全内部财务会计制度；及时办理项目竣工结算；

（五）按时向财政部门报送项目资金使用计划、年度提款计划、采购计划和项目进度报告；

（六）配合、接受相关部门的审计和监督检查；协助财政部门、国际金融组织和外国政府对项目进行绩效评价，对项目实施的效果进行评估、总结；

（七）按照《转贷协议》规定的时间、利率和费率偿还贷款本息和承诺费等。

第十条 转贷银行履行下列职责：

（一）对外国政府贷款项目进行贷前审查和风险评估，并及时向省财政厅提供新上项目的贷前审查报告和一、二类项目（具体项目分类见本办法第二十条）的风险评估报告；

（二）负责贷款协议和转贷协议的谈判、签署工作；

（三）确认采购内容与可行性研究报告批复一致；

（四）审核采购有关单据，办理贷款资金的提取和支付；

（五）按时对外还款，并为发生拖欠的项目进行垫付；

（六）及时将项目贷款资金提取、支付和偿还情况报送省财政厅，并将贷款债务统计数据报送财政部；

（七）按财政部规定做好项目贷后管理工作。

第十一条 采购公司履行下列职责：

（一）与项目单位或其委托的机构签署政府外债项目采购委托代理协议，并开展采购工作；对于国际金融组织贷（赠）款项目，采购公司在发布招标公告前应报省财政厅确认；

（二）负责组织项目单位进行采购合同的招标、谈判、签约工作，并及时将签约情况报送省财政厅；

（三）审核采购有关单据，按照要求进行现场验货，及时向省财政厅报告采购过程中发现的问题；

（四）办理采购合同履约等有关工作。

第三章　国际金融组织贷款

第十二条 申报规划。省财政厅会同有关行业主管部门按照国际金融组织的贷款投向和国民经济发展规划、相关行业拟利用贷款的项目需求，统筹确定山东省拟利用贷款备选项目，上报财政部和相关部委审批，列入国际金融组织贷款规划。

第十三条 项目立项。对已列入国家贷款规划的项目，项目单位通过所在地财政、发展改革部门联合逐级向省财政厅、省发展和改革委员会提交书面贷款申请，内容应包括：

（一）贷款项目的目的和必要性；

（二）贷款项目的主要内容；

（三）贷款项目的资金及配套资金来源；

（四）转贷及债务偿还安排；

（五）保证、抵押、质押或反担保安排；

（六）财政部门要求的其他相关事项的资料。

第十四条 项目选定。省财政厅对各单位提报的贷款申请书进行审查，并根据本办法第三条、第四条的规定以及贷款方的要求等决定是否将该贷款项目列入国际金融组织贷款的子项目。

第十五条 项目评审。省财政厅负责组织对已列入贷款规划项目的评审工作。各市财政局负责对县级以下子项目逐个评审，形成报告上报省财政厅；省财政厅负责汇总整个项目评审情况，并对省市两级项目进行评审，形成最终评审报告上报财政部。对于评审机构不健全的市，当地财政部门可以委托其他市评审机构进行评审。评审事项主要包括：

（一）项目选择是否符合国家、本地区和行业主管部门的相关政策及规划；

（二）项目所在地政府的债务负担和财政承受能力，包括本地区外债财力增长比、负债率、债务率、偿债率、还贷准备金率等债务管理指标；

（三）贷款项目的财务效益、经济效益、社会效益和环境效益；

（四）项目单位的财务状况、资信情况和配套资金的落实情况；

（五）转贷安排、还款责任和还款资金来源等；

（六）运营阶段监督管理责任的明确情况；

（七）项目单位与所在地财政部门的反担保、质押与债务风险控制措施的落实情况。

第十六条 贷款谈判。省财政厅负责就符合条件的贷款项目组织人员代表山东省参加与国际金融组织进行的贷款磋商谈判，将贷款法律文件上报省政府签署并办理生效事宜。其他部门应当协助省财政厅做好相关工作。

第十七条 贷款转贷。在财政部与省人民政府签订转贷协议后，省财政厅代表省人民政府与有关单位签订转贷协议。

（一）对于省直项目，省财政厅代表省人民政府与省直部门或省直项目单位签订转贷协议，有关主管部门副署，并要求项目单位所属主管部门、企业集团或者金融机构出具反担保承诺，办理抵押和资产保全手续；

（二）对于市、县项目，由省财政厅代表省人民政府与各市人民政府签订转贷协议，市财政局副署，并要求市人民政府出具承诺函。各市人民政府和财政局按此模式再对下逐级转贷。

第十八条 计划调整。对于需要改变建设内容和调整贷款金额的国际金融组织贷款项目，市财政局应当向省财政厅提出书面调整申请，由省财政厅上报财政部审批。待批准后，还应调整与财政部、国际金融组织签署的相关法律文件以及与有关市签署的转贷协议。

第十九条 转贷费用。对于除教育、农业之外的国际金融组织贷款项目，省财政厅向下转贷时应按照项目贷款利率加0.2%～0.5%的利差执行，以平衡指定账户的财务收支。每个项目的具体费率按照指定账户的额度由省财政厅确定，并在转贷协议中列明。

第四章 外国政府贷款

第二十条 项目分类。外国政府贷款项目按还贷责任分为三类：

一类项目由省级财政部门或者国务院有关部门作为债务人并承担还款责任。此类项目应属于公共财政领域、社会效益显著的项目，建设资金主要来源于政府投入。

二类项目由项目单位作为债务人并承担还款责任，省级财政部门或者国务院有关部门提供还款保证。此类项目应属于公共财政领域、经济效益较好、具备贷款偿还能力的项目。

三类项目由项目单位作为债务人并承担还款责任，省级财政部门或者国务院有关部门不提供还款保证。此类项目原则上不限于公共财政领域，但应有利于促进当地经济社会发展，体现制度或技术创新，且具备充分的贷款偿还能力。

贷款项目的类别由项目申报单位根据项目性质申请，报省财政厅批准，并由财政部最终确认。

第二十一条 项目立项。拟利用外国政府贷款的项目单位应首先根据财政部公布的贷款信息，按照贷款项目前期管理工作规程向所在地财政和发展改革部门提交项目申请材料，并通过财政和发展改革部门逐级向省财政厅、省发展改革委提出立项申请。省财政厅、省发展改革委对拟列入国家贷款规划的项目进行协商，根据本办法第三条、第四条的规定以及贷款方的要求等确定备选项目清单，并对项目清单进行会签。

第二十二条 项目评审。省财政厅按照会签文件中确定的项目清单，对拟利用贷款的项目组织评审，评审事项和要求按照本办法第十五条的规定执行，并应明确项目类别确定是否合理。

第二十三条 项目申请。项目通过综合评审和有关部门的立项审查后，项目单位通过所在地财政部门逐级向省财政厅提出利用外国政府贷款申请，内容包括：

（一）有关部门的立项报告或项目可行性研究报告的批准文件；

（二）当地财政部门利用外国政府贷款的申请函，申请函应说明拟利用贷款项目的简要情况、国别、贷款金额、借款人、申报项目类别、配套资金及还款资金来源、转贷银行等情况；

（三）保证、抵押、质押或反担保文件；

（四）有资质的专业机构编制的项目建议书或可行性研究报告；

（五）根据外国政府要求，需要提供的项目环境影响评估报告及有关部门的批复；

（六）对于二、三类项目，应同时提交省级以上转贷银行的转贷意向函。

省财政厅对各单位提交的外国政府贷款申请材料审核同意后，上报财政部审批，财政部根据可行性研究报告审批进度适时对外提出贷款申请，进行磋商谈判、组织签署政府协议及办理贷款生效事宜。

第二十四条 计划调整。对于需要改变贷款国别、转贷银行或小幅调整设备清单、贷款金额的外国政府贷款项目，市财政局应向省财政厅提交书面调整申请书，由省财政厅上报财政部审批。

第二十五条 转贷管理。项目通过综合评审和有关部门的立项审查后，即可确定贷款转贷银行。转贷银行应当对项目进行贷前审查和风险评估，了解项目单位财务状况、运营情况和还款能力等情况，并及时向财政部和省财政厅报送项目贷前审查报告及一、二类项目的风险评价及提示报告。同时，根据政府协议和财政部关于转贷工作的有关规定，做好贷款协议和转贷协议的谈判、签署工作。

（一）一类项目的转贷，由省财政厅向财政部推荐转贷银行，财政部审核批准后委托转贷银行办理财务代理业务。贷款国政府批准项目后，由财政部与转贷银行签署财务代理委托协议，转贷银行代表财政部与省财政厅签订项目转贷协议，并报财政部备案。

（二）二类项目的转贷，由项目单位选择转贷银行，或者由省财政厅推荐转贷银行。省财政厅为项目提供担保，市财政局向省财政厅提供还款担保函。财政部审核同意后委托转贷银行办理转贷业务。贷款国政府批准贷款项目后，转贷银行与项目单位签署转贷协议，并报财政部和省财政厅备案。

（三）三类项目的转贷，由项目单位选择转贷银行，经省财政厅确认同意后上报财政部。财政部审核批准后通知转贷银行办理转贷业务。转贷银行接到通知后，对项目进行独立评估，自主决定是否转贷，并最终承担该项目的还贷责任。

第二十六条 省直有关部门及计划单列企业集团所属单位或企业的贷款申报，参照本办法规定的申报程序办理。

第五章 贷款项目的实施

第二十七条 贷款项目的实施，包括招标采购、贷款资金的提款报账、技术援助与人员培训、项目实施进度监测和报告等，必须严格按照国家《招投标法》、财政部有关规章制度、贷款人《采购指南》中的相关规定组织进行。由财政承贷或担保的贷款项目的年度采购计划、招标文件、评标报告、签署的采购合同、培训考察计划等必须由各市财政部门审核后报省财政厅审查确认。

第二十八条 省财政厅对项目招标采购进行综合管理和监督，各项目所在地财政部门全面参与本级项目国内外招标采购工作。

对于国际金融组织贷款项目，由省级项目办公室具体组织实施招标采购工作，包括根据项目单位的需要和工程进度制定和更新采购计划、招标代理机构的评选、组织招标和评标，以及指导项目单位进行合同、物资和档案管理工作等。

对于外国政府贷款项目，由选定的采购公司根据政府协议、贷款方要求和财政部关于采购工作的有关规定，开展采购工作。采购公司应通过单据审核、现场核查等措施，确保合同内容与可行性研究报告批复相符、合同项下议付单证与合同要求相符、实际到货与单证相符、提款支付与合同要求进度相符。对于合同履行出现的问题，采购公司和项目单位应及时报告省财政厅，并积极采取措施予以解决。

第二十九条 贷款项目资金（包括贷款本金、各级政府的配套资金及与项目有关的其他资金）的使用，必须符合与相关贷款机构签署的法律文本规定的范围及用途，专款专用，专户储存，确保资金的安全运行。任何单位和个人均不得以任何理由和形式滞留、截留、挪用资金或者擅自改变资金用途。地市项目，报账材料应通过财政部门逐级上报省财政厅审批；省直项目，报账材料应通过省级项目办公室上报省财政厅审批。为加强资金管理，项目单位在报账时应提供以下材料：

（一）提款申请书、汇总表、工程量清单等相关证明材料；

（二）项目单位对提供的数据、凭证的真实性出具承诺函；

（三）工程监理单位对出具的工程量清单的真实性出具承诺函；

（四）本级财政部门现场核实，出具意见；

（五）采取直接支付方式的需要提供：承包商开具的发票复印件；

（六）采取归垫支付方式的需要提供：项目单位支付给承包商的汇款凭证及该笔银行回单复印件、承包商银行进账单复印件、承包商开具的发票复印件。其中，以银行（商业）承兑汇票方式支付的，应当提供票据复印件以及承包单位的收票证明。

另外，为了减少资金流通环节，避免滞留、挪用等问题的发生，省财政厅鼓励采取直接支付方式。采取归垫支付方式的，资金在每级账户停留时间不得超过10个工作日。

项目单位所在地财政局应做好核实工作，对项目单位提交的报账提款申请的内容、金额、发票、进度等进行实地调查，对上一笔款项的拨付情况进行追踪。项目涉及的承包商、咨询公司（专家）、工程监理机构、招标代理机构等要如实反映项目进展情况，出具的相关数据、资料等要确保真实、可靠。

第三十条 对于由企业等债务人运作的贷款项目，其财政拨付的配套资金应采取国家入股、有偿使用等方式，由有关单位按国家规定的制度进行管理，确保国有资产的保值增值。

第三十一条 所有政府外债项目，均应按照国际金融组织和贷款国政府对相应贷款财务管理的有关规定，单独设账，单独核算。已完工并办理竣工决算的项目单位，应执行所属行业的会计制度。

第三十二条 国际金融组织贷款项目的债务人应当按照有关规定，进行贷款债务会计核算和债务统计，及时编制本地区、本单位完整、准确的债权债务总体情况报告，并定期报送省财政厅、省项目办及同级地方政府。

外国政府贷款项目的转贷银行应当根据要求及时提供债权债务统计信息和资料。

第三十三条 项目单位应当按照有关贷款法律文件的要求按时报送项目进度报告、财务报表及审计报告。由项目办公室汇总后报省财政厅。

第三十四条 贷款项目完工后，项目单位应当及时办理竣工决算，对项目实施情况进行全面评价和总结，并根据有关规定编制、提交项目竣工报告，办理资产移交和登记手续。各级财政部门应积极参与上述工作的管理与监督，指导和督促项目单位做好项目的后评价与总结。

第三十五条 贷款项目完工前，项目单位应当及时制订项目未来运营计划，监测项目的实际运行情况。在还清贷款前，各级财政部门应当负责对项目运营计划的实施情况进行监督检查，并对项目的效益情况及时进行了解和分析。

第三十六条 贷款项目竣工验收时，应当明晰产权关系和债权债务关系，防止国有资产流失和债务逃废。

第三十七条 贷款项目建设完成后，项目单位要严格按档案管理的要求，将贷款项目的档案移交项目主管部门或运营单位管理。

第六章　债务偿还

第三十八条 贷款法律文件签署后，转贷机构以及债务人应按照国家有关外债管理规定办理外债登记手续。

第三十九条 省直有关部门和各市财政局应本着“谁受益、谁偿还，谁担保、谁负责”的原则，建立债务管理制度，明确落实还贷责任。

第四十条 省财政厅在为贷款项目提供还款保证前，应取得省直项目单位和各市人民政府为贷款项目提供的还款承诺函；直接转贷给省直项目单位的还应要求其提供抵押、质押、母公司担保或者金融机构的反担保。

各级财政部门、项目主管部门和项目单位必须根据《担保法》的要求，通过法律程序，对借款单位采取严格的担保与反担保措施，通过书面保证、抵押、质押、履约保证金和财政预算担保等多种方式落实贷款项目担保和反担保，并认真履行担保合同。

第四十一条 各级债务人应严格遵守与省财政厅或转贷机构签订的转贷协议，项目建设初期就应做好还本、付息、付费的还贷资金准备，以保证按时足额地偿还贷款本金、利息和相关费用。

第四十二条 各级财政部门应建立健全还贷准备金制度。还贷准备金是指为及时足额偿还政府到期债务而设立的还款准备资金。还贷准备金按已使用未偿还的政府债务余额的5%～8%设立，并进行专户管理。省财政厅将不定期对还贷准备金账户进行检查。

第四十三条 省财政厅应在每年年初编制、下达本年度各市的还款计划，以利于各市提前筹集还款资金。省财政厅按照各市实际用款金额、期限、利率、开单日汇率编制、下达付款通知单，付款的截止日期应当超过下单日10个工作日，以利于各市准备头寸。

第四十四条 对于不同类型的贷款项目，按照以下程序组织还款和清收：

（一）省财政厅转贷给省直部门或者通过省直部门转贷给省直单位的项目，应当由省财政厅在收到财政部还款通知单后负责按期向财政部还款，省直部门按照省财政厅下发的还款通知单按期向省财政厅还款，项目单位向省直部门还款。债务出现风险，项目单位不能履行还款责任的，由省直部门垫还，对无力垫还、产生拖欠的部门，省财政厅通过对其事业费等预算资金进行扣款予以清收；

（二）省财政厅转贷给省直工商企业，由中央驻鲁、省直企业集团、金融机构提供担保的项目，应当由省财政厅在收到财政部还款通知单后负责按期向财政部还款，项目单位按照省财政厅下发的还款通知单按期向省财政厅还款。债务出现风险，债务人不能履行还款责任的，可通过担保人履行连带还款义务予以清收；

（三）省财政厅转贷给各市人民政府的项目，由省财政厅在收到财政部还款通知单后负责按期向财政部还款，市财政局按照省财政厅下发的还款通知单按期向省财政厅还款，下级财政或项目单位向市财政局还款。债务出现风险，项目单位不能履行还款责任的，由市财政局垫还，对无力垫还、产生拖欠的市，省财政厅通过预算扣款予以清收；

（四）其他厅、局负责具体实施的老项目，应当由项目实施厅、局按期向财政部还款，下级转贷机构或项目单位向其还款。每期还款后，应当将汇款凭证复印件报省财政厅。债务人不能履行还款责任的，可以申请省财政厅年底通过预算扣款予以清收；

（五）外国政府贷款一类项目，由省财政厅在收到转贷银行的还款通知单后负责按期向转贷银行还款，下级转贷单位按照省财政厅下发的还款通知单按期向省财政厅还款。债务出现风险，债务人不能履行还款责任的，通过预算扣款予以清收。

第四十五条 地方财政部门应按照上级财政部门付款通知单的要求按时、足额还款，项目单位发生拖欠的，应当以还贷准备金先行垫支。财政厅对各市财政局按当年综合还贷率进行考核：

一等奖：综合还贷率100%；

二等奖：综合还贷率90%；

三等奖：综合还贷率80%。

综合还贷率是指实际偿还额占到期应偿还内外债金额的比例。

第四十六条 对实行重组、改组以及破产或经营范围变更、贷款地点变更的贷款项目，由同级政府和有关部门重新确定债务人和担保人。贷款项目内容的任何变更都不能影响先前做出的任何担保和还款承诺的效力。任何单位不得以任何借口推托或逃避债务偿还责任。

第七章 风险管理

第四十七条 外债风险主要指因国际资本市场汇率、利率变动而导致外债成本增加的市场风险。外债风险管理是指在符合国家外债外汇管理相关规定的前提下，利用适当的金融工具或产品进行交易，以规避外债风险，降低外债成本。

第四十八条 实施外债风险管理应遵循实盘原则、长期保值原则、动态管理原则、审慎原则、责权对称原则和规范操作原则。不得买空卖空进行投机，放大风险；不得追求短期盈利；不得为增加收益而承受更大的市场风险，尽量避免交易损失。

第四十九条 省财政厅负责对全省开展外债风险管理工作进行指导和评价，对委托实施金融机构和金融衍生产品进行选择。根据需要组织业务培训和交流，根据交易情况和相关工作信息进行统计，掌握地方外债风险管理情况。

第五十条 各市财政部门应当负责本地区外债风险管理交易的登记、备案、统计分析，于每年1月底前向省财政厅报告本地区上一年度外债风险管理工作情况。

第五十一条 外债风险管理应结合市场形势，对不同金额、币种、期限的债务，选择适当的金融工具，有效控制和化解风险。可使用的交易工具中，用于锁定汇率的主要包括货币互换、远期和结构性衍生产品等，用于降低利率的主要包括利率互换和结构性衍生产品等。

第五十二条 开展外债风险管理交易获得的收入，应当按照适用会计准则和财务制度进行核算，不得滞留账外，确保交易收入的管理和使用依法合规。

第五十三条 各市财政局应研究制定本地区的债务监测指标和宏观监测体系，建立债务信誉等级评审和监督制度，设立债务控制警戒线，建立债务预警体系，防范和化解债务风险。各债务人要高度重视防范汇率风险，注意结合国际金融市场动态，按照国家有关规定，通过各种风险管理手段规避潜在风险。

第八章 赠 款

第五十四条 赠款管理包括申请、签约、转赠、实施、完工评价与总结、资产及成果管理等环节。

第五十五条 申请赠款的项目单位应当编制项目建议书。项目建议书的主要内容包括：

（一）项目目标；

（二）项目必要性和可行性；

（三）项目活动；

（四）项目实施计划和组织安排；

（五）项目预算；

（六）项目质量和风险控制；

（七）项目成果应用及推广；

（八）监测与评估；

（九）其他相关内容。

各市赠款项目单位通过市财政局向省财政厅提交申请并报送项目建议书，省直赠款项目单位直接向省财政厅提出申请并报送项目建议书。省财政厅审核后报送财政部审批。

第五十六条 赠款资金的使用应当符合赠款法律文件的规定，任何单位和个人均不得以虚报、冒领或者其他手段骗取赠款资金，不得以任何理由和形式滞留、截留、挪用赠款资金或者擅自改变赠款资金用途。招标采购和提款报账工作参照本办法第二十八条、第二十九条的规定执行。

第五十七条 赠款项目单位应当建立、健全内部财务会计监督制度；按照有关赠款项目财务与会计管理的规定，对项目进行独立的财务管理和会计核算；按照赠款法律文件的要求，制定项目实施计划，做好项目的组织实施、质量监控、财务管理、进度报告及成果应用推广工作。赠款项目完工后，项目单位应当编制完工报告。

第五十八条 赠款项目形成的资产为国有资产。有关单位应在项目竣工时明晰产权关系，防止国有资产流失，并按照国家有关规定实现国有资产的保值、增值。

第九章 监督检查与绩效评价

第五十九条 各级财政部门、项目办公室和项目单位等应加强对政府外债项目的全过程管理，切实做好监督检查工作。监督检查包括项目单位自查、审计部门进行的项目审计、财政部门组织的专项检查、委托第三方机构进行的项目审查，以及有关部门进行的日常监督检查等。

第六十条 审计工作是项目执行过程中的重要环节，是评价项目财务管理的有效手段。项目执行期间的公正审计由省审计厅直接组织实施。各级财政部门、项目办公室和项目单位应当依法接受审计部门的审计，配合审计部门做好审计工作。

第六十一条 项目单位应当按照国际金融组织、外国政府、财政部及审计部门的要求，按时向审计部门报送具备审计条件的财务报表和相关资料。项目办公室和各级财政部门应督促项目单位及时进行财务决算，各级财政部门应当与同级审计部门就审计中发现的重大问题进行沟通。

第六十二条 省财政厅有权定期对正在执行的政府外债项目进行检查，对报账材料、工程量进度、工程质量进行核查，对项目进行绩效评价；负责财政部部署的监督检查。各级财政部门、项目办公室和项目单位应当积极配合。

第六十三条 各级财政部门应当加强对国际金融组织贷款项目的日常管理与监督，有关工作事项主要包括：

（一）对贷款项目的资金、财务、债务管理工作进行指导与监督；

（二）监督项目单位加强财务管理，提高会计人员的执行能力，依照会计准则处理账户、核算等会计流程，提高项目管理水平；

（三）监督贷款资金、配套资金的落实与使用、贷款资金的支付、贷款的还本付息付费；

（四）会同其他有关部门对贷款项目采购工作进行指导与监督；

（五）及时更新政府外债管理信息系统的相关数据；

（六）其他与项目实施有关的监督和管理工作。

第六十四条 各级财政部门、项目办公室应当监督项目单位对照检查中发现的问题，采取有效措施、限期加以解决和纠正。对不能做出整改或者相关文件中没有明确规定的事项，要如实向省财政厅或相关监督检查部门做出汇报，不得隐瞒。

第六十五条 省财政厅按照绩效评价的有关办法组织开展政府外债项目的绩效评价工作，绩效评价结果将作为进一步完善政府外债管理、制定相关政策以及安排未来项目的重要参考。各级财政部门应当督促项目单位做好项目的总结工作，配合省财政厅适时对本地区政府外债项目开展绩效评价，针对发现的问题采取改进措施。

第十章 罚 则

第六十六条 市、县财政部门未按本办法第七条履行相应职责，省财政厅可予以通报批评，在有关问题得到妥善处理前暂停新项目安排。

第六十七条 项目单位违反本办法第二十七规定，其招标采购计划、培训考察计划、采购代理机构的选择等事项未经财政厅审核确认的，上述活动发生的费用不予报账。

第六十八条 采购公司或项目单位违反本办法第二十八条规定的，应当按照情节轻重，予以通报批评、暂停参与政府外债项目采购代理业务，并上报商务主管部门依法处理。

第六十九条 项目办公室在项目管理过程中未充分履行职责，在组织招标、采购等工作中违反相关规定的，未按规定使用外债、外事管理经费的，经查实后给予通报批评并酌情扣减年度项目管理经费。出现重大失误、严重失职的，上报省政府对项目办公室进行撤销或重组，并对相关责任人进行处理。

第七十条 项目单位违反本办法第二十九条、第五十六条规定，以虚报、冒领或者其他手段骗取政府外债项目资金的，或者滞留、截留、挪用及其他违反规定使用政府外债项目资金的，或者从政府承贷、担保的政府外债项目中非法获益的，经查实后追回资金、暂停支付、取消整个项目，情节严重的，依照《财政违法行为处罚处分条例》以及相关法律、法规规定处理。

项目单位、工程监理机构和金融机构出具虚假承诺、凭证的，承包商、咨询公司（专家）、监理机构等出具虚假数据、材料的，按照情节轻重，予以通报批评、暂停参与政府外债项目，并上报其所在行业监督管理部门依法处理。

第七十一条 项目单位违反本办法第三十一条、第五十七条规定的，由财政部门责令限期改正，并可以依照国家有关会计管理的法律、法规规定进行处罚。

第七十二条 债务人没有按时足额偿还贷款项目到期本金、利息、承诺费及其他相关费用的，财政部门可以采取以下措施：

（一）按拖欠实际天数和转贷协议规定的日利率收取滞纳金；

（二）暂停贷款项目的资金支付；

（三）加速贷款项目未到期债务的偿还；

（四）追回已支付资金及其形成的资产。

第七十三条 对于违反本办法第四十八条的规定，利用债务风险管理进行投机活动，谋取部门利益或者不顾风险造成重大损失的，应当追究相关责任人的责任，依法给予行政处分。

第七十四条 对于违反本办法第六十四条规定，故意瞒报、漏报重大事项，没有解决和纠正监督检查中所发现问题的，财政部门可以对其采取暂停资金支付、要求退回已支付资金等措施，并会同相关部门依法追究项目单位负责人的责任。

第七十五条 各级财政部门、项目主管部门、项目执行机构和项目单位的工作人员在政府外债项目的管理和执行中，贪污受贿、滥用职权、玩忽职守、徇私舞弊的，依法给予行政处分。涉嫌犯罪的，移送司法机关依法处理。

第十一章 附 则

第七十六条 各市人民政府、财政局和各有关单位可根据本办法，结合当地和本单位实际制定实施办法，并报省财政厅备案。

第七十七条 现行政府外债管理有关规定如与本办法不一致，应执行本办法。

第七十八条 本办法自发布之日起施行，原《山东省政府外债管理暂行办法》废止。

第七十九条 本办法由山东省财政厅负责解释。

省财政厅　省金融工作办公室　中国保监会山东监管局　省农业厅关于印发《山东省政策性农业保险试点工作实施方案》及《山东省政策性农业保险试点险种条款》的通知

2009 年 3 月 26 日　鲁农生字〔2009〕7 号

各市财政局、金融办、农业局（农委）：

为认真贯彻落实中央提出的积极发展农业保险的要求，切实增强农业抵御自然灾害和不断提升应对农业灾害风险的能力，扎实有效地推进全省政策性农业保险试点工作，现将《山东省政策性农业保险试点工作实施方案》、《山东省政策性农业保险试点险种条款》印发给你们，请认真组织实施。

附件：1. 山东省政策性农业保险试点工作实施方案

2. 山东省政策性农业保险试点险种条款

附件 1：

山东省政策性农业保险试点工作实施方案

为认真贯彻落实中共中央十七届三中全会《关于推进农村改革发展若干重大问题的决定》和中央、省委 1 号文件精神，深入贯彻落实科学发展观，不断完善农业保险经营机制和发展模式，加快推进农业保险体系建设，促进我省农村和谐稳定。结合去年我省政策性农业保险试点的经验，现制定 2009 年政策性农业保险试点工作实施方案。

一、指导思想

坚持以科学发展观为指导，坚持以人为本，以服务“三农”为宗旨，以提高农业抵御自然灾害风险能力，构建和完善农业生产风险保障和农村金融服务体系为主线；以农业增效、农民增收为目标；以促进农业农村经济又好又快发展和确保粮食安全为重点；按照“政府引导、市场运作、自主自愿、协同推进”的原则，在前期试点的基础上，进一步完善农业保险支持政策，逐步建立农业保险制度，健全保障服务体系，为农业提供自然灾害风险保障。

二、工作任务及安排

（一）试点地区。按照 2008 年省政府确定的 60 个试点县（市、区）（含青岛），2009 年度试点范围不变。

（二）试点品种。2009 年政策性农业保险试点险种为小麦、玉米和棉花。承保面积要根据各试点县（市、区）政府的安排，在农民自愿交足保费的前提下，尽量做到应保尽保。其他险种继续按原计划做好承保工作。

山东省能繁母猪政策性保险工作仍按鲁政办发〔2007〕61 号文件执行。

有条件的地方，可根据实际情况自行开展高附加值经济作物等其他险种的试点工作，保费补贴由各地自行承担。

（三）保险责任。根据我省主要自然灾害特点，政策性农业保险补贴险种的保险责任范围指：因火灾、冻灾、雹灾、风灾、旱灾、涝灾等无法抗拒的自然灾害，对投保农作物造成的损失。

（四）保费标准、保险金额。小麦保险：保险费5元/亩，保险金额200元/亩；保险费8元/亩，保险金额500元/亩。玉米保险：保险费6元/亩，保险金额300元/亩；保险费8元/亩，保险金额400元/亩。棉花保险：保险费18元/亩，保险金额600元/亩。其他作物的保险费和保险金额同2008年执行标准。

（五）保费补贴比例。根据《财政部关于2008年度中央财政农业保险保费补贴工作有关事项的通知》（财金〔2008〕52号），结合我省实际，确定对小麦、玉米、棉花保险的保费，政府财政按照80%的比例给予补贴，其余20%由农户自担。中央、省、市及试点县（市、区）具体分担比例按鲁政办发〔2008〕38号文件执行。

（六）试点期限。试点期限至2009年12月31日。4月15日前为小麦保险集中投保期，6月底前为玉米和棉花集中投保期。

（七）承保公司。2009年承保公司继续按照鲁政办发〔2008〕38号文件执行。各承保公司要积极主动与有关部门衔接，以优异的服务质量获得支持。任务确定后，各市及试点县（市、区）不得擅自更换承保单位。

（八）保险运作。承保公司按照市场化原则承担农业保险业务，自主经营，自负盈亏。在正常年景下，承保公司按照保险合同履行赔付责任；当试点县（市、区）出现农业巨灾损失时，报省政府同意，赔付总额实行3倍封顶，即最高赔偿总额按承保公司当年全省农业保险保费收入的3倍封顶。在运作机制上，各承保单位要认真贯彻鲁政发〔2009〕2号精神，探索建立保险机制与农业技术推广部门开展政策性农业保险的合作机制。利用再保险，建立“以险养险”的补充机制，分散经营风险，提高抗风险能力。

（九）勘查定损。参保农作物出险后，被保险人要及时向村委会报告，村委会在24小时内向保险人及乡（镇）政策性农业保险办公室报案，乡（镇）在24小时内分别报所在县（市、区）农业保险领导小组办公室和承保公司。承保公司及时组织投保人填报《损失清单》，在48小时内负责组织聘请有关专家组现场查勘，专家出具的《灾害损失报告书》为理赔的重要依据。承保公司填写《初步定损清单》后，报县（市、区）政策性农业保险领导小组办公室备案。理赔结束后，现场查勘记录，拍摄现场照片，绘制现场平面图、灾害损失报告书等重要资料由县（市、区）政策性农业保险领导小组办公室和承保公司各自存档，以备缮制赔案。

三、资金管理

政策性农业保险保费补贴资金管理办法按照《山东省种植业保险保费财政补贴资金管理办法》（鲁财金〔2008〕41号）文件执行。

四、组织领导

为进一步加强对政策性农业保险工作的组织领导和工作协调，省政策性农业保险联席会议成员单位要按照省政府的统一部署，认真履行职责，密切协作、相互配合、共同推进试点工作。各市及试点县（市、区）要按照省政府的要求成立政策性农业保险试点工作领导机构，并建立理赔专家队伍。涉及的乡（镇）要成立由政府领导、农技人员、承保公司专业人员等组成的政策性农业保险试点办公室，有人员变化需做调整的要及时做出调整。强化日常工作管理，建立工作情况报告制度。

五、建立试点工作考核机制

省政府已将政策性农业保险试点工作开展情况作为对县（市、区）金融生态环境建设和农业、农村经济工作考评的重要依据。省、市要加强对政策性农业保险工作的督导检查。建立试点县（市、区）能进能退管理机制，对试点工作开展好的县（市、区）给予表彰奖励，试点工作开展不力的县（市、区）取消其试点资格。为确保试点工作顺利开展，各级政府要适当安排专项经费用于试点工作。

六、操作程序

（一）广泛发动。各试点县（市、区）有关部门要与承保公司紧密配合，密切合作，在媒体上公布保险政策、范围、标准、条件等，使参保农户全面了解相关政策。

（二）签订保险合同。各试点县（市、区）要加强协调指导，以村为单位统一投保。在群众自主自愿的前提下，投保农户与承保公司签订保险合同，缴纳应承担的保费。保险合同须按品种签署，保费须按品种缴纳。

（三）公示参保农户名单。承保公司要以村为单位，在村委"政务公开栏"公示参保农户详细名单、参保作物及面积、保费缴纳及保险金额等情况，以便于日后的理赔监督。公示时间不少于5天。

七、有关要求

（一）加大宣传力度。各承保公司及有关部门要充分利用多种形式，动员各方面力量，有针对性地加大政策性农业保险重要意义和有关政策的宣传，引导广大农户自愿投保，提高投保率；要加强保险知识的宣传，确保每位投保农户都能明确自己的权利和义务，为保险工作开展创造良好的舆论环境。

（二）规范和完善档案管理。农业部门和承保公司要做好承保、理赔档案的基础资料和相关文件的建档保管工作，确保政策性农业保险工作逐步规范，科学合理。

（三）简化手续，理顺流程。承保公司要严格依法规范经营，切实履行责任，提高服务水平。同时，要简化承保理赔手续，理顺操作流程，及时查勘现场，按保险合同约定支付赔款到投保农户，为农户提供优质服务。

附件2：

山东省政策性农业保险试点险种条款

山东省政策性小麦保险条款

保险目的

第一条 为促进小麦生产发展，使种植小麦的农户在遭受本保险条款列明的自然灾害所致小麦损失时，能及时得到经济补偿，尽快恢复生产自救，特举办小麦保险。

保险标的

第二条 小麦种植的所有者、管理者均可作为投保人，将符合下列条件的小麦（不包括在房前屋后零星土地上种植的小麦）向保险公司投保。

1. 经过农业行政管理部门审（认）定的品种；.
2. 符合当地普遍采用的种植规范标准和技术管理要求；
3. 种植场所在当地洪水水位线以上的非蓄洪、行洪区；
4. 生长正常。

保险责任

第三条 在保险期间内，由于火灾、雹灾、风灾、冻灾、涝灾造成的损失，损失率在10%（含）以上；旱灾造成的损失率在40%（含）以上，保险人按照保险合同的责任条款进行赔偿。

第四条 发生上述灾害时，为抢救保险标的、减少损失而进行施救所支付的合理费用。

免除责任

第五条 下列原因造成的损失及发生的费用，保险公司不负责赔偿：

1. 投保人及其家庭成员、投保人或被保险人雇用人员的故意或重大过失行为及他人的恶意破坏行为。

2. 发生保险责任范围内的损失后，被保险人自行毁掉或故意扩大损失行为。

3. 其他不属于保险责任范围内的一切损失、费用和责任。

保险期限

第六条 本保险的保险责任自保险小麦出苗起，至保险小麦成熟收获完毕时止，具体保险责任的起止时间以保险合同签订的期限为准。

保险金额及保险费

第七条 小麦保险金额及保险费分为以下两个档次。以村为单位统一投保。

表1 **保险金额及保险费一览表**

单位：元/亩

档次	保险金额	保险责任	保险费
1	200	火灾、雹灾、风灾、冻灾、涝灾	5
2	500	火灾、雹灾、风灾、冻灾、涝灾、旱灾	8

投保人、被保险人义务

第八条 投保人应在起保之日前一次性交清保险费，保险费缴清前发生的保险事故，保险公司不承担赔偿责任。

第九条 被保险人应遵守国家及地方有关部门的规定，积极配合好防火及气象部门的消雹工作。

第十条 发生灾害后，被保险人应积极采取减灾措施并在24小时内通知村委会，村委会24小时内通知保险公司，并以村为单位，向保险公司提供村委会证明和遭受损失清单。被保险人如不履行本条上述规定的义务，保险人有权拒绝赔偿。

赔偿处理

第十一条 保险小麦发生责任损失后，被保险人应主动如实告知保险人投保情况、受损失情况等信息。保险人接到报案后，应聘请有关专家，立即到现场查勘，实地勘查评损，出具评损报告，保险人核实受灾面积后负责赔偿。

第十二条 保险小麦发生保险责任范围内的损失，保险人按照保险小麦不同生育期的最高赔偿标准、损失率及受损面积计算赔偿：

赔偿金额 = 不同生育期的最高赔偿标准 × 损失率 × 受损面积

表2 **小麦不同生育期每亩最高赔偿标准表**

生育期	每亩最高赔偿标准
越冬期—抽穗前	每亩保险金额 ×60%
抽穗期—成熟期	每亩保险金额 ×100%

第十三条 如果保险小麦在遭受保险责任损失的同时又遭受到非保险责任损失，对非保险责任造成的损失，保险人不负责赔偿。

第十四条 保险合同载明的保险小麦种植面积大于其实际种植面积时，保险人按实际种植面积计算赔偿；保险合同载明的保险小麦种植面积小于其实际种植面积时，保险人按合同载明的保险面积与实际种植面积比例计算赔偿。

第十五条 发生保险事故时，被保险人所支付的必要、合理的施救费用赔偿金额，最高不超过相应的保险金额；若受损小麦按比例赔偿时，该费用也按与小麦损失赔款相同的比例赔偿。

第十六条 保险小麦发生部分损失，保险人履行赔偿义务后，该保险合同的保险金额自损失发生之日起按保险人的赔偿金额相应减少。小麦出现二次受灾后，根据评估，结合保险金额计算赔付，但最高不超过投保限额。

第十七条 保险人收到被保险人的赔偿请求后，应及时组织核定灾情，并将核定结果通知被保险人；对属于保险责任的，在与被保险人达成有关赔偿金额的协议后十日内，履行赔偿义务。

第十八条 被保险人在未发生保险责任事故的情况下，谎称发生了保险事故，向保险人提出赔偿请求的，保险人有权解除保险合同，并不退还保险费。被保险人欺诈行为给保险人造成损失的，应承担赔偿责任。

第十九条 被保险人对保险人请求赔偿的权利，自保险事故发生之日起两年不行使而自行消失。

争议处理

第二十条 因履行本合同发生的争议，由保险人与投保人协商解决；协商不成的，提交县（市、区）政策性农业保险领导小组办公室协调处理；仍然有争议达不成协议，提交保险合同载明的仲裁机构处理或向人民法院起诉。

其他事项

第二十一条 保险合同成立后，投保人与保险人不得擅自解除本保险合同。

山东省政策性玉米保险条款

保险目的

第一条 为促进玉米生产发展，使种植玉米的农户在遭受本保险列明的自然灾害损失时，能及时得到经济补偿，尽快恢复生产自救，特举办玉米保险。

保险标的

第二条 玉米种植的所有者、管理者均可作为投保人。符合下列条件的玉米（不包括在房前屋后零星土地上种植的玉米）可向保险公司投保。

1. 经过农业行政管理部门审定的品种；
2. 符合当地普遍采用的种植规范标准和技术管理要求；
3. 播种的玉米品种在当地种植一年以上；
4. 种植场所在当地洪水水位线以上的非蓄洪、行洪区；
5. 生长正常。

保险责任

第三条 在保险期间内，因雹灾、风灾、涝灾造成的损失，损失率在20%（含）以上时，保险人按照合同约定负责赔偿。

第四条 发生上述灾害时，投保人为抢救保险标的、减少损失而进行施救所支付的合理费用由保险人按照合同约定负责赔偿。

免除责任

第五条 下列原因造成的损失及发生的费用，保险公司不负责赔偿：

1. 投保人及其家庭成员或被保险人雇用人员的故意或重大过失行为及他人的恶意破坏行为。

2. 发生保险责任范围内的损失后，被保险人自行毁掉或故意扩大损失行为。

3. 其他不属于本保险责任范围内的一切损失、费用和责任，保险人不负责赔偿。

保险期限

第六条 本保险的保险责任自保险玉米出苗起，至保险玉米成熟收获完毕时止，具体的保险责任的起止时间以保险合同签订期限为准。

保险金额及保险费

第七条 玉米保险金额及保险费分为以下两个档次。以村为单位统一投保。

表1 **保险金额及保险费一览表** 单位：元/亩

档次	保险金额	保险责任	保险费
1	300	雹灾、涝灾、风灾	6
2	400	雹灾、涝灾、风灾	8

投保人、被保险人义务

第八条 投保人应在起保之日前一次性交清保险费，保险费交清前发生的保险事故，保险公司不承担赔偿责任。

第九条 投保人应遵守国家及地方有关部门的规定，积极配合气象部门做好消雹工作。

第十条 发生灾害后，被保险人应积极采取减灾措施并在24小时内报告村委会，村委会24小时内通知保险公司，并向保险公司提供村委会证明及遭受损失清单。被保险人如不履行本条上述规定的义务，保险人有权拒绝赔偿。

赔偿处理

第十一条 玉米发生保险责任损失后，投保人应主动如实告知保险人投保情况、受损失情况等信息。保险人接到报案后，应聘请有关专家，立即到现场查勘，实地勘查评损，出具评损报告，保险人核实受灾面积后进行赔偿。

第十二条 玉米发生保险责任范围内的损失，保险人按照保险玉米不同生育期的最高赔偿标准、损失率及受损面积计算赔偿：

赔偿金额 = 不同生育期的最高赔偿标准 × 损失率 × 受损面积

表2 **玉米不同生育期每亩最高赔偿标准表**

生育期	每亩最高赔偿标准
幼苗期	每亩保险金额 ×50%
小喇叭口至大喇叭口期	每亩保险金额 ×80%
灌浆期至成熟期	每亩保险金额 ×100%

第十三条 保险合同载明的保险玉米种植面积大于其实际种植面积时，保险人按实际种植面积计算赔偿；保险合同载明的保险玉米种植面积小于其实际种植面积时，保险人按保险合同载明的面积与实际种植面积的比例计算赔偿。

第十四条 发生保险事故时，被保险人所支付的必要、合理施救费用赔偿金额，最高不超过相应的保险金额；若受损玉米按比例赔偿时，该费用也按与玉米损失赔款相同的比例赔偿。

第十五条 保险玉米发生部分损失，保险人履行赔偿义务后，本保险合同的保险金额自损失发生之日起赔偿金额相应减少。玉米出现二次受灾后，根据评估，结合保险金额计算赔付，但最高不超过投保限额。

第十六条 玉米发生保险事故后，对不需要测产的，由保险人与被保险人共同确认后，签署保险损失确认书；对需要测产的，在玉米收获前15日内，参照相邻未受灾玉米进行测产确定；对已经收获完毕的地块不予赔付。

第十七条 保险人收到被保险人的赔偿请求后，应及时进行核定，并将核定结果及时通知被保险人；对属于保险责任的，在与被保险人达成有关赔偿金额的协议后十日内，履行赔偿义务。

第十八条 被保险人对保险人请求赔偿的权利，自保险事故发生之日起两年内不行使赔偿权利的，其权利自行消失。

争议处理

第十九条 因履行本合同发生的争议，由保险人与投保人协商解决；协商不成的，提交县（市、区）政策性农业保险领导小组办公室协调处理；仍然有争议达不成协议，提交保险合同载明的仲裁机构处理或向人民法院起诉。

其他事项

第二十条 保险合同成立后，保险人及投保人不得解除本保险合同。

山东省政策性棉花保险条款

保险目的

第一条 为稳定棉花生产，保障棉农种植的棉花因遭受雹灾及涝灾损失时，能及时得到经济补偿，尽快恢复生产自救，特举办棉花保险。

保险标的

第二条 棉花种植的所有者、管理者均可作为投保人。符合下列条件的棉花（不包括在房前屋后零星土地上种植的棉花）可向保险公司投保。

1. 经过农业行政管理部门审定的品种；
2. 符合当地普遍采用的种植规范标准和技术管理要求；
3. 种植场所在当地洪水水位线以上的非蓄洪、行洪区；
4. 生长正常。

保险责任

第三条 在保险期间内，由于雹灾、涝灾造成的损失，损失率在20%（含）以上时，保险人按照本保险合同的约定负责赔偿。

第四条 发生上述灾害时，投保人为抢救保险标的、减少损失而进行施救所支付的合理费用由保险人按照本保险合同的约定负责赔偿。

免除责任

第五条 下列原因造成的损失及发生的费用，保险公司不负责赔偿：

1. 投保人及其家庭成员、被保险人及其家庭成员、投保人或被保险人雇用人员的故意或重大过失行为及他人的恶意破坏行为。

2. 发生保险责任范围内的损失后，被保险人自行毁掉或故意扩大损失行为。

3. 其他不属于保险责任范围内的一切损失、费用和责任，保险人不负责赔偿。

保险期限

第六条 本保险的保险责任自保险棉花出苗起，至保险棉花成熟收获完毕时止，具体的保险责任的起止时间以保险合同签订期限为准。

保险金额及保险费

第七条 棉花保险金额及保险费为下列表格投保档次。以村为单位统一投保。

表1 **保险金额及保险费一览表** 单位：元/亩

档次	保险金额	保险责任	保险费
1	600	雹灾、涝灾	18

投保人、被保险人义务

第八条 投保人应在起保之日前一次性交清保险费，保险费缴清前发生的保险事故，保险公司不承担赔偿责任。

第九条 投保人应遵守国家及地方有关部门的规定，积极配合好气象部门的消雹工作。

第十条 发生灾害后，投保人应在24小时内报告村委会，村委会在24小时内通知保险人，并向保险公司提供村委会证明及遭受损失清单。投保人如不履行本条上述规定的义务，保险人有权终止保险责任。

赔偿处理

第十一条 保险棉花发生保险责任损失后，保险人接到村委会报案，应聘请有关专家，立即到现场查勘，实地勘查评损，保险人核实受灾面积后进行赔偿。

第十二条 保险棉花发生保险责任范围内的损失，保险人按照保险棉花不同生育期的最高赔偿标准、损失率及受损面积计算赔偿：

赔偿金额 = 不同生育期的最高赔偿标准 × 损失率 × 受损面积

表2 **棉花不同生育期每亩最高赔偿标准表**

生育期	最高赔偿标准
苗期	每亩保险金额×50%
蕾期	每亩保险金额×80%
花铃期至霜降	每亩保险金额×100%

第十三条 保险合同载明的保险棉花种植面积大于其实际种植面积时，保险人按实际种植面积的比例计算赔偿；保险合同载明的保险棉花种植面积小于其实际种植面积时，保险人按保险合同载明的保险面积计算赔偿。

第十四条 保险棉花发生保险事故后，被保险人所支付的必要、合理的施救费用赔偿金额，最高不超过相应的保险金额；若受损棉花按比例赔偿时，该费用也按与棉花损失赔款相同的比例赔偿。

第十五条 保险棉花发生部分损失，保险人履行赔偿义务后，本保险合同继续有效，但其保险金额相应减少。棉花出现二次受灾后，根据评估，结合保险金额计算赔付，但最高不超过投保限额。

第十六条 保险人收到被保险人的赔偿请求后，应及时组织核实灾情，并将核定结果及时通知被保险人；对属于保险责任的，在与被保险人达成有关赔偿金额协议后，十日内履行赔偿义务。

第十七条 被保险人在未发生保险事故的情况下，谎称发生了保险事故，向保险人提出赔偿请求的，保险人有权解除保险合同，并不退还保险费。被保险人欺诈行为给保险人造成损失的，应承担赔偿责任。

第十八条 被保险人对保险人请求赔偿的权利，自保险事故发生之日起两年内不行使而自动消失。

争议处理

第十九条 因履行本合同发生的争议，由保险人与投保人协商解决；协商不成的，提交县（市、区）政策性农业保险领导小组办公室协调处理；仍然有争议达不成协议，提交保险合同载明的仲裁机构处理或向人民法院起诉。

其他事项

第二十条 保险合同成立后，投保人及保险人不得无故解除保险合同。

山东省政策性塑料大棚蔬菜保险条款

保险标的

第一条 凡符合下列条件的塑料大棚及棚内种植的蔬菜（以下简称“棚内蔬菜”）均可列入本保险标的范围：

1. 塑料大棚符合建造技术要求，投保时使用正常；
2. 棚内蔬菜种植符合大棚蔬菜种植技术规范要求，生长正常。

投保人应将符合条件的塑料大棚和棚内蔬菜全部投保。但对同一地块的塑料大棚及棚内蔬菜不得重复投保。

保险责任

第二条 由于下列原因造成保险塑料大棚棚体损毁及由此而引起的棚内蔬菜直接损失，保险人依照本条款的约定负责赔偿：

1. 火灾和空中运行物体坠落；
2. 风灾、雪灾、雹灾及冰凌造成的棚体损毁导致棚内蔬菜冻害；
3. 卷帘机及大棚薄膜被盗。

免除责任

第三条 由于下列原因造成的保险塑料大棚和棚内蔬菜损失，保险人不负赔偿责任：

1. 农作物生物灾害及药害；
2. 被保险人及雇用人员管理不善或故意、过失行为；
3. 光照不足造成冻害；
4. 塑料大棚的自然损毁；
5. 他人故意行为。

保险期限

第四条 保险期限6个月。具体起止日期以保险合同载明的期限为准。期满续保需另办保险手续。

保险金额

第五条 塑料大棚：保险金额按棚体的主要材料分项，以当地市场价格确定。每亩分项保险金额为：塑料大棚棚膜800元；覆膜300元；草毡及拉绳800元；骨架1 400元；墙体800元；棚内蔬菜：保险金额1 600元；盗抢险责任金额：300元，其中卷帘机电机200元；保险金额合计6 000元。

保险费

第六条 参保塑料大棚蔬菜的农户每亩支付100元保费。

投保人与被保险人义务

第七条 投保人应履行如实告知义务，如实回答保险人就保险塑料大棚和棚内蔬菜受灾情况提出的询问。

第八条 投保人与保险人签订保险合同的同时，一次性交清保险费。

第九条 在保险合同有效期内，若保险合同规定的重要事项发生变动或危险程度加大时，被保险人应事先书面通知保险人，并根据保险人的有关规定办理批改手续。

第十条 被保险人应妥善管理保险塑料大棚和棚内蔬菜，并接受保险人的防灾建议，积极做好保险塑料大棚和棚内蔬菜的防灾防损工作。

第十一条 塑料大棚和棚内蔬菜遭受保险责任范围内的损失时，被保险人应做到：

1. 采取必要施救措施，使损失降低到最低程度，同时在24小时内通知保险人，并协助查勘。

2. 自保险事故发生之日起，在30日内向保险人提交有关索赔的证明材料。

第十二条 投保人、被投保人如不履行第七条至第十一条约定的有关义务，保险人有权根据具体情况拒绝赔偿，或从解约通知书送达之日起解除保险合同。

赔偿处理

第十三条 塑料大棚和棚内蔬菜在保险期限内发生保险责任范围内的损失，保险人接到报案后，应聘请有关专家，立即到现场勘查，实地勘查评损，出具评损报告，由保险人核实受灾面积后的20天内向被保险人进行赔偿。保险人在保险金额范围内按下列规定赔偿：

一、塑料大棚

（一）全部损失

全部损失时，最高赔偿金额以各分项保额上限为准。参保面积大于实际种植面积时，则按实际种植面积赔偿。塑料大棚发生全部损失经一次赔付后，塑料大棚的保险责任即行终止。

（二）部分损失

部分损失按损失程度和分项保险金额赔偿。当保险塑料大棚面积小于实际塑料大棚面积，且无法区分为保险面积部分时，则按保险面积与实际面积的比例计算赔偿金额。

二、棚内蔬菜

（一）全部损失

发生全部损失时，根据保险棚内蔬菜面积，按本条款第五条所规定和《蔬菜不同生长期有效保险金额比例表》进行赔偿。

保险棚内蔬菜面积大于实际面积时，按实际损失面积赔偿。

保险棚内蔬菜发生全部损失，赔偿金额达到每亩最高保险金额的，赔付后保险责任即行终止。

（二）部分损失

损失程度按本条款第五条规定标准及《蔬菜不同生长期赔偿比例表》计算赔偿。当保险棚内蔬菜面积小于实际种植面积，且无法区分为保险面积部分时，则按保险面积与实际面积的比例赔偿。

当保险棚内蔬菜保险面积大于实际种植面积时，则按实际种植面积计算赔偿金额。

保险棚内蔬菜在保险合同有效期内多次发生部分损失时，发生最新一次保险责任范围内灾害时的实际有效保险金额为当期有效保险金额扣除以前各次赔偿金额后的余额，每次赔付后应由保险人出具批单注明已赔偿金额。若多次赔偿金额累计达到保险合同约定的最高保险金额时，棚内蔬菜的保险责任即行终止。

表1　　蔬菜不同生长期赔偿比例表

生长期	苗床期	分苗到定植	定植到开花	开花到果实成型	果实成型到采收	每采收1%
每亩有效保险金额（元）	保险金额×10%	保险金额×30%	保险金额×50%	保险金额×70%	保险金额×100%	保险金额减少一个百分点

三、卷帘机电机和覆膜发生盗抢责任按实际损失赔偿，但最高赔偿限额以单项保险金额为限。但5月1日至10月1日期间发生的覆膜盗抢责任除外。

第十四条　塑料大棚及棚内蔬菜在遭受保险责任范围内损失的同时又遭受到非保险责任灾害损失的，对非保险责任灾害造成的损失，应从总损失中扣除。

第十五条　被保险人申请保险赔偿时，应向保险人提供保险单（证、分户清单）、损失清单和灾害发生时间、地点及受灾情况等方面的书面情况。以集体方式统一投保的被保险人，在申请赔偿时可委托协助办理保险的单位代办申请赔偿事宜。发生盗抢责任，被保险人应及时报案，并委托村委会及乡（镇）派出所出具被盗证明。

第十六条　被保险人在未发生保险合同规定的保险责任事故的情况下，谎称发生了保险责任事故，向保险人提出赔偿请求的，保险人有权解除保险合同，并不退还保险费。被保险人欺诈行为给保险人造成损失的，应承担赔偿责任和法律后果。

第十七条　保险事故发生后，被保险人以伪造、编造有关证明、资料或者其他证据，编造虚假的事故或夸大损失程度的，保险人对其虚报的部分不承担赔偿责任。

争议处理

第十八条　因履行本合同发生的争议，由双方当事人协商解决；协商不成的，提交县（市、区）政策性农业保险领导小组办公室协调处理；仍然有争议达不成协议，提交保险合同载明的仲裁机构处理或向人民法院起诉。

其他事项

第十九条　凡涉及本保险的约定均采用书面形式。

山东省政策性西瓜保险条款

保险对象

第一条　凡集体或个人（以下简称被保险人）所种植的生长正常的西瓜，均可按照本条款，向保险公司投保。

保险责任

第二条 在保险期限内，因遭受雹灾、涝灾、风灾及重大病虫害造成的经济损失，保险公司承担赔偿责任。

保险期限

第三条 保险西瓜的责任期限以保险合同约定的时间为准。

保险金额和保险费

第四条 西瓜每亩保险金额1 000元，每亩保险费50元。

第五条 被保险人种植的西瓜在同一地块的，必须全部投保，并一次交清保险费，中途不得退保。

双方的权利和义务

第六条 保险西瓜遭受保险事故后，被保险人应在24小时内报告村委会，村委会24小时内通知保险公司，以便及时查勘处理。

第七条 被保险人要加强灾后西瓜的田间管理，及时采取抗灾救灾措施，尽量减少经济损失。

第八条 被保险人向保险公司申请赔款时，应将保险单、损失清单及已经出售西瓜的情况如实告知保险公司，并协助做好勘查定损工作。保险人接到报案后，应及时组织有关核损理赔专家，组成勘查小组到现场查勘，实地勘查评损，出具评损报告，保险公司核实受灾面积，与被保险人达成赔偿协议签字后10天内进行赔偿。

赔偿处理

第九条 保险西瓜遭受保险责任规定的自然灾害后，保险公司根据西瓜不同生长期、实际损失程度和受灾面积计算赔款。

第十条 如果发生一次以上赔款，有效保险金额逐次递减，累计赔偿金额不超过保险单上所列明的保险金额。已采摘过的瓜地受灾后，出售的西瓜要按照比例从保险金额中剔除。

第十一条 开花至果实形成以前的地块，在保险期限内遭受保险事故，经实地勘查后，在有效保险金额的50%以内酌情赔付。

第十二条 成熟度在60%以下的西瓜，因保险责任范围内的事故造成全部绝产，按有效保险金额的70%计算赔付；部分绝产，按绝产部分所占有效保险金额比例的70%计算赔付。非绝产，按不同受灾损失程度及损失比例计算赔付，但最高赔款不超过有效保险金额的70%。

第十三条 成熟度在60%以上的西瓜，因保险责任内的事故造成全部绝产，按有效保险金额的100%计算赔付；部分绝产，按绝产部分所占有效保险金额比例的100%计算赔付。非绝产，按不同受灾损失程度及损失比例计算赔付，但最高赔款不超过有效保险金额的80%。

第十四条 受损的西瓜若有残值要在赔款中扣除。残值大小由双方商议而定。

第十五条 被保险人必须如实向保险公司提供受灾的实际情况，如有虚报损失等欺骗行为，保险公司有权拒绝或追回多付的赔款，并视情节依法追究法律责任。

争议处理

第十六条 因履行本保险合同发生的争议，由当事人协商解决。协商不成的，提交县（市、区）政策性农业保险领导小组办公室协调处理；仍然有争议可提交保险合同载明的仲裁机构仲裁或向人民法院起诉。

其他事项

第十七条 凡涉及本保险合同的约定均采用书面形式。

山东省政策性苹果保险条款

保险标的

第一条 应用当地普遍采用的生产技术措施，树龄在五年以上（含五年），生长正常的果园，均可投保。

保险责任

第二条 在本保险合同有效期内，由于低温冻害、雹灾、风灾及暴雨造成的投保苹果的损失，保险公司承担赔偿责任。

免除责任

第三条 下列原因造成保险标的的损失、费用和责任，保险公司不承担赔偿责任：

1. 被保险人或其家属、其雇用人员的故意或重大过失行为。
2. 战争、敌对行为、军事行为、武装冲突、罢工、骚乱、暴动、恐怖活动。
3. 政府的行政、执法行为。
4. 被保险人管理不善。
5. 已采收的果实。

第四条 其他不属于保险责任范围内的一切损失、费用和责任，保险公司不负责赔偿。

保险期限

第五条 保险期限以保险合同载明的起止时间为准。

保险金额与保险费

第六条 保险费率为4%。保险金额分为三个档次，分别为：每亩3 000元，其中低温冻害保额不超过1 000元；每亩2 000元，其中低温冻害保额不超过800元；每亩1 000元，其中低温冻害保额不超过500元。其对应的保费分别为：每亩120元，每亩80元，每亩40元。投保时，以村为单位统一投保。投保人应提供准确的果树面积、位置及树龄等信息，详细填写在投保明细表中。

保险金额＝每亩保险金额×投保亩数

应交保费＝投保亩数×每亩保费

投保人、被保险人义务

第七条 投保人应按照约定，一次交清保险费。对于保险费交付前发生的损失，保险公司不负责赔偿。

第八条 投保人应履行如实告知义务。投保人故意隐瞒事实真相不履行如实告知义务的，或因过失未履行如实告知义务并足以影响保险公司决定承保和赔偿情况的，保险人有权拒绝赔偿，保险合同自解约通知书送达投保人、被保险人时解除。

第九条 发生保险责任范围内的事故时，被保险人应保留现场，并立即向保险公司报案，最迟不超过48小时。

赔偿处理

第十条 赔付办法：

1. 全部损失：赔款＝保险金额（元/亩）×损失亩数

其中：低温冻害责任赔偿＝低温冻害保险金额（元/亩）×损失亩数

2. 部分损失：赔款＝保险金额（元/亩）×损失亩数×损失程度（%）

其中：低温冻害责任赔款＝低温冻害保险金额（元/亩）×损失亩数×损失程度（%）

发生全部损失，保险责任即行终止。部分损失赔偿后，保险金额相应减少，并由保险人出具批单注明，若出险后累计赔偿金额达到保险金额，保险责任即行终止。

不论发生全部损失还是部分损失，当保险面积小于实际种植面积，且无法区分未保险面积时，按保险面积与实际种植面积的比例计算赔偿。当保险面积大于实际种植面积时，按保险合同载明的面积计算赔偿金额。

第十一条 发生保险责任内的事故时，保险公司接到报案后，应聘请有关专家，立即到现场勘查，实地勘查评损，出具评损报告。

第十二条 被保险人向保险公司申请赔偿时应出示保险单正本（或保险协议）、分户清单。

第十三条 收到被保险人的赔偿请求后，对属于保险责任的，保险公司要及时组织核损理赔。在与被保险人达成赔偿协议并签字后，10天内履行赔偿责任。

第十四条 保险事故发生后，被保险人伪造、编造有关证明、资料或者其他证据，编造虚假的损失原因或夸大损失程度的，保险人对其虚假的部分不承担赔偿责任。

第十五条 被保险人在未发生赔偿事故情况下，谎称发生保险事故，或者协同未参加保险的农户冒名顶替，申请索赔，欺诈保险公司，保险公司有权拒绝，解除保险合同，并不退还保费。被保险人的欺诈行为给保险公司造成损失的，被保险人应承担赔偿责任。

第十六条 被保险人对本保险公司申请赔偿的权利，自保险事故发生之日起两年不行使的，视为投保人放弃向保险公司索赔的权利。

争议处理

第十七条 因履行本保险合同发生的争议，由当事人协商解决。协商不成的，提交县（市、区）政策性农业保险领导小组办公室协调处理；仍然有争议，可提交保险合同载明的仲裁机构仲裁或向人民法院起诉。

其他事项

第十八条 凡涉及本保险的约定均采用书面形式。

山东省政策性蜜桃保险条款

保险目的

第一条 为保障果农在遭受保险责任范围内的损失后，能够得到经济补偿，解除生产后顾之忧，特举办蜜桃保险。

保险条件

第二条 凡集体或个人（以下称被保险人）种植的经营管理正常的蜜桃，均可依照本条款规定，按照实际种植亩数，向保险公司（以下称保险人）投保。

保险责任

第三条 因八级以上大风（含八级）、暴雨、龙卷风、冰雹或低温冻害造成保险蜜桃的经济损失，保险人负赔偿责任。

免除责任

第四条 出现下列原因保险人不负责赔偿：

1. 投保人或其家属以及其雇用成员的故意或重大过失行为。
2. 他人的恶意破坏行为。
3. 市场销售价格跌落所导致的损失。
4. 其他不属于本保险责任范围内的一切损失、费用和责任，保险人不负责赔偿。

保险期限

第五条 本保险责任期限以保单载明的起止日期为准，中途不退保。

保险金额、保险费及保险费率

第六条 保险金额和保险费分为两个档次：保险金额1 000元/亩，保费50元/亩；保险金额1 500元/亩，保费75元/亩。保险费率均为5%。投保时，以村为单位统一投保。投保人应提供准确的蜜桃种植面积、位置及树龄等信息，详细填写在投保明细表中。

被保险人义务

第七条 签订保险单的同时，被保险人按照规定一次性交清保险费。

第八条 被保险人必须加强生产经营管理，接受保险人的合理化建议；发生保险责任范围内的损失时，应保护现场，及时通知保险人并提供乡（镇）政府及有关部门的证明。

赔偿处理

第九条 蜜桃发生保险责任损失后，被保险人应在24小时内报告村委会，村委会24小时内通知保险人。保险人接到报案后，应聘请有关专家，立即到现场勘查，实地勘查评损，出具评损报告，保险人核实受灾面积，与被保险人达成协议签字后10日内负责赔偿。

第十条 保险蜜桃遭受保险责任范围内的损失后，保险人根据本条款所附阶段赔付表按下列规定赔付：

1. 全部损失：按保险金额和赔付比率表赔付，赔付后保险责任即行终止。
2. 部分损失：每次损失程度在5%（含）以下时，不予赔付；每次损失程度超过5%时，其超过的部分按保险金额与出险当时损失程度和赔付比率表赔付。部分损失赔付后，保险单继续有效，其有效保险金额是原保险金额扣除赔付金额后的余额。

第十一条 保险蜜桃亩数小于实际种植面积，且无法区分时，保险人按保险亩数与实际种植亩数的比例赔付。

第十二条 保险蜜桃遭受保险责任范围内的损失后，保险人只负责赔偿落地果（剔除自然落果）的损失，树上的部分损失不予负责。

第十三条 保险蜜桃遭受保险责任损失后，凡有残值的应根据可食用程度和市场价格作价折归被保险人，并从赔款中扣除。

第十四条 被保险人必须如实申报损失，如有隐瞒事实或欺骗行为，保险人拒绝赔付；如赔款已经支付，必须如数归还保险人。

第十五条 因履行本合同发生的争议，由双方当事人协商解决；协商不成的，提交县（市、区）政策性农业保险领导小组办公室协调处理；仍然有争议达不成协议，提交保险合同载明的仲裁机构处理或向人民法院起诉。

第十六条 凡涉及本保险的约定均采用书面形式。

蜜桃保险分阶段赔付比率表

时期＼比率	计赔价格比率
4月20日~6月30日	60%
7月1日~7月15日	80%
7月16日~10月10日	100%

山东省政策性奶牛保险条款

保险标的

第一条 凡同时符合下列条件的奶牛，可列入保险标的范围内：

1. 饲养管理正常，无伤残，无疾病，有正常产奶能力，有畜牧兽医部门出具的健康检疫证明，按免疫程序接种且有记录，经畜牧兽医部门和保险人验体合格；

2. 饲养场所在非传染病疫省内，且在当地洪水水位线以上的非蓄洪区内；

3. 畜龄在2.5~7周岁之间；

4. 奶牛品种已在当地饲养一年以上。

被保险人应将符合条件的奶牛全部投保。

保险责任

第二条 在保险期限内，由于下列原因造成保险奶牛死亡，保险人负责赔偿：

1. 在分娩过程中，因胎儿不能顺利娩出，造成子宫破裂或穿孔大出血；

2. 产后72小时以内因患产后瘫痪或产后败血症，经积极治疗但仍无效的；

3. 火灾、雷击、爆炸、淹溺、野兽伤害、空中运行物体坠落或固定物体倒塌；

4. 洪水（政府行蓄洪除外）、冰雹、暴风、暴雨、龙卷风、台风、山体滑坡、泥石流；

5. 创伤性网胃炎和创伤性心包炎；

6. 中毒、互斗、触电、摔跌；

7. 显性乳腺炎。

责任免除

第三条 由于下列原因造成的损失、费用和责任，保险人不负赔偿责任：

1. 被保险人及其家庭成员或饲养人员的违法、故意、重大过失行为；

2. 冻、饿、中暑、走失、被盗。

3. 战争、军事行动、恐怖行动、敌对行为、武装冲突、罢工、骚乱或暴动；

4. 在观察期内患保险责任中所列疾病；

5. 年老体弱、无繁殖能力、产奶量低，患疾病属于更新淘汰和屠宰的；

6. 患伤病不及时医治、不认真饲养管理，以致加重病情造成死亡的；

7. 保险奶牛没有配有政府规定的耳标进行标识；

8. 由于政府为防止疫情扩散而要求对未患病的保险奶牛进行捕杀、掩埋、焚烧，以及其他行政行为和司法行为。

第四条 下列损失、费用和责任，保险人也不负责赔偿：

1. 保险标的遭受保险事故引起的各种间接损失；

2. 不在保险标的范围以内的损失；

3. 为救治保险奶牛而发生的所有费用。

第五条 其他不属于保险责任范围的一切损失、费用和责任，保险人不负责赔偿。

保险期限

第六条 保险期限为一年，具体起止日期由双方协商确定，以保险合同载明的起止时间为准。期满续保另办手续。

第七条 从保险单生效日起五日内为疾病观察期。被保险奶牛在观察期内因疾病死亡，保险人不负赔偿责任，退还保险费。检查合格的奶牛，续保时可免除观察期。

第八条 保险奶牛在保险期内部分或全部出售、转让、调离保险单中约定的饲养地点，则该部分或全部保险责任自行终止。

保险金额与保险费

第九条 保险金额按当地市场奶牛价格的五成至七成内由投保人和保险人协商确定，被保险人自保三成至五成。保险金额和保险成数以保险单中载明的数字为准。

第十条 保险费按照保险人约定的费率标准计收，保险费率为5%。

投保人、被保险人义务

第十一条 投保人应履行如实告知义务，如实回答保险人就保险奶牛或者被保险人的有关情况提出的询问。

投保人故意隐瞒事实不履行如实告知义务的，或者因过失未履行如实告知义务并且足以影响保险人决定是否同意承保或者提高保险费率的，保险人有权解除保险合同。保险合同自解约通知书送达投保人、被保险人时解除。

如果投保人故意不履行如实告知义务，或者因过失未履行如实告知义务并且对保险事故的发生有严重影响的，保险人有权拒绝赔偿。

第十二条 投保人应按约定的交费期限支付保险费。除本保险人同意延期交付外，对于保险费交付前发生的事故本保险人不承担赔偿责任。

第十三条 被保险人必须遵守有关部门对奶牛饲养管理的各项规定，接受畜牧兽医部门和保险人防疫、防灾检查及合理建议，及时做好防疫、治疗及安全工作，做好配种、妊娠等生产记录。

第十四条 被保险人应妥善保管被保险奶牛的耳标，不得涂改、毁坏、撕损，若发现掉落、裂损应及时通知保险人，由保险人指定有关部门进行更换。

第十五条 在保险期限内，若保险重要事项变更或保险标的危险程度增加的，被保险人应当及时书面通知保险人，办理变更手续。符合承保条件的奶牛数量有新的增加时，应补交相应保险费。

第十六条 保险奶牛发生保险责任范围内的事故时，被保险人应积极救治，使损失减少到最低程度，同时保护现场，立即通知保险人及畜牧兽医部门协助查勘；并书面说明事故发生的原因、经过和损失程度；未经保险人同意不得擅自处理死亡的保险奶牛。

第十七条 投保人、被保险人如果不履行第十二条至第十六条约定的任何一条义务，保险人有权拒绝赔偿；并从解约通知书送达投保人之日起解除本保险合同。

赔偿处理

第十八条 保险奶牛在保险期限内，发生保险责任范围内死亡后，尸体归被保险人所有。如死亡奶牛有残值，保险人在扣除被保险人取得死亡奶牛的变价收入的保险成数后赔偿，按以下方式计算赔偿金额：

1. 当奶牛的保险金额高于当时的市场实际价格时：

赔偿金额 =（市场价格 − 变价收入）× 保险成数；

2. 当奶牛的保险金额低于当时的市场实际价格时：

赔偿金额=（保险金额-变价收入）×保险成数。

如果对病死的奶牛进行无害化处理或掩埋，则不扣残值。

第十九条 被保险人向保险人申请赔偿时，应提供保险单正本、损失清单、配妊证明或生产证明、事故证明书（两位具有政府畜牧兽医部门颁发行医资格证书的兽医师出具的正式合法的诊疗记录、死亡证明，气象、消防部门的证明）。

第二十条 保险奶牛发生部分死亡，经保险人赔偿后保险合同继续有效，但其保险数量、保险金额应相应减少，并由保险人出具批单批注。

第二十一条 发生本保险责任范围内的损失，应由有关责任方负责赔偿的，被保险人应以书面形式向有关责任方提出索赔。保险人自向被保险人赔付保险金之日起，在赔偿金额范围内代位行使被保险人对第三者请求赔偿的权利。

第二十二条 被保险人在未发生保险事故的情况下，谎称发生了保险事故，向保险人提出赔偿请求的，保险人有权解除保险合同，并不退还保险费。被保险人欺诈行为给保险人造成损失的，应当承担赔偿责任和其他法律责任。

第二十三条 保险事故发生后，被保险人伪造、编造的有关证明、资料或者其他证据，编造虚假的事故原因或夸大损失程度的，保险人对其虚报的部分不承担赔偿责任。

第二十四条 收到被保险人的赔偿请求后，保险人应及时作出核定，对属于保险责任的，保险人应在与被保险人达成有关赔偿协议后10日内，履行赔偿义务。

第二十五条 保险事故发生后，如被保险人有重复保险的情况，本保险人仅负按比例赔偿的责任。其他保险人应承担的赔偿份额，本保险人不负责垫付。

第二十六条 被保险人对保险人请求赔偿的权力，自其知道保险事故发生之日起两年不行使而消失。

争议处理

第二十七条 因履行本合同发生的争议，由双方当事人协商解决；协商不成的，提交县（市、区）政策性农业保险领导小组办公室协调处理；仍然有争议达不成协议，提交保险合同载明的仲裁机构处理或向人民法院起诉。

其他事项

第二十八条 凡涉及本保险合同的约定均采用书面形式。

山东省政策性肉牛保险条款

第一部分 基本条款

保险目的

第一条 为使奶牛养殖农户（场）的肉牛在遭受本保险列明的保险事故所致死亡时，能够及时得到经济赔偿，尽快恢复生产，促进养牛业持续快速发展，特制定本保险条款。

保险对象

第二条 凡符合下列条件的肉牛均可作为本保险的保险标的：

1. 养殖场地及设施应符合卫生防疫规范，在非传染病疫区以内，且在当地洪水警戒水位线以上的非蓄洪区以内；

2. 肉牛营养良好，健康无疾病，无伤残，饲养管理规范，按免疫程序预防接种且有记录，经保险人验体合格；

3. 肉牛品种应是在当地饲养一年以上优良品种；

4. 肉牛岁龄需在4个月以上（以具体断奶期为准）；

5. 肉牛已按畜牧管理部门规定佩戴动物标识。

保险合同的构成

第三条 本保险合同（以下简称本合同）由保险单或其他保险凭证及所附条款、批注、附贴批单、投保单、与本合同有关的投保文件、声明及其他书面协议共同构成。

保险责任

第四条 在保险期间内，由于下列保险责任列明的原因造成保险肉牛在保险单所载明地址固定圈舍内直接死亡，保险人负赔偿责任：

一、意外责任：火灾、爆炸、建筑物倒塌、空中运行物体坠落；

二、自然灾害责任：洪水、雷击、暴风、暴雨、冰雹、台风、龙卷风、泥石流、山体滑坡；

三、疾病责任

1. 败血症、炭疽杆病菌、白血病、支气管肺炎、牛传染性胸膜肺炎；

2. 吞噬尖锐硬物引起创伤性网胃炎或创伤性心包炎、创伤性网胃炎或创伤性心包炎继发腹膜炎或胸膜炎。

3. 难产

责任免除

第五条

1. 由于下列原因造成的保险肉牛死亡，保险人不负赔偿责任：

（1）地震及次生灾害；

（2）水污染、大气污染、核反应、核子辐射和放射性污染；

（3）战争、军事行动、恐怖行动、敌对行为、武装冲突、民间冲突、罢工、骚乱或暴动；

（4）被盗、走失、冻、饿、互斗、淹溺、中暑、热浪、中毒；

（5）政府命令捕杀、焚烧或掩埋及其他政府行政行为或执法行为；

（6）饲养人员的故意行为；

（7）违反防疫规定或发病后不及时治疗所导致的牛只死亡或无专业技术部门确诊的死亡；

（8）饲养圈舍质量问题；

（9）在疾病观察期内发生的疾病或在自然灾害观察期内发生的自然灾害；

（10）因年老体弱，无繁殖能力，患疾病而更新淘汰或屠宰的；

（11）药物反应、假药。

2. 下列情形，无论何种原因，保险人也不负赔偿：

（1）在购入、调入保险合同约定地点以前的中转途中或出售、调出保险合同约定地点以后所发生的死亡或捕杀（含同群牛）；

（2）保险肉牛未配戴国家规定动物标识的；

（3）投保人未按约定方式和期限缴清保险费的。

3. 没有选择的保险责任和其他不属于本保险责任范围内的原因造成保险肉牛的死亡，保险人也不负赔偿责任。

保险期间

第六条 除另有规定外，保险期间为一年，以保险单载明的起讫时间为准。

观察期和疾病延展期

第七条

1. 第一次投保时设置牛肉疾病观察期15天，自然灾害观察期7天，自保险单生效之日零时起至观察期结束日二十四时止为观察期，续保时不设置观察期；

2. 疾病延展期：如果被保险人不再续保，在保险期间内发生保险事故且当时已告知保险公司，在保险期间结束15天内的疾病延展期间，由于此原因死亡的牛只，保险公司仍负责赔偿。

保险金额

第八条 投保肉牛的保险金额以不超过投保时当地市场价格的70%确定，具体保险金额由保险人与投保人协商确定，最终以保险单载明为准。

保险费率

第九条 详见费率规章。

投保人、被保险人义务

第十条

1. 投保人应履行如实告知义务，如实回答保险人就保险对象或者被保险人的有关情况提出的询问。

投保人故意未履行如实告知义务，本公司有权解除本合同，并对于本合同解除前发生的保险事故，不承担赔偿责任，不退还保险费。

投保人因过失未履行如实告知义务，足以影响本公司决定是否同意承保或者提高保险费率的，本公司有权解除本合同；对保险事故的发生有严重影响的，本合同解除前发生的保险事故，本公司不承担赔偿责任。

2. 投保人应当在本保险合同成立时交清保险费；保险费交清前发生的保险事故，保险人不承担赔偿责任。

3. 保险人可以对保险对象的安全状况进行检查，向投保人、被保险人提出消除不安全因素和隐患的书面建议，被保险人应该认真付诸实施。

对于因被保险人未遵守上述规定而导致保险事故的，保险人有权拒绝赔偿；对于因被保险人从未遵守上述规定而致使损失扩大的，保险人有权拒绝赔偿。

4. 在本保险合同期间，如果被保险人名称变更、保险用途改变、保险对象地址变动、保险对象危险程度增加和其他足以影响保险人决定是否承保或是否增加保险费的保险重要事项变更，被保险人应及时书面通知保险人，保险人有权要求增加保险费或解除保险合同。

被保险人未履行通知义务，因保险标的危险程度增加而发生的保险事故，保险人不承担赔偿责任。

5. 发生本保险责任范围内的事故后，被保险人应该：

（1）立即通知保险人，并书面说明事故发生的原因、经过和损失程度。对因未及时通知导致保险人或其代表无法对损失原因、经过、程度进行合理查勘的，保险人有权拒绝赔偿。

（2）尽力采取必要，合理的措施，缩小或减少损失。否则，对因此扩大的损失，保险人不承担赔偿责任。

（3）保护事故现场，允许并且协助保险人或其代表进行事故查勘。对于拒绝或者妨碍保险人或其代表进行事故查勘导致不能核实损失情况的，保险人有权拒绝赔偿。

（4）如果保险事故由恶意第三方所导致，应及时向当地公安机关报案，否则对可以追回的而未能追回的损失，保险人有权拒绝赔偿。

6. 被保险人向保险人申请赔偿时，应提交保险单证本，以及其他保险人合理的，有效的要求，作为索赔依据的证明材料。

被保险人在保险事故发生后6个月内不能提供全部证明材料的，被视为放弃索赔权益。

7. 发生本保险责任范围内的损失，应由其他有关责任方负责赔偿的，保险人自向被保险人赔偿保险金之日起，在赔偿金额范围内代位行使被保险人对第三方请求赔偿的权利，但被保险人必须协助保险人向第三方追偿。

由于被保险人放弃对第三方的请求赔偿的权力或过错致使保险人不能行使代位追偿权力的，保险人不承担赔偿责任或相应扣减保险赔偿金。

8. 被保险人应当如实向保险人说明与受损标的有关的其他保险的情况。否则，保险人有权向被保险人追回应该由其他保险赔偿的损失部分。

赔偿处理

第十一条

1. 被保险人向本保险人提出索赔时，应提交以下资料：

（1）保险单正本；

（2）被保险人索赔申请；

（3）出险原因及事故经过；

（4）损失清单；

（5）当地兽医主管部门出具的疾病死亡证明；

（6）其他应当向保险人提供与确认保险事故的性质、原因、损失程度等有关的证明和资料。

2. 收到被保险人的索赔通知后，保险人应及时作出核定，对属于保险责任的，保险人应在与被保险人达成有关赔偿协议后10日内，履行赔偿义务。

3. 发生保险责任范围内的肉牛死亡，且死亡数量超过自负数量的情况下，保险人按下列公式计算赔偿金额：

赔偿金额＝（死亡数量－自负数量）×（尸重/约定的出栏斤数）×保险金额×70%

公式中保险金额高于出险时市场价格时，保险金额应按出险时市场价格取值。

4. 出险时实际饲养的肉牛数量多于投保数量时，保险人按投保数量与实际饲养中符合投保条件的肉牛数量的比例计算赔偿金额。

5. 保险人赔偿死亡肉牛损失后，本保险合同的保险金额损失发生之日起相应减少，保险人以批单的方式批改本保险合同，并且不退还保险金额减少部分的保险费。

6. 保险事故发生时，如保险对象有重复保险的情况，保险人按照本合同的保险金额与所有有关保险合同保险金额总和的比例承担赔偿责任。

其他保险人应承担的赔偿份额，保险人不负责垫付。

争议处理

第十二条

1. 因履行本合同发生的争议，由双方当事人协商解决；协商不成的，提交县（市、区）政策性农业保险领导小组办公室协调处理；仍然有争议达不成协议，提交保险合同载明的仲裁机构处理或向人民法院起诉。

2. 疫情疫病灾害按有关规定正式公布的信息为准。

3. 本保险合同适用中华人民共和国法律。

其他事项

第十三条 凡涉及本保险的约定均采用书面形式。

第二部分　附加险条款

在投保了基本险的基础上方可投保附加险。所附加的险种以保单上载明为准。各附加险条款如与基本条款有相抵触之处，按所附加的条款执行，未尽之处，按基本条款执行。

附加特殊疫病保险条款

保险责任

第一条　投保了本附加险的肉牛因患牛瘟、疯牛病（牛海绵状脑病）、结核病、布氏杆菌病、狂犬病或口蹄疫（含同群牛）死亡或经县（区）级或以上政府命令捕杀的，保险人按本附加险规定负赔偿责任。

责任免除

第二条　下列情形，保险人不负责赔偿：

1. 保险单生效之日起30天内发生的死亡或被捕杀；
2. 主险条款“责任免除”中列明的其他各种原因造成的肉牛死亡及不负责赔偿的情形。

保险金额

第三条　本附加险的保险金额与基本险保险金额一致。

赔偿处理

第四条

1. 被保险人向保险人申请赔偿时，应提供保险单正本、损失清单、县（区）以上政府畜牧兽医部门、防疫部门出具的真实合法的捕杀证明以及损失数量等证明材料。

2. 发生本附加险保险责任范围内的死亡，每头死亡肉牛最高按保险金额的50%予以赔偿，但政府补贴超过保险金额50%的部分，保险人在赔偿时应予以扣除。

其他事项

第五条

1. 到期按时续保的，经保险人书面同意，保险人可以对观察期内发生本附加险保险责任范围内的肉牛死亡，按照第四条的规定进行赔偿。

2. 凡本附加险条款未作规定的均与主险条款的规定相同。

附加饲料中毒保险条款

保险责任

第一条　在保险期间，保险肉牛因食物急性中毒造成死亡的，保险人对每头死亡肉牛按保险金额的70%进行赔偿。

责任免除

第二条　因下列原因，造成保险肉牛死亡的，保险人不负责赔偿：

1. 被保险人及其雇员或家庭成员的故意行为；
2. 食用田间地头、荒郊野外的植物、秸秆；

3. 在肉牛饲养场外中毒；
4. 他人投毒。

保 险 金 额

第三条 本附加险的保险金额与基本险保险金额一致。

其 他 事 项

第四条 凡本附加险条款未作规定的均与主险相关条款的规定相同。

附加盗窃损失保险条款

保 险 责 任

第一条 在保险期间，保险肉牛被他人盗窃，经公安部门立案侦查三个月未破案的，保险人对每头被盗肉牛按保险金额的70%进行赔偿。

责 任 免 除

第二条 因下列原因，造成保险肉牛被他人盗窃的，保险人不负责赔偿：
1. 被保险人及其雇员或家庭成员的故意行为；
2. 被保险人未尽安全保护义务；
3. 被保险人外出，无人看管饲养场的；
4. 保险肉牛被盗窃，已查明盗窃人的。

保 险 金 额

第三条 本附加险的保险金额与基本险保险金额一致。

其 他 事 项

第四条 凡本附加险条款未作规定的均与主险相关条款的规定相同。

肉牛养殖保险费率规章

一、基本险标准费率：3.5%

二、附加险费率表

险种	费率
附加特殊疫病保险条款	2%
附加饲料中毒保险条款	1%
附加盗窃损失保险条款	0.5%

疑 义 解 释

一、火灾是指在时间或空间上失去控制的燃烧所造成的灾害。它必须具备三个条件：1. 有燃烧现象，即有热有光有火焰；2. 偶然、意外发生的燃烧；3. 燃烧失去控制并有蔓延扩大的趋势。

二、冻灾是指因遇到0℃以下或长期持续在0℃以下的温度，引起植株体冰冻或是丧失一切生理活力，造成植株死亡或部分死亡等现象。

三、雹灾是指在对流性天气控制下，积雨云中凝结生成的冰块从空中降落，造成作物严重的机械损伤而带来的损失。

四、风灾是指农作物在其生育期内遭受8级及以上大风造成的自然灾害。

五、旱灾是指土壤水分不足，不能满足农作物正常生长，造成较大的减产或绝产的灾害。受旱减产四成以上为旱灾。旱灾须经气象及农业部门进行测定。

六、涝灾是指由于降雨量过大，地面积水不能及时排除，农田积水超过作物耐淹能力，造成作物减产。涝灾须经气象及农业部门进行测定。

七、低温冻害是指果树在越冬期间遇到零度以下低温或剧烈变温或长期处在零度以下低温，造成的果树冰冻受害现象。

八、重大过失行为是指行为人不但没有遵守法律规范对其较高要求，甚至连人们都应当注意并能注意的一般标准也未达到的行为。

九、有效保险金额是指有效保险金额等于保险金额减去已付赔款并按比例剔除后的剩余保险金额。

十、累计赔偿金额是指发生一次以上赔款时各次赔款数额的总和。

十一、难产是指肉牛分娩过程中，因胎儿不能顺利娩出，造成死亡或肉牛产后72小时内患因分娩而导致的相关疾病而死亡。

十二、自负数量是指保险对象死亡数量在约定范围内，保险人不负责赔偿的约定数量。

十三、政府单位补贴金额是指由于大量捕杀疫区牲畜，政府采取财政手段对受灾养户进行补救，落实在单位牲畜上的补贴金额为政府单位补贴金额。

十四、设置观察期是指保险人为了更好的防范风险的逆选择，以保障所有投保人利益而采取的一种风险管理措施。疾病延展期是保险人基于肉牛疾病发生具有一定天数的规律，为保障被保险人利益而将保险期展延的一种方法。

十二、

基层财政管理类

省财政厅转发《财政部　国家税务总局关于企业改制重组若干契税政策的通知》的通知

2009 年 2 月 23 日　鲁财基〔2009〕1 号

各市财政局：

现将《财政部　国家税务总局关于企业改制重组若干契税政策的通知》（财税〔2008〕175 号）转发给你们，请认真贯彻执行。

附件：财政部　国家税务总局关于企业改制重组若干契税政策的通知

附件：

财政部　国家税务总局关于企业改制重组若干契税政策的通知

2008 年 12 月 29 日　财税〔2008〕175 号

各省、自治区、直辖市、计划单列市财政厅（局）、地方税务局，新疆生产建设兵团财务局：

为了支持企业改革，加快建立现代企业制度，促进国民经济持续、健康发展，现就企业改制重组中涉及的若干契税政策通知如下：

一、企业公司制改造

非公司制企业，按照《中华人民共和国公司法》的规定，整体改建为有限责任公司（含国有独资公司）或股份有限公司，或者有限责任公司整体改建为股份有限公司的，对改建后的公司承受原企业土地、房屋权属，免征契税。上述所称整体改建是指不改变原企业的投资主体，并承继原企业权利、义务的行为。

非公司制国有独资企业或国有独资有限责任公司，以其部分资产与他人组建新公司，且该国有独资企业（公司）在新设公司中所占股份超过 50% 的，对新设公司承受该国有独资企业（公司）的土地、房屋权属，免征契税。

国有控股公司以部分资产投资组建新公司，且该国有控股公司占新公司股份 85% 以上的，对新公司承受该国有控股公司土地、房屋权属免征契税。上述所称国有控股公司，是指国家出资额占有限责任公司资本总额 50% 以上，或国有股份占股份有限公司股本总额 50% 以上的国有控股公司。

二、企业股权转让

在股权转让中，单位、个人承受企业股权，企业土地、房屋权属不发生转移，不征收契税。

三、企业合并

两个或两个以上的企业，依据法律规定、合同约定，合并改建为一个企业，且原投资主体存续的，对其合并后的企业承受原合并各方的土地、房屋权属，免征契税。

四、企业分立

企业依照法律规定、合同约定分设为两个或两个以上投资主体相同的企业，对派生方、新设方承受原企业土地、房屋权属，不征收契税。

五、企业出售

国有、集体企业出售，被出售企业法人予以注销，并且买受人按照《劳动法》等国家有关法律法规政策妥善安置原企业全部职工，其中与原企业30%以上职工签订服务年限不少于三年的劳动用工合同的，对其承受所购企业的土地、房屋权属，减半征收契税；与原企业全部职工签订服务年限不少于三年的劳动用工合同的，免征契税。

六、企业注销、破产

企业依照有关法律、法规的规定实施注销、破产后，债权人（包括注销、破产企业职工）承受注销、破产企业土地、房屋权属以抵偿债务的，免征契税；对非债权人承受注销、破产企业土地、房屋权属，凡按照《劳动法》等国家有关法律法规政策妥善安置原企业全部职工，其中与原企业30%以上职工签订服务年限不少于三年的劳动用工合同的，对其承受所购企业的土地、房屋权属，减半征收契税；与原企业全部职工签订服务年限不少于三年的劳动用工合同的，免征契税。

七、其他

经国务院批准实施债权转股权的企业，对债权转股权后新设立的公司承受原企业的土地、房屋权属，免征契税。

政府主管部门对国有资产进行行政性调整和划转过程中发生的土地、房屋权属转移，不征收契税。

企业改制重组过程中，同一投资主体内部所属企业之间土地、房屋权属的无偿划转，包括母公司与其全资子公司之间，同一公司所属全资子公司之间，同一自然人与其设立的个人独资企业、一人有限公司之间土地、房屋权属的无偿划转，不征收契税。

本通知执行期限为2009年1月1日至2011年12月31日。

省财政厅转发《财政部　国家税务总局关于耕地占用税减免税补征税款等问题的批复》的通知

2009年4月15日　鲁财基〔2009〕2号

各市财政局：

现将《财政部　国家税务总局关于耕地占用税减免税补征税款等问题的批复》（财税〔2009〕19号）转发给你们，请认真贯彻执行。

附件：财政部　国家税务总局关于耕地占用税减免税补征税款等问题的批复

附件：

财政部　国家税务总局关于耕地占用税减免税补征税款等问题的批复

2009 年 2 月 17 日　财税〔2009〕19 号

浙江省财政厅：

你厅《关于耕地占用税征管问题的请示》（浙财农税字〔2008〕22 号）收悉。经研究，现批复如下：

一、免征或减征耕地占用税后，纳税人改变原占地用途，不再属于免税或减税情形的，应按办理减免税时依据的适用税额对享受减免税的纳税人补征耕地占用税。

二、对于未经批准占用耕地但已经完纳耕地占用税税款的，在补办占地手续时，不再征收耕地占用税。

省财政厅转发《财政部　国家税务总局关于中国电信集团公司和中国电信股份有限公司收购 CDMA 网络资产和业务有关契税政策的通知》的通知

2009 年 5 月 6 日　鲁财基〔2009〕3 号

各市财政局：

现将《财政部　国家税务总局关于中国电信集团公司和中国电信股份有限公司收购 CDMA 网络资产和业务有关契税政策的通知》（财税〔2009〕42 号）转发给你们，请认真贯彻执行。

附件：财政部　国家税务总局关于中国电信集团公司和中国电信股份有限公司收购 CDMA 网络资产和业务有关契税政策的通知

附件：

财政部　国家税务总局关于中国电信集团公司和中国电信股份有限公司收购 CDMA 网络资产和业务有关契税政策的通知

2009 年 3 月 27 日　财税〔2009〕42 号

各省、自治区、直辖市、计划单列市财政厅（局）、地方税务局，新疆生产建设兵团财务局：

为支持电信体制改革，推进电信行业健康协调发展，经研究决定：对中国电信集团公司收购 CDMA 网络资产和中国电信股份有限公司收购 CDMA 网络业务过程中涉及的土地、房屋权属转移的契税予以免征。

省财政厅转发《国家税务总局关于企业改制重组契税政策若干执行问题的通知》的通知

2009年7月21日 鲁财基〔2009〕4号

各市财政局：

现将《国家税务总局关于企业改制重组契税政策若干执行问题的通知》（国税发〔2009〕89号）转发给你们，请认真贯彻执行。

附件：国家税务总局关于企业改制重组契税政策若干执行问题的通知

附件：

国家税务总局关于企业改制重组契税政策若干执行问题的通知

2009年4月28日 国税发〔2009〕89号

各省、自治区、直辖市和计划单列市财政厅（局）、地方税务局：

《财政部 国家税务总局关于企业改制重组若干契税政策的通知》（财税〔2008〕175号）已发布实施，根据各地在政策执行中反映的情况，经商财政部同意，现就若干具体问题明确如下：

一、财税〔2008〕175号文件第二条中规定的“股权转让”，仅包括股权转让后企业法人存续的情况，不包括企业法人注销的情况。在执行中，应根据工商管理部门对企业进行的登记认定，即企业不需办理变更和新设登记，或仅办理变更登记的，适用该条；企业办理新设登记的，不适用该条，对新设企业承受原企业的土地、房屋权属应征收契税。

二、财税〔2008〕175号文件第二、三、四条中的“企业”，是指公司制企业，包括股份有限公司和有限责任公司。

三、财税〔2008〕175号文件第七条中规定的“行政性调整和划转”，是指县级以上人民政府或国有资产管理部门批准的资产划转。

四、以出让方式或国家作价出资（入股）方式承受原改制重组企业划拨用地的，不属于财税〔2008〕175号文件规定的免税范围，对承受方应征收契税。

五、《财政部 国家税务总局关于企业改制过程中以国家作价出资（入股）方式转移国有土地使用权有关契税问题的通知》（财税〔2008〕129号）自文件发布之日起执行。

六、按照《财政部 国家税务总局关于延长企业改制重组若干契税政策执行期限的通知》（财税〔2006〕41号）规定，《财政部 国家税务总局关于企业改制重组若干契税政策的通知》（财税〔2003〕184号）于2008年12月31日执行期满。自2009年1月1日起，《国家税务总局关于企业改制重组契税政策有关问题解释的通知》（国税函〔2006〕844号）相应停止执行。

省财政厅转发《财政部　国家税务总局关于揭阳潮汕机场减征耕地占用税问题的批复》的通知

2009 年 12 月 1 日　鲁财基〔2009〕6 号

各市财政局：

现将《财政部　国家税务总局关于揭阳潮汕机场减征耕地占用税问题的批复》（财税〔2009〕126 号）转发给你们，请认真贯彻执行。

附件：财政部　国家税务总局关于揭阳潮汕机场减征耕地占用税问题的批复

附件：

财政部　国家税务总局关于揭阳潮汕机场减征耕地占用税问题的批复

2009 年 10 月 23 日　财税〔2009〕126 号

广东省财政厅：

你厅《关于揭阳潮汕机场征免耕地占用税问题的请示》（粤财法〔2009〕131 号）收悉。经研究，现批复如下：

按照中国民用航空局公布的《民用机场飞行区技术标准》（MH5001－2006），飞行区包括升降带、跑道端安全区、滑行道、机坪以及机场净空；跑道是指机场飞行区内供飞机起飞和着陆使用的特定场地。因此，跑道、停机坪属于飞行区的一部分。根据《中华人民共和国耕地占用税暂行条例》及其实施细则的规定，飞机场跑道、停机坪占用耕地减按每平方米 2 元的税额征收耕地占用税；飞机场内飞行区范围的其他建设用地，按照当地适用税额征收耕地占用税。

省财政厅转发《国家税务总局关于明确中国农业银行改制有关契税政策的通知》的通知

2009 年 12 月 1 日　鲁财基〔2009〕7 号

各市财政局：

现将《国家税务总局关于明确中国农业银行改制有关契税政策的通知》（国税函〔2009〕618 号）转发给你们，请认真贯彻执行。

附件：国家税务总局关于明确中国农业银行改制有关契税政策的通知

附件：

国家税务总局关于明确中国农业银行改制有关契税政策的通知

2009年11月5日　国税函〔2009〕618号

各省、自治区、直辖市财政厅（局）、地方税务局：

2008年10月21日，国务院批准原中国农业银行整体改制为中国农业银行股份有限公司。在改制过程中，中国农业银行股份有限公司将承受原中国农业银行土地、房屋权属。为明确有关契税政策，现通知如下：

一、原中国农业银行整体改制为中国农业银行股份有限公司所涉及契税的纳税义务发生时间为2008年10月21日。

二、原中国农业银行整体改制为中国农业银行股份有限公司所涉及契税问题，适用《财政部　国家税务总局关于企业改制重组若干契税政策的通知》（财税〔2003〕184号）。因此，对中国农业银行股份有限公司承受原中国农业银行的土地、房屋权属，免征契税。

三、对中国农业银行股份有限公司以国家作价出资方式承受原中国农业银行划拨用地，不征契税。

十三、

会计管理类

国务院办公厅转发财政部关于加快发展我国注册会计师行业若干意见的通知

2009年10月3日　国办发〔2009〕56号

各省、自治区、直辖市人民政府，国务院各部委、各直属机构：

财政部《关于加快发展我国注册会计师行业的若干意见》已经国务院同意，现转发给你们，请认真贯彻执行。

建立和完善社会主义市场经济体制，促进我国经济社会持续健康发展，需要大力发展会计、审计等经济鉴证类中介行业。加快发展我国注册会计师行业，对于提高经济发展质量，维护国家经济信息安全具有重要意义。各地区、各部门要高度重视、加强领导，密切配合、落实责任，根据若干意见提出的要求，创新体制机制，完善政策措施，优化发展环境，加强行业监管，提高自律水平，引导和促进我国注册会计师行业又好又快发展。

附件：财政部关于加快发展我国注册会计师行业的若干意见

附件：

财政部关于加快发展我国注册会计师行业的若干意见

注册会计师行业是运用专业特长，对企事业单位会计信息进行鉴证，并提供会计、税务、管理咨询等商务服务的中介行业。改革开放以来，我国注册会计师行业经过恢复重建和不断发展，取得了显著成绩。目前，会计师事务所超过7 400家，执业注册会计师超过8.5万人，从业人员近30万人，注册会计师执业范围和服务对象日益拓展，执业能力和行业监管水平稳步提高，相关法律制度体系基本健全，社会影响力和国际话语权逐步增强，注册会计师行业已经成为促进经济社会健康发展不可或缺的力量。但是，由于起步较晚、基础薄弱等多种原因，我国注册会计师行业的整体水平与经济社会发展要求和全球会计行业发展水平还有较大差距。为加快我国注册会计师行业健康发展，现提出以下意见：

一、充分认识加快发展注册会计师行业的重要意义

（一）加快发展注册会计师行业，是建立和完善社会主义市场经济体制的必然要求。注册会计师行业服务领域已从传统的会计审计向管理咨询、内部控制、资信调查、投资决策等领域延伸，规模较大的会计师事务所汇聚了会计、审计、金融、税务、法律、财务管理、风险控制、战略规划等方面的专家，在提高经济信息质量、引导资源合理配置、优化企业治理结构、维护市场经济秩序和社会公众利益等方面发挥着重要作用。

（二）加快发展注册会计师行业，是贯彻中央“走出去”战略的重要举措。会计是国际通用的商业语言，企业跨国经营、资本跨境流动离不开注册会计师行业的专业支持。注册会计师行业为我国企业进入国际市场提供会计、税务、管理咨询等综合性服务，有助于我国企业在经营管理上与国际接轨，在更高层次和更广领域内参与国际竞争。

（三）加快发展注册会计师行业，是应对国际金融危机、促进经济平稳较快发展的迫切需要。当前，

我国应对国际金融危机取得了明显成效，经济运行正处在企稳回升的关键时期。注册会计师行业作为经济工作的基础和社会审计监督体系的重要力量，充分发挥其在保增长、调结构中的作用，有助于落实国家重大宏观经济政策，确保投资安全和投资效益，为建立经济运行风险防范机制提供强有力的专业支持。

二、加快发展注册会计师行业的指导思想、基本原则和主要目标

（一）指导思想。

以邓小平理论和“三个代表”重要思想为指导，深入贯彻落实科学发展观，全面总结行业发展经验，针对当前困扰行业发展的突出问题，着力从体制机制上深化改革、开拓创新，加强行业监管，推动诚信建设和组织建设，通过必要的扶持政策和鼓励措施，引导会计师事务所协调发展和走向国际，不断扩大执业领域和执业范围，全面提升执业质量和服务能力，大力改善执业环境和内部治理，促进注册会计师行业又好又快发展。

（二）基本原则。

一是坚持解放思想、开拓创新。要立足我国国情，借鉴国际经验，在遵循法制要求和市场规则的前提下，大力支持会计师事务所改革创新，积极探索加快行业发展的多种模式、途径和方法，鼓励优化组合、兼并重组、强强联合，促进行业走跨越式发展道路。

二是坚持科学发展、规范管理。要以科学发展观指导行业发展，形成大型、中型和小型会计师事务所执业领域各有侧重、市场定位各有特色、服务对象各有倾斜、地域分布较为合理，不同规模的会计师事务所有序竞争、接续发展的格局。同时，强化政府行政管理和监督，充分发挥行业协会的服务、协调和行业自律管理作用，健全会计师事务所组织形式、治理机制和行业制度，确保行业健康发展。

三是坚持诚信为本、质量第一。要始终把诚信建设作为行业发展的生命线，以维护社会公众利益为宗旨，以职业道德建设为核心，坚守独立、客观、公正的职业立场，全面提升行业的诚信度和公信力，使注册会计师行业成为受社会尊重和信赖的专业服务行业。

（三）主要目标。

力争通过5年左右的时间，努力实现以下主要发展目标：

——会计师事务所的规模结构优化合理。重点扶持10家左右具有核心竞争力、能够跨国经营并提供综合服务的大型会计师事务所。积极促进中型会计师事务所健康发展，努力形成200家左右能够为大中型企事业单位及上市公司提供高质量服务、管理规范的中型会计师事务所。科学引导小型会计师事务所规范有序发展。

——会计师事务所执业领域大幅度拓展。认真落实《中华人民共和国公司法》“公司应当在每一会计年度终了时编制财务会计报告，并依法经会计师事务所审计”的规定，确保公司依法接受注册会计师审计。同时，将医院等医疗卫生机构、大中专院校以及基金会等非营利组织的财务报表纳入注册会计师审计范围。在巩固财务会计报告审计、资本验证、涉税鉴证等业务的基础上，积极向企事业单位内部控制、管理咨询、并购重组、资信调查、专项审计、业绩评价、司法鉴定、投资决策、政府购买服务等相关业务领域延伸，推动大型会计师事务所业务转变和升级，加速向高端型、高附加值、国际化业务发展。

——会计师事务所执业环境显著改善。切实打破制约会计师事务所发展的行政壁垒、业务限制和地方保护，有效治理指定业务、索取回扣等不当行为，为会计师事务所创造更加公平的执业环境。各地区、各部门、各单位不得人为限制会计师事务所执业，不得干预注册会计师独立发表审计意见。

——会计师事务所组织形式、治理机制和管理制度更加科学。本着有利于注册会计师行业健康发展、提高会计师事务所治理水平、增强会计师事务所竞争能力的原则，支持会计师事务所依法采用与其发展战略、业务特点和规模相适应的组织形式。进一步健全透明高效、相互制衡的治理结构和内控机制，不断完善内部管理制度和执业责任保险制度。全面提高会计师事务所内部管理信息化水平，基本实现大中型会计师事务所利用信息化手段实施财务报告审计、内部控制审计和提供其他相关服务。

——注册会计师队伍职业道德水平和专业胜任能力显著提高。通过制定和实施注册会计师行业人才战

略规划，有计划、有步骤地培养造就一大批适应行业发展要求的国际化、复合型人才，建设一支诚信执业、素质过硬的注册会计师队伍。

三、加快形成大中小会计师事务所协调发展的合理布局

（一）重点扶持大型会计师事务所加快发展。

大型会计师事务所是在人才、品牌、规模、技术标准、执业质量和管理水平等方面居于行业领先地位，能够为我国企业“走出去”提供国际化综合服务的会计师事务所。要积极探索适应大型会计师事务所发展需要的组织形式，大力推进特殊普通合伙制。鼓励执业质量优良、治理机制科学、发展势头良好的中型会计师事务所采用多种科学有效的形式进行强强联合，发展成为大型会计师事务所。会计师事务所在结构调整、兼并重组、做强做大过程中，要重视资源的优化配置和集中管理，完善治理结构、打造强有力的后台支持系统，实现人事、财务、业务、技术标准和信息管理等方面的实质统一。

（二）积极促进中型会计师事务所健康发展。

中型会计师事务所是在人才、品牌、规模、技术标准、执业质量和管理水平等方面具有较高水准，能够为大中型企事业单位、上市公司提供专业或综合服务的会计师事务所。要稳步扩大中型会计师事务所数量，不断提高中型会计师事务所专业服务能力和内部管理水平。鼓励信誉良好、成长快速的小型会计师事务所重组联合，成为中型会计师事务所或其分所，提高为市场服务的能力和水平。

（三）科学引导小型会计师事务所规范发展。

小型会计师事务所是规模较小，主要提供相关专项服务的会计师事务所。小型会计师事务所要突出服务特色，重在做精做专。要科学引导小型会计师事务所在规范管理运作、严格质量控制的基础上，创新发展模式、服务方式和技术手段，不断挖掘市场需求，深化专项领域服务，使小型会计师事务所成为面向小规模企事业单位和广大农村提供优质服务的主体力量。

四、切实加大促进注册会计师行业发展的政策扶持和引导力度

（一）完善扶持政策，合力促进发展。

财政部要会同有关部门进一步建立健全促进注册会计师行业加快发展的支持政策，在优秀人才引进与合理流动、从业人员培养培训、外事外汇、税收政策、规范执业收费、优化发展环境等方面给予支持。要支持会计师事务所按照市场规律和平等互利、公平自愿的原则，采用多种发展模式进行优化组合、做大做强，确保合并、分立、重组和联合规范运作。要把注册会计师行业作为发展现代服务业的重要内容来抓，突出工作重点，更好地发挥其在经济社会发展中的服务职能。

（二）坚持统筹兼顾，加强分类指导。

境外上市企业，金融、能源、通信企业以及其他关系国计民生的大型骨干国有企业，应当优先选择有利于保障国家经济信息安全的大型会计师事务所提供相关服务。鼓励大型会计师事务所通过收购、合并等方式在境外设立成员所或分所，重视发挥其窗口和平台作用，为增强境外业务竞争力创造必要条件。要为大型会计师事务所“走出去”提供便利条件，在境外投资促进、扶持、保障、服务、核准等方面给予支持，并在资质认可、信息咨询、市场考察和对外联络等方面予以帮助。加快现有中外合作会计师事务所本土化进程，在我国法律框架和统一市场规则下公平竞争。支持我国会计师事务所在平等互利的基础上加盟国际会计公司。

各级财政部门和注册会计师协会要研究探索引导社会合理选聘中小型会计师事务所的评价机制和措施。促进中型会计师事务所业务范围不断拓展和服务能力不断提升。支持小型会计师事务所扩大代理记账、税务代理、外包业务、IT 支持、个人理财、社区事业等咨询服务领域，积极承办社会主义新农村建设中“村账乡管”代理记账业务。

五、全面实施注册会计师行业人才战略

（一）重视人才培养，抓好队伍建设。

会计师事务所要在行业人才培养中发挥基础性、主渠道作用。要制定员工职业发展规划和各层次人才培养计划，分阶段、分步骤抓好组织实施。加盟国际会计公司的中国成员所，要与国际会计公司签署人才培养协议。要积极参与注册会计师行业领军人才培养计划，加强业务练兵和岗位培训，致力于培养一批专业扎实、技术过硬、品德优良的领军人才。要改革完善人力资源制度，进一步优化激励约束机制、考核分配制度及合伙人进入与退出机制，把加快培养中青年管理团队和业务骨干列入重要议事日程，推动从业人员队伍顺利实现新老交替、平稳过渡。要培育尊重人才、保护人才的企业文化，形成以事业留人、待遇留人、感情留人、合伙文化留人的良好氛围。

（二）搭建良好平台，创新培养机制。

各级财政部门和注册会计师协会要大力抓好行业领军人才和后备人才培养工作，力争用5年左右的时间，打造一批在业内具有较高声望、在行业“走出去”过程中能够发挥关键作用、承担国际化业务的复合型领军人物。要进一步完善注册会计师行业领军人才培养机制，健全选拔、培养、考核和使用制度。要进一步加大继续教育培训力度，着力提高行业从业人员的整体素质。要积极选聘高校应届优秀毕业生和海内外优秀人才，抓好人才储备，优化队伍结构，为我国注册会计师行业发展提供人才保障。

六、严格注册会计师行业行政监管和自律约束

（一）加强行政许可，严格市场准入。

财政部和各省级财政部门要根据注册会计师法、行政许可法的要求和设立会计师事务所的规定，按照公开、公平、公正、便民、高效的原则，依照法定程序严格审批会计师事务所。未持有中国注册会计师证书的人员、不在会计师事务所专职执业人员、在申请设立会计师事务所前3年内因执业行为受到行政处罚的人员，不得担任会计师事务所的合伙人（股东）。在执业活动中受到行政处罚、刑事处罚，自处罚决定生效之日起不满3年的会计师事务所，不得申请设立证券期货资格会计师事务所。要及时跟踪了解会计师事务所有关信息和动态，监督会计师事务所业务活动，防止出现重审批、轻监管等现象。会计师事务所之外的其他中介机构和个人不得承办注册会计师审计业务。不具备证券期货资格的会计师事务所，不得承接证券期货相关业务。禁止会计师事务所一所多章分头签发业务报告等行为。

（二）加强行政监管，提高监管效能。

财政部和各省级财政部门要加强对注册会计师行业的行政监管，健全行业监管跨部门沟通协调机制，建立财政部门和审计、银行、证券、保险等监管部门的信息共享制度，不断提高监管效能。要建立并实施会计师事务所及其注册会计师退出机制，严厉惩治通同舞弊、挂名签字、兼职执业等违法违规行为。财政部要重点加强对大中型会计师事务所及其注册会计师的监管。各省级财政部门要重点加强对小型会计师事务所的监管。采取多种形式交流监管经验，建立完善定期检查制度。要研究建立注册会计师监管责任追究制度，寓监管于服务之中，将强化监管与改进服务结合起来，将打击不良风气、违规行为与表彰先进、弘扬正气结合起来。要加强国际交流，把握全球行业发展动向，推动注册会计师行业始终保持良性快速发展态势。

（三）加强协会建设，严格自律约束。

要充分发挥注册会计师协会的作用，不断提高管理和服务水平，促进行业又好又快发展。要加强注册会计师协会自身组织建设，严格注册会计师注册及考试制度，大力开展继续教育，夯实行业自律基础。要加强对注册会计师执业质量的自律检查和惩戒力度，建立健全行业诚信信息监控体系，不断丰富和创新行业自律手段。要进一步完善执业准则体系和职业道德准则体系，促进注册会计师执业质量和诚信水平不断提高。

七、不断加强注册会计师行业诚信建设和内部治理

（一）深化诚信建设，铸造诚信精神。

诚信是注册会计师行业的安身立命之本和长远发展之基。要进一步大力弘扬诚信为本、操守为重、坚

持准则的职业风尚，深入推进行业法制教育和诚信建设。要不断完善行业信用管理制度和诚信档案制度，积极探索会计师事务所信用评级制度，建立推广行业从业人员诚信宣誓制度和会计师事务所诚信公约制度，有力推动独立、客观、公正的执业精神深入人心，不断提升行业的诚信度和公信力。

（二）狠抓内部治理，建设人合文化。

会计师事务所要确立可持续发展战略目标，立足于打造“百年老店”。要吸收借鉴国际同行先进管理经验，充分利用现代信息技术手段，狠抓内部治理、严格质量控制，加快完善“权责清晰、决策科学、管理严格、和谐发展”的治理机制，建立健全以决策程序、风险控制、人才培养、收益分配、执业网络协调为重点的内部管理制度，增强管理的科学性和透明度，规范和理顺合伙人（股东）之间、合伙人（股东）与注册会计师和员工之间的关系。倡导大中型会计师事务所设立专门的技术支持部门、质量管控部门和信息技术部门，建立健全并有效实施全过程质量控制规程。各级财政部门和注册会计师协会在考察、评价会计师事务所时，要将其内部治理情况作为重要衡量标准。要采取切实有效的措施，积极培育人合、事合、心合、志合的合伙文化。主任会计师、合伙人（股东）和高级管理团队要在文化建设中发挥主导作用，同时引导和规范从业人员行为，形成整体团队的向心力，促进会计师事务所长远发展。

八、进一步强化注册会计师行业加快发展的组织领导

（一）加强行业党建，提供政治保障。

要加强注册会计师行业党建工作，健全行业党建工作机制，落实行业党建工作责任，加大行业党组织组建力度，发挥中国注册会计师行业党委的重要作用，不断扩大党的组织和工作覆盖面。要加强行业党员教育、管理和服务工作，不断提高行业党员队伍素质。要创新行业党建工作方式，增强党的工作活力，充分发挥行业基层党组织战斗堡垒作用和党员先锋模范作用，为加快发展注册会计师行业提供坚强的政治保证。

（二）强化行政领导，明确职责任务。

财政部作为我国注册会计师行业的主管部门，要全面把握加快发展注册会计师行业的形势和任务，加强领导、落实责任，科学筹划、认真实施，确保加快发展注册会计师行业的各项政策措施落到实处、抓出实效。

各省、自治区、直辖市人民政府财政部门要充分认识加快发展我国注册会计师行业的重要意义，结合本地区经济社会发展实际，积极研究制定支持注册会计师行业加快发展的具体措施和办法，共同促进注册会计师行业加快发展。

各级财政部门在推进注册会计师行业发展中，要重视发挥注册会计师协会的作用。

（三）加大宣传力度，营造良好氛围。

各级财政部门和注册会计师协会要加大对注册会计师行业执业性质、职能作用、发展状况、先进事迹等的宣传力度，加深全社会对注册会计师行业的认知度和认同感，营造理解、支持、尊重注册会计师行业的有利氛围，为加快发展注册会计师行业凝聚共识、汇聚力量，创造更加良好的外部发展环境。

财政部关于全面推进我国会计信息化工作的指导意见

2009年4月12日　财会〔2009〕6号

国务院有关部委、有关直属机构，各省、自治区、直辖市、计划单列市财政厅（局），新疆生产建设兵团财务局：

信息化是当今世界发展的必然趋势，是推动我国现代化建设和经济社会变革的技术手段和基础性工程。

党中央、国务院高度重视信息化工作，中共中央办公厅、国务院办公厅制定发布了《2006～2020年国家信息化发展战略》（中办发〔2006〕11号），对各部门、各地区提出了全面推进信息化建设的要求，并有计划有步骤地组织实施。会计信息化是国家信息化的重要组成部分。为了贯彻国家信息化发展战略，全面推进我国会计信息化工作，进一步深化会计改革，充分发挥会计在经济社会发展中的作用，现提出以下指导意见。

一、全面推进我国会计信息化工作的重要意义

《2006～2020年国家信息化发展战略》明确指出，国家信息化发展的战略重点包括：推进国民经济和社会信息化、加强信息资源开发利用、推行电子政务、完善综合信息基础设施、提高国民经济信息应用能力等。全面推进会计信息化工作，是贯彻落实国家信息化发展战略的重要举措，对于全面提升我国会计工作水平具有十分重要的意义。

会计工作是经济社会发展的基础，直接关系到企事业单位会计信息质量和内部管理，国家宏观决策、社会管理和市场监管，以及市场经济秩序和社会公众利益等各个方面。随着社会主义市场经济不断完善和经济全球化，现代信息技术和网络技术的日益普及，会计工作应当按照国家信息化发展战略的要求，全面推进信息化建设。会计工作与信息化建设密切相关、相辅相成、相互促进。通过全面推进会计信息化建设，能够进一步提升会计工作水平，促进经济社会健康发展。

我国会计改革已经取得了显著成效和长足进展。企业会计准则实现了国际趋同并得到有效实施，企业内部控制规范体系建设基本完成，会计人员市场准入制度及会计人才评价体系业已建立，注册会计师行业管理全面加强，以委托代理记账为主要形式的农村会计服务已经启动，会计理论研究与会计教育水平逐步提升，会计参与企事业单位和社会管理的作用不断加强。在新的形势下，全方位的会计改革与发展要求推进会计信息化建设，会计信息化建设本身也属于会计改革的重要内容，应当顺时应势、抓住机遇，全面推进会计信息化工程，为我国经济社会全面协调可持续发展作出应有的贡献。

二、全面推进我国会计信息化工作的目标和主要任务

全面推进我国会计信息化工作的目标是：力争通过5～10年左右的努力，建立健全会计信息化法规体系和会计信息化标准体系［包括可扩展商业报告语言（XBRL）分类标准］，全力打造会计信息化人才队伍，基本实现大型企事业单位会计信息化与经营管理信息化融合，进一步提升企事业单位的管理水平和风险防范能力，做到数出一门、资源共享，便于不同信息使用者获取、分析和利用，进行投资和相关决策；基本实现大型会计师事务所采用信息化手段对客户的财务报告和内部控制进行审计，进一步提升社会审计质量和效率；基本实现政府会计管理和会计监督的信息化，进一步提升会计管理水平和监管效能。通过全面推进会计信息化工作，使我国的会计信息化达到或接近世界先进水平。

根据以上目标，全面推进我国会计信息化工作的主要任务是：

（一）推进企事业单位会计信息化建设。一是会计基础工作信息化，会计基础工作涉及企事业单位管理全过程，只有基础工作信息化，才能为企事业单位全面信息化奠定扎实的基础；二是会计准则制度有效实施信息化，通过将相关会计准则制度与信息系统实现有机结合，自动生成财务报告，进一步贯彻执行相关会计准则制度，确保会计信息等相关资料更加真实、完整；三是内部控制流程信息化，根据企事业单位内部控制规范制度要求，将内部控制流程、关键控制点等固化在信息系统中，促进各单位内部控制规范制度的设计与运行更加有效，形成自我评价报告；四是财务报告与内部控制评价报告标准化，各企事业单位在贯彻实施会计准则制度、内部控制规范制度并与全面信息化相结合的过程中，应当考虑XBRL分类标准等要求，以此为基础生成标准化财务报告和内部控制评价报告，满足不同信息使用者的需要。

（二）推进会计师事务所审计信息化建设。一是财务报告审计和内部控制审计信息化，加强计算机审计系统的研发与完善，实现审计程序和方法等与信息系统的结合，全面提升注册会计师执业质量和审计水

平；二是会计师事务所内部管理信息化，通过信息化手段实现会计师事务所内部管理的科学化、精细化，促进注册会计师行业做强做大，全面提升会计师事务所的内部管理水平和执业能力。

（三）推进会计管理和会计监督信息化建设。一是建立会计人员管理系统，创新会计人员后续教育网络平台，实现对全社会会计人员的动态管理；二是在全国范围内逐步推广无纸化考试，提高会计从业资格管理工作效率和水平；三是推进信息系统在会计专业技术资格考试工作中的应用，完善会计人员专业技术资格考试制度，切实防范考试过程中的舞弊行为；四是完善注册会计师行业管理系统，建立行业数据库，对注册会计师注册、人员转所、事务所审批、业务报备等实行网络化管理；五是推动会计监管手段、技术和方法的创新，充分利用信息技术提高工作效率，不断提升会计管理和会计监督水平。

（四）推进会计教育与会计理论研究信息化建设。一是建立会计专业教育系统，实时反映和评价会计专业学历教育情况，掌握会计专业学生的培养状况以及社会对会计专业学生的需求，改进教学方法和教学内容，促进会计专业毕业生最大限度地满足社会需求；二是建立会计理论研究信息平台，及时发布和宣传会计研究最新动态，定期统计、推介和评估有价值的会计理论研究成果，促进科研成果转化为生产力，以指导和规范会计理论研究，为会计改革与实践服务。

（五）推进会计信息化人才建设。一是完善会计审计和相关人员能力框架，在知识结构、能力培养中重视信息技术方面的内容与技能，提高利用信息技术从事会计审计和有关监管工作的能力；二是加强会计审计信息化人才的培养，着力打造熟悉会计审计准则制度、内部控制规范制度和会计信息化三位一体的复合型人才队伍。

（六）推进统一的会计相关信息平台建设。为了实现数出一门、资源共享的目标，应当构建以企事业单位标准化会计相关信息为基础，便于投资者、社会公众、监管部门及中介机构等有关方面高效分析利用的统一会计相关信息平台。该平台应当涵盖数据收集、传输、验证、存储、查询、分析等模块，具备会计等相关信息查询、分析、检查与评价等多种功能，为会计监管等有关方面预留接口，提供数据支持。在建立统一的会计相关信息平台过程中，应当关注信息安全。

三、全面推进我国会计信息化工作的措施和要求

（一）高度重视，加强领导

全面推进我国会计信息化工作是一项系统工程，涉及会计改革和经济发展的各个领域，政策性强，技术要求高，社会效用大，应当高度重视，加强领导，统筹规划，有序推进。这项工作做好了，将会带动各地区会计工作水平的全面提升。各地区在会计信息化方面已经做了卓有成效的工作，如企事业单位会计电算化、会计从业资格无纸化考试、注册会计师行业管理系统建设、委托代理记账和会计集中核算等。根据新形势发展的要求，各地区需要从全局和战略高度出发，组织调查研究，总结已有经验，分析存在问题，提出本地区会计信息化建设的战略规划和具体措施。

各级财政部门应当根据本指导意见，结合本地区实际情况，组建本地区会计信息化委员会，加强对会计信息化工作的领导，将推进会计信息化工作列入会计改革与发展的重要议程，从组织领导、制度建设、专业管理、试点工作、人才培养等方面，有序推进本地区会计信息化工作。

（二）明确职责，协调配合

财政部作为我国会计主管部门，负责全国会计信息化工作的组织领导。一是建立和完善会计信息化法规制度体系并组织实施，及时制定或修订会计基础工作规范及其他相关会计信息化管理规定；二是制定会计信息化标准体系并组织实施，当前着重制定基于国家统一的会计准则制度的 XBRL 分类标准；三是制定并实施会计信息化人才培养规划，特别重视复合型会计信息化人才的培养；四是开展会计信息化国际交流与合作，积极参与国际会计信息化技术标准与规则的制定与协调；五是其他有关会计信息化管理工作。

财政部及各地财政部门应当加强与相关部门的协调与合作，整合资源，齐抓共管，形成合力，积极构建统一的会计相关信息平台，促进会计相关信息资源的综合利用，全面提升政府监管效能。

各地财政部门应当按照财政部的统一部署，认真组织实施好本地区会计信息化工作。

（三）重视人才，加快培养

各级财政部门应当采取切实有效措施，抓紧打造会计信息化人才队伍。全面推进会计信息化工作，人才是关键，推动企事业单位、注册会计师审计、会计管理和会计监督的信息化建设，构建统一的会计相关信息平台，都需要强有力的人才保障和技术支持。为此，应当充分利用学历教育、继续教育、实践锻炼、交流培训等途径和方式培养会计信息化人才，同时要建立和完善会计信息化人才选拔和评价机制，发现和选拔会计信息化人才，在此过程中，要重视会计信息化人才培养与选拔工作的投入，以完成会计信息化人才建设任务，确保会计信息化人才建设与全面推进会计信息化工作的要求相适应。

（四）组织试点，稳步推进

各级财政部门应当根据本指导意见做好全面推进会计信息化的试点工作。试点内容为全面推进会计信息化工作主要任务所涉及的范围。在组织试点工作中，既要防止一哄而起、盲目跟风，又要避免反应迟缓、贻误时机。试点单位的选择应当具有代表性，包括大型企事业单位和大型会计师事务所等。各级财政部门应当积极做好会计从业资格无纸化考试、会计人员管理系统建设、村级委托代理记账等试点和推广工作。试点工作应当制定方案，明确任务，精心组织，先易后难，稳步推进，务求实效。

在推进会计信息化工作中，应当重视发挥会计软件公司和有关服务商的技术支持作用，着力培育一个能够满足信息化发展需要的会计信息化服务产业，促进会计软件公司等提供的产品符合会计信息化法规制度和相关标准的要求。

（五）督促指导，强化监管

各级财政部门应当根据全面推进会计信息化工作的要求，加强对会计信息化建设的指导和监督，通过召开座谈会、现场会和组织经验交流等多种形式，推广先进经验，解决存在问题。在会计信息化工作不断推进过程中，应当督促和指导进展情况，监管会计信息化工作是否符合国家统一的会计准则制度、内部控制规范体系和会计信息化标准的要求，确保完成会计信息化各项任务，努力实现全面推进会计信息化工作的目标。

（六）加强宣传，营造氛围

各级财政部门应充分利用各种媒体，采取多种形式，加强对会计信息化工作的宣传，重点宣传会计信息化建设的意义、目标和主要任务，会计信息化有关法规制度和标准，会计信息化建设方面的重大举措、重要活动、示范企业、人才战略、典型案例，以及会计信息化领域的热点、难点和焦点问题，提高社会各界对会计信息化工作重要性的认识，增强企事业单位和相关人员对会计信息化的应用意识，转变观念、交流意见、普及知识、推广经验，为全面推进会计信息化工作营造良好的社会氛围和发展环境。

财政部关于印发会计从业资格考试大纲（修订）的通知

2009年10月26日　财办会〔2009〕10号

中共中央直属机关事务管理局，铁道部财务司、国务院机关事务管理局财务司，解放军总后勤部财务部综合计划局、武警总部财务部，各省、自治区、直辖市、计划单列市财政厅（局），新疆生产建设兵团财务局：

为了进一步完善会计从业资格考试大纲，促进会计从业资格考试的知识结构科学合理，充分发挥会计从业资格考试在会计市场准入中的作用，有利于推广会计从业资格无纸化考试，根据《会计从业资格管理办法》（财政部令第26号）等有关规定，我部对2008年修订的会计从业资格考试大纲进行了再次修订，现予印发，从2010年1月1日起施行。会计从业资格考试大纲详见财政部网站、中国会计准则委员会网站、会计行业管理网站等。

各地和各有关部门会计管理机构应当严格按照修订后的会计从业资格考试大纲，认真组织好本地区、本系统、本部门的会计从业资格考试工作，确保考试工作平稳顺利。为方便广大考生学习理解和掌握会计从业资格考试大纲的内容，中国会计学会根据修订后的考试大纲，组织有关专家编写了《财经法规与会计职业道德》、《会计基础》、《初级会计电算化》辅导材料，同时根据考试大纲涉及的法律法规，编辑了《全国会计从业资格考试参考法规汇编》，由经济科学出版社出版发行，供各有关部门和各地会计管理机构及广大考生参考选用。

附件：1. 财经法规与会计职业道德考试大纲

2. 会计基础考试大纲

3. 初级会计电算化考试大纲

附件1：

财经法规与会计职业道德考试大纲

第一章　会计法律制度

第一节　会计法律制度的构成

一、会计法律

由全国人民代表大会及其常务委员会经过一定立法程序制定的有关会计工作的法律。我国目前有两部会计法律，分别是《会计法》和《注册会计师法》。

二、会计行政法规

由国务院制定并发布，或者由国务院有关部门拟定并经国务院批准发布，调整经济生活中某些方面会计关系的法律规范。如国务院发布的《企业财务会计报告条例》、《总会计师条例》。

三、国家统一的会计制度

国务院财政部门根据《会计法》制定的关于会计核算、会计监督、会计机构和会计人员以及会计工作管理的制度，包括会计部门规章和会计规范性文件。

第二节　会计工作管理体制

一、会计工作的行政管理

国务院财政部门主管全国的会计工作，县级以上地方各级人民政府财政部门管理本行政区域内的会计工作。财政部门履行的会计行政管理职能主要有：

（一）会计准则制度及相关标准规范的制定和组织实施

（二）会计市场管理

（三）会计专业人才评价

（四）会计监督检查

二、会计工作的自律管理

（一）中国注册会计师协会
（二）中国会计学会

三、单位会计工作管理

（一）单位负责人要组织、管理好本单位的会计工作
（二）会计人员的选拔任用由所在单位具体负责

第三节　会计核算

一、总体要求

（一）会计核算依据
（二）对会计资料的基本要求

二、会计凭证

三、会计账簿

四、财务会计报告

五、会计档案

六、其他

我国会计法律制度还对会计年度、记账本位币、会计处理方法等做了明确规定。

第四节　会计监督

一、单位内部会计监督

（一）单位内部会计监督主体和对象
1. 单位内部会计监督的主体是各单位的会计机构和会计人员
2. 内部会计监督的对象是单位的经济活动
（二）单位内部会计监督制度的基本要求

1. 记账人员与经济业务事项或会计事项的审批人员、经办人员、财物保管人员的职责权限应当明确，并相互分离、相互制约。

2. 重大对外投资、资产处置、资金调度和其他重要经济业务事项的决策和执行的相互监督、相互制约的程序应当明确。

3. 财产清查的范围、期限和组织程序应当明确。

4. 对会计资料定期进行内部审计的办法和程序应当明确。

（三）会计机构和会计人员在单位内部会计监督中的职责

1. 依法开展会计核算和监督，对违反《会计法》和国家统一的会计制度规定的会计事项，有权拒绝办理或者按照职权予以纠正。

2. 对单位内部的会计资料和财产物资实施监督。

二、会计工作的政府监督

(一) 会计工作的政府监督的概念
(二) 财政部门会计监督检查的主要内容
1. 对单位依法设置会计账簿的检查
2. 对单位会计资料真实性、完整性的检查
3. 对单位会计核算情况的检查
4. 对单位会计人员从业资格和任职资格的检查
5. 对会计师事务所出具的审计报告的程序和内容的检查

三、会计工作的社会监督

(一) 会计工作的社会监督的概念
(二) 注册会计师审计与内部审计的关系
(三) 会计师事务所业务范围
1. 依据《注册会计师法》承办的审计业务
2. 会计咨询、会计服务业务

第五节 会计机构和会计人员

一、会计机构的设置

(一) 单位会计机构的设置
(二) 会计机构负责人（会计主管人员）的任职资格
(三) 会计人员回避制度

二、代理记账

(一) 代理记账的业务范围
(二) 委托代理记账的委托人的义务
(三) 代理记账机构及其从业人员的义务
(四) 法律责任

三、会计从业资格

(一) 会计从业资格证书的适用范围
(二) 会计从业资格的取得
(三) 会计从业资格证书管理
(四) 会计人员继续教育
1. 会计人员继续教育的对象和特点
2. 会计人员继续教育的内容
3. 会计人员继续教育的形式和学时要求

四、会计专业职务与会计专业技术资格

(一) 会计专业职务
(二) 会计专业技术资格

五、会计工作岗位设置

（一）设置会计工作岗位的基本原则
（二）主要会计工作岗位

六、会计人员的工作交接

（一）交接的范围
（二）交接的程序
（三）交接人员的责任

第六节 法律责任

一、法律责任的概念

二、不依法设置会计账簿等会计违法行为的法律责任

三、其他会计违法行为的法律责任

第二章 支付结算法律制度

第一节 概 述

一、支付结算的概念和特征

（一）支付结算的概念
（二）支付结算的特征

1. 支付结算必须通过中国人民银行批准的金融机构进行，未经中国人民银行批准的非银行金融机构和其他单位不得作为中介机构经营支付结算业务；
2. 支付结算是一种要式行为；
3. 支付结算的发生取决于委托人的意志；
4. 支付结算实行统一管理和分级管理相结合的管理体制；
5. 支付结算必须依法进行。

二、支付结算的基本原则

（一）恪守信用，履约付款
（二）谁的钱进谁的账，由谁支配
（三）银行不垫款

三、支付结算的主要支付工具

（一）汇票
（二）本票
（三）支票
（四）信用卡

（五）汇兑
（六）托收承付
（七）委托收款

四、支付结算的主要法律依据

五、办理支付结算的具体要求

（一）单位、个人和银行应当按照《人民币银行结算账户管理办法》的规定开立、使用账户
（二）单位、个人和银行办理支付结算，必须使用按中国人民银行统一规定印制的票据和结算凭证
（三）填写票据和结算凭证的基本要求
（四）填写票据和结算凭证应当规范，做到要素齐全，数字正确，字迹清晰，不错不漏，不潦草，防止涂改
（五）票据和结算凭证上的签章和其他记载事项应当真实，不得伪造、变造

第二节 现 金 管 理

一、开户单位使用现金的范围

二、现金使用的限额

三、现金收支的基本要求

四、建立健全现金核算与内部控制

第三节 银行结算账户

一、银行结算账户的概念

二、银行结算账户的分类

三、银行结算账户管理应当遵守的基本原则

（一）一个基本账户原则
（二）自主选择银行开立银行结算账户原则
（三）守法合规原则
（四）存款信息保密原则

四、银行结算账户的开立、变更和撤销

（一）银行结算账户的开立
（二）银行结算账户的变更
（三）银行结算账户的撤销

五、基本存款账户

（一）基本存款账户使用范围

（二）基本存款账户开户要求
（三）开立基本存款账户的程序

六、一般存款账户

（一）一般存款账户的使用范围
（二）一般存款账户的开户要求
（三）开立一般存款账户的程序

七、专用存款账户

（一）专用存款账户的使用范围
（二）专用存款账户开户要求
（三）开立专用存款账户的程序

八、临时存款账户

（一）临时存款账户的使用范围
（二）临时存款账户开户要求
（三）开立临时存款账户的程序
（四）临时存款账户使用中应注意的问题

九、个人银行结算账户

（一）个人银行结算账户使用范围
（二）个人银行结算账户开户要求
（三）开立个人银行结算账户的程序
（四）个人银行结算账户使用中应注意的问题

十、异地银行结算账户

（一）异地银行结算账户使用范围
（二）异地银行结算账户开户要求
（三）开立异地银行结算账户的程序

十一、银行结算账户的管理

（一）中国人民银行的管理
（二）银行的管理
（三）存款人的管理

十二、违反银行账户结算管理制度的罚则

（一）存款人违反账户管理制度的处罚
（二）银行及其有关人员违反账户管理制度的处罚

第四节　票据结算方式

一、票据的概念和种类

（一）票据的概念

（二）票据的种类

二、支票

（一）支票的概念
（二）支票的种类
（三）支票的出票
（四）支票的付款
（五）支票的办理要求

三、商业汇票

（一）商业汇票的概念和种类
（二）商业汇票的出票
（三）商业汇票的承兑
（四）商业汇票的付款
（五）商业汇票的背书
（六）商业汇票的保证

四、信用卡

（一）信用卡的概念和种类
（二）信用卡的申领与销户
（三）信用卡的资金来源
（四）信用卡使用的主要规定

五、汇兑

（一）汇兑的概念和分类
（二）办理汇兑的程序
（三）汇兑的撤销和退汇

第三章　税收法律制度

第一节　税 收 概 述

一、税收的概念与分类

（一）税收概念与分类
1. 税收的概念
2. 税收的作用
(1) 税收是国家组织财政收入的主要形式
(2) 税收是国家调控经济运行的重要手段
(3) 税收具有维护国家政权的作用
(4) 税收是国际经济交往中维护国家利益的可靠保证
（二）税收的特征
1. 强制性

2. 无偿性

3. 固定性

（三）税收的分类

1. 按征税对象分类。可将全部税收划分为流转税类、所得税类、财产税类、资源税类和行为税类五种类型

2. 按征收管理的分工体系分类。可分为工商税类、关税类

3. 按照税收征收权限和收入支配权限分类。可分为中央税、地方税和中央地方共享税

4. 按照计税标准不同进行的分类；可分为从价税、从量税和复合税

二、税法及构成要素

（一）税收与税法的关系

1. 税法的概念

2. 税收与税法的关系

（二）税法的分类

1. 按照税法的功能作用的不同，将税法分为税收实体法和税收程序法

2. 按照主权国家行使税收管辖权的不同，可分为国内税法、国际税法、外国税法

3. 按照税法法律级次划分，分为税收法律、税收行政法规、税收规章和税收规范性文件

（三）税法的构成要素

1. 征税人

2. 纳税义务人

3. 征税对象

4. 税目

5. 税率

（1）比例税率

（2）定额税率

（3）累进税率

6. 计税依据

（1）从价计征

（2）从量计征

（3）复合计征

7. 纳税环节

8. 纳税期限

9. 纳税地点

10. 减免税

（1）减税和免税

（2）起征点

（3）免征额

11. 法律责任

第二节　主要税种

一、增值税

（一）增值税的概念与分类

1. 增值税的概念

2. 增值税的分类
(1) 生产型增值税
(2) 收入型增值税
(3) 消费型增值税
(二) 增值税一般纳税人
(三) 增值税税率
(四) 增值税应纳税额
1. 销项税额
2. 销售额
3. 进项税额
(五) 增值税小规模纳税人
(六) 增值税征收管理
1. 纳税义务发生的时间
2. 纳税期限
3. 纳税地点

二、消费税

(一) 消费税的概念与计税方法
1. 消费税的概念
2. 消费税的计税
(二) 消费税纳税人
(三) 消费税税目与税率
1. 消费税税目
2. 消费税税率
(四) 消费税应纳税额
1. 销售额的确认
2. 销售量的确认
3. 从价从量复合计征
4. 应税消费品已纳税款扣除
(五) 消费税征收管理
1. 纳税义务发生时间
2. 纳税期限
3. 纳税地点

三、营业税

(一) 营业税的概念
(二) 营业税纳税人
(三) 营业税的税目、税率
1. 营业税税目
2. 营业税税率
(四) 营业税应纳税额
(五) 营业税征收管理
1. 纳税义务发生时间

2. 纳税期限
3. 纳税地点

四、企业所得税

（一）企业所得税的概念
（二）企业所得税征税对象
（三）企业所得税税率
（四）企业所得税应纳税所得额
1. 收入总额
2. 不征税收入
3. 免税收入
4. 准予扣除的项目
（1）成本
（2）费用
（3）税金
（4）损失
5. 不得扣除的项目
6. 亏损弥补
（五）企业所得税征收管理
1. 纳税地点
2. 纳税期限
3. 纳税申报

五、个人所得税

（一）个人所得税概念
（二）个人所得税纳税义务人
（三）个人所得税的应税项目和税率
1. 个人所得税应税项目
2. 个人所得税税率
（四）个人所得税应纳税所得额
1. 工资、薪金所得
2. 个体工商户的生产经营所得
3. 对企事业单位的承包经营、承租经营所得
4. 劳务报酬所得
5. 稿酬所得
6. 利息、股息、红利所得
（五）个人所得税征收管理
1. 自行申报纳税义务人
2. 代扣代缴

第三节 税收征管

一、税务登记

（一）开业登记

（二）变更登记
（三）停业、复业登记
（四）注销登记
（五）外出经营报验登记
（六）纳税人税种登记
（七）扣缴义务人扣缴税款登记

二、发票开具与管理

（一）发票的种类
1. 增值税专用发票
2. 普通发票
3. 专业发票
（二）发票的开具要求
1. 单位和个人应在发生经营业务、确认营业收入时，才能开具发票。
2. 开具发票时应按号码顺序填开，填写项目齐全、内容真实、字迹清楚、全部联次一次性复写或打印，内容完全一致，并在发票联和抵扣联加盖单位财务印章或者发票专用章。
3. 填写发票应当使用中文。民族自治地区可以同时使用当地通用的一种民族文字；外商投资企业和外资企业可以同时使用一种外国文字。
4. 使用电子计算机开具发票必须报主管税务机关批准，并使用税务机关统一监制的机打发票。
5. 开具发票时限、地点应符合规定。
6. 任何单位和个人不得转借、转让、代开发票。

三、纳税申报

（一）直接申报
（二）邮寄申报
（三）数据电文申报
（四）简易申报
（五）其他方式

四、税款征收

（一）查账征收
（二）查定征收
（三）查验征收
（四）定期定额征收
（五）代扣代缴
（六）代收代缴
（七）委托征收
（八）其他方式

五、税务代理

（一）税务代理的概念
（二）税务代理的特点
1. 中介性

2. 法定性
3. 自愿性
4. 公正性
（三）税务代理的法定业务范围

六、税收检查及法律责任

（一）税收检查
1. 税收保全措施
2. 税收强制执行
（二）法律责任
1. 税务违法行政处罚
（1）责令限期改正
（2）罚款
（3）没收财产
（4）收缴未用发票和暂停供应发票
（5）停止出口退税权
2. 税务违法刑事处罚
3. 税务行政复议

第四章 财政法规制度

第一节 预算法律制度

一、预算法律制度的构成

（一）《预算法》
（二）《预算法实施条例》

二、国家预算

（一）国家预算的概念
（二）国家预算的作用
1. 财力保证作用
2. 调节制约作用
3. 反映监督作用
（三）国家预算的级次划分
（四）国家预算的构成
1. 中央预算
2. 地方预算
3. 总预算
4. 部门单位预算

三、预算管理的职权

（一）各级人民代表大会的职权

1. 全国人民代表大会的职权
2. 县级以上地方各级人民代表大会的职权
3. 乡、民族乡、镇的人民代表大会的职权
(二) 各级财政部门的职权
1. 国务院财政部门的职权
2. 地方各级政府财政部门的职权
(三) 各部门、各单位的职权
1. 各部门的职权
2. 各单位的职权

四、预算收入与预算支出

(一) 预算收入
(二) 预算支出

五、预算组织程序

(一) 预算的编制
1. 预算年度
2. 预算草案的编制依据
3. 预算草案的编制内容
(二) 预算的审批
(三) 预算的执行
(四) 预算的调整

六、决算

七、预决算的监督

第二节　政府采购法律制度

一、政府采购法律制度的构成

(一) 政府采购法
(二) 政府采购部门规章
(三) 政府采购地方性法规和政府规章

二、政府采购的概念

(一) 政府采购的主体范围
(二) 政府采购的资金范围
(三) 政府集中采购目录和政府采购限额标准
(四) 政府采购的对象范围

三、政府采购的原则

(一) 公开透明原则
(二) 公平竞争原则

（三）公正原则
（四）诚实信用原则

四、政府采购的功能

（一）节约财政支出，提高采购资金的使用效益
（二）强化宏观调控
（三）活跃市场经济
（四）推进反腐倡廉
（五）保护民族产业

五、政府采购的执行模式

（一）集中采购
（二）分散采购

六、政府采购当事人

（一）采购人
（二）供应商
（三）采购代理机构

七、政府采购方式

1. 公开招标
2. 邀请招标
3. 竞争性谈判
4. 单一来源
5. 询价

八、政府采购的监督检查

第三节　国库集中收付制度

一、国库集中收付制度

二、国库单一账户体系

（一）国库单一账户体系的概念
（二）国库单一账户体系的构成

三、财政收入收缴方式和程序

（一）收缴方式
1. 直接缴库
2. 集中汇缴
（二）收缴程序
1. 直接缴库程序
2. 集中汇缴程序

四、财政支出支付方式和程序

（一）支付方式
1. 财政直接支付
2. 财政授权支付
（二）支付程序
1. 财政直接支付程序
2. 财政授权支付程序

第五章　会计职业道德

第一节　会计职业道德概述

一、会计职业道德概念

二、会计职业道德功能

（一）指导功能
（二）评价功能
（三）教化功能

三、会计职业道德与会计法律制度

（一）会计职业道德与会计法律制度的关系
（二）会计职业道德与会计法律制度的主要区别
1. 性质不同
2. 作用范围不同
3. 表现形式不同
4. 实施保障机制不同
（三）会计行为的法治与德治

第二节　会计职业道德规范的主要内容

一、爱岗敬业

（一）爱岗敬业的含义
（二）爱岗敬业的基本要求
1. 热爱会计工作，敬重会计职业
2. 严肃认真，一丝不苟
3. 忠于职守，尽职尽责

二、诚实守信

（一）诚实守信的含义
（二）诚实守信的基本要求
1. 做老实人，说老实话，办老实事，不搞虚假

2. 实事求是，如实反映
3. 保守秘密，不为利益所诱惑
4. 执业谨慎，信誉至上

三、廉洁自律

（一）廉洁自律的含义
（二）廉洁自律的基本要求
1. 树立正确的人生观和价值观
2. 公私分明，不贪不占

四、客观公正

（一）客观公正的含义
（二）客观公正的基本要求
1. 依法办事
2. 实事求是，不偏不倚
3. 保持独立性

五、坚持准则

（一）坚持准则的含义
（二）坚持准则的基本要求
1. 熟悉准则
2. 遵循准则
3. 坚持准则

六、提高技能

（一）提高技能的含义
（二）提高技能的基本要求
1. 要有不断提高会计专业技能的意识和愿望
2. 要有勤学苦练的精神和科学的学习方法

七、参与管理

（一）参与管理的含义
（二）参与管理的基本要求
1. 努力钻研业务，熟悉财经法规和相关制度，提高业务技能，为参与管理打下基础
2. 熟悉服务对象的经营活动和业务流程，使参与管理的决策更具针对性和有效性

八、强化服务

（一）强化服务的含义
（二）强化服务的基本要求
1. 强化服务意识
2. 提高服务质量

第三节 会计职业道德教育与修养

一、会计职业道德教育

（一）会计职业道德教育的含义
（二）会计职业道德教育的内容
1. 职业道德观念教育
2. 职业道德规范教育
3. 职业道德警示教育
（三）会计职业道德教育途径
1. 岗前职业道德教育
2. 岗位职业道德继续教育

二、会计职业道德修养

（一）会计职业道德修养的含义
（二）会计职业道德修养的环节
1. 形成正确的会计职业道德认知
2. 培养高尚的会计职业道德情感
3. 树立坚定的会计职业道德信念
4. 养成良好的会计职业道德行为
（三）会计职业道德修养的方法
1. 不断地进行“内省”
2. 要提倡“慎独”精神
3. 虚心向先进人物学习

第四节 会计职业道德建设

一、财政部门的组织推动

（一）采用多种形式开展会计职业道德宣传教育
（二）会计职业道德建设与会计从业资格证书注册登记管理相结合
（三）会计职业道德建设与会计专业技术资格考评、聘用相结合
（四）会计职业道德建设与会计法执法检查相结合
（五）会计职业道德建设与会计人员表彰奖励制度相结合

二、会计职业组织的行业自律

三、社会各界齐抓共管

附件2：

会计基础考试大纲

第一章 总 论

第一节 会计概述

一、会计的概念及特征

（一）会计的概念
（二）会计的基本特征
1. 会计以货币作为主要计量单位
2. 会计拥有一系列专门方法
3. 会计具有核算和监督的基本职能
4. 会计的本质就是管理活动

二、会计的基本职能

（一）会计的核算职能
（二）会计的监督职能
（三）会计核算与监督职能的关系

三、会计对象和会计核算的具体内容

（一）会计对象
（二）会计核算的具体内容
1. 款项和有价证券的收付
2. 财物的收发、增减和使用
3. 债权、债务的发生和结算
4. 资本的增减
5. 收入、支出、费用、成本的计算
6. 财务成果的计算和处理
7. 需要办理会计手续、进行会计核算的其他事项

第二节 会计基本假设

一、会计主体

二、持续经营

三、会计分期

四、货币计量

第三节　会计基础

一、会计基础的概念和种类

二、权责发生制

三、收付实现制

第二章　会计要素与会计科目

第一节　会计要素

一、会计要素的确认

（一）资产

1. 资产的定义

2. 资产的分类

（二）负债

1. 负债的定义

2. 负债的分类

（三）所有者权益

1. 所有者权益的定义

2. 所有者权益的分类

（四）收入

1. 收入的定义

2. 收入的分类

（五）费用

1. 费用的定义

2. 费用的分类

（六）利润

1. 利润的定义

2. 利润的分类

二、会计要素的计量

（一）历史成本

（二）重置成本

（三）可变现净值

（四）现值

（五）公允价值

第二节 会 计 科 目

一、会计科目的概念

二、会计科目的分类

（一）按其归属的会计要素分类

1. 资产类科目：按资产的流动性分为反映流动资产的科目和反映非流动资产的科目

2. 负债类科目：按负债的偿还期限分为反映流动负债的科目和反映长期负债的科目

3. 所有者权益类科目：按所有者权益的形成和性质可分为反映资本的科目和反映留存收益的科目

4. 成本类科目：按成本的不同内容和性质可以分为反映制造成本的科目和反映劳务成本的科目

5. 损益类科目：按损益的不同内容可以分为反映收入的科目和反映费用的科目

（二）按提供信息的详细程度及其统驭关系分类

1. 总分类科目，又称一级科目或总账科目，它是对会计要素具体内容进行总括分类、提供总括信息的会计科目；总分类科目反映各种经济业务的概括情况，是进行总分类核算的依据

2. 明细分类科目，又称明细科目，是对总分类科目作进一步分类、提供更详细和更具体会计信息的科目

3. 总分类科目和明细分类科目的关系是，总分类科目对其所属的明细分类科目具有统驭和控制的作用，而明细分类科目是对其所归属的总分类科目的补充和说明

三、会计科目的设置

（一）会计科目的设置原则

1. 合法性原则：指所设置的会计科目应当符合国家统一的会计制度的规定

2. 相关性原则：指所设置的会计科目应当为提供有关各方所需要的会计信息服务，满足对外报告与对内管理的要求

3. 实用性原则：指所设置的会计科目应符合单位自身特点，满足单位实际需要

（二）常用会计科目

第三章 会计等式与复式记账

第一节 会 计 等 式

一、资产 = 负债 + 所有者权益

（一）会计恒等式

资产 = 权益

资产 = 负债 + 所有者权益

（二）经济业务对会计恒等式的影响

1. 对“资产 = 权益”等式的影响

（1）资产与权益同时等额增加

（2）资产方等额有增有减，权益不变

（3）资产与权益同时等额减少

（4）权益方等额有增有减，资产不变

2. 对“资产 = 负债 + 所有者权益”等式的影响

(1) 资产和负债要素同时等额增加
(2) 资产和负债要素同时等额减少
(3) 资产和所有者权益要素同时等额增加
(4) 资产和所有者权益要素同时等额减少
(5) 资产要素内部项目等额有增有减，负债和所有者权益要素不变
(6) 负债要素内部项目等额有增有减，资产和所有者权益要素不变
(7) 所有者权益要素内部项目等额有增有减，资产和负债要素不变
(8) 负债要素增加，所有者权益要素等额减少，资产要素不变
(9) 负债要素减少，所有者权益要素等额增加，资产要素不变

二、收入－费用＝利润

第二节　复式记账

一、复式记账法

二、借贷记账法

(一) 借贷记账法的概念
(二) 借贷记账法的记账符号
(三) 借贷记账法的会计科目结构
1. 资产类会计科目的结构
2. 负债及所有者权益类会计科目的结构
3. 成本类会计科目的结构
4. 损益类会计科目的结构
(1) 收入类会计科目的结构
(2) 费用类会计科目的结构
(四) 借贷记账法的记账规则
(五) 会计科目的对应关系和会计分录
1. 会计科目的对应关系
2. 会计分录
(六) 借贷记账法的试算平衡
1. 试算平衡的含义
2. 试算平衡的分类
(1) 发生额试算平衡法
全部会计科目本期借方发生额合计＝全部会计科目本期贷方发生额合计
(2) 余额试算平衡法
全部会计科目的借方期初余额合计＝全部会计科目的贷方期初余额合计
全部会计科目的借方期末余额合计＝全部会计科目的贷方期末余额合计

三、总分类科目与明细分类科目的平行登记

(一) 总分类科目与明细分类科目的关系
(二) 总分类科目与明细分类科目的平行登记
(1) 所依据会计凭证相同（依据相同）

（2）借贷方向相同（方向相同）
（3）所属会计期间相同（期间相同）
（4）计入总分类科目的金额与计入其所属明细分类科目的金额合计相等（金额相等）

第四章 会计凭证

第一节 会计凭证概述

一、会计凭证的概念和种类

（一）原始凭证
（二）记账凭证

二、会计凭证的作用

（一）记录经济业务，提供记账依据
（二）明确经济责任，强化内部控制
（三）监督经济活动，控制经济运行

第二节 原始凭证

一、原始凭证的种类

（一）按取得的来源不同分类
1. 自制原始凭证
2. 外来原始凭证
（二）按照格式的不同分类
1. 通用凭证
2. 专用凭证

二、原始凭证的基本内容

原始凭证所包括的基本内容，通常称为凭证要素，主要有：原始凭证名称、填制凭证的日期、凭证的编号、接受凭证单位名称（抬头人）、经济业务内容（含数量、单价、金额等）、填制单位签章、有关人员（部门负责人、经办人员）签章、填制凭证单位名称或者填制人姓名、凭证附件。

三、原始凭证的填制要求

（一）填制原始凭证的基本要求
1. 记录要真实
2. 内容要完整
3. 手续要完备
4. 书写要清楚、规范
5. 编号要连续
6. 不得涂改、刮擦、挖补
7. 填制要及时
（二）自制原始凭证的填制要求

1. 一次凭证的填制
2. 累计凭证的填制
3. 汇总凭证的填制
（三）外来原始凭证的填制要求

四、原始凭证的审核

（一）审核原始凭证的真实性
（二）审核原始凭证的合法性
（三）审核原始凭证的合理性
（四）审核原始凭证的完整性
（五）审核原始凭证的正确性
（六）审核原始凭证的及时性

第三节 记 账 凭 证

一、记账凭证的种类

（一）按内容可分为收款凭证、付款凭证和转账凭证
1. 收款凭证
2. 付款凭证
3. 转账凭证
（二）按填列方式可分为复式记账凭证和单式记账凭证
1. 复式凭证
2. 单式凭证

二、记账凭证的基本内容

记账凭证必须具备以下基本内容：(1) 记账凭证的名称；(2) 记账凭证的日期；(3) 记账凭证的编号；(4) 经济业务事项的内容摘要；(5) 经济业务事项所涉及的会计科目及其记账方向；(6) 经济业务事项的金额；(7) 记账标记；(8) 所附原始凭证的张数；(9) 制证、审核、记账、会计主管等有关人员的签章，收款凭证和付款凭证还应由出纳人员签名或盖章。

三、记账凭证的填制要求

（一）基本要求
（二）收款凭证的填制要求
（三）付款凭证的填制要求
（四）转账凭证的填制要求
（五）记账凭证的审核
1. 内容是否真实
2. 项目是否齐全
3. 科目是否正确
4. 金额是否正确
5. 书写是否正确

第四节 会计凭证的传递和保管

一、会计凭证的传递

会计凭证的传递是指会计凭证从取得或填制时起至归档保管过程中，在单位内部各有关部门和人员之间的传送程序。

二、会计凭证的保管

会计凭证的保管，是指会计凭证登账后的整理、装订和归档存查。

第五章 会计账簿

第一节 会计账簿概述

一、会计账簿的概念

会计账簿是指由一定格式账页组成的，以经过审核的会计凭证为依据，全面、系统、连续地记录各项经济业务事项的簿籍。各单位应当按照国家统一的会计制度的规定和会计业务的需要设置会计账簿。

二、会计账簿的分类

（一）按用途分类

1. 序时账簿
2. 分类账簿
3. 备查账簿

（二）按账页格式分类

1. 两栏式账簿
2. 三栏式账簿
3. 多栏式账簿
4. 数量金额式账簿

（三）按外型特征分类

1. 订本账
2. 活页账
3. 卡片账

三、会计账簿与账户

（一）账户的概念

（二）账户的基本结构

（三）账簿与账户的关系

第二节 会计账簿的内容、启用与登记规则

一、会计账簿的基本内容

（一）封面

（二）扉页
（三）账页

二、会计账簿的启用

三、会计账簿的登记规则

第三节 会计账簿的格式和登记方法

一、日记账的格式和登记方法

（一）现金日记账的格式和登记方法
1. 现金日记账的格式
（1）三栏式日记账
（2）多栏式日记账
2. 现金日记账的登记方法
（1）日期栏
（2）凭证栏
（3）摘要栏
（4）对方科目栏
（5）收入、支出栏
（二）银行存款日记账的格式和登记方法
银行存款日记账的格式和登记方法与现金日记账相同。

二、总分类账的格式和登记方法

（一）总分类账的格式
总分类账是按照总分类账户分类登记以提供总括会计信息的账簿。总分类账最常用的格式为三栏式，设置借方、贷方和余额三个基本金额栏目。
（二）总分类账的登记方法
总分类账可以根据记账凭证逐笔登记，也可以根据经过汇总的科目汇总表或汇总记账凭证等登记。
（三）明细分类账的格式和登记方法
1. 明细分类账的格式
（1）三栏式明细分类账
（2）多栏式明细分类账
（3）数量金额式明细分类账
2. 明细分类账的登记方法
3. 总分类账和明细分类账的平行登记

第四节 对 账

一、账证核对

账证核对是指核对会计账簿记录与原始凭证、记账凭证的时间、凭证字号、内容、金额是否一致，记账方向是否相符。

二、账账核对

（一）总分类账簿有关账户的余额核对
（二）总分类账簿与所属明细分类账簿核对
（三）总分类账簿与序时账簿核对
（四）明细分类账簿之间的核对

三、账实核对

（一）现金日记账账面余额与库存现金数额是否相符
（二）银行存款日记账账面余额与银行对账单的余额是否相符
（三）各项财产物资明细账账面余额与财产物资的实有数额是否相符
（四）有关债权债务明细账账面余额与对方单位的账面记录是否相符

第五节　错账更正方法

一、划线更正法

二、红字更正法

三、补充登记法

第六节　结　　账

一、结账的程序

二、结账的方法

第七节　会计账簿的更换与保管

一、会计账簿的更换

二、会计账簿的保管

第六章　账务处理程序

第一节　记账凭证处理程序

一、一般步骤

（一）根据原始凭证编制汇总原始凭证
（二）根据原始凭证或汇总原始凭证编制收款凭证、付款凭证和转账凭证（也可采用通用的记账凭证）
（三）根据收款凭证、付款凭证逐笔登记现金日记账和银行存款日记账
（四）根据原始凭证、汇总原始凭证和记账凭证，登记各种明细分类账

（五）根据记账凭证逐笔登记总分类账
（六）期末，现金日记账、银行存款日记账和明细分类账的余额同有关总分类账的余额核对相符
（七）期末，根据总分类账和明细分类账的记录，编制会计报表

二、记账凭证账务处理程序的特点、优缺点及适用范围

（一）特点
（二）优缺点
（三）适用范围

第二节　汇总记账凭证账务处理程序

一、汇总记账凭证的编制方法

汇总记账凭证分为汇总收款凭证、汇总付款凭证和汇总转账凭证三种格式。
（一）汇总收款凭证的编制
（二）汇总付款凭证的编制
（三）汇总转账凭证的编制

二、一般编制步骤

（一）根据原始凭证编制汇总原始凭证
（二）根据原始凭证或汇总原始凭证，编制收款凭证、付款凭证和转账凭证，也可采用通用的记账凭证
（三）根据收款凭证、付款凭证逐笔登记现金日记账和银行存款日记账
（四）根据原始凭证、汇总原始凭证和记账凭证，登记各种明细分类账
（五）根据各种记账凭证编制有关汇总记账凭证
（六）根据各种汇总记账凭证登记总分类账
（七）期末，现金日记账、银行存款日记账和明细分类账的余额同有关总分类账的余额核对相符
（八）期末，根据总分类账和明细分类账的记录，编制会计报表

三、汇总记账凭证账务处理程序的特点、优缺点与适用范围

（一）特点
（二）优缺点
（三）适用范围

第三节　科目汇总表账务处理程序

一、科目汇总表的编制方法

二、一般编制步骤

（一）根据原始凭证编制汇总原始凭证
（二）根据原始凭证或汇总原始凭证，编制记账凭证
（三）根据收款凭证、付款凭证逐笔登记现金日记账和银行存款日记账
（四）根据原始凭证、汇总原始凭证和记账凭证，登记各种明细分类账
（五）根据各种记账凭证编制科目汇总表

（六）根据科目汇总表登记总分类账

（七）期末，现金日记账、银行存款日记账和明细分类账的余额同有关总分类账的余额核对相符

（八）期末，根据总分类账和明细分类账的记录，编制会计报表

三、科目汇总表账务处理程序的特点、优缺点和适用范围

（一）特点

（二）优缺点

（三）适用范围

第七章 财产清查

第一节 财产清查概述

一、财产清查的概念

（一）按清查的范围可分为全面清查和局部清查

（二）按清查的时间可分为定期清查和不定期清查

二、财产清查的意义

（一）通过财产清查，可以查明各项财产物资的实有数量，确定实有数量与账面数量之间的差异，查明原因和责任，以便采取有效措施，消除差异，改进工作，从而保证账实相符，提高会计资料的准确性

（二）通过财产清查，可以查明各项财产物资的保管情况是否良好，有无因管理不善，造成霉烂、变质、损失浪费，或者被非法挪用、贪污盗窃的情况，以便采取有效措施，改善管理，切实保障各项财产物资的安全完整

（三）通过财产清查，可以查明各项财产物资的库存和使用情况，合理安排生产经营活动，充分利用各项财产物资，加速资金周转，提高资金使用效果

三、财产清查的一般程序

第二节 财产清查的方法

一、货币资金的清查方法

（一）库存现金的清查

（二）银行存款的清查

二、实物的清查方法

（一）实地盘点法

（二）技术推算法

三、往来款项的清查方法

第三节　财产清查结果的处理

一、财产清查结果的处理要求

（一）分析账实不符的原因和性质，提出处理建议
（二）积极处理多余积压财产，清理往来款项
（三）总结经验教训，建立健全各项管理制度
（四）及时调整账簿记录，保证账实相符

二、财产清查结果的处理步骤和方法

（一）审批之前的处理
（二）审批之后的处理

第八章　财务会计报告

第一节　财务会计报告概述

一、财务会计报告的概念

二、财务会计报告的构成

（一）资产负债表
（二）利润表
（三）现金流量表
（四）附注

三、财务会计报告的编制要求

（一）真实可靠
（二）全面完整
（三）编报及时
（四）便于理解

第二节　资产负债表

一、资产负债表的概念和意义

二、资产负债表的格式

三、资产负债表编制的基本方法

（一）根据总账账户的余额直接填列
（二）根据总账账户的余额计算填列
（三）根据明细账户的余额计算填列
（四）根据总账余额和明细账余额计算填列

（五）综合运用上述填列方法分析填列
（六）资产负债表附注的内容，根据实际需要和有关备查账簿等的记录分析填列

第三节 利 润 表

一、利润表的概念和意义

二、利润表的格式

三、利润表编制的基本方法

（一）本期金额栏的填列方法
（二）上期金额栏的填列方法

第九章 会计档案

第一节 会计档案概述

一、会计档案的概念

二、会计档案的内容

（一）会计凭证类
（二）会计账簿类
（三）财务会计报告类
（四）其他类

第二节 会计档案保管

一、会计档案的归档

二、会计档案的保管期限

三、会计档案的查阅和复制

四、会计档案的销毁

第十章 主要经济业务事项账务处理

第一节 款项和有价证券的收付

一、现金和银行存款

（一）提现的账务处理

（二）存现的账务处理

二、交易性金融资产

（一）取得交易性金融资产的账务处理
（二）出售交易性金融资产的账务处理
（三）购买和出售交易性金融资产发生的交易费用的账务处理

第二节　财产物资的收发、增减和使用

一、原材料

（一）购买原材料的账务处理
（二）发出原材料的账务处理

二、库存商品

（一）产成品入库的账务处理
（二）销售商品结转销售成本的账务处理

三、固定资产

（一）购入不需要安装的固定资产的账务处理
（二）固定资产折旧的账务处理
（三）固定资产处置的账务处理

第三节　债权、债务的发生和结算

一、应收及预付款项

（一）应收账款发生和收回的账务处理
（二）应收款项减值（坏账准备）的账务处理
1. 当期应计提坏账准备金额的计算
2. 计提坏账准备的会计分录
3. 实际发生坏账时的账务处理
（三）预付账款的账务处理

二、应付账款

（一）应付账款发生的账务处理
（二）偿付应付账款的账务处理

三、应付职工薪酬

（一）计提应付职工薪酬的账务处理
（二）发放应付职工薪酬的账务处理

四、应交税费

（一）应交增值税的账务处理
（二）应交营业税的账务处理

五、借款

（一）短期借款的账务处理

1. 短期借款借入和归还的账务处理
2. 计提短期借款利息以及支付利息的账务处理
（二）长期借款的账务处理
1. 长期借款借入和归还的账务处理
2. 计提长期借款利息以及支付利息的账务处理

第四节 资本的增减

一、接受投资

（一）接受现金资产投资的账务处理
（二）接受非现金资产投资的账务处理

二、实收资本的减少

实收资本减少的账务处理。

第五节 收入、成本和费用

一、收入

（一）取得主营业务收入的账务处理
（二）取得其他业务收入的账务处理

二、成本

（一）发生直接材料、直接人工、制造费用的账务处理
（二）制造费用在不同产品之间分配的账务处理

三、费用

（一）结转主营业务成本的账务处理
（二）结转其他业务成本的账务处理
（三）发生营业税金及附加的账务处理
（四）发生销售费用的账务处理
（五）发生管理费用的账务处理
（六）发生财务费用的账务处理等

四、营业外收支

（一）取得营业外收入的账务处理
（二）发生营业外支出的账务处理

第六节 财务成果的计算

一、利润

（一）利润的计算
（二）期末结转各项收入、利得类科目的账务处理
（三）期末结转各项费用、损失类科目的账务处理

二、所得税

(一) 应交纳所得税的计算
(二) 所得税的账务处理

三、利润分配

(一) 提取法定盈余公积的账务处理
(二) 提取任意盈余公积的账务处理
(三) 向投资者分配利润的账务处理

附件 3：

初级会计电算化考试大纲

第一章 会计电算化概述

第一节 会计电算化简介

一、模拟手工记账的探索起步

二、与其他业务结合的推广发展

三、引入会计专业判断的渗透融合

四、与内控相结合建立 ERP 系统的集成管理

第二节 会计核算软件

一、会计核算软件的概念和演进

二、会计核算软件的分类

(一) 通用和专用会计核算软件
(二) 单用户和多用户会计核算软件

三、会计核算软件的功能模块

(一) 会计核算软件的构成
(二) 账务处理模块与主要核算模块间的联系

四、会计核算软件与手工会计核算的异同

(一) 会计核算软件与手工会计核算的相同点

1. 目标一致
2. 遵守共同的会计准则和会计制度
3. 遵守共同的基本会计理论和会计方法
4. 会计数据处理流程大体一致

（二）会计核算软件与手工会计核算的区别

1. 会计核算工具不同
2. 会计信息载体不同
3. 记账规则不完全相同
4. 账务处理流程类型存在差别
5. 内部控制方式不同

第二章　会计电算化的工作环境

第一节　计算机一般知识

一、计算机及其种类

二、计算机的主要性能指标

三、计算机的应用领域

第二节　计算机硬件

一、输入设备

二、输出设备

三、运算器

四、控制器

五、存储器

第三节　计算机软件

一、系统软件

二、计算机程序设计语言

三、应用软件

第四节　计算机网络

一、计算机网络概念及功能

二、计算机网络的分类

（一）按地理有效范围划分，可分为广域网、局域网、城域网
（二）按通信媒体划分，可分为有线网、无线网
（三）按使用范围划分，可分为公用网、专用网
（四）按配置划分，可分为同类网、单服务器网、混合网
（五）按对数据的组织方式划分，可分为分布式数据组织网络系统、集中式数据组织网络系统

三、因特网

（一）因特网协议——TCP/IP 协议
（二）因特网的应用
（三）网址

第五节　计算机安全

一、计算机安全隐患

（一）影响计算机系统安全的主要因素
（二）保证计算机安全的对策

二、计算机病毒防范

（一）计算机病毒的特点
（二）计算机病毒分类
（三）防范计算机病毒的有效方法
（四）计算机病毒的检测和清除

三、计算机黑客及其防范

（一）黑客常用手段
（二）防范黑客的措施

第三章　会计电算化基本要求

第一节　会计电算化法规制度

会计电算化相关法规制度有，《会计法》、《会计电算化管理办法》、《会计核算软件基本功能规范》、《会计电算化工作规范》、《会计基础工作规范》和《会计档案管理办法》。

第二节　会计核算软件的要求

一、会计核算软件的基本要求

（一）会计核算软件设计应当符合我国法律、法规、规章的规定

（二）会计核算软件应当按照国家统一会计制度的规定划分会计期间

（三）会计核算软件中的文字输入、屏幕提示和打印输出必须采用中文，可以同时提供少数民族文字或者外国文字对照

（四）会计核算软件必须提供人员岗位及操作权限设置的功能

（五）会计核算软件应当符合GB/T19581－2004《信息技术会计核算软件数据接口》国家标准的要求

（六）会计核算软件在设计性能允许使用范围内，不得出现由于自身原因造成死机或者非正常退出等情况

（七）会计核算软件应当具有在机内会计数据被破坏的情况下，利用现有数据恢复到最近状态的功能

（八）单位修改、升级正在使用的会计核算软件，改变会计核算软件运行环境，应当建立相应的审批手续

（九）会计核算软件开发销售单位必须为使用单位提供会计核算软件操作人员培训、会计核算软件维护、版本更新等方面的服务

二、会计数据输入功能的基本要求

（一）对初始数据输入的基本要求

1. 输入会计核算所必需的期初数据及有关资料

2. 输入需要在本期进行对账的未达账项

3. 选择会计核算方法

4. 定义自动转账凭证

5. 用户设置

（二）对记账凭证输入的基本要求

会计核算软件必须具备输入记账凭证的功能

（三）对记账凭证的控制功能

1. 正在输入的记账凭证编号与已输入的记账凭证编号重复的，予以提示并拒绝保存

2. 以编号方式输入会计科目的，自动显示该代码所对应的会计科目名称

3. 借贷双方金额不平衡，或没有输入金额的，予以提示并拒绝保存

4. 有借方会计科目而无贷方会计科目或者有贷方会计科目而无借方会计科目的，予以提示并拒绝保存

5. 正在输入的收款凭证借方科目或付款凭证贷方科目不是“现金”或“银行存款”的，予以提示并拒绝保存

6. 会计核算软件应提供对已经输入尚未记账的记账凭证进行修改和审核的功能

7. 对同一张记账凭证，应当具有权限控制功能

（四）对原始凭证输入的基本要求

1. 在输入记账凭证的同时，输入相应原始凭证

2. 在记账凭证未输入前，直接输入原始凭证，由会计软件自动生成记账凭证

三、会计数据输出功能的基本要求

（一）屏幕查询的基本要求

1. 各级会计科目的名称、编号、年初余额、期初余额、累计发生额、本期发生额和当前余额等项目

2. 本期输入的记账凭证、原始凭证

3. 本期和以前各期的总账和明细账

4. 往来项目的结算情况

5. 本期和以前各期的会计报表

（二）打印输出的基本要求

1. 应当提供打印输出原始凭证、记账凭证、日记账、明细账、总账、会计报表的功能
2. 在总账和明细账的直接记账依据完全相同的情况下，总账可以用总分类账户本期发生额、余额对照表替代
3. 在保证会计账簿清晰的条件下，打印输出的会计账簿中的表格线条可以适当减少
4. 对于业务量较少的账户，提供会计账簿的满页打印输出功能

四、会计数据处理功能的基本要求

（一）会计核算软件应当具有记账功能
（二）会计核算软件应当提供自动进行银行对账的功能
（三）会计核算软件应当提供按照规定的会计期间结账的功能
（四）会计核算软件应当具有自动编制符合国家统一会计制度规定的会计报表的功能
（五）会计软件应当采取加密存储、用户身份验证等多种手段确保会计数据安全保密，防止对数据的未授权访问、复制、篡改、删除

第三节　会计电算化岗位及其权限设置的基本要求

一、电算化会计岗位的划分及职责

（一）电算主管，负责协调计算机及会计软件系统的运行工作
（二）软件操作，负责会计核算软件具体使用操作
（三）审核记账，负责凭证的审核记账
（四）电算维护，负责保证计算机硬件、软件的正常运行，管理机内会计数据
（五）电算审查，对电算化系统运行进行监督，防范利用电算化系统的舞弊
（六）数据分析，负责对计算机内的会计数据进行分析
（七）会计档案保管，负责会计电算化数据和程序备份，打印的账表、凭证和各种会计档案资料的保管

二、中小企业实行会计电算化的岗位设置

第四节　计算机替代手工记账的基本要求

一、替代手工记账的任务和条件

（一）替代手工记账是会计电算化的目标之一
（二）替代手工记账的条件
1. 配有适用的会计软件和相应的计算机硬件设备
2. 配备了相应的会计电算化工作人员
3. 建立了严格的内部管理制度

二、替代手工记账的过程

（一）整理手工会计业务数据
1. 重新核对各类凭证和账簿，做到账证、账账、账实相符
2. 整理各账户余额
3. 清理往来账户和银行账户
（二）建立会计账户体系并确定编码
1. 符合财政部和有关管理部门的规定

2. 满足本单位会计核算与管理的要求

3. 满足会计报表的要求，凡是报表所用数据需要从账务处理系统中取数的，必须设立相应科目

4. 保持体系完整，不能只有下级科目而没有上级科目

5. 保持相对稳定

6. 要考虑与核算模块的衔接，凡是与其他核算模块有关的科目，在整理时应将各核算大类在账务处理模块中设为一级科目

三、规范各类账证表格式和会计核算方法与过程

四、会计核算软件初始化

五、计算机与手工并行

(1) 检验各种核算方法

(2) 检查会计科目体系的有效性

(3) 考查操作准确性

(4) 纠正会计核算软件程序错误或业务处理错误

第五节　会计电算化档案管理的基本要求

一、保存打印出的纸质会计档案

(一) 现金日记账和银行日记账要求每天打印输出，做到日清月结

(二) 明细账要求每年打印一次或在需要时进行打印

(三) 会计电算化后，在所有记账凭证数据和明细账数据都存储在计算机内的情况下，总账一般用"总分类科目余额、发生额对照表"替代，"总分类科目余额、发生额对照表"一般要求每月打印一次

(四) 会计报表每月打印一次进行保管

二、系统开发资料和会计软件系统也应视同会计档案保管

三、制定与实施会计电算化档案管理制度

(一) 存档的手续

(二) 各种安全和保密措施

(三) 档案管理员的岗位责任制度

(四) 档案分类管理办法

(五) 档案使用的各种审批手续

(六) 各类文档的保管期限及销毁手续

四、会计电算化档案安全和保密措施

第四章　会计核算软件的操作要求

第一节　电算化会计核算基本流程

一、编制记账凭证

二、凭证审核

三、记账

四、结账和编制会计报表

第二节　账务处理模块基本操作

一、系统初始化

（一）设置操作员及权限
（二）建立账套
（三）设置会计期间
（四）设置记账本位币
（五）设置会计科目
（六）录入科目初始数据
（七）设置辅助核算项目
（八）设置外币币种及汇率
（九）设置凭证类别

二、日常账务处理操作

三、结账

四、编制会计报表

第三节　其他会计核算软件功能模块的操作

一、应收/应付账款核算模块基本操作

（一）初始设置操作
（二）日常使用操作

二、工资核算模块基本操作

（一）初始设置
（二）日常业务处理

三、固定资产核算模块基本操作

（一）初始设置
（二）日常使用操作

财政部关于推进省级会计人员管理系统建设的指导意见

2009 年 11 月 20 日　财会〔2009〕13 号

中共中央直属机关事务管理局，国务院机关事务管理局，铁道部，中国人民解放军总后勤部财务部，中国人民武装警察部队后勤部，各省、自治区、直辖市、计划单列市财政厅（局），新疆生产建设兵团财务局：

为认真贯彻落实中共中央办公厅、国务院办公厅制定发布的《2006～2020 年国家信息化发展战略》（中办发〔2006〕11 号）和《财政部关于全面推进我国会计信息化工作的指导意见》（财会〔2009〕6 号）精神，推动我国会计人员管理信息化进程，进一步提升会计管理效率，提高会计人员管理水平，现就省级会计人员管理系统建设提出以下指导意见。

一、省级会计人员管理系统建设的重要意义

《财政部关于全面推进我国会计信息化工作的指导意见》明确指出，推进会计管理和会计监督信息化建设，推动会计监管手段、技术和方法的创新，建立会计人员管理系统，实现对全社会会计人员的动态管理，不断提升会计管理和会计监督水平。建立会计人员管理系统，实现会计人员管理信息化，是贯彻国家信息化、会计信息化的重要举措，对于全面提升会计人员管理水平具有重要的意义。

省、自治区、直辖市、计划单列市财政部门、新疆生产建设兵团财务局和中央会计从业资格有关管理部门会计人员管理系统（以下简称省级会计人员管理系统）建设，是建立全国会计人员管理系统的前提和基础。省级会计人员管理系统建成与否、建设质量，直接影响全国会计人员管理系统的建设速度、建成质量，是关键所在。因此，省级财政部门和中央会计从业资格有关管理部门应当高度重视，加强领导，明确职责，保障供给，尽快建立和完善本地区、本部门的会计人员管理系统，为全国会计人员管理系统建设奠定扎实基础。

二、省级会计人员管理系统建设的总体目标

省级会计人员管理系统建设，应当依据国家和本省会计法规和相关管理制度，利用现代化数据技术、系统接口技术、网络传输技术、数据加密技术等，建立适应本地区、本部门需要的会计人员信息管理系统，满足快速高效地处理日常会计管理的各项业务，实现本区域会计人员管理网络化、信息化、无纸化，保证与财政部、各省级之间以及与社会之间会计管理资源的数据共享、信息共享，促进会计管理人性化、公开化、科学化。

省级会计人员管理系统建设，应当满足本地区业务管理及财政部的要求。为保证数据安全性，会计人员基本信息和基础数据维护管理功能应当在财政内网实现，对社会和广大会计人员提供服务的功能可在财政外网实现。

三、省级会计人员管理系统建设的基本原则

省级会计人员管理系统的建设，要按照“统一指导、领导负责、分别实施”的总体要求，有效开展系统建设工作。在建设过程中，要认真遵循财政部的统一指导，各省级财政部门领导同志牵头组织实施，会计管理机构具体负责组织系统建设工作；同时，还必须遵循以下原则：

（一）实用性原则。

省级会计人员管理系统建设要最大限度地满足会计人员管理实际工作的需要。系统总体设计应充分考

虑当前会计人员管理的各业务层次、各环节管理中数据处理的便利性和可行性，最大限度地做到管理简单、界面简洁、使用方便。系统一般应包括会计从业资格无纸化考试模块（含报名、缴费、考试、发证等功能）、会计从业资格管理模块（含继续教育管理、奖惩诚信记录管理等）、会计专业技术资格管理模块（含初、中、高及正高级会计专业技术资格管理等）、会计人员调转、会计人员基本信息变更等功能模块，实现基础数据及其变动情况在模块间的联动、共享，并可实时统计、查询。

（二）先进性原则。

省级会计人员管理系统建设应采用当今国际、国内最先进和成熟的计算机软、硬件技术与设备，确保新建立的系统能够最大限度地适应日后业务发展的需求。系统的设计应当充分考虑系统运行后数据量大、实时性强的特点，采取必要技术和手段，保证系统的有效正常运行。系统建设应保证便捷的后期维护功能，并根据不同系统架构，应用不同的维护技术。

（三）可扩展性原则。

省级会计人员管理系统建设应充分考虑在结构、容量、通信能力、产品升级、处理能力、数据库、软件开发等方面具备良好的可扩展性和灵活性，预留与全国会计人员管理系统的各个功能接口（接口标准另行下发）。与全国会计人员管理系统的功能接口一般应包括：全国会计管理统一数据平台接口、会计从业资格考试数据接口（用于接收无纸化考试题库）、会计人员跨省调转接口、会计专业技术资格系统接口（含初、中、高及正高级专业技术资格接口）、会计人员奖惩诚信记录数据接口等。

（四）安全性原则。

省级会计人员管理系统在硬件上应采用必要的网络安全保护措施，保证系统安全运转；在数据存储、传递过程中应采用必要的数字加密技术，保证数据安全传输；在操作上应采用分层权限控制及完备的系统日志审核和数据备份机制，保证信息系统的机密性和完整性。

（五）时效性原则。

基础数据是会计人员管理系统实现功能的有效保证。省级会计人员管理系统建设中要充分考虑基础数据的时效性，切实保证基础数据全面及时传递、更新和维护，保证财政部与省级会计人员管理系统中的会计人员基础数据及时同步。

（六）统一性原则。

省级会计人员管理系统建设应当尽可能充分利用金财工程建设成果，做到经费有保障，技术有支持。在系统建设过程中，要充分利用现有资源，本着节约办事的原则，参考其他地区或部门较为成熟的系统建设经验，既可以采取自主开发方式，也可以通过政府采购等方式选择其他地区或部门已开发成熟的、较完善的系统。

建设省级会计人员管理系统，要求在数据层次与全国会计人员管理系统对接。财政部经整理形成了17张代码表，各省级系统建设应按照附表中的要求进行定义，以便能顺利实现系统间数据交换。

四、省级会计人员管理系统建设的总体要求

（一）提高认识，加强领导，精心安排，周密实施。

本次系统建设工作是一项涉及全国广大会计人员的政策性很强的工作。各级财政部门务必予以高度重视，切实加强组织领导，保证必要的资金和物质投入，严格按照财政部的统一部署，以服务广大会计人员为宗旨，组织精干力量，配备责任心强、熟悉会计管理的人员，投入到省级会计人员管理系统开发建设中。

（二）严格按照要求采集会计人员基础信息。

为保证全国会计人员信息管理系统基础数据采集的准确性和完整性，各省级会计管理机构在系统开发建设时，应严格按照《会计人员基本信息表》（见代码表一至十七）的数据标准提供基础数据。为方便管理，各省级会计管理机构可根据自身的实际情况在会计人员基本信息表的基础上进行一定的数据项扩充。已经建立省级会计人员管理系统的，应当采取多种行之有效的方法，在3年内逐步按照新要求采集和核实会计人员基础信息，建立会计人员纸质、电子档案。

（三）确保省级会计人员管理系统对全国系统适时对接，数据同步。

各省级会计管理机构应当于2010年12月31日前完成系统开发建设工作，实现省内联网，保证全国会计人员管理系统能够适时对接。全国会计人员管理系统建成运行中，各省级会计管理机构应当在每个工作日结束后，将会计人员信息数据库中的变动数据，同步至全国会计人员管理系统的主数据库中。

（四）省际间会计人员调转管理系统应当满足财政部调转平台的需求。

财政部负责建设全国会计人员跨省调转平台，实现省际间会计人员的调转。省级会计人员管理系统应当留有会计人员调转平台接口，同时按照财政部提供的会计人员调转信息标准，对本地区、本部门、本系统的系统进行调整改造，确保能按照接口标准导入导出会计人员调转信息。省内调转系统由各省级会计管理机构自行开发建设。

在执行过程中，如有疑问或建议，请及时反馈。

联系人：

会计司　胡兴国　010－68552544，huxingguo@ mof. gov. cn

　　　　万文翔　010－68553024，wanwenxiang@ mof. gov. cn

信息中心　关伟文　010－68553128，guanweiwen@ mof. gov. cn

　　　　王玉林　010－68553111，wangyulin@ mof. gov. cn

附件：代码表

附件：

代　码　表

附表一：基础信息

序号	字段含义	字段长度（位）	相关解释
1	会计从业资格证书档案号码	20（1－20）	标准长度14位，预留6位空格
2	姓名	30（21－50）	最多可容纳15个汉字
3	性别	3（51－53）	点击查看代码
4	出生日期	8（54－61）	YYYYMMDD
5	民族	3（62－64）	点击查看代码
6	所属国家或地区	3（65－67）	点击查看代码
7	有效身份证件类型	3（68－70）	点击查看代码
8	有效身份证件号码	20（71－90）	
9	从事会计工作时间	8（91－98）	YYYYMMDD
10	最高学历或学位	3（99－101）	点击查看代码
11	毕业院校	60（102－161）	最多可容纳30个汉字
12	毕业时间	8（162－169）	YYYYMMDD
13	所学专业	3（170－172）	点击查看代码
14	会计行政职务	3（173－175）	点击查看代码
15	专业技术资格类型	3（176－178）	点击查看代码
16	专业技术资格级别	3（179－181）	点击查看代码
17	专业技术资格取得方式	3（182－184）	点击查看代码
18	专业技术资格取得时间	8（185－192）	YYYYMMDD
19	专业技术资格证书号或批文号	20（193－212）	
20	会计专业技术职务	3（213－215）	点击查看代码

续表

序号	字段含义	字段长度（位）	相关解释
21	会计专业技术职务聘任时间	8（216－223）	YYYYMMDD
22	从业资格证发证机关	60（224－283）	最多可容纳30个汉字
24	从业资格证发证日期	8（284－291）	YYYYMMDD
25	从业资格证注册时间	8（292－299）	YYYYMMDD
26	珠算等级	3（300－302）	点击查看代码
27	珠算证号	20（303－322）	
28	工作单位全称	60（323－382）	最多可容纳30个汉字
29	工作单位电话	20（383－402）	
30	个人电话（手机）	20（403－422）	
31	电子邮箱	60（423－482）	
32	单位类型	3（483－485）	点击查看代码
33	从事会计工作岗位	3（486－488）	点击查看代码
34	是否在岗	3（489－491）	点击查看代码
35	所在地行政区划	16（492－507）	点击查看代码
36	调出时间	8（508－515）	YYYYMMDD
37	调入地行政区划	16（516－531）	与会计所属区划相同
38	调入时间	8（532－539）	YYYYMMDD

附表二：民族

民族
采用金财工程财政业务基础数据规范编码　国家标准GB/T 3304
此处略

附表三：证件类型

证件类型	
代码	名称
1	身份证
2	军人证
3	护照
9	其他

附表四：最高学历或学位

最高学历或学位	
代码	名称
1	初中及以下
2	高中
3	中专
4	大专
5	本科（学士）
6	双学位
7	研究生
8	硕士
9	博士

附表五：单位类型

单位类型	
代码	名称
1	行政单位
2	事业单位
3	上市公司
31	其中：国有控股
4	非上市公司（企业）
41	其中：国有企业
5	农村经济组织
6	民间非营利组织
99	其他组织

附表六：从事会计工作岗位

从事会计工作岗位	
代码	名称
01	总会计师、会计机构负责人（会计主管）
02	出纳
03	稽核
04	资本、基金核算
05	收入、支出、债权、债务核算
06	工资核算、成本费用核算、财务成果核算
07	财产物资的收发、增减核算
08	总账
09	财务会计报告编制
10	会计机构内档案管理

附表七：专业技术资格类型

专业技术资格类型	
代码	名称
1	会计类
2	经济类
3	审计类
4	统计类
5	其他类型
99	无

附表八：专业技术资格级别

专业技术资格级别	
代码	名称
1	初级
2	中级
3	高级
4	正高级
99	无

附表九：会计行政职务

会计行政职务	
代码	名称
1	一般会计人员
2	会计主管人员
3	会计机构负责人
4	总会计师
9	其他

附表十：专业技术资格取得方式

专业技术资格取得方式	
代码	名称
1	评审
2	考试
3	考评

附表十一：是否在岗

是否在岗	
代码	名称
0	否
1	是

附表十二：行政区划编码

行政区划编码
采用金财工程财政业务基础数据规范编码　国家标准（GB/T 2260）
此处略

附表十三：会计专业技术职务

会计专业技术职务	
代码	名称
1	会计员
2	助理会计师
3	会计师
4	高级会计师
5	正高级会计师
8	其他
9	无职务

附表十四：所属国家或地区

所属国家或地区	
代码	名称
1	中国（内地）
2	港、澳、台
3	外国

附表十五：珠算等级名称

珠算等级名称	
代码	名称
1	一级以上
2	普一
3	普二
4	普三
5	普四
6	普五
7	普六
9	无级别

附表十六：所学专业

所学专业	
代码	名称
01	会计学
02	会计电算化
03	注册会计师专门化
04	审计
05	财务管理
06	理财学
99	其他

附表十七：性别名称

性别名称
采用金财工程财政业务基础数据规范编码　国家标准 GB/T 2261.1
此处略

财政部关于执行会计准则的上市公司和非上市企业做好2009年年报工作的通知

2009年12月24日　财会〔2009〕16号

各省、自治区、直辖市、计划单列市财政厅（局），新疆生产建设兵团财务局，财政部驻各省、自治区、直辖市、计划单列市财政监察专员办事处：

2009年是上市公司执行会计准则的第三年，除上市公司外，全国已有35个省、自治区、直辖市、计划单列市（含新疆生产建设兵团）的非上市企业执行了会计准则，实施范围从上市公司扩大到非上市企业。为了促进我国各类企业更好地执行会计准则，切实做到会计指标真实可靠、口径可比，全面提升会计信息质量，充分发挥会计准则在企业可持续发展和市场经济运行中的作用，现就做好2009年年报工作通知如下：

一、各地财政部门应当高度重视、加强领导、统筹协调，认真做好本地区各类企业执行会计准则和2009年年报工作

（一）会计准则实施情况和年报工作是各地财政部门会计管理工作的重要组成部分。各省级财政部门应当会同财政监察专员办事处、其他监管部门、税务机关等，建立联合工作机制，统一协调和部署本地区执行会计准则和年报工作，制定工作方案，明确工作要求，确保相关工作落实到位。

（二）组织专家工作组，为做好此项工作提供专业支持。专家工作组应当吸收和聘任有关方面的专家组成，包括：会计中介机构、相关企业和院校等。专家工作组应当认真学习本通知和证监会、国资委等有关部门对上市公司和非上市企业2009年年报工作的相关要求，全面掌握企业会计准则及其解释第1号、第2号、第3号和《企业会计准则讲解（2008）》新旧变化，熟悉《企业内部控制基本规范》等相关的内容；采用跟踪分析、调查研究和现场检查等方式，了解本地区上市公司和非上市企业执行会计准则情况；分析解决本地区会计准则执行和年报编制工作中的问题，促进会计准则在本地区各类企业有效实施。

（三）各省级财政部门在做好上述相关工作的基础上，应当参照财政部会计司上市公司年度分析报告的形式，完成本地区上市公司2009年年报分析报告，同时形成非上市企业执行会计准则情况的工作总结，

于2010年5月31日前报送财政部会计司。

二、各地财政部门做好对本地区各类企业执行会计准则和2009年年报工作重点关注的问题

（一）应当做好首次执行企业会计准则的新旧衔接。从2009年1月1日起开始执行会计准则的企业，应当根据《企业会计准则第38号——首次执行企业会计准则》及相关规定，编制《新旧会计准则股东权益差异调节表》，做好首次执行日的新旧衔接转换工作，并按照会计准则规定对2009年发生的交易或事项进行确认、计量和编制年报。

（二）会计政策和会计估计应当如实反映企业的交易或事项。企业应当保持会计政策和会计估计的统一性和前后一致，不得滥用会计政策或随意变更会计估计。

（三）职业判断是企业执行会计准则的关键环节。企业需要作出职业判断的交易或事项（包括：收入确认、资产减值、递延所得税、预计负债、债务重组、企业合并、公允价值计量、权益性交易等），直接影响财务状况和经营成果，应当关注判断的结果是否符合会计准则规定。

（四）公允价值计量是会计准则实施中的难点。各类企业应当根据《企业会计准则——基本准则》第四十三条的规定，对会计要素一般采用历史成本计量；采用重置成本、可变现净值、现值、公允价值计量的，应当保证所确定的会计要素金额能够取得并可靠计量。投资性房地产无法持续可靠取得公允价值的，应当采用成本模式；采用公允价值模式的，应当在附注中详细披露公允价值确定的依据和方法以及公允价值变动对损益的影响。

采用估值技术确定公允价值的（包括：企业合并、股权激励、金融工具等），应当充分考虑可观察到的市场数据和交易的实质，并在附注中充分披露所使用的假设、金融工具在汇率、利率等方面的市场风险、信用风险和相关的企业经营风险。

（五）企业合并应当关注是否构成业务。业务是指企业内部某些生产经营活动或资产、负债的组合，该组合具有投入、加工处理过程和产出能力，能够独立计算其成本费用或所产生的收入等，可以为投资者等提供股利、更低的成本或其他经济利益等形式的回报。有关资产或资产、负债的组合具备了投入和加工处理过程两个要素即可认为构成一项业务。

企业合并应当按照《企业会计准则第20号——企业合并》和《关于非上市公司购买上市公司股权实现间接上市会计处理的复函》（财会便〔2009〕17号）进行处理。企业合并如产生巨额商誉，应当予以重点关注。

（六）同一交易或事项在A股和H股的财务报告中，应当采用相同的会计政策和会计估计，不得在A股和H股财务报告中采用不同的会计处理。

内地与香港会计准则已经实现趋同等效（长期资产减值转回除外），同时发行A股和H股公司的财务报告不应当存在差异。在实际执行中，内地与香港处理不一致的（如企业改制资产评估等），应当制定相应措施逐步消除，2009年年报中仍未消除的，应当在附注中说明原因。

同时发行A股和H股的保险公司，应当按照《财政部关于印发〈保险合同相关会计处理规定〉的通知》（财会〔2009〕15号）的规定，消除保险混合合同和保险合同准备金等产生的差异。

（七）企业应当按照《企业会计准则第29号——资产负债表日后事项》的规定，正确区分资产负债表日后调整事项和非调整事项。在确定存货可变现净值时，应当以资产负债表日取得最可靠的证据估计的售价为基础并考虑持有存货的目的，资产负债表日至财务报告批准报出日之间存货售价发生波动的，如有确凿证据表明其对资产负债表日存货已经存在的情况提供了新的或进一步的证据，应当作为调整事项进行处理；否则，应当作为非调整事项。

（八）企业处置对子公司的投资，处置价款与处置投资对应的账面价值的差额，在母公司个别财务报表中应当确认为当期投资收益；处置价款与处置投资对应的享有该子公司净资产份额的差额，在合并财务

报表中应当确认为当期投资收益，如果处置对子公司的投资未丧失控制权的，应当按照《关于不丧失控制权情况下处置部分对子公司投资会计处理的复函》（财会便〔2009〕14号）规定，将此项差额计入资本公积（资本溢价），资本溢价不足冲减的，应当调整留存收益。

（九）企业发生的辞退福利应当按照《企业会计准则第9号——职工薪酬》相关规定处理。辞退工作在1年内完成但付款时间超过1年的，应当选择同期限国债利率作为折现率，以折现后的金额计入当期损益和应付职工薪酬（辞退福利）；不存在与辞退福利支付期相匹配国债利率的，应当以短于辞退福利支付期限的国债利率为基础，并根据国债收益率曲线采用外推法估计超出期限部分的利率，合理确定折现率。

（十）企业应当按照企业会计准则及其解释第3号的规定，编制2009年利润表。所有者权益变动表中删除“三、本年增减变动金额（减少以‘-’号填列）”项下的“（二）直接计入所有者权益的利得和损失”项目及所有明细项目；增加“（二）其他综合收益”项目，反映企业当期发生的其他综合收益的增减变动情况。其他综合收益各项目，应当在附注中按以下格式和内容披露：

项　　目	本期发生额	上期发生额
1. 可供出售金融资产产生的利得（损失）金额		
减：可供出售金融资产产生的所得税影响		
前期计入其他综合收益当期转入损益的净额		
小　计		
2. 按照权益法核算的在被投资单位其他综合收益中所享有的份额		
减：按照权益法核算的在被投资单位其他综合收益中所享有的份额产生的所得税影响		
前期计入其他综合收益当期转入损益的净额		
小　计		
3. 现金流量套期工具产生的利得（或损失）金额		
减：现金流量套期工具产生的所得税影响		
前期计入其他综合收益当期转入损益的净额		
转为被套期项目初始确认金额的调整额		
小　计		
4. 外币财务报表折算差额		
减：处置境外经营当期转入损益的净额		
小　计		
5. 其他		
减：由其他计入其他综合收益产生的所得税影响		
前期其他计入其他综合收益当期转入损益的净额		
小　计		
合　计		

（十一）企业对于上述交易或事项的处理与本通知要求不一致的，应当按照《企业会计准则第28号——会计政策、会计估计变更和差错更正》处理。

三、各地财政部门等有关方面应当关注和重视本地区各类企业的内部控制建设与实施工作

（一）财政部、证监会、审计署、银监会和保监会等五部委联合发布的《企业内部控制基本规范》（下称《基本规范》），规定了内部控制目标、原则和要素等内容，要求董事会或类似机构对企业建立健全和有效实施内部控制负责。贯彻落实《基本规范》的各项要求，有助于全面提升企业经营管理水平和风险防范能力。

（二）上市公司和非上市企业应当按照《基本规范》的要求，梳理业务流程，完善管理制度，开展内部控制评价。有条件的企业，可以聘请证券资格会计师事务所，在做好年报审计工作的同时，开展内部控制审计工作并出具审计意见。会计师事务所不得同时为同一公司提供内部控制审计和内部控制咨询服务。

（三）企业在生产经营过程中如有重大风险，应当在附注中单独披露。

四、会计师事务所及注册会计师应当认真做好各类企业2009年年报审计工作

（一）认真学习和领会本通知和会计准则相关规定，切实贯彻风险导向审计理念，密切关注国际金融危机和我国当前经济形势可能对企业造成的影响，谨慎确定重大会计风险领域。严格按照执业准则的规定，实施重要财务报表认定层次的实质性审计，充分履行函证、监盘、减值测试、分析性复核等程序，获取足够的审计证据，保证执业质量，防范执业风险，独立、客观、公正地对年报整体发表审计意见。

（二）涉及整合的会计师事务所，应当保证年报审计的顺利过渡和有序承接，不得由于整合而影响年报审计工作质量。会计师事务所要做好资源的优化配置，在执业标准、人事、财务、业务和信息技术等方面实施一体化管理，稳步提高执业水平。

（三）会计师事务所应当按照财政会计行业管理系统的业务报备要求，指定专门人员做好2009年年报审计业务报备工作。

五、各地财政监察专员办事处和财政部门应当加强对各类企业2009年年报的监督检查

（一）各地财政监察专员办事处和各省级财政部门要强化和完善会计师事务所执业质量检查与企业会计信息质量检查有机结合的监督模式，充分利用财政会计行业管理系统，创新会计监督方式和手段，坚持把监督执行会计准则作为重要工作。在开展2010年会计监督工作时，应将各类企业执行会计准则作为监督检查的重点。

（二）各地财政监察专员办事处应当根据《财政部关于进一步做好证券资格会计师事务所行政监督工作的通知》（财监〔2009〕6号）的要求，结合对证券资格会计师事务所的监管，重点关注中央企业、上市公司和金融企业执行会计准则情况，进一步强化证券资格会计师事务所2009年年报审计的监督检查力度。

（三）各地财政部门应当将地方大中型企业执行会计准则情况作为2010年会计信息质量检查的重点，确保会计准则在地方大中型企业得到有效实施。

（四）各地财政监察专员办事处和财政部门应当高度重视、精心组织，加大监督检查力度，严厉查处具有典型性的违规案件。

各省级财政部门、各地财政监察专员办事处应当将本通知精神传达至本地区执行会计准则的各类企业和相关会计师事务所。执行会计准则的各类企业和相关会计师事务所在2009年年报编制和审计过程中遇到重大问题，应当及时向财政部会计司反馈。

财政部办公厅关于认真贯彻实施
会计从业资格考试大纲（修订）的通知

2009年12月18日　财办会〔2009〕13号

中共中央直属机关事务管理局，铁道部财务司、国务院机关事务管理局财务司，解放军总后勤部财务部综合

计划局、武警总部财务部，各省、自治区、直辖市、计划单列市财政厅（局），新疆生产建设兵团财务局：

2009 年 10 月 26 日，财政部印发了《会计从业资格考试大纲（修订）》（财办会〔2009〕10 号）（以下简称《考试大纲》），自 2010 年 1 月 1 日起施行。《考试大纲》印发后，一些省市区来电来函希望就贯彻实施《考试大纲》中的一些问题予以明确。经研究，现就有关问题通知如下：

一、认真贯彻实施新发布的《考试大纲》

根据《会计法》和《会计从业资格管理办法》（财政部令第 26 号）等有关规定，实行会计从业资格考试制度是我国会计职业准入制度的重要组成部分，参加会计从业资格考试且成绩合格是取得会计从业资格证书、从事会计工作的必备条件。随着会计改革的不断深化、会计从业人员知识更新的需要，以及会计核算技术和会计管理手段的提升，需要对会计从业资格考试大纲进行修订和完善。

新发布的《考试大纲》突出了会计从业人员必备的知识结构，力争做到与会计专业技术资格考试科目的有效衔接，层级明晰、结构科学，重点突出、难度适中。认真贯彻实施新发布的《考试大纲》，有利于各地推广会计从业资格无纸化考试，选拔合格的会计从业人员，保证会计从业质量。

二、切实做好新旧《考试大纲》的衔接工作

会计从业资格考试是国家级考试，应当统一考试政策和标准。从明年 1 月 1 日起，各地区、各部门开始组织会计从业资格考试报名、命题和考试的，应当以新发布的《考试大纲》作为考试范围和命题依据。

考虑到一些地区在新《考试大纲》发布前已组织本地区 2010 年度会计从业资格考试报名工作，并向社会和广大考生公布了依据原考试大纲的考试范围，经研究，这些地区可以在 2010 年度执行原《考试大纲》；对于新《考试大纲》发布后组织会计从业资格考试报名工作的，应当严格执行新发布的《考试大纲》。

三、以贯彻《考试大纲》为契机，加快推进和完善会计从业资格无纸化考试工作

各地区、各部门应当以贯彻实施新发布的《考试大纲》为契机，抓住机遇，按照《财政部关于推进会计从业资格无纸化考试的指导意见》（财会〔2008〕16 号）和我部对各省级会计人员管理系统建设的要求，统筹规划、科学组织，积极推动和完善本区域会计从业资格无纸化考试工作，特别是尽快开发和完善适应本区域需要的会计从业资格无纸化考试系统。在保证系统安全性、可靠性的前提下，努力确保会计从业资格无纸化考试系统的早日建成和平稳运行。

为配合各地开展会计从业资格无纸化考试工作，统一标准，保证质量，我们委托中国会计学会组织有关专家，严格按照《考试大纲》，编写了《财经法规与会计职业道德》、《会计基础》、《初级会计电算化》和《全国会计从业资格考试参考法规汇编》等辅导教材，由经济科学出版社出版发行。同时，以《考试大纲》和中国会计学会组织编写的辅导教材为依据，开发建设一套高质量的会计从业资格无纸化考试题库，力争在 2010 年上半年完成，供已开展会计从业资格无纸化考试的地区使用。

新发布的《考试大纲》是完善会计从业资格考试，加强会计人员管理的一项重要改革。各地财政部门应当加强领导，提高认识，精心组织，扩大宣传，确保新发布的《会计大纲》得到全面有效的贯彻。实施中有何问题，请及时反馈财政部会计司会计人员管理处。

联系人：胡兴国　万文翔

联系电话：010 - 68552544（带传真）　68553024

省财政厅转发《财政部关于印发企业会计准则解释第3号的通知》的通知

2009年6月30日　鲁财会〔2009〕20号

各市财政局，省直各部门，各省属企业，驻济各高等院校：

现将《财政部关于印发企业会计准则解释第3号的通知》（财会〔2009〕8号）转发给你们，请遵照执行。

附件：财政部关于印发企业会计准则解释第3号的通知

附件：

财政部关于印发企业会计准则解释第3号的通知

2009年6月11日　财会〔2009〕8号

国务院有关部委、有关直属机构，各省、自治区、直辖市、计划单列市财政厅（局），新疆生产建设兵团财务局，有关中央管理企业：

为了深入贯彻企业会计准则，解决执行中出现的问题，同时考虑会计准则持续趋同和等效情况，我部制定了《企业会计准则解释第3号》，现予印发。本解释中除特别注明应予追溯调整的以外，其他问题自2009年1月1日起施行。

附件：企业会计准则解释第3号

附件：

企业会计准则解释第3号

一、采用成本法核算的长期股权投资，投资企业取得被投资单位宣告发放的现金股利或利润，应当如何进行会计处理？

答：采用成本法核算的长期股权投资，除取得投资时实际支付的价款或对价中包含的已宣告但尚未发放的现金股利或利润外，投资企业应当按照享有被投资单位宣告发放的现金股利或利润确认投资收益，不再划分是否属于投资前和投资后被投资单位实现的净利润。

企业按照上述规定确认自被投资单位应分得的现金股利或利润后，应当考虑长期股权投资是否发生减值。在判断该类长期股权投资是否存在减值迹象时，应当关注长期股权投资的账面价值是否大于享有被投资单位净资产（包括相关商誉）账面价值的份额等类似情况。出现类似情况时，企业应当按照《企业会计准则第8号——资产减值》对长期股权投资进行减值测试，可收回金额低于长期股权投资账面价值的，应当计提减值准备。

二、企业持有上市公司限售股权，对上市公司不具有控制、共同控制或重大影响的，应当如何进行会计处理？

答：企业持有上市公司限售股权（不包括股权分置改革中持有的限售股权），对上市公司不具有控制、共同控制或重大影响的，应当按照《企业会计准则第 22 号——金融工具确认和计量》的规定，将该限售股权划分为可供出售金融资产或以公允价值计量且其变动计入当期损益的金融资产。

企业在确定上市公司限售股权公允价值时，应当按照《企业会计准则第 22 号——金融工具确认和计量》有关公允价值确定的规定执行，不得改变企业会计准则规定的公允价值确定原则和方法。

本解释发布前未按上述规定确定所持有限售股权公允价值的，应当按照《企业会计准则第28 号——会计政策、会计估计变更和差错更正》进行处理。

三、高危行业企业提取的安全生产费，应当如何进行会计处理？

答：高危行业企业按照国家规定提取的安全生产费，应当计入相关产品的成本或当期损益，同时记入“4301 专项储备”科目。

企业使用提取的安全生产费时，属于费用性支出的，直接冲减专项储备。企业使用提取的安全生产费形成固定资产的，应当通过“在建工程”科目归集所发生的支出，待安全项目完工达到预定可使用状态时确认为固定资产；同时，按照形成固定资产的成本冲减专项储备，并确认相同金额的累计折旧。该固定资产在以后期间不再计提折旧。

“专项储备”科目期末余额在资产负债表所有者权益项下“减：库存股”和“盈余公积”之间增设“专项储备”项目反映。

企业提取的维简费和其他具有类似性质的费用，比照上述规定处理。

本解释发布前未按上述规定处理的，应当进行追溯调整。

四、企业收到政府给予的搬迁补偿款应当如何进行会计处理？

答：企业因城镇整体规划、库区建设、棚户区改造、沉陷区治理等公共利益进行搬迁，收到政府从财政预算直接拨付的搬迁补偿款，应作为专项应付款处理。其中，属于对企业在搬迁和重建过程中发生的固定资产和无形资产损失、有关费用性支出、停工损失及搬迁后拟新建资产进行补偿的，应自专项应付款转入递延收益，并按照《企业会计准则第 16 号——政府补助》进行会计处理。企业取得的搬迁补偿款扣除转入递延收益的金额后如有结余的，应当作为资本公积处理。

企业收到除上述之外的搬迁补偿款，应当按照《企业会计准则第 4 号——固定资产》、《企业会计准则第 16 号——政府补助》等会计准则进行处理。

五、在股份支付的确认和计量中，应当如何正确运用可行权条件和非可行权条件？

答：企业根据国家有关规定实行股权激励的，股份支付协议中确定的相关条件，不得随意变更。其中，可行权条件是指能够确定企业是否得到职工或其他方提供的服务、且该服务使职工或其他方具有获取股份支付协议规定的权益工具或现金等权利的条件；反之，为非可行权条件。可行权条件包括服务期限条件或业绩条件。服务期限条件是指职工或其他方完成规定服务期限才可行权的条件。业绩条件是指职工或其他方完成规定服务期限且企业已经达到特定业绩目标才可行权的条件，具体包括市场条件和非市场条件。

企业在确定权益工具授予日的公允价值时，应当考虑股份支付协议规定的可行权条件中的市场条件和非可行权条件的影响。股份支付存在非可行权条件的，只要职工或其他方满足了所有可行权条件中的非市场条件（如服务期限等），企业应当确认已得到服务相对应的成本费用。

在等待期内如果取消了授予的权益工具，企业应当对取消所授予的权益性工具作为加速行权处理，将剩余等待期内应确认的金额立即计入当期损益，同时确认资本公积。职工或其他方能够选择满足非可行权条件但在等待期内未满足的，企业应当将其作为授予权益工具的取消处理。

六、企业自行建造或通过分包商建造房地产，应当遵循哪项会计准则确认与房地产建造协议相关的收入？

答：企业自行建造或通过分包商建造房地产，应当根据房地产建造协议条款和实际情况，判断确认收入应适用的会计准则。

房地产购买方在建造工程开始前能够规定房地产设计的主要结构要素，或者能够在建造过程中决定主要结构变动的，房地产建造协议符合建造合同定义，企业应当遵循《企业会计准则第 15 号——建造合同》确认收入。

房地产购买方影响房地产设计的能力有限（如仅能对基本设计方案做微小变动）的，企业应当遵循《企业会计准则第 14 号——收入》中有关商品销售收入的原则确认收入。

七、利润表应当作哪些调整？

答：（一）企业应当在利润表"每股收益"项下增列"其他综合收益"项目和"综合收益总额"项目。"其他综合收益"项目，反映企业根据企业会计准则规定未在损益中确认的各项利得和损失扣除所得税影响后的净额。"综合收益总额"项目，反映企业净利润与其他综合收益的合计金额。"其他综合收益"和"综合收益总额"项目的序号在原有基础上顺延。

（二）企业应当在附注中详细披露其他综合收益各项目及其所得税影响，以及原计入其他综合收益、当期转入损益的金额等信息。

（三）企业合并利润表也应按照上述规定进行调整。在"综合收益总额"项目下单独列示"归属于母公司所有者的综合收益总额"项目和"归属于少数股东的综合收益总额"项目。

（四）企业提供前期比较信息时，比较利润表应当按照《企业会计准则第 30 号——财务报表列报》第八条的规定处理。

八、企业应当如何改进报告分部信息？

答：企业应当以内部组织结构、管理要求、内部报告制度为依据确定经营分部，以经营分部为基础确定报告分部，并按下列规定披露分部信息。原有关确定地区分部和业务分部以及按照主要报告形式、次要报告形式披露分部信息的规定不再执行。

（一）经营分部，是指企业内同时满足下列条件的组成部分：

1. 该组成部分能够在日常活动中产生收入、发生费用；

2. 企业管理层能够定期评价该组成部分的经营成果，以决定向其配置资源、评价其业绩；

3. 企业能够取得该组成部分的财务状况、经营成果和现金流量等有关会计信息。

企业存在相似经济特征的两个或多个经营分部，同时满足《企业会计准则第 35 号——分部报告》第五条相关规定的，可以合并为一个经营分部。

（二）企业以经营分部为基础确定报告分部时，应当满足《企业会计准则第 35 号——分部报告》第八条规定的三个条件之一。未满足规定条件，但企业认为披露该经营分部信息对财务报告使用者有用的，也可将其确定为报告分部。

报告分部的数量通常不应超过 10 个。报告分部的数量超过 10 个需要合并的，应当以经营分部的合并条件为基础，对相关的报告分部予以合并。

（三）企业报告分部确定后，应当披露下列信息：

1. 确定报告分部考虑的因素、报告分部的产品和劳务的类型；

2. 每一报告分部的利润（亏损）总额相关信息，包括利润（亏损）总额组成项目及计量的相关会计政策信息；

3. 每一报告分部的资产总额、负债总额相关信息，包括资产总额组成项目的信息，以及有关资产、负债计量的相关会计政策。

（四）除上述已经作为报告分部信息组成部分披露的外，企业还应当披露下列信息：

1. 每一产品和劳务或每一类似产品和劳务组合的对外交易收入；

2. 企业取得的来自于本国的对外交易收入总额以及位于本国的非流动资产（不包括金融资产、独立账户资产、递延所得税资产，下同）总额，企业从其他国家取得的对外交易收入总额以及位于其他国家的非流动资产总额；

3. 企业对主要客户的依赖程度。

省财政厅转发《财政部关于印发工会会计制度　工会新旧会计制度有关衔接问题的处理规定的通知》的通知

2009年6月22日　鲁财会〔2009〕29号

山东省总工会，各市财政局：

现将《财政部关于印发工会会计制度　工会新旧会计制度有关衔接问题的处理规定的通知》（财会〔2009〕7号）转发给你们，请遵照执行。

附件：财政部关于印发工会会计制度　工会新旧会计制度有关衔接问题的处理规定的通知

附件：

财政部关于印发工会会计制度　工会新旧会计制度有关衔接问题的处理规定的通知

2009年5月31日　财会〔2009〕7号

中华全国总工会，各省、自治区、直辖市、计划单列市财政厅（局），新疆生产建设兵团财务局：

为了适应工会经费拨缴方式、业务活动内容等方面的变化，进一步规范工会的会计核算，提高会计信息质量，根据《中华人民共和国会计法》、《中华人民共和国工会法》等国家有关法律、行政法规，我部对中华全国总工会1998年颁布的《工会会计制度》进行了全面修订，制定了新版《工会会计制度》，并相应制定了《工会新旧会计制度有关衔接问题的处理规定》，现印发给你们，于2010年1月1日起执行。执行中有何问题，请及时反馈我部。

附件：1. 工会会计制度

2. 工会新旧会计制度有关衔接问题的处理规定

附件1：

工会会计制度

第一章　总　　则

第一条　为了规范工会会计行为，保证会计信息质量，根据《中华人民共和国会计法》、《中华人民共和国工会法》等有关规定，制定本制度。

第二条　本制度适用于各级工会组织。

第三条　工会会计是各级工会核算、反映、监督工会预算执行和经济活动的专业会计。工会依法建立独立的会计核算管理体系，与工会预算管理体制相适应。

第四条　县级以上（含县级，下同）工会应当设置会计机构，配备专职会计人员。县级以下工会应当根据会计业务的需要设置会计机构或者在有关机构中设置专职会计人员；不具备设置条件的基层工会，应当委托经批准设立从事会计代理记账业务的中介机构代理记账或者聘请兼职会计。

第五条　各级工会应当建立健全内部控制体系，完善岗位责任制度和内部稽核制度。县级以上工会应当组织指导和检查下级工会会计工作，负责制定有关实施细则或补充规定；组织工会会计人员培训，不断提高政策、业务水平。

第六条　工会应当对其自身发生的经济业务进行会计处理和报告。

第七条　工会会计应当以工会的持续运行为前提。

第八条　工会应当划分会计期间，分期结算账目和编制会计报表。会计期间分为年度和中期，中期是指短于一个完整的会计年度的报告期间（如半年度、季度和月度）。

第九条　工会会计应当以货币计量，以人民币作为记账本位币。

第十条　工会会计以收付实现制为基础，以权责发生制为补充。

第十一条　工会会计要素包括：资产、负债、净资产、收入和支出。其平衡公式为：资产＝负债＋净资产。

第十二条　会计应当采用借贷记账法记账。

第十三条　会计记录的文字应当使用中文。在民族自治地方，会计记录可以同时使用当地通用的一种民族文字。

第二章　一般原则

第十四条　工会提供的会计信息应当符合工会宏观管理的要求，满足会计信息使用者的需要，满足本级工会加强财务管理的需要。

第十五条　工会会计应当以实际发生的经济业务为依据，如实反映工会财务状况、各项收支情况及结果，保证会计信息真实可靠、内容完整。

第十六条　工会提供的会计信息应当清晰明了，便于理解和使用。

第十七条　工会会计应当按照规定的会计处理方法进行，前后各期一致，不得随意变更，以确保会计信息口径一致，相互可比。

第十八条　工会会计应当遵循重要性原则。对于重要的经济业务，应当单独反映。

第十九条　工会应当及时进行会计处理和报告，不得提前或延后。

第二十条　资产在取得时应当按照实际成本计量。除另有规定外，一律不得自行调整账面价值。

第二十一条　凡是指定用途的资金，应按规定的用途专款专用，并单独反映。

第三章　资　产

第二十二条　资产是工会拥有或控制的能以货币计量的经济资源。包括流动资产、投资和固定资产等。

第二十三条　流动资产是指预计在一年内（含一年）变现或者耗用的资产。主要包括货币资金、借出款、应收款项、库存物品等。

（一）货币资金包括库存现金、银行存款等。

货币资金应当按照实际发生额入账。工会应当设置库存现金和银行存款日记账，按照业务发生顺序逐日逐笔登记。库存现金的核算应当做到日清月结，其账面余额必须与库存数相符；银行存款的账面余额应当与银行对账单定期核对，如有不符，应编制银行存款余额调节表调节相符。

工会发生外币业务时，应当将有关外币金额折算成人民币金额记账。

（二）借出款是工会因开展工作或发展工运事业的需要而出借给其他工会或工会所属单位的款项。

工会应当对借出款严格管理，借出每笔款项时均需与借款单位签订书面文件，署明用途和还款期限，还款期限通常不应超过三年；对于逾期未还款的借出款，需在年度会计报表附注中说明原因。逾期三年以上、因借款单位原因尚未收回的借出款，报经批准认定确实无法收回或者报经批准认定不再要求借款单位还款的，应及时予以核销。

（三）应收款项包括应收上级经费、应收下级经费、其他应收款等。

应收上级经费是工会应收未收的上级工会应拨付（或划转）工会经费和补助。应收下级经费是本级工会应收下级工会的上缴经费。其他应收款是工会除应收上下级经费以外的其他应收及暂付款项。

应收款项应当按照实际发生额入账。期末，工会应当分析各项应收款项的可收回性，对于确实不能收回的应收款项应报经批准认定后及时予以核销。

（四）库存物品指工会取得的将在日常活动中耗用的材料、物品及达不到固定资产标准的工具、器具等。

库存物品在取得时应当按照其实际成本入账。购入、有偿调入的库存物品以实际支付的价款记账。无偿调拨、接受捐赠的库存物品以其公允价值或者有关凭据注明的金额（加上相关费用）记账。

库存物品在发出（领用或出售等）时，应当根据实际情况在先进先出法、加权平均法、个别计价法中选择一种方法确定发出库存物品的实际成本，一经选定，不得随意变更。

工会应当定期对库存物品进行清查盘点，每年至少全面盘点一次。对于盘盈、盘亏或报废、毁损的库存物品，应当及时查明原因，报经批准认定后及时进行处理。盘盈的库存物品按照其公允价值入账，并计入当期收入；盘亏的库存物品，将其账面余额计入当期支出。报废、毁损的库存物品，先扣除残料价值、可以收回的保险赔偿和责任人赔偿等，将净损失计入当期支出。

第二十四条 投资是指工会按照国家有关法律、行政法规和工会的相关规定，以货币资金、实物资产等方式向其他单位的投资。投资按其流动性分为短期投资和长期投资；按其性质分为股权投资、债权投资等。

（一）投资在取得时应当按照其实际成本入账。以货币资金方式对外投资，以实际支付的款项记账。以实物资产方式对外投资，以评估确认或合同、协议确定的价值记账。

（二）投资期内取得的利息、利润、红利等各项投资收益，应当计入当期收入。

（三）处置（出售）投资时，实际取得价款与投资账面余额的差额，应当计入当期投资收益。

对于因被投资单位破产、被撤销、注销、吊销营业执照或者被政府责令关闭等情况造成难以收回的未处置不良投资，报经批准认定后应当及时核销。

第二十五条 固定资产是指工会使用年限在一年以上，单位价值在规定标准以上，并在使用过程中基本保持原来物质形态的资产。包括房屋及建筑物、专用设备、一般设备、文物和陈列品、图书、其他固定资产。

（一）一般设备单位价值在500元以上，专用设备单位价值在800元以上，为固定资产。单位价值虽未达到规定标准，但是使用时间在一年以上的大批同类物资，按固定资产管理。

（二）固定资产在取得时应当按照其实际成本入账。

购入、有偿调入的固定资产，以实际支付的买价、运输费、保险费、安装费、装卸费及相关税费等记账。

自行建造的固定资产，以建造过程中实际发生的全部必要支出记账。

无偿调入、接受捐赠的固定资产，以其公允价值或者有关凭据注明的金额（加上相关费用）记账。

对固定资产进行改建、扩建，其净增值部分，应当计入固定资产价值。固定资产修理费用直接计入当期支出。

（三）处置（出售）固定资产时，冲减其账面余额并相应减少固定基金，处置中取得的变价收入扣除处置费用后的净收入（或损失）计入当期收入（或支出）。

（四）工会应当定期对固定资产进行清查盘点，每年至少全面盘点一次。对于盘盈、盘亏或报废、毁损的固定资产，应当及时查明原因，报经批准认定后及时进行处理。盘盈的固定资产按照其公允价值入账，并相应增加固定基金；盘亏的固定资产，冲减其账面余额并相应减少固定基金。报废、毁损的固定资产，冲减其账面余额并相应减少固定基金，清理中取得的变价收入扣除清理费用后的净收入（或损失）计入当期收入（或支出）。

第四章 负 债

第二十六条 负债是指工会承担的能以货币计量，需以资产偿付的债务。包括借入款、应付个人收入、应付款项等。

第二十七条 借入款指工会借入的款项。

第二十八条 应付个人收入包括应付工资（离退休费）、应付地方（部门）津贴补贴、应付其他个人收入。

（一）应付工资（离退休费）指应付未付给本单位职工的工资及离退休费。其中，工资指按国家统一规定发放给在职人员的职务工资、级别工资、年终一次性奖金以及经国务院或人事部、财政部批准设立的津贴补贴等。离退休费指按国家统一规定发放给离退休人员的离休、退休费及经国务院或人事部、财政部批准设立的津贴补贴。

（二）应付地方（部门）津贴补贴指应付未付给本单位职工的地方（部门）津贴补贴。其中，地方（部门）津贴补贴指各地区各部门各单位出台的津贴补贴。

（三）应付其他个人收入指应付未付给本单位职工的其他个人收入。其中，其他个人收入指按国家规定发给个人除上述以外的其他收入，包括午餐费、夜餐费，出差人员伙食补助费、市内交通费、出国人员伙食费、公杂费、个人国外零用费，发放给个人的一次性奖励等。

第二十九条 应付款项包括应付上级经费、应付下级经费、其他应付款。

（一）应付上级经费指本级工会按规定应上缴的工会经费及建会筹备金。

（二）应付下级经费指本级工会应付下级工会的各项补助以及应转拨下级工会的工会经费和建会筹备金。

（三）其他应付款指除应付上下级经费之外的其他应付及暂存款项。

第三十条 各项负债应当按照实际发生额入账。

第五章 净 资 产

第三十一条 净资产是指工会的资产减去负债后的余额。包括固定基金、在建工程占用资金、投资基金、专用基金、后备金、结余。

第三十二条 固定基金指工会固定资产占用的基金。固定基金应当按照实际发生额入账。

在建工程占用资金指工会在建工程完工前累计占用的资金。在建工程占用资金应当按照实际发生额记账，待工程完工后转入固定基金。

第三十三条 投资基金指工会对外投资占用的基金。投资基金应当按照实际发生数额入账。

第三十四条 专用基金指工会按规定依法提取和使用的有专门用途的基金。包括增收留成基金、财务专用基金、工会干部权益保障金。

提取专用基金时，按照实际提取金额计入当期支出；使用专用基金时，按照实际支出金额冲减专用基金余额；专用基金未使用的余额，可滚存下一年度使用。

第三十五条 后备金指县级以上工会按规定依法提取的特殊情况下使用的储备金。

提取后备金时，按照实际提取金额冲减结余；使用后备金时，按照实际支出金额冲减后备金余额；后备金未使用的余额，可滚存下一年度使用。

第三十六条 结余指工会各项收入与支出相抵后滚存的累计余额。

第六章 收 入

第三十七条 收入是指工会根据《工会法》以及有关政策规定开展业务活动所取得的非偿还性资金。收入按照来源分为会费收入、拨缴经费收入、上级补助收入、政府补助收入、行政补助收入、事业收入、投资收益、其他收入。

（一）会费收入指工会会员依照规定向工会组织缴纳的会费。

（二）拨缴经费收入指基层单位行政拨缴、下级工会按规定上缴及上级工会按规定转拨的工会经费中归属于本级工会的经费及建会筹备金。

（三）上级补助收入指本级工会收到的上级工会补助的款项。包括回拨补助、专项补助、超收补助、帮扶补助、送温暖补助、救灾补助、其他补助。

（四）政府补助收入指各级人民政府按照《工会法》和国家的有关规定给予工会的补助款项。

（五）行政补助收入指工会取得的所在单位行政方面按照《工会法》和国家的有关规定给予工会的补助款项。

（六）事业收入指独立核算的工会附属事业单位上缴的收入和非独立核算的附属事业单位的各项事业收入。

（七）投资收益指工会对外投资发生的损益。

（八）其他收入指工会除会费收入、拨缴经费收入、上级补助收入、政府补助收入、行政补助收入、事业收入、投资收益之外的各项收入。

第三十八条 各项收入应当按照实际发生额入账。

第七章 支 出

第三十九条 支出是指工会为开展各项工作和活动所发生的各项资金耗费及损失。支出按照功能分为职工活动支出、维权支出、业务支出、行政支出、资本性支出、补助下级支出、事业支出、其他支出。

（一）职工活动支出指工会为会员及其他职工开展教育、文体、宣传等活动发生的支出。

（二）维权支出指工会直接用于维护职工权益的支出。

（三）业务支出指工会培训工会干部、加强自身建设及开展业务工作发生的各项支出。

（四）行政支出指工会为行政管理、后勤保障等发生的各项日常支出。

（五）资本性支出指工会从事建设工程、设备工具购置、大型修缮和信息网络购建而发生的实际支出。

（六）补助下级支出指工会为解决下级工会经费不足或根据有关规定给予下级工会的各类补助款项。

（七）事业支出指工会对独立核算的附属事业单位的补助和非独立核算的附属事业单位的各项支出。

（八）其他支出指各级工会除职工活动支出、维权支出、业务支出、行政支出、资本性支出、补助下级支出、事业支出以外的各项支出。

第四十条 各项支出应当按照实际发生额入账。

第八章 会计报表

第四十一条 工会会计报表是反映各级工会财务状况、业务活动和预算执行结果的书面文件。工会会计报表是各级工会领导、上级工会及其他会计报表使用者了解情况，掌握政策，指导工作的重要资料。

第四十二条 工会会计报表主要包括资产负债表、收入支出表和附注。

（一）资产负债表，是反映工会某一会计期末全部资产、负债和净资产情况的报表。

（二）收入支出表，是反映工会某一会计期间全部收入、支出及结余情况的报表。

（三）附注。附注应分析说明工会预算执行情况以及工会在筹集、分配、使用、管理经费过程中的成绩和问题，分析影响预算执行的原因，经费收支变动趋势，提出改进措施、意见和建议。

第四十三条 工会会计报表分为年度会计报表和中期会计报表。以短于一个完整的会计年度的期间（如半年度、季度和月度）编制的会计报表称为中期会计报表。年度会计报表是以整个会计年度为基础编制的会计报表。

第四十四条 工会要负责对所属单位会计报表和下级工会报送的年报进行审核、核批和汇总工作，定期向本级工会领导和上级工会报告本级工会预算执行情况。

第四十五条 会计报表要根据登记完整、核对无误的账簿记录和其他有关资料编制，做到数字准确、内容完整、报送及时。会计报表必须经会计主管人员和单位负责人审阅签章并加盖审查公章后上报。

第九章 附 则

第四十六条 工会填制会计凭证、登记会计账簿、管理会计档案等，应当按照《会计基础工作规范》、《会计档案管理办法》等规定执行。

第四十七条 本制度从2010年1月1日起实施。

工会会计制度——会计科目和会计报表

第一部分 总 说 明

一、本制度统一规定工会会计科目的名称和编号，以便于编制会计凭证，登记账簿，查阅账目，实行会计电算化。本制度已规定的一级科目和明细科目，不得减并、自行增设，不得擅自更改科目名称，不需要的科目可以不用。

二、各省级工会可以根据需要自行增设未规定的明细科目，或将相应权限授权给所属下级工会。

三、工会在填制会计凭证、登记会计账簿时，应当填列会计科目的名称，或者同时填列会计科目的名称或编号，不得只填列科目编号，不填列科目名称。

四、工会应当根据本制度有关会计报表的编制基础、编制依据、编制原则和方法的要求，提供真实、完整的会计报表。工会不得违反规定，随意改变会计报表的编制基础、编制依据、编制原则和方法，不得随意改变本制度规定的会计报表有关数据的会计口径。

第二部分 会计科目名称和编号

序号	科目编码		名　称
	一级科目	明细科目	
一、资产类			
1	101		库存现金
2	102		银行存款
3	111		零余额账户用款额度
4	112		财政应返还额度
		11201	财政直接支付

续表

序号	科目编码		名　称
	一级科目	明细科目	
4		11202	财政授权支付
5	121		借出款
6	131		应收上级经费
		13101	应收上级补助
		13102	应收上级转拨经费
		13103	应收建会筹备金
7	132		应收下级经费
8	135		其他应收款
9	141		库存物品
10	151		投资
11	161		在建工程
12	162		固定资产
二、负债类			
13	201		应付工资（离退休费）
14	202		应付地方（部门）津贴补贴
15	203		应付其他个人收入
16	211		借入款
17	221		应付上级经费
18	222		应付下级经费
		22201	应付下级补助
		22202	应付下级转拨经费
		22203	应付建会筹备金
19	225		其他应付款
20	231		代管经费
三、净资产类			
21	301		固定基金
22	302		在建工程占用资金
23	311		投资基金
24	321		专用基金
		32101	增收留成基金
		32102	财务专用基金
		32103	权益保障金
25	322		后备金
26	331		结余
四、收入类			
27	401		会费收入
28	402		拨缴经费收入
29	403		上级补助收入
		40301	回拨补助
		40302	专项补助
		40303	超收补助
		40304	帮扶补助
		40305	送温暖补助
		40306	救灾补助
		40307	其他补助

续表

序号	科目编码		名 称
	一级科目	明细科目	
30	404		政府补助收入
31	405		行政补助收入
32	406		事业收入
33	407		投资收益
34	408		其他收入
五、支出类			
35	501		职工活动支出
		50101	职工教育费
		50102	文体活动费
		50103	宣传活动费
		50104	其他活动支出
36	502		维权支出
		50201	劳动关系协调费
		50202	劳动保护费
		50203	法律援助费
		50204	困难职工帮扶费
		50205	送温暖费
		50206	其他维权支出
37	503		业务支出
		50301	培训费
		50302	会议费
		50303	外事费
		50304	专项业务费
		50305	其他业务支出
38	504		行政支出
		50401	工资福利支出
		50402	商品和服务支出
		50403	对个人和家庭的补助
		50404	其他行政支出
39	505		资本性支出
		50501	房屋建筑物购建
		50502	办公设备购置
		50503	专用设备购置
		50504	交通工具购置
		50505	大型修缮
		50506	信息网络购建
		50507	其他资本性支出
40	506		补助下级支出
		50601	回拨补助
		50602	专项补助
		50603	超收补助
		50604	帮扶补助
		50605	送温暖补助
		50606	救灾补助
		50607	其他补助

续表

序号	科目编码		名　称
	一级科目	明细科目	
41	507		事业支出
42	508		其他支出

第三部分　会计科目使用说明

一、资产类科目

第101号科目　库存现金

一、本科目核算工会的库存现金。

二、各级工会应当严格按照国家有关现金管理的规定收支现金。

三、库存现金的主要账务处理如下：

（一）从银行提取现金，借记本科目，贷记“银行存款”科目；将现金存入银行，借记“银行存款”科目，贷记本科目。

（二）因支付内部职工出差等原因所需的现金，借记“其他应收款”科目，贷记本科目；收到出差人员交回的差旅费剩余款并结算时，按实际收回的现金，借记本科目，按应报销的金额，借记“行政支出”等有关科目，按实际借出的现金，贷记“其他应收款”科目。

（三）因其他业务收到现金，借记本科目，贷记有关科目；支出现金，借记有关科目，贷记本科目。

四、本科目应设置“现金日记账”，由出纳人员根据收付款凭证，按照业务发生顺序，逐笔登记，每日终了，应计算当日的现金收入合计数、支出合计数和结余数，并将结余数与实际库存数进行核对，做到账款相符。

五、有外币现金的工会，按照折算后的人民币金额记账，并设立辅助账登记外币现金的币种、外币金额、即期汇率、折算后的人民币金额及来源简要说明等。

六、每日终了结算现金收支、财产清查等发现的现金短缺或溢余，应当及时查明原因，并根据管理权限，报经批准后，在期末结账前处理完毕：

（一）如为现金短缺，属于应由责任人等赔偿的部分，借记“其他应收款”科目，贷记本科目；属于无法查明的其他原因的部分，借记“其他支出”科目，贷记本科目。

（二）如为现金溢余，属于应支付给有关人员或单位的部分，借记本科目，贷记“其他应付款”科目；属于无法查明的其他原因的部分，借记本科目，贷记“其他收入”科目。

七、本科目期末借方余额，反映工会实际持有的库存现金。

第102号科目　银行存款

一、本科目核算工会存入银行或其他金融机构的各种款项。包括活期存款、定期存款等。

二、工会可以根据实际情况在本科目下设置经费集中户等明细科目。设置经费集中户的工会，应当先在经费集中户中归集工会经费，再按规定将属于本级工会的经费转入本级工会基本户，属于上级或下级工会的经费上缴上级工会或转拨下级工会。

三、工会应当严格按照国家有关支付结算办法的规定，正确地办理银行存款收支结算。

四、银行存款的主要账务处理如下：

（一）将现金存入银行，借记本科目，贷记“库存现金”科目。从银行提取现金，借记“库存现金”科目，贷记本科目。

（二）通过银行转账方式取得工会经费，借记本科目，贷记“拨缴经费收入”、“应付上级经费”、“应付下级经费”科目。

通过银行转账方式取得相关收入，借记本科目，贷记“上级补助收入”、“政府补助收入”、“行政补助收入”、“事业收入”、“投资收益”等科目。

（三）通过银行转账方式支付各项支出，借记“职工活动支出”、“维权支出”、“业务支出”、“行政支出”、“资本性支出”、“补助下级支出”、“事业支出”等科目，贷记本科目。

（四）收到的银行存款利息，借记本科目，贷记“其他收入”科目。

五、各级工会应按开户银行、存款种类分别设置“银行存款日记账”，由出纳人员根据收付款凭证，按照业务的发生顺序逐笔登记，每日终了应结出余额。“银行存款日记账”应定期与银行对账，至少每月核对一次，如有差额，应编制“银行存款余额调节表”，调节相符。

六、本科目期末借方余额，反映工会实际存在银行或其他金融机构的款项。

第111号科目　零余额账户用款额度

一、本科目核算在实行财政国库管理制度改革试点的地区，工会根据财政部门批复的用款计划收到的、尚未动用的零余额账户用款额度。

二、零余额账户用款额度的主要账务处理如下：

（一）在财政授权支付方式下，收到代理银行转来的“授权支付到账通知书”时，根据通知书所列数额，借记本科目，贷记“政府补助收入”科目。实际发生支出时，借记“维权支出”、“行政支出”、“资本性支出”等科目，贷记本科目。

（二）从零余额账户提取现金时，借记“库存现金”科目，贷记本科目。

（三）年度终了，根据代理银行提供的对账单作注销额度的相关账务处理，借记“财政应返还额度——财政授权支付”科目，贷记本科目。如果工会本年度财政授权支付预算指标数大于零余额账户用款额度下达数，借记“财政应返还额度——财政授权支付”科目，贷记“政府补助收入”科目。

下年初，根据代理银行提供的额度恢复到账通知书作相关恢复额度的账务处理，借记本科目，贷记“财政应返还额度——财政授权支付”科目。如果下年度收到财政部门批复的上年末下达零余额账户用款额度，借记本科目，贷记“财政应返还额度——财政授权支付”科目。

三、本科目期末借方余额，反映工会尚未支用的零余额账户用款额度。本科目年末应无余额。

第112号科目　财政应返还额度

一、本科目核算实行国库集中支付的工会年终应收财政下年度返还的资金额度。

二、本科目应设置两个明细科目：11201财政直接支付、11202财政授权支付，进行明细核算。

三、财政应返还额度的主要账务处理如下：

（一）财政直接支付年终结余资金的账务处理

年度终了，根据本年度财政直接支付预算指标数与当年财政直接支付实际支出数的差额，借记本科目（财政直接支付），贷记“政府补助收入”科目。

下年度恢复财政直接支付额度后，发生实际支出时，借记“维权支出”、“行政支出”、“资本性支出”等科目，贷记本科目（财政直接支付）。

（二）财政授权支付年终结余资金的账务处理

年度终了，根据代理银行提供的对账单注销额度，具体账务处理参见“零余额账户用款额度”。下年度年初根据代理银行提供的额度恢复到账通知书恢复额度，具体账务处理参见“零余额账户用款额度”。

四、本科目期末借方余额，反映工会应收财政下年度返还的资金额度。

第121号科目　借出款

一、本科目核算工会因开展工作或发展工运事业的需要而出借给其他工会或工会所属单位的款项。

二、本科目应按借款单位设置明细账。

三、借出款的主要账务处理如下：

（一）借出款项时，借记本科目，贷记“银行存款”等科目。

（二）收回借款时，借记“银行存款”等科目，贷记本科目。

（三）逾期三年以上、因借款单位原因尚未收回的借出款，报经批准认定确实无法收回，或者报经批准认定不再要求借款单位还款的，转入相关支出科目，借记“补助下级支出”、“事业支出”等科目，贷记本科目。

四、各级工会应对借出款严格控制，健全手续，及时清理，不得长期挂账。

五、本科目期末借方余额，反映工会尚未收回的借出款项。

第131号科目　应收上级经费

一、本科目核算工会应收未收的上级工会应拨付（或转拨）工会经费、建会筹备金和补助。

二、工会可以根据需要在本科目下设置以下明细科目：

13101　应收上级补助：核算上级工会应拨付给本级工会的回拨、专项和超收等补助收入。

13102　应收上级转拨经费：核算上级工会采用税务代收、财政划拨的形式收缴工会经费的，收缴的金额中应划转给本级工会的部分。

13103　应收建会筹备金：核算上级工会采用税务代收、财政划拨的形式收缴建会筹备金的，收缴的金额中应划转给本级工会的部分。

三、应收上级经费的主要账务处理如下：

（一）根据上级工会回拨、专项和超收等补助通知中的相关金额，借记本科目（应收上级补助），贷记“上级补助收入”科目相关明细科目。

收到上级工会拨来的回拨、专项和超收等补助时，借记“银行存款”科目，贷记本科目（应收上级补助）。

（二）根据上级工会经费转拨通知中的相关金额，借记本科目（应收上级转拨经费），按规定属于本级工会的部分，贷记“拨缴经费收入”科目，按规定应转拨下级工会的部分，贷记“应付下级经费——应付下级转拨经费”科目。

收到上级工会转拨的工会经费时，借记“银行存款”科目，贷记本科目（应收上级转拨经费）。

（三）根据上级工会有关建会筹备金转拨通知中的金额，借记本科目（应收建会筹备金），按规定属于本级工会的部分，贷记“拨缴经费收入”，按规定应转拨下级工会或需返还给筹建单位工会的部分，贷记“应付下级经费——应付建会筹备金”等科目。

收到上级工会转拨的建会筹备金时，借记“银行存款”科目，贷记本科目（应收建会筹备金）。

四、本科目期末借方余额，反映工会应收未收的上级经费、建会筹备金和补助。

第132号科目　应收下级经费

一、本科目核算工会按规定应收下级工会的上缴工会经费和建会筹备金。

二、工会可以根据需要在本科目下设置应收经费、应收建会筹备金等明细科目。

三、应收下级经费的主要账务处理如下：

（一）根据下级工会经费收缴报告表中的相关金额，借记本科目，按规定属于本级工会的部分，贷记“拨缴经费收入”科目，按规定应上缴上级工会的部分，贷记“应付上级经费”科目。

（二）收到下级工会的上缴经费时，借记“银行存款”科目，贷记本科目。

四、本科目期末借方余额，反映年末应收未收的下级工会上缴经费。

第135号科目　其他应收款

一、本科目核算工会除应收上下级经费以外的其他应收及暂付款项。

二、本科目应按债务人设置明细账，进行明细核算。

三、其他应收款的主要账务处理如下：

（一）发生其他应收及暂付款项，借记本科目，贷记“库存现金”、“银行存款”等科目。

结算收回或核销转列支出时，按收回的金额，借记“库存现金”、“银行存款”等科目，按列入支出的金额，借记有关支出科目，按结算总额，贷记本科目。

（二）逾期三年以上、因债务人原因尚未收回的其他应收款，报经批准认定确实无法收回的，应作为呆账及时进行账务处理，借记“其他支出”科目，贷记本科目。

核销的呆账，应保留备查账簿中登记。

已核销呆账重新收回的，按照实际收到的款项，借记“银行存款”科目，贷记“其他收入”科目。

四、各级工会应对其他应收及暂付款项严格控制，健全手续，及时清理，不得长期挂账。

五、本科目期末借方余额，反映尚未收回的其他应收及暂付款项。

第141号科目　库存物品

一、本科目核算工会取得的将在日常活动中耗用的材料、物品及达不到固定资产标准的工具、器具等。

二、本科目应按库存物品的类别、品名设置明细账，并根据出入库单逐笔核算。

三、库存物品的主要账务处理如下：

（一）购入物品时，借记本科目，贷记“银行存款”等科目。

（二）领用物品时，借记“职工活动支出”、“维权支出”、“行政支出”等科目，贷记本科目。

四、库存物品每年至少盘点一次，盘盈、盘亏或报废、毁损应查明原因，按规定程序批准后及时处理。

（一）发生盘盈的，借记本科目，贷记“其他收入”科目。

（二）盘亏的库存物品，按照账面余额，借记“其他支出”科目，贷记本科目。

报废、毁损的库存物品，按照库存物品账面余额扣除可以收回的保险赔偿和过失人的赔偿等后的金额，借记“其他支出”科目，按库存物品账面余额，贷记本科目，按照可以收回的保险赔偿和过失人赔偿等，借记“库存现金”、“银行存款”、“其他应收款”等科目。

五、本科目期末借方余额，反映尚未使用的库存物品的实际价值。

第151号科目　投资

一、本科目核算工会按照国家有关法律、行政法规和工会的相关规定，以货币资金、实物资产等方式向其他单位的投资。

二、本科目可按投资类别、投资单位等设置明细账，进行明细核算。

三、投资的主要账务处理如下：

（一）取得投资时：

1. 购入国债等债券，借记本科目，贷记“银行存款”等科目；同时，借记“结余”科目，贷记“投资基金”科目。

2. 以货币资金对外进行股权投资，借记本科目，贷记“银行存款”等科目；同时，借记“结余”科目，贷记“投资基金”科目。

3. 以固定资产对外进行股权投资，按固定资产的评估价等，借记本科目，贷记“投资基金”科目；同时，按投出固定资产的账面原值，借记“固定基金”科目，贷记“固定资产”科目。

4. 以库存物品对外进行股权投资，按库存物品的评估价等，借记本科目，按库存物品账面价值，贷记“库存物品”科目，按评估价等与账面价值的差额，借记或贷记“投资基金”科目；同时，按库存物品的账面价值，借记“结余”科目，贷记“投资基金”科目。

（二）实际收到利息、股利等投资收益时，借记“银行存款”等科目，贷记“投资收益”科目。

（三）投资收回时，按照实际收到的价款，借记“银行存款”科目，按照本科目的账面价值，贷记本科目，按照其差额，贷记或借记“投资收益”科目。同时借记“投资基金”科目，贷记“结余”科目。

（四）投资出现损失，报经批准认定确实无法收回的，借记“投资基金”科目，贷记本科目。

已经核销的投资呆账，保留备查账簿，对投资失误者要追查责任。

已经核销的投资呆账，重新收回的，借记“银行存款”等科目，贷记“其他收入”科目。收回实物的，需重新进行评估，按公允价值入账。

四、本科目期末借方余额，反映工会持有投资的金额。

第161号科目　在建工程

一、本科目核算工会进行在建工程所发生的实际支出。

二、本科目可按具体工程项目设置明细科目，进行明细核算。

三、在建工程的主要账务处理如下：

（一）预付工程款时，按照实际支付的金额，借记本科目，贷记“在建工程占用资金”科目，同时借记“资本性支出”科目，贷记“银行存款”科目。

（二）工程完工时，借记“固定资产”科目，贷记本科目，同时借记“在建工程占用资金”科目，贷记“固定基金”科目。

四、本科目的期末借方余额，反映工会尚未完工的各项在建工程发生的实际支出。

第162号科目　固定资产

一、本科目核算工会拥有或控制的各项固定资产原值。

二、工会应设置固定资产明细账，按类别、品名进行明细核算。

三、固定资产的主要账务处理如下：

（一）购入、有偿调入固定资产，借记“资本性支出”等科目，贷记“银行存款”等科目，同时借记本科目，贷记“固定基金”科目。

（二）自行建造固定资产，发生基建支出时，借记“在建工程”科目，贷记“在建工程占用资金”科目，同时借记“资本性支出”科目，贷记“银行存款”科目。工程完工时，借记本科目，贷记“在建工程”科目，同时借记“在建工程占用资金”科目，贷记“固定基金”科目。

（三）无偿调入、接受捐赠固定资产，借记本科目，贷记“固定基金”科目。

（四）以固定资产对外进行股权投资，按固定资产的评估价等，借记“投资”，贷记“投资基金”科目；同时，按投出固定资产的账面原值，借记“固定基金”科目，贷记本科目。

（五）出售固定资产，按账面原值，借记“固定基金”科目，贷记本科目，取得的收入扣减相关支出后的净额，借记“银行存款”等科目，贷记“其他收入”科目。

四、固定资产每年必须盘点一次，对盘盈、盘亏、报废或毁损的，资产监督管理部门应当查明原因，写出书面报告，按规定报经批准认定后及时进行账务处理，同时将有关情况在会计报表说明中加以披露。

（一）盘盈的固定资产，借记本科目，贷记“固定基金”科目。

（二）盘亏的固定资产，按账面原值，借记“固定基金”科目，贷记本科目。

（三）毁损、报废的固定资产，按账面原值，借记“固定基金”科目，贷记本科目。同时，按清理过程中取得的收入，借记“库存现金”、“银行存款”等科目，按清理过程中发生的支出，贷记“库存现金”、“银行存款”等科目，按清理净收入（或净支出），贷记“其他收入”科目或借记“其他支出”科目。

五、工会可以设置专门的辅助账记录各项固定资产的原值、购入时间、预计使用年限、应计提折旧（一般采用直线法计提折旧）、固定资产净值等。

六、本科目期末借方余额，反映固定资产的原值。

二、负债类科目

第 201 号科目　应付工资（离退休费）

一、本科目核算向本单位职工发放的工资或离退休费。

二、工会可以根据需要在本科目下设置在职人员、离休人员、退休人员等明细科目。

三、应付工资（离退休费）的主要账务处理如下：

实际发放工资（离退休费）时，借记“行政支出”等科目，贷记本科目；同时，借记本科目，贷记“银行存款”、“零余额账户用款额度”等科目。

四、本科目期末贷方一般无余额。

第 202 号科目　应付地方（部门）津贴补贴

一、本科目核算向本单位职工发放的各类地方（部门）津贴补贴。

二、工会可以根据需要在本科目下设置在职人员、离休人员、退休人员等明细科目。

三、应付地方（部门）津贴补贴的主要账务处理如下：

实际发放地方（部门）津贴补贴时，借记“行政支出”等科目，贷记本科目；同时，借记本科目，贷记“银行存款”、“零余额账户用款额度”等科目。

四、本科目期末贷方一般无余额。

第 203 号科目　应付其他个人收入

一、本科目核算向本单位职工发放除“201 应付工资（离退休费）”和“202 应付地方（部门）津贴补贴”以外的其他个人收入。

二、工会可以根据需要在本科目下设置在职人员、离休人员、退休人员等明细科目。

三、应付其他个人收入的主要账务处理如下：

实际发放其他个人收入时，借记“行政支出”等科目，贷记本科目；同时，借记本科目，贷记“银行存款”、“零余额账户用款额度”等科目。

四、本科目期末贷方一般无余额。

第 211 号科目　借入款

一、本科目核算工会借入的款项。

二、借入款的主要账务处理如下：

（一）发生借入款时，借记“银行存款”科目，贷记本科目。

（二）归还借款时，借记本科目，贷记“银行存款”等科目。

三、本科目期末贷方余额，反映工会尚未偿还的借入款项。

第 221 号科目　应付上级经费

一、本科目核算工会按规定应上缴的工会经费及建会筹备金。

二、工会可以根据需要在本科目下设置应上缴经费、应上缴建会筹备金等明细科目。

三、应付上级经费的主要账务处理如下：

（一）应上缴经费的处理

收到工会经费，按下级工会经费收缴报告表中的相关金额或实际收到的总金额，借记“应收下级经费”、“银行存款”等科目，按规定属于本级工会的部分，贷记“拨缴经费收入”科目，按规定应上缴上级工会的部分，贷记本科目，按规定应转拨下级工会的部分，贷记“应付下级经费——应付下级转拨经费”科目。

实际上缴工会经费时，借记本科目，贷记“银行存款”科目。

（二）应上缴建会筹备金的处理

收到建会筹备金，按实际收到的总金额，借记“银行存款”科目，按规定属于本级工会的部分，贷记“拨缴经费收入”科目，按规定应上缴上级工会的部分，贷记本科目，按规定应转拨下级工会或需返还筹建单位工会的部分，贷记“应付下级经费——应付建会筹备金”科目。

实际上缴上级工会的经费，借记本科目，贷记“银行存款”科目。

四、本科目期末贷方余额，反映工会应缴上级但尚未上缴的经费。

第222号科目 应付下级经费

一、本科目核算工会应付下级工会的各项补助以及应转拨下级工会的工会经费和建会筹备金。

二、工会可以根据需要在本科目下设置以下明细科目：

22201 应付下级补助：核算工会应拨付给下级工会的回拨、专项和超收等各项补助。

22202 应付下级转拨经费：核算工会采用税务代收、财政划拨的形式收缴工会经费的，收缴的金额中应划转给下级工会作为下级工会拨缴经费收入的部分。

22203 应付建会筹备金：核算工会采用税务代收、财政划拨的形式收缴建会筹备金的，收缴的金额中应划转给下级工会作为下级工会拨缴经费收入的部分和需返还给筹建单位工会的部分。

三、应付下级经费的主要账务处理如下：

（一）本级工会年末清算对下级工会的补助时，根据补助通知中的相关金额，借记“补助下级支出”，贷记本科目（应付下级补助）。

次年，实际拨付补助时，借记本科目（应付下级补助），贷记“银行存款”科目。

（二）采用税务代收、财政划拨方式收缴工会经费的：

1. 本级工会通过税务部门代收、财政部门划拨的工会经费，按实际收到的总金额，借记“银行存款”科目，按规定属于本级工会的部分，贷记“拨缴经费收入”科目，按规定应上缴上级工会的部分，贷记“应付上级经费”科目，按规定应转拨下级工会的部分，贷记本科目（应付下级转拨经费）。

实际转拨下级工会经费，借记本科目，贷记“银行存款”科目。

2. 本级工会收到上级工会通过财政部门划拨、税务部门代收的工会经费，按上级工会经费转拨通知中的金额或实际收到的总金额，借记“应收上级经费——应收上级转拨经费”、“银行存款”科目，按规定属于本级工会的部分，贷记“拨缴经费收入”科目，按规定应转拨下级工会的部分，贷记本科目（应付下级转拨经费）。

实际转拨下级工会的经费，借记本科目，贷记“银行存款”科目。

（三）采用税务代收、财政划拨方式收取建会筹备金的

1. 本级工会通过税务部门代收、财政部门划拨的建会筹备金，按实际收到的总金额，借记“银行存款”科目，按规定属于本级工会的部分，贷记“拨缴经费收入”科目，按规定应上缴上级工会的部分，贷记“应付上级经费”科目，按规定应转拨下级工会或需返还给筹建单位工会的部分，贷记本科目（应付建会筹备金）。

2. 本级工会收到上级工会通过财政部门划拨、税务部门代收的建会筹备金，按上级工会有关建会筹备金转拨通知中的金额或实际收到的总金额，借记“应收上级经费——应收建会筹备金”、“银行存款”科目，按规定属于本级工会的部分，贷记“拨缴经费收入”科目，按规定应转拨下级工会或需返还给筹建单位工会的部分，贷记本科目（应付建会筹备金）。

3. 对于需要返还基层单位工会的建会筹备金，借记本科目，贷记“银行存款”科目。

4. 对于不需返还基层单位的建会筹备金，借记本科目，按规定属于本级工会的部分，贷记“拨缴经费收入”科目，规定应上缴上级工会的部分，贷记“应付上级经费”科目。

四、本科目期末贷方余额，反映应拨付下级但尚未拨付的经费。

第 225 号科目　其他应付款

一、本科目核算工会除应付上下级经费之外的其他应付及暂存款项。

二、本科目应按对方单位或个人设置明细账，进行明细核算。

三、其他应付款的主要账务处理如下：

发生其他应付及暂存款项，借记“库存现金”、“银行存款”等科目，贷记本科目。支付款项时，借记本科目，贷记“银行存款”等科目。

四、本科目期末贷方余额，反映尚未支付的其他应付及暂存款项。

第 231 号科目　代管经费

一、本科目核算党团组织及单位行政委托工会代管的、有指定用途的、不属于工会收入的经费，如代管的党费、团费、职工互助金等。

二、本科目应按拨入代管经费的项目或单位设置明细账。

三、收到代管的经费时，借记“银行存款”科目，贷记本科目，实际支出时，借记本科目，贷记“银行存款”科目。

四、本科目期末贷方余额，反映尚未使用的代管经费。

三、净资产类科目

第 301 号科目　固定基金

一、本科目核算工会购入、调入、建造、盘盈、接受捐赠固定资产所形成的基金，以及拆除、盘亏、毁损、捐出固定资产等原因减少的固定基金。

二、固定基金的主要账务处理如下：

（一）固定基金增加：

1. 购入、有偿调入固定资产，借记“固定资产”科目，贷记本科目，同时借记“资本性支出”等科目，贷记“银行存款”等科目。

2. 自行建造固定资产，发生基建支出时，借记“在建工程”科目，贷记“在建工程占用资金”科目，同时借记“资本性支出”科目，贷记“银行存款”科目。工程完工时，借记“固定资产”科目，贷记“在建工程”科目，同时借记“在建工程占用资金”科目，贷记本科目。

3. 无偿调入、接受捐赠固定资产，借记“固定资产”科目，贷记本科目。

4. 盘盈的固定资产，借记“固定资产”科目，贷记本科目。

（二）固定基金减少：

1. 有偿调出、出售的固定资产，按账面原值，借记本科目，贷记“固定资产”科目；取得的收入扣减相关支出后的净额，借记“银行存款”等科目，贷记“其他收入”科目。

2. 毁损、报废的固定资产，按账面原值，借记本科目，贷记“固定资产”科目。同时，按清理过程中取得的收入，借记“库存现金”、“银行存款”等科目，按清理过程中发生的支出，贷记“库存现金”、“银行存款”等科目，按清理净收入（或净支出），贷记“其他收入”科目或借记“其他支出”科目。

3. 以固定资产对外进行股权投资，按固定资产的评估价等，借记“投资”科目，贷记“投资基金”科目；同时，按投出固定资产的账面原值，借记本科目，贷记“固定资产”科目。

4. 盘亏的固定资产，按账面原值，借记本科目，贷记“固定资产”科目。

三、本科目期末贷方余额，反映工会拥有的固定基金总值。

第 302 号科目　在建工程占用资金

一、本科目核算工会在建工程完工前累计占用的资金。

二、本科目可按具体工程项目设置明细科目，进行明细核算。

三、在建工程占用资金的主要账务处理如下：

（一）预付工程款时，按照实际支付的金额，借记“资本性支出”科目，贷记“银行存款”科目，同时借记“在建工程”科目，贷记本科目。

（二）工程完工时，借记“固定资产”科目，贷记“在建工程”科目，同时借记本科目，贷记“固定基金”科目。

四、本科目的期末借方余额，反映工会尚未完工的各项在建工程发生的累计实际支出。

第311号科目　投资基金

一、本科目核算工会对外投资占用的基金。

二、投资基金的主要账务处理如下：

（一）投资基金增加

1. 购入国债等债券，借记“投资”科目，贷记“银行存款”等科目；同时，借记“结余”科目，贷记本科目。

2. 以货币资金对外进行股权投资，借记“投资”科目，贷记“银行存款”等科目；同时，借记“结余”科目，贷记本科目。

3. 以库存物品对外进行股权投资。对外投出库存物品，按库存物品的评估价等，借记“投资”科目，按库存物品账面价值，贷记“库存物品”科目，按评估价与账面价值的差额，借记或贷记本科目；同时，按库存物品的账面价值，借记“结余”科目，贷记本科目。

4. 以固定资产对外进行股权投资，按固定资产的评估价等，借记“投资”科目，贷记本科目；同时，按投出固定资产的账面原值，借记“固定基金”科目，贷记“固定资产”科目。

（二）投资基金减少

1. 投资出现损失，经确认无法收回的部分，按照工会呆账处理的有关规定进行账务核销，借记本科目，贷记“投资”科目。

已经核销的投资呆账，保留备查账簿，对投资失误者要追查责任。已经核销的投资呆账，重新收回的，借记“银行存款”科目，贷记“其他收入”科目。收回实物的，按公允价值入账。

2. 投资收回时，按照实际收到的价款，借记“银行存款”科目，按照本科目的账面价值，贷记“投资”科目，同时借记本科目，贷记“结余”科目，按照其差额，贷记或借记“投资收益”科目。

三、本科目的贷方余额，核算工会尚未收回的投资款项。

第321号科目　专用基金

一、本科目核算根据国家和全国总工会有关规定，依法提取和使用的有专门用途的基金。

二、本科目应按专用基金种类设置以下明细科目：

32101　增收留成基金：核算提取的增收留成基金。

32102　财务专用基金：核算提取的财务专用基金。

32103　权益保障金：核算提取的工会干部权益保障金。

三、专用基金的主要账务处理如下：

（一）提取增收留成基金时，借记“其他支出”科目，贷记本科目（增收留成基金）。实际支出时，借记本科目（增收留成基金），贷记“银行存款”等科目。

（二）提取财务专用基金时，借记“其他支出”科目，贷记本科目（财务专用基金）。实际支出时，借记本科目（财务专用基金），贷记“银行存款”等科目。

（三）县级以上工会提取工会干部权益保障金时，借记“维权支出”科目，贷记本科目（权益保障金）。

接受社会募集、捐款增加工会干部权益保障金时，借记“库存现金”、“银行存款”等科目，贷记本科目（权益保障金）。

实际发放工会干部权益保障金时，借记本科目（权益保障金），贷记“库存现金”、“银行存款”等科目。

四、本科目期末贷方余额，反映工会专用基金的数额。

第 322 号科目　后备金

一、本科目核算县级以上工会按规定依法提取的特殊情况下使用的储备金。

二、后备金的主要账务处理如下：

（一）提取后备金时，借记“结余”科目，贷记本科目。

（二）按有关规定经批准动用后备金时，按实际支付的金额，借记本科目，贷记“银行存款”等科目。

三、本科目期末贷方余额，反映工会尚未动用的后备金数额。

第 331 号科目　结余

一、本科目核算工会各项收入与支出相抵后的余额。

二、结余的主要账务处理如下：

（一）发生对外投资时，借记“投资”科目，贷记有关科目，同时，借记本科目，贷记“投资基金”科目。收回投资时，按照投资的账面价值，借记“投资基金”科目，贷记本科目。

（二）期末结账时，将各收入类科目的余额转入本科目，借记“会费收入”、“拨缴经费收入”、“上级补助收入”、“政府补助收入”、“行政补助收入”、“事业收入”、“投资收益”、“其他收入”等科目，贷记本科目。

将各支出类科目的余额转入本科目，借记本科目，贷记“职工活动支出”、“维权支出”、“业务支出”、“行政支出”、“资本性支出”、“补助下级支出”、“事业支出”、“其他支出”等科目。

（三）提取后备金时，借记本科目，贷记“后备金”科目。

三、本科目期末贷方余额，反映工会历年滚存的结余。

四、收入类科目

第 401 号科目　会费收入

一、本科目核算工会会员依照规定向工会组织缴纳的会费。

二、会费收入的主要账务处理如下：

（一）取得会费时，借记“库存现金”、“银行存款”等科目，贷记本科目。

（二）期末结转时，借记本科目，贷记“结余”科目。

三、本科目期末结转后无余额。

第 402 号科目　拨缴经费收入

一、本科目核算基层单位行政拨缴、下级工会按规定上缴及上级工会按规定转拨的工会经费中归属于本级工会的经费及建会筹备金。

二、工会可以根据需要在本科目下设置明细科目，进行明细核算。

三、拨缴经费收入的主要账务处理如下：

（一）工会经费的处理

1. 采用自主收缴工会经费的：

收到工会经费，按下级工会经费收缴报告表中的相关金额或实际收到的总金额，借记“应收下级经费”、“银行存款”科目，按规定属于本级工会的部分，贷记本科目，按规定应上缴上级工会的部分，贷记“应付上级经费”科目。

2. 采用税务代收、财政划拨方式收取工会经费的：

（1）本级工会通过税务部门代收、财政部门划拨的工会经费，按实际收到的总金额，借记“银行存款”科目，按规定属于本级工会的部分，贷记本科目，按规定应上缴上级工会的部分，贷记“应付上级经费”科目，按规定应转拨下级工会的部分，贷记“应付下级经费——应付下级转拨经费”科目。

（2）本级工会收到上级工会转拨通过财政部门划拨、税务部门代收的工会经费，按上级工会经费转拨通知中的金额或实际收到的总金额，借记“应收上级经费——应收上级转拨经费”、“银行存款”科目，按规定属于本级工会的部分，贷记本科目，按规定属于下级工会的部分，贷记“应付下级经费——应付下级转拨经费”科目。

（二）建会筹备金的处理

1. 采用自主收缴方式收取建会筹备金的：

本级工会收到建会筹备金，按实际收到的总金额，借记“银行存款”科目，按规定属于本级工会的部分，贷记本科目，按规定应上缴上级工会的部分，贷记“应付上级经费”科目，需返还给筹建单位工会的部分，贷记“应付下级经费——应付建会筹备金”科目。

2. 采用税务代收、财政划拨方式收取建会筹备金的：

（1）本级工会通过税务部门代收、财政部门划拨的建会筹备金，按实际收到的总金额，借记“银行存款”科目，按规定属于本级工会的部分，贷记本科目，按规定应上缴上级工会的部分，贷记“应付上级经费”科目，按规定应转拨下级工会或需返还给筹建单位工会的部分，贷记“应付下级经费——应付建会筹备金”科目。

（2）本级工会收到上级工会转拨通过财政部门划拨、税务部门代收的建会筹备金，按上级工会有关建会筹备金转拨通知中的金额或实际收到的总金额，借记“应收上级经费——应收建会筹备金”、“银行存款”科目，按规定属于本级工会的部分，贷记本科目，按规定属于下级工会或需返还给筹建单位工会的部分，贷记“应付下级经费——应付建会筹备金”科目。

3.（1）筹建单位在期限内建立工会，本级工会返还建会筹备金的，按实际返还的金额，借记“应付下级经费——应付建会筹备金”科目，贷记“银行存款”科目。

（2）筹建单位到期未建立工会，本级工会不需返还的建会筹备金，借记“应付下级经费——应付建会筹备金”科目，按规定属于本级工会的部分，贷记本科目，按规定应上缴上级工会的部分，贷记“应付上级经费”科目。

4. 筹建单位按期建立工会，所建工会收到返还的建会筹备金，借记“银行存款”科目，贷记本科目。

（三）期末结转时，借记本科目，贷记“结余”科目。

四、本科目期末结转后无余额。

第403号科目　上级补助收入

一、本科目核算本级工会收到的上级工会补助的款项。

二、本科目应设置以下明细科目：

40301　回拨补助：核算上级工会按有关规定拨付的回拨补助。

40302　专项补助：核算上级工会拨付的指定专门用途的项目补助。

40303　超收补助：核算上级工会按有关超收增缴经费管理规定，拨付的超收补助。

40304　帮扶补助：核算上级工会拨付的帮扶困难职工的补助。

40305　送温暖补助：核算上级工会拨付的用于开展向困难职工和家庭送温暖活动的补助。

40306　救灾补助：核算上级工会拨付的用于慰问在自然灾害中经济财产遭受损失、生活遇到困难的职工和家庭的补助。

40307　其他补助：核算上级工会拨付的除上述明细科目所述内容以外的其他补助。

三、上级补助收入的主要账务处理如下：

（一）按银行收款单或上级工会的补助通知书，借记“银行存款”、“应收上级经费——应收上级补助”科目，贷记本科目相关明细科目。

（二）年末清算时，存在上级应付未付补助款项的，借记“应收上级经费——应收上级补助”科目，贷记本科目相关明细科目。

（三）期末结转时，借记本科目，贷记“结余”科目。

四、本科目的余额要与上级工会的补助下级支出科目金额核对一致。

五、本科目期末结转后无余额。

第404号科目　政府补助收入

一、本科目核算各级人民政府按照《工会法》和国家的有关规定给予工会的补助款项。包括工会收到财政拨付的离退休人员离退休费和生活补贴、帮扶资金、送温暖经费、疗养事业补助、劳模补助、基建、维修及大型活动补助等。

二、工会可以根据需要在本科目下设置明细科目，进行明细核算。

三、政府补助收入的主要账务处理如下：

（一）在实行国库集中支付的地区

1. 收到财政直接支付的政府补助，根据财政国库支付执行机构委托代理银行转来的《财政直接支付入账通知书》及原始凭证入账，借记有关支出科目，贷记本科目。

2. 收到财政授权支付的政府补助，根据代理银行盖章的《授权支付到账通知书》与分月用款计划核对后记账，借记“零余额账户用款额度”科目，贷记本科目。

（二）未实行国库集中支付的地区，收到财政补助时，借记“银行存款”等科目，贷记本科目。

（三）期末结转时，借记本科目，贷记“结余”科目。

四、本科目期末结转后无余额。

第405号科目　行政补助收入

一、本科目核算工会取得的所在单位行政方面按照《工会法》和国家的有关规定给予工会的补助款项。包括工会收到行政拨付的劳动竞赛经费、工会开展活动的费用补助等。不包括行政方面按规定向工会拨缴的工会经费。

二、行政补助收入的主要账务处理如下：

（一）收到行政补助时，借记“银行存款”等科目，贷记本科目。

（二）期末结转时，借记本科目，贷记“结余”科目。

三、本科目期末结转后无余额。

第406号科目　事业收入

一、本科目核算独立核算的工会附属事业单位上缴的收入和非独立核算的附属事业单位的各项事业收入。

二、本科目应按缴款项目或缴款单位名称设明细账。

三、事业收入的主要账务处理如下：

（一）收到相关收入时，借记“银行存款”等科目，贷记本科目。

（二）期末结转时，借记本科目，贷记“结余”科目。

四、本科目期末结转后无余额。

第407号科目　投资收益

一、本科目核算工会对外投资发生的损益。

二、投资收益的主要账务处理如下：

（一）收到投资收益时，借记“银行存款”科目，贷记本科目。

（二）投资收回时，按照实际收到的价款，借记“银行存款”科目，按照本科目的账面价值，贷记“投资”科目，按照其差额，贷记或借记“投资收益”科目。同时借记“投资基金”科目，贷记“结余”科目。

三、本科目期末结转后无余额。

第408号科目 其他收入

一、本科目核算除上述收入以外的各项收入。如资产盘盈、固定资产处置净收入、接受捐赠收入、银行存款利息收入等。

二、其他收入的主要账务处理如下：

（一）取得其他收入时

1. 取得银行存款利息收入，借记“银行存款”等科目，贷记本科目。

2. 接受捐赠，借记“银行存款”等科目，贷记本科目。

3. 盘盈的库存物品，借记“库存物品”科目，贷记本科目。

4. 有偿调出、出售的固定资产，按账面原值，借记“固定基金”科目，贷记“固定资产”科目，取得的收入扣减相关支出后的净额，借记“银行存款”等科目，贷记本科目。毁损、报废的固定资产，按账面原值，借记“固定基金”科目，贷记“固定资产”科目；清理过程中发生的净收入，借记“库存现金”、“银行存款”等科目，贷记本科目；清理过程中发生的净支出，借记“其他支出”科目，贷记“库存现金”、“银行存款”等科目。

（二）期末结转时，借记本科目，贷记“结余”科目。

三、本科目期末结转后无余额。

五、支出类科目

第501号科目 职工活动支出

一、本科目核算工会为会员及其他职工开展教育、文体、宣传等活动发生的支出。基层工会组织会员开展集体活动及会员特殊困难补助的费用，列入本科目核算。

二、本科目应设置以下明细科目：

50101 职工教育费：核算工会开展职工教育活动的各项支出。

50102 文体活动费：核算工会开展职工业余文体活动的各项支出。

50103 宣传活动费：核算工会开展职工宣传活动方面的各项支出。

50104 其他活动支出：核算基层工会支付的会员特殊困难补助的费用以及工会开展其他活动的各项支出。

三、职工活动费的主要账务处理如下：

（一）发生职工活动支出时，借记本科目，贷记“库存现金”、“银行存款”等科目。

（二）期末结转时，借记“结余”科目，贷记本科目。

四、本科目期末结转后无余额。

第502号科目 维权支出

一、本科目核算工会直接用于维护职工权益的支出。

二、本科目应设置以下明细科目：

50201 劳动关系协调费：核算工会在协调劳动关系争议中发生的支出。

50202 劳动保护费：核算工会开展职工劳动保护发生的支出。

50203 法律援助费：核算工会向职工群众提供法律咨询、法律服务等发生的支出。

50204 困难职工帮扶费：核算工会对困难职工帮扶发生的支出。

50205 送温暖费：核算工会向职工送温暖发生的支出。

50206　其他维权支出：核算以上各项维权活动之外的维权支出，如参与立法费等。

三、维权支出的主要账务处理如下：

（一）发生维权、帮扶支出时，借记本科目，贷记“库存现金”、“银行存款”等科目。

（二）县级以上工会提取工会干部权益保障金时，借记本科目，贷记“专用基金——权益保障金”科目。

（三）期末结转时，借记“结余”科目，贷记本科目。

四、本科目期末结转后无余额。

第503号科目　业务支出

一、本科目核算工会培训工会干部、加强自身建设及开展业务工作发生的各项支出。

二、本科目应设置以下明细科目：

50301　培训费：核算工会干部、积极分子培训等支出。

50302　会议费：核算工会代表大会、委员会、经审会以及工会专业工作会议的各项支出。

50303　外事费：核算工会开展外事活动方面的费用。

50304　专项业务费：核算工会开展工会组织建设、考核表彰、建家活动、大型专题调研、经审专用经费等专项业务发生的支出。

50305　其他业务支出：不属于以上业务开支的其他费用。

三、业务支出主要账务处理如下：

（一）发生业务支出时，借记本科目，贷记“库存现金”、“银行存款”等科目。

（二）期末结转时，借记“结余”科目，贷记本科目。

四、本科目期末结转后无余额。

第504号科目　行政支出

一、本科目核算工会为行政管理、后勤保障等发生的各项日常支出。

二、本科目应设置以下明细科目：

50401　工资福利支出：核算工会开支的专职工作人员和聘用人员的各类劳动报酬，以及为上述人员缴纳的各项社会保险费等。包括：基本工资、津贴补贴、奖金、社会保障缴费、伙食补助费等。

50402　商品和服务支出：核算工会购买商品和服务的支出（不包括用于购置固定资产的支出）。包括：办公费、印刷费、咨询费、手续费、水费、电费、邮电费、物业管理费、交通费（燃料费、保险费、修理费、其他交通费）、差旅费（住宿费、旅费、伙食补助费、杂费）、维修（护）费、租赁费、招待费（餐费、其他招待费）、专用材料费、劳务费、委托业务费、工会经费、福利费等。

50403　对个人和家庭的补助：核算工会用于对个人和家庭的补助支出。包括：离休费、退休费、退职费、抚恤金、生活补助、医疗费、住房公积金、提租补贴、购房补贴等。

50404　其他行政支出：核算不能划分到上述经济科目的其他支出。

三、行政支出的主要账务处理如下：

（一）支出人员经费时，借记本科目，贷记“应付工资（离退休费）”、“应付地方（部门）津贴补贴”、“应付其他个人收入”等科目；同时，借记“应付工资（离退休费）”、“应付地方（部门）津贴补贴”、“应付其他个人收入”等科目，贷记“银行存款”、“零余额账户用款额度”等科目。

（二）支出公用经费时，借记本科目，贷记“库存现金”、“银行存款”等科目。

（三）期末结转时，借记“结余”科目，贷记本科目。

四、本科目期末结转后无余额。

第505号科目　资本性支出

一、本科目核算工会从事建设工程、设备工具购置、大型修缮和信息网络购建而发生的实际支出。

二、本科目应设置以下明细科目：

50501　房屋建筑物购建：核算工会用于购买、自行建造办公用房、仓库、食堂等建筑物（含附属设施，如电梯、通讯线路、电缆、水气管道等）的支出。

50502　办公设备购置：核算工会购置纳入固定资产核算范围的办公家具和办公设备的支出。

50503　专用设备购置：核算工会购置具有专门用途、纳入固定资产核算范围的各类专用设备的支出。

50504　交通工具购置：核算工会用于购置各类交通工具的支出（含车辆购置税）。

50505　大型修缮：核算工会各类设备、建筑物等的大型修缮支出。

50506　信息网络购建：核算工会用于信息网络方面的支出。如计算机硬件、软件购置、开发、应用支出等。购建的计算机硬件、软件等不符合固定资产确认标准的，不在此科目核算。

50507　其他资本性支出：核算工会其他上述科目中未包括的资本性支出。

三、资本性支出的主要账务处理如下：

（一）购置房屋建筑物等，借记本科目，贷记“银行存款”科目，同时借记“固定资产”科目，贷记“固定基金”科目。

（二）自行建造房屋建筑物、大型修缮等，发生基建支出时，借记“在建工程”科目，贷记“在建工程占用资金”科目，同时借记本科目，贷记“银行存款”科目。工程完工时，借记“固定资产”科目，贷记“在建工程”科目，同时借记“在建工程占用资金”科目，贷记“固定基金”科目。

（三）期末结转时，借记“结余”科目，贷记本科目。

四、本科目期末结转后无余额。

第506号科目　补助下级支出

一、本科目核算工会为解决下级工会经费不足或根据有关规定给予下级工会的各类补助款项。

二、本科目应设置以下明细科目：

50601　回拨补助：核算工会按有关规定给下级工会的回拨经费补助。

50602　专项补助：核算工会对下级工会指定项目的补助。

50603　超收补助：核算工会按有关超收增缴的规定对下级工会的超收补助。

50604　帮扶补助：核算工会按有关规定对下级工会的困难职工帮扶补助。

50605　送温暖补助：核算工会拨付下级工会用于开展送温暖活动的补助。

50606　救灾补助：核算工会拨付下级工会用于慰问在自然灾害中经济财产遭受损失、生活遇到困难的职工和家庭的补助。

50607　其他补助：核算工会拨付下级工会的除上述明细科目所述内容以外的其他补助。

三、补助下级支出的主要账务处理如下：

（一）发生补助下级支出时，借记本科目相关明细科目，贷记“银行存款”等科目。

（二）期末结转时，借记“结余”科目，贷记本科目。

四、本科目期末结转后无余额。

第507号科目　事业支出

一、本科目核算工会对独立核算的附属事业单位的补助和非独立核算的附属事业单位的各项支出。

二、本科目应按单位或部门设置明细账。

三、事业支出的主要账务处理如下：

（一）发生相关支出时，借记本科目，贷记“银行存款”等科目。

（二）期末结转时，借记“结余”科目，贷记本科目。

四、本科目期末结转后无余额。

第508号科目　其他支出

一、本科目核算各级工会以上支出项目以外的各项支出。如资产盘亏、固定资产处置净损失、捐赠支出以及按规定计提有关专用基金等。

二、其他支出的主要账务处理如下：

（一）发生其他支出时

1. 盘亏的库存物品，按照账面余额，借记本科目，贷记“库存物品”科目。

报废、毁损的库存物品，按照库存物品账面余额扣除可以收回的保险赔偿和过失人的赔偿等后的金额，借记本科目，按库存物品账面余额，贷记“库存物品”科目，按照可以收回的保险赔偿和过失人赔偿等，借记“库存现金”、“银行存款”、“其他应收款”等科目。

2. 毁损、报废的固定资产，按账面原值，借记“固定基金”科目，贷记“固定资产”科目。同时，按清理过程中取得的收入，借记“库存现金”、“银行存款”等科目，按清理过程中发生的支出，贷记“库存现金”、“银行存款”等科目，按清理净收入（或净支出），贷记“其他收入”科目或借记本科目。

3. 对外捐赠支出，借记本科目，贷记“库存现金”、“银行存款”等科目。

4. 提取增收留成基金、财务专用基金时，借记本科目，贷记“专用基金——增收留成基金、财务专用基金”科目。

（二）期末结转时，借记“结余”科目，贷记本科目。

三、本科目期末结转后无余额。

第四部分　会计报表格式

编号	会计报表名称	编制期
工会01表	资产负债表	月报、年报
工会02表	收入支出表	月报、年报
工会01表附表1	往来款项明细表	年报
工会02表附表1	经费收缴情况表	季报、年报

资产负债表

工会01表

编制单位：　　　　年　月　日　　　　单位：元

	资产	年初数	期末数		负债与净资产	年初数	期末数
	一、资产				二、负债		
101	库存现金			201	应付工资（离退休费）		
102	银行存款			202	应付地方（部门）津贴补贴		
111	零余额账户用款额度			203	应付其他个人收入		
112	财政应返还额度			211	借入款		
121	借出款			221	应付上级经费		
131	应收上级经费			222	应付下级经费		
132	应收下级经费			225	其他应付款		
135	其他应收款			231	代管经费		
141	库存物品				负债合计		
151	投资						
161	在建工程				三、净资产		
162	固定资产			301	固定基金		
				302	在建工程占用资金		

续表

资产		年初数	期末数	负债与净资产		年初数	期末数
				311	投资基金		
				321	专用基金		
				322	后备金		
				331	结余		
				净资产合计			
资产总计				负债与净资产总计			

工会主席：　　　　财务负责人：　　　　复核：　　　　制表：

收入支出表

工会02表

编制单位：　　　　年　　月　　　　单位：元

项目		本月数	本年累计数
一、收入			
401	会费收入		
402	拨缴经费收入		
403	上级补助收入		
40301	回拨补助		
40302	专项补助		
40303	超收补助		
40304	帮扶补助		
40305	送温暖补助		
40306	救灾补助		
40307	其他补助		
404	政府补助收入		
405	行政补助收入		
406	事业收入		
407	投资收益		
408	其他收入		
本期收入合计			
二、支出			
501	职工活动支出		
50101	职工教育费		
50102	文体活动费		
50103	宣传活动费		
50104	其他活动支出		
502	维权支出		
50201	劳动关系协调费		
50202	劳动保护费		
50203	法律援助费		
50204	困难职工帮扶费		
50205	送温暖费		
50206	其他维权支出		
503	业务支出		
50301	培训费		
50302	会议费		
50303	外事费		
50304	专项业务费		
50305	其他业务支出		
504	行政支出		
50401	工资福利支出		

续表

项目		本月数	本年累计数
50402	商品和服务支出		
50403	对个人和家庭的补助		
50404	其他行政支出		
505	资本性支出		
50501	房屋建筑物购建		
50502	办公设备购置		
50503	专用设备购置		
50504	交通工具购置		
50505	大型修缮		
50506	信息网络购建		
50507	其他资本性支出		
506	补助下级支出		
50601	回拨补助		
50602	专项补助		
50603	超收补助		
50604	帮扶补助		
50605	送温暖补助		
50606	救灾补助		
50607	其他补助		
507	事业支出		
508	其他支出		
本期支出合计			
三、本期结余			

工会主席：　　　　财务负责人：　　　　复核：　　　　制表：

往来款项明细表

工会01表附表1

编制单位：　　　　____年____月____日　　　　单位：元

资产类科目	具体内容	金额	负债类科目	具体内容	金额
借出款			借入款		
(按明细项目列)			(按明细项目列)		
应收上级经费			应付上级经费		
(按明细项目列)			(按明细项目列)		
应收下级经费			应付下级经费		
(按明细项目列)			(按明细项目列)		
其他应收款			其他应付款		
(按明细项目列)			(按明细项目列)		
			代管经费		
			(按明细项目列)		

工会主席：　　　　财务负责人：　　　　复核：　　　　制表：

经费收缴情况表

工会02表附表1

编制单位：　　　　　　　　　　　　　　　　　年　　季度　　　　　　　　　　　　　　　　　单位：元

项目 单位	应收经费				拨缴经费收入（本级）		应付经费				已付上级经费	应付未付上级经费
	应收上级经费		应收下级经费				应付上级经费		应付下级经费			
	比例	金额	比例	金额	比例	金额	比例	金额	比例	金额		
总　计												

工会主席：　　　　　　　　　　　　财务负责人：　　　　　　　　　　　复核：　　　　　　　　　　制表：

第五部分　会计报表编制说明

一、资产负债表编制说明

（一）本表反映工会某一会计期末全部资产、负债和净资产的情况。工会至少应当编制月度、年度资产负债表，可以根据需要编制季度、半年度资产负债表。

（二）编制年度资产负债表时，将“期末数”栏改为“年末数”栏。

（三）本表“年初数”栏内各项目，根据上年度资产负债表“年末数”栏内各对应项目数字填列。

（四）本表“期末数”栏内各项目，根据本期末总账各科目余额填列。“结余”项目也可以根据上期资产负债表“结余——期末数”加上本期收入支出表“本期结余——本月数”并加上本期收回投资、减去本期对外投资后的金额填列。

年度资产负债表“年末数”栏内各项目，根据本年末总账各科目余额填列。

二、收入支出表编制说明

（一）本表反映工会某一会计期间全部收入、支出和结余的情况。工会至少应当编制月度、年度收入支出表，可以根据需要编制季度、半年度收入支出表。

（二）编制年度收入支出表时，将表头中的“　　年　　月”改为“　　年度”；并将“本月数”栏改为“本年数”栏，将“本年累计数”栏改为“上年数”栏。

（三）本表“本月数”栏内各项目，根据本月总账各科目借方或贷方发生额填列。

年度收入支出表“本年数”栏内各项目，根据本年度总账各科目借方或贷方发生额填列。

（四）本表“本年累计数”栏内各项目，根据本月末总账各科目余额填列，也可以根据上月收入支出表“本年累计数”加上本月收入支出表“本月数”后的金额填列。

年度收入支出表“上年数”栏内各项目，根据上年度收入支出表“本年数”栏内各对应项目数字填列。

附件 2：

工会新旧会计制度有关衔接问题的处理规定

我部对中华全国总工会 1998 年颁布的《工会会计制度》（以下称原制度）进行了全面修订，制定了新版《工会会计制度》（以下称新制度），自 2010 年 1 月 1 日起执行。为了做好新旧制度的衔接工作，现对工会执行新制度的有关衔接问题规定如下：

一、做好调账前的准备工作

工会在 2009 年 12 月 31 日及之前，仍应当按照原制度进行会计核算和编报会计报表。自 2010 年 1 月 1 日起，工会应当根据新制度设置新账目，将各会计科目 2009 年年末余额转入新账并作调整后，作为新制度务会计科目 2010 年的年初余额，并按照新制度编制 2010 年的年初资产负债表。在编制 2010 年度其他报表时，如有“上年数”一栏无法确定的，不要求填列。

工会应当在 2009 年年终决算前对本单位的资产和负债进行全面清查，对清查中发现的资产报废、毁损、盘盈、盘亏，按规定程序报经批准后，借记“其他支出”科目或贷记“其他收入”科目，贷记或借记相关资产科目。如有清查出的应入账而未入账的资产，按规定报经批准后，借记相关资产科目，贷记“结余”科目；如有应入账而未入账的负债，按规定报经批准后，借记“结余”科目，贷记相关负债科目。

新制度要求将财政拨款及其他政府补助纳入工会账内核算，工会应当对已收到的政府补助及相关支出进行清理，按规定报经批准后，增加相关资产科目和结余科目。新制度对“代管经费”科目的核算对象进行了重新限定，工会应当按照新制度中规定的代管经费核算内容使用本科目，不得滥用。

二、新旧会计科目结转

工会应当在上述资产、负债清理的基础上，将各会计科目 2009 年末余额转入 2010 年新账目。

资产类：

（一）“现金”科目

新制度设置了“库存现金”科目，其核算内容与原制度“现金”科目的核算内容相同。调账时，应将原账中“现金”科目的余额直接转入新账中“库存现金”科目。

（二）“银行存款”、“经费集中户存款”科目

新制度没有设置“经费集中户存款”一级科目，但仍设置有“银行存款”科目。调账时，可在新账中“银行存款”科目下设置“经费集中户存款”等明细科目，将原账中“银行存款”、“经费集中户存款”科目的余额分别转入新账中“银行存款”科目的相应明细科目。

（三）“有价证券”科目

新制度没有设置“有价证券”科目，但仍设置有“投资”科目。调账时，应将“有价证券”科目的余额转入新账中“投资”科目。

（四）“暂付款”科目

新制度没有设置“暂付款”科目，新设置了“其他应收款”科目，其核算内容包含原制度“暂付款”科目的核算内容。调账时，应将原账中“暂付款”科目的余额转入新账中“其他应收款”科目。

（五）“借出款”、“投资”、“固定资产”科目

新制度仍设置有“借出款”、“投资”、“固定资产”科目，其核算内容与原制度相应科目的核算内容基本相同。调账时，应将原账中以上科目的余额直接转入新账中相应科目。

（六）“库存材料”科目

新制度设置了“库存物品”科目，其核算内容与原制度“库存材料”科目的核算内容基本相同，调账时，应将原账中“库存材料”科目的余额直接转入新账中“库存物品”科目。

（七）“专项资金占用”科目

新制度没有设置“专项资金占用”科目，新设置了“在建工程”科目，其核算内容与原制度“专项资金占用”科目的核算内容基本相同。调账时，应将原账中“专项资金占用”科目的余额转入新账中“在建工程”科目。

（八）“应收上解经费”科目

新制度设置了“应收下级经费”科目，用于核算工会按规定应收下级工会的上缴工会经费和建会筹备金，其核算内容与原制度“应收上解经费”科目的核算内容基本相同。调账时，应将原账中“应收上解经费”科目的余额转入新账中“应收下级经费”科目。

（九）“应收上级补助”科目

新制度设置了“应收上级经费”科目，用于核算工会应收未收的上级工会应拨付（转拨）工会经费、建会筹备金和补助，该科目下设应收上级补助、应收上级转拨经费、应收建会筹备金三个明细科目，其“应收上级补助”明细科目的核算内容与原制度“应收上级补助”科目的核算内容基本相同。调账时，应将原账中“应收上级补助”科目的余额转入新账中“应收上级经费”科目（应收上级补助）。

（十）“拨出经费”科目

新制度没有设置“拨出经费”科目。采用本级工会与工会机关分账核算方式的县级以上工会，可以自行增设“拨出经费”科目，用于核算工会预拨给工会机关待核销的经费。调账时，应将原账中“拨出经费”科目的余额转入新账中“拨出经费”科目。

负债类：

（十一）“应付上解经费”科目

新制度设置了“应付上级经费”科目，用于核算工会按规定应上缴的工会经费及建会筹备金，其核算内容与原制度“应付上解经费”科目的核算内容基本相同。调账时，应将原账中“应付上解经费”科目的余额转入新账中“应付上级经费”科目。

（十二）“应付补助下级经费”科目

新制度设置了“应付下级经费”科目，用于核算工会应付下级工会的各项补助以及应转拨下级工会的工会经费和建会筹备金，该科目下设应付下级补助、应付下级转拨经费、应付建会筹备金三个明细科目，其“应付下级补助”明细科目的核算内容与原制度“应付补助下级经费”科目的核算内容基本相同。调账时，应将原账中“应付补助下级经费”科目的余额转入新账中“应付下级经费”科目（应付下级补助）。

（十三）“暂存款”科目

新制度没有设置“暂存款”科目，新设置了“其他应付款”科目。原制度“暂存款”科目中核算的工会干部权益保障金调整至新制度“专用基金”科目中；原制度“暂存款”科目中核算的其他内容调整至新制度“其他应付款”科目中。调账时，应将原账中“暂存款”科目中工会干部权益保障金的余额转入新账中“专用基金——权益保障金”科目，将余额中的其他金额转入“其他应付款”科目。

（十四）“借入款”科目

新制度仍设置有“借入款”科目，其核算内容与原制度“借入款”科目的核算内容基本相同。调账时，应将原账中“借入款”科目的余额直接转入新账中“借入款”科目。

（十五）“代管经费”科目

新制度仍设置有“代管经费”科目，但对“代管经费”科目的核算内容进行了严格限定。调账时，应对原账中“代管经费”科目的余额进行分析，将符合新制度规定的部分转入新账中“代管经费”科目；冲销余额中的其他金额，相应增加“结余”科目余额。

（十六）“拨入经费”科目

新制度没有设置“拨入经费”科目。采用本级工会与工会机关分账核算方式的县级以上工会，可以自行增设“拨入经费”科目，用于核算工会机关收到的由本级工会拨入的预算经费。调账时，应将原账中“拨入经费”科目的余额转入新账中“拨入经费”科目。

（十七）“拨入专项资金”科目

新制度没有设置“拨入专项资金”科目，新设置了“在建工程占用资金”科目。调账时，应将原账中“拨入专项资金”科目的余额转入新账中“在建工程占用资金”科目。

净资产类：

（十八）“固定基金”、“投资基金”科目

新制度仍设置有“固定基金”、“投资基金”科目，其核算内容与原制度相应科目的核算内容基本相同。调账时，应将原账中以上科目的余额直接转入新账中相应科目。

（十九）“专用基金”科目

新制度仍设置有“专用基金”科目，其核算内容比原制度“专用基金”科目的核算内容增加了工会干部权益保障金。调账时，应将原账中“专用基金”科目的余额分别转入新账中“专用基金”科目（增收留成基金、财务专用基金）。

（二十）“经费结余”科目

新制度设置了“结余”科目。调账时，应将原账中“经费结余”科目的余额转入新账中“结余”科目。

（二十一）“预算周转金”科目

新制度没有设置“预算周转金”科目。调账时，应冲销原账中“预算周转金”科目的余额，相应增加“结余”科目金额。

（二十二）“后备基金”科目

新制度设置了“后备金”科目，其核算内容与原制度“后备基金”科目的核算内容基本一致。调账时，应将原账中“后备基金”科目的余额直接转入新账中“后备金”科目。

收入支出类：

（二十三）“会费收入”、“拨交经费收入”、“上级补助收入”、“政府或行政补助收入”、“事业收入”，“投资收益”、“其他收入”、“工会行政费”、“补助下级支出”、“事业支出”、“其他支出”科目

由于原账中以上收入支出类科目年末无余额，不需要进行调账。自2010年1月1日起，应当按照新制度设置收入支出类科目进行会计处理。

（二十四）“上解经费支出”科目

新制度取消了“上解经费支出”科目。

（二十五）“会员活动费”、“职工活动费”科目

新制度没有设置“会员活动费”科目；新设置了“职工活动支出”科目，其核算内容涵盖了原制度“会员活动费”、“职工活动费”科目的核算内容。

（二十六）“专项资金支出”科目

新制度没有设置“专项资金支出”科目；新设置了“资本性支出”科目，其核算内容涵盖了原制度“专项资金支出”科目的核算内容且增加了其他核算内容。

附：工会新旧会计科目对照表

附：

工会新旧会计科目对照表

新会计科目	原会计科目
一、资产	
库存现金	现金
银行存款	银行存款
	经费集中户存款

续表

新会计科目	原会计科目
零余额账户用款额度	
财政应返还额度 财政直接支付 财政授权支付	
借出款	借出款
	拨出经费
应收上级经费 应收上级补助 应收上级转拨经费 应收建会筹备金	 应收上级补助
应收下级经费	应收上解经费
其他应收款	暂付款
库存物品	库存材料
投资	有价证券 投资
在建工程	专项资金占用
固定资产	固定资产
二、负债	
应付工资（离退休费）	
应付地方（部门）津贴补贴	
应付其他个人收入	
借入款	借入款
	拨入经费
应付上级经费	应付上解经费
应付下级经费 应付下级补助 应付下级转拨经费 应付建会筹备金	 应付补助下级经费
其他应付款	暂存款
代管经费	代管经费
	拨入专项资金
三、净资产	
固定基金	固定基金
在建工程占用资金	
投资基金	投资基金
专用基金 增收留成基金 财务专用基金 权益保障金	专用基金
后备金	后备基金
结余	经费结余
四、收入	
会费收入	会费收入
拨缴经费收入	拨交经费收入
上级补助收入 回拨补助 专项补助 超收补助 帮扶补助 送温暖补助 救灾补助 其他补助	上级补助收入

续表

新会计科目	原会计科目
政府补助收入 行政补助收入	政府或行政补助收入
事业收入	事业收入
投资收益	投资收益
其他收入	其他收入
五、支出	
职工活动支出 职工教育费 文体活动费 宣传活动费 其他活动支出	会员活动费 职工活动费
维权支出 劳动关系协调费 劳动保护费 法律援助费 困难职工帮扶费 送温暖费 其他维权支出	工会业务费
业务支出 培训费 会议费 外事费 专项业务费 其他业务费	
行政支出 工资福利支出 商品和服务支出 对个人和家庭的补助 其他行政支出	工会行政费
资本性支出 房屋建筑物购建 办公设备购置 专用设备购置 交通工具购置 大型修缮 信息网络购建 其他资本性支出	专项资金支出
补助下级支出 回拨补助 专项补助 超收补助 帮扶补助 送温暖补助 救灾补助 其他补助	补助下级支出
事业支出	事业支出
	上解经费支出
其他支出	其他支出

省财政厅转发《财政部关于印发〈典当企业执行企业会计准则若干衔接规定〉的通知》的通知

2009年8月3日 鲁财会〔2009〕35号

各市财政局，省直有关部门，有关典当企业：

现将《财政部关于印发〈典当企业执行企业会计准则若干衔接规定〉的通知》（财会〔2009〕11号）转发给你们，请遵照执行。

附件：财政部关于印发《典当企业执行〈企业会计准则〉若干衔接规定》的通知

附件：

财政部关于印发《典当企业执行〈企业会计准则〉若干衔接规定》的通知

2009年7月20日 财会〔2009〕11号

国务院有关部委、有关直属机构，各省、自治区、直辖市、计划单列市财政厅（局），新疆生产建设兵团财务局，有关典当企业：

为了规范典当企业执行企业会计准则，确保新旧会计准则平稳过渡，根据《中华人民共和国会计法》和《企业会计准则——基本准则》等国家有关法律法规，我部制定了《典当企业执行〈企业会计准则〉若干衔接规定》，现予印发。执行企业会计准则的典当企业不再执行原来的相关准则、制度、办法。

执行中有何问题，请及时反馈我部。

附件：典当企业执行《企业会计准则》若干衔接规定

附件：

典当企业执行《企业会计准则》若干衔接规定

典当企业应当遵循《企业会计准则——基本准则》、各项具体准则、会计准则应用指南以及解释（以下简称新会计准则）的规定，进行会计处理，编制财务报告，在新会计准则首次执行日，应当按照《企业会计准则第38号——首次执行企业会计准则》及其应用指南、解释的规定执行，做好新旧衔接，确保平稳过渡。

一、典当业务会计处理及其衔接

典当企业自首次执行日起，应当按照新会计准则的要求进行会计处理，有关典当业务的会计处理及其衔接要求如下：

（一）对于典当企业发放的当金，企业应当设置“贷款”科目或分别设置“质押贷款”和“抵押贷款”科目，并按照《企业会计准则第22号——金融工具确认和计量》的规定进行会计处理。即对于发放的当金，典当企业应当按照公允价值进行初始计量，采用实际利率法，按照摊余成本进行后续计量。

（二）利息和综合费用属于计算实际利率的组成项目，应当在确定实际利率时予以考虑，按照实际利率法计算贷款的摊余成本及各期利息收入。企业应收或预收的综合费用，通过“应收账款”或“预收账款”科目进行会计处理。

（三）对于典当企业取得的符合资产定义和资产确认条件的动产等绝当物品，企业应当设置“1409 绝当物品”等科目，按照《企业会计准则第1号——存货》的规定进行会计处理，并在资产负债表的“存货”项目中列示；对于取得的符合资产定义和资产确认条件的股权、票据等金融资产类绝当物品，企业应当设置“交易性金融资产”、“可供出售金融资产”、“持有至到期投资”、“应收票据”等科目，并按照《企业会计准则第22号——金融工具确认和计量》的规定进行会计处理。

绝当物品发生减值的，企业应当按照新会计准则的要求确认相应的资产减值损失。存货类绝当物品的处置通过“其他业务收入”和“其他业务成本”等科目进行会计处理；金融工具类绝当物品的处置通过“投资收益”等科目进行会计处理；应当退还当户或向当户追索的款项通过“其他应付款”或“其他应收款”等科目进行会计处理。

（四）对于典当企业从事的鉴定评估及咨询等服务，应当设置“手续费及佣金收入”、“手续费及佣金支出”等科目，并按照《企业会计准则第14号——收入》中有关提供劳务收入的确认和计量原则进行会计处理。

（五）典当企业应当设置备查簿，登记当物的有关信息。

二、财务报表列报的要求及其衔接

典当企业自首次执行日起，应当按照新会计准则的要求进行财务报表的列报（财务报表格式参见附件），有关报表项目及其金额应按照新会计准则的要求做好新旧转换和衔接工作。附注的编制应当遵循新会计准则的相关规定，并补充披露以下内容：

（一）贷款和垫款按担保物类别分布情况

项　目	期末账面余额	年初账面余额
动产质押贷款		
财产权利质押贷款		
房地产抵押贷款		
合　计		

（二）逾期贷款

项　目	期末账面余额					年初账面余额				
	逾期1天至90天（含90天）	逾期90天至360天（含360天）	逾期360天至3年（含3年）	逾期3年以上	合计	逾期1天至90天（含90天）	逾期90天至360天（含360天）	逾期360天至3年（含3年）	逾期3年以上	合计
动产质押贷款										
财产权利质押贷款										
房地产抵押贷款										
合　计										

（三）绝当金额（指绝当涉及的贷款以及应收未收的利息和综合费用）

项　目	本期发生额	上期发生额
动产质押贷款绝当金额		
财产权利质押贷款绝当金额		
房地产抵押贷款绝当金额		
合　计		

（四）利息收入（按担保物类别）

项　目	本期发生额	上期发生额
动产质押贷款利息收入		
财产权利质押贷款利息收入		
房地产抵押贷款利息收入		
合　计		

附：财务报表格式

附：

资产负债表

会典01表

编制单位：　　　　　　　　　　____年____月____日　　　　　　　　　　单位：元

资　产	期末余额	年初余额	负债和所有者权益（或股东权益）	期末余额	年初余额
资产：			负债：		
货币资金			短期借款		
交易性金融资产			交易性金融负债		
衍生金融资产			衍生金融负债		
买入返售金融资产			卖出回购金融资产款		
应收账款			应付账款		
应收利息			应付职工薪酬		
存货			应交税费		
发放贷款和垫款			应付利息		
可供出售金融资产			长期借款		
持有至到期投资			预计负债		
长期股权投资			递延所得税负债		
固定资产			其他负债		
无形资产			负债合计		
递延所得税资产			所有者权益（或股东权益）：		
其他资产			实收资本（或股本）		
			资本公积		
			减：库存股		
			盈余公积		

续表

资　产	期末余额	年初余额	负债和所有者权益（或股东权益）	期末余额	年初余额
			一般风险准备		
			未分配利润		
			所有者权益（或股东权益）合计		
资产总计			负债和所有者权益（或股东权益）总计		

利润表

会典02表

编制单位：　　　　　　　　　　　　____年____月　　　　　　　　　　　　单位：元

项　目	本期金额	上期金额
一、营业收入		
利息净收入		
利息收入		
利息支出		
手续费及佣金净收入		
手续费及佣金收入		
手续费及佣金支出		
投资收益（损失以“－”号填列）		
其中：对联营企业和合营企业的投资收益		
公允价值变动收益（损失以“－”号填列）		
汇兑收益（损失以“－”号填列）		
其他业务收入		
二、营业支出		
营业税金及附加		
业务及管理费		
资产减值损失		
其他业务成本		
三、营业利润（亏损以“－”号填列）		
加：营业外收入		
减：营业外支出		
四、利润总额（亏损总额以“－”号填列）		
减：所得税费用		
五、净利润（净亏损以“－”号填列）		
六、每股收益：		
（一）基本每股收益		
（二）稀释每股收益		
七、其他综合收益		
八、综合收益总额		

现金流量表

会典03表

编制单位：　　　　　　　　　　　　　　　　　　　年　　月　　　　　　　　　　　　　　　　　　　　单位：元

项　　目	本期金额	上期金额
一、经营活动产生的现金流量：		
买卖交易性金融资产净增加额		
取得借款收到的现金		
收取利息、综合费、手续费及佣金的现金		
收到其他与经营活动有关的现金		
经营活动现金流入小计		
客户贷款及垫款净增加额		
支付手续费及佣金的现金		
支付给职工以及为职工支付的现金		
支付的各项税费		
支付其他与经营活动有关的现金		
经营活动现金流出小计		
经营活动产生的现金流量净额		
二、投资活动产生的现金流量：		
收回投资收到的现金		
取得投资收益收到的现金		
处置固定资产、无形资产和其他长期资产收回的现金净额		
收到其他与投资活动有关的现金		
投资活动现金流入小计		
投资支付的现金		
购建固定资产、无形资产和其他长期资产支付的现金		
支付其他与投资活动有关的现金		
投资活动现金流出小计		
投资活动产生的现金流量净额		
三、筹资活动产生的现金流量：		
吸收投资收到的现金		
收到其他与筹资活动有关的现金		
筹资活动现金流入小计		
偿还债务支付的现金		
分配股利、利润或偿付利息支付的现金		
支付其他与筹资活动有关的现金		
筹资活动现金流出小计		
筹资活动产生的现金流量净额		
四、汇率变动对现金及现金等价物的影响		
五、现金及现金等价物净增加额		
加：期初现金及现金等价物余额		
六、期末现金及现金等价物余额		

所有者权益变动表

会典04表

编制单位：　　　　　　　　　　　　　　　　　　　　　　　　年度　　　　　　　　　　　　　　　　　　　　　　　单位：元

项　　目	本年金额						上年金额					
	实收资本（或股本）	资本公积	减：库存股	盈余公积	未分配利润	所有者权益合计	实收资本（或股本）	资本公积	减：库存股	盈余公积	未分配利润	所有者权益合计
一、上年年末余额												
加：会计政策变更												
前期差错更正												
二、本年年初余额												
三、本年增减变动金额（减少以“－”号填列）												
（一）净利润												
（二）直接计入所有者权益的利得和损失												
1. 可供出售金融资产公允价值变动净额												
（1）计入所有者权益的金额												
（2）转入当期损益的金额												
2. 现金流量套期工具公允价值变动净额												
（1）计入所有者权益的金额												
（2）转入当期损益的金额												
（3）计入被套期项目初始确认金额中的金额												
3. 权益法下被投资单位其他所有者权益变动的影响												
4. 与计入所有者权益项目相关的所得税影响												
5. 其他												
上述（一）和（二）小计												
（三）所有者投入和减少资本												
1. 所有者投入资本												
2. 股份支付计入所有者权益的金额												
3. 其他												
（四）利润分配												
1. 提取盈余公积												
2. 提取一般风险准备												
3. 对所有者（或股东）的分配												
4. 其他												
（五）所有者权益内部结转												
1. 资本公积转增资本（或股本）												
2. 盈余公积转增资本（或股本）												
3. 盈余公积弥补亏损												
4. 一般风险准备弥补亏损												
5. 其他												
四、本年年末余额												

省财政厅　省人民政府国有资产监督管理委员会 省中小企业办公室关于进一步贯彻实施《企业会计准则》的通知

2009年9月1日　鲁财会〔2009〕36号

各市财政局、国资监管机构、中小企业局（办），有关业务主管部门（单位）：

自《企业会计准则》（以下简称“新准则”）发布以来，我省各级财政、国资监管机构、中小企业局（办）等部门密切配合，全力推动，各有关企业积极行动、狠抓落实，新准则先后在我省上市公司、省属和部分市、县国有大中型企业实施，对提高企业管理水平、树立良好社会形象，改善公司治理结构，发挥了积极作用。按照财政部统一部署和省财政厅、省国资委《关于进一步贯彻落实企业会计准则的通知》（鲁财会〔2008〕27号）要求，所有大中型企业须在2010年执行新准则。为全面贯彻落实财政部部署要求，进一步推动新准则在我省的贯彻实施，现就有关事项通知如下：

一、进一步提高对实施新准则重要性的认识。企业会计准则体系是生成和提供高质量会计信息、引导社会资源合理配置、保护投资者和公众利益的重要技术标准。实施会计准则体系，是推进企业改革、促进资本市场发展的一项基础性工程，是当前会计行业的一项重要任务。从上市公司的先期执行情况看，新准则体系科学可行，在维护资产完整、提高会计信息质量、保护所有者权益等方面发挥了较好作用，并实现了会计核算标准与国际间的趋同，对于推进对外开放，促进国际经济交流将发挥重要作用。各级财政、国资监管机构、中小企业局（办）等有关部门及各有关企业，要统一思想、提高认识，切实增强贯彻实施新准则的责任感和紧迫感，进一步高度重视、加强领导、强化措施、精心组织，确保新准则在我省贯彻实施到位。

二、制定执行时间表，确保按时完成。我省执行《企业会计准则》总的时间要求是，省属国有大中型企业应在2009年、其他企业（含实行企业化管理单位）应在2010年执行到位。各市也要按此要求，尽快制定本市的执行时间表。尚未执行新准则的大中型企业，要积极行动，制定实施方案和日程表，建立实施工作组，配备业务骨干人员，按要求在规定时间实施。已执行新准则的企业，要密切跟踪新准则的实施情况，认真研究分析新准则执行中存在的问题并及时反映，确保新准则顺利贯彻执行。

三、各级财政、国资监管机构、中小企业局（办）及有关业务主管部门（单位），要切实加强协调和政策指导，制定周密工作方案，抓好相关配套措施的跟进和落实，妥善处理好实施过程中出现的新情况、新问题。要进一步落实责任，国资监管机构要重点抓好国有大中型企业的新准则实施工作；中小企业局（办）要重点抓好非国有中型企业的新准则实施工作；财政部门要重点抓好其他大中型企业的新准则实施工作。要充分发挥新准则咨询专家组的作用，通过召开经验交流会、座谈会等多种方式，帮助企业积极稳妥地做好新准则实施工作。

四、要建立工作联系制度。财政部门要指定专人负责新准则实施工作，并主动与国资监管机构、中小企业办等有关部门加强联系。要建立企业实施《企业会计准则》情况台账，动态反映新准则实施情况，并请各市财政局、国资监管机构、中小企业主管部门于每年7月31日前、次年2月15日前按照报表填报说明将附件1、附件2及电子文档分别报省财政厅、国资监管机构和省中小企业办公室。省财政厅将定期公布各市实施进度，并对各市工作情况进行督查，将各市新准则实施情况作为年终工作考核的重要内容。

省财政厅会计处联系人：杜英俊　张慧

电话：0531－82669793　0531－82665250

邮编：250002

电子邮箱：zhanghui1982ok@ 163. com

省国资委财务审计处联系人：杨睿　徐敏

电话：0531－85103613

电子邮箱：xumin@ sdsgzw. gov. cn

省中小企业办规划发展处联系人：周琰

电话：0531－82037280

电子邮箱：zhouy@ smesd. gov. cn

附件：1. 山东省国有大中型、非国有大型企业实施《企业会计准则》情况报表

　　　2. 山东省中小企业实施《企业会计准则》情况报表

附件 1：

山东省国有大中型、非国有大型企业实施《企业会计准则》情况报表

（　　年　　月）

汇总单位：　　　　　　　　　　　　　　　　　　　　　　　　上报日期：

所属行业		省属企业				市及以下企业				实行企业化管理单位			合计		
大类	细分	现有户数	已执行户数		执行率（%）	现有户数	已执行户数		执行率（%）	现有户数	已执行户数	执行率（%）	企业户数	已执行户数	执行率（%）
			小计	其中上市公司			小计	其中上市公司							
工业企业	煤炭企业														
	冶金企业														
	汽车企业														
	机械企业														
	化工企业														
	轻工企业														
	纺织企业														
商业企业	商业企业														
	物资企业														
	外贸企业														
服务企业	服务企业														
	旅游企业														
其他企业															
合　计															

负责人：　　　　　　　　　　　　　　　　　　　　　　　　　　　制表人：

说明：1. 本表统计范围为国有大中型企业和非国有大型企业；

2. 半年报上报日期为7月31日前，年报上报日期为次年2月15日前；

3. 各市财政局、国资监管机构填报此表。

附件2：

山东省中小企业实施《企业会计准则》情况报表

（　　年　　月）

汇总单位：（盖章）　　　　　　　　　　　　　　　　　　　　上报日期：

所属行业		规模以上企业			
大类	细分	现有户数	已执行户数		执行率（%）
			小计	其中上市公司	
工业企业	食品				
	纺织				
	造纸				
	化工				
	机械				
	其他				
建筑业					
交通运输仓储业					
批发零售业					
住宿及餐饮业					
其他					
合计					

负责人：　　　　　　　　　　　　　　　　　　　　　　　　制表人：

说明：1. 本表统计范围为规模以上中小企业；

2. 半年报上报日期为7月31日前，年报上报日期为次年2月15日前；

3. 各市中小企业主管部门填报此表。

省财政厅　省总工会关于转发财政部　中华全国总工会《关于做好贯彻实施新〈工会会计制度〉准备工作的通知》的通知

2009年11月25日　鲁财会〔2009〕54号

各市财政局，市总工会，省产业、大企业工会，省直机关工会：

现将财政部、中华全国总工会《关于做好贯彻实施新〈工会会计制度〉准备工作的通知》转发给你们，请给合本地区本行业本单位实际，做好新制度贯彻实施的准备工作。

一、各级工会要加强领导、健全工会会计机构，配备具有会计从业资格的专职或兼职会计人员，完善内部控制制度，并确保落实到位。

二、认真组织新制度的学习培训，使各级工会财会干部尽快熟悉和掌握新制度，高水平、高质量做好工会会计工作。

三、按照财政部发布的《工会新旧会计制度有关衔接问题的处理规定》，对现有资产和负债进行全面清查和盘点，明晰产权，完善记录，做好新旧会计制度的衔接，保证平稳过渡。

四、认真落实财政部发布的《全面推进我国会计信息化工作的指导意见》（财会〔2009〕6号），全面推进工会会计电算化工作，努力提高会计信息化水平。

附件：财政部　中华全国总工会关于做好贯彻实施新《工会会计制度》准备工作的通知

附件：

财政部 中华全国总工会关于做好贯彻实施新《工会会计制度》准备工作的通知

2009年7月10日 财会〔2009〕10号

各省、自治区、直辖市、计划单列市财政厅（局），新疆生产建设兵团财务局，各省、自治区、直辖市总工会，中华全国铁路总工会、中国民航工会全国委员会、中国金融工会全国委员会、中共中央直属机关工会联合会、中央国家机关工会联合会：

2009年5月31日，财政部发布了《工会会计制度》（财会〔2009〕7号），自2010年1月1日起在全国各级工会组织范围内实施。为了做好新制度贯彻实施的准备工作，现将有关事项通知如下：

一、充分认识发布新《工会会计制度》的重要意义

新《工会会计制度》进一步完善了我国工会会计核算规范体系，属于国家统一会计制度的组成部分。该制度适应了新时期工会业务发展的需要，有利于规范各级工会组织的会计行为，统一会计核算标准，使工会各项经济业务的处理有章可循、有法可依；有利于促进各级工会组织加强内部管理，完善规章制度，提高管理水平；有利于提高工会会计信息质量和透明度，提升工会在社会各界的诚信度，促进工会组织健康、规范发展。

二、统一思想、高度重视，认真贯彻实施新《工会会计制度》

各级工会组织要统一思想，高度重视新《工会会计制度》的贯彻实施工作。要充分利用各种方式加大宣传和培训力度，让各级工会组织的负责人充分认识新《工会会计制度》发布的重要意义，使广大工会财会人员全面掌握新《工会会计制度》的各项规定和具体要求，严格按照规定核算各项经济业务，规范会计行为，以贯彻实施新制度为契机，促进工会会计工作再上新台阶。

各级财政部门应当按照新《工会会计制度》的规定和要求，与各级工会组织加强合作，采取有效措施，认真做好制度实施的指导工作，依法对会计工作进行监督。

三、加强领导、健全机构，确保制度落实到位

各级工会组织要加强对会计工作的领导，按照新《工会会计制度》和全国总工会会计规范化要求，健全会计机构，配备具有从业资格的专职或兼职会计人员，建立健全内部控制，加强管理。上一级工会要加强对下级工会的会计业务指导，切实保证新《工会会计制度》的贯彻实施。

《中华人民共和国会计法》规定，单位负责人对单位的会计工作和会计资料的真实性、完整性负责。单位的财务会计报告应当由单位负责人和主管会计工作的负责人、会计机构负责人签名并盖章。各级工会组织的负责人要认真履行法定职责，确保本单位执行好新制度，严格按照新制度进行会计核算、编制会计报表，保证会计信息真实、完整。

四、联合培训，全面覆盖，造就高素质的工会财会队伍

财政部、全国总工会负责省级工会财会干部的师资培训。在财政部、全国总工会的统一领导下，各级财政部门和工会组织要制定本地区、本系统的培训计划，认真组织新制度的培训工作。要以新《工会会计制度》、《工会会计制度讲解》为依据，逐级培训，扩大覆盖面，直至基层工会，使各级工会财会干部尽快熟悉和掌握新的财会制度，高水平、高质量做好工会会计工作。

五、做好新旧会计制度衔接，保证平稳过渡

各级工会组织应当自2010年1月1日起，严格按照新《工会会计制度》进行会计核算。中华全国总工会1998年发布的《工会会计制度》截至2009年12月31日废止。2009年度各项会计核算和报表编制仍执行原制度不变，自2010年1月1日起，根据新制度设置账目，并将2009年末余额转入相应账目，编制2010年的年初资产负债表。

各级工会组织要根据财政部发布的新《工会会计制度》和《工会新旧会计制度有关衔接问题的处理规定》，对现有资产和负债进行全面清查和盘点，明晰产权，完善记录，做好各项会计基础工作和执行新制度的准备工作。对于清查出的资产报废、毁损、盘盈盘亏和应确认而未确认的资产，以及应确认而未确认的负债等，报经批准后及时进行账务处理。特别是要建立健全资金管理办法，保证新旧制度转换过程中货币资金的安全完整和合规使用。

各级工会应当抓紧做好新旧会计制度的衔接工作，以实现平稳过渡。

六、全面推进工会会计电算化工作，大力提高会计信息化水平

工会会计核算软件将由全国总工会统一发放到包括基层工会在内的各级工会组织免费使用。一些县以上工会根据工作需要，自行研发会计核算软件或对原相关软件进行改版使用的，务必要坚持“免费发放，覆盖基层”的原则，保证会计核算统一，汇总一致，管理规范。

同时，各级工会财务部门，要按照财政部发布的《全面推进我国会计信息化工作的指导意见》（财会〔2009〕6号）的要求，抓住贯彻实施新《工会会计制度》的新机遇，加强会计电算化培训，提高电算化人员专业技术水平和实际业务能力，全面普及会计电算化，规范基本操作，全面提高会计信息化水平。

省财政厅转发《财政部关于印发〈保险合同相关会计处理规定〉的通知》的通知

2009年12月29日　鲁财会〔2009〕65号

各市财政局，各省财政直接管理县（市）财政局，省直有关部门，各保险公司：

现将《财政部关于印发〈保险合同相关会计处理规定〉的通知》（财会〔2009〕15号）转发给你们，请遵照执行。

附件：财政部关于印发《保险合同相关会计处理规定》的通知

附件：

财政部关于印发《保险合同相关会计处理规定》的通知

2009年12月22日　财会〔2009〕15号

国务院有关部委、有关直属机构，各省、自治区、直辖市、计划单列市财政厅（局），新疆生产建设兵团财务局，有关保险公司：

为了规范保险混合合同分拆、重大保险风险测试和保险合同准备金计量的会计处理，根据《中华人民共和国会计法》和《企业会计准则——基本准则》等有关法律法规，我部制定了《保险合同相关会计处理规定》，现予印发。

执行中有何问题，请及时反馈我部。

附件：保险合同相关会计处理规定

附件：

保险合同相关会计处理规定

为了规范保险混合合同分拆、重大保险风险测试和保险合同准备金计量等问题，现就有关会计处理规定如下：

一、保险混合合同分拆

（一）保险人与投保人签订的合同，使保险人既承担保险风险又承担其他风险的，应当分别下列情况进行处理：

1. 保险风险部分和其他风险部分能够区分，并且能够单独计量的，应当将保险风险部分和其他风险部分进行分拆。保险风险部分，确定为保险合同；其他风险部分，不确定为保险合同。

2. 保险风险部分和其他风险部分不能够区分，或者虽能够区分但不能够单独计量的，如果保险风险重大，应当将整个合同确定为保险合同；如果保险风险不重大，不应当将整个合同确定为保险合同。

（二）确定为保险合同的，应当按照《企业会计准则第 25 号——原保险合同》、《企业会计准则第 26 号——再保险合同》等进行处理；不确定为保险合同的，应当按照《企业会计准则第 22 号——金融工具确认和计量》、《企业会计准则第 37 号——金融工具列报》等进行处理。

二、重大保险风险测试

（一）保险人与投保人签订的需要进行重大保险风险测试的合同，应当在合同初始确认日进行重大保险风险测试。保险人应当以单项合同为基础进行重大保险风险测试；不同合同的保险风险同质的，可以按合同组合为基础进行重大保险风险测试。

测试结果表明，发生合同约定的保险事故可能导致保险人支付重大附加利益的，即认定该保险风险重大，但不具有商业实质的除外。合同的签发对交易双方的经济利益没有可辨认的影响的，表明保险人与投保人签订的合同不具有商业实质。附加利益，是指保险人在发生保险事故时的支付额，超过不发生保险事故时的支付额的金额。

（二）保险人应当在附注中披露与重大保险风险测试有关的下列信息。

1. 重大保险风险的测试方法和标准；

2. 重大保险风险测试中合同的分组标准和选取方法；

3. 重大保险风险测试假设的设定依据。

经过重大保险风险测试后，未确认为保险合同的重大合同，应当披露其交易金额、保险责任、保险期间等信息。

三、保险合同准备金计量

保险人应当在资产负债表日计量保险合同准备金，以如实反映保险合同负债。寿险保险合同准备金包括寿险责任准备金、长期健康险责任准备金，分别由未到期责任准备金和未决赔款准备金组成。非寿险保险合同准备金包括未到期责任准备金、未决赔款准备金。

（一）保险合同准备金计量的基本要求

1. 保险人在确定保险合同准备金时，应当将单项保险合同作为一个计量单元，也可以将具有同质保险风险的保险合同组合作为一个计量单元。计量单元的确定标准应当在各个会计期间保持一致，不得随意变更。

2. 保险合同准备金应当以保险人履行保险合同相关义务所需支出的合理估计金额为基础进行计量。

保险人履行保险合同相关义务所需支出，是指由保险合同产生的预期未来现金流出与预期未来现金流入的差额，即预期未来净现金流出。其中，预期未来现金流出，是指保险人为履行保险合同相关义务所必需的合理现金流出，主要包括：（1）根据保险合同承诺的保证利益，包括死亡给付、残疾给付、疾病给付、生存给付、满期给付等；（2）根据保险合同构成推定义务的非保证利益，包括保单红利给付等；（3）管理保险合同或处理相关赔付必需的合理费用，包括保单维持费用、理赔费用等。预期未来现金流入，是指保险人为承担保险合同相关义务而获得的现金流入，包括保险费和其他收费。

预期未来净现金流出的合理估计金额，应当以资产负债表日可获取的当前信息为基础，按照各种情形的可能结果及相关概率计算确定。

3. 保险人在确定保险合同准备金时，应当考虑边际因素，并单独计量。保险人应当在保险期间内，采用系统、合理的方法，将边际计入当期损益。

保险人在保险合同初始确认日不应当确认首日利得，发生首日损失的，应当予以确认并计入当期损益。

4. 保险人在确定保险合同准备金时，应当考虑货币时间价值的影响。

货币时间价值影响重大的，应当对相关未来现金流量进行折现。计量货币时间价值所采用的折现率，应当以资产负债表日可获取的当前信息为基础确定，不得锁定。

5. 原保险合同现金流量和与其相关的再保险合同现金流量应当分别估计，并应当将从再保险分入人摊回的保险合同准备金确认为资产。

6. 保险人在确定保险合同准备金时，不得计提以平滑收益为目的的巨灾准备金、平衡准备金、平滑准备金等。

（二）未到期责任准备金的计量假设和期间

1. 未到期责任准备金计量假设应当以资产负债表日可获取的当前信息为基础确定。

（1）对于未来保险利益不受对应资产组合投资收益影响的保险合同，用于计算未到期责任准备金的折现率，应当根据与负债现金流出期限和风险相当的市场利率确定；对于未来保险利益随对应资产组合投资收益变化的保险合同，用于计算未到期责任准备金的折现率，应当根据对应资产组合预期产生的未来投资收益率确定。

（2）保险人应当根据实际经验和未来的发展变化趋势，确定合理估计值，作为保险事故发生率假设，如死亡发生率、疾病发生率、伤残率等。

（3）保险人应当根据实际经验和未来的发展变化趋势，确定合理估计值，作为退保率假设。

（4）保险人应当根据费用分析结果和未来的发展变化趋势，确定合理估计值，作为费用假设。

未来费用水平对通货膨胀反应敏感的，保险人在确定费用假设时应当考虑通货膨胀因素的影响。保险人确定的通货膨胀率假设，应当与确定折现率假设时采用的通货膨胀率假设保持一致。

（5）保险人应当根据分红保险账户的预期投资收益率、管理层的红利政策、保单持有人的合理预期等因素，确定合理估计值，作为保单红利假设。

2. 保险人在计量未到期责任准备金时，预测未来净现金流出的期间为整个保险期间。对于包含可续保选择权的保险合同，如果保单持有人很可能执行续保选择权并且保险人不具有重新厘定保险费的权利，保险人应当将预测期间延长至续保选择权终止的期间。

（三）未决赔款准备金的计量方法

1. 未决赔款准备金包括已发生已报案未决赔款准备金、已发生未报案未决赔款准备金和理赔费用准备金等。

2. 保险人应当采用逐案估损法、案均赔款法等方法，以最终赔付的合理估计金额为基础，同时考虑边际因素，计量已发生已报案未决赔款准备金。

3. 保险人应当根据保险风险的性质和分布、赔款发展模式、经验数据等因素，采用链梯法、案均赔款法、准备金进展法、B－F法等方法，以最终赔付的合理估计金额为基础，同时考虑边际因素，计量已发生未报案未决赔款准备金。

4. 保险人应当以未来必须发生的理赔费用的合理估计金额为基础，计量理赔费用准备金。

（四）相关信息的披露

保险人应当在附注中披露与保险合同准备金计量有关的下列信息：

1. 各项保险合同准备金的增减变动情况；

2. 考虑分出业务和不考虑分出业务的索赔进展情况；

3. 保险合同准备金的计量方法、计量单元及其确定方法；

4. 预期未来现金流入和流出金额的组成内容和计量方法；

5. 保险合同准备金包含的边际的计量方法和计入当期损益的方法；

6. 计量保险合同准备金使用的重大假设及其来源，重大假设的敏感性分析，以及不同假设之间的关系；

7. 对重大假设产生影响的不确定性事项及其影响程度，以及重大假设确定过程中如何考虑过去经验和当前情况的描述；

8. 计量保险合同准备金使用的重大假设与可观察到的市场参数或其他公开信息的符合程度及其原因；

9. 计量保险合同准备金使用的方法和重大假设发生变更的，应当披露变更的事实、原因及其影响。

四、新旧衔接

保险公司应当自编制2009年年度财务报告开始实施本规定。以前年度发生的有关交易或事项的会计处理与本规定不一致的，应当进行追溯调整。但是，追溯调整不切实可行的除外。

十四、

行政事业资产类

财政部关于印发《中央级事业单位国有资产使用管理暂行办法》的通知

2009 年 8 月 28 日　财教〔2009〕192 号

党中央有关部门，国务院各部委、各直属机构，全国人大常委会办公厅，全国政协办公厅，高法院，高检院，有关人民团体，有关中央企业，新疆生产建设兵团财务局：

为进一步加强中央级事业单位的国有资产管理，根据《事业单位财务规则》（财政部令第 8 号）、《事业单位国有资产管理暂行办法》（财政部令第 36 号）、《中央级事业单位国有资产管理暂行办法》（财教〔2008〕13 号）的有关规定，我们制定了《中央级事业单位国有资产使用管理暂行办法》。现印发给你们，请遵照执行。

附件：中央级事业单位国有资产使用管理暂行办法

附件：

中央级事业单位国有资产使用管理暂行办法

第一章　总　　则

第一条　为了规范和加强中央级事业单位国有资产使用管理，提高资产使用效益，防止国有资产流失，根据《事业单位财务规则》（财政部令第 8 号）、《事业单位国有资产管理暂行办法》（财政部令第 36 号）、《中央级事业单位国有资产管理暂行办法》（财教〔2008〕13 号），制定本办法。

第二条　本办法适用于执行事业单位财务和会计制度的中央级各类事业单位。

第三条　中央级事业单位国有资产使用应遵循权属清晰、安全完整、风险控制、注重绩效的原则。

第四条　中央级事业单位国有资产使用包括单位自用、对外投资和出租、出借等，国有资产使用应首先保证事业发展的需要。

第五条　财政部、中央级事业单位主管部门（以下简称主管部门）按照规定权限对中央级事业单位国有资产对外投资和出租、出借等事项进行审批（审核）或备案。中央级事业单位负责本单位国有资产使用的具体管理。

第六条　财政部、主管部门对中央级事业单位国有资产使用事项的批复，以及中央级事业单位报主管部门备案的文件，是中央级事业单位办理产权登记和账务处理的重要依据。账务处理按照国家事业单位财务和会计制度的有关规定执行。

第七条　中央级事业单位应对本单位对外投资和出租、出借资产实行专项管理，并在单位财务会计报告中对相关信息进行披露。

第八条　中央级事业单位国有资产使用应按照国有资产信息化管理的要求，及时将资产变动信息录入管理信息系统，对本单位国有资产实行动态管理。

第九条　中央级事业单位拟对外投资和出租、出借的国有资产的权属应当清晰。权属关系不明确或者存在权属纠纷的资产不得进行对外投资和出租、出借。

第二章 资产自用

第十条 中央级事业单位资产自用管理应本着实物量和价值量并重的原则，对实物资产进行定期清查，完善资产管理账表及有关资料，做到账账、账卡、账实相符，并对资产丢失、毁损等情况实行责任追究制度。

第十一条 中央级事业单位要建立健全自用资产的验收、领用、使用、保管和维护等内部管理流程，并加强审计监督和绩效考评。

第十二条 中央级事业单位国有资产管理部门对单位购置、接受捐赠、无偿划拨等方式获得的资产应及时办理验收入库手续，严把数量、质量关，验收合格后送达具体使用部门；自建资产应及时办理竣工验收、竣工财务决算编报以及按要求办理资产移交和产权登记。中央级事业单位财务管理部门应根据资产的相关凭证或文件及时进行账务处理。

第十三条 中央级事业单位应建立资产领用交回制度。资产领用应经主管领导批准。资产出库时保管人员应及时办理出库手续。办公用资产应落实到人，使用人员离职时，所用资产应按规定交回。

第十四条 中央级事业单位应认真做好自用资产使用管理，经常检查并改善资产使用状况，减少资产的非正常损耗，做到高效节约、物尽其用，充分发挥国有资产使用效益，防止国有资产使用过程中的损失和浪费。

第十五条 财政部、主管部门应积极引导和鼓励中央级事业单位实行国有资产共享共用，建立资产共享共用与资产绩效、资产配置、单位预算挂钩的联动机制。中央级事业单位应积极推进本单位国有资产的共享共用工作，提高国有资产使用效益。

第十六条 中央级事业单位应加强对无形资产的管理和保护，并结合国家知识产权战略的实施，促进科技成果转化。

第十七条 中央级事业单位应建立资产统计报告制度，定期向单位领导报送资产统计报告，及时反映本单位资产使用以及变动情况。

第三章 对外投资

第十八条 中央级事业单位利用国有资产对外投资，单项或批量价值（账面原值，下同）在800万元人民币以上（含800万元）的，经主管部门审核后报财政部审批；单项或批量价值在800万元以下的，由主管部门按照有关规定进行审批，并于批复之日起15个工作日内将审批文件（一式三份）报财政部备案。

第十九条 中央级事业单位应在科学论证、公开决策的基础上提出对外投资申请，附相关材料，报主管部门审核或者审批。主管部门应对中央级事业单位申报材料的完整性、决策过程的合规性、拟投资项目资金来源的合理性等进行审查，并报财政部审批或者备案。

中央级事业单位对外投资效益情况是主管部门审核新增对外投资事项的参考依据。主管部门要严格控制资产负债率过高的中央级事业单位的对外投资行为。

第二十条 中央级事业单位申请利用国有资产对外投资，应提供如下材料，并对材料的真实性、有效性、准确性负责：

（一）中央级事业单位对外投资事项的书面申请；

（二）拟对外投资资产的价值凭证及权属证明，如购货发票或收据、工程决算副本、国有土地使用权证、房屋所有权证、股权证等凭据的复印件（加盖单位公章）；

（三）中央级事业单位进行对外投资的可行性分析报告；

（四）中央级事业单位拟同意利用国有资产对外投资的会议决议或会议纪要复印件；

（五）中央级事业单位法人证书复印件、拟合作方法人证书复印件或企业营业执照复印件、个人身份证复印件等；

（六）拟创办经济实体的章程和工商行政管理部门下发的企业名称预先核准通知书；

（七）中央级事业单位与拟合作方签订的合作意向书、协议草案或合同草案；

（八）中央级事业单位上年度财务报表；

（九）经中介机构审计的拟合作方上年财务报表；

（十）其他材料。

第二十一条 中央级事业单位转让（减持）对外投资形成的股权，按照《中央级事业单位国有资产处置管理暂行办法》的有关规定办理。

第二十二条 中央级事业单位经批准利用国有资产进行对外投资的，应聘请具有相应资质的中介机构，对拟投资资产进行资产评估。资产评估事项按规定履行备案或核准手续。

第二十三条 中央级事业单位不得从事以下对外投资事项：

（一）买卖期货、股票，国家另有规定的除外；

（二）购买各种企业债券、各类投资基金和其他任何形式的金融衍生品或进行任何形式的金融风险投资，国家另有规定的除外；

（三）利用国外贷款的事业单位，在国外债务尚未清偿前利用该贷款形成的资产对外投资；

（四）其他违反法律、行政法规规定的。

第二十四条 中央级事业单位应在保证单位正常运转和事业发展的前提下，严格控制货币性资金对外投资。不得利用财政拨款和财政拨款结余对外投资。

第二十五条 中央级事业单位应加强无形资产对外投资的管理，防止国有资产流失。

第二十六条 中央级事业单位利用国有资产进行境外投资的，应遵循国家境外投资项目核准和外汇管理等相关规定，履行报批手续。

第二十七条 中央级事业单位应加强对外投资形成的股权的管理，依法履行出资人的职能。

第二十八条 中央级事业单位利用国有资产对外投资取得的收益，应按照预算管理及事业单位财务和会计制度的有关规定纳入单位预算，统一核算，统一管理。

第二十九条 财政部、主管部门应加强对中央级事业单位国有资产对外投资的考核。中央级事业单位应建立和完善国有资产内控机制和保值增值机制，确保国有资产的安全完整，实现国有资产的保值增值。

第四章 出租、出借

第三十条 中央级事业单位国有资产出租、出借，资产单项或批量价值在800万元人民币以上（含800万元）的，经主管部门审核后报财政部审批；资产单项或批量价值在800万元以下的，由主管部门按照有关规定进行审批，并于15个工作日内将审批结果（一式三份）报财政部备案。

第三十一条 中央级事业单位国有资产出租、出借，应在严格论证的基础上提出申请，附相关材料，报主管部门审核或者审批。主管部门应对中央级事业单位申报材料的完整性、决策过程的合规性进行审查，按规定报财政部审批或者备案。

第三十二条 中央级事业单位申请出租、出借国有资产，应提供如下材料，并对材料的真实性、有效性、准确性负责：

（一）中央级事业单位拟出租、出借事项的书面申请；

（二）拟出租、出借资产的价值凭证及权属证明，如购货发票或收据、工程决算副本、国有土地使用权证、房屋所有权证、股权证等凭据的复印件（加盖单位公章）；

（三）中央级事业单位进行出租、出借的可行性分析报告；

（四）中央级事业单位同意利用国有资产出租、出借的内部决议或会议纪要复印件；

（五）中央级事业单位法人证书复印件、拟出租出借方的事业单位法人证书复印件或企业营业执照复印件、个人身份证复印件等；

（六）其他材料。

第三十三条 中央级事业单位国有资产有下列情形之一的，不得出租、出借：

（一）已被依法查封、冻结的；

（二）未取得其他共有人同意的；

（三）产权有争议的；

（四）其他违反法律、行政法规规定的。

第三十四条 中央级事业单位国有资产出租，原则上应采取公开招租的形式确定出租的价格，必要时可采取评审或者资产评估的办法确定出租的价格。中央级事业单位利用国有资产出租、出借的，期限一般不得超过五年。

第三十五条 中央级事业单位国有资产出租、出借取得的收入，应按照预算管理及事业单位财务和会计制度的有关规定纳入单位预算，统一核算、统一管理。

第五章 监督管理

第三十六条 财政部、主管部门应加强对中央级事业单位国有资产使用行为及其收入的日常监督和专项检查。

财政部驻各地财政监察专员办事处（以下简称专员办）对所在地的中央级事业单位国有资产使用情况进行监督检查。

第三十七条 财政部批复的中央级事业单位国有资产对外投资和出租、出借文件，应抄送相关的专员办；中央级事业单位收到主管部门对其国有资产对外投资和出租、出借的批复文件后，应将复印件报当地专员办备案。

第三十八条 主管部门、中央级事业单位在国有资产使用过程中不得有下列行为：

（一）未按规定权限申报，擅自对规定限额以上的国有资产进行对外投资和出租、出借；

（二）对不符合规定的对外投资和出租、出借事项予以审批；

（三）串通作弊，暗箱操作，违规利用国有资产对外投资和出租、出借；

（四）其他违反国家有关规定造成单位资产损失的行为。

第三十九条 主管部门、中央级事业单位违反本办法规定的，依照《财政违法行为处罚处分条例》（国务院令第427号）等国家有关规定追究法律责任。

第四十条 中央级事业单位应依照《中华人民共和国企业国有资产法》、《中华人民共和国公司法》、《企业财务通则》和《企业国有产权转让管理暂行办法》等企业国有资产监管的有关规定，加强对所投资全资企业和控股企业的监督管理。

第四十一条 中央级事业单位应于每个会计年度终了后，按照财政部规定的部门决算报表格式、内容和要求，对其国有资产使用情况做出报告，报主管部门的同时抄送当地专员办备案，由主管部门汇总后报财政部。

第六章 附 则

第四十二条 参照《中华人民共和国公务员法》管理并执行事业单位财务和会计制度的中央级事业单位国有资产使用管理，按照本办法执行。

执行《民间非营利组织会计制度》的中央级社会团体及民办非企业单位国有资产使用管理，参照本办法执行。

实行企业化管理并执行企业财务和会计制度的中央级事业单位，其国有资产使用按照企业国有资产监督管理的有关规定实施监督管理。

第四十三条 主管部门应依据本办法，结合本部门实际制定本部门所属事业单位（包括驻外机构）国有资产使用的具体实施办法，报财政部备案。主管部门可以根据实际工作需要，授予所属事业单位一定限额的国有资产使用权限并报财政部备案。

第四十四条 对涉及国家安全的中央级事业单位国有资产使用管理活动，应按照国家有关保密制度的规定，做好保密工作，防止失密和泄密。

第四十五条 本办法自2009年9月1日起施行。此前颁布的有关规定与本办法不一致的，以本办法为准。

财政部关于《中央级事业单位国有资产使用管理暂行办法》的补充通知

2009年12月29日 财教〔2009〕495号

党中央有关部门，国务院各部委、各直属机构，全国人大常委会办公厅，全国政协办公厅，高法院，高检院，有关人民团体，有关中央企业，新疆生产建设兵团财务局：

《中央级事业单位国有资产使用管理暂行办法》（财教〔2009〕192号，以下简称《办法》）于今年9月1日起实施。针对实施过程中出现的新问题，现就有关事项补充通知如下：

一、《办法》实施前后应审批事项的处理问题

《办法》出台前，中央级事业单位未经批准实施对外投资、出租出借等事项的，不再追溯。中央级事业单位应将对外投资、出租出借等事项发生的时间、期限、资金来源、资产状况、所签合同、单位领导办公会议纪要、未报批理由、收益情况等，报主管部门审核认定。主管部门应加强管理，认真审核，并将审核认定情况以部发文形式正式报财政部备查，涉及法律纠纷的事项应将法律纠纷解决后报备。

《办法》出台后未按规定报批的，主管部门一律不予受理，并督促中央级事业单位限期改正，同时相应取消该单位下一年度资产使用事项的审批资格。

二、资产短期出租、出借事项的审批程序问题

六个月以内（含六个月）的资产出租、出借事项，财政部授权主管部门审批。主管部门应于批复之日起15个工作日内将审批文件（一式三份）报财政部备案。中央级事业单位收到主管部门的批复文件后，应将复印件报所在地的财政监察专员办事处备案。

主管部门应进一步加强对所属事业单位国有资产使用事项的管理，结合本部门实际制定加强所属事业单位国有资产使用管理的有关规定，督促所属事业单位严格按照《办法》的有关规定，履行国有资产使用等事项的报批程序。

财政部关于印发《中央行政单位国有资产处置收入和出租出借收入管理暂行办法》的通知

2009年10月12日 财行〔2009〕400号

党中央有关部门，国务院有关部委、有关直属机构，全国人大常委会办公厅，全国政协办公厅，高法院，高检院，有关人民团体，新疆生产建设兵团财务局：

为了规范和加强中央行政单位国有资产收入管理，防止国有资产流失，根据《行政单位国有资产管理暂行办法》（财政部令第35号）、《中共中央办公厅、国务院办公厅转发〈中央纪委、中央组织部、监察部、财政部、人事部、审计署关于做好清理规范津贴补贴工作的意见〉的通知》（中办发〔2005〕21号）、《中共中央办公厅、国务院办公厅印发〈关于深入开展"小金库"治理工作的意见〉的通知》（中办发〔2009〕18号）等有关文件规定，我们制定了《中央行政单位国有资产处置收入和出租出借收入管理暂行办法》。现印发你们，请遵照执行。执行中有何问题，请及时向我们反映。

附件：中央行政单位国有资产处置收入和出租出借收入管理暂行办法

附件：

中央行政单位国有资产处置收入和出租出借收入管理暂行办法

第一条 为了规范和加强中央行政单位国有资产收入管理，防止国有资产流失，根据《行政单位国有资产管理暂行办法》（财政部令第35号）以及国家其他有关规定，制定本办法。

第二条 本办法适用于以下机关和单位（以下统称中央行政单位）：

（一）中共中央直属机关，国务院各部委、各直属机构、办事机构，全国人大常委会办公厅，全国政协办公厅，最高人民法院，最高人民检察院，各民主党派中央等；

（二）中央垂直管理系统行政单位；

（三）驻外机构，指驻外使领馆、常驻联合国和其他国际组织代表团、中央行政单位驻外非外交性质代表机构等。

第三条 本办法所称中央行政单位国有资产处置收入是指中央行政单位国有资产产权的转移或核销所产生的收入，包括国有资产的出售收入、出让收入、置换差价收入、报废报损残值变价收入等。

本办法所称中央行政单位国有资产出租出借收入是指中央行政单位在保证完成正常工作的前提下，经审批同意，出租、出借国有资产所取得的收入。

中央行政单位国有资产处置收入和出租出借收入，以下统称为国有资产收入。

第四条 中央行政单位处置国有资产，应按照规定程序履行报批手续。未经批准，不得处置。

中央行政单位拟将占有、使用的国有资产对外出租、出借的，无论是本单位实施，还是委托后勤服务单位或者其他单位实施，都应按照规定程序履行报批手续；未经批准，不得出租、出借。

第五条 国有资产收入属于中央政府非税收入，是中央财政收入的重要组成部分，由财政部负责收缴和监管。

第六条 国有资产处置收入上缴中央国库，纳入预算；出租出借收入上缴中央财政专户，支出从中央财政专户中拨付。国家另有规定的除外。

第七条 中央行政单位处置和出租、出借国有资产应缴纳的税款和所发生的相关费用（资产评估费、技术鉴定费、交易手续费等），在收入中抵扣，抵扣后的余额按照政府非税收入收缴管理有关规定上缴中央财政。

第八条 中央行政单位应按照有关规定做好国有资产收入收缴工作，并监督检查下属单位国有资产收入缴纳情况。

第九条 中央行政单位取得的国有资产收入，应区分不同情况，按照以下几种方式上缴：

（一）对已开设中央财政汇缴专户的预算单位，应按照财政部非税收入收缴制度有关规定，在收入抵扣后两个工作日内，将余额缴入中央财政汇缴专户。

（二）对未开设中央财政汇缴专户的预算单位，应按照财政部非税收入收缴制度有关规定，分下列不同情况上缴国有资产收入：

1. 一级预算单位。由财政部为其开设中央财政汇缴专户，一级预算单位在收入抵扣后两个工作日内，将余额缴入其中央财政汇缴专户。

2. 二级预算单位。对于无下属预算单位的二级预算单位，由财政部为其主管一级预算单位开设中央财政汇缴专户，二级预算单位在收入抵扣后两个工作日内，将余额直接缴入一级预算单位的中央财政汇缴专户；对于有下属预算单位的二级预算单位，由财政部为二级预算单位开设中央财政汇缴专户，二级预算单位在收入抵扣后两个工作日内，将余额直接缴入其中央财政汇缴专户。

3. 三级及三级以下预算单位。由财政部为其主管二级预算单位开设中央财政汇缴专户，三级及三级以下预算单位在收入抵扣后两个工作日内，将余额直接缴入其主管二级预算单位的中央财政汇缴专户。

第十条　中央行政单位上缴国有资产收入时，使用以下收入科目：

出租出借收入，使用“行政单位国有资产出租收入（103070601）”科目；

处置收入，使用“行政单位国有资产处置收入（103070602）”科目。

第十一条　中央行政单位应当记录和反映国有资产收入，并按照有关规定报送统计报告。

第十二条　财政部驻各地财政监察专员办事处负责对中央行政单位国有资产收入缴纳情况进行监督检查。

第十三条　国有资产收入有关收支，应统一纳入部门预算统筹安排。

国有资产收入原来用于发放津贴补贴的部分，上缴中央财政后，由财政部统筹安排，作为规范后中央行政单位统一发放津贴补贴的资金来源。除此之外，国有资产收入不得再用于人员经费支出。

其余国有资产收入原则上由财政部统筹安排用于中央行政单位固定资产更新改造和新增资产配置，可优先安排用于收入上缴单位。

第十四条　中央行政单位要如实反映和缴纳国有资产收入，不得隐瞒；不得截留、挤占、坐支和挪用国有资产收入；不得违反规定使用国有资产收入。

中央行政单位要切实履行监管职责，加强对下属单位国有资产的监督管理，建立健全国有资产收入形成、收缴、使用、监督管理等方面的规章制度，防止隐瞒、截留、挤占、坐支和挪用国有资产收入。

第十五条　财政部、中央行政单位和个人违反本办法规定的，应根据《财政违法行为处罚处分条例》（国务院令第427号）等国家有关规定追究法律责任。

第十六条　中央行政单位公有住房按国家现行住房分配货币化改革的政策进行出售、出租的收入，按照国家有关规定执行，不执行本办法。

第十七条　参照公务员法管理、执行行政单位财务和会计制度的中央级事业单位和社会团体的国有资产收入管理，依照本办法执行。

对于人民银行系统和外汇管理局系统因行政经费支出形成的国有资产收入管理，依照本办法执行。

第十八条　本办法自发布之日起施行。此前发布的有关中央行政单位国有资产处置收入和出租出借收入管理的规定，凡与本办法规定不一致的，以本办法为准。

省委宣传部　省财政厅关于加强文化体制改革中国有资产管理有关问题的通知

2009年3月10日　鲁财资〔2009〕23号

各市党委宣传部，各市财政局，省直有关部门，有关企业集团：

为加强文化事业单位转企改制和国有文化企业改制过程中的国有资产管理，防止国有资产流失，推动我省文化体制改革顺利进行，按照中央和省委、省政府支持文化体制改革加快文化产业发展的有关政策和国有资产管理、国有企业改制的有关规定，现将文化体制改革过程中国有资产管理的有关问题通知如下：

一、清产核资

文化事业单位转企改制方案或文化企业改制方案经有关部门批准后，文化事业单位要按照行政事业单位资产清查的有关规定进行资产清查；实行企业化管理、执行企业会计制度的文化事业单位和文化企业，要按照国有企业清产核资的有关规定进行清产核资。要切实对各项资产、负债和所有者权益进行全面清理、核对查实，盘点实物、核实账目，做好各类应收及预付账款、各项对外投资、账外资产的清查，做好有关抵押、担保等事项的清理工作，编制基准日的资产清查报表或清产核资报表、资产盘盈及损失明细表。在此基础上，向财政部门提出财务审计和资产评估申请。单位负责人（企业法人代表）对资产清查结果或清产核资结果的真实性、准确性负责。

二、财务审计和资产评估

文化事业单位转企改制、文化企业改制必须按规定进行财务审计和资产评估；文化事业单位整建制改为国有企业，经同级党委宣传部门审核同意、财政部门批准可不进行资产评估。

按照国家和省有关规定，文化事业单位（含实行企业化管理的文化事业单位）转企改制的审计、评估机构（包括土地评估）由财政部门委托，所需费用由同级财政部门负担；文化企业改制的审计、评估机构（包括土地评估），由审批改制方案的部门或机构确定，费用由企业负担。各级财政部门在确定中介机构时，必须要考察和了解其资质、信誉及能力，不得聘请近两年内有违法、违规记录的中介机构和执业人员，不得聘请参与该单位上一次资产评估的中介机构和注册资产评估师，不得聘请同一中介机构进行财务审计与资产评估。如果单位自行委托中介机构进行资产清查或清产核资的，财政部门不得聘请该中介机构对该单位进行财务审计。

财务审计和资产评估工作依据国家有关规定组织实施。相关单位必须向受委托的中介机构提供有关财务会计资料和文件，不得妨碍其办理业务，任何人不得授意、指使、强令单位的会计机构、会计人员提供虚假资料文件或违规办理会计事项。中介机构应按规定独立执业，对单位资产清查或清产核资清理出的各项资产盘盈、损失等进行经济鉴证，出具《资产清查（清产核资）损溢鉴证报告》，财政部门认定批复后，对单位近三年及本期的资产、财务状况进行审计，出具《财务审计报告》。审计结果要在原单位进行公示。无形资产必须纳入资产评估范围，涉及土地评估的按国家相关规定办理。资产评估要按规定进行评估项目核准或备案，并在原单位进行公示。

三、资产处置

文化事业单位整建制改为国有企业，其占有使用的各类资产均从原主管部门无偿划转。由单位按照基准日的财务审计结果（需要资产评估的，以资产评估结果为准）提出资产划转申请，经主管部门审核、党委宣传部门同意、财政部门批准后，办理资产划转手续。土地资产处置事项按照国家相关规定办理。

文化企业改制，由企业按照资产评估结果制定资产处置方案，经同级党委宣传部门同意，报同级财政部门批准后进行资产处置，有关土地资产处置事项按国家相关规定办理。涉及国有产权转让的，按照《企业国有产权转让管理暂行办法》（国资委、财政部令第3号）及企业国有产权转让的其他规定执行。

四、产权登记

文化事业单位转企改制，凭有关部门的改制方案批准文件和财政部门的资产处置批准文件，在工商注册登记前30日内，到同级财政部门办理行政事业单位国有资产注销产权登记和企业国有资产占有产权登记。企业持经财政部门核准后的企业国有资产占有产权登记表，向工商行政管理部门申办注册登记，在取得企业法人营业执照后30日内，向财政部门领取企业国有资产产权登记证，同时提交《企业法人营业执照》副本复印件。

文化企业改制，按照企业国有资产产权登记管理的有关规定，持原企业国有资产产权登记资料，到同级财政部门办理产权登记相关手续；国有资本全部退出的，直接办理注销产权登记。

五、组织领导和监督检查

各相关部门要密切配合，为推进文化体制改革创造条件。各级党委宣传部门要认真做好重大国有文化资产变动事项的审查把关。各级财政部门要加强对本级文化体制改革中国有资产处置工作的组织领导和监督检查，严格按照中央和省委、省政府有关政策及本通知规定的程序和要求，认真组织做好资产清查（清产核资）、财务审计、资产评估、产权转让、产权登记等各项工作，切实维护国有资产和职工群众的合法权益。文化事业单位、文化企业主管部门（企业集团），要认真组织和指导所属改企改制单位的国有资产处置工作，配合中介机构搞好审计和评估，监督落实好资产处置方案。对在改企改制过程中隐瞒、违规处置国有资产，造成国有资产流失，损害职工群众合法权益的，各级财政部门要会同有关部门依法予以处理。

省财政厅关于修订《山东省行政事业单位国有资产产权登记办法》的通知

2009年4月24日　鲁财资〔2009〕40号

各市财政局，省直各部门：

为加强行政事业单位国有资产产权登记管理，根据财政部《行政单位国有资产管理暂行办法》（财政部令第35号）和《事业单位国有资产管理暂行办法》（财政部令第36号），我们对《山东省行政事业单位国有资产产权登记办法》（鲁财国资〔2002〕32号，以下简称《办法》）进行了修订。现印发给你们，并提出以下意见，请一并贯彻执行：

一、各级各部门要充分认识做好产权登记工作的重要性，切实加强对产权登记工作的组织领导，组织所属部门、单位严格按照《办法》规定，对产权登记所需的各种证件、证明、资料等，及时进行搜集、整理，为开展产权登记工作奠定良好基础。

二、省直各部门要按照规定的职责，积极做好所属单位产权登记的组织工作。对所属单位上报的产权登记资料，各主管部门要组织专人进行审核，产权登记表的各项数据要与资产统计报表的数据衔接一致，各项原始证件、证明、资料要真实、有效、齐全。2009年省直行政事业单位产权登记资料经主管部门审核后，于4月底前报送我厅。

三、各级财政部门应按照统一要求，以2008年度山东省行政事业单位资产统计报表数据为依据，对各类行政事业单位统一办理“占有产权登记”，并统一换发新版产权登记证。产权登记证由我厅统一印制，相关软件参数由我厅统一下发，产权登记表由各级财政部门统一打印、下发。各市要精心组织，做好市、县两级行政事业单位的产权登记工作。县以下行政事业单位是否进行产权登记，由各市根据当地实际情况自行确定。

附件：山东省行政事业单位国有资产产权登记办法

附件：

山东省行政事业单位国有资产产权登记办法

第一条 为加强全省行政事业单位国有资产产权登记管理，健全国有资产基础管理制度，防止国有资产流失，根据《行政单位国有资产管理暂行办法》（财政部令第35号）、《事业单位国有资产管理暂行办法》（财政部令第36号）、《山东省行政事业单位国有资产管理办法》（鲁政办发〔2001〕119号）等规定，制定本办法。

第二条 本办法所称行政事业单位国有资产产权登记，是指财政部门代表本级政府对本级行政事业单位占有、使用国有资产情况进行登记，核发《山东省行政事业单位国有资产产权登记证》（以下简称《产权登记证》），依法确认国有资产的国家所有权和行政事业单位占有使用权的管理行为。

第三条 财政部门核发的《产权登记证》，是国家对行政事业单位占有使用的国有资产享有所有权的法律凭证，同时也是行政事业单位对相关资产享有占有权和使用权的法律凭证。《产权登记证》是各级财政部门编制部门预算、配置资产、处置资产和办理其他资产管理事项的重要依据。相关机构办理事业单位法人登记或变更，应当审验《产权登记证》。

第四条 凡占有、使用国有资产的具有独立法人资格，财务独立核算，资产独立管理的各级各类行政事业单位，应当依照本办法规定向财政部门申报、办理国有资产产权登记。行政事业单位包括：全省各级党的机关、人大机关、政协机关、政府机关、审判机关、检察机关、民主党派机关；各级各类事业单位；占有使用国有资产的各级各类社会团体。

第五条 行政事业单位产权登记按照统一政策、分级管理的原则，由各级财政部门按照单位财务隶属关系组织实施。省财政厅主管全省行政事业单位国有资产产权登记管理工作，统一制定全省行政事业单位国有资产产权登记政策；组织实施省本级行政事业单位国有资产产权登记。市及以下各级财政部门负责组织本级行政事业单位国有资产产权登记。

第六条 产权登记以“产权清晰”为准则。产权归属关系不清楚或者发生产权纠纷的，可以申请暂缓办理产权登记，并在经批准的暂缓办理国有资产产权登记期限内，将产权界定清楚、产权纠纷处理完毕，及时办理产权登记。

第七条 产权登记的主要内容为：

（一）单位名称、住所、法人代表或负责人；

（二）单位性质、主管部门；

（三）单位资产总额、国有资产总额；

（四）主要资产价值和实物量情况；

（五）行政事业单位资产经营（有偿使用）情况；

（六）其他需要登记的事项。

产权登记包括占有产权登记、变动产权登记、注销产权登记。

第八条 占有产权登记适用于新设立和已设立的行政事业单位。单位办理占有登记，应填报《行政事业单位国有资产产权登记表（占有登记）》一式三份，并提交下列文件、证件及有关资料，经批准后申领

《产权登记证》。

（一）批准设立文件的原件和复印件；

（二）《中华人民共和国组织机构代码证》副本的原件和复印件；

（三）国有资产总额及来源证明的复印件；

（四）土地使用证、房屋产权证、车辆产权证明的原件和复印件；

（五）其他应提交文件、证件和资料的原件和复印件。

已设立单位没有办理占有产权登记或财政部门收回原《产权登记证》的，按照上述要求办理占有产权登记。新设立单位应在审批机关批准成立后30日内，按照上述要求办理占有产权登记。

第九条 变动产权登记，适用于发生分立、合并、隶属关系改变、部分改制以及单位名称、住所和法人代表或负责人等产权登记内容发生变化的行政事业单位。相关单位应在主管部门或审批机关批准后30日内，办理变动登记手续，填报《行政事业单位国有资产产权登记表（变动登记）》一式三份，并提交下列文件、证件及有关资料：

（一）变动产权登记的相关证明或批准文件的原件和复印件；

（二）原《产权登记证》；

（三）其他应提交文件、证件和资料的原件和复印件。

变动产权登记根据实际情况，经同级财政部门批准，可与产权登记年检合并进行。

第十条 注销产权登记，适用于因依法撤销或者整体改制等原因被清算、注销的行政事业单位。单位应在主管部门或审批机关批准后30日内，办理注销产权登记手续，填报《行政事业单位国有资产产权登记表（注销登记）》一式三份，并提交下列文件、证件及有关资料：

（一）批准撤销、改制、隶属关系改变等文件的原件和复印件；

（二）终止财务决算报告或法定中介机构审计报告原件；

（三）资产清查报告书和资产移交清册原件；

（四）财政部门下达的资产评估项目核准或备案通知；

（五）财政部门有关资产处置的批复文件；

（六）原《产权登记证》；

（七）其他应提交文件、资料的原件和复印件。

第十一条 产权登记实行年检制度。行政事业单位应当于每年第一季度内办理产权登记年度检查。年度检查根据实际情况采取财政部门普查、单位自查和财政部门抽查相结合的办法实施。产权登记年度检查的主要内容是：

（一）办理产权登记情况；

（二）单位资产价值量、重要资产实物量及权属的增减变化情况；

（三）单位资产处置情况；

（四）用于从事经营性活动的国有资产保值增值及收益管理情况；

（五）其他应检查事项。

行政事业单位应在认真清查核实年末资产存量的基础上，如实填报《行政事业单位国有资产产权登记年度检查表》一式三份，并提交本单位的年度资产管理情况统计表、财务决算报表、国有资产增减变动审批文件及其他有关资料。

根据需要，行政事业单位提供的资产、财务资料须经中介机构审计。各级财政部门应对参与审计的中介机构进行产权登记专项审计业务培训。

第十二条 申办产权登记的程序如下：

（一）单位按规定填写相应的产权登记表，并向主管部门提交有关文件、证件及资料；

（二）主管部门审核并出具审核意见；

（三）报同级财政部门办理产权登记手续。

第十三条 《产权登记证》由省财政厅统一印制，按分级管理原则，分别由各级财政部门核发。《产权登记证》有效使用年限为五年。对于有效使用期已满的，行政事业单位应持失效的《产权登记证》，到同级财政部门办理换领手续。不按规定办理年检或年检不合格的，其《产权登记证》不再具有法律效力。

第十四条 行政事业单位应妥善保管《产权登记证》，任何单位和个人不得伪造、涂改、出租、出借。《产权登记证》遗失或者毁坏的，由单位及时在指定媒体公告或出具经主管部门认定的书面说明后，按照规定向同级财政部门申请补领。

第十五条 行政事业单位发生以下情形，需出具《产权登记证》：

（一）利用国有资产出租、出借；

（二）利用国有资产对外投资；

（三）申请处置国有资产；

（四）资产评估核准和备案；

（五）利用国有资产对外抵押、担保；

（六）事业单位改组、改制；

（七）其他法律、法规规定事项。

第十六条 各级财政部门应加强对行政事业单位办理产权登记情况的监督检查。对不按本办法申办产权登记和产权登记年度检查的，依照《财政违法行为处罚处分条例》予以处理。

第十七条 各级财政部门及其工作人员违反本办法规定，在产权登记工作中玩忽职守或徇私舞弊，造成国有资产流失的，按照《财政违法行为处罚处分条例》予以处理。

第十八条 各级财政部门要建立产权登记档案，定期向上级财政部门提交资产分析报告。

第十九条 实行企业化管理并执行企业财务会计制度的事业单位，按照企业国有资产管理的有关规定，办理产权登记事宜。

第二十条 各市财政部门可根据本办法，制定本地区和本级行政事业单位国有资产产权登记实施细则，并报省财政厅备案。

第二十一条 本办法由省财政厅负责解释。

第二十二条 本办法自发布之日起施行。省财政厅鲁财国资〔2002〕32号文件同时废止。

附：1. 山东省行政事业单位国有资产产权登记表（表样）

2. 产权登记表填报说明

附1：

证件编号：__________

山东省行政事业单位国有资产产权登记表

（占有登记）

单位名称（盖章）：__________________

法定代表人（签字）：__________________

填　报　日　期：__________________

山东省财政厅制

占有登记单位基本信息

单位名称			
单位地址			
邮政编码		编制人数	
组织机构代码		法定代表人	
主管部门			
产权登记编码			
预算管理级次			
单位（性质）分类			
财务隶属关系			
机构行业分类			
所在地区			

国有资产占有状况

单位名称　　　　　　　　　　　　　　　　　　　　　　　　金额单位：元

项目	单位申报	主管部门审核	财政部门审定
资产总额			
负债总额			
国有资产总额			
固定资产总额			
当年处置资产总额			
经营性资产总额			
其中：对外投资			
出租、出借			
内部经营			
其他			
当年资产有偿使用收入额			
已确权土地面积（m^2）			
已确权房屋面积（m^2）			
汽车（辆）			
主要设备（台）			
备注			

登记单位公章

登记单位经办人				联系电话		
主管部门审查意见	（主管部门公章）					
	经办人：		审核人：		审批人：	
产权登记机关审定意见	（审批专用章）					
	经办人：		审核人：		审批人：	
发证人：			领证人：		领证日期：	
备注						

证件编号：____________

行政事业单位国有资产产权登记表

（变动登记）

单 位 名 称（盖章）：____________

法定代表人（签字）：____________

填　　报　　日　　期：____________

山东省财政厅制

变动登记单位基本信息

单位信息变动情况		
变动项目	原登记	现登记
单位名称		
地址（行政区划码）		
邮政编码		
法定代表人		
组织机构代码		
预算管理级次		
单位（性质）分类		
财务隶属关系		
机构行业分类		
编制人数		
主管部门		

变动情况

单位名称

金额单位：元

项目	最近一次登记数	变动后金额		
		单位申报	主管部门审核	财政部门审定
资产总额：				
负债总额：				
国有资产总额				
其中：固定资产				
主要固定资产				
其中：已确权土地面积（m^2）				
已确权房屋面积（m^2）				
汽　车（辆）				
主要设备（台）				

国有资产变动（增加）原因及数量

单位名称

金额单位：元

增加变动原因	增加国有资产总额	批准变动单位	批准文号	批准日期
1. 单位合并				
2. 其他				
合计		*****	***	***

国有资产变动（减少）原因及数量

单位名称

金额单位：元

减少变动原因	减少国有资产总额	批准变动单位	批准文号	批准日期
1. 单位分立				
2. 其他				
合计		*****	***	***

登记单位公章

<table>
<tr><td colspan="2">登记单位经办人</td><td colspan="2"></td><td>联系电话</td><td colspan="2"></td></tr>
<tr><td>主管部门审查意见</td><td colspan="6">（主管部门公章）</td></tr>
<tr><td></td><td>经办人：</td><td></td><td>审核人：</td><td></td><td>审批人：</td><td></td></tr>
<tr><td>产权登记机关审定意见</td><td colspan="6">（审批专用章）</td></tr>
<tr><td></td><td>经办人：</td><td></td><td>审核人：</td><td></td><td>审批人：</td><td></td></tr>
<tr><td colspan="2">换发证人：</td><td></td><td>领证人：</td><td></td><td>换证日期：</td><td></td></tr>
<tr><td>备注</td><td colspan="6"></td></tr>
</table>

证件编号：＿＿＿＿＿＿

行政事业单位国有资产产权登记表

（注销登记）

单位名称（盖章）：＿＿＿＿＿＿

法定代表人（签字）：＿＿＿＿＿＿

填　报　日　期：＿＿＿＿＿＿

山东省财政厅制

撤销登记单位基本信息

<table>
<tr><td colspan="2">单位名称</td><td colspan="2"></td></tr>
<tr><td colspan="2">单位地址</td><td colspan="2"></td></tr>
<tr><td colspan="2">组织机构代码</td><td colspan="2"></td></tr>
<tr><td colspan="2">主管部门</td><td colspan="2"></td></tr>
<tr><td rowspan="3">批准注销</td><td>单位：</td><td></td><td rowspan="3">撤销原因：</td></tr>
<tr><td>文号：</td><td></td></tr>
<tr><td>日期：</td><td></td></tr>
<tr><td colspan="4">撤销前产权登记编码</td></tr>
<tr><td colspan="2">预算管理级次</td><td colspan="2"></td></tr>
<tr><td colspan="2">单位（性质）分类</td><td colspan="2"></td></tr>
<tr><td colspan="2">财务隶属关系</td><td colspan="2"></td></tr>
<tr><td colspan="2">机构行业分类</td><td colspan="2"></td></tr>
<tr><td colspan="2">所在地区</td><td colspan="2"></td></tr>
</table>

待处置国有资产数额

单位名称　　　　　　　　　　　　　　　　　　　　　　　　　　金额单位：元

项　目	最近一次登记数	终止时账面数	清理结果或评估确认数
资产总额：			
负债总额：			
国有资产总额			
其中：固定资产			
主要固定资产			
其中：已确权土地面积（m^2）			
已确权房屋面积（m^2）			
汽车（辆）			
主要设备（台）			

国有资产处理方式

单位名称　　　　　　　　　　　　　　　　　　　　　　　　　　金额单位：元

项　目	处置额	收入处置额
1. 上缴财政部门或政府指定的部门、机构		
2. 被合并		
3. 撤销		
4. 改制		
5. 无偿划转		
6. 有偿转让		
7. 其他		
合计		

登记单位公章

登记单位经办人			联系电话			
主管部门审查意见	（主管部门公章）					
	经办人：		审核人：		审批人：	
产权登记机关审定意见	（审批专用章）					
	经办人：		审核人：		审批人：	
缴证人：			收证人：		收证日期：	
备注						

证件编号：__________

行政事业单位国有资产产权登记表

（年度检查）

单 位 名 称（盖章）：__________

法定代表人（签字）：__________

填　报　日　期：__________

山东省财政厅制

年度检查单位基本信息

单位名称			
单位地址			
邮政编码		编制人数	
组织机构代码		法定代表人	
主管部门			
产权登记编码			
预算管理级次			
单位（性质）分类			
财务隶属关系			
机构行业分类			
所在地区			

国有资产占有状况

单位名称　　　　　　　　　　　　　　　　　　　　　　　　　　　　金额单位：元

项目	单位申报	主管部门审核	财政部门审定
资产总额			
负债总额			
国有资产总额			
固定资产总额			
当年处置资产总额			
经营性资产总额			
其中：对外投资			
出租、出借			
内部经营			
其他			
当年资产有偿使用收入额			
已确权土地面积（m^2）			
已确权房屋面积（m^2）			
汽　车（辆）			
主要设备（台）			
备注			

登记单位公章

<table>
<tr><td colspan="2">登记单位经办人</td><td colspan="3"></td><td>联系电话</td><td colspan="2"></td></tr>
<tr><td rowspan="2">主管部门审查意见</td><td colspan="7">（主管部门公章）</td></tr>
<tr><td>经办人：</td><td></td><td>审核人：</td><td></td><td>审批人：</td><td colspan="2"></td></tr>
<tr><td rowspan="2">产权登记机关审定意见</td><td colspan="7"></td></tr>
<tr><td>经办人：</td><td></td><td>审核人：</td><td></td><td>审批人：</td><td colspan="2"></td></tr>
<tr><td>备注</td><td colspan="7"></td></tr>
</table>

产权登记附表一

主要固定资产明细情况表（土地）

单位名称（公章）　　　　　　　　　　　　　　　　　　　　　　　　　金额单位：元

序号	分类名称	土地坐落地	土地证证载面积（平方米）	实际拥有土地面积（平方米）	单独入账的土地价值
0	*	*			
1					
2					
3					

产权登记附表二

主要固定资产明细情况表（房屋）

单位名称（公章）　　　　　　　　　　　　　　　　　　　　　　　　　金额单位：元

序号	分类名称	房屋名称	地址	房产证证载面积（平方米）	建筑面积（平方米）	原值
0	*	*	*			
1						
2						
3						

产权登记附表三

主要固定资产明细情况表（汽车）

单位名称（公章）　　　　　　　　　　　　　　　　　　　　　　　　　　　金额单位：元

序号	分类名称	品牌名称	牌照号码	行车证所有权人	数量（辆）	原值
0	*	*	*	*		
1						
2						
3						

附 2：

产权登记表填报说明

1. 单位（性质）分类包括：党的机关、人大机关、行政机关、政协机关、审判机关、检察机关、民主党派机关、参照公务员管理的事业单位和社团、全部补助事业单位、部分补助事业单位、经费自理事业单位、其他社会团体。

2. 编制人数：指经编制管理部门核定的单位行政事业编制人数。

3. 在职职工人数：反映截至登记年度本单位开支人员经费的实际人数，包括在岗干部职工以及长休、内退、提前离岗、带薪学习、等待分配、长期停薪人员，不包括临时工、长期聘用人员。

4. 资产总额、负债总额：应以各单位登记年度的财务决算报表数据为依据，与资产统计报表数据及经财政部门批复后的决算数据相衔接。财政部门检查出单位未履行规定程序自行处置的资产应按规定追溯调整账务，补计资产总额“财政部门审定数”。

5. 固定资产总额：反映单位登记年度会计账内固定资产原值余额。财政部门检查出单位未履行规定程序自行处置的固定资产，应按规定追溯调整账务，补计固定资产原值“财政部门审定数”。

6. 处置资产总额：反映单位登记年度核销的流动资产损失、减少的对外投资以及减少的固定资产原值。

7. 经营性资产总额：反映单位用于出租、出借、内部经营以及对外投资的资产价值总量。包括截至本年底事业单位列入对外投资科目、行政单位列入有价证券科目的对外投资年末余额；单位使用在账和未在账资产以参股、控股、协议、挂靠（虽未实际占用本单位有形资产，但目前挂靠本单位或以单位名义举办的独立核算经济实体）等各种名义形成事实对外投资经济行为的累计投出资产数。“内部经营”指其资产处置权或人事权由本单位实际控制，其收入、支出应并入本单位收入支出中，非独立核算的生产、经营、服务行为。

8. 资产有偿使用收入额：反映单位当年实际收到的由出租、出借、内部经营、对外投资等各种有偿资产使用行为产生的收入。

9. 已确权土地面积：反映单位已由国土部门进行土地使用权登记并颁发土地使用证的土地面积。

10. 已确权房屋面积：反映单位已由房产管理部门进行所有权、使用权登记并颁发产权证的房屋面积。

11. 汽车：反映由本单位使用且产权清晰的汽车数量。财政部门检查出单位未履行规定程序自行处置的汽车，应对账面汽车数量“财政部门审定数”予以相应增加。

12. 主要设备：指原值单价 20 万元以上的仪器设备数量。财政部门检查出单位未履行规定程序自行处置的设备，应对账面设备数量“财政部门审定数”予以补计。

13. 备注：单位用于抵押、担保及被司法冻结的资产类型、数量、价值应在备注中予以反映；单位长期占用、但产权不清或难以取得产权证明的重要资产数量等情况。

14. 主要固定资产情况明细表：本表为产权登记各表（包括：占有登记、年检、变动登记、撤销登记等）的附表，是对主要固定资产数量、价值等重要指标“财政部门审定数”的明细说明，应与产权登记主表相关数据衔接一致。

省财政厅关于印发《山东省省级行政事业单位国有资产处置管理暂行办法》的通知

2009 年 9 月 19 日　鲁财资〔2009〕114 号

省直各部门：

现将《山东省省级行政事业单位国有资产处置管理暂行办法》印发给你们，请遵照执行。执行中如有问题，请及时向我们反映。

附件：山东省省级行政事业单位国有资产处置管理暂行办法

附件：

山东省省级行政事业单位国有资产处置管理暂行办法

第一章　总　　则

第一条　为加强省级行政事业单位国有资产处置管理，维护国有资产安全和完整，提高国有资产使用效益，防止国有资产流失，根据《行政单位国有资产管理暂行办法》（财政部令第 35 号）、《事业单位国有资产管理暂行办法》（财政部令第 36 号）、《山东省行政事业单位国有资产管理办法》（鲁政办发〔2001〕119 号）等规章制度规定，结合我省实际，制定本办法。

第二条　本办法适用于执行行政、事业单位财务和会计制度的省级各类行政事业单位、社会团体和组织（简称省级单位）。

第三条　本办法所称国有资产处置，是指省级单位占有、使用的国有资产（含召开重大会议、举办大型活动等临时配置的国有资产）产权转移及注销。

国有资产包括流动资产、固定资产、无形资产、对外投资（含股权）等。

处置方式包括调拨（含捐赠）、有偿转让（含出售、出让）、报废、报损、置换（含以非货币性资产抵顶债权、债务）以及国家规定的其他方式。

调拨方式处置国有资产，以不改变国有资产性质为前提。

第四条　省级单位国有资产处置实行审批制度。省财政厅、省级单位主管部门（简称主管部门）按照规定权限和程序对省级单位国有资产处置事项进行审批或者备案。

未按规定权限和程序报经批准或者备案，任何单位和个人不得擅自处置国有资产，不得处理相关会计账务。

第五条　省级单位拟处置的国有资产产权应当清晰。权属关系不明确或者存在权属纠纷的资产，须待权属界定明确后予以处置；被设置为担保物和涉及法律诉讼的国有资产，担保和法律诉讼期间不得申请处置，国家法律法规另有规定的，从其规定。

第六条 省级单位国有资产处置的一般程序是：单位申报、审核审批、资产评估、资产处置、上缴收入、处置结果备案、账务处理、产权登记。

第七条 省级单位处置房屋建筑物（含土地）、机动车辆（不含摩托车）等国有资产，按本办法规定权限和程序报经批准后，方可向有关部门申请办理产权、产籍等变更或者注销手续。

第八条 省财政厅、主管部门在本办法规定的审批权限范围内，对省级单位申请处置、超标配置、低效运转、长期闲置的国有资产，有权先行调剂使用，促进资源整合和资产共享共用，提高国有资产使用效益。

第九条 省级单位应当建立健全内部国有资产管理制度，严格管理产权、产籍等档案资料，切实加强会计核算，确保国有资产安全完整及合理、节约、有效使用。

第二章 审批管理

第十条 省级单位符合下列条件之一的国有资产可以申请处置：

（一）经技术鉴定已丧失使用价值的资产；

（二）按照国家规定强制报废的资产；

（三）盘亏资产；

（四）闲置资产；

（五）超标准配置的资产；

（六）因技术原因不能满足本单位工作需要的资产；

（七）抵顶债权债务的非货币性资产；

（八）继续使用不经济的资产；

（九）在不影响本单位业务正常开展的前提下，权属关系变更能够带来更大经济效益或者能够减少经济损失的资产；

（十）按照国家规定以旧换新的资产；

（十一）法律上所有权已经丧失或者无法追索的资产；

（十二）因单位撤销、合并、分立、改制、隶属关系改变等原因需要处置的资产；

（十三）依据国家规定需要处置的其他资产。

第十一条 审批权限。

下列国有资产处置事项由省财政厅审批：

（一）房屋建筑物；

（二）货币性资产（含货币资金及往来款项）；

（三）对外投资（含股权）；

（四）单项账面原值10万元以上机动车辆；

（五）单项账面原值20万元以上无形资产；

（六）单项账面原值20万元以上通用及专用设备；

（七）批量账面原值20万元以上存货；

（八）单位撤销、合并、分立、改制、隶属关系改变等情形下的整体资产处置。

前款规定以外的国有资产处置事项，由省财政厅授权主管部门审批。

第十二条 省级单位申报国有资产处置事项，应当区别不同情况，提供相应的申办资料（见附件1）。

第十三条 根据需要，省财政厅、主管部门可对申报处置的国有资产进行现场勘查，或者委托有关机构进行评审或者鉴证。

第十四条 省级单位、主管部门对申办资料的真实性负责。社会中介机构及相关执业人员对所出具的审计报告、评估报告、经济或者技术鉴证证明、法律意见书等独立承担法律责任。

第十五条 由省财政厅审批的国有资产处置事项，省财政厅自收到符合本办法要求的完整申办资料后20个工作日内予以办理；需进行现场勘查或者评审、鉴证的，在勘查或者评审、鉴证结束后20个工作日内予以办理。

第十六条 省财政厅审批调拨（省级单位之间）、报废国有资产事项采取审批表（见附件2、附件3）方式；审批调拨（不同预算级次之间）、有偿转让、报损、置换国有资产事项，采取公文审批方式。省级单位、主管部门应根据以上两种审批方式，视其处置资产类别采用表格申报或者正式公文申报的形式报批。

第三章 处置管理

第十七条 国有资产处置遵循公开、公平、公正的原则。有偿转让国有资产，应当采取拍卖、招投标方式进行，不适用或者不便于以拍卖、招投标方式进行的，经批准可采取协议转让或者以国家法律法规规定的其他方式进行。

第十八条 省级单位应当按照省财政厅、主管部门批准的资产处置方式处置国有资产。

第十九条 经批准以有偿转让或者置换方式处置国有资产、以非货币性资产抵顶债权债务，应当进行资产评估。资产评估工作应当委托具有相关资质的社会中介机构进行。具体管理办法由省财政厅另行制定。

委托社会中介机构评估实行有偿服务。按照"谁委托谁付费"的原则，凡由省财政厅负责审批的国有资产处置事项，其中介服务费用由财政部门支付；主管部门负责审批的国有资产处置事项，委托中介机构发生的服务费用，由主管部门或者单位支付。

资产评估项目应当按照国家有关规定向省财政厅或者主管部门履行核准或者备案手续。

第二十条 经核准或者备案的资产评估事项，其资产评估结果是处置资产作价的参考依据。意向转让价格低于评估价值90%的，应当报经省财政厅或者主管部门批准，未报经批准不得转让。

第二十一条 经批准报废或者报损的资产，省级单位按国家规定渠道予以处理。

第二十二条 主管部门应当于每月终了后10个工作日内，将所属单位当期实际完成的国有资产处置事项（不含非实物资产损失），汇总编制《山东省省级行政事业单位国有资产处置结果备案表》（见附件4），向省财政厅备案。

前款所称"实际完成"的含义为：

调拨资产，指完成资产移交、办理产权、产籍变更手续并取得调入方接收凭据；

报废资产或者报损实物资产，指完成资产变卖或者交存手续并取得变价收入或者交存凭证；

有偿转让、置换资产，指取得转让价款、置换资产、置换资产差价并完成产权、产籍变更手续。

第二十三条 省级单位因撤销、合并、分立、改制、隶属关系改变等原因进行整体国有资产处置的，依据有关部门的批准文件，由主管部门申请，省财政厅根据实际需要，组织办理资产清查、财务审计、损失核销、资产评估、资产处置、收入上缴、产权登记等相关事项。

第二十四条 涉密国有资产处置，按照国家有关保密规定办理。

第二十五条 经批准处置的国有资产，在资产移交之前，除另有规定外，原占有、使用单位负有相关资产安全完整的保管责任。

第四章 收入管理及账务处理

第二十六条 省级单位国有资产处置收入包括国有资产有偿转让收入（含股权转让收入）、报废报损资产残值变价收入、拆迁补偿收入、置换差价收入、保险理赔收入以及处置国有资产取得的其他收入。

第二十七条 省级单位国有资产处置收入属于政府非税收入，按照"收支两条线"管理规定，全额上缴省级财政，纳入部门预算管理。

第二十八条 省级单位应当在取得国有资产处置收入后2个工作日内上缴。

省级单位应到省财政厅申请执收项目编码，使用省财政厅统一印制的“山东省非税收入缴款书”，通过“山东省非税收入征收管理系统”上缴国有资产处置收入。

第二十九条 省级单位实际完成资产处置事项后，方可依据国有资产处置事项批准文件、审批表及其他合法有效凭证，按照行政事业财务和会计制度规定处理会计账务。

第三十条 省级单位对经批准核销的货币性资产损失和对外投资损失，应当建立“账销案存”管理制度，妥善保管相关资料、凭证，并继续予以追索。

第五章 附 则

第三十一条 省级不执行行政、事业单位财务和会计制度的社会团体和民办非企业单位国有资产处置，参照本办法执行。

第三十二条 省级政法机关和行政执法机关的罚没资产处置、省级单位管理的国家储备（应急）资产处置，按照国家和省有关规定办理；国家和省没有规定的，比照本办法执行。

第三十三条 执行企业财务会计规范的省级单位处置国有资产，由省财政厅按企业国有资产监督管理的有关规定实施监督管理。

第三十四条 违反本办法规定的，依据《财政违法行为处罚处分条例》（国务院令第427号）和山东省人大颁布的《山东省财政监督条例》规定予以处理。情节严重的，依据国家法律法规的有关规定，追究相关省级单位及其责任人员的责任；构成犯罪的，移送司法机关依法追究刑事责任。

第三十五条 本办法由省财政厅负责解释。主管部门可依据本办法制定本部门的具体管理办法，报省财政厅备案。

第三十六条 本办法自印发之日起施行。此前有关省级单位国有资产处置管理的规定，凡与本办法不一致的，以本办法为准。

附件：1. 山东省省级行政事业单位国有资产处置申办资料
2. 山东省省级行政事业单位国有资产调拨审批表（式样）
3. 山东省省级行政事业单位国有资产报废审批表（式样）
4. 山东省省级行政事业单位国有资产处置结果备案表（式样）

附件1：

山东省省级行政事业单位国有资产处置申办资料

一、调拨国有资产应提供的资料：

（一）《山东省省级行政事业单位国有资产调拨审批表》（省级单位之间）；

（二）申请报告（不同预算级次之间）；

（三）资产价值凭证及产权证明，如原始发票、固定资产卡片、记账凭证、工程决算副本、房屋所有权证、土地使用权证、机动车行驶证、股权证等资料复印件（加盖单位公章）；

（四）申请调拨资产原因及对本单位财务状况和业务活动影响情况说明；内部决议或者外部文件；调拨资产（资金）来源说明；接受调拨单位意向及情况说明等；

（五）《山东省行政事业单位国有资产产权登记证》；

（六）资产处置事项审批需要的其他相关资料。

二、有偿转让国有资产（股权）应提供的资料：

（一）申请报告；

（二）资产价值凭证及产权证明，如原始发票、固定资产卡片、记账凭证、工程决算副本、房屋所有权证、土地使用权证、机动车行驶证、股权证等资料复印件（加盖单位公章）；

（三）资产使用状况及资产有偿转让原因、方式说明；转让对外投资股权的，提供股权转让可行性报告、同意转让股权的股东会决议以及被投资方近期财务报表、企业法人营业执照等；

（四）拟采取协议方式转让的，提供协议或者合同草案；

（五）《山东省行政事业单位国有资产产权登记证》；

（六）资产处置事项审批需要的其他相关资料。

三、报废国有资产应提供的资料：

（一）《山东省省级行政事业单位国有资产报废审批表》；

（二）资产价值凭证及产权证明，如原始发票、固定资产卡片、记账凭证、工程决算副本、房屋所有权证、机动车行驶证等资料复印件（加盖单位公章）；

（三）资产报废的原因及有关规定或者有效证明，如国家或者相关职能部门强制拆除、强制淘汰、强制报废的有关文件、规定或者报废标准；有关职能机构出具的资产报废专业技术鉴定证明或者专家鉴定意见；

（四）资产盘点表；

（五）对相关责任人的处理决定；

（六）《山东省行政事业单位国有资产产权登记证》；

（七）资产处置事项审批需要的其他相关资料。

四、报损国有资产（实物）应提供的资料：

（一）申请报告；

（二）资产价值凭证及产权证明，如原始发票、固定资产卡片、记账凭证、工程决算副本、房屋所有权证、机动车行驶证等资料复印件（加盖单位公章）；

（三）资产报损的原因说明及有效证明，如公安、法院、国家行政机关及有关职能机构出具的证明、文件、专家鉴定意见等；

（四）资产盘点表；

（五）对相关责任人的处理决定；

（六）涉及保险理赔的理赔凭证；

（七）责任方赔偿或者补偿协议及赔偿或者补偿凭证；

（八）《山东省行政事业单位国有资产产权登记证》；

（九）资产处置事项审批需要的其他相关资料。

五、报损国有资产（非实物）应提供的资料：

（一）对外投资损失

1. 申请报告；

2. 被投资单位依法破产或者被依法停止经营的法律文书及工商登记注销证明；

3. 清算报告；

4.《山东省行政事业单位国有资产产权登记证》；

5. 资产处置事项审批需要的其他相关资料。

（二）货币性资产损失

1. 申请报告；
2. 债务人被依法破产、撤销、关闭法律文书、文件、证明和工商登记注销证明及清算报告等；
3. 债务人死亡或者依法被宣告失踪、死亡的，其财产或者遗产不足清偿的法律文件；
4. 涉及诉讼的，法院判决、裁定本单位败诉，或者虽胜诉但被裁定终止执行的法律文书；
5. 被盗、被骗、被挪用等，提供公检法机关出具的确已无法追回的法律文书及对相关责任人的处理决定；
6.《山东省行政事业单位国有资产产权登记证》；
7. 资产处置事项审批需要的其他相关资料。
（三）无形资产损失
1. 申请报告；
2. 有关机构的专业技术鉴定报告；
3. 超出法律保护期限的证明文件；
4.《山东省行政事业单位国有资产产权登记证》；
5. 资产处置事项审批需要的其他相关资料。

六、置换国有资产应提供的资料：

（一）申请报告；
（二）双方拟置换资产价值凭证及产权证明，如原始发票、固定资产卡片、记账凭证、工程决算副本、房屋所有权证、土地使用权证、机动车行驶证、股权证等资料复印件（加盖单位公章）；
（三）以非货币性资产抵顶债权债务的，提供债权债务协议、相关凭证、期末资产负债表和相关明细表；
（四）置换协议或者合同草案；
（五）对方单位法人证书或营业执照复印件（加盖单位公章）；
（六）《山东省行政事业单位国有资产产权登记证》；
（七）资产处置事项审批需要的其他相关资料。

附件2：

山东省省级行政事业单位国有资产调拨审批表（式样）

金额单位：元

序号	资产名称	规格型号	购置时间	数量	单价	账面原值	已提折旧	账面净值	备注
合计									

调出单位意见	调出主管部门意见	调入单位意见	调入主管部门意见	财政部门审批意见
（单位公章） 年 月 日	（单位公章） 年 月 日	（单位公章） 年 月 日	（单位公章） 年 月 日	（盖章） 年 月 日

说明：1. 本表一式六联，其中财政部门留存两联；调出、调入主管部门各留存一联；调出、调入单位各留作记账凭证一联。
2. 单位申请资产调拨，需同时附报《山东省省级行政事业单位国有资产处置管理暂行办法》规定的申办材料。
3. 本表由申报资产调出单位自制。

附件3：

山东省省级行政事业单位国有资产报废审批表（式样）

金额单位：元

序号	资产名称	规格型号	购置时间	数量	单价	账面原值	已提折旧	账面净值	备注
合计									

申报单位	主管部门审核意见	财政部门审批意见
（单位公章） 年 月 日	（单位公章） 年 月 日	（盖章） 年 月 日

说明：1. 本表一式四联，其中财政部门留存两联、主管部门留存一联、申报单位留作记账凭证一联。
2. 单位申请资产报废，需同时附报《山东省省级行政事业单位国有资产处置管理暂行办法》规定的申办材料。
3. 本表由各申报单位自制。

附件4：

山东省省级行政事业单位国有资产处置结果备案表（式样）

部门名称（公章）：　　　　　　　　　　年　月　日　　　　　　　　　　金额单位：元

序号	资产名称	批准机关	批准文号或审批表编号	批准处置方式	实际处置方式	处置收入类型	数量	单价	账面原值	账面净值	评估价值	处置收入金额	实际上缴收入	备注
合计														

说明：1. 本表由主管部门汇总编制，于每月终了后10个工作日内报省财政厅备案。
2. 处置方式：①调拨 ②有偿转让（拍卖） ③有偿转让（招投标） ④有偿转让（协议） ⑤有偿转让（其他） ⑥报废 ⑦报损 ⑧置换 ⑨其他。
3. 处置收入类型：①有偿转让收入（含股权转让收入） ②报废残值变价收入 ③拆迁补偿收入 ④置换差价收入 ⑤保险理赔收入 ⑥无收入 ⑦其他。
4. 备注：收入已上缴财政的填写缴款凭单号；收入未缴财政的说明原因；其他情况的说明。
5. 表中批准处置方式、实际处置方式、处置收入类型均用代码填写。
6. 本表由主管部门自制。

省财政厅关于印发《山东省行政事业资产管理信息系统实施方案》的通知

2009 年 10 月 21 日　鲁财资〔2009〕123 号

各市财政局，省直各部门：

为进一步加强行政事业资产管理，创新管理手段，按照财政部统一部署和金财工程建设总体规划要求，我省确定全面建立"山东省行政事业资产管理信息系统"（简称资产管理信息系统）。现将《山东省行政事业资产管理信息系统实施方案》印发给你们，并提出如下意见，请认真贯彻执行。

一、充分认识建立资产管理信息系统的重要意义

行政事业资产管理，是财政管理和部门单位财务管理的重要基础性工作。建立资产管理信息系统，不仅是国有资产管理手段的创新，而且是实现资产管理科学化、信息化、动态化、规范化的重要措施。该信息系统功能齐全，按照横向"财政部门—主管部门—行政事业单位"、纵向"省—市—县—乡"的框架设计，能同时适用于财政资产管理和部门单位资产管理，并实现财政与部门单位的无缝连接，因此对于及时掌握行政事业资产规模、分布和使用状况，研究创新行政事业资产监管手段，改进管理模式和管理方法，促进资产管理与预算管理、财务管理相结合，必将产生积极而深远的影响。同时，资产管理信息系统是金财工程的重要组成部分。系统建成后，将与金财工程应用支撑平台进行衔接，对于提高工作效率、降低管理成本、防止国有资产流失、增强财政工作透明度等，都具有十分重要的意义。各级各部门务必要高度重视，强化责任意识，扎实做好工作，按时完成系统建设任务。

二、明确目标，分步实施

资产管理信息系统功能齐全，能够满足财政部门、主管部门、单位内部和外部资产管理需要。通过建立和运行资产管理信息系统，逐步实现以下五个方面的工作目标：

一是完善资产信息体系。加强资产管理，满足各项财政管理和部门单位财务管理需要，必须全方位掌握资产信息。为满足不同管理层次的需要，资产管理信息系统中统一规范了资产信息，形成内容广泛而丰富的资产信息体系。各级各部门、单位务必认真做好资产信息的采集、整理、审核等工作，通过系统初始，建立起全面、准确、规范的资产信息数据库，为日后的资产管理工作打下坚实基础。

二是提高资产信息利用效率。资产管理信息系统设计了强大的数据查询、统计、分析功能，并可随着日后工作要求的提高而不断增加与完善，能够满足对资产信息数据的任意加工。各级财政和部门单位，应当充分利用资产管理信息系统各项功能，对资产信息进行深加工，全面掌握各级别、各层次、各种各类资产的占有、使用、保管、增减情况，深入分析研究，发现资产管理各环节存在的问题，制定解决问题的办法和措施，更好地为预算管理和财务管理服务，为各项事业发展服务。

三是规范资产管理业务流程。资产管理信息系统设计了资产配置、分配、处置等资产管理环节的网上审批功能，包括部门、单位内部审批和财政审批两大部分。能够根据各地和部门、单位管理的需要，进行个性化设置。各级各部门、单位，应借此契机，完善各项管理制度和内部控制制度，将制度规定的业务流程镶嵌在资产管理信息系统中，确保制度执行的严肃性、强制性和规范性，为加强资产管理提供制度、机制保障。

四是建立资产盘点长效机制。随着事业的不断发展，各部门、单位的资产数量、种类越来越多，给资产日常使用保管和资产盘点工作带来很大难度，丢失、盘亏资产情况时有发生。资产管理信息系统设计了

日常清查盘点功能，利用条码管理等技术，可以便捷地对各项资产进行随时随地盘点。各级各部门、单位应当充分利用现代技术手段，建立资产定期盘点制度，切实加强资产日常使用保管的管理，切实做到账实相符，确保国有资产安全完整。

五是建立闲置资产调剂机制。当前，资产闲置现象在一些地方和部门都不同程度地存在，财政资金使用效益不高。但由于缺乏手段，信息不畅，资产闲置情况不能及时掌握。资产管理信息系统设计了闲置资产调剂平台，各级各部门应充分利用这一平台，及时发现闲置资产，按照规定的资产处置权限，及时调剂闲置资产，确保物尽其用，节约财政投资。

受各种因素的制约，系统各项功能的实现需要一个过程，应当循序渐进、逐步实施。各级各部门、单位应当积极创造条件，尽快利用起系统的各项功能，充分发挥系统的功效。

三、加强领导，精心组织

建立资产管理信息系统工作涉及部门、单位多，工作量和工作难度大，各级各部门、单位务必高度重视，切实加强领导，精心组织，周密安排，稳步实施。资产管理信息系统软件由省财政厅全部免费发放，各级各部门、单位要在人力、物力、财力方面给予大力支持。

各级财政部门要对本级部门、单位和下级财政部门资产管理信息系统实施工作负总责，切实组织好本地区实施工作。要制定详尽的实施方案，对人员培训、设备配置、系统部署、系统初始、系统运行等各环节的工作，作出周密安排和部署。各级财政资产管理和信息管理机构要通力合作，密切配合，明确分工，责任到人，确保按时完成本地区组织实施工作。资产管理信息系统建设的技术工作由各级财政信息管理机构负责。各级财政部门设备配置、操作系统、中间件、数据库等费用，由各级根据现行财政管理体制妥善安排。

省直各部门、单位要成立由领导同志负责，人事、后勤、财务会计、房屋车辆设备资产管理等相关部位人员组成的资产管理信息系统实施领导小组，对本部门、单位的实施工作作出统筹规划，统一部署，统一步骤，统一实施，各司其职，协调配合，确保按时完成各项实施任务。各部门、单位所需设备费用，由本部门、本单位自行解决。

2010年5月份，省财政厅将对各市和省直各主管部门资产管理信息系统实施工作完成情况进行检查验收。

各市财政部门的实施方案，请于2009年11月底前报送我厅。省直主管部门的培训实施计划，请于2009年11月中旬报送我厅。信息系统建设过程中有什么问题，请及时向我厅反映。

行政事业资产处联系人：李晨，联系电话：82669843

张磊，联系电话：82669841

信息中心联系人：陆平，联系电话：82669673

济南国子数码科技有限公司：庞瑞英，联系电话：89701700

附件：山东省行政事业资产管理信息系统实施方案

附件：

山东省行政事业资产管理信息系统实施方案

一、系统部署方式

“山东省行政事业资产管理信息系统”（简称资产管理系统）为完全B/S运行模式，全省以省、市、县三级财政部门为中心，统一采取“财政大集中”部署方式。

省、市、县三级财政部门在中心机房部署资产管理专用服务器和资产管理信息系统，各级行政事业主管部门和单位不需要部署服务器和资产管理信息系统，通过财政专网登录本级财政服务器，完成资产信息输入和日常资产管理工作，资产数据信息统一存储在本级财政服务器中。部门和单位没有连接本级财政专网的，采用离线报盘方式实现。下级财政部门按照省财政厅统一规定的内容和要求（另行布置），通过财政专网逐级汇总报送资产管理信息。

按照财政部部署和资产管理工作要求，必须建立省、市、县三级信息平台。当前，省、市两级和有条件的县级财政必须按要求建立，县级财政部署服务器暂时有困难的，要积极创造条件，尽快建立，当前可暂时安装单机版软件，收集汇总有关数据后，由县级财政通过财政专网登录市级服务器报送，以满足全省数据汇总需要。

有条件的主管部门，根据本系统资产管理工作的实际需要，经本级财政批准，可自行部署服务器，由省财政免费提供资产管理信息系统，通过财政专网与本级财政服务器连接，所属单位直接登录主管部门服务器，完成资产信息输入和日常资产管理工作，不再登录本级财政服务器。但是，主管部门服务器与本级财政服务器必须实现资产数据信息的即时传送。

已使用其他资产管理信息系统的部门和单位，是否使用财政资产管理信息系统，由主管部门确定并报本级财政备案。如选择继续使用原有资产管理信息系统，由省财政免费提供资产管理信息系统，部门单位自行完成数据转换，并确保资产数据信息按财政资产管理信息系统要求的格式向本级财政即时报送。

涉密资产不进入资产管理信息系统，相关单位提出申请，由财政部门免费提供单机版资产管理软件，供单位内部资产管理需要，确保涉密资产信息安全。涉密资产单位按省财政厅统一规定报送资产报表，具体办法另行制定。

二、相关软件、设备

各级财政部门硬件设备的配备应当与其资产管理数据信息量和直接登录其服务器的单位数量相适应。按照资产管理信息系统的设计要求和三级财政分别实行“财政大集中”的部署方式，系统运行环境参考如下：

市级财政：

序号	名称	配置	数量
1	服务器	4 颗至强 4 核 CPU/16G 内存/SAS 300G * 3/RAID 5	2 台
2	操作系统	Windows Server 2003 或者 UNIX、Linux	1 套
3	数据库	Oracle 9i	1 套
4	中间件	不需要或者 WebLogic 8.14 及以上	1 套
5	票据打印机	选用，打印产权登记证等	

县级财政：

序号	名称	配置	数量
1	服务器	2 颗至强 4 核 CPU/8G 内存/SAS 300G * 3/RAID 5	2 台
2	操作系统	Windows Server 2003	1 套
3	数据库	Oracle 9i	1 套
4	票据打印机	选用，打印产权登记证等	

部门单位：

序号	名称	配置	数量
1	计算机	不需要专用，能正常上网的机器即可	
2	条码打印机	选用	1 套
3	条码清查终端	选用	1 套

三、系统实施步骤

（一）财政部门配置、建立系统

1. 服务器、设备、基础软件、网络环境的准备

2. 系统安装、调试、配置

软件公司负责系统的安装与调试，实现系统正常运行。现场培训系统管理员，使其能够进行系统日常管理和维护。

软件公司配合财政部门对系统进行初始化和设置，预置所有用户单位，对用户单位进行配置，完成数据转换。

3. 系统培训

财政部门与软件公司对下级财政部门和本级主管部门资产管理人员和技术人员进行集中培训。软件公司配合主管部门对所属用户单位资产管理人员进行培训。

培训内容：资产管理基础知识、相关政策规定、工作管理要求、资产业务流程、软件操作与维护等。

（二）部门单位配置、启用系统

1. 系统初始化，建立账号、密码等，规划本部门、单位资产管理业务流程和管理规范，制定相关的管理制度。

2. 部门单位数据初始化

（1）建立部门库、人员库、地点库等基础数据，设置操作权限、管理权限。

部门库：按部门单位内设机构的实际情况设置。

人员库：在部门库的基础上，将部门单位所有与资产使用和管理有关的人员逐一添加到其所在部门。

地点库：对本部门、单位的资产存放地点进行统一规划，按照“单位——建筑物——楼层——房间”依次编号进行设置。

（2）固定资产数据初始化。从系统门户网站下载资产数据格式与规范，进行资产清点、信息整理、录入、导入。

根据部门单位原有固定资产管理基础的不同，可以选择导入或直接录入资产数据。导入方式包括从“山东省资产统计信息系统（山东省国有资产产权登记系统）”转入、从其他软件系统导入等。

导入的资产数据，应按照统一的资产基础信息要求和规范，对资产信息项进行逐一检查和整理，资产实物、卡片、会计信息要进行逐一核实，确保资产信息填写准确、完整、规范。

（3）其他资产数据初始化

对部门单位除无形资产等其他资产数据，依据财务会计核算系统信息，经审核无误后，录入或导入资产管理信息系统。

3. 账、表、卡、条码标签管理

打印固定资产账、表，由使用部门、资产管理部门、财务部门分别进行保管；打印固定资产卡片，由资产使用人、保管人、责任人签字，由单位资产管理人员保管；打印固定资产条形码标签，粘贴到对应的资产实物。

4. 网上业务流程启动

按照财政部门、主管部门的统一工作部署，适时启动资产管理相关事项申报、审批等网上业务流程。

四、技术服务与支持

（一）关于操作培训。市级财政部门对市直部门单位、所属县级财政和单位相关人员的培训，要统一作出规划，由软件公司负责授课；省直主管部门自行负责对所属单位相关人员进行培训，垂直管理和所属单位比较多的主管部门安排的培训，软件公司根据情况予以协助。

（二）关于系统实施。设置中心服务器的财政部门和主管部门，在相关设备、操作系统、数据库软件安装完毕后，由软件公司负责免费安装资产管理信息系统，协助集成调试。

（三）关于系统初始。各级财政部门和省直部门单位，在原始数据整理、录入、导入等系统初始和系统运行过程中，软件公司根据情况提供上门服务或者电话咨询服务。

（四）关于数据转换。确定继续保留使用其他资产管理信息系统的部门单位，本级财政部门免费提供财政资产管理信息系统，软件公司负责相关接口的技术处理服务。

（五）关于个性化需求。对个别部门单位因内部管理需要，须对软件设置进行个性化修改的，在不影响软件统一设计的前提下，由软件公司免费协助修改设置；需要增加个性化功能的，在不影响整个系统运行的前提下，经省财政厅批准，由软件公司提供个性化功能扩充服务；多数部门单位对软件修改的共性需要，经省财政厅批准，由软件公司统一设计，省财政厅统一进行系统升级。

五、时间安排

2009 年 10 月中旬，省财政厅完成对市级财政相关人员培训。

2009 年 11 月上旬，省财政厅完成对省直部门相关人员培训。

2009 年 11 月底前，省直部门完成对所属单位相关人员培训。

2010 年 1 月底前，省财政厅完成设备配置、系统安装调试；省直部门、单位完成资产清点、原始信息收集、整理及核对工作。

2010 年 2 月底前，省财政厅完成相关系统初始工作；省直部门、单位完成内部制度制定完善和部门、人员、地点库建立工作。

2010 年 3 月底前，省直部门、单位完成历史数据导入、录入。

2010 年 4 月底前，省直部门、单位完成数据审核、系统运行和资产统计、产权登记资料汇总上报工作。

各市各环节实施工作的具体时间，由各市根据实际情况自行确定，但务必确保 2010 年 5 月底前按省财政厅要求上报全市资产数据。各市对所属部门和县级财政的培训计划，应于 2009 年 10 月底前报省财政厅，以便与软件公司统一安排授课时间。

省财政厅关于印发《山东省财政厅特聘行政事业资产管理服务机构和技术专家资源库暂行办法》的通知

2009 年 12 月 31 日　鲁财资〔2009〕149 号

各有关中介机构：

根据国家有关规定和行政事业资产管理工作需要，我们制定了《山东省财政厅特聘行政事业资产管理服务机构和技术专家资源库暂行办法》，现予印发。

申请加入省财政厅特聘服务机构库的会计中介机构和资产评估中介机构，请于 2010 年 1 月 20 日前，向省财政厅提出申请，过期不予受理。特聘技术专家库的组建工作由我厅另行安排。

附件：山东省财政厅特聘行政事业资产管理服务机构和技术专家资源库暂行办法

附件：

山东省财政厅特聘行政事业资产管理服务机构和技术专家资源库暂行办法

第一章　总　　则

第一条　为了规范省级行政事业资产管理相关业务委托办理行为，维护社会公共利益和当事人合法权益，根据国家有关规定，结合我省实际，制定本办法。

第二条 本办法适用于省财政厅按照行政事业资产管理有关规定委托服务机构和技术专家办理资产审计、资产评估，以及资产经济、司法和技术鉴证等相关业务的管理。

第三条 本办法所称服务机构，是指业经有权机关批准设立，具有独立法人资格，取得从事财务审计、资产评估、法律咨询、产权交易等业务有效法定资格的中介机构。

本办法所称技术专家，是指在资产有偿使用可行性及风险性评估、特定资产技术性能鉴证等领域具有业务知识专长的人员。

第四条 省财政厅建立特聘服务机构和技术专家资源库，对省财政厅委托办理省级行政事业资产管理相关业务的服务机构和技术专家实行资源库管理制度。

第五条 特聘服务机构和技术专家资源库管理遵循以下原则：

（一）自愿参与。符合本办法规定条件的，均可自愿提出加入申请。选聘后自愿退出的，在办理完毕所接受委托业务30日内提出申请，经批准即可退出。

（二）统一管理。申请加入的，统一受理申请、统一审核、统一选聘、统一登记。入选资源库的，统一核发聘书、统一培训、统一选聘、统一考评。

（三）考核计费。对服务机构和技术专家出具的项目报告书予以量化考核，依据考核结果和有关规定支付劳务费用。

第六条 省财政厅负责的下列省级行政事业资产管理业务，由省财政厅根据工作需要，依据本办法规定，委托服务机构或者技术专家办理：

（一）产权登记年检和年度资产信息统计资产审计；

（二）单位合并、分立、撤销、改制、隶属关系改变和清产核资等情形下的资产审计；

（三）资产有偿使用可行性及风险评估；

（四）资产有偿使用财务审计和绩效考核；

（五）资产价值评估；

（六）资产损失状况经济和司法鉴证；

（七）特定资产技术性能鉴证；

（八）资产产权司法鉴证；

（九）按规定需要委托服务机构或者技术专家办理的其他业务。

特定资产技术性能鉴证是指，信息技术软件、房屋建筑物、机动车辆、各类别设备设施等专业性较强、技术含量较高、原始价值较大的通用和专用资产技术性能鉴证。

第二章 选 聘

第七条 申请加入特聘服务机构库应具备以下条件：

（一）依法设立并取得有效营业执照和办理资产管理相关业务的法定资格证书；

（二）在山东境内有固定办公场所，有健全的内部管理制度，正常执业1年以上并有良好业绩；

（三）注册资本50万元以上；

（四）遵守国家法律法规和执业规范，资信良好，无任何不良记录；

（五）会计服务机构拥有10名以上注册会计师，资产评估服务机构拥有10名以上注册评估师。

符合前款规定条件，且具有上市公司财务审计、有关部门认可的房屋建筑物和土地评估资质的，优先选聘。

特聘法律咨询和产权交易服务机构的条件另行制定。

第八条 申请加入特聘技术专家库应具备以下条件：

（一）遵守国家法律法规和执业规范，品行端正，无任何不良记录；

（二）山东境内相关单位正式工作人员；

（三）大专以上学历，具有中级以上专业技术职称；

（四）在相关领域从事专业工作10年以上；

（五）年龄不超过60岁，身体健康。

符合前款规定条件，且具有高级专业技术职称、享受国务院或者省政府特殊津贴、属全省范围内相关领域拔尖人才或者学科带头人的，优先选聘。

第九条 符合本办法第七条规定条件的应聘者，应提供下列资料：

（一）《山东省财政厅特聘行政事业资产管理服务机构申请表》（附件1）；

（二）申请说明（含机构简介、内部机构设置、内部管理规章制度、相关业绩证明等）；

（三）有效营业执照、业务资格证书原件及复印件；

（四）法人代表身份证原件及复印件；

（五）相关执业人员情况表（附件2）及个人相应有效资格证书原件及复印件；

（六）通过相关机构年检的证明资料；

（七）省财政厅要求提供的其他相关资料。

第十条 符合本办法第八条规定条件的应聘者，应提供下列资料：

（一）《山东省财政厅特聘行政事业资产管理技术专家申请表》（附件3）；

（二）本人申请说明（含本人主要履历、专业特长、主要工作业绩、专业研究成果说明等）；

（三）本人身份证、工作证原件及复印件，两寸本人近期免冠照片（纸质和数字）；

（四）本人学历证书、专业技术资格（资质）证书、专业技术职称证书原件及复印件；

（五）所在单位推荐意见书；

（六）享受国家或者省相关专家待遇、拔尖人才、学科带头人等证明资料；

（七）省财政厅要求提供的其他相关资料。

第十一条 省财政厅依据本办法规定对应聘机构和人员提供的申请资料进行审核，根据资产管理相关业务工作需要，确定特聘服务机构和技术专家若干名，分别颁发《山东省财政厅特聘行政事业资产管理服务机构证书》（附件4）和《山东省财政厅特聘行政事业资产管理技术专家证书》（附件5），组成特聘服务机构和技术专家资源库。

第十二条 特聘服务机构和技术专家资源库每两年考核确认一次，重新核发聘书。对资源库进行考核确认的同时，受理新应聘者申请。

经考核确认符合本办法规定且无退出资源库意愿的，自动续聘。原登记资料有变化的，办理变更登记手续。

两次考核确认之间原则上不受理加入申请。确属资产管理相关业务工作需要的，按本办法规定审核，补充选聘。

考核确认不合格或者按本办法规定解除选聘的，由省财政厅下达解聘通知，收回聘书。

第十三条 特聘服务机构和技术专家资源库名单每两年公布一次。资源库名单如有变化，即时公布。

第三章 选 用

第十四条 省财政厅根据行政事业资产管理相关业务性质和工作量，在资源库中选择数量不等的相应服务机构或者技术专家，委托办理相关业务。

第十五条 省财政厅选用服务机构或者技术专家依次遵循下列原则：

（一）公正与公平相统一；

（二）服务机构业务资格或者技术专家业务特长与委托业务相适应；

（三）工作量与专业技术力量相匹配；

（四）质量与信誉优先；

（五）同等条件随机选用。

选用技术专家办理相关业务，应当选用两名以上技术专家组成工作组，并指定工作组组长。

第十六条 省财政厅委托服务机构或者技术专家办理相关业务实行回避制度。服务机构及其工作人员或者技术专家，凡与受委托业务相关部门单位有利害关系的，应当主动予以回避。

第十七条 省财政厅委托服务机构或者技术专家办理相关业务，应当与受托服务机构或者技术专家签订委托协议（附件6），并向委托业务相关部门单位下达《通知书》（附件7）。

服务机构或者技术专家受托到相关部门单位办理委托业务，应当向相关部门单位出示《山东省财政厅特聘行政事业资产管理服务机构证书》或者《山东省财政厅特聘行政事业资产管理技术专家证书》复印件，以及《廉洁监督书》（附件8）。

第十八条 应当由省财政厅依据本办法第六条规定委托服务机构或者技术专家办理的相关业务，非受托服务机构或者技术专家出具的相关报告书，省财政厅不予采用。

第四章 考 核

第十九条 对服务机构和技术专家的执业质量实行考核制度。考核制度分为项目考核和年度考核。

项目考核为省财政厅对服务机构或者技术专家受托单项业务完成质量进行的考核。项目考核结果，是省财政厅核拨项目劳务费用的重要依据。

年度考核为省财政厅对服务机构或者技术专家年度工作质量、工作纪律和廉洁纪律执行情况进行的综合考核。年度考核结果是确定服务机构或者技术专家是否继续保留资源库资格的重要依据。

第二十条 项目考核。单项业务完成后，省财政厅根据行业标准、执业规范和有关工作标准，通过对服务机构或者技术专家出具的报告书及相关资料的审核，对该项业务完成质量进行量化考核，确定考核等次。项目考核实行百分制，按下列标准计分：

（一）依据合法性（满分10分）；

（二）程序规范性（满分10分）；

（三）内容完整性（满分10分）；

（四）证据充分性（满分10分）；

（五）方法得当性（满分10分）；

（六）资料齐全性（满分10分）；

（七）数据真实性（满分10分）；

（八）完成及时性（满分10分）；

（九）结论准确性（满分20分）。

考核结果分为“优秀”（90分以上）、“合格”（80分以上）、“不合格”（不满80分）三个等次。

项目考核结果为“不合格”等次的，项目报告书不予以采用，由省财政厅责令承担委托业务的服务机构或者技术专家限期修改报告书和补充相关资料，也可另行委托其他服务机构或者技术专家重新办理相关业务。

第二十一条 年度考核。省财政厅于年度终了后第一季度，对服务机构和技术专家年度执业情况进行综合考核。

年度考核基础分为10分。一个单项项目考核结果为“优秀”等次的加1分；一个单项项目考核结果为“合格”等次的不加分，也不扣分；一个单项项目考核结果为“不合格”等次的扣2分；一人次不参加省财政厅统一组织业务培训的扣1分。

第五章　费　　用

第二十二条　省财政厅以不超过省物价部门规定标准的市场公允价格，考虑资产价值量、工作性质、工作难易程度、责任风险大小等因素，与接受委托业务的服务机构或者技术专家商订劳务费用基准价，结合项目考核结果，综合确定应付劳务费用。

应付劳务费用 = 劳务费用基准价 ×（1 + 项目考核系数）

项目考核系数 =（项目考核实际得分 - 80)/100

第二十三条　服务机构和技术专家劳务费用实行定期支付制度，由省财政厅每年支付一次。服务机构劳务费用以指标文件方式予以核拨；技术专家劳务费用以现金方式予以支付。

第二十四条　项目考核结果为“不合格”等次的，不支付劳务费用。

第六章　纪　　律

第二十五条　被选聘服务机构及其工作人员和技术专家应当自觉遵守本办法规定，服从统一管理，按时参加统一业务培训。

第二十六条　被选用服务机构及其工作人员和技术专家应当服从省财政厅工作安排，按照规定时间完成受托任务。接受委托后，如因特殊情况需要放弃的，应当事先征得省财政厅同意，未经事先征得同意，不得擅自放弃。

第二十七条　服务机构或者技术专家接受委托办理业务，应当独立对省财政厅负责，恪守执业规范，严守执业道德，严肃工作纪律和廉洁纪律，独立开展相关业务，确保工作结果客观、公正、真实、准确。

严禁受托服务机构和技术专家转包、分包受托业务。

第二十八条　服务机构及其工作人员和技术专家，应当严格保守工作秘密。除向省财政厅和受托业务相关部门单位提供相关工作信息外，不得向其他任何单位和个人泄露工作秘密，法律法规另有规定的，从其规定。

第二十九条　服务机构对其出具的报告书和相关资料独立承担完全法律责任，技术专家对其提供的报告书和相关资料负责。

第三十条　处理规则：

（一）年度考核结果低于 7 分的，取消下年度选聘资格。

（二）一人次违反回避制度或者廉洁执业纪律的，解除选聘，取消下年度选聘资格。

（三）二人次以上违反回避制度或者廉洁执业纪律的，解除选聘，连续三年取消选聘资格。

（四）一次未事先征得同意擅自放弃受托业务的，解除选聘，连续三年取消选聘资格。

（五）转包、分包受托业务的，除不予支付劳务费用，所委托业务由省财政厅另行委托办理外，解除选聘，连续三年取消选聘资格。

（六）出具虚假报告书、提供虚假资料或者违反规定泄露工作秘密的，解除选聘，永久取消选聘资格，并按国家有关规定承担全部相应责任。

第七章　附　　则

第三十一条　省级部门单位可参照本办法，结合本部门单位实际，制定本部门单位相关办法。

第三十二条　省级部门单位对受托服务机构和技术专家的工作应当给予积极配合，对受托服务机构和技术专家的执业行为予以监督。

第三十三条　本办法自印发之日起施行。

附件：1. 特聘服务机构申请表（式样）
2. 特聘服务机构执业人员情况表（式样）
3. 特聘技术专家申请表（式样）
4. 特聘服务机构证书（式样）
5. 特聘技术专家证书（式样）
6. 委托协议（规范样本）
7. 通知书（式样）
8. 廉洁监督书

附件1：

特聘服务机构申请表

机构全称		法人代表	
详细地址		联系电话	
资格证书名称		资格证书号码	
营业证书号码		组织机构代码	
执业人员数量		注册会计师 评估师数量	
主要工作业绩			
法人代表签章： 年 月 日		服务机构签章： 年 月 日	

附件2：

特聘服务机构执业人员情况表

服务机构（签章）：　　　　　　　　　　　　　　　　　　　　　填表日期：　　年　月　日

序号	姓名	性别	年龄	学历	专业技术职称	专业技术资格	专业技术资格证号码	职务	联系电话	备注

备注：1. 本表只填列服务机构中拥有注册会计师、注册评估师资格的执业人员情况；
2. “职务”一栏为相关人员在服务机构中的职务；
3. 如有社会兼职，在备注栏中说明。

附件3：

特聘技术专家申请表

填表日期：　　年　月　日

<table>
<tr><td>姓名</td><td></td><td>性别</td><td></td><td>年龄</td><td></td><td>学历</td><td></td><td rowspan="5">照片贴处</td></tr>
<tr><td>毕业院校</td><td colspan="2"></td><td colspan="2">身份证号码</td><td colspan="3"></td></tr>
<tr><td>所学专业</td><td colspan="2"></td><td colspan="2">联系电话</td><td colspan="3"></td></tr>
<tr><td>工作单位</td><td colspan="2"></td><td colspan="2">单位地址</td><td colspan="3"></td></tr>
<tr><td>行政职务</td><td colspan="2"></td><td colspan="2">工作证号码</td><td colspan="3"></td></tr>
<tr><td>政治面貌</td><td colspan="2"></td><td colspan="2">专业特长</td><td colspan="4"></td></tr>
<tr><td>专业技术职务</td><td colspan="2"></td><td colspan="5">专业技术职称</td><td></td></tr>
<tr><td>专业技术资格</td><td colspan="2"></td><td colspan="5">专业技术资格证书号码</td><td></td></tr>
<tr><td colspan="9">主要工作履历</td></tr>
<tr><td>单位</td><td colspan="2">时间</td><td colspan="5">职务</td><td>工作性质</td></tr>
<tr><td></td><td colspan="2"></td><td colspan="5"></td><td></td></tr>
<tr><td></td><td colspan="2"></td><td colspan="5"></td><td></td></tr>
<tr><td></td><td colspan="2"></td><td colspan="5"></td><td></td></tr>
<tr><td></td><td colspan="2"></td><td colspan="5"></td><td></td></tr>
<tr><td>主要社会兼职</td><td colspan="8"></td></tr>
<tr><td>专家待遇、专业人才名称及授予机构</td><td colspan="8"></td></tr>
<tr><td>所在单位意见</td><td colspan="8"></td></tr>
</table>

备注：此表由申请人本人填列，所在单位签章确认。

附件4：

证书编号：鲁财资聘（　　）机字第　号

聘　书（式样）

山东省财政厅
特聘行政事业资产管理服务机构

（20　——20　年度）

发证机关：

服务机构：　　　　　　　　　　　　　　　　20　年　月　日

附件5：

证书编号：鲁财资聘（　　）专字第　号

聘　书（式样）

山东省财政厅
特聘行政事业资产管理技术专家

（20　——20　年度）

发证机关：

技术专家：　　　　　　　　　　　　　　　　20　年　月　日

附件6：

委托协议
（规范样本）

甲方：山东省财政厅

乙方：

依据《山东省财政厅特聘行政事业资产管理服务机构和技术专家资源库暂行办法》，经协商，甲乙双方共同达成如下协议：

一、甲方委托乙方办理（ 委托事项 ）业务，并于 年 月 日前向甲方提报 报告，乙方接受甲方委托。

二、甲方要求乙方办理委托业务的工作人员具备如下条件： 名具有从事与委托业务相适应的专业工作人员，其中 师 名。

三、乙方承诺由符合甲方要求的工作人员组成工作组，其中 为工作组组长。

四、乙方承诺独立开展甲方委托业务，遵守甲方有关规定，按甲方要求按时完成委托业务。

五、乙方承诺对向甲方提报的 报告书独立承担全部法律责任。

六、本次委托业务劳务费基准价为 元。乙方如延迟提报 报告书，甲方按照乙方实际延迟时间按日扣除1%的劳务费基准价；如乙方延迟提报 报告书，影响了甲方工作实效，不论延迟时间多少，甲方均不支付任何劳务费用，并由乙方按基准价的10%向甲方支付一次性违约金。

七、甲方按照规定时间和方式向乙方支付劳务费用。

八、本协议未尽事宜，由甲乙双方协商确定。

九、本协议一式二份，甲乙双方各执一份。

十、本协议自甲乙双方共同签字之日起生效，乙方向甲方提供符合甲方要求的 报告，并由甲方按规定向乙方支付相关劳务费用后自行终止。如乙方延迟向甲方提报 报告书而影响了甲方工作实效，在乙方按规定向甲方支付违约金后自行失效。

甲方：代表签章　　　　　　　　　　乙方：代表签章

年 月 日　　　　　　　　　　年 月 日

附件7：

通 知 书

（式样）

部门单位：

根据《山东省财政厅特聘行政事业资产管理服务机构和技术专家资源库暂行办法》的规定，兹委托 （服务机构或者技术专家 ）一行 人组成的工作组（ 同志为组长），到你单位办理（ 资产管理相关业务 ），请给予工作配合，按要求及时提供相关账簿、资料和情况，并对工作组成员执业情况予以监督。工作组工作结束后，请据实填写《廉洁监督书》，直接反馈我厅。

山东省财政厅

年 月 日

附件8：

廉洁监督书

为确保受托服务机构和技术专家独立、客观、公正地办理委托业务，受托服务机构和技术专家应当自觉遵守下列廉洁纪律：

1. 不准接受部门单位的礼品、礼金、消费卡、有价证券和纪念品等（执行情况　　）。
2. 不准接受部门单位的宴请、旅游、娱乐等活动（执行情况　　）。
3. 不准使用部门单位的交通、通讯、办公等设施办理与受托业务无关的事项（执行情况　　）。
4. 不得由部门单位支付住宿费用（执行情况　　）。
5. 不准在部门单位报销任何费用（执行情况　　）。
6. 不准对部门单位有任何刁难、粗暴、蛮横行为（执行情况　　）。
7. 不准从事与受托业务无关的任何商业活动（执行情况　　）。
8. 不准向部门单位提出任何与受托业务无关的要求（执行情况　　）。

省级部门单位对受托服务机构和技术专家执行廉洁纪律情况予以监督。委托业务结束后，请将执行情况考核结果直接反馈给省财政厅。

十五、

投资评审类

省财政厅关于进一步加强财政投资评审完成情况月报工作的通知

2009年2月5日　鲁财投〔2009〕1号

各市财政局（不含青岛）：

为推动全省财政投资评审工作规范有序开展，我们对山东省财政评审完成情况月报表制度进行了修订，制定了新版财政评审完成情况月报表（以下简称“月报表”），并开发了与之配套的管理系统软件（以下简称“软件”），现将有关事项通知如下：

一、报表内容

月报表包括报表封面、评审完成情况分析说明及财政评审完成情况表三部分（见附件1）。

（一）报表封面。报表封面内容应填写完整，填报单位栏应填写准确规范的名称，联系电话栏应注明区号（内线电话不需注明区号）。

（二）评审完成情况分析说明。主要从四个方面对财政评审完成情况进行分析说明。一是基本情况。包括填报当月财政评审完成总量及同比增减变化情况；当年财政评审累计完成总量及同比增减变化情况；各级财政投资评审机构完成评审额及同比增减变化情况；事前、事中、事后评审额占评审完成总量的比重及同比增减变化情况；投资类、发展类、其他类项目评审额占评审完成总量的比重及同比增减变化情况等（可利用图表说明）。二是主要特点与经验做法。根据财政评审完成情况及同比增减变化情况，分析财政评审业务特点及变化的主要原因，对财政评审工作中的好经验、好做法和典型案例，应重点予以说明分析。三是存在的问题与建议。深入剖析财政评审工作中存在的问题及不足，并提出改进意见和建议。四是其他事项。包括机构、人员、制度建设等方面的变化情况及其他需要分析说明的事项。

（三）财政评审完成情况表。财政评审完成情况表分为“累计表”和“当月表”两类，每类均由财政评审完成情况汇总表、财政评审完成情况表（分级次）、财政评审完成情况表（分环节）、财政评审完成情况表（投资类项目）、财政评审完成情况表（发展类项目）、财政评审完成情况表（其他类项目）及财政评审完成情况明细表等7张表组成（见下表）。

财政评审完成情况表

一、累计表	二、当月表
『封面』	『封面』
『财政评审完成情况分析说明』	『财政评审完成情况分析说明』
『财政评审当年当月累计完成情况汇总表』	『财政评审当月完成情况汇总表』
『财政评审当年当月累计完成情况表（分级次）』	『财政评审当月完成情况表（分级次）』
『财政评审当年当月累计完成情况表（分环节）』	『财政评审当月完成情况表（分环节）』
『财政评审当年当月累计完成情况表（投资类项目）』	『财政评审当月完成情况表（投资类项目）』
『财政评审当年当月累计完成情况表（发展类项目）』	『财政评审当月完成情况表（发展类项目）』
『财政评审当年当月累计完成情况表（其他类项目）』	『财政评审当月完成情况表（其他类项目）』
『财政评审当年当月累计完成情况明细表』	『财政评审当月完成情况明细表』

二、编报程序

月报表采取网上录入或导入、软件自动汇总的方式填报（见附件2）。鉴于部分县级财政投资评审机构无法登陆山东财政内部信息网，软件暂只向省、市级财政投资评审机构开放，具体编报程序如下：

（一）县级财政评审机构报表。县（市、区）级财政投资评审机构编制报表封面、分析说明及财政评审当月完成情况明细表（第7张表）后，报至市级财政投资评审机构，由市级财政投资评审机构统一审核后录入或导入软件，系统自动分类汇总，形成县级“累计表”和“当月表”两类月报表。

（二）省市级财政评审机构报表。省、市级财政投资评审机构登陆软件，可即时录入本级财政评审完成情况信息，也可每月集中录入或导入报表封面、分析说明及财政评审当月完成情况明细表，系统自动分类汇总，形成省、市级“累计表”和“当月表”两类月报表。

（三）全省财政评审完成情况报表。各级财政投资评审机构录入或导入有关数据后，全省财政评审完成情况月报表即自动形成，可通过【报表管理】栏目查看、导出及打印。

三、几点说明

（一）项目分类标准。月报表按照部门预算项目支出性质的不同，将项目分为投资类、发展类和其他类三类。投资类项目是指按照国家有关规定，用财政性资金安排的用于购置固定资产、战略性和应急性储备、土地和无形资产，以及购建基础设施、大型修缮和财政支持企业更新改造等方面的项目；发展类项目是指有关支持经济、社会事业发展等方面的专项支出、基金项目及其他有固定用途的项目；其他类项目是指除投资类和发展类项目以外的其他项目。

（二）特殊项目填报。部分评审项目情况较为特殊，可按照具体的项目性质及评审环节予以填报。对投资类项目的跟踪评审，按照项目评审所处的不同阶段予以归类。处于项目招投标评审完成阶段即为“投资类项目其他（事前）”环节，处于项目概（预）算评审完成阶段即为“投资类项目概（预）算”环节，处于进度款支付审核完成阶段即为“投资类项目结算”环节，处于竣工决算审核完成阶段即为“投资类项目决算”环节，处于绩效评价完成阶段即为“投资类项目其他（事后）”环节。对项目拆迁补偿、合同审查等，按照项目性质作为“投资类项目其他（事前）”或“发展类项目事前”填报。

（三）统计数据。月报表所填报的数据为当月项目评审完成情况，如6月份报表，应填报6月份当月完成的项目信息（而不是1~6月份累计完成的项目信息）。有关数据录入或导入月报系统后，系统自动分类汇总形成“累计表”和“当月表”两类报表。

（四）报送时间。月报表报送截止时间为每月3日，每月3日前录入或导入的项目信息即生成上月报表，3日后录入或导入的项目信息则生成当月报表。在填报过程中，如需对月报表数据进行修改调整，应于次月3日前进行，3日后即不可修改调整上月的报表数据。

各市财政局要高度重视报表编报工作，指定专人负责，按规定时间报送，确保报表编报质量。省财政厅将把各市月报编报工作作为全省财政评审系统年度综合考评的重要内容之一，对存在报表报送不及时、数据不准确、分析说明不完整等问题的地区，在年度综合考评时予以酌情扣分。

附件：1. 财政评审完成情况月报表

2. 财政评审月报表管理系统使用说明

附件1：

________财政评审完成情况月报表

（　　年　　月）

填报单位：________________

填报日期：　　年　　月　　日

评审机构负责人：　　　　　　制表人：　　　　　　联系电话：

评审完成情况分析说明

______财政评审完成情况汇总表

编制单位：　　　　　　　　　　　　　　　　　　　　　　　　　　　　　　　　金额单位：万元

项目类别				评审额				审减情况				审增情况				审出其他不合理资金			
				本年累计	上年同期	增减额	增减%	本年累计	上年同期	增减额	增减%	本年累计	上年同期	增减额	增减%	本年累计	上年同期	增减额	增减%
全省合计																			
管理级次	中央安排项目																		
管理级次	省级项目																		
管理级次	市级项目																		
管理级次	县级项目																		
评审环节	事前																		
评审环节	事中																		
评审环节	事后																		
项目性质	投资类	小计																	
项目性质	投资类	事前	概算																
项目性质	投资类	事前	预算																
项目性质	投资类	事前	其他																
项目性质	投资类	事中	结算																
项目性质	投资类	事中	其他																
项目性质	投资类	事后	决算																
项目性质	投资类	事后	其他																
项目性质	发展类	小计																	
项目性质	发展类	事前																	
项目性质	发展类	事中																	
项目性质	发展类	事后																	
项目性质	其他类	小计																	
项目性质	其他类	事前																	
项目性质	其他类	事中																	
项目性质	其他类	事后																	

注：审减情况、审增情况指各项目审减、审增额相抵之前的实际情况。

______财政评审完成情况表（分级次）

编制单位：　　　　　　　　　　　　　　　　　　　　　　　　金额单位：万元

级　次	评审项目（个）	子项目（个）	评审额		审定额	审减情况		审增情况		审出其他不合理资金	
			小计	其中：财政资金		审减额	审减%	审增额	审增%	不合理资金	不合理资金%
全省合计											
省级小计											
中央安排项目											
省级项目											
市地小计											
济南市											
淄博市											
枣庄市											
东营市											
烟台市											
潍坊市											
济宁市											
泰安市											
威海市											
日照市											
莱芜市											
临沂市											
德州市											
聊城市											
滨州市											
菏泽市											

注：审减情况、审增情况指各项目审减、审增额相抵之前的实际情况。

____财政评审完成情况表（分环节）

编制单位：　　　　　　　　　　　　　　　　　　　　　　　　　　　金额单位：万元

级次	评审额				审定额				审减情况				审增情况				审出其他不合理资金情况			
	小计	事前	事中	事后	小计	事前	事中	事后	小计	事前	事中	事后	小计	事前	事中	事后	小计	事前	事中	事后
全省合计																				
省级小计																				
中央安排项目																				
省级项目																				
市地小计																				
济南市																				
淄博市																				
枣庄市																				
东营市																				
烟台市																				
潍坊市																				
济宁市																				
泰安市																				
威海市																				
日照市																				
莱芜市																				
临沂市																				
德州市																				
聊城市																				
滨州市																				
菏泽市																				

注：审减情况、审增情况指各项目审减、审增额相抵之前的实际情况。

________财政评审完成情况表（投资类项目表一）

编制单位：　　　　　　　　　　　　　　　　　　　　　　　　　　　　金额单位：万元

级次	评审额								审定额							
	小计	事前			事中		事后		小计	事前			事中		事后	
		概算	预算	其他	结算	其他	决算	其他		概算	预算	其他	结算	其他	决算	其他
全省合计																
省级小计																
中央安排项目																
省级项目																
市地小计																
济南市																
淄博市																
枣庄市																
东营市																
烟台市																
潍坊市																
济宁市																
泰安市																
威海市																
日照市																
莱芜市																
临沂市																
德州市																
聊城市																
滨州市																
菏泽市																

注：审减情况、审增情况指各项目审减、审增额相抵之前的实际情况。

________财政评审完成情况表（投资类项目表二）

编制单位：　　　　　　　　　　　　　　　　　　　　　　　　　　　　　　　　　　　金额单位：万元

级次	审减情况								审增情况								审出其他不合理资金情况							
	小计	事前			事中		事后		小计	事前			事中		事后		小计	事前			事中		事后	
		概算	预算	其他	结算	其他	决算	其他		概算	预算	其他	结算	其他	决算	其他		概算	预算	其他	结算	其他	决算	其他
全省合计																								
省级小计																								
中央安排项目																								
省级项目																								
市地小计																								
济南市																								
淄博市																								
枣庄市																								
东营市																								
烟台市																								
潍坊市																								
济宁市																								
泰安市																								
威海市																								
日照市																								
莱芜市																								
临沂市																								
德州市																								
聊城市																								
滨州市																								
菏泽市																								

注：审减情况、审增情况指各项目审减、审增额相抵之前的实际情况。

________财政评审完成情况表（发展类项目）

编制单位：

金额单位：万元

级次	评审额				审定额				审减情况				审增情况				审出其他不合理资金情况			
	小计	事前	事中	事后	小计	事前	事中	事后	小计	事前	事中	事后	小计	事前	事中	事后	小计	事前	事中	事后
全省合计																				
省级小计																				
中央安排项目																				
省级项目																				
市地小计																				
济南市																				
淄博市																				
枣庄市																				
东营市																				
烟台市																				
潍坊市																				
济宁市																				
泰安市																				
威海市																				
日照市																				
莱芜市																				
临沂市																				
德州市																				
聊城市																				
滨州市																				
菏泽市																				

注：审减情况、审增情况指各项目审减、审增额相抵之前的实际情况。

________财政评审完成情况表（其他类项目）

编制单位：　　　　金额单位：万元

级次	评审额				审定额				审减情况				审增情况				审出其他不合理资金情况			
	小计	事前	事中	事后	小计	事前	事中	事后	小计	事前	事中	事后	小计	事前	事中	事后	小计	事前	事中	事后
全省合计																				
省级小计																				
中央安排项目																				
省级项目																				
市地小计																				
济南市																				
淄博市																				
枣庄市																				
东营市																				
烟台市																				
潍坊市																				
济宁市																				
泰安市																				
威海市																				
日照市																				
莱芜市																				
临沂市																				
德州市																				
聊城市																				
滨州市																				
菏泽市																				

注：审减情况、审增情况指各项目审减、审增额相抵之前的实际情况。

________财政评审完成情况明细表

编制单位：　　　　　　　　　　　　　　　　　　　　　　　　　　　　金额单位：万元

项目类别	评审项目（个）	子项目（个）	评审额		审定额	审减情况		审增情况		审出其他不合理资金	
			小计	其中：财政资金		审减额	审减%	审增额	审增%	不合理资金	不合理资金%
合　计											
一、投资类项目小计											
（一）概算											
1.											
2.											
……（下同）											
（二）预算											
（三）结算											
（四）决算											
（五）其他（事前）											
（六）其他（事中）											
（七）其他（事后）											
二、发展类项目小计											
（一）事前											
（二）事中											
（三）事后											
三、其他类项目小计											
（一）事前											
（二）事中											
（三）事后											

注：审减情况、审增情况指各项目审减、审增额相抵之前的实际情况。

附件2：

财政评审月报表管理系统使用说明

一、登陆系统

登陆山东财政内部信息网财政投资评审中心主页，在主页左侧的“友情链接”栏目点击“省评审报表系统”，进入“山东省财政投资评审报表系统”界面（如图1）。输入所提供的用户名和密码，点击“登

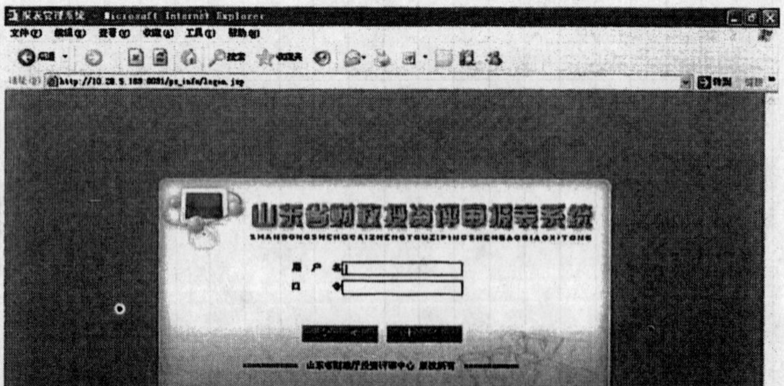

图1

录”按钮，进入报表系统。

各市级财政投资评审机构分配一个用户名和密码，由专人负责报送工作。用户名为所在市的名称全拼，如：济南市财政投资评审中心用户名为“jinan”，潍坊市财政投资评审中心用户名为“weifang”等；初始密码均为123，登录系统后可在【系统维护】栏目中予以修改。

二、安装控件

登陆系统后，应先下载并安装“系统控件”。下载方法为：点击“友情链接”栏目的“控件下载”（如图2），出现图3所示界面，点击保存，将控件下载到本地进行安装，安装成功后即可正常运行。再次登陆系统，不需重复安装。

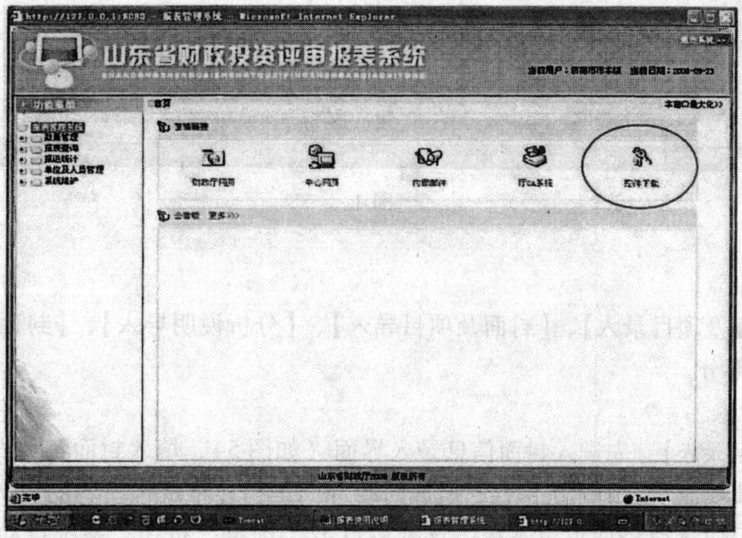

图2

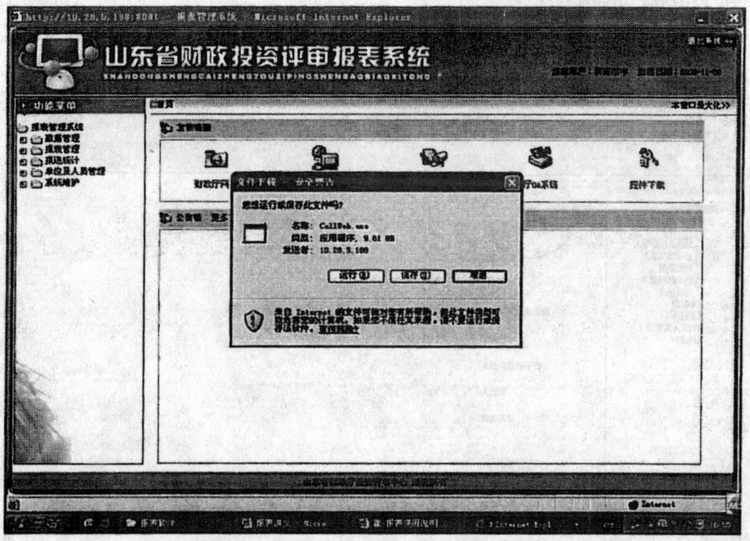

图3

三、系统功能

该系统由【数据管理】、【报表管理】、【报送统计】、【单位及人员管理】、【项目评审实时动态】和【系统维护】六个模块组成，其中【项目评审实时动态】仅省级用户可查看并使用，其余五个模块全省通用（如图4）。

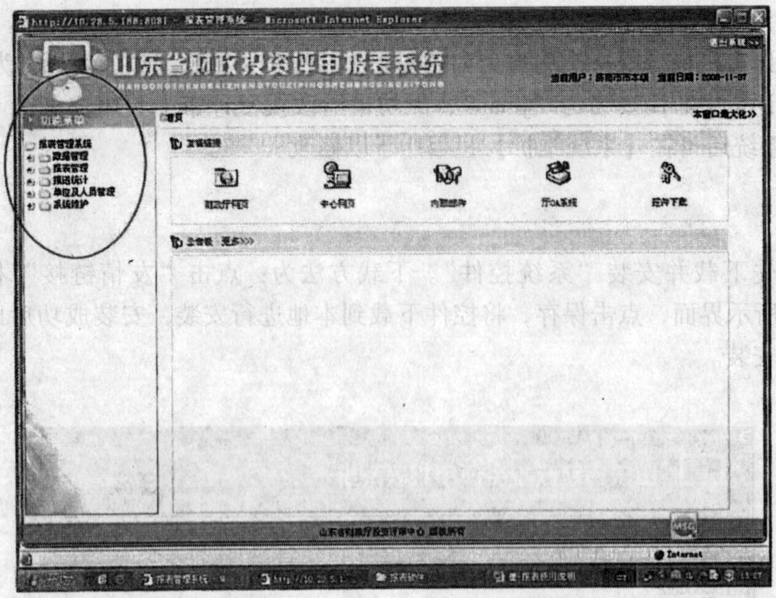

图4

1 数据管理

该模块分为【封面及项目录入】、【封面及项目导入】、【分析说明导入】、【封面查询】、【分析说明查询】、【项目查询】六部分。

1.1 封面及项目录入

点击【封面及项目录入】，先进入封面信息录入界面（如图5），填入封面各项内容，其中填报单位和评审机构负责人是必填项，不填则无法保存；所属财政部门是指评审机构所属的级次，如济南市财政投资评审中心所属财政部门应选择济南市市本级，选择后点击“选定”按钮，系统自动返回【封面及项目录入】界面。信息填写完毕，点击“保存”（如图5），系统提示“封面信息保存完毕”（如图6），点击“下一步”，进入项目信息录入界面（如图7）。

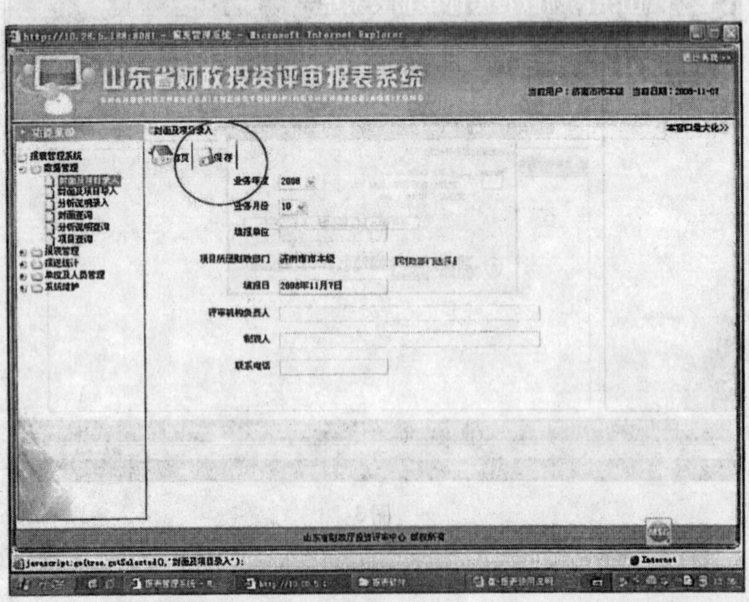

图5

录入项目信息，点击“保存”按钮，若信息录入正确，系统提示“保存完毕”（如图8）；若信息录入有误，可按照系统提示进行修改，直至系统提示“保存完毕”则录入完成。若需录入下一个项目信息，点击“继续”按钮；若不再录入，点击“完成”按钮。

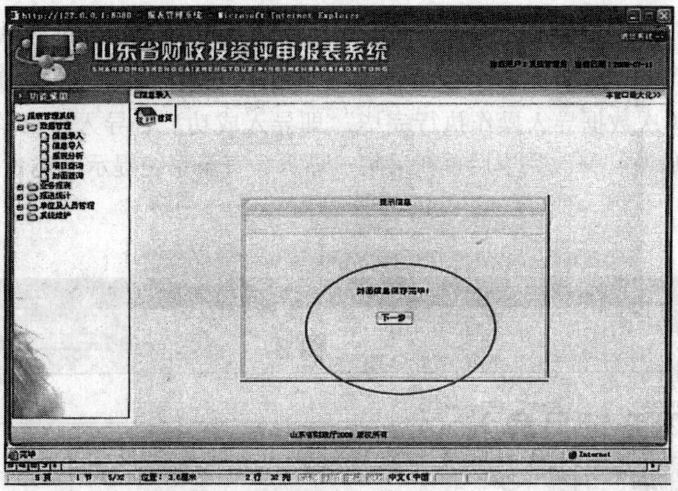

图 6

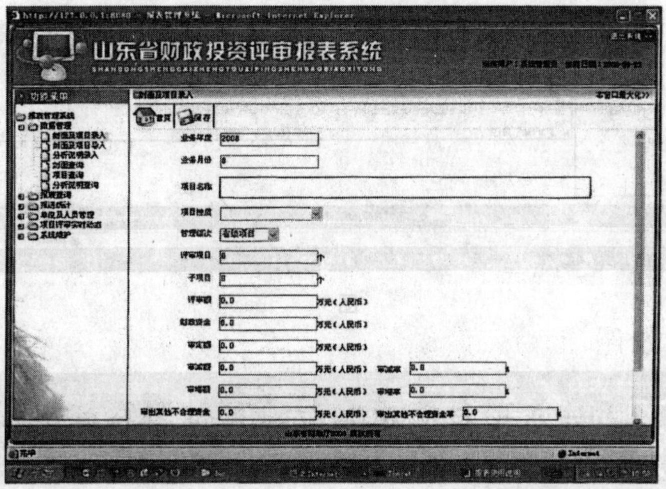

图 7

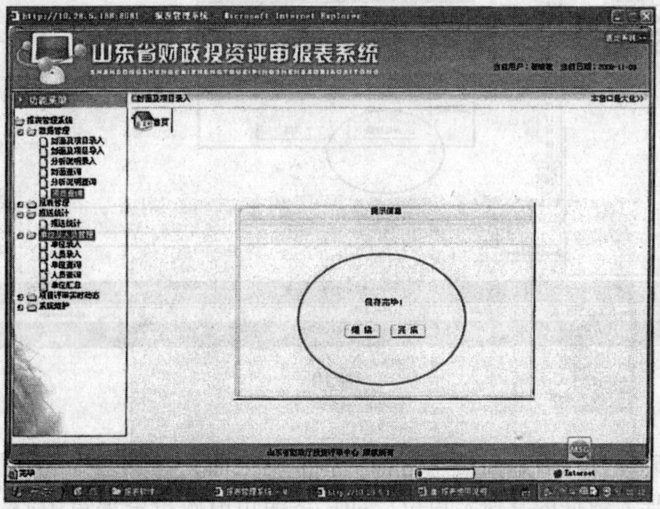

图 8

1.2 封面及项目导入

点击【封面及项目导入】，进入封面及项目信息导入界面，将填好的“报表封面”及“财政评审完成情况明细表”导入软件。

导入方法为：点击“采集”按钮（如图9），出现“读入Excel文件”窗口，点击“...”按钮选择要导入的Excel文件，点击“开始转换”（如图10），将文件采集到当前页面，审查无误后点击“导入”按钮（如图10），系统提示“本次数据导入操作执行完毕”即导入成功。若导入项目信息有误，可按照系统提示在原Excel文件中进行修改，修改完毕后重新采集、导入，直至系统提示“本次数据导入操作执行完毕”即导入成功。

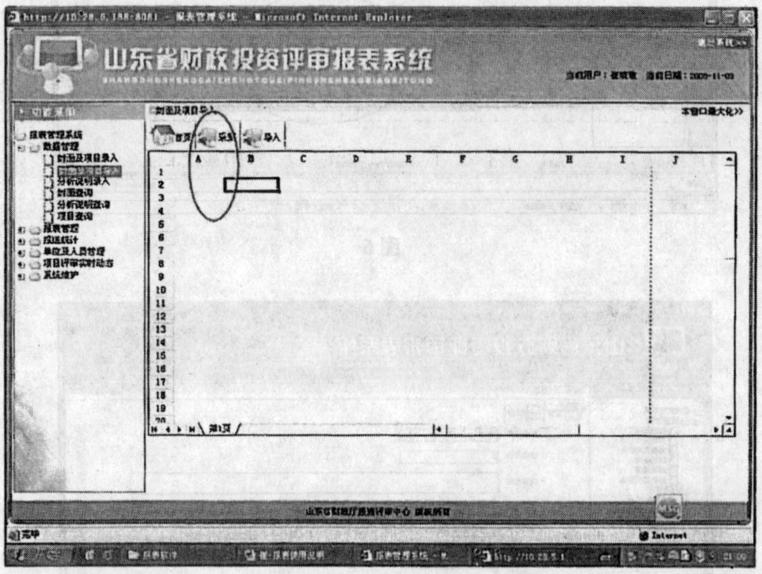

图9

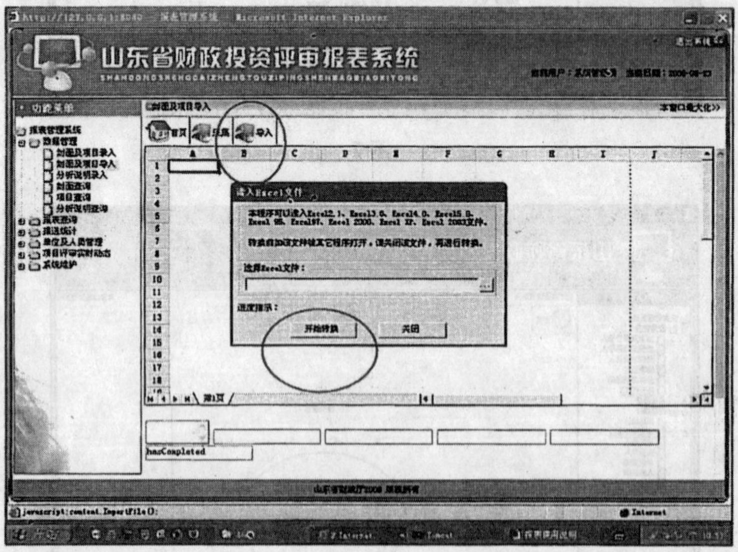

图10

注意：导入信息前，确保月报表封面信息内容填写准确全面，尤其是报表月份、填报单位必须填写完整，否则系统无法辨识所导入数据的月份及单位。如：济南市财政投资评审中心，机构名称应填写完整名称“济南市财政投资评审中心”，若填写为“财政投资评审中心”，则无法成功导入项目信息。

1.3 分析说明导入

点击【分析说明导入】进入分析说明导入界面，填写相关内容后，点击上侧“添加附件”按钮（如图11），将分析说明文件（Word 格式）上传即可。

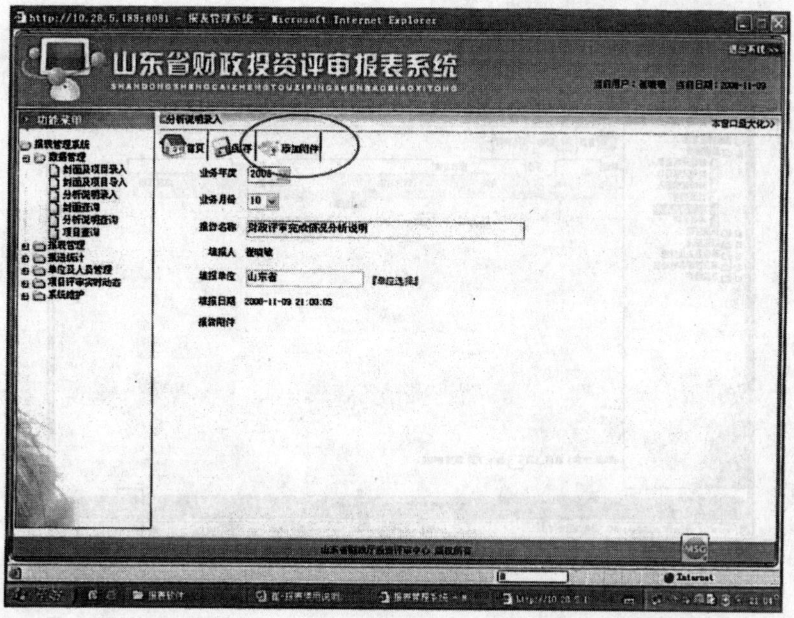

图 11

1.4 封面查询

点击【封面查询】，进入封面查询界面（如图12）。可按照“年度、月份、填报单位”进行查询。若封面信息输入有误，可在此进行修改或删除。修改方法为：点击“修改”按钮，修改完毕后点击“保存”即可。删除方法为：选中拟删除信息前的小方框 ☑ 后，点击“删除”按钮即可。

图 12

1.5 分析说明查询

点击【分析说明查询】，进入分析说明查询界面（如图13）。可按照“年度、月份、报告名称、登记单位”进行查询。若分析说明录入有误，可在此进行修改或删除（方法同上）。

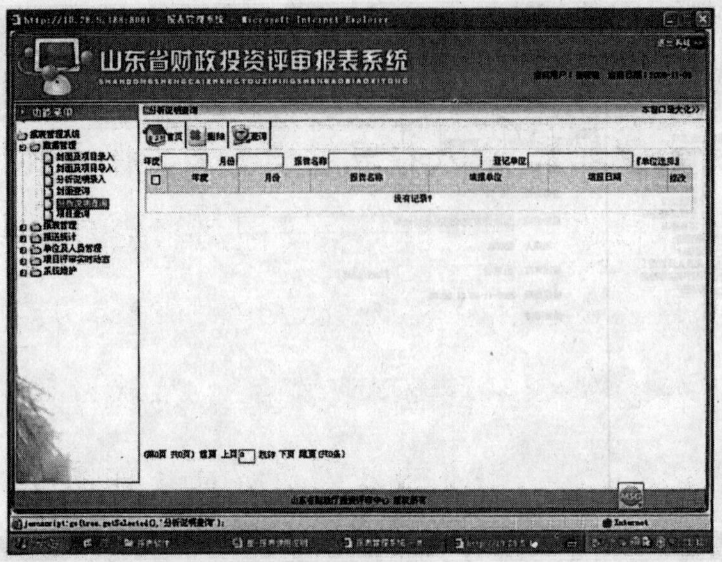

图13

1.6 项目查询

点击【项目查询】，进入项目查询界面（如图14）。可按照“年度、月份、项目名称、评审环节、项目性质、管理级次、填报单位”进行查询。若项目信息填报有误，可在此进行修改或删除（方法同上）。

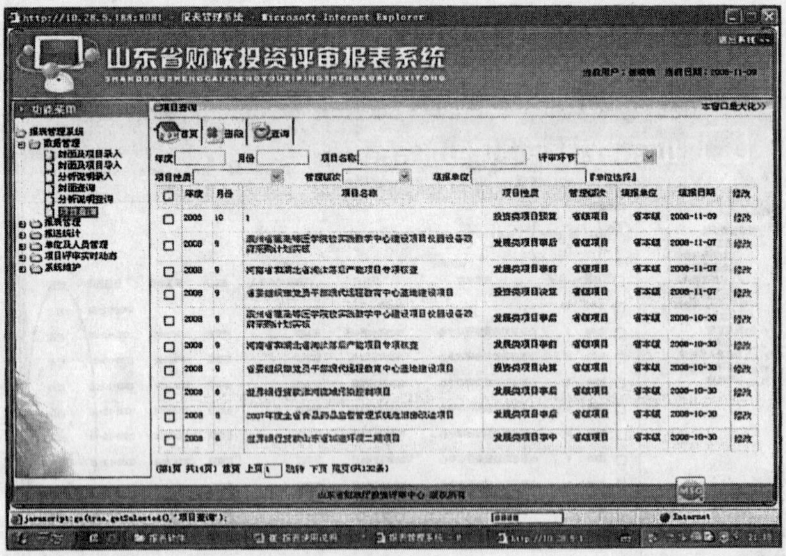

图14

2 报表管理

点击【报表管理】，进入报表管理界面。在【数据管理】模块中录入或导入的信息，在此模块自动汇总形成月报表，可点击查询各级财政投资评审机构月报表。如查询2008年9月全省月报表，可点击左侧【报表管理】中的“山东省”，选择年份和月份后，点击“查询”（如图15），出现报表列表界面（如图16），点击任何一张表都可以查看、导出及打印。

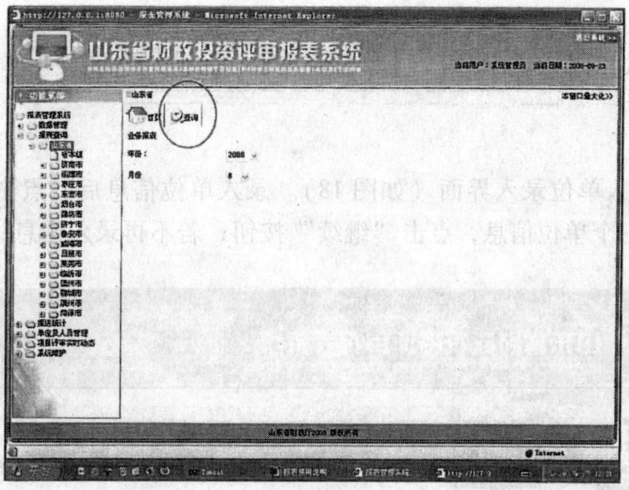

图 15

图 16

3 报送统计

该模块可查询某个年度和月份财政投资评审报表报送情况，可按照“未报送”或“已报送”进行查询（如图 17）。

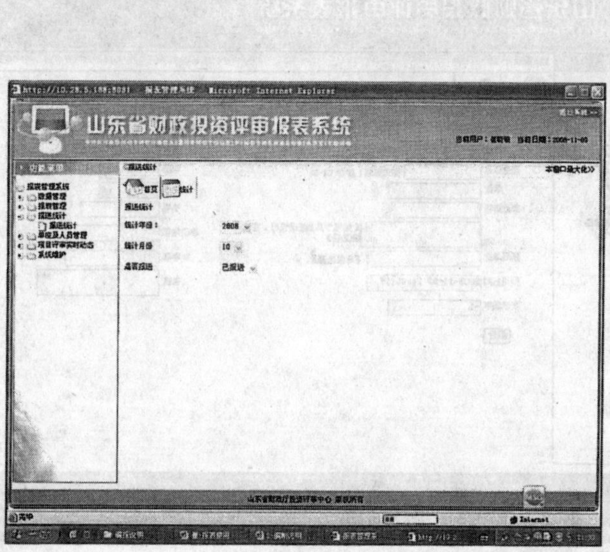

图 17

4 单位及个人管理

该模块分为【单位录入】、【人员录入】、【单位查询】、【人员查询】、【单位汇总】、【项目查询】六部分。

4.1 单位录入

点击【单位录入】，进入单位录入界面（如图18）。录入单位信息后，点击“保存”按钮，系统提示“保存完毕”。若需录入下一个单位信息，点击“继续”按钮；若不再录入信息，点击“完成”按钮。

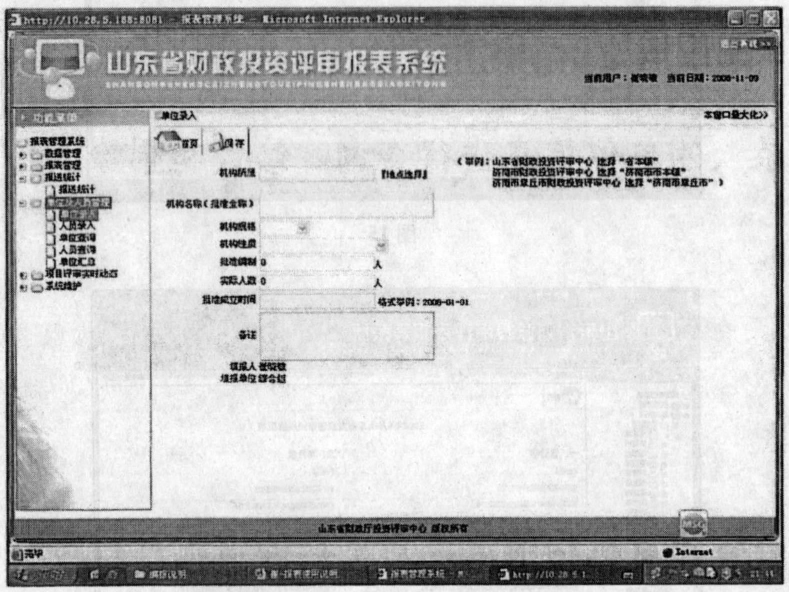

图18

4.2 人员录入

点击【人员录入】，进入人员录入界面（如图19）。录入人员相关信息，其中照片大小为1M以内，格式为gif、jpg和bmp属性，填写完毕后点击“保存”按钮，系统提示“保存完毕”。若需录入下一个单位信息，点击“继续”按钮；若不再录入信息，点击“完成”按钮。

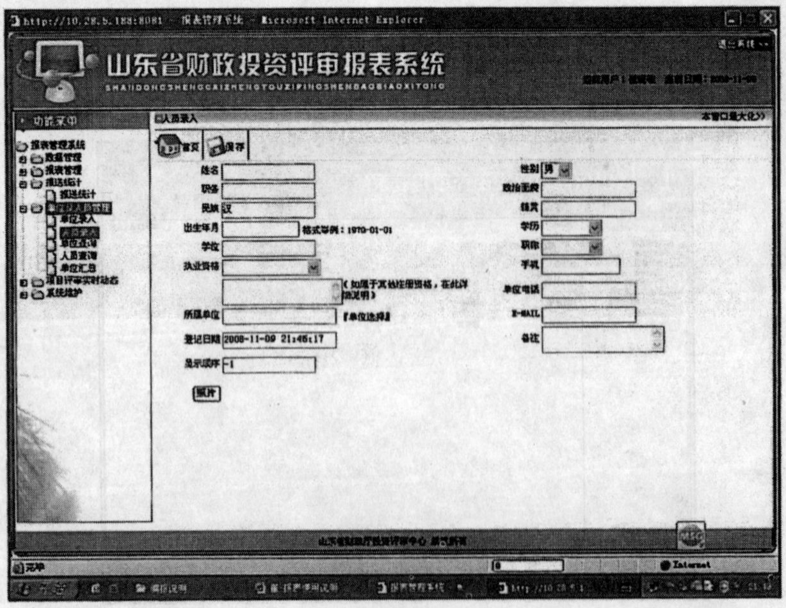

图19

4.3 单位查询

可对录入的单位信息进行查询、修改和删除。

4.4 人员查询

可对录入的人员信息进行查询、修改和删除。

4.5 单位汇总

汇总全省评审机构情况，对汇总的情况可打印和导出。

5 系统维护

通过此模块可修改用户口令（如图 20）。

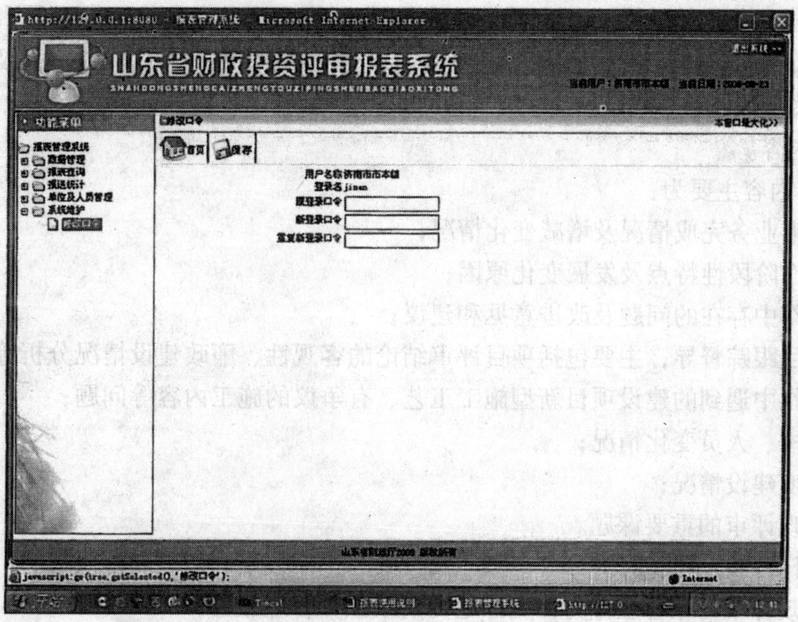

图 20

省财政厅关于印发《山东省财政评审集中研析制度》的通知

2009 年 8 月 19 日　鲁财投〔2009〕4 号

各市（不含青岛）财政局：

现将《山东省财政评审集中研析制度》印发给你们，请遵照执行。

附件：山东省财政评审集中研析制度

附件：

山东省财政评审集中研析制度

第一条　为促进财政评审工作的科学化、规范化和精细化，进一步提高财政评审服务财政预算管理的能力，根据有关规定，制定本制度。

第二条 财政评审集中研析是指组织专门力量对财政评审发展过程中面临的重点、难点、热点问题，进行动态式的集中研究分析，深刻剖析问题产生的背景、原因及环境，提出解决问题的对策、办法和措施，通过集思广益，达到统一思想认识，谋划思路措施、解决问题矛盾、提高能力水平的目的。

第三条 财政评审集中研析活动由省财政厅投资评审中心统一组织实施，各市、县（市、区）财政评审机构参与并协助完成。

第四条 研析种类。财政评审集中研析活动分为定期研析和不定期研析两类。定期研析一般每季度组织一次，不定期研析根据工作需要组织实施。

第五条 研析方式。财政评审集中研析活动采取专题研讨、集中座谈、案例评析、征求意见等多种形式进行。

第六条 研析人员。财政评审集中研析人员主要为全省各级财政评审机构负责人及业务骨干。根据实际情况，可邀请有关部门、单位人员及有关专家参加。

第七条 研析内容。

（一）定期研析内容主要为：

1. 全省财政评审业务完成情况及增减变化情况；

2. 财政评审工作阶段性特点及发展变化原因；

3. 财政评审工作中存在的问题及改进意见和建议；

4. 财政评审项目跟踪督导，主要包括项目评审结论的客观性、廉政建设情况分析等；

5. 财政评审工作中遇到的建设项目新型施工工艺、有争议的施工内容等问题；

6. 财政评审机构、人员变化情况；

7. 财政评审制度建设情况；

8. 其他有关财政评审的重要课题。

（二）不定期研析内容主要为：

1. 提升全省财政评审的综合服务力，更好地为财政预算管理服务；

2. 进一步加强财政评审工作，实现财政评审的科学发展、和谐发展、率先发展；

3. 全省财政评审发展过程中遇到的新情况、新问题；

4. 其他有关财政评审的重要课题。

第八条 研析程序。

（一）确定研析内容。财政评审研析内容由省财政厅投资评审中心确定，也可由市、县（市、区）财政评审机构提出申请，经省财政厅投资评审中心同意后，统一组织实施。

（二）发布研析通知。省财政厅投资评审中心确定研析时间、地点、内容、方式等，并发布通知要求相关人员提前做好准备。

（三）开展研析活动。研析活动参与人员按通知要求组织开展研析活动，研析过程中，要立足实际、研究问题、剖析原因、提出对策。

（四）形成研析成果。根据研析的具体情况，认真总结、求同存异，形成一定的研析成果。

第九条 研析成果的运用。研析成果作为指导和加强全省财政评审工作的重要参考依据。对研析过程中发现的问题，及时开展调查研究，提出改进和加强财政评审工作的意见和建议；对研析中总结出的好经验好做法，及时予以推广。

第十条 本制度自印发之日起施行。

省财政厅关于印发《山东省财政评审精品项目评选办法》的通知

2009 年 8 月 23 日　鲁财投〔2009〕6 号

各市（不含青岛）财政局：

现将《山东省财政评审精品项目评选办法》印发给你们，请遵照执行。

附件：山东省财政评审精品项目评选办法

附件：

山东省财政评审精品项目评选办法

第一章　总　　则

第一条　为进一步提升财政评审的服务力和贡献力，促进财政评审项目出精品、财政评审工作上水平，努力提高财政评审工作质量和效率，更好地服务于财政预算管理工作，根据有关规定，制定本办法。

第二条　精品项目是指每年从全省各级财政评审机构完成的项目中，按照本办法规定的标准和条件，经评选审核确定的，能够体现高质量、高标准、高水平的评审项目。

第三条　精品项目评选工作坚持公开、公平、公正和择优原则，以科学管理为指导，以倡导精品为核心，以争先创优为手段，以先进典型为导向，旨在引导全省财政评审系统增强精品意识、大局意识和开创精神，进一步提高全省财政评审工作质量，提高财政评审工作的综合影响力。

第四条　全省各级财政评审机构上年和当年完成的评审项目，均可申报参选当年度的精品项目评选。

第二章　标准和条件

第五条　财政评审精品项目应符合以下标准及条件：

1. 项目评审坚持公开、公平、公正和廉洁高效原则，确保按时保质完成；

2. 项目评审报告内容真实完整、重点突出、条理清晰、文字精练；

3. 项目评审依据合法合规，审减、审增及审出不合理资金合情合理、依据充分，发现的问题客观公正、真实准确，提出的意见建议符合实际、切实可行；

4. 项目评审取得明显成效或具有较大影响力，为加强财政支出预算管理和领导决策发挥了重要作用。

5. 项目评审工作受到各级领导和相关部门的充分肯定和高度评价，获得有关领导重要批示、书面肯定或各种形式的表彰；

6. 其他作用或成效。

第三章　评选程序和要求

第六条　精品项目评选工作采取自下而上、逐级推荐审核的方式。对符合本办法第五条规定标准及条件的项目，以机构为单位，统一组织、逐级书面申请参加精品项目评选。

第七条 全省各级财政评审机构报送参评的精品项目时，应附相关说明材料和证明材料，简要说明评审内容、评审程序、方式方法、遇到的问题、解决的措施、评审经验、取得的成效等内容。

第八条 全省各级财政评审机构对申报的精品项目认真审核、严格把关，被推荐的精品项目要具有先进性和代表性，严格遵守本办法规定的标准和条件。县级申请参评精品项目，应先由市级财政评审机构审核把关后，统一报送省财政厅投资评审中心。

第九条 省财政厅投资评审中心负责对参评的精品项目进行审核汇总，聘请有关专家人员，统一开展精品项目的评选和审定工作。必要时，可组织有关人员对参选项目进行现场核实、考察和论证，并通知相关单位做好准备工作。

第十条 精品项目原则上每年评选一次，具体时间和有关要求将根据实际情况确定。

第十一条 精品项目实行公示制。经评选通过的精品项目，由省财政厅投资评审中心在全省财政评审系统内统一进行公示。公示期一般不少于5个工作日。

第四章 表彰奖励

第十二条 对荣获精品项目的财政评审机构及项目负责人，给予适当方式的表彰及奖励。

第十三条 精品项目的表彰奖励，与全省财政评审系统年终综合考评工作相结合。获得精品项目的机构，在年终综合考评时可获得特别加分。

第五章 附 则

第十四条 全省各级财政评审机构可根据各自实际，参照本办法制定本地区财政评审精品项目管理办法。

第十五条 本办法由省财政厅投资评审中心负责解释。

第十六条 本办法自印发之日起施行。

省财政厅关于印发《山东省财政投资评审点评制度》的通知

2009年12月8日 鲁财投〔2009〕8号

各市（不含青岛）财政局：

为不断提升全省财政投资评审的服务力、贡献力和影响力，我们在广泛征求意见的基础上，重新修订了《山东省财政评审点评制度》（鲁财投〔2009〕5号），现将修订后的《山东省财政投资评审点评制度》印发给你们，请遵照执行。

附件：山东省财政投资评审点评制度

附件：

山东省财政投资评审点评制度

第一条 为不断提升全省财政投资评审的服务力、贡献力和影响力，根据有关规定制定本制度。

第二条 点评工作遵循“客观公正、实事求是，目标明确、重点突出，评析结合、重在提高”的原则。

第三条 点评的主要内容包括各市财政投资评审规章制度建设、评审范围、评审规模、评审成效、信息宣传、调查研究、机构队伍建设、内部管理和其他相关内容。

第四条 点评工作主要采取现场点评和集中点评两种方式。现场点评是指对财政投资评审工作进行实地考查、观摩和评价分析；集中点评是指对财政投资评审工作进行集中交流和评价分析。

第五条 点评程序：

（一）成立点评小组。点评小组主要由省、市财政投资评审机构主要负责人及相关人员组成。点评工作遵循回避原则，各市点评人员不参加对本市的点评。

（二）点评组织实施。省财政厅统一组织点评小组成员进行现场点评或集中点评。点评小组成员根据点评内容具体情况，发表个人点评观点，并根据赋分标准对点评内容进行赋分，满分值为100分。

（三）形成点评结果。根据点评小组赋分情况确定各市点评等级。其中：90分以上为“优秀”；60～89分为“优良”；60分以下为“不合格”。

第六条 点评工作要注重针对性、指导性和时效性，突出特点、亮点、重点、热点和创新点，对各市财政投资评审工作中的创新点和成功经验予以推广，对存在的问题和不足提出对策和建议。

第七条 各市财政局要对本年度投资评审工作进行认真总结分析，形成书面汇报材料。主要包括以下内容：

（一）财政投资评审规章制度建设情况；

（二）财政投资评审项目涵盖范围、项目主管科（处）室分布情况及与以前年度对比情况；

（三）财政投资评审业务完成额、审减（增）额、审减（增）率、查出不合理资金额、提出意见建议条数及与以前年度对比情况；

（四）财政投资评审工作拓展、体制机制创新等取得的主要成效和重大反响；

（五）财政投资评审宣传方式方法，财政投资评审机构财政信息网建设、信息上报、发布等情况及取得的成效；

（六）财政投资评审调查研究工作取得的成果和获奖情况；

（七）市、县两级财政投资评审机构队伍建设、机构性质、人员编制、实有人数、专业技术职称和注册执业资格等情况及年度内新增机构人员情况；

（八）财政投资评审机构内部管理制度建设、作风建设、廉政建设等工作开展情况及取得的成效；

（九）其他需要报送的有关情况或材料。

以上各项，除（二）、（三）两项外，均需提供相关证明资料的原件或复印件。

第八条 省财政厅对点评结果在全省进行通报，并根据点评情况研究确定先进评比等有关事项。

第九条 财政投资评审点评原则上每年年末由省财政厅投资评审中心具体组织实施。

第十条 本制度由省财政厅负责解释。

第十一条 本制度自印发之日起施行。《山东省财政投资评审系统综合考评办法（试行）》（鲁财投〔2007〕34号）和《山东省财政评审点评制度》（鲁财投〔2009〕5号）同时废止。

附件：山东省财政投资评审点评赋分表

附件：

山东省财政投资评审点评赋分表

被点评单位名称：　　　　　　　　　　　　　　　　（　　　年度）

序号	点评事项	标准分	赋分值	赋分主要参考	备注
	合　计	100			
1	规章制度建设	10		市级政府、财政部门研究制定财政投资评审规章制度情况	
2	评审范围	10		评审项目支出涵盖范围、项目主管科（处）室分布及与以前年度对比情况	
3	评审规模	10		评审完成额、审减（增）资金额、查出不合理资金额及与以前年度对比情况	
4	评审成效	25		财政投资评审工作拓展、机制体制创新等取得的主要成效和重大反响等情况	
5	信息宣传	10		财政投资评审工作宣传方式方法、效果和投资评审机构信息网建设、信息上报、发布情况	
6	调查研究	15		财政投资评审调查研究成果和获奖情况	
7	机构队伍建设	10		市、县级财政投资评审机构建设、机构性质、人员编制和实际到位、人员专业构成情况	
8	内部管理	10		内部管理制度建设、作风建设、廉政建设等工作开展情况和取得的成效	

注：根据工作需要，每年可对有关点评事项标准分的分值做适当调整。

省财政厅关于印发《山东省财政投资评审最具影响力单位评选办法》的通知

2009年12月10日　鲁财投〔2009〕9号

各市（不含青岛）财政局：

为提高全省财政投资评审工作的服务水平和贡献能力，进一步提升财政投资评审工作影响力，我们研究制定了《山东省财政投资评审最具影响力单位评选办法》，现印发给你们，请遵照执行。

附件：山东省财政投资评审最具影响力单位评选办法

附件：

山东省财政投资评审最具影响力单位评选办法

第一条　为提高全省财政投资评审工作的服务水平和贡献能力，进一步提升财政投资评审工作影响力，特制定本办法。

第二条　本办法所称"最具影响力"，是指财政投资评审工作成效显著，并在党委政府和社会各界产生了重要反响。

第三条　全省设立财政投资评审机构的市和县（市、区）财政部门均可申报参选"山东省财政投资评审最具影响力单位"（以下简称为"最具影响力单位"）。最具影响力单位没有位次排序和比例权重的限制。

第四条　最具影响力单位评选工作坚持公开、公平、公正的原则，旨在引导各级财政部门进一步增强财政投资评审工作的大局观念和宣传意识，提高服务党委政府决策和经济社会发展的能力和水平。

第五条　最具影响力单位须同时具备以下（一）、（二）或（一）、（三）款规定的条件：

（一）年度内，市级财政投资评审工作经省财政厅统一组织点评为"优秀"的，县级财政投资评审工作经市级财政部门统一组织考评为"优秀"的；

（二）年度内，财政投资评审工作得到了党委政府领导的重要批示；

（三）年度内，财政投资评审相关理论文章、调研报告以第一作者获得山东省科学技术奖三等奖以上（含三等奖）或山东省社会科学优秀成果奖二等奖以上（含二等奖），或得到党委政府领导的重要批示。

第六条 最具影响力单位评选采取自下而上、逐级推荐、申报审核的方式，统一填制《山东省财政投资评审最具影响力单位申报审批表》（见附件）。县级财政部门申报参选最具影响力单位，由市级财政部门按照本办法第五条规定的条件进行初审后，报省财政厅审核；市级财政部门申报参选最具影响力单位，直接报省财政厅审核。

第七条 申报参选最具影响力单位，必须提供有关批示、获奖证书和年度考评结果的原件或复印件。

第八条 各级财政部门对最具影响力单位申报参选材料要认真自审初审、严格把关。不符合规定条件的申报参选材料，不得推荐申报。

第九条 最具影响力单位评选实行公示制。经评选通过的单位，由省财政厅在全省财政系统内进行公示。公示期不少于5个工作日。

第十条 对获得“山东省财政投资评审最具影响力单位”称号的单位，省财政厅给予通报表彰。

第十一条 最具影响力单位原则上每年评选一次，具体评选时间和有关要求根据实际情况确定。

第十二条 各市可结合各自实际，参照本办法制定本市最具影响力单位评选办法。

第十三条 本办法由省财政厅负责解释。

第十四条 本办法自2009年6月1日起施行。

附件：1. 山东省财政投资评审最具影响力单位申报审批表（一）

2. 山东省财政投资评审最具影响力单位申报审批表（二）

附件1：

山东省财政投资评审最具影响力单位申报审批表（一）

（市级财政部门申报）

申报参选单位：（公章）

申报参选单位名称		单位负责人	
投资评审机构名称		机构负责人	
参选条件			
省财政厅审批意见	（公章） 年 月 日		

注：

附件2：

山东省财政投资评审最具影响力单位申报审批表（二）

（县级财政部门申报）

申报参选单位：（公章）

申报参选单位名称		单位负责人	
投资评审机构名称		机构负责人	
参选条件			
市级财政部门初审意　　见	（公章） 年　月　日		
省财政厅审批意见	（公章） 年　月　日		

注：

十六、

注册会计师管理类

国家发展改革委　财政部关于发布《资产评估收费管理办法》的通知

2009 年 11 月 17 日　发改价格〔2009〕2914 号

各省、自治区、直辖市发展改革委、物价局、财政厅（局）：

为规范资产评估收费行为，维护社会公共利益和当事人的合法权益，促进资产评估行业健康发展，我们制定了《资产评估收费管理办法》，现印发给你们，请遵照执行。

各地要根据《资产评估收费管理办法》对本行政区域内的资产评估收费进行清理规范，于 12 月底前向社会公布重新制定的资产评估收费办法和收费标准，并将贯彻落实情况报国家发展改革委（价格司）、财政部（企业司）。

附件：资产评估收费管理办法

附件：

资产评估收费管理办法

第一条　为规范资产评估收费行为，维护社会公共利益和当事人的合法权益，促进资产评估行业健康发展，根据《中华人民共和国价格法》、《国有资产评估管理办法》等有关法律法规规定，制定本办法。

第二条　凡经省级以上财政主管部门批准设立的资产评估机构，依据相关法律法规和国家有关规定，提供资产评估服务，应当按照本办法收取评估费用。

第三条　资产评估收费遵循公开、公平、公正、自愿有偿、诚实信用和委托人付费的原则。

第四条　资产评估收费实行政府指导价和市场调节价。

资产评估机构提供法律法规和国家有关规定要求实施的资产评估服务（以下简称“法定资产评估服务”），实行政府指导价；提供自愿委托的资产评估及相关服务（以下简称“非法定资产评估服务”）实行市场调节价。

第五条　法定资产评估服务可实行计件收费、计时收费或计件与计时收费相结合的方式。

第六条　实行计件收费的法定资产评估服务，可以被评估资产账面原值为计费依据，采取差额定率累进计算办法收取评估费用。即按被评估资产的账面原值的大小划分收费档次，分档计算收费额、各档相加为评估收费总额。

第七条　实行计时收费的法定资产评估服务，可按照完成资产评估业务所需工作人日数和每个工作人日收费标准收取评估费用。工作人日数根据评估项目的性质、风险大小、繁简程度等确定；每个工作人日收费标准根据评估人员专业技能水平、评估工作的服务质量等确定。

第八条　政府指导价的基准价及其上下浮动幅度，由各省、自治区、直辖市政府财政部门提出意见，同级价格主管部门制定。

第九条　制定法定资产评估服务收费标准，应当以资产评估服务的社会平均成本、法定税金、合理利润为基础，并考虑当地经济发展水平、社会承受能力、对资本市场、社会公众的影响等因素确定。

第十条　实行市场调节价的非法定资产评估服务，应由资产评估机构提出收费标准范围，具体标准由资产评估机构与委托方协商确定。确定收费标准时应考虑以下主要因素：

（一）耗费的工作时间和执业成本；

（二）评估业务的难易程度；

（三）委托人的承受能力；

（四）注册资产评估师可能承担的风险和责任；

（五）注册资产评估师的社会信誉和工作水平等。

第十一条 资产评估机构异地设立的分支机构，应当执行分支机构所在地的资产评估服务收费规定。

资产评估机构异地提供资产评估服务，可以执行资产评估机构所在地或者提供资产评估服务所在地的收费规定，具体由资产评估机构与委托人协商确定。

第十二条 资产评估机构接受委托，应当与委托人签订资产评估服务业务收费合同（协议）或者在业务约定书中载明收费条款。

收费合同（协议）或收费条款应包括：收费项目、收费标准、收费方式、收费金额、付款和结算方式、争议解决方式等内容。

第十三条 资产评估机构与委托人签订合同（协议）后，因一方过错或无正当理由委托关系终止的，有关费用的退补和赔偿依照《合同法》等有关规定办理。

第十四条 采取招（投）标方式取得法定资产评估服务业务时，资产评估机构应当在规定的基准价和浮动幅度内合理确定投标报价。

第十五条 资产评估机构为委托人提供资产评估服务，应当严格按照相关法律、法规和评估准则，恪守独立、客观、公正原则，履行必要的评估程序。

第十六条 资产评估机构向委托人收取评估费用，应当出具合法票据。

第十七条 资产评估机构应当在营业场所显著位置公示评估项目、收费标准等信息，接受社会监督。

第十八条 资产评估机构应当严格执行政府价格主管部门制定的资产评估收费管理办法和收费标准，建立健全内部收费管理制度，保证评估质量，自觉接受价格主管部门的监督检查。

第十九条 资产评估机构评估收费中有下列情形之一的，由政府价格主管部门依照《价格法》和《价格违法行为行政处罚规定》实施行政处罚：

（一）未按规定公示服务项目、收费标准的；

（二）超出政府指导价浮动幅度制定价格的；

（三）擅自制定属于政府指导价范围内的评估服务收费的；

（四）采取分解收费项目、重复收费，扩大收费范围等方式乱收费的；

（五）不按规定提供资产评估服务而收取费用的；

（六）其他价格违法行为。

第二十条 公民、法人和其他组织对资产评估机构或注册资产评估师不执行政府指导价或存在其他价格违法行为的，可以向资产评估机构所在地价格主管部门举报、投诉。

第二十一条 资产评估机构与委托人之间发生收费纠纷，资产评估机构应当与委托人协商解决，也可以申请仲裁或者向人民法院提起诉讼。

第二十二条 资产评估机构受委托人要求，赴境外或港澳台地区开展资产评估服务的费用，通过与委托人签订合同的方式协商确定。

第二十三条 本办法由国家发展改革委会同财政部负责解释。

第二十四条 本办法自2010年1月1日起执行，原国家物价局、国家国有资产管理局发布的《资产评估收费管理暂行办法》（价费字〔1992〕625号）同时废止。

中国注册会计师协会关于印发《会计师事务所执业质量检查制度》的通知

2009 年 7 月 28 日　会协〔2009〕46 号

各省、自治区、直辖市注册会计师协会：

新修订的《会计师事务所执业质量检查制度》已经中国注册会计师协会第四届常务理事会审议通过，观予印发，自 2009 年 8 月 1 日起施行。

附件：会计师事务所执业质量检查制度

附件：

会计师事务所执业质量检查制度

第一章　总　　则

第一条　为了规范和指导注册会计师协会对会计师事务所（以下简称事务所）的执业质量检查工作，加强对事务所执业质量的监管，督促事务所及其注册会计师增强风险意识，提高执业质量，根据《中华人民共和国注册会计师法》和《中国注册会计师协会章程》的有关规定，制定本制度。

第二条　本制度所称执业质量检查，是指注册会计师协会每年组织开展的对事务所、注册会计师遵循中国注册会计师业务准则、质量控制准则、职业道德规范等情况的检查，包括检查工作的组织实施，以及检查结果的评价和处理。

第三条　执业质量检查应当坚持公平、公正的原则，以事实为依据，以准则为准绳，严格检查，严格惩戒。

第四条　执业质量检查应当关注事务所的整体质量控制情况，注意区分会计责任和审计责任，充分尊重注册会计师的职业判断，对事务所及其注册会计师遵守中国注册会计师业务准则、质量控制准则、职业道德规范等情况进行综合评价。

第五条　注册会计师协会应当加强与有关监管部门的沟通协调和信息传递，尽可能减少重复检查。必要时，也可采取与有关监管部门开展联合检查的方式，提升监管资源的使用效率，形成监管合力，提高监管效果。

第二章　检查的职责分工

第六条　中国注册会计师协会（以下简称中注协）负责全国事务所执业质量检查标准和政策的制定以及组织协调工作，并对各省、自治区、直辖市注册会计师协会（以下简称省级协会）的执业质量检查工作进行指导和监督。

第七条　中注协统一部署对具有从事证券期货相关业务资格会计师事务所（以下简称证券所）的执业质量检查。各省级协会负责对本行政区域内其他事务所的执业质量检查。

中注协直接组织检查组对证券所进行检查，并根据检查结果对存在执业违规行为的证券所实施惩戒。

省级协会在中注协的统一部署下，配合中注协对本行政区域内的证券所分所进行检查。必要时，中注协直接组织对证券所分所进行检查，并对存在执业违规行为的证券所分所实施惩戒。

第八条 省级协会对本行政区域内事务所跨区域执行的业务进行执业质量检查，必要时可商请业务所在地省级协会协助检查。省级协会发现外地事务所在本行政区域内执行业务涉嫌存在违规问题的，可以提请事务所所在地省级协会进行查处。

第三章 检查周期

第九条 注册会计师协会每年应组织开展事务所的执业质量检查。

证券所及其分所每三年内应当至少接受一次执业质量检查，其他事务所每五年内应当至少接受一次执业质量检查。

第十条 对存在下列情形的事务所，注册会计师协会可以考虑在一个检查周期内安排两次或两次以上的检查：

（一）在以往的执业质量检查中存在问题比较严重，受到行业惩戒或行政处罚的；

（二）未按照注册会计师协会的要求进行整改或者整改不力的；

（三）注册会计师协会认为需要检查的其他情形。

第十一条 注册会计师协会可以根据事务所的综合评价结果，逐步实现对事务所的分级、分类监管，优化配置检查资源，合理确定事务所的检查周期。

第四章 检查计划

第十二条 注册会计师协会应当制定年度检查计划或检查方案，明确检查依据和目的、检查对象、检查内容、检查方式、检查工作安排和要求等。

第十三条 省级协会的年度检查计划或检查方案，应当报送中注协备案。

第十四条 在确定年度被检查事务所名单时，注册会计师协会应当对存在下列情形的事务所予以特别考虑：

（一）被审计单位变更委托时，可能存在重大审计风险的后任事务所；

（二）股东（合伙人）之间纠纷较大，可能影响执业质量的；

（三）采用不正当竞争手段承揽业务的；

（四）诋毁同行、损害同行利益的；

（五）受到投诉举报较多或反映问题严重的；

（六）业务收费显著低于行业平均收费水平的；

（七）新批准设立的；

（八）承接业务数量与事务所人员、规模明显不匹配的；

（九）存在第十条规定情形的；

（十）注册会计师协会认为需要检查的其他情形。

第五章 检查人员

第十五条 注册会计师协会应当合理选择和确定检查人员，组成检查组。检查组应由不少于三名的检查人员组成，实行组长负责制。

检查组受注册会计师协会的委派，在注册会计师协会授权范围内开展检查工作。

第十六条 检查人员应当由职业道德好、专业素质高、实践经验丰富的注册会计师和注册会计师协会工作人员担任。

第十七条　担任检查人员的注册会计师应当同时符合下列条件：

（一）担任事务所审计项目负责人以上的职务；

（二）在事务所从事审计工作五年以上；

（三）熟悉会计、审计等专业理论和实务；

（四）最近三年没有受到行业惩戒或行政处罚。

第十八条　注册会计师协会应当建立相对稳定的兼职检查人员队伍；有条件的地方可以建立专职检查人员队伍，并对检查人员进行必要的培训。

第十九条　检查人员的权利主要包括下列内容：

（一）对被检查事务所的业务报告、工作底稿、质量控制制度、财务会计资料及相关内部管理制度等资料进行查阅、记录和复印；

（二）对事务所有关人员进行询问或发放调查问卷；

（三）必要时，可对涉嫌严重违规或双方争议较大的业务报告和相关工作底稿调回注册会计师协会查阅。

第二十条　检查人员的义务主要包括下列内容：

（一）对检查中了解到的国家机密、事务所及其客户的商业秘密应当保密，不得用于与检查工作无关的任何用途，也不得泄露给与检查工作无关的任何人员；

（二）与被检查事务所有利害关系的，应当主动回避；

（三）保持廉洁自律，不得接受被检查事务所的宴请、礼品或礼金等。

第二十一条　注册会计师参加执业质量检查的时间可按照《中国注册会计师继续教育制度》的规定折合本年度的继续教育学时。

第二十二条　注册会计师协会对表现优秀的检查人员予以表彰、奖励，对违反检查纪律的检查人员予以相应的处分。

第六章　现场检查

第二十三条　注册会计师协会在开展执业质量检查前，应当提前五个工作日通知被检查事务所。

第二十四条　被检查事务所应当在接受检查前进行自查，并按照检查通知要求做好相关准备工作。

第二十五条　被检查事务所应当依据下列要求积极配合检查工作：

（一）及时全面地提交检查所需的全部资料，并保证所提交资料的完整性和真实性；

（二）为检查组提供必要的工作场所和办公条件；

（三）确定专人负责与检查组的联络；

（四）妥善安排签字注册会计师和其他相关人员配合检查组开展工作；

（五）如实回答检查人员的询问，准时参加检查组召集的会议，及时进行意见反馈。

第二十六条　检查组一般应对事务所进行现场检查，必要时也可调阅事务所有关资料进行非现场检查。

第二十七条　检查组一般应当抽取事务所当年度出具的业务报告进行检查。对于自上次接受检查后出具的以往年度或期间的业务报告，应当按照一定比例进行抽查。在选取业务报告时，应当考虑样本选取的充分性和代表性。

第二十八条　检查组应当就检查中发现的问题与被检查事务所和注册会计师进行充分沟通，听取并吸收其中的合理意见。

第二十九条　检查组收集检查证据，应当保证检查证据的充分性和适当性，并根据检查证据形成检查意见。从事务所获取的检查证据、形成的检查意见和重要的沟通事项及结果，应由事务所盖章和相关人员签名确认。

第三十条　检查组应当及时向注册会计师协会汇报检查进展情况以及检查中遇到的重大问题，接受注册会计师协会的指导和监督。

第三十一条　检查组应当按照注册会计师协会确定的检查标准实施执业质量检查，编制检查工作底稿。

第三十二条　检查组应当在完成检查工作后撰写执业质量检查报告，提交注册会计师协会。

执业质量检查报告的内容主要包括：

（一）被检查事务所概况；

（二）检查工作的开展情况；

（三）检查发现的问题；

（四）被检查事务所的反馈意见；

（五）对被检查事务所的整体评价。

第三十三条　检查组应当在检查工作结束后，及时归整检查工作底稿，形成检查档案，统一交注册会计师协会保管。检查档案的所有权属于注册会计师协会。

第七章　检查结果的处理

第三十四条　注册会计师协会应当从以下方面对检查组提交的检查报告和检查工作底稿进行复核：

（一）执业违规事实是否清楚、检查证据是否确凿、事实的认定是否有充分适当的检查证据的支持；

（二）检查工作是否符合检查程序；

（三）适用的法律、法规、执业准则和行业规范是否恰当。

对于复核中发现的重大问题，注册会计师协会应当组织专家进行论证。

第三十五条　注册会计师协会应当建立相应的惩戒制度，设立惩戒委员会或相应机构，对检查中发现的应予惩戒的问题给予相应的惩戒。

第三十六条　注册会计师协会实施惩戒，应当以事实为依据，与执业违规行为的性质、情节以及社会影响程度相当，并遵循独立、客观、公正的原则，坚持惩戒与教育相结合。

第三十七条　注册会计师协会应当保护事务所和注册会计师的合法权益，保障其陈述申辩和申诉的权利。

第三十八条　注册会计师协会应当责成受到惩戒以及其他存在执业质量缺陷的被检查事务所在规定时间内整改并提交整改报告。

第三十九条　注册会计师协会应当对年度检查工作进行总结。省级协会应当在年度检查工作结束后，在规定时间内向中注协报送年度检查工作总结。

第八章　附　则

第四十条　注册会计师协会开展专案检查、专项检查等其他检查工作，可参照本制度的规定。

第四十一条　注册会计师协会应当将年度检查总体情况及检查结果录入中注协行业管理信息系统。

第四十二条　各省级协会可以按照本制度，制定本地区的实施办法，并报中注协备案。

第四十三条　本制度自2009年8月1日起施行。

中国注册会计师协会关于印发《中国注册会计师协会非执业会员登记办法》的通知

2009年9月11日　会协〔2009〕51号

各省、自治区、直辖市注册会计师协会，深圳市注册会计师协会：

《中国注册会计师协会非执业会员登记办法》，经中国注册会计师协会常务理事审议通过，现予印发。

附件：中国注册会计师协会非执业会员登记办法

附件：

中国注册会计师协会非执业会员登记办法

第一章 总 则

第一条 为做好中国注册会计师协会非执业会员（以下简称非执业会员）管理工作，加强对非执业会员的服务和监督，根据《中国注册会计师协会章程》，制定本办法。

第二条 中国注册会计师协会（以下简称中注协）负责非执业会员管理相关制度的制定，指导各省、自治区、直辖市注册会计师协会及深圳市注册会计师协会（以下简称地方注协）的非执业会员管理工作；地方注协负责本地区非执业会员的管理工作。

第二章 登 记

第三条 符合下列条件之一者，可申请成为非执业会员：

（一）取得注册会计师全国统一考试全科考试合格证书不超过5年。

（二）执业会员停止执业、被撤销或注销注册后不超过5年。

（三）有特殊情况超过上述期限申请入会者，应说明原因并经过相关测试。

第四条 申请程序

（一）申请人向地方注协提出申请，并准确、真实、完整地填报《中国注册会计师协会非执业会员登记表》（见附表1）。

（二）地方注协在接到申请之日起20个工作日内做出是否批准的决定。

对于批准的申请人，地方注协应当将其《中国注册会计师协会非执业会员登记表》的相关信息在行业管理信息系统中上报，并将《中国注册会计师协会非执业会员汇总表》（以下称汇总表，见附表2）抄报中注协复核；对于不予批准的申请人，地方注协应当告知其原因。

（三）中注协自接到汇总表之日起10个工作日内，对申请人的资格进行复核。对于复核合格的，在行业管理信息系统中进行确认，同时在会计行业管理网、中注协网站和地方注协网站上公告；对复核不合格的，应当通知有关地方注协予以撤消。

经中注协复核合格的人员，由地方注协颁发中注协统一印制的中国注册会计师协会会员证书（以下简称会员证书）。

第五条 有下列情形之一的，地方注协不准予其登记：

（一）不具有完全民事行为能力的。

（二）受刑事处罚，自刑罚执行完毕之日起至申请入会之日止不满5年的。

（三）因在财务、会计、审计、企业管理或者其他经济管理工作中犯有严重错误受行政处罚、撤职以上处分，自处罚、处分决定之日起至申请入会之日止不满2年的。

（四）受吊销注册会计师证书处罚的，自处罚决定之日起至申请入会之日止不满5年的。

（五）因本办法第十条（四）、（五）项情形被取消非执业会员资格或被理事会劝其退会的，自相关决定之日起至申请入会之日止不满3年的。

（六）由中注协或地方注协理事会予以除名的。

第六条 非执业会员申请注册会计师注册获批准后，地方注协应当取消其非执业会员登记。

第三章 转会、退会和除名

第七条 非执业会员由于工作调动等原因，出现跨省级行政区域变动的，可以办理转会手续。具体程序为：

（一）本人向转出地地方注协提出转会申请并填写《中国注册会计师协会非执业会员转会表》（以下简称《转会表》，见附表3）；

（二）转出地地方注协接到申请后10个工作日内，应当在《转会表》上签署意见，包括该会员的会费缴纳情况、继续教育情况、当年年检情况等事项；

（三）转入地地方注协接到经转出地地方注协签署意见的《转会表》后，应当在5个工作日内与该会员取得联系，办理相关手续。

第八条 非执业会员可申请退出本协会，具体程序为：

（一）本人向地方注协提交退会申请，并同时交回非执业会员证书；

（二）地方注协批准并报中注协备案。

第九条 非执业会员拒不履行《中国注册会计师协会章程》或地方协会《章程》规定的义务，所在地地方注协理事会可劝其退会或予以除名，并报中注协备案。

第十条 有下列情形之一者，由所在地地方注协取消其非执业会员资格，收回会员证书，并报中注协备案：

（一）丧失完全民事行为能力的。

（二）受刑事处罚的。

（三）因在财务、会计、审计、企业管理或者其他经济管理工作中犯有严重错误受行政处罚、撤职以上处分的。

（四）在申请入会时，上报虚假材料的。

（五）存在严重违反中注协职业道德守则的行为的。

（六）未通过年检和自行退会的。

被取消非执业会员资格的当事人有异议的，可以自接到取消资格的书面通知之日起20个工作日内向中注协申诉。中注协在收到申诉后30个工作日内，进行复查并予以答复。

第四章 年度检查

第十一条 非执业会员（当年批准的除外）必须接受所在地地方注协组织的年度检查（以下简称年检）。非执业会员的年检时间为每年6月1日至3月31日。

第十二条 非执业会员年检的具体内容为：

（一）接受继续教育的情况；

（二）交纳会费情况；

（三）是否具有本办法第十条规定的情形。

第十三条 非执业会员有下列情形之一并无法委托他人办理年检的，可以向所在地地方协会提出申请，经批准可以暂缓年检：

（一）在境外停留的。

（二）生育休产假的。

（三）因疾病不能参加年检的。

（四）地方协会认可的其他情形。

暂缓年检期限不得超过一年。

第十四条 对于年检合格的非执业会员，地方注协应当在其会员证书上加盖年检合格印章。

第十五条 对于未完成规定的继续教育、未交纳会费，或具有本办法第十条规定的情形之一的非执业会员，年检不予通过。

第十六条 无故不参加年检的非执业会员，视为其自行退会。

第十七条 地方注协应当将年检合格的非执业会员名单，在会计行业管理网、中注协网站和地方注协网站或相关报刊上予以公告。

第十八条 对暂缓年检的非执业会员，待暂缓年检的事由消除后，再按以上程序进行检查。检查结果另行公告。

第五章 附 则

第十九条 符合本办法规定的外国和港澳台地区人士，可直接向中注协提出申请，依照本办法办理登记。

第二十条 本办法自2010年1月1日起施行。中注协1995年发布的《中国注册会计师协会非执业会员管理暂行办法》（会协字〔1995〕105号）和《中国注册会计师协会关于对中国注册会计师协会非执业会员退会、转会工作的补充说明》（会协字〔1995〕303号）同时废止。

附表：1. 中国注册会计师协会非执业会员登记表

2. 中国注册会计师协会非执业会员汇总表

3. 中国注册会计师协会非执业会员转会申请表

附表1：

中国注册会计师协会非执业会员登记表

姓名		性别		身份证件类别	
曾用名		曾用身份证件号		身份证件号	
资格取得方式		全科合格证号（考核批准文号）		出生日期	
所在地区		民族		政治面貌	
联系电话		电子邮件		单位性质	
工作单位				是否离退休	
通讯地址				邮政编码	
户口所在地				全科合格年份	
毕业院校				所学专业	
学历		学位		外语程度	
专业技术职称		职称等级			
本人自愿申请加入中国注册会计师协会，遵守《中国注册会计师协会章程》。 申请人签名： 年 月 日					
注册会计师协会意见： 签名： 盖章： 年 月 日					

附表2：

中国注册会计师协会非执业会员汇总表

序号	姓名	性别	身份证号	全科合格证号	备注

附表3：

中国注册会计师协会非执业会员转会申请表

姓名		证书编号	
工作单位		联系电话	
通讯地址		邮编	
本年度完成继续教育学时数		是否交纳当年会费	
转会申请： 非执业会员签字： 年 月 日			
转出地注协意见： （盖章） 年 月 日		转入地注协意见： （盖章） 年 月 日	
备注：此表由转出地注协及转入地注协各留存一份			

中国资产评估协会关于印发《中国资产评估协会特约研究员管理办法》的通知

2009 年 6 月 30 日　中评协〔2009〕108 号

各省、自治区、直辖市、计划单列市资产评估协会（注册会计师协会）：

为加强资产评估行业的理论研究，集中行业内外的研究力量，提高行业的研究能力和水平，促进行业的健康发展，中国资产评估协会着力推进行业研究人才的建设工作，建立特约研究员队伍，并组织制定了《中国资产评估协会特约研究员管理办法》（见附件）。现印发给你们，请转发全体会员。

具体申报事宜请与中评协行业发展研究部联系。

通讯地址：北京市海淀区阜成路甲 28 号新知大厦 17 层

邮编：100142

附件：1. 中国资产评估协会特约研究员管理办法

2. 中国资产评估协会特约研究员申请表

附件 1：

中国资产评估协会特约研究员管理办法

第一条　为加强资产评估行业的理论研究，调动行业内外的研究力量，集中行业的研究资源，提高行业的研究能力和水平。中国资产评估协会（以下简称中评协）建立特约研究员队伍，并制定本办法。

第二条　特约研究员来自相关政府部门、科研院校、资产评估机构等，采取申请和邀请两种方式。符合规定条件的，可成为特约高级研究员。

第三条　特约研究员应当具备以下条件：

（一）有自愿加入中评协特约研究员队伍的意愿，愿意参加行业研究活动；

（二）在资产评估及相关专业领域具有一定专业影响力；

（三）近五年在国家级刊物上发表专业论文 5 篇以上，或出版过评估相关领域专业著作，或承担过国家级、省部级、中评协研究课题，并通过相应验收；

（四）具有良好的社会声誉和职业道德。

特约高级研究员除具备上述条件外，应当在社会、经济等相关领域具有较高的知名度和社会影响力。

第四条　特约研究员享有以下权利：

（一）优先参加中评协组织的有关专业课题和学术研究及其他行业研究活动；

（二）优先享用中评协内部研究资料及研究成果；

（三）优先推荐论文和研究成果在行业期刊杂志及行业研究报告中发表；

（四）根据研究需要优先向行业协会推荐相关专家；

（五）对行业研究工作的批评建议和监督权；

（六）中评协特约研究员的任期内冠名权。

特约高级研究员除具有上述第（一）至（五）项权利外，还可以优先参与资产评估行业的重要国际会议及重大活动，享受特殊津贴，并具有中评协特约高级研究员的任期内冠名权。

第五条　特约研究员承担以下义务：

（一）按要求参与行业研究活动，积极谏言献策；

（二）维护资产评估行业的专业形象和合法权益；

（三）积极承接专业课题研究及专家论证工作；

（四）维护中评协成果的知识产权，不得以个人名义对外发表其所承担的中评协研究课题或项目的相关成果；未经授权，个人不得以中评协名义开展研究活动；

（五）每年向中评协提供两篇以上（含两篇）学术论文，或参与一个以上（含一个）专业项目的研究。

特约高级研究员除应当履行上述义务外，还应当积极参与行业的重大会议或活动；发挥相关资源优势，扩大行业社会影响力。

第六条 特约研究员采取申请或邀请方式。采取申请方式的，须向中评协秘书处提交书面申请，经中评协专家组评审通过；采取邀请方式的，由中评协秘书处提名，经中评协专家组研究通过。特约研究员由中评协颁发聘书，聘期两年。

特约高级研究员由中评协秘书处提名，经中评协常务理事会审议通过。特约高级研究员由中评协颁发聘书，聘期三年。

第七条 特约研究员和特约高级研究员聘期届满后，可以续聘。如在聘期内未履行相应义务的，中评协有权解除双方的聘任关系，不再颁发新的聘书。解除聘任关系后，不得再以中评协特约研究员或特约高级研究员的名义从事相关活动。

第八条 中评协每年至少召开一次特约研究员专业会议，讨论行业研究的重点及研究项目。经三名以上（含三名）特约研究员提议，可以不定期召开专题研讨会议。

第九条 特约研究员和特约高级研究员按照参与中评协研究活动的工作量及中评协相关财务制度，由中评协支付专家顾问费，并进行年度考核。另外，特约高级研究员按照中评协财务制度每年享受一定的特殊津贴。

第十条 特约研究员提供虚假资料，不履行规定义务，或发生严重违规行为，可予以除名。

第十一条 特约研究员和特约高级研究员由中评协统一管理，并做好相应的组织和服务工作。

第十二条 本办法自发布之日起施行，由中评协秘书处负责解释。

附件2：

中国资产评估协会特约研究员申请表

姓名		性别		（一寸免冠照）
工作单位				
职称		职务		
地址		邮编		
电话		手机		
传真		E－mail		
社会职务				
教育经历及工作简历				
主要研究方向				
代表专业论著及社会影响				
承担的国家级、省部级、中评协研究课题				
研究成果获奖情况				
本人所在单位意见				
协会审批意见				

详细内容可加附页，相关佐证材料附后。

十七、

政府采购监督管理类

国务院办公厅关于进一步加强政府采购管理工作的意见

2009 年 4 月 10 日 国办发〔2009〕35 号

各省、自治区、直辖市人民政府，国务院各部委、各直属机构：

近年来，各地区、各部门认真贯彻落实《中华人民共和国政府采购法》（以下简称《政府采购法》），不断加强制度建设、规范采购行为，政府采购在提高资金使用效益，维护国家和社会公益，以及防范腐败、支持节能环保和促进自主创新等方面取得了显著成效。但是，个别单位规避政府采购，操作执行环节不规范，运行机制不完善，监督处罚不到位，部分政府采购效率低价格高等问题仍然比较突出，一些违反法纪、贪污腐败的现象时有发生，造成财政资金损失浪费。为切实解决这些问题，全面深化政府采购制度改革，经国务院同意，现就进一步加强政府采购管理工作提出以下意见：

一、坚持应采尽采，进一步强化和实现依法采购

财政部门要依据政府采购需要和集中采购机构能力，研究完善政府集中采购目录和产品分类。各地区、各部门要加大推进政府采购工作的力度，扩大政府采购管理实施范围，对列入政府采购的项目应全部依法实施政府采购。尤其是要加强对部门和单位使用纳入财政管理的其他资金或使用以财政性资金作为还款来源的借（贷）款进行采购的管理；要加强工程项目的政府采购管理，政府采购工程项目除招标投标外均按《政府采购法》规定执行。

各部门、各单位要认真执行政府采购法律制度规定的工作程序和操作标准，合理确定采购需求，及时签订合同、履约验收和支付资金，不得以任何方式干预和影响采购活动。属政府集中采购目录项目要委托集中采购机构实施；达到公开招标限额标准的采购项目，未经财政部门批准不得采取其他采购方式，并严格按规定向社会公开发布采购信息，实现采购活动的公开透明。

二、坚持管采分离，进一步完善监管和运行机制

加强政府采购监督管理与操作执行相分离的体制建设，进一步完善财政部门监督管理和集中采购机构独立操作运行的机制。

财政部门要严格采购文件编制、信息公告、采购评审、采购合同格式和产品验收等环节的具体标准和程序要求；要建立统一的专家库、供应商产品信息库，逐步实现动态管理和加强违规行为的处罚；要会同国家保密部门制定保密项目采购的具体标准、范围和工作要求，防止借采购项目保密而逃避或简化政府采购的行为。

集中采购机构要严格按照《政府采购法》规定组织采购活动，规范集中采购操作行为，增强集中采购目录执行的严肃性、科学性和有效性。在组织实施中不得违反国家规定收取采购代理费用和其他费用，也不得将采购单位委托的集中采购项目再委托给社会代理机构组织实施采购。要建立健全内部监督管理制度，实现采购活动不同环节之间权责明确、岗位分离。要重视和加强专业化建设，优化集中采购实施方式和内部操作程序，实现采购价格低于市场平均价格、采购效率更高、采购质量优良和服务良好。

在集中采购业务代理活动中要适当引入竞争机制，打破现有集中采购机构完全按行政隶属关系接受委

托业务的格局，允许采购单位在所在区域内择优选择集中采购机构，实现集中采购活动的良性竞争。

三、坚持预算约束，进一步提高政府采购效率和质量

各部门、各单位要按照《政府采购法》的规定和财政部门预算管理的要求，将政府采购项目全部编入部门预算，做好政府采购预算和采购计划编报的相互衔接工作，确保采购计划严格按政府采购预算的项目和数额执行。

要采取有效措施，加强监管部门、采购单位和采购代理机构间的相互衔接，通过改进管理水平和操作执行质量，不断提高采购效率。财政部门要改进管理方式，提高审批效率，整合优化采购环节，制定标准化工作程序，建立各种采购方式下的政府采购价格监测机制和采购结果社会公开披露制度，实现对采购活动及采购结果的有效监控。集中采购机构要提高业务技能和专业化操作水平，通过优化采购组织形式，科学制定价格参数和评价标准，完善评审程序，缩短采购操作时间，建立政府采购价格与市场价格的联动机制，实现采购价格和采购质量最优。

四、坚持政策功能，进一步服务好经济和社会发展大局

政府采购应当有助于实现国家的经济和社会发展政策目标。强化政府采购的政策功能作用，是建立科学政府采购制度的客观要求。各地区、各部门要从政府采购政策功能上支持国家宏观调控，贯彻好扩大内需、调整结构等经济政策，认真落实节能环保、自主创新、进口产品审核等政府采购政策；进一步扩大政府采购政策功能范围，积极研究支持促进中小企业发展等政府采购政策。加大强制采购节能产品和优先购买环保产品的力度，凡采购产品涉及节能环保和自主创新产品的，必须执行财政部会同有关部门发布的节能环保和自主创新产品政府采购清单（目录）。要严格审核进口产品的采购，凡国内产品能够满足需求的都要采购国内产品。财政部门要加强政策实施的监督，跟踪政策实施情况，建立采购效果评价体系，保证政策规定落到实处。

五、坚持依法处罚，进一步严肃法律制度约束

各级财政、监察、审计、预防腐败部门要加强对政府采购的监督管理，严格执法检查，对违法违规行为要依法追究责任并以适当方式向社会公布，对情节严重的要依法予以处罚。

要通过动态监控体系及时发现、纠正和处理采购单位逃避政府采购和其他违反政府采购制度规定的行为，追究相关单位及人员的责任。要完善评审专家责任处罚办法，对评审专家违反政府采购制度规定、评审程序和评审标准，以及在评审工作中敷衍塞责或故意影响评标结果等行为，要严肃处理。要加快供应商诚信体系建设，对供应商围标、串标和欺诈等行为依法予以处罚并向社会公布。要加快建立对采购单位、评审专家、供应商、集中采购机构和社会代理机构的考核评价制度和不良行为公告制度，引入公开评议和社会监督机制。严格对集中采购机构的考核，考核结果要向同级人民政府报告。加强对集中采购机构整改情况的跟踪监管，对集中采购机构的违法违规行为，要严格按照法律规定予以处理。

六、坚持体系建设，进一步推进电子化政府采购

加强政府采购信息化建设，是深化政府采购制度改革的重要内容，也是实现政府采购科学化、精细化管理的手段。各地区要积极推进政府采购信息化建设，利用现代电子信息技术，实现政府采购管理和操作执行各个环节的协调联动。财政部门要切实加强对政府采购信息化建设工作的统一领导和组织，科学制订

电子化政府采购体系发展建设规划，以管理功能完善、交易公开透明、操作规范统一、网络安全可靠为目标，建设全国统一的电子化政府采购管理交易平台，逐步实现政府采购业务交易信息共享和全流程电子化操作。要抓好信息系统推广运行的组织工作，制定由点到面、协调推进的实施计划。

七、坚持考核培训，进一步加强政府采购队伍建设

各地区、各部门要继续加强政府采购从业人员的职业教育、法制教育和技能培训，增强政府采购从业人员依法行政和依法采购的观念，建立系统的教育培训制度。财政部要会同有关部门研究建立政府采购从业人员执业资格制度，对采购单位、集中采购机构、社会代理机构和评审专家等从业人员实行持证上岗和执业考核，推动政府采购从业人员职业化的进程。集中采购机构要建立内部岗位标准和考核办法，形成优胜劣汰的良性机制，不断提高集中采购机构专业化操作水平。

各地区、各部门要全面把握新时期、新形势下完善政府采购制度的新要求，进一步提高对深化政府采购制度改革重要性的认识，切实加大推进政府采购管理工作的力度，加强对政府采购工作的组织领导，着力协调和解决政府采购管理中存在的突出问题，推进政府采购工作健康发展。

科学技术部　国家发展和改革委员会　财政部关于开展2009年国家自主创新产品认定工作的通知

2009年10月30日　国科发计〔2009〕618号

各省、自治区、直辖市、新疆生产建设兵团科技厅（委、局）、发展和改革委员会、财政厅（局）：

为贯彻落实《国家中长期科学和技术发展规划纲要（2006～2020年）》配套政策实施细则，推动国家自主创新产品认定工作，根据《国家自主创新产品认定管理办法（试行）》的有关规定，科技部、国家发展改革委和财政部决定联合开展国家自主创新产品认定工作。现将有关事项通知如下：

一、请各单位按照2009年度国家自主创新产品申报说明（见附件）的要求，认真做好产品申报、初审与推荐工作。

二、产品申报和推荐通过“国家科技计划项目申报中心”（以下简称“申报中心”）进行网上填报。有关要求及流程可登陆申报中心网站查看（program. most. gov. cn）。

三、产品申报的截止时间为2009年12月10日24时；产品推荐的截止时间为2009年12月30日24时；到达截止时间，申报中心将自动关闭。

四、请各单位通过申报中心推荐产品的同时，将相关书面材料（一式两份）报送至国家科技评估中心（地址：北京市海淀区阜成路73号裕惠大厦13层B1303，邮编100142）。

技术咨询：电话010－51292636、68529618、68528758
　　　　　传真010－68528068、68522908
　　　　　邮箱program@ most. cn

业务咨询：王健　电话13810188689
　　　　　丁宇　电话13511035121
　　　　　传真010－88232615
　　　　　邮箱wangjian@ ncste. org

附件：2009年度国家自主创新产品申报说明

附件：

国家自主创新产品申报说明

（2009 年度）

科学技术部
国家科技评估中心
2009 年 9 月制

目 录

一、概述

建立国家自主创新产品认定制度，开展自主创新产品认定工作是贯彻执行《国家中长期科学和技术发展规划纲要（2006～2020 年）》（国发〔2005〕44 号），落实《国务院关于印发实施〈国家中长期科学和技术发展规划纲要（2006～2020 年）〉若干配套政策的通知》（国发〔2006〕6 号）的重要措施。国家自主创新产品认定制度建立和相关认定工作的开展，对于积极营造激励自主创新的环境，努力建设创新型国家具有重要的推动作用。

在 2008 年认定试点工作的基础上，2009 年，科技部、国家发展改革委和财政部联合开展国家自主创新产品认定工作。

二、认定原则

1. 要突出重大性。产品必须对促进经济和社会发展做出重要贡献或者能够产生重大影响；

2. 要体现自主性。产品必须具有自主知识产权、自主品牌，并且具有明晰的所有权和使用权，不存在争议；

3. 要具有标志性。产品必须是在认定领域内代表我国自主创新能力和水平的标志性产品。

三、认定领域范围

2009 年国家自主创新产品认定工作主要选择 6 个高新技术领域，认定进入市场销售环节、符合相关行业发展方向的产品。

6 个领域分别为：（1）计算机及应用设备；（2）通信产品；（3）现代化办公设备；（4）软件；（5）新能源及装备；（6）高效节能产品。每个领域的具体认定范围详见附表 2。

四、认定条件

申请国家自主创新产品认定的单位必须是具有一定研究开发能力的产品生产单位，国家自主创新产品应符合以下条件：

（1）产品符合国家法律法规，符合国家产业技术政策和其他相关产业政策。

（2）产品具有自主知识产权，且权益状况明确。产品具有自主知识产权是指：申请单位经过其主导的技术创新活动，在我国依法拥有知识产权的所有权，或依法通过受让取得的中国企业、事业单位或公民在我国依法拥有知识产权的所有权或使用权。同时，申报单位对知识产权使用、处置、二次开发不受境外他人的限制。

(3) 产品具有自主品牌，即申请单位拥有该产品注册商标的所有权。产品销售使用的商标初始注册地应为中国境内，且不受境外相关产品品牌的制约。

(4) 产品创新程度高。掌握产品生产的核心技术和关键工艺；或应用新技术原理、新设计构思，在结构、材质、工艺等方面对原有产品有根本性改进，显著提高了产品性能；或在国内外率先提出技术标准。

(5) 产品技术先进，在同类产品中处于国际领先水平。包括产品整体技术水平国际领先，或产品某项核心技术国际领先，或产品技术达到国际同类产品水平且产品已经出口等情况，或性能价格比具有一定的国际竞争力等情况。

(6) 产品质量可靠，通过国家认证认可监督管理委员会或各省、自治区、直辖市质量技术监督部门资质认定的实验室和检查机构的检测。属于国家有特殊行业管理要求的产品，须具有国务院相关行业主管部门批准颁发的产品生产许可；属于国家实施强制性产品认证的产品，须通过强制性产品认证。

(7) 产品已经进入市场销售环节，具有潜在的经济效益和较大的市场前景或能替代进口。

五、认定程序和组织管理

产品认定依据《国家自主创新产品认定管理办法（试行）》的有关规定执行。认定工作包括四个阶段：申报、初审与推荐、认定评审、审定与发布。

1. 申报

各省、自治区、直辖市、新疆建设兵团科技厅（委、局）（以下简称地方科技部门）会同本级发展改革委和财政厅（局）（以下统称地方综合经济部门）组织产品申报工作。企业、事业单位提出申请，并按申报渠道和流程的具体要求（见申报说明第六条）提交申报材料。

2. 初审与推荐

地方科技部门对本地区申报的产品进行形式审查和汇总，并会同地方综合经济部门根据《2009年度国家自主创新产品评审手册》的要求，组织专家组进行初审，形成专家组初审意见。专家组要求包括省级政府采购监督管理部门的专家。

地方科技部门对符合条件的产品择优排序后向科技部推荐，同时提交产品推荐意见、产品推荐名单及产品申报材料。

3. 认定评审

国家科技评估中心汇总各地申报材料，组织专家组开展国家自主创新产品认定评审工作。产品认定评审专家组按领域设置，专家组包括研究开发、生产、知识产权、管理等方面的专家，以及来自相关行业协会或行业骨干单位的专家。

专家组对产品进行评价，对重要信息进行复核，形成专家组认定评审意见。国家科技评估中心汇总专家组认定评审意见，综合形成国家自主创新产品认定意见。

4. 审定与发布

科技部根据国家自主创新产品认定意见，形成《国家自主创新产品目录》（以下简称《产品目录》）初步意见，并向社会公示。公示无异议的，科技部会同国家发展改革委、财政部审定和发布《产品目录》，颁发国家自主创新产品证书，并向全社会公告。

国家自主创新产品的管理与监督按照《国家自主创新产品认定管理办法（试行）》有关规定执行。

财政部将会同有关部门，依据政府采购政策的需求和实际情况，在《产品目录》的基础上确定《政府采购自主创新产品目录》，并实行动态管理。进入《政府采购自主创新产品目录》的产品可在政府采购活动中享受政策扶持。

国家自主创新产品认定程序与组织管理见下图。

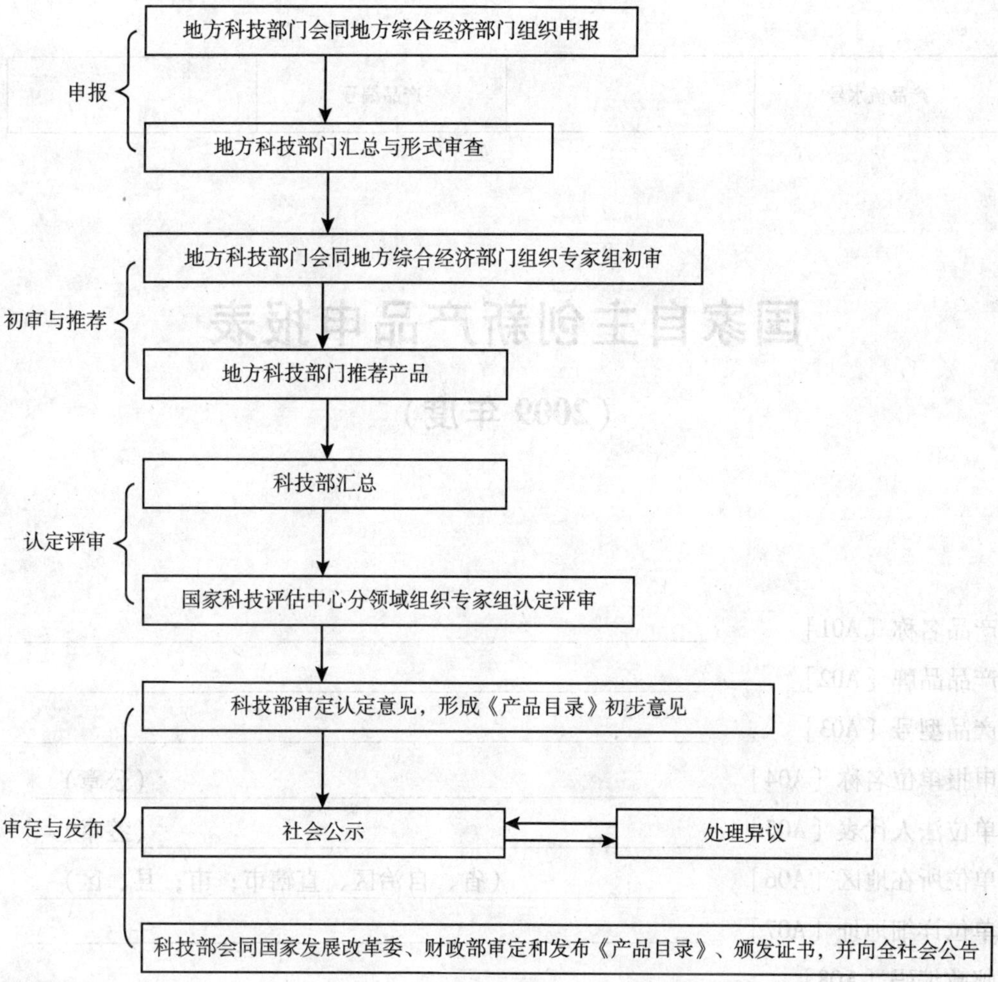

六、申报渠道和流程

2009 年国家自主创新产品申报和评审材料通过国家科技计划项目申报中心（网络域名，http://program. most. gov. cn）进行统一报送。

各产品申报单位首次登陆申报中心必须按照有关要求完成单位用户信息注册备案工作，然后在规定时间内在线填写申报材料并提交单位所在地区的科技部门进行审查。

申报材料在线提交后，系统将生成完整的 PDF 文档，申报单位须下载打印，附上与申报表中填写一致的具体证明材料，否则不予受理。全套书面材料必须按要求装订、加盖申报单位公章后，提交到当地科技部门。

七、申报材料和要求

申报单位应准备的申报材料包括：

（1）国家自主创新产品申报表；

（2）相关必备材料和其他证明材料，要求与申报表中顺序一致。

附件：

产品流水号		产品编号	

国家自主创新产品申报表

（2009年度）

产品名称〔A01〕______

产品品牌〔A02〕______

产品型号〔A03〕______

申报单位名称〔A04〕______（公章）

单位法人代表〔A05〕______（签章）

单位所在地区〔A06〕______（省、自治区、直辖市；市；县、区）

单位详细地址〔A07〕______

邮政编码〔A08〕______

联系人〔A09〕______

联系电话〔A10〕______

传真号码〔A11〕______

电子信箱〔A12〕______

单位网址〔A13〕______

填表日期〔A14〕______（YYYY－MM－DD）

中华人民共和国科学技术部制

填表说明

1. 申报表必须由单位法定代表人（或委托授权人）签字，并加盖单位公章。申报单位名称必须与单位公章一致。

2. 请按要求逐项填写申报表，包括填空（文字或数字）和选项。请将符合条件的选项代码填写在相应空格内；附表1~3提供相应分类及代码。

3. 单位详细地址务必写明省市县（区）以及具体的街道、门牌号等信息。

4. 申报单位应如实填写各项内容，应保证产品知识产权等方面的有关材料的真实性。由此可能引起的法律纠纷，由申报单位负责。

5. 申报表用A4纸打印（允许表格跨页），与附加材料一起装订成册。

6. 产品申报要求：

申报产品应能够体现申报单位当前核心技术水平、自主创新能力，在所属产业、技术领域具有重要作用和影响；产品名称、品牌、型号应分别填写，且简洁、清晰、规范。

每一个产品只能申报一个型号，型号中不出现“系列”、“系列产品”等词语；同一系列不同型号的产品应逐一申报。

产品名称应用中文，名称中尽量不出现英文词组或缩写；名称中不出现“系列”、“系列产品”等词语。例如，“超临界600MW中间再热，单轴，三缸四排汽凝汽式汽轮机”名称繁琐，可简化规范为“超临界600兆瓦凝汽式汽轮机”。

一、单位基本情况

<table>
<tr><td>单位名称
[A04]</td><td colspan="4"></td></tr>
<tr><td>组织机构代码
[B01]</td><td colspan="2"></td><td>单位登记注册
类型代码[B02]</td><td>（填代码）</td></tr>
<tr><td>注册资本（金）
[B03]</td><td colspan="2">万元（人民币）</td><td>单位登记注册
时间[B04]</td><td></td></tr>
<tr><td>法定代表人
[A05]</td><td colspan="2"></td><td>国籍
[B05]</td><td></td></tr>
<tr><td>单位总人数
[B061]</td><td>人</td><td colspan="2">其中：研发（R&D）人员数
[B062]</td><td>人</td></tr>
<tr><td>主要经济指标
及研发投入（万元）</td><td>营业收入
[B071]</td><td>利润总额
[B072]</td><td>资产总额
[B073]</td><td>投入R&D经费
[B074]</td></tr>
<tr><td>2008年</td><td></td><td></td><td></td><td></td></tr>
<tr><td>股权结构
[B08]</td><td colspan="4">请注明当前中方、外方所占股份情况，第一大股东名称及其股权比例等。</td></tr>
<tr><td>单位简介
[B09]
（限500字）</td><td colspan="4"></td></tr>
<tr><td>单位所属
行业代码
[B10]</td><td colspan="4">根据《国民经济行业分类（GB/T 4754-2002）》（见附表1）填写单位行业门类、大类
□-□□</td></tr>
</table>

注：“[B02]单位登记注册类型”及其代码为：

· 内资企业

110　国有企业　　150　有限责任公司

120 集体企业
130 股份合作企业
140 联营企业
160 股份有限公司
170 私营企业
190 其他企业
·港、澳、台商投资企业
210 合资经营企业（港或澳、台资）
220 合作经营企业（港或澳、台资）
230 港、澳、台商独资经营企业
240 港、澳、台商投资股份有限公司
·外商投资企业
310 中外合资经营企业
320 中外合作经营企业
330 外资企业
340 外商投资股份有限公司
·事业单位
410 高等院校
420 科研院所

二、产品基本情况

产品名称 [A01]		
产品品牌 [A02]		
产品型号 [A03]		
产品技术领域 [C01]		A 电子信息　B 先进制造　C 航空航天 D 现代交通　E 生物医药与医疗机械　F 新材料 G 新能源与节能　H 环境保护　I 地球、空间与海洋 J 核技术应用　K 现代农业　L 其他
产品分类标准编码 [C02]	请根据《GB－T 7635.1 2002 全国主要产品分类及代码　第一部分》填写产品 8 位标准编码（标准下载地址：program. most. gov. cn） □□□□□·□□□	
产品是否高新技术产品 [C03]		A 是　B 否 若选 A，根据《中国高新技术产品目录（2006）》（见附表 2）填写下列 8 位代码：
产品高新技术产品类别码 [C04]	□□□□□□□□	
产品主要性能与配置 [C05]（限 500 字）		
产品功能与用途 [C06]（限 500 字）		

三、产品自主知识产权和专有技术情况

注：如果产品研发中形成了多项知识产权，请复制下表逐项填写能表明该产品核心技术的知识产权。每项知识产权务必附上证书复印件；对于专利，仅填写已经授权的专利。

序号 ［D01］	1
知识产权形式 ［D02］	A. 授权发明专利　B. 授权实用新型专利 C. 计算机软件著作权登记证书　D. 集成电路布图设计登记证书 E. 植物新品种
知识产权名称 ［D03］	
授权号/登记号 ［D04］	
权利人 ［D05］	
批准时间 ［D06］	
授权国别 ［D07］	
权益情况 ［D08］	A. 本单位主导或独立开发，拥有全部所有权 B. 本单位与国内单位或公民合作开发，联合拥有所有权 C. 由国内单位或公民技术转让，本单位拥有全部所有权 D. 由国内单位或公民技术许可，本单位拥有使用权，但无所有权 E. 其他，请具体说明［D09］：________
是否存在知识产权方面的纠纷［D10］	A 是　B 否

注：如果产品开发过程中应用或形成了本单位独特的核心专有技术，请填写专有技术内容和作用。

产品核心专有技术情况（可视情况自行添加表格行，不超过5项）		
序号［D11］	专有技术名称［D12］	技术内容和作用简介［D13］
1		
2		
3		
4		
5		

四、产品自主品牌情况

注：如果产品销售过程中使用了多个商标，请复制下表逐项填写。每个商标务必附上证书复印件。

商标中文名称［E01］		商标英文名称［E02］	
商标图案、图形［E03］		商标所有权人［E04］	
商标注册日期［E05］	（yyyymm）	专用权期限［E06］	（yyyymm）至（yyyymm）
商标注册国别［E07］		商标注册号［E08］	
商标所有权获得途径［E09］		A. 本单位申请获得　B. 从国内单位或公民购买获得　C. 其他	
产品品牌自主性评述［E10］	请说明本单位拥有产品品牌的自主程度、商标初始注册国别等（限500字）		

五、产品创新性及技术水平

产品创新内容［F01］（可多选）		A 掌握产品生产的核心技术和关键工艺 B 应用新技术原理、新设计构思，在结构、材质、工艺等方面对原有产品有根本性改进，显著提高了产品性能 C 在国内外率先提出技术标准（请附详表说明）

附表：在国内外率先提出的技术标准

序号	标准名称［F011］	采纳部门［F012］	采纳时间［F013］	标准号［F014］
1				
2				
3				
4				

产品创新性［F02］		A 国内首创　B 重大改进　C 较大改进
产品创新类型［F03］		A 原始创新　B 集成创新　C 引进消化吸收再创新
产品技术先进性［F04］（可多选）		A 产品整体技术水平国际领先 B 产品某项核心技术国际领先 C 产品技术达到国际同类产品水平 D 产品性价比具有一定国际竞争力
产品开发形式［F05］		A 合作开发　B 独立开发　C 引进消化吸收　D 其他

续表

产品采标 [F06]		A 国际标准　B 国家标准　C 企业标准　D 其他
产品创新性及技术水平评述 [F07]	请简述本产品创新内容，核心技术以及主要采用标准。并与国内外同类典型产品进行比较，说明本产品的创新性及技术水平（限500字）	

产品是否必须经过特殊行业许可或强制性认证 [F08]		A是　B否　　若选A，务必在下表中说明。

[F08] 产品通过的国内外权威部门认可的各类检测、认证、许可情况（可视情况自行添加表格行，不超过10项）

序号	检测/认证/许可名称 [F081]	检测/认证/许可部门 [F082]	时间 [F083]	有效期（何年月－何年月） [F084]
1			(YYYYMM)	(YYYYMM－YYYYMM)
2				
3				

[F09] 产品技术研发已获国家级科技计划资助情况（可视情况自行添加表格行，不超过10项）

注："[F013] 资助计划名称"及其代码为：

A. 国家科技重大专项　B. 863计划　C. 973计划　D. 支撑/攻关计划
E. 国家高技术产业发展项目计划　F. 国际科技合作计划　G. 火炬计划
H. 星火计划　I. 科技型中小企业创新基金　J. 农业科技成果转化资金
K. 国家重点新产品计划　L. 其他计划（详细说明）

序号	资助部门 [F091]	资助时间 [F092]	资助计划名称 [F093]	项目名称 [F094]	项目编号 [F095]
1			(填代码)		
2					
3					

[F10] 产品研发获得国家级或省部级奖励情况（可视情况自行添加表格行，不超过10项）
注："获奖类别"及其代码为：
A. 国家级技术发明奖　B. 国家级科技进步奖　C. 省部级技术发明奖　D. 省部级科技进步奖

序号	获奖时间 [F101]	获奖成果名称 [F102]	获奖类别代码 [F103]
1			(填代码)
2			
3			

六、产品经济、社会效益和市场前景

产品成熟度［G01］		A 产品样机（样品） B 小批量生产 C 批量（规模）生产 D 其他					
投放市场情况［G02］		A 未投放市场 B 已投放市场，投放时间［G021］______年度					
能否替代进口［G03］		A 能 B 否					
产品已实现经济效益［G04］	年度	销售数量［G041］	计量单位［G042］	销售额（万元）［G043］	利润（万元）［G044］	出口创汇额（万美元）［G045］	上缴增值税（万元）［G046］
	2007 年						
	2008 年						
产品预计今后经济效益［G05］	年度	销售数量［G051］	计量单位［G052］	销售额（万元）［G053］	利润（万元）［G054］	出口创汇额（万美元）［G055］	上缴增值税（万元）［G056］
	2009 年						
产品市场前景评述［G06］	请简述本产品是否符合国家产业和技术政策方向、在本行业中的位置、对本行业或相关行业发展的作用，并对产品市场前景进行分析（限 500 字）						

产品及其生产环保、节能降耗减排等情况		
产品及其生产环保情况［G07］		A 已达标 B 未达标 C 不涉及环保问题
是否为节能、降耗、减排产品［G08］		A 是 B 否
生产工艺流程是否节能、降耗、减排［G09］		A 是 B 否
产品在环保和节能、降耗、减排方面发挥的作用［G10］	请简述：①本产品在生产过程中节能、降耗、减排，环保达标、清洁生产情况，及所采用的标准；②本产品在环境保护和节能、降耗方面发挥的作用和效果（限 500 字）	

七、参与政府采购情况

<table>
<tr><td rowspan="2">产品目前是否属于政府采购品目分类 [H01]</td><td rowspan="2"></td><td rowspan="2">A 是
B 否</td><td colspan="2">选 A，请根据《政府采购品目分类表（2006）》（见附表 3）填写 5 ~ 7 位编码 [H02]</td></tr>
<tr><td colspan="2">□—□□□□—□□</td></tr>
<tr><td rowspan="3">是否入选《节能产品政府采购清单》（财政部、发改委）[H03]</td><td rowspan="3"></td><td rowspan="3">A 是
B 否</td><td>入选批次 [H031]</td><td></td></tr>
<tr><td>节字标志认证证书编号 [H032]</td><td></td></tr>
<tr><td>有效截止日期 [H033]</td><td>（YYYY - MM - DD）</td></tr>
<tr><td rowspan="3">是否入选《环境标志产品政府采购清单》（财政部、环保部）[H041]</td><td rowspan="3"></td><td rowspan="3">A 是
B 否</td><td colspan="2">产品类别及执行标准 [H041]</td></tr>
<tr><td>中国环境标志认证证书编号 [H042]</td><td></td></tr>
<tr><td>有效截止日期 [H043]</td><td>（YYYY - MM - DD）</td></tr>
<tr><td>产品参与政府采购情况介绍 [H05]</td><td colspan="4">请介绍产品近 3 年来参与各级政府采购的中标、采购额度、占产品销售额份额等情况，并描述本单位的履约情况和供货能力，说明对本单位发展经营的影响（限 500 字）</td></tr>
</table>

八、其他信息

<table>
<tr><td rowspan="10">单位研发支撑条件及质量认证情况 [I1]</td><td rowspan="10"></td><td>A 是 B 否</td><td colspan="3">[I11] 是否国家科技部等部委命名的创新型企业</td></tr>
<tr><td>A 是 B 否</td><td colspan="3">[I12] 是否国家科技部等部委认定的创新型试点企业</td></tr>
<tr><td>A 是 B 否</td><td colspan="3">[I13] 是否承担过国家科技计划（863 计划、国家科技支撑/攻关计划等）项目</td></tr>
<tr><td>A 是 B 否</td><td colspan="3">[I14] 是否国家级高新技术企业</td></tr>
<tr><td>A 是 B 否</td><td colspan="3">[I15] 是否拥有国家认定企业技术中心</td></tr>
<tr><td>A 是 B 否</td><td colspan="3">[I16] 是否拥有国家工程（技术）研究中心</td></tr>
<tr><td>A 是 B 否</td><td colspan="3">[I17] 是否拥有国家工程实验室</td></tr>
<tr><td>A 是 B 否</td><td colspan="3">[I18] 是否通过 ISO 质量认证体系</td></tr>
<tr><td rowspan="2">A 是 B 否</td><td colspan="3">[I19] 产品是否入选国家重点新产品计划</td></tr>
<tr><td>证书编号 [I191]

</td><td>项目名称 [I192]</td><td>发证时间 [I193]</td></tr>
</table>

单位承诺
特此声明，在此申报表中所填内容以及附件材料均属实。若出现问题，本单位承担一切责任。 法定代表人签名：________（公章） 日　期：
地方科技厅（委、局）、部门科技司（局）审查意见： （公章） 日　期：

九、相关附件和证明材料

必备材料：

A. 工商管理部门注册登记的股权结构，注明当前中方、外方所占股份，第一大股东名称及其股权比例等；

B. 关于产品知识产权权益状况的有效证明文件，包括各类知识产权证书等；

C. 关于产品自主品牌状况的有效证明文件，包括相关的产品商标、企业商标证书等；

D. 省级以上法定检测单位提供的产品检测报告，特殊行业产品生产许可证、强制性产品认证证书；

E. 产品采用标准证明，产品采用或提出的主要技术标准等；

F. 典型产品销售合同或用户证明，及代表性政府采购合同；

G. 涉及环保的产品，提供环保达标证明，以及主要的环境标准。

其他证明材料：

H. 国家级和省部级科技进步或技术发明奖励证书；

I. 省部级科技成果鉴定证书；

J. 国家重点新产品证书；

K. 节字标志认证证书；

L. 中国环境标志认证证书；

M. ISO质量管理体系认证证书；

N. 国家级高新企业证书；

O. 国家工程（技术）研究中心；

P. 国家认定企业技术中心；

Q. 其他。

按照以上必备材料和其他证明材料分类，依次填写如下清单。如某类材料超过1个，自行编写二级编号，如C1、C2、C3...：

编号 [J01]	材料名称 [J02]	出具部门 [J03]	出具时间（年月） [J04]	有效期（何年月－何年月） [J05]
A			（YYYY－MM）	（YYYYMM－YYYYMM）
B				
C				
D				
E				
...				

附表 1

国民经济行业分类与代码（GB/T 4754－2002）

门类	大类	类别、名称
A		农、林、牧、渔业
	01	农业
	02	林业
	03	畜牧业
	04	渔业
	05	农、林、牧、渔服务业
B		采矿业
	06	煤炭开采和洗选业
	07	石油和天然气开采业
	08	黑色金属矿采选业
	09	有色金属矿采选业
	10	非金属矿采选业
	11	其他采矿业
C		制造业
	13	农副食品加工业
	14	食品制造业
	15	饮料制造业
	16	烟草制品业
	17	纺织业
	18	纺织服装、鞋、帽制造业
	19	皮革、毛皮、羽毛（绒）及其制品业
	20	木材加工及木、竹、藤、棕、草制品业
	21	家具制造业
	22	造纸及纸制品业
	23	印刷业和记录媒介的复制
	24	文教体育用品制造业
	25	石油加工、炼焦及核燃料加工业
	26	化学原料及化学制品制造业
	27	医药制造业
	28	化学纤维制造业
	29	橡胶制品业
	30	塑料制品业
	31	非金属矿物制品业
	32	黑色金属冶炼及压延加工业
	33	有色金属冶炼及压延加工业
	34	金属制品业
	35	通用设备制造业
	36	专用设备制造业
	37	交通运输设备制造业

续表

门类	大类	类别、名称
C	39	电气机械及器材制造业
	40	通信设备、计算机及其他电子设备制造业
	41	仪器仪表及文化、办公用机械制造业
	42	工艺品及其他制造业
	43	废弃资源和废旧材料回收加工业
D		电力、燃气及水的生产和供应业
	44	电力、热力的生产和供应业
	45	燃气生产和供应业
	46	水的生产和供应业
E		建筑业
	47	房屋和土木工程建筑业
	48	建筑安装业
	49	建筑装饰业
	50	其他建筑业
F		交通运输、仓储和邮政业
	51	铁路运输业
	52	道路运输业
	53	城市公共交通业
	54	水上运输业
	55	航空运输业
	56	管道运输业
	57	装卸搬运和其他运输服务业
	58	仓储业
	59	邮政业
G		信息传输、计算机服务和软件业
	60	电信和其他信息传输服务业
	61	计算机服务业
	62	软件业
H		批发和零售业
	63	批发业
	65	零售业
I		住宿和餐饮业
	66	住宿业
	67	餐饮业
J		金融业
	68	银行业
	69	证券业
	70	保险业
	71	其他金融活动
K		房地产业
	72	房地产业
L		租赁和商务服务业
	73	租赁业
	74	商务服务业（旅行社）
M		科学研究、技术服务和地质勘查业
	75	研究与试验发展

续表

门类	大类	类别、名称
M	76	专业技术服务业
	77	科技交流和推广服务业
	78	地质勘查业
N		水利、环境和公共设施管理业
	79	水利管理业
	80	环境管理业
	81	公共设施管理业
O		居民服务和其他服务业
	82	居民服务业
	83	其他服务业
P		教育
	84	教育
Q		卫生、社会保障和社会福利业
	85	卫生
	86	社会保障业
	87	社会福利业
R		文化、体育和娱乐业
	88	新闻出版业
	89	广播、电视、电影和音像业
	90	文化艺术业
	91	体育
	92	娱乐业
S		公共管理和社会组织
	93	中国共产党机关
	94	国家机构
	95	人民政协和民主党派
	96	群众团体、社会团体和宗教组织
	97	基层群众自治组织
T		国际组织
	98	国际组织

附表2

2009年国家自主创新产品认定技术领域（选自《中国高新技术产品目录（2006）》）

010100	计算机及应用设备
01010001	巨型计算机
01010002	高性能计算机
01010003	服务器
01010004	工作站
01010005	微型计算机
01010006	便携式计算机
01010007	数字仿真计算机
01010008	工业控制机
01010009	微型硬盘驱动器
01010010	计算机数字信号处理板卡
01010011	计算机与通信安全类板卡

续表

010100	计算机及应用设备
01010012	图形、图象处理设备
01010013	语音识别设备
01010014	网络交换机
01010015	调制解调器 MODEM
01010016	网卡
01010017	IP 电话网关
01010018	高档路由器
01010019	防火墙设备
01010020	局域网安全系统
01010021	金融数据加密机
01010022	商用 POS 加密机
01010023	鉴伪点钞机
01010024	纸币、硬币识别接受器
01010025	指纹采集系统
01010026	激光照排设备及系统
010200	通信产品
01020001	数据业务网络测试设备
01020002	SCDMA 直放站
01020003	3G 移动通信基站天线
01020004	WCDMA 和 TD－SCDMA 共用核心网设备
01020005	WCDMA 无线侧设备
01020006	TD－SCDMA 无线侧设备
01020007	TD－SCDMA 终端综合测试仪
01020008	无线电监测和测向定位系统
01020009	以太网无源光纤接入设备
01020010	MSTP 光传输系统
01020011	SDH 光纤传输系统
01020012	光波分复用器
01020013	GPS 全球定位系统
01020014	GSM 蜂窝移动通信系统
01020015	CDMA 第三代蜂窝移动通信系统
010400	现代化办公设备
01040001	数字式复印机
01040002	高速传真机
01040003	可视电话
01040004	彩色激光打印机
01040005	数字式照相机
01040006	高性能单镜头反光照相机
01040007	缩微照相机
010700	软件
01070001	操作系统
01070002	数据库管理系统
01070099	办公软件套件
01070009	中文信息处理平台
01070020	安全保密软件
01070021	安全分析软件
01070027	审计软件

续表

010700	软件
01070028	防杀病毒软件
01070029	网络监管系统
01070023	财务软件
01070025	基础地理信息系统
070100	新能源及装备
07010001	燃气轮机/蒸汽轮机联合循环发电机组
07010002	超临界或超超临界高温、高压汽轮发电机组
07010003	质子交换膜燃料电池（REMFC）
07010004	质子交换膜燃料电池（REMFC）发电装置
07010005	锌镍蓄电池
07010006	锌银蓄电池
07010007	大容量锂离子电池
07010008	高能锂原电池
07010009	圆柱型锌空气电池
07010010	光伏发电系统
07010011	太阳电池组件
07010012	光伏发电用控制器
07010013	光伏发电用逆变器
07010014	太阳能红外控制 LED 公用灯
07010015	平板型太阳能热水器
07010016	承压式真空管太阳集热器
07010017	太阳能热发电系统
07010018	太阳能空调系统
07010019	大型并网风力发电机组
07010020	大型并网风力发电机组发电机
07010021	大型并网风力发电机组叶片
07010022	大型并网风力发电机组电控系统
07010023	风电场集中和远程监控系统
07010024	中型风力发电机组
07010025	非并网风力发电机组控制器
07010026	生物质干馏热解系统
07010027	生物质压缩成型设备
07010028	生物质循环流化床气化装置
07010029	生物质气化系统设备
07010030	生物质气化发电机组
07010031	垃圾发电成套设备
07010032	沼气集中供气系统
07010033	沼气内燃机发电机组
07010034	高效沼气脱硫设备
07010035	地热发电成套设备
07010036	潮汐发电成套设备
07010037	波浪发电装置
07010038	智能型电力开关成套设备
07010039	配网自动化开关设备
07010040	永磁操动高压真空断路器
07010041	有机复合绝缘子
07010042	干式电流互感器

续表

070100	新能源及装备
07010043	高压直流输电换流变压器
07010044	平波电抗器
070200	高效节能产品
07020001	高频感应加热电源装置
07020002	环氧树脂干式变压器
07020003	卷铁心调容变压器
07020004	三相非晶合金密封配电变压器
07020005	智能型无功功率补偿装置
07020006	热管换热器
07020007	大功率气体放电灯电子镇流器
07020008	空气源热泵热水器（机组）
07020009	大型干法水泥熟料热回收装置
07020010	电子膨胀阀
07020011	液体电阻起动调速器
07020012	中央空调系统节能控制装置
07020013	高炉煤气透平发电装置
07020014	循环流化床锅炉
07020015	可控气氛炉
07020016	回转窑专用煤粉燃烧器
07020017	全自动燃烧器
07020018	重渣油燃烧器
07020019	逆变弧焊机
07020020	数字控制逆变式电焊机
07020021	膜分离制氮设备
07020022	高强度红外快速加热设备

附表3

政府采购品目分类表（部分）

品目编码	品目名称
A	货物类
A01	家具
A0101	办公家具
A0102	校舍、宿舍家具
A02	公务服装
A0201	标志服装
A0202	非标志服装
A0203	劳保服装
A0204	其他公务服装
A03	计算机、外设、网络设备及软件
A0301	大、中型计算机
A0302	台式微型计算机
A0303	便携式计算机
A0304	服务器
A0305	工作站
A0306	激光打印机
A0307	喷墨打印机

续表

品目编码	品目名称
A0308	针式打印机
A0309	扫描仪
A0310	光盘刻录机
A0311	投影机
A0312	视频展示台
A0313	数码相机
A0314	数码摄像机
A0315	磁盘阵列
A0316	磁带机
A0317	中控设备
A0318	不间断电源（UPS）
A0319	路由器
A0320	交换机
A0321	集线器
A0322	网卡
A0323	调制解调器
A0324	硬件防火墙
A0325	计算机软件
A032501	系统软件
A032502	工具软件
A032503	应用软件
A04	办公自动化设备
A0401	传真机
A0402	复印机
A0403	速印机
A0404	一体机
A0405	碎纸机
A0406	电话机
A05	视听及采编设备
A0501	电视机
A0502	录（放）像机
A0503	录音机
A0504	功放机
A0505	激光视盘机
A0506	组合音响
A0507	音箱
A0508	线性编辑机
A0509	非线性编辑机
A0510	摄像机及附属设备
A0511	采访机
A0512	其他视听及采编设备
A06	摄影器材

山东省人民政府办公厅关于转发省财政厅等部门山东省节能产品政府采购实施意见的通知

2008年12月26日 鲁政办发〔2008〕74号

各市人民政府，各县（市、区）人民政府，省政府各部门、各直属机构，各大企业，各高等院校：

省财政厅、经贸委、节能办和省级机关事务管理局《山东省节能产品政府采购实施意见》已经省政府同意，现转发给你们，请认真贯彻执行。

附件：山东省节能产品政府采购实施意见

附件：

山东省节能产品政府采购实施意见

为贯彻落实《国务院办公厅关于建立政府强制采购节能产品制度的通知》（国办发〔2007〕51号）和财政部、国家发展改革委《关于调整节能产品政府采购清单的通知》（财库〔2007〕98号）精神，发挥政府机构节能（含节水，下同）的表率作用，根据《中华人民共和国节约能源法》、《中华人民共和国政府采购法》、《公共机构节能条例》和财政部、国家发展改革委《节能产品政府采购实施意见》要求，结合我省实际，现就推行节能产品政府采购提出如下意见：

一、充分认识节能产品实行政府采购的重要意义。建立健全和严格执行政府采购节能产品制度，是贯彻落实国务院加强节能减排工作要求的重要措施，不仅有利于降低政府机构能耗水平，节约财政资金，引导企业推进节能技术进步以及扩大节能产品市场，而且有利于促进全社会做好节能减排工作，节约能源，保护环境，实现经济可持续发展。各地、各部门和有关单位要充分认识政府采购节能产品的重要意义，加强组织管理和监督，确保节能产品政府采购工作落到实处。

二、对节能产品实行政府优先采购和强制采购。各级各类机关、事业单位和团体组织（以下统称“采购人”）使用财政性资金进行采购时，在技术、服务等指标满足采购需求的前提下，要优先采购节能产品；对列入强制采购清单的产品，实行强制采购。

节能产品清单（含优先采购产品和强制采购产品）已由财政部、国家发改委以文件形式确定，在中国政府采购网（http://www.ccgp.gov.cn）、国家发展改革委网（http://hzs.ndrc.gov.cn）和中国节能节水认证网（http://www.cecp.org.cn）上公布。

三、制定山东省节能产品补充清单。省财政厅、经贸委、节能办和省级机关事务管理局综合考虑政府采购改革进展和我省节能产品技术及市场成熟度等情况，从我省通过国家认可的节能产品认证机构认证的节能产品中，按类别确定实施采购的范围，制定我省节能产品补充清单（含优先采购产品和强制采购产品）。节能产品补充清单一经制定，要在中国山东政府采购网（www.ccgp-shandong.gov.cn）、山东经贸网（www.sdetn.gov.cn）、山东政府采购网（www.sdzfcg.gov.cn）上公布。为确保上述信息的准确性，未经省财政厅、经贸委、节能办和省级机关事务管理局允许，其他媒体不得转载。列入补充清单的产品与列入节能产品清单的产品在山东省境内同样享受政府采购扶持政策。

（一）列入补充清单优先采购的节能产品应该符合下列条件：

一是产品属于国家采信的节能产品认证机构认证的节能产品，节能效果明显；

二是产品生产批量较大，技术成熟，质量可靠；

三是产品具有比较健全的供应体系和良好的售后服务能力；

四是产品供应商符合政府采购法对政府采购供应商的条件要求。

在优先采购的节能产品中，实行强制采购的按照以下原则确定：

一是产品具有通用性，适合集中采购，有较好的规模效益；

二是产品节能效果突出，效益比较显著；

三是产品供应商数量充足，一般不少于5家，确保产品具有充分的竞争性，采购人具有较大的选择空间。

（二）节能产品补充清单实行动态管理，定期调整。建立健全节能产品补充清单专家咨询论证、社会公示制度，节能产品补充清单和调整方案正式公布前，要在中国山东政府采购网、山东经贸网、山东政府采购网上对社会公示，公示时间不少于15个工作日。对经公示不具备条件的产品，不列入节能产品补充清单。

四、政府采购节能产品具体实施要求。

（一）招标文件的制作环节。对节能产品的生产、经营企业，可适当放宽相关资格条件；对拟采购产品属于节能产品清单和节能产品补充清单中的，要根据不同类别节能产品的科技含量、市场竞争程度、市场成熟度和销售特点等，在评标办法中增设节能产品评审因素。

（二）在评标环节，按照《山东省节能环保产品政府采购评审办法》执行。

（三）合同签订及履约环节。对列入节能产品清单的生产、经营企业，可采取适当提高预付款比例、减免履约保证金及缩短付尾款的期限等措施予以支持和保护。

严格节能产品政府采购合同验收管理，对不按合同约定提供节能产品的企业，财政部门应责令其纠正，否则不予支付采购资金。

五、各政府采购代理机构要进一步提高服务质量，对列入节能产品清单的生产、经营企业参与政府采购活动时，采用减免标书费用和招标代理服务费用等措施，减轻生产和经销企业的负担。

六、省、市节能监察机构应当按照国家有关规定，对纳入节能产品清单和补充清单的节能产品实施有效的跟踪调查，对不能持续符合要求的，建议认证机构暂停生产企业使用直至撤销认证证书，并及时将监察结果报告省财政厅、经贸委、节能办和省级机关事务管理局。

七、各级财政部门要建立和完善监管机制，切实加强对政府采购节能产品实施情况的监督检查，督促采购人和采购代理机构自觉执行采购节能产品的政府采购政策，加大对违规采购行为的处罚力度。属于采购单位责任的，要给予通报批评，并不得拨付采购资金；属于政府采购代理机构责任的，要依法追究相关单位和责任人员的责任。同时要加强与审计、监察等部门的协调配合，将各部门、各单位对政府采购政策执行情况纳入年度审计范围，共同做好节能产品的政府采购工作。

山东省人民政府办公厅关于进一步做好政府采购监管工作的意见

2009年10月23日　鲁政办发〔2009〕118号

各市人民政府，各县（市、区）人民政府，省政府各部门、各直属机构，各大企业，各高等院校：

为认真贯彻落实《国务院办公厅关于进一步加强政府采购管理工作的意见》（国办发〔2009〕35号）精神，强化政府采购监管，推动全省深入实施政府采购制度，经省政府同意，现就进一步做好政府采购监管工作提出以下意见：

一、提高思想认识，进一步推动政府采购制度实施

实施政府采购制度，是一项重大的财政管理制度改革，是提高财政资金使用效益、推动政府职能转变的重要举措，对支持经济结构调整和产业升级、保护民族产业、从源头上预防和治理腐败都有十分重要的作用。多年来，各级、各部门认真贯彻执行《政府采购法》及有关政策规定，积极推行“阳光采购”，有效促进了政府采购政策效应的发挥，取得了良好的经济和社会效益。但目前仍有少数地方和部门对严格落实政府采购制度的重要性和严肃性认识不足，规避政府采购现象时有发生，政府采购预算编制不完整，大量工程项目尚未纳入政府采购；在政府采购活动中，也存在操作执行不规范、运行机制不完善、监督处罚不到位等突出问题。各级、各部门要充分认识施行政府采购的重大意义，切实增强落实政府采购制度的责任感和紧迫感，进一步规范政府采购行为，不断强化政府采购监管，依法推进政府采购制度全面顺利实施。

二、严格预算管理，进一步落实政府采购实施范围

要严格落实各项法律、法规对政府采购范围的有关规定，切实做到应采尽采。特别是对各部门（单位）用纳入财政综合预算的预算内资金、预算外资金、其他资金，以及使用上述资金作为还款来源的借（贷）款购买政府集中采购目录以内或限额标准以上的货物、工程和服务，必须全部依法实行政府采购。

省和设区的市财政部门要根据授权，科学拟定、及时公布年度政府集中采购目录及限额标准。各部门（单位）在编制部门预算时，要根据年度政府集中采购目录及限额标准，单独编制政府采购预算，并根据《政府采购自主创新产品目录》编制自主创新产品政府采购预算。政府采购预算批复后，各部门（单位）应在2个月内编制年度政府采购计划，报同级财政部门审核。

各部门（单位）要严格按照《政府采购法》规定，将工程采购纳入政府采购范围。要按照规定编制政府采购预算和政府采购计划，并将采购合同报送同级财政部门备案。财政部门要切实加强工程项目政府采购的监管，进一步理顺工程类政府采购监管体制，确保工程采购按规定实施。

三、坚持管采分离，进一步规范政府采购运行机制

要严格按照《政府采购法》的规定，实行政府采购监督管理机构和执行机构分离，通过依法规范财政部门、集中采购机构、政府采购代理机构、采购人的职责，建立定位准确、权责清晰、运转高效的政府采购工作机制。财政部门要切实做好政府采购的政策制定、预算编制、计划审批、信息公告、现场监督、资金支付、合同备案、专项检查，以及专家库建设、供应商投诉处理、集中采购机构业绩考核、政府采购人员培训等工作。集中采购机构、政府采购代理机构、采购人要严格执行批准的政府采购计划，依法组织、实施采购活动。集中采购机构在组织采购活动中不得违反国家规定收取采购代理费用和其他费用，不得将采购人委托的采购项目转给其他政府采购代理机构组织实施。

四、把握关键环节，进一步规范政府采购操作行为

财政部门应按照“统一规范、清晰严谨、简明准确、科学合理”的原则，制定政府采购文件、信息公告和合同格式范本。对工程招标、货物招标、特种设备招标、工程竞争性谈判、货物（服务）竞争性谈判、询价等项目的采购必须制定统一的文件范本。采购人、集中采购机构、政府采购代理机构、供应商要严格按照文件范本的规定实施政府采购。要严格执行信息公告披露程序，进一步增强政府采购的透明度。

政府采购项目聘用评审专家，必须从省政府采购评审专家库中随机抽取。专家抽取过程必须接受财政、监察、审计等部门监督。要建立科学的专家抽取和告知程序，积极利用现代技术成果，完善操作程序，防

止人为操纵。专家名单在招标结果确定前要严格保密。

采购人和中标供应商应严格按照招标结果签订并执行政府采购合同，不得擅自变更、中止或者终止合同，切实维护双方的合法权益。采购人或其委托的采购代理机构要依据政府采购合同对政府采购项目实施验收，并形成合同验收证明。财政部门支付资金时，要对合同验收证明进行严格审核。

五、规范程序条件，进一步完善政府采购审批管理

财政部门对政府采购计划要严格审批管理，进一步提高计划审批的严肃性和科学性。对工程采购计划，要审核立项报告和财政投资评审意见；对重大设备采购计划，要审核专家论证意见；对汽车、高档办公设备采购计划，要审核采购单位提报的购置必要性说明以及纪检等部门的审核意见。对非招标采购方式，要严格按照规定的程序、条件审批，防止规避公开招标的行为。

省财政厅要切实加强政府采购评审专家库建设，将符合规定条件的人员及时审批入库，对有违规行为或不能胜任的人员要及时清理出库。要建立专家持证评审制度，积极研究建立评审专家电子化管理信息系统，逐步实现评审专家动态管理。

要研究建立采购代理机构良性竞争机制，引导政府采购代理市场健康发展。省财政厅要按规定及时认定政府采购代理机构资格，并加强对政府采购代理机构的监督检查，对政府采购代理机构有严重违规行为，或已不符合规定条件的代理机构要暂停或取消其政府采购代理资格。

六、创新管理模式，进一步提高政府采购工作效率

推广归集批量集中采购模式。各级财政部门对本级预算单位采购技术规格相对标准的通用货物和服务的计划，应定期进行归集分析，探索“整合打包，统一组织招标”的批量集中采购模式。研究尝试区域内不同级次预算单位同类货物打包招标的采购模式，不断提高单次政府采购的规模，实现采购效益的最大化。

探索专项资金集中采购模式。财政部门对本级安排应实行政府采购的专项资金，特别是惠民财政资金，要逐步改变层层下达资金、由基层单位分散采购的做法，积极探索由本级集中进行政府采购后分配的模式，通过规模采购，节约资金，提高资金使用效益。

建立分散物品集中采购平台。各级财政部门对达不到招标限额的少量货物、服务，要积极尝试建立本级或区域内“协议供货”、“网上超市”、“定点采购”等“集中竞价、分散采购”的平台，努力提高政府采购的效率和效益。

加快政府采购网络平台建设。充分利用现代信息技术成果，改变以手工为主的采购管理模式，逐步实现政府采购电子化和网上采购，切实从管理和操作两个层面上提高工作效率。

七、发挥政策功能，进一步加大支持经济发展力度

要充分发挥政府采购对实施宏观调控、促进实现国家经济和社会发展政策目标的功能。要积极支持节能环保、自主创新产品采购，严格进行进口产品采购的审批。对采购节能环保、自主创新等产品，应按政府采购扶持政策，在评标办法中增加分值。要把好进口产品采购关，严格限制国内产品能够满足需求产品的进口。采购进口产品必须从省政府采购评审专家库中确定专家进行需求论证。积极推行建立分行业的进口产品论证专家委员会，具体负责出具政府采购进口产品需求论证意见。要积极研究支持促进中小企业发展的政府采购政策。

八、密切部门配合，进一步强化政府采购监督检查

各级财政、监察、审计部门要密切配合，按照《政府采购法》等有关法律、法规规定，切实加强对政

府采购活动的监督。财政部门要建立政府采购预算执行情况定期通报制度、采购代理机构年度报告制度和对采购代理机构的定期检查制度；审计部门要把政府采购作为预算执行审计和单位领导人经济责任审计的重要内容；监察部门要加强对重大政府采购活动及参与政府采购活动的国家机关、国家公务员和国家行政机关任命的其他人员的监督，对违反政府采购法律、法规的行为及时进行调查处理。要充分发挥新闻媒介和公众监督的作用，有关部门对政府采购的监督检查情况要以适当方式向社会公布。

财政部门要积极研究建立健全政府采购诚信评价体系，对采购人、评审专家、供应商、采购代理机构实行考核评价制度和不良行为公告制度，引入公开评议和社会监督机制。严格对集中采购机构的考核，考核结果要向同级人民政府报告。要加强对集中采购机构整改情况的跟踪监督，依法对集中采购机构的违法违规行为进行处理。要加强与公检法机关、工商质检部门的沟通，及时了解供应商的不良记录情况，防止严重违法、诚信度低的供应商参与竞标。

有关部门对于违反政府采购法规的预算单位主管人员和其他直接责任人，要严格按照规定给予相应处罚。财政部门要研究制定评审专家行为规范，完善评审专家责任处罚办法，对评审专家的违规行为予以通报，并通知其所在单位，情节严重的，取消其评审专家资格；要对供应商的违法违规行为依法予以处罚并向社会公布；要按照规定检查政府采购代理机构，对于违规行为，严格依法处罚；要加强货物、工程采购验收和合同履行情况的检查，防止少数采购人与供应商合谋进行损害国家利益的假验收，对于虚假验收要按照有关规定处罚、通报，直至追究法律责任。

九、加强队伍建设，进一步提高采购监管与执行力

要切实加强政府采购监管机构建设，确保其具备履行《政府采购法》赋予职责的能力，为做好政府采购监管工作提供坚强组织保障。要建立集中采购机构和政府采购代理机构从业人员的职业教育培训制度，强化政府采购从业人员依法组织采购的观念，提高政府采购从业人员的综合素质和业务技能。继续实行政府采购代理机构从业人员考试制度，逐步实行持证上岗和执业考核，推动政府采购从业人员职业化进程。集中采购机构要建立内部岗位标准和考核办法，建立相互制衡的工作机制，努力打造廉洁高效的政府采购执行队伍。

省财政厅关于办理延续政府采购乙级代理机构资格有关问题的通知

2009年4月10日　鲁财库〔2009〕9号

各政府采购乙级代理机构：

根据《政府采购代理机构资格认定办法》（财政部令第31号）和《山东省乙级政府采购代理机构资格认定规程》有关规定，省财政厅将对代理资格已到期的政府采购乙级代理机构办理资格延续手续，现将有关事项通知如下：

一、凡依法取得政府采购乙级代理机构资格，且在省财政厅组织的考试中成绩合格的单位，需要延续依法取得的政府采购代理机构资格有效期的，应当在《政府采购代理机构资格证书》载明的有效期届满60日前，向省财政厅提出申请。

二、政府采购乙级代理机构提出资格延续申请时，须提供下列书面材料：

（一）申请书，载明需要延续资格的原因。

（二）原乙级代理机构资格证书正、副本原件。

（三）职工人员中高级职称所占比例，以及符合规定条件的技术方面专职人员的学历，高级职称证书

原件及复印件。取得《山东省政府采购代理机构从业人员考试合格证书》人员占从业人员的比例，相关人员的合格证书原件及复印件。

（四）近3年政府采购业绩，包括委托代理协议和中标通知书。

（五）营业执照原件和复印件。

（六）依法缴纳税收和社会保险的证明原件和复印件。

（七）近3年接受投诉及行政处理、处罚情况的说明。

（八）经会计师事务所审计的近3年的财务报告。

三、政府采购乙级代理机构报送材料时，须按照以下流程办理：

（一）申请延续时，如果单位法人代表、地址、注册资金、职工人员等情况与原申请内容发生变动的，乙级代理机构需向省财政厅作出书面说明。

（二）代理机构已取得确认资格的乙级资质，后经相关主管部门批准升为甲级或被取消的，其乙级确认资格自动失效，不得办理延续。

（三）凡代理机构名称发生变化的，须重新申请资格，不得办理延续。

（四）因考试不合格，被省财政厅暂停政府采购代理业务的代理机构，不得办理延续。

四、省财政厅在收到政府采购乙级代理机构资格延续申请后，经审查确认为申请材料齐全、符合法定形式和要求的，在代理机构资格有效期届满前，根据下列情况分别作出决定：

（一）申请人的申请符合规定条件的，将作出延续代理机构资格的决定，并重新颁发《政府采购代理机构资格证书》。

（二）申请人的申请不符合规定条件的，将作出不予延续代理机构资格的书面决定，并说明理由，告知申请人享有依法申请行政复议或者提起行政诉讼的权利。

五、政府采购乙级代理机构逾期不申请资格延续的，其《政府采购代理机构资格证书》自证书载明的有效期届满后自动失效；需要继续代理政府采购事宜的，应当重新申请政府采购乙级代理机构资格。

省财政厅关于启用山东省政府采购管理系统（新版）有关问题的通知

2009年5月21日　鲁财库〔2009〕15号

省直各部门、各政府采购代理机构：

为实现与部门预算编制系统和国库集中支付信息系统（以下简称“支付系统”）的对接，进一步加强政府采购监管，方便预算单位，提高工作效率，我厅组织开发了新版的《山东省政府采购管理系统》（以下简称“采购系统”），已于2009年5月1日在省级政府采购工作中启用。现将采购系统启用后有关业务处理问题通知如下：

一、省级政府采购预算执行操作流程及基本原则保持不变。各预算单位必须依据年初和年中追加的政府采购预算申报政府采购计划。未纳入政府采购预算的采购项目，预算单位须在采购系统内注册“其他预算”，报经主管部门、省财政厅部门预算管理处批准后，方可据以申报政府采购计划。年初及年中追加政府采购预算的指标数据，由省财政厅负责导入采购系统。

二、各预算单位办理申报政府采购计划（含协议供货计划）、签订委托代理协议、签订采购合同、申请支付资金等业务，必须通过采购系统办理，否则不予受理。

各政府采购代理机构发布招（中）标公告、申请使用招标大厅、抽取专家等，一律通过采购系统办理。

三、各预算单位申报的政府采购计划，经省财政厅通过采购系统批复后，属于政府集中采购计划（含协议供货计划）的，采购系统自动发送给省级机关政府采购中心，由其接收后安排采购；属于部门集中采购计划的，采购系统自动发送给预算单位，由其通过采购系统自主选择政府采购代理机构并签订委托代理协议。

预算单位在申报计划时，必须有足额的采购资金，以确保按时向供应商支付资金。如无足额资金，由此带来的法律责任，由预算单位负责。

四、采购活动结束后，预算单位应依据中标、成交结果，在采购系统中登记合同信息（供应商名称、开户银行账号、合同单价、合同总价等），并发送到政府采购代理机构。政府采购代理机构审核完成后，根据采购系统提供的合同模版自动生成合同文本，打印出合同文本并组织预算单位和供应商签订文本合同。合同信息及合同文本由采购系统自动备案。政府采购代理机构在审核合同信息时，务必通过采购系统注明该合同是不是所属采购计划的最后一个合同，否则，将影响政府采购节约的资金的正常使用。

五、省级政府采购资金通过采购系统实行“预算单位申请，主管部门复核，省财政厅审核支付”的办法，有关要求如下：

（一）按照政府采购合同，省财政厅审核支付到供应商的资金包括：年初批复和年度追加的政府采购预算中的预算内资金、缴入财政专户的预算外资金。其他资金由预算单位自行支付。

（二）有多种资金来源的政府采购“拼盘”项目，资金使用和支付顺序为先自筹资金，后财政专户预算外资金，再预算内资金。

（三）中标供应商信息（如：名称、账号）变更的，首先由政府采购代理机构在“中国山东政府采购网”发布变更公告，公告无异议后，由预算单位在采购系统中申请办理合同变更，送经政府采购代理机构审核确认。

（四）预算单位根据政府采购合同履行情况，按照合同付款进度，通过采购系统提交支付申请，经主管部门复核同意后，在合同规定付款期限的6个工作日前，发送至省财政厅。

省财政厅依据政府采购预算、政府采购计划、政府采购合同、预算外资金收入收缴情况等，对预算单位的支付申请进行审查。审查合格的项目，省财政厅将资金直接支付给供应商，审查不合格的项目，退回预算单位调整。

（五）启用采购系统报送资金支付申请后，各预算单位不再向省财政厅报送纸制申请。

实行国库集中支付的预算单位，不通过支付系统报送政府采购预算的用款计划和直接支付申请书，相关用款计划和支付信息将由采购系统自动导入支付系统，并发送给主管部门和预算单位。

（六）对于政府采购节约的财政资金，省财政厅根据政府采购预算执行情况，在年底前按有关规定进行统一处理。

实行国库集中支付的预算单位，节约资金作为年终结余资金结转到下一年，由单位自行安排使用。

未实行国库集中支付的预算单位，节约的预算内资金，由省财政厅拨付到主管部门；节约的预算外资金，由省财政厅拨付到预算单位。

（七）主管部门、预算单位要加强资金支付管理，定期核对政府采购预算执行情况，发现问题，及时纠正。

六、2008年及以前年度的政府采购预算，政府采购计划报送及不同类型资金的支付方式明确如下：

（一）属于2007年、2008年政府采购预算的项目，仍通过原政府采购管理系统申报采购计划。原系统运行至2009年年底，自2010年1月1日起停止使用。

（二）已实行国库集中支付的预算单位的2008年度政府采购预算内资金，按照原规定办理资金支付。即在支付系统内上报用款计划，用款计划批复后，逐级上报用款申请，同时将采购合同（正本）一份以及打印的纸制支付申请表一式两份，一并报送省财政厅集中支付中心。所需资料报送齐全，支付中心审核无误后，将资金直接支付到供应商。

（三）未实行国库集中支付的预算单位的2008年度政府采购预算内资金，以及所有单位的2008年度政府采购预算外资金，按照原规定办理资金支付。即需要手工填写纸制支付申请（一式三联的压感纸支付申请表），连同采购合同（正本）一份报送省财政厅集中支付中心。所需资料报送齐全，支付中心审核无误后，将资金直接支付到供应商。其中，涉及政府采购预算外资金，在办理支付前，需填写《政府采购预算外资金收入确认单》，报省财政厅国库处审核确认。

（四）2007 年及其以前年度的政府采购预算，无论预算内资金，还是预算外资金，均按照原规定办理资金支付。即需要手工填写纸制支付申请（一式三联的压感纸支付申请表），连同采购合同（正本）一份报送财政厅集中支付中心。所需资料报送齐全，支付中心审核无误后，将资金直接支付到供应商。其中，涉及政府采购预算外资金，在办理支付前，需填写《政府采购预算外资金收入确认单》，报省财政厅国库处审核确认。

七、系统登录地址：

财政版：

http://10.28.8.50：8080/sdgp/logon.jsp

预算单位版：

http://172.16.1.25：8080/sdgp/logon2.jsp（Vpdn）

http://15.32.39.17：8080/sdgp/logon2.jsp（政府专网）

采购中心版：

http://10.28.8.50：8080/sdgp/logon4.jsp

代理机构版：

http://123.233.119.251：8080/sdgp/logon3.jsp

省财政厅　省经济和信息化委员会　省人民政府节约能源办公室转发《财政部　国家发展改革委关于调整节能产品政府采购清单的通知》的通知

2009 年 9 月 29 日　鲁财采〔2009〕2 号

各市财政局、经贸委，省直各部门：

现将《财政部　国家发展改革委关于调整节能产品政府采购清单的通知》（财库〔2009〕102 号）转发给你们，并提出以下意见，请认真贯彻执行。

一、采购节能产品，必须严格执行财政部会同国家发展改革委发布的节能产品政府采购清单。

二、按照《山东省节能环保产品政府采购评审办法》（鲁财库〔2007〕32 号）规定，在评标办法中增加采购节能产品分值。

三、加强对节能产品政府采购政策实施的监督，跟踪政策实施情况，建立采购效果评价体系，全面准确地统计节能产品采购数据，保证政策规定落到实处。

附件：财政部　国家发展改革委关于调整节能产品政府采购清单的通知

附件：

财政部　国家发展改革委关于调整节能产品政府采购清单的通知

2009 年 7 月 31 日　财库〔2009〕102 号

党中央有关部委，国务院各部委、各直属机构，全国人大常委会办公厅，全国政协办公厅，高法院，高检院，有关人民团体，各省、自治区、直辖市、计划单列市财政厅（局）、发展改革委、经贸委（经委、经信委、工信委、工信厅），新疆生产建设兵团财务局、发展改革委：

为了进一步扩大节能产品政府采购范围，加大节能产品政府采购工作力度，根据《国务院办公厅关于建立政府强制采购节能产品制度的通知》（国办发〔2007〕51号）和财政部、国家发展改革委发布的《节能产品政府采购实施意见》（财库〔2004〕185号）的规定，我们对已发布的“节能产品政府采购清单”（以下简称节能清单）进行了调整。现将调整后的第六期节能清单印发给你们，并将有关事项通知如下：

一、第六期节能清单中的空调机、照明产品（包括双端荧光灯、自镇流荧光灯、单端荧光灯、管形荧光灯镇流器）、电视机、电热水器、计算机、打印机、显示器、便器、水嘴等九类产品为政府强制采购节能产品（以“★”标注）。

二、节能清单将于2010年1月再次调整并公布，财政部将会同国家发展改革委对2009年11月底前获得节能认证的产品进行审核和公示。

三、相关企业应当保证节能清单所列型号/系列的产品在本期节能清单有效期内稳定供货，凡因企业自身原因出现停产、无货等拒绝参加政府采购活动、拒绝提供节能清单所列产品及相应服务，或者以节能清单以外产品替代节能清单内产品等情况，应当向财政部反映，核实后将从本期节能清单中取消相应产品/系列资格，同时，两年内该企业所有产品不再列入节能清单，并在中国政府采购网（http://www.ccgp.gov.cn/）、国家发展改革委网站（http://hzs.ndrc.gov.cn/）和中国质量认证中心网站（http://www.cqc.com.cn/）上公告。

四、各级政府机构和采购代理机构在执行优先采购和强制采购节能产品制度时，应当以本期节能清单中所列产品为准，不再执行此前公布的节能清单。未列入本期节能清单的产品不属于政府优先采购和强制采购的范围。凡违反上述规定的，财政部门将依照有关规定予以处理。

五、已经确定实施的政府集中采购协议供货产品涉及节能清单产品类别的，集中采购机构应当按照本期节能清单重新组织协议供货活动或进行调整。

六、政府采购工程项目应当严格执行节能产品政府优先采购和强制采购制度。在确定工程总包单位时，采购人及其委托的采购代理机构应当明确落实节能产品政府采购政策要求。

七、节能清单在中国政府采购网（http://www.ccgp.gov.cn/）、国家发展改革委网站（http://hzs.ndrc.gov.cn/）和中国质量认证中心网站（http://www.cqc.com.cn/）上发布，请各采购当事人到上述网站查阅、下载。

八、节能清单中产品的相关销售渠道和联系方式将在上述网站公布。

请遵照执行。

附件：节能产品政府采购清单（第六期，不发主送、抄送单位，请到有关网站查询、下载）

省财政厅　省环境保护厅转发《财政部　环境保护部关于调整环境标志产品政府采购清单的通知》的通知

2009年9月30日　鲁财采〔2009〕3号

各市财政局、环保局，省直各部门：

现将《财政部　环境保护部关于调整环境标志产品政府采购清单的通知》（财库〔2009〕111号）转发给你们，并提出如下贯彻意见，请一并遵照执行。

一、采购环境标志产品，必须严格执行财政部、环境保护部发布的环境标志产品政府采购清单。

二、对采购环境标志产品的，应按《山东省节能环保产品政府采购评审办法》（鲁财库〔2007〕32号）规定，在评标办法中增加采购环境标志产品分值。

三、要切实加强对环境标志产品政府采购政策实施的监管，跟踪政策实施情况，建立采购效果评价体系，全面准确地统计环境标志产品采购数据，确保将国家政府采购政策落到实处。

附件：财政部　环境保护部关于调整环境标志产品政府采购清单的通知

附件：

财政部　环境保护部关于调整环境标志产品政府采购清单的通知

2009年8月31日　财库〔2009〕111号

党中央有关部委，国务院各部委、各直属机构，全国人大常委会办公厅，全国政协办公厅，高法院，高检院，有关人民团体，各省、自治区、直辖市、计划单列市财政厅（局）、环保厅（局），新疆生产建设兵团财务局、环保局：

为了进一步扩大环境标志产品政府采购范围，加大环境标志产品政府采购工作力度，我们对已发布的“环境标志产品政府采购清单”（以下简称环保清单）进行了调整。现将调整后的第四期环保清单印发给你们，并将有关事项通知如下：

一、政府采购要优先采购环保清单中所列的环境标志产品。环保清单以本期为准，不再执行此前公布的环保清单。未列入本期环保清单的产品不属于政府优先采购的环境标志产品范围。凡违反上述规定的，财政部门将依照有关规定予以处理。

二、采购人购买的产品属于政府强制采购节能产品范围的，应当按照《国务院办公厅关于建立政府强制采购节能产品制度的通知》（国办发〔2007〕51号）和财政部、发展改革委公布的第六期“节能产品政府采购清单”，在强制采购节能产品范围内购买。对于其中同时列入环保清单和“节能产品政府采购清单”的产品，应当优先于只获得其中一项认证的产品。

三、采购人购买轻型汽车产品时，应当按照中共中央办公厅、国务院办公厅关于党政机关汽车配备使用标准的有关规定执行。

四、相关企业应当保证环保清单所列产品在本期环保清单有效期内稳定供货，凡因企业自身原因出现停产、无货等拒绝参加政府采购活动、拒绝提供环保清单所列产品及相应服务，或者以环保清单以外产品替代环保清单内产品等情况，应当向财政部反映，核实后将从本期环保清单中取消相应产品资格，同时，两年内该企业所有产品不再列入环保清单，并在中国政府采购网（http://www.ccgp.gov.cn/）、国家环境保护部网（http://www.sepa.gov.cn/）、中国绿色采购网（http://www.cgpn.cn/）上公告。

五、政府采购工程项目应当严格执行环境标志产品政府优先采购制度。在确定工程总包单位时，采购人及其委托的采购代理机构应当明确落实环境标志产品政府采购政策要求。

六、环保清单在中国政府采购网（http://www.ccgp.gov.cn/）、国家环境保护部网（http://www.sepa.gov.cn/）、中国绿色采购网（http://www.cgpn.cn/）上发布，请各采购当事人到上述网站查阅、下载。为确保上述信息的准确性，未经财政部、环境保护部允许，不得转载。

七、环保清单将于2010年2月再次调整并公布，财政部将会同环境保护部对2009年12月底前获得环境标志认证的产品进行审核和公示。

八、采购人和采购代理机构在采购环保清单所列产品，需要获取相关销售联系方式的，可向环境保护部环境认证中心查询。

请遵照执行。

附件：环境标志产品政府采购清单（第四期，请到有关网站查询、下载）

省财政厅关于公布《2010年山东省省级政府集中采购目录》的通知

2009年10月21日　鲁财采〔2009〕4号

省直各部门：

根据《中华人民共和国政府采购法》规定，经省政府授权，我们制定了《2010年山东省省级政府集中采购目录》，现予公布，并就有关问题通知如下，请一并遵照执行。

一、政府采购目录和采购方式。2010年省级政府集中采购目录，分为“省级机关政府采购中心集中采购目录”和“部门集中采购目录”两部分。

1. A、B、C品目属于“省级机关政府采购中心集中采购目录”，由部门委托省级机关政府采购中心按照规定程序代理采购。

2. D、E品目属于“部门集中采购目录”，由部门委托经财政部或省财政厅认定资格的政府采购代理机构代理采购，也可委托省级机关政府采购中心代理采购。

3. 属于“省级机关政府采购中心集中采购目录”内的项目，必须由省级机关政府采购中心代理采购，不得委托其他政府采购代理机构。

4. “省级机关政府采购中心集中采购目录”中，以下物品实行协议供货方式采购：单项或批量采购金额在80万元以下的计算机（包括台式计算机、便携计算机、图形工作站、显示器）、PC服务器（包括塔式服务器、机架式服务器）、服务器存储器（包括SAN、NAS、DAS、磁带机、磁带库）、移动存储设备、网络设备（包括无线AP、低端路由器、网络交换机、光纤交换机、硬件防火墙）、光盘刻录机、杀毒软件、打印机（包括激光打印机、喷墨打印机、针式打印机、热升华打印机、多功能一体机）、复印机（数码复印机、速印机）、传真机（包括激光传真机、喷墨传真机、色带传真机、热敏纸传真机）、扫描仪、碎纸机、办公耗材（硒鼓、墨盒、碳粉、色带、复印纸）、数码摄影摄像器材（数码相机、数码摄影机）、投影仪、不间断电源（UPS）、民用空调（分体壁挂空调、分体柜式空调）、电视机，以及单次采购10辆以下同品牌的轿车或旅行面包车。

二、政府采购限额标准。“省级机关政府采购中心集中采购目录”和“部门集中采购目录”以外、单项采购额在5万元以上的项目，也应按规定实行政府采购，由部门委托经财政部或省财政厅认定资格的政府采购代理机构代理采购，或者委托省级机关政府采购中心代理采购。

三、政府采购预算编制。“省级机关政府采购中心集中采购目录”和“部门集中采购目录”范围内，以及政府采购限额标准以上的项目，均应按要求编制政府采购预算。年度中追加的预算指标，属于政府集中采购目录以内或政府采购限额标准以上的项目，要调增政府采购预算。

四、政府采购计划管理。各部门要根据财政部门批准的年初政府采购预算和年中调整的政府采购预算，向省财政厅报送政府采购计划。其中：属A、B、C品目的，报“省级政府集中采购计划申请表”；属D、E品目的，报“省级部门集中采购计划申请表”；属政府集中采购目录以外、政府采购限额标准以上品目的，委托省级机关政府采购中心采购报“省级政府集中采购计划申请表”，委托政府采购代理机构采购报“省级部门集中采购计划申请表”。采购计划被正式批准后，各部门方可按规定程序实施采购，并接受政府采购管理部门监督。

五、公开招标数额标准。单项或批量采购金额达到80万元以上的货物和服务项目，200万元以上的工程项目（工程勘察、设计、监理项目为50万元以上），必须采用公开招标方式采购。

六、驻济以外省直单位采购方式。驻济南以外省直单位采购批量价值在公开招标数额标准以下的家具、办公自动化设备及耗材、视听及采编设备、摄影器材、空气调节设备，可凭省财政厅批准的政府采购计划，通过《山东省财政厅电子化政府采购管理系统》，委托给所在设区的市财政部门，按照规定程序进行采购。

附件：2010年山东省省级政府集中采购目录

附件：

2010年山东省省级政府集中采购目录

一、省级机关政府采购中心集中采购目录		
品目编码	品目名称	备　注
A	货物类	
A01	家具	公开招标数额标准以下的公用家具的政府采购执行定点供应商采购方式，执行《环境标志产品政府采购清单》
A0101	办公家具	
A0102	校舍、宿舍家具	
A02	公务服装	
A0201	标志服装	
A0202	非标志服装	
A0203	劳保服装	
A0204	其他公务服装	
A03	办公自动化设备及耗材	
A0301	计算机	
A030101	大、中型计算机	执行《节能产品政府采购清单》
A030102	台式计算机	执行《节能产品政府采购清单》及《环境标志产品政府采购清单》
A030103	便携计算机	执行《节能产品政府采购清单》
A030104	图形工作站	执行《节能产品政府采购清单》
A0302	显示器	执行《节能产品政府采购清单》及《环境标志产品政府采购清单》
A030201	触摸屏	
A030202	大屏幕显示设备	
A0303	PC 服务器	执行《节能产品政府采购清单》
A0304	服务器存储器	
A030401	存储区域网络设备 SAN	
A030402	网络附属存储设备 NAS	
A030403	直接附属存储设备 DAS	
A030404	磁带机	
A030405	磁带库	
A030406	磁盘阵列	
A0305	移动存储设备	
A030501	U 盘	
A030502	移动硬盘	
A030503	闪存卡	
A0306	网络设备	
A030601	无线 AP	
A030602	路由器	
A030603	交换机	
A030604	集线器	
A030605	网卡	
A030606	调制解调器	
A030607	硬件防火墙	

续表

品目编码	品目名称	备 注
A0307	光盘刻录机	
A0308	计算机软件	
A030801	系统软件	
A030802	工具软件	
A030803	应用软件	用于财务、管理、教学等
A030804	杀毒软件	用于财务、管理、教学等
A0309	打印机	
A030901	激光打印机	
A030902	喷墨打印机	
A030903	针式打印机	
A030904	热升华打印机	
A030905	多功能一体机	
A0310	复印机	执行《节能产品政府采购清单》及《环境标志产品政府采购清单》
A0311	速印机	
A0312	传真机	执行《节能产品政府采购清单》及《环境标志产品政府采购清单》
A0313	扫描仪	
A0314	碎纸机	
A0315	办公耗材	
A031501	硒鼓	再生鼓粉盒的政府采购执行《环境标志产品政府采购清单》
A031502	墨盒、碳粉	
A031503	色带	执行《环境标志产品政府采购清单》
A031504	复印纸	执行《环境标志产品政府采购清单》
A0316	数码摄影摄像器材	
A031601	数码相机	
A031602	数码摄像机	
A0317	投影仪	执行《节能产品政府采购清单》
A0318	视频展示台	
A0319	中控设备	
A0320	不间断电源（UPS）	执行《节能产品政府采购清单》
A04	信息安全类产品	将会同省保密局编制信息安全类产品目录，并研究制定信息安全类产品政府采购办法，具体内容见补充说明及后续相关办法。
A05	视听及采编设备	
A0501	电视机	
A0502	录（放）像机	
A0503	录音机	
A0504	功放机	
A0505	激光视盘机	
A0506	组合音响	
A0507	音箱	
A0508	线性编辑机	
A0509	非线性编辑机	
A0510	摄像机及附属设备	
A0511	采访机	
A0512	其他视听及采编设备	
A06	摄影器材	照相机及配套器材
A07	乐器	

续表

品目编码	品目名称	备注
A0701	西洋乐器	
A0702	民族乐器	
A08	空气调节设备	执行《节能产品政府采购清单》
A0801	中央空调设备	
A080101	中央空调主机	
A080102	热交换器	
A080103	末端设备	
A080104	冷却塔	
A080105	水处理设备	
A080106	自控元件	
A0802	多联空调机	
A0803	分体式空调机	
A0804	窗式空调机	
A0805	恒温恒湿机	
A09	锅炉	
A0901	锅炉本体	
A090101	燃煤锅炉	
A090102	燃气锅炉	
A090103	燃油锅炉	
A090104	电热锅炉	
A0902	锅炉辅助设备	
A090201	燃煤锅炉炉排调速器	
A090202	燃油（气）锅炉燃烧器	
A090203	送风机，引风机及其控制设备	
A090204	锅炉上煤设备	
A090205	除尘脱硫设备	
A090206	烟囱（钢制、砖砌等）	
A090207	给水泵、放水泵、凝结水泵、循环水泵	
A090208	水处理设备	
A090209	锅炉给水除氧设备	
A090210	锅炉仪表阀门	
A090211	锅炉控制柜及其自控装置	
A090212	换热器（汽－水，水－水）	
A090213	省煤器、空气预热器	
A090214	燃油锅炉用油系统及其设备	
A090215	锅炉房内分汽包，分水包及管道	
A090216	锅炉备品、备件及工具	
A10	电梯	
A11	机动车辆	轻型车辆采购执行《环境标志产品政府采购清单》
A1101	轿车	
A1102	越野汽车（吉普车）	
A1103	载货汽车	
A1104	载客汽车	
A110401	旅行面包车	
A110402	大客车	
A110403	微型客车	

续表

品目编码	品目名称	备 注
A1105	客货两用车	
A1106	专用汽车	
A110601	救护车	
A110602	警车	
A110603	囚车	
A110604	消防车	
A110605	道路清障车	
A110606	道路设施维修车	
A110607	通讯广播车	
A110608	勘察勘探车	
A110609	清扫车	
A110610	洒水车	
A110611	机场专用车	
A110612	叉车	
A110613	工程汽车	
A110614	工具汽车	
A110615	垃圾车	
A110616	粪便车	
A1107	摩托车	
A1108	其他机动车辆	
A12	飞机	
A13	船舶	
A14	机动车辆检测设备	
A1401	机动车辆检测线	
A1402	机动车辆检测车	
A1403	车辆检测诊断设备	
A1404	车辆维修设备	
A15	通信设备	
A1501	交换机	
A1502	备用电源	
A1503	无线电发射机	
A1504	无线对讲机	
A1505	无线接收机	
A1506	通讯中继设备	
A1507	GPS 设备	含接收机、发射机及后端处理设备
A1508	移动信息终端	现场应急处置警用 PDA 手机
A1509	微波传输设备	语音、数据、影像传输
A16	交通管理监控设备	
A1601	路口电子警察	摄像机、网络传输设备、硬盘录像
A1602	移动电子警察	车载摄像机、网络传输设备、硬盘
A1603	警务工作站	摄像机、网络传输设备、硬盘录像
A1604	道路监控	摄像机、网络传输设备
A1605	指挥中心	显示设备、网络设备、矩阵、存储处
A1606	数据传输设备	光纤、电缆、收发设备
A17	灯具	单次采购5万元以上；执行《节能产品政府采购清单》
A18	建筑物	

续表

品目编码	品目名称	备 注
A1801	办公用房	
A1802	其他建筑物	包括办公附属建筑物、公益设施建筑、纪念性建筑、公寓、宿舍用房
A19	专用物资	
A1901	救灾物资	
A1902	防汛物资	
A1903	抗旱物资	
A1904	农用物资	化肥、农药、塑料薄膜、种子
A1905	储备物资	包括粮、棉、糖
A1906	其他物资	
A20	电力金具	执行《节能产品政府采购清单》
B	工程类	
B01	专业工程	
B0101	空调工程	
B0102	电梯工程	
B0103	消防工程	
B010301	火灾自动报警设备及安装	
B010302	水系统消防设备及安装	
B010303	气体灭火系统设备及安装	
B0104	弱电工程	指与原有建筑物维修、改造（修缮工程）相配合的综合布线工程
B0105	监控工程	
B0106	灯光音响工程	
B0107	标准体育场地	
B0108	场区道路	
B02	智能大厦弱电系统集成	
B03	计算机局域网、广域网建设工程	
C	服务类	
C01	信息系统开发	包括咨询，论证，专业软件开发，系统研发、升级、维护、验收等
C02	物业管理	
C03	中介服务	审计、评估、咨询、验资、结算、代理等
C04	交通工具的维修保障	
C0401	车辆保险	
C0402	车辆加油	
C0403	车辆维修	
C05	金融服务	
C0501	国库集中支付代理银行	
C0502	省级政府机关及事业单位工资代发	
C0503	社保基金业务代理机构	
C0504	省级政府发行债券业务代理金融机构	发行、承销、托管
C0505	住房公积金业务代理银行	存款、放款
C0506	国际金融组织贷款项目代理金融机构	
C0507	省级基础设施项目代理金融机构	含投资银行机构
C06	资产评估	
C07	审计服务	
C08	法律服务	
C09	国际机票代理	
C10	中央空调清洗	
C11	其他服务	

续表

二、部门集中采购目录		
品目编码	品目名称	备　注
D	货物类	
D01	实验室仪器、设备	不含在实验室使用的办公自动化设备、家具等
D0101	波谱分析仪	
D0102	核磁共振波谱分析仪	
D0103	电泳仪	
D0104	质谱仪	
D0105	液相色谱仪	
D0106	衍射仪	
D0107	原子吸收光度计	
D0108	示波器	
D0109	红外分光光度计	
D0110	紫外分光光度计	
D0111	酸度计	
D0112	偏振仪	
D0113	折光仪	
D0114	激光器	
D0115	电子显微镜	
D0116	偏光显微镜	
D0117	立体显微镜	
D0118	其他实验室仪器、设备	
D02	医疗仪器设备	
D0201	诊断设备	
D020101	磁共振诊断仪	
D020102	EJCT 诊断仪	
D020103	EEJCT 诊断仪	
D020104	X 光机	
D020105	数字影仪（DSR）	
D020106	黑白超声诊断仪	
D020107	彩色超声诊断仪	
D020108	动态心电图机	
D020109	颅脑多普勒诊断仪	
D020110	电子动态喉镜	
D020111	电子胃镜	
D020112	支气管镜	
D020113	电脑验光仪	
D020114	胎心监护仪	
D020115	中央多参数监护仪	
D020116	EJC 型臂 X 光治疗系统	
D020117	脑电图机	
D020118	肺功能诊断仪	
D020119	心电图分析系统	
D020120	其他诊断设备	
D0202	治疗设备	
D020201	放疗设备	
D020202	机器人导航手术系统	

续表

品目编码	品目名称	备 注
D020203	眼科准分子激光仪	
D020204	美容激光仪	
D020205	EJC02 激光仪	
D020206	超声碎石机	
D020207	前列腺治疗机	
D020208	牙科综合治疗机	
D020209	耳鼻喉治疗台	
D020210	呼吸机	
D020211	除颤器	
D020212	关节镜	
D020213	理疗设备	
D020214	麻醉机	
D020215	腹腔镜	
D020216	高频电刀	
D020217	氩气刀	
D020218	其他治疗设备	
D0203	检验及实验室设备	
D020301	大型生化分析仪	
D020302	流支细胞仪	
D020303	血流变检测仪	
D020304	电子显微镜	
D020305	尿液分析仪	
D020306	台式显微镜	
D020307	r 计数器	
D020308	放射免疫诊断仪	
D020309	病理切片机	
D020310	脱水机	
D020311	包埋机	
D020312	其他检验及实验室设备	
D0204	实验室试剂	
D03	大、中型农用机械	
D0301	动力机械	
D030101	拖拉机	
D030102	柴油机	
D030103	汽油机	
D030104	电动机	
D0302	田间作业机械	
D030201	收获机械	
D030202	耕整机械	
D030203	播种机械	
D030204	施肥机械	
D030205	植保机械	
D030206	秸秆还田机械	
D030207	排灌机械	
D0303	场上作业机械	
D030301	脱粒机	
D030302	清选机	

续表

品目编码	品目名称	备注
D030303	烘干机	
D030304	脱壳机	
D030305	摘果机	
D0304	农产品加工机械	
D030401	粮食加工机械	
D030402	油料加工机械	
D030403	棉花加工机械	
D030404	果蔬加工机械	
D0305	农田基本建设机械	
D030501	推土机械	
D030502	挖掘机械	
D030503	装载机械	
D030504	铲运机械	
D030505	平地机械	
D0306	农用运输机械	
D030601	三轮农用车	
D030602	四轮农用车	
D0307	林牧渔机械	
D030701	林业机械	
D030702	牧业机械	
D030703	渔业机械	
D04	土地	
D05	无线电监测设备	
D06	广播电视地面发射接收设备	
D0601	电视广播发射设备	
D0602	卫星地面站	
D0603	广播电视接收设备	
D07	体育器材	
D0701	运动服饰	
D0702	竞技（训练）器材	
D0703	健身（康复）器材	
D0704	户外运动器材	
D0705	体能检测器材	
D0706	场馆设施	
D08	炊事设备	
D0801	灶具烟罩设备	
D080101	炒菜灶	燃气灶、电磁灶采购执行《节能产品政府采购清单》
D080102	大锅灶	
D080103	煲仔炉	
D080104	抽油烟机	
D080105	排油烟罩	
D0802	烹蒸烤设备	
D080201	夹层锅	
D080202	微波炉	
D080203	蒸饭车	
D080204	保温车	

续表

品目编码	品目名称	备　注
D080205	笼屉	
D080206	电饼铛	
D080207	炸锅	
D080208	烤箱	
D080209	电饭锅	
D0803	食品加工设备	
D080301	搅拌机	
D080302	和面机	
D080303	馒头机	
D080304	面条机	
D080305	削皮机	
D080306	切菜机	
D080307	绞肉机	
D080308	榨汁机	
D0804	台柜	
D080401	操作台	
D080402	餐车	
D080403	橱柜	
D080404	售餐台	
D080405	餐桌椅	
D0805	洗刷设备	
D080501	水槽	
D080502	水嘴	执行《节能产品政府采购清单》及《环境标志产品政府采购清单》
D080503	洗手台	
D080504	储水装置	
D0806	制冷设备	
D080601	冰箱	执行《节能产品政府采购清单》
D080602	冰柜	执行《节能产品政府采购清单》
D080603	冷藏展示柜	
D080604	冷库	
D0807	消毒设备	
D080701	洗碗机	
D080702	消毒柜	
D0808	饮水设备	
D080801	饮水机	
D080802	水净化设备	
D080803	水壶	
D09	盥洗设备	
D0901	便器	执行《节能产品政府采购清单》
D0902	便器冲洗阀	执行《节能产品政府采购清单》
D0903	水箱配件	执行《节能产品政府采购清单》
D0904	沐浴器	执行《节能产品政府采购清单》
D0905	沐浴房	执行《节能产品政府采购清单》
D10	药品	
D11	医用耗材	
D12	疫苗	

续表

品目编码	品目名称	备 注
D13	图书	单次采购5万元以上
D14	残疾人专用物品	
E	工程类	
E01	工程勘察	
E02	工程设计	
E03	工程监理	
E04	建筑工程	工程施工及与工程建设有关的重要设备、材料等；白乳胶、水性涂料、溶剂型木器涂料、木地板、轻质墙体板材、塑料门窗、塑料管材、建筑陶瓷、卫生陶瓷的政府采购执行《环境标志产品政府采购清单》
E0401	土建工程	包括建筑物和构筑物的新建、改建、扩建、拆除等
E0402	装修工程	
E0403	修缮工程	
E0404	安装工程	
E040401	给排水工程	
E040402	采暖工程	
E05	环保、绿化工程	
E0501	污水处理	
E0502	市政垃圾处理	
E0503	园林绿化工程	
E0504	防沙工程	
E06	市政建设工程	
E0601	市政道路建设、改造、整修工程	
E0602	市政公用设施建设	
E0603	自来水输水工程	
E0604	集中供暖、供热、供气工程	
E07	交通运输工程	
E0701	铁路工程（包括地铁工程）	
E0702	公路、桥梁、涵洞	
E08	水利、防洪工程	
E0801	河道疏浚工程	
E0802	大坝、水库、闸门、泄洪工程	
E0803	江河、湖泊治理工程	
E09	农业综合开发工程	
E0901	土地治理工程	
E0902	农田水利工程	
E0903	农业科技推广工程	
E0904	农业产业化工程	
E0905	农村基础设施建设工程	

省财政厅　省人民政府应急管理办公室关于印发《山东省应急项目政府采购管理暂行办法》的通知

2009 年 12 月 15 日　鲁财采〔2009〕6 号

各市财政局，省直各部门：

为进一步规范我省应急项目的政府采购行为，提高采购效率，确保各项应急事件采购工作的顺利开展，我们根据《中华人民共和国政府采购法》、《中华人民共和国突发事件应对法》及我省有关应急预案的规定，制定了《山东省应急项目政府采购管理暂行办法》，现予印发，请遵照执行。

附件：山东省应急项目政府采购管理暂行办法

附件：

山东省应急项目政府采购管理暂行办法

第一章　总　　则

第一条　为进一步规范我省应急项目的政府采购行为，提高采购效率，确保各项应急事件采购工作顺利开展，根据《中华人民共和国政府采购法》、《中华人民共和国突发事件应对法》及我省有关应急预案的规定，制定本办法。

第二条　本办法适用于国家机关、事业单位和团体组织（以下简称采购人）使用财政性资金进行应急项目政府采购（以下简称应急采购）的行为。

第三条　本办法所称应急采购是指政府启动应急预案后，需紧急采购货物和服务的行为。

第四条　以下情形属于应急采购的范围：

（一）因自然灾害、事故灾难需紧急采购的项目；

（二）因公共卫生和社会安全事件需紧急采购的项目；

（三）经政府应急管理部门认定的其他应急事件需紧急采购的项目。

第二章　应急采购的组织形式

第五条　应急采购实行分散采购的组织形式。采购人需紧急采购的，应写出书面报告，经同级人民政府应急管理部门签署意见并向财政部门报送政府采购计划，经批准后方可自行组织采购。

财政部门收到采购人报送的政府采购计划，应在 2 天内完成审批。

第六条　采购人应指派两名以上工作人员负责采购活动，并落实采购人员工作岗位责任制。

第七条　采购人应按以下原则确定供应商范围：

（一）优先选择曾经在政府采购项目中中标的企业；

（二）可从自建的应急采购供应商库中选择供应商；

（三）选择三家以上供应商进行询价。

第八条 应急采购活动完成后，采购项目的品种、数量、单价等结果，须在“中国山东政府采购网”公布，接受社会监督。

第九条 采购人对应急采购项目的有关采购文件及凭证应妥善保存，并对采购情况进行统计汇总，以备财政、审计、监察等部门检查。

第三章 法律责任

第十条 因采购人自身原因延误应急采购并影响应急事件处理的，由其上级行政机关或者监察机关按照《中华人民共和国突发事件应对法》等有关规定处理。

第十一条 应急采购过程中，相关供应商应认真履行应急采购协议，不得囤积居奇、哄抬价格。如有违反，一经查实，将列入政府采购不良行为记录。

第四章 附 则

第十二条 本办法由省财政厅负责解释。

第十三条 本办法自印发之日起实施。

省科学技术厅 省财政厅关于公布《2008年山东省自主创新产品目录》的通知

2008年12月18日 鲁科高字〔2008〕194号

各市科技局、财政局，省直有关部门：

根据省科技厅、省财政厅印发的《山东省自主创新产品认定管理办法（试行）》有关规定，经专家评审，认定“KTH3000型变压器油色谱在线监测及诊断系统”等347个产品为山东省自主创新产品，有效期三年，现将《2008年山东省自主创新产品目录》（见附件）予以公布。

为充分发挥政府采购政策功能，对列入《2008年山东省自主创新产品目录》的产品参加政府采购时，招标采购单位应按照财政部《自主创新产品政府采购评审办法》（财库〔2007〕30号）有关规定予以优先采购。在增加投资、扩大内需过程中，我省实施的重大投资项目和企业新上项目应更多地采购自主创新产品，加快自主创新和结构调整，拉动具有自主知识产权高新技术产品的研究开发，促进我省经济又好又快发展。

附件：2008年山东省自主创新产品目录

附件：

2008年山东省自主创新产品目录

序号	自主创新产品名称/型号	申请单位名称	申报地区	技术领域
1	KTH3000型变压器油色谱在线监测及诊断系统	莱芜科泰电力科技有限公司	莱芜	电子信息
2	输油管线实时监控与防盗系统	山东新大通石油环保科技股份有限公司	东营	电子信息
3	双流束无磁式户用热能表/YGM20	临沂沂光热计量技术有限公司	临沂	电子信息
4	全球导航卫星系统（GNSS）高精度单点定位系统	山东正元地理信息工程有限责任公司	济南	电子信息
5	基于GIS的嵌入式移动巡检系统	山东正元地理信息工程有限责任公司	济南	电子信息
6	基于GIS的企业应急管理智能系统	山东正元地理信息工程有限责任公司	济南	电子信息

续表

序号	自主创新产品名称/型号	申请单位名称	申报地区	技术领域
7	政通公文传输系统软件 V1.0	山东政通科技发展有限公司	济南	电子信息
8	政通内容管理系统软件 V1.0	山东政通科技发展有限公司	济南	电子信息
9	政通协同办公平台软件 V1.0	山东政通科技发展有限公司	济南	电子信息
10	丹吉尔数字医学图像分析系统	济南丹吉尔电子有限公司	济南	电子信息
11	ListenTec 泵房综合自动化控制系统	济南雷森科技有限公司	济南	电子信息
12	农业产业化统计调查系统	济南艺美嘉信息技术有限公司	济南	电子信息
13	面向流通行业的 ERP 开发平台	济南时空越超科技有限公司	济南	电子信息
14	分布对象中间件 InforBus	山东中创软件工程股份有限公司	济南	电子信息
15	消息中间件 InforBus/Q	山东中创软件工程股份有限公司	济南	电子信息
16	企业应用集成中间件 InforEAI	山东中创软件工程股份有限公司	济南	电子信息
17	工作流中间件 InforFlow	山东中创软件工程股份有限公司	济南	电子信息
18	网页防篡改软件 InforGuard	山东中创软件工程股份有限公司	济南	电子信息
19	报表生成工具 InforReport	山东中创软件工程股份有限公司	济南	电子信息
20	企业应用服务器 InforWeb	山东中创软件工程股份有限公司	济南	电子信息
21	得安 SJY05 加密系统	济南得安计算机技术有限公司	济南	电子信息
22	得安 SJY02/SJY03 加密系统	济南得安计算机技术有限公司	济南	电子信息
23	得安 SZD13 智能密码钥匙软件	济南得安计算机技术有限公司	济南	电子信息
24	得安 SJW60 VPN 加密网关软件	济南得安计算机技术有限公司	济南	电子信息
25	得安 SRQ24 证书认证系统软件	济南得安计算机技术有限公司	济南	电子信息
26	得安电子签章系统软件	济南得安计算机技术有限公司	济南	电子信息
27	得安 SIC02 IC 加密系统软件	济南得安计算机技术有限公司	济南	电子信息
28	得安 IC 卡读写器软件	济南得安计算机技术有限公司	济南	电子信息
29	无线远传水表	山东三龙实业有限公司	济南	电子信息
30	DJJ－7 多功能激光接触网检测仪	济南蓝动激光技术有限公司	济南	电子信息
31	DJJ－8 多功能激光接触网检测仪	济南蓝动激光技术有限公司	济南	电子信息
32	KT105 矿用无线通讯系统	济南蓝动激光技术有限公司	济南	电子信息
33	YN－A 型医用快速灭菌器	济南盈诺医用设备有限公司	济南	电子信息
34	第二代身份证阅读机具/SS－628	山东神思电子技术有限公司	济南	电子信息
35	浪潮税务系列管理软件（浪潮税务信息化软件平台集成与整合软件 V1.0/浪潮税收辅助决策支持系统软件 V1.0/浪潮纳税评估系统软件 V1.0/浪潮发票综合信息管理系统软件 V2.0）	山东浪潮齐鲁软件产业股份有限公司	济南	电子信息
36	浪潮政务系列管理软件（浪潮政务审批平台（ECGAP）软件 V1.0\ 浪潮行政监管信息系统 V1.0）	山东浪潮齐鲁软件产业股份有限公司	济南	电子信息
37	浪潮楼上（loushang）平台软件	山东浪潮齐鲁软件产业股份有限公司	济南	电子信息
38	浪潮烟草行业综合管理信息系统软件（简称：浪潮烟草 V3 系统）	山东浪潮齐鲁软件产业股份有限公司	济南	电子信息
39	浪潮 ERP－GS 管理软件	浪潮集团山东通用软件有限公司	济南	电子信息
40	浪潮 ERP－PS 管理软件	浪潮集团山东通用软件有限公司	济南	电子信息
41	浪潮 SSR 服务器安全加固系统	浪潮集团有限公司	济南	电子信息
42	浪潮 Web 卫士	浪潮集团有限公司	济南	电子信息
43	浪潮日升系列计算机（R450，R500）	浪潮电子信息产业股份有限公司	济南	电子信息
44	希望 E 系列计算机（EA11，EA22，EA40，EB11，EB21N）	浪潮电子信息产业股份有限公司	济南	电子信息
45	英政 M 系列计算机产品（M100，M110，M180，M200，M330）	浪潮电子信息产业股份有限公司	济南	电子信息
46	浪潮存储 AS 系列（AS180，AS200，AS300，AS300G2，AS330G2，AS400，AS500，AS500N，AS500G2，AS600，AS800，AS1000，AS1000G2）	浪潮电子信息产业股份有限公司	济南	电子信息

续表

序号	自主创新产品名称/型号	申请单位名称	申报地区	技术领域
47	浪潮存储 CX 系列（CX300，CX500，CX700）	浪潮电子信息产业股份有限公司	济南	电子信息
48	浪潮服务器 NC 系列（NC3500D，NC3000D）	浪潮电子信息产业股份有限公司	济南	电子信息
49	浪潮服务器 NF 系列（NF130D，NF190D，NF280D，NF290D，NF380D，NF520D）	浪潮电子信息产业股份有限公司	济南	电子信息
50	浪潮服务器 NL 系列（NL230D，NL380D）	浪潮电子信息产业股份有限公司	济南	电子信息
51	浪潮服务器 NP 系列（NP120D，NP370D）	浪潮电子信息产业股份有限公司	济南	电子信息
52	浪潮服务器 NX 系列（NX4210，NX7140）	浪潮电子信息产业股份有限公司	济南	电子信息
53	浪潮服务器 SP 系列（SP2200，SP3000，SP3200）	浪潮电子信息产业股份有限公司	济南	电子信息
54	浪潮天梭 TS 系列高性能服务器（TS10000，TS20000，TS30000）	浪潮电子信息产业股份有限公司	济南	电子信息
55	浪潮天梭 EffiScale 系统软件（管理监控软件 V1.0，V2.0，V3.0；动态部署软件 V1.0；静态部署软件 V1.0）	浪潮电子信息产业股份有限公司	济南	电子信息
56	浪潮睿捷服务器套件（浪潮睿捷服务器备份还原软件 v1.0；浪潮睿捷存储管理软件；浪潮睿捷服务器管理软件 v4.2；浪潮猎鹰服务器管理软件 V2.0，V3.2，V4.0；浪潮易翔服务器系统备份恢复软件；浪潮 PC 导航软件）	浪潮电子信息产业股份有限公司	济南	电子信息
57	浪潮税控器/RE－230FB	浪潮齐鲁软件产业有限公司	济南	电子信息
58	浪潮税控收款机/RE－300FB	浪潮齐鲁软件产业有限公司	济南	电子信息
59	浪潮税控收款机/RE－320FB	浪潮齐鲁软件产业有限公司	济南	电子信息
60	浪潮税控收款机/RE－330FB	浪潮齐鲁软件产业有限公司	济南	电子信息
61	浪潮税控收款机/RE－360FB	浪潮齐鲁软件产业有限公司	济南	电子信息
62	浪潮税控收款机/RE－370FB	浪潮齐鲁软件产业有限公司	济南	电子信息
63	浪潮金融税控收款机/RE－510FB	浪潮齐鲁软件产业有限公司	济南	电子信息
64	浪潮税控 SOC 芯片/LC698S	浪潮齐鲁软件产业有限公司	济南	电子信息
65	浪潮税控器发票系统软件	浪潮齐鲁软件产业有限公司	济南	电子信息
66	浪潮 JDC－X 型防信息泄漏加固计算机	山东超越数控电子有限公司	济南	电子信息
67	浪潮 JGH－X 型手持式加固计算机	山东超越数控电子有限公司	济南	电子信息
68	浪潮 JGN－X 型加固笔记本电脑	山东超越数控电子有限公司	济南	电子信息
69	浪潮便携式加固计算机	山东超越数控电子有限公司	济南	电子信息
70	浪潮机架式加固计算机	山东超越数控电子有限公司	济南	电子信息
71	浪潮机架式加固服务器	山东超越数控电子有限公司	济南	电子信息
72	无线网络智能示功仪/SWZ—1	威海海特电子信息技术有限公司	威海	电子信息
73	城市远程视频报警联动综合管理平台	威海克劳斯数码通讯有限公司	威海	电子信息
74	基于全景图象修正技术的实时网络远程监控系统 KLS—QJ16	威海克劳斯数码通讯有限公司	威海	电子信息
75	卡尔 KESV 系列网络视频服务器	威海市卡尔电气研究所	威海	电子信息
76	100 英寸大屏幕高清监控显示屏	威海齐威电子有限责任公司	威海	电子信息
77	税控收款机/BFC 系列	山东新北洋信息技术股份有限公司	威海	电子信息
78	热打印机/BTP/BT 系列	山东新北洋信息技术股份有限公司	威海	电子信息
79	针式打印机/BTP—M 系列	山东新北洋信息技术股份有限公司	威海	电子信息
80	馈纸式扫描仪/BSC/BC 系列	山东新北洋信息技术股份有限公司	威海	电子信息
81	专用车辆取力与数字调速控制系统	威海西立电子有限公司	威海	电子信息
82	农村资源管理信息系统	威海农友软件有限公司	威海	电子信息
83	全彩 LED 电子显示屏	威海市鼎峰电子有限公司	威海	电子信息
84	WS 系列　微量水分测试仪	淄博三泵科森仪器有限公司	淄博	电子信息
85	太阳能 LED 灯	中微光电子（潍坊）有限公司	潍坊	电子信息
86	LED 日光灯	中微光电子（潍坊）有限公司	潍坊	电子信息

续表

序号	自主创新产品名称/型号	申请单位名称	申报地区	技术领域
87	LED 投光灯	中微光电子（潍坊）有限公司	潍坊	电子信息
88	大功率 LED 路灯	中微光电子（潍坊）有限公司	潍坊	电子信息
89	蓝牙耳机/GSH300	潍坊歌尔电子有限公司	潍坊	电子信息
90	传媒报业多人协同实时网络出版平台	潍坊北大青鸟华光照排有限公司	潍坊	电子信息
91	LH 系列智能化节电装置	潍坊乐航电子科技有限公司	潍坊	电子信息
92	突发公共事件应急指挥调度平台	潍坊华光通讯有限公司	潍坊	电子信息
93	GF 型半自动生化分析仪	山东高密彩虹分析仪器有限公司	潍坊	电子信息
94	GF－2280 型全自动生化分析仪	山东高密彩虹分析仪器有限公司	潍坊	电子信息
95	YNRQD 液体粘性软起动装置	泰安力博机电科技有限公司	泰安	电子信息
96	小电流接地系统单相接地选线装置	泰安市鲁兴电子科技有限公司	泰安	电子信息
97	WL－820D 远红外热成像监测系统	山东万力电子信息产业有限公司	泰安	电子信息
98	WL－2000MH 视频会议系统	山东万力电子信息产业有限公司	泰安	电子信息
99	T－GPS 系列电力系统同步时钟	山东科汇电力自动化有限公司	淄博	电子信息
100	pzk 配电自动化监控器	山东科汇电力自动化有限公司	淄博	电子信息
101	T 系列电力电缆故障测距仪	山东科汇电力自动化有限公司	淄博	电子信息
102	XC 输电线路故障行波测距系统	山东科汇电力自动化有限公司	淄博	电子信息
103	开关磁阻电动机调速系统	山东科汇电力自动化有限公司	淄博	电子信息
104	小电流接地故障选线及监测系统	山东科汇电力自动化有限公司	淄博	电子信息
105	装备 ABS 的小东风后桥总成	山东汇金股份有限公司	莱芜	光机电一体化
106	装备 ABS 的小东风前桥总成	山东汇金股份有限公司	莱芜	光机电一体化
107	双程抽油泵	山东威马泵业有限公司	莱芜	光机电一体化
108	EDA－FTUII 自动化系统远方终端	山东力创科技有限公司	莱芜	光机电一体化
109	EDA9033 三相电参数数据采集传输模块	山东力创科技有限公司	莱芜	光机电一体化
110	KTH 型变压器充氮灭火装置	莱芜科泰电力科技有限公司	莱芜	光机电一体化
111	油气井失控井喷抢装井口装置/XDT－3	山东新大通石油环保科技股份有限公司	东营	光机电一体化
112	油井多项存储收集器/ST－3 型	山东新大通石油环保科技股份有限公司	东营	光机电一体化
113	封隔高压一次充填工艺设备/F－115、F－150 型	山东新大通石油环保科技股份有限公司	东营	光机电一体化
114	智能控制双模轮胎定型硫化机（LLB1525）	东营金泰有限公司	东营	光机电一体化
115	低浓度煤矿瓦斯发电机组/500GF1－3RW	胜利油田胜利动力机械有限公司	东营	光机电一体化
116	开关/A5	山东奥罗电气有限公司	东营	光机电一体化
117	多功能自动破碎进料粉碎机研制	莒南县农家乐农机厂	临沂	光机电一体化
118	背负式喷雾机/3W－650	临沂三禾永佳动力有限公司	临沂	光机电一体化
119	数控立式车床/KC5216－A～KC5280－A	莒南县信义机械制造有限公司	临沂	光机电一体化
120	数控电梯导轨刨床	山东通裕集团有限公司	德州	光机电一体化
121	DN800mm 以上大管径球墨铸铁管管模	山东通裕集团有限公司	德州	光机电一体化
122	EZG－ⅡB 型液压二步推进制管机	德州市德城区亚星管道设备厂	德州	光机电一体化
123	Howo 系列载货汽车	中国重型汽车集团公司	济南	光机电一体化
124	JYDZ－23 豆浆机	山东九阳小家电有限公司	济南	光机电一体化
125	4YQW—2 型茎穗兼收背负式玉米联合收获机	荣成市海山机械制造有限公司	威海	光机电一体化
126	JZJ 履带行走式打桩机	文登市合力机械有限公司	威海	光机电一体化
127	智能化飞机集装箱/集装板升降平台车	威海广泰空港设备股份有限公司	威海	光机电一体化
128	JL—50000 落锤式冲击试验机	威海市试验机制造有限公司	威海	光机电一体化
129	DYG 系列高起动转矩多速电动机	乳山市力久特种电机有限公司	威海	光机电一体化
130	锅炉给水泵/DG、SDG、SLDG 型	山东双轮集团股份有限公司	威海	光机电一体化
131	推土机	山推工程机械股份有限公司	济宁	光机电一体化
132	异形罐体环缝自动焊机/GCH－I	山东水泊焊割设备制造有限公司	济宁	光机电一体化

续表

序号	自主创新产品名称/型号	申请单位名称	申报地区	技术领域
133	TAS5840 特种汽车	泰安航天特种车有限公司	泰安	光机电一体化
134	TA5350A 特种汽车	泰安航天特种车有限公司	泰安	光机电一体化
135	矿井低压电网时序鉴别选漏保护器	泰安市鲁兴电子科技有限公司	泰安	光机电一体化
136	轮式挖掘机 WLY80	泰安市泰山工程机械集团有限公司	泰安	光机电一体化
137	酚醛纤维增强塑料模具化生产耐腐蚀水环式真空泵	淄博华舜耐腐蚀真空泵有限公司	淄博	光机电一体化
138	造纸软压光机 4560/500	淄博泰鼎造纸机械有限公司	淄博	光机电一体化
139	NLD2000－5 多效蒸馏水机	淄博华周制药设备有限公司	淄博	光机电一体化
140	HD10－140 型 10 组双滴料行列式制瓶机	山东三金玻璃机械有限公司	淄博	光机电一体化
141	DSPF 型行列式制瓶机机电一体化控制系统	山东三金玻璃机械有限公司	淄博	光机电一体化
142	HD－315 合成导热油	山东恒利石油化工有限公司	淄博	光机电一体化
143	防渗漏全密封油浸式变压器	山东锦华电力设备有限公司	淄博	光机电一体化
144	环保型免维护预装式变电站	山东锦华电力设备有限公司	淄博	光机电一体化
145	XYR18 型全液压履带式旋挖钻机	山东鑫国基础工程有限公司	淄博	光机电一体化
146	DD－720 双盘磨浆机	山东晨钟机械股份有限公司	淄博	光机电一体化
147	水泥工业用水平涡流式选粉机	中天仕名（淄博）重型机械有限公司	淄博	光机电一体化
148	DAS420－155 型双壳体多级中开泵	山东博泵科技股份有限公司	淄博	光机电一体化
149	模块化电缆自动充气机	淄博昊普通讯设备有限公司	淄博	光机电一体化
150	放射治疗模拟机	山东新华医疗器械股份有限公司	淄博	光机电一体化
151	后装治疗机	山东新华医疗器械股份有限公司	淄博	光机电一体化
152	机动门脉动真空灭菌器	山东新华医疗器械股份有限公司	淄博	光机电一体化
153	清洗消毒器	山东新华医疗器械股份有限公司	淄博	光机电一体化
154	医用电子直线加速器	山东新华医疗器械股份有限公司	淄博	光机电一体化
155	变电站安全预警系统	山东中瑞电气有限公司	淄博	光机电一体化
156	加热底板自卸车	山东临清迅力特种汽车有限公司	聊城	光机电一体化
157	LZQ5120XWT 型流动舞台车	山东临清迅力特种汽车有限公司	聊城	光机电一体化
158	4JQM－110 型玉米秸秆切碎灭茬还田机	菏泽明庆机械有限公司	菏泽	光机电一体化
159	飓风 6.0VR 跑步机	山东祥和集团股份有限公司	淄博	光机电一体化
160	磁通电流矢量通用型变频调速器	潍坊赛普电气有限公司	潍坊	光机电一体化
161	福田雷沃谷神 4LZ－6（AF6150）型自走式谷物联合收割机	福田雷沃国际重工股份有限公司	潍坊	光机电一体化
162	福田雷沃欧豹 TF1254 轮式拖拉机	福田雷沃国际重工股份有限公司	潍坊	光机电一体化
163	神郎 2Z－6S 型水稻插秧机	福田雷沃国际重工股份有限公司	潍坊	光机电一体化
164	子午线轮胎模具	山东豪迈机械科技有限公司	潍坊	光机电一体化
165	轮胎模专用刻字机	山东豪迈机械科技有限公司	潍坊	光机电一体化
166	轮胎模专用数控车床	山东豪迈机械科技有限公司	潍坊	光机电一体化
167	轮胎模加工专用电火花成型机	山东豪迈机械科技有限公司	潍坊	光机电一体化
168	LZY 系列混凝土构件成型机	山东亚盛机械科技有限公司	潍坊	光机电一体化
169	SWG9400GFC 粉粒食品半挂车	山东荣昊专用汽车有限公司	潍坊	光机电一体化
170	WY1.5 型多功能小型液压挖掘机	高密交运工程机械有限公司	潍坊	光机电一体化
171	一种利用消音器换热采暖和自然凉风的车辆温度调节装置	诸城市福园机械有限公司	潍坊	光机电一体化
172	电脑全自动双锅并联杀菌釜	诸城市中泰机械有限公司	潍坊	光机电一体化
173	电脑全自动电汽两用杀菌锅	诸城市中泰机械有限公司	潍坊	光机电一体化
174	电脑全自动喷淋式杀菌锅	诸城市中泰机械有限公司	潍坊	光机电一体化
175	SBG－800 型 HDPE 双壁波纹管生产线	潍坊中云机器有限公司	潍坊	光机电一体化
176	1000kV 特高压铁塔	潍坊长安铁塔股份有限公司	潍坊	光机电一体化
177	管片式铝质硬钎焊散热器	潍坊恒安散热器集团有限公司	潍坊	光机电一体化
178	节能环保底置式永磁搅拌器	潍坊华特磁电设备有限公司	潍坊	光机电一体化

续表

序号	自主创新产品名称/型号	申请单位名称	申报地区	技术领域
179	DQJ 型钢制电缆桥架	山东衡达有限责任公司	枣庄	光机电一体化
180	ZLX2－1 型自行式绿篱修剪机	山东衡达有限责任公司	枣庄	光机电一体化
181	换画灯箱	山东洪海广告设备有限公司	枣庄	光机电一体化
182	智能机械（立窑机械手）	枣庄明润工程机械有限公司	枣庄	光机电一体化
183	4SZ120（150）自走式水稻收割机	山东宁联机械制造有限公司	泰安	光机电一体化
184	2BEC80 型水环真空泵	淄博水环真空泵厂有限公司	淄博	节能环保
185	粗馏废液潜热及有机物回收技术和设备	肥城金塔机械有限公司	泰安	节能环保
186	煤气发生炉酚水处理装置	山东义升环保设备有限公司	淄博	节能环保
187	穿刺型防弧金具	山东迅实电气有限公司	淄博	节能环保
188	脱酚常压固定床煤气发生炉	邹平县华星热能环保设备有限公司	滨州	节能环保
189	HNT 系列除尘脱硫一体化设备	海汇集团有限公司	日照	节能环保
190	有机热载体锅炉（0.12～14MW）	山东圣威锅炉有限公司	临沂	节能环保
191	大中型轧钢加热炉专用系列节能环保型助燃风机	威海市华阜环保（集团）有限公司	威海	节能环保
192	高档乘用车涡轮增压器/JP50S	寿光市康跃增压器有限公司	潍坊	节能环保
193	涡轮增压器	潍坊富源增压器有限公司	潍坊	节能环保
194	搪瓷钢管式空气预热器	山东恒涛节能环保有限公司	潍坊	节能环保
195	钢管柱型散热器/GGZ3	山东邦泰散热器有限公司	潍坊	节能环保
196	高效智能节电器	山东雷奇电器有限公司	潍坊	节能环保
197	大型双辊挤浆机	汶瑞机械（山东）有限公司	潍坊	节能环保
198	水源热泵机组/SM－10	潍坊科灵空调设备有限公司	潍坊	节能环保
199	常压固定床煤气发生炉	淄博万丰煤气设备有限公司	淄博	节能环保
200	冶金渣共磨微粉	莱芜厚泽钢渣环保工程有限公司	莱芜	节能环保
201	生态洁生物环保免水冲厕所	山东生态洁环保科技有限公司	莱芜	节能环保
202	PMRV 网络智能变频多联中央空调	莱芜市三和科技有限公司	莱芜	节能环保
203	高比能锂离子电池	山东齐星新能源科技有限责任公司	滨州	节能环保
204	节能环保型液压油缸	临沂市天一液压设备制造有限公司	临沂	节能环保
205	MW 级风力发电机主轴	山东通裕集团有限公司	德州	节能环保
206	固定型阀控式密封铅酸蓄电池	威海文隆电池有限公司	威海	节能环保
207	智能型 i 变电室/KZB1（2）	威海华通开关设备有限公司	威海	节能环保
208	新一代智能超低温保存箱	威海安泰电子制冷设备有限公司	威海	节能环保
209	等流速汽－水换热器	淄博创尔沃中央空调有限公司	淄博	节能环保
210	SF11－80000/110 节能电力变压器	山东达驰电气股份有限公司	菏泽	节能环保
211	DYB 系列地埋式（远程监控）变电站	山东达驰电气股份有限公司	菏泽	节能环保
212	阿胶	山东东阿阿胶股份有限公司	聊城	生物医药
213	阿胶补血颗粒	山东东阿阿胶股份有限公司	聊城	生物医药
214	复方阿胶浆	山东东阿阿胶股份有限公司	聊城	生物医药
215	替加氟氯化钠注射液	山东华鲁制药有限公司	聊城	生物医药
216	ZBKMB01/02 型一次性使用病毒灭活装置配套用输血过滤器	淄博中保康医疗器具有限公司	淄博	生物医药
217	ZBK－RF－B、ZBK－RF－S 型一次性使用去白细胞滤器	淄博中保康医疗器具有限公司	淄博	生物医药
218	ZBK－YBM－01 型医用血浆病毒灭活柜	淄博中保康医疗器具有限公司	淄博	生物医药
219	ZXLQ－350 型一次性使用离心式血浆分离器	淄博中保康医疗器具有限公司	淄博	生物医药
220	女珍颗粒	山东凤凰制药股份有限公司	东营	生物医药
221	固体复合氨基酸（复混）肥	日照澳华化工肥业有限公司	日照	生物医药
222	两步氨化法新型硫酸钾复合肥	史丹利化肥有限公司	临沂	生物医药
223	低聚木糖	山东龙力生物科技有限公司	德州	生物医药

续表

序号	自主创新产品名称/型号	申请单位名称	申报地区	技术领域
224	麦芽糖醇	禹城绿健生物技术有限公司	德州	生物医药
225	得高宁	德州德药制药有限公司	德州	生物医药
226	芬迪宁	德州德药制药有限公司	德州	生物医药
227	K-3401型半自动微生物鉴定仪（包括试剂）	济南大欣医疗器械科技有限公司	济南	生物医药
228	应天2号多靶位生物制剂	山东应天生物科技有限公司	济南	生物医药
229	颈痛颗粒	山东明仁福瑞达制药有限公司	济南	生物医药
230	颈痛片	山东明仁福瑞达制药有限公司	济南	生物医药
231	蟹黄肤宁软膏	山东明仁福瑞达制药有限公司	济南	生物医药
232	雪莲归芪口服液	山东明仁福瑞达制药有限公司	济南	生物医药
233	天达2116植物细胞膜稳态剂	山东天达生物制药股份有限公司	潍坊	生物医药
234	DC级对乙酰氨基酚	安丘市鲁安药业有限责任公司	潍坊	生物医药
235	自动清洗喷滴灌栓头型缓控释肥料	菏泽开发区曹州农用化学有限公司	菏泽	生物医药
236	AE-活性酯	山东金城医药化工有限公司	淄博	生物医药
237	5’-高纯度单核苷酸	山东凯盛生物化工有限公司	淄博	生物医药
238	小儿定喘口服液	山东鲁泰环中制药有限公司	淄博	生物医药
239	苯醚甲环唑原药	山东东泰农化有限公司	聊城	生物医药
240	氯化亚砜	山东凯盛生物化工有限公司	淄博	新材料
241	高档汽车座垫革	淄博大桓九宝恩皮革集团有限公司	淄博	新材料
242	离合器从动盘温压中心盘毂	莱芜市新艺粉末冶金制品库有限公司	莱芜	新材料
243	高性能温压格力森齿轮	莱芜市新艺粉末冶金制品库有限公司	莱芜	新材料
244	轿车变速箱用温压同步器齿毂	莱芜市新艺粉末冶金制品库有限公司	莱芜	新材料
245	450-810MM精密冷轧带钢	泰山钢铁集团有限公司	莱芜	新材料
246	FDN-A系列超高浓高效减水剂	莱芜汶河化工有限公司	莱芜	新材料
247	FDN-AH高性能缓凝高效减水剂	莱芜汶河化工有限公司	莱芜	新材料
248	WPC聚羧酸系高性能减水剂	莱芜汶河化工有限公司	莱芜	新材料
249	HDS氨基磺酸盐高效减水剂	莱芜汶河化工有限公司	莱芜	新材料
250	FDN-AA型早强高效减水剂	莱芜汶河化工有限公司	莱芜	新材料
251	超低定量有光泽涂布纸	山东泰山纸业有限公司	莱芜	新材料
252	五组分赛络纺运动袜	山东银河纺织集团股份有限公司	莱芜	新材料
253	高功能运动型多元纤维赛络纺无结纱及其针织面料	山东银河纺织集团股份有限公司	莱芜	新材料
254	精梳棉/竹炭纤维赛络纺袜	山东银河纺织集团股份有限公司	莱芜	新材料
255	环保型双屏蔽地热电缆	山东科虹线缆有限公司	莱芜	新材料
256	无机纳米阻燃剂复合聚烯烃电缆料	山东科虹线缆有限公司	莱芜	新材料
257	三元乙丙再生橡胶	莱芜市福泉橡胶有限公司	莱芜	新材料
258	丁基再生橡胶	莱芜市福泉橡胶有限公司	莱芜	新材料
259	高性能复原橡胶	莱芜市福泉橡胶有限公司	莱芜	新材料
260	coolmax纤维、涤纶、棉混纺交织小提花布	泰丰纺织集团有限公司	莱芜	新材料
261	精梳棉/细旦涤纶混纺高支高密鸟眼大提花布	泰丰纺织集团有限公司	莱芜	新材料
262	埃及棉精梳4.2tex多喷缎纹布	泰丰纺织集团有限公司	莱芜	新材料
263	耐高温、抗脱壳型改性酚醛树脂	莱芜润达化工有限公司	莱芜	新材料
264	高性能汽车刹车片用改性酚醛树脂	莱芜润达化工有限公司	莱芜	新材料
265	酚醛树脂\蒙脱土纳米复合材料	莱芜润达化工有限公司	莱芜	新材料
266	水雾化扩散型合金钢粉/LAP100.29D	莱钢集团粉末冶金有限公司	莱芜	新材料
267	无偏析混合粉/RMP310	莱钢集团粉末冶金有限公司	莱芜	新材料
268	超高分子量聚乙烯纤维	山东爱地高分子材料有限公司	莱芜	新材料
269	聚氨酯弹性地坪材料（塑胶跑道）	山东斯泰普力高新建材有限公司	东营	新材料

续表

序号	自主创新产品名称/型号	申请单位名称	申报地区	技术领域
270	聚氯乙烯农用无滴消雾大棚膜	东营天元塑业有限公司	东营	新材料
271	承荷探测电缆	万达集团股份有限公司	东营	新材料
272	高性能硅丙外墙涂料	山东圣光化工集团有限公司	东营	新材料
273	有机硅改性丙烯酸乳液	山东圣光化工集团有限公司	东营	新材料
274	甲基环戊二烯三羰基锰	山东东昌精细化工科技有限公司	东营	新材料
275	高效复合生料速烧剂	山东宏艺科技有限公司	临沂	新材料
276	高效复合水泥助磨剂/HY－I	山东宏艺科技有限公司	临沂	新材料
277	白木浆定位点石膏板	平邑拜尔建材有限公司	临沂	新材料
278	高纯软态低氧电工用铜线坯	山东金升有色集团有限公司	临沂	新材料
279	YTA 低温快速磷化剂	山东亚特生态技术有限公司	临沂	新材料
280	YTA 高效无磷脱脂剂	山东亚特生态技术有限公司	临沂	新材料
281	高档阳离子涤纶拉舍尔毛毯	临沂新光毛毯有限公司	临沂	新材料
282	18μm、25μm 等系列硅铝键合线	山东华宏微电子材料科技有限公司	德州	新材料
283	高档节能（彩色）空心玻璃砖	德州振华装饰玻璃有限公司	德州	新材料
284	Modal 紧密纺纱的研制及产品开发	德州华源生态科技有限公司	德州	新材料
285	天丝磁力紧密纺纱技术研究及产品开发	德州华源生态科技有限公司	德州	新材料
286	有机棉竹纤维混纺纱高效工艺研究及产品开发	德州华源生态科技有限公司	德州	新材料
287	彩色改性沥青瓦	德州双环建材有限公司	德州	新材料
288	陶瓷曲面建筑装饰板	山东天虹弧板有限公司	济南	新材料
289	氟硅、纳米功能性不粘涂料	济南瑞氟化工科技有限公司	济南	新材料
290	高铬合金矫直辊	山东省四方技术开发有限公司	济南	新材料
291	“杰能王”微纳米高温远红外节能涂料及其覆层技术	山东慧敏科技开发有限公司	济南	新材料
292	J30 合金模具钢板的研制	济南钢铁集团总公司	济南	新材料
293	400MPa 级以上高强度高性能钢筋	济南钢铁集团总公司	济南	新材料
294	耐高温纳米复合管材	文登市文峰管业有限公司	威海	新材料
295	功能性纺织新产品	山东济宁如意毛纺织股份有限公司	济宁	新材料
296	聚阴离子纤维素	山东一滕化工有限公司	泰安	新材料
297	1000kV 棒形悬式复合绝缘子	淄博泰光电力器材厂	淄博	新材料
298	高支高密纯棉系列坯布	淄博银仕来纺织有限公司	淄博	新材料
299	贝氏体钢丸	淄博大亚金属制品有限公司	淄博	新材料
300	NOF－AE 砼引气剂	山东华伟银凯建材有限公司	淄博	新材料
301	聚四氟乙烯	山东东岳高分子材料有限公司	淄博	新材料
302	改性聚羧盐高效减水剂（NOF－AS）	山东华伟银凯建材有限公司	淄博	新材料
303	T400 牛仔布及服装	淄博兰雁集团有限责任公司	淄博	新材料
304	仿方格竹节弹力牛仔布及服装	淄博兰雁集团有限责任公司	淄博	新材料
305	环保生态面料	淄博兰雁集团有限责任公司	淄博	新材料
306	康特丝功能牛仔面料及服装	淄博兰雁集团有限责任公司	淄博	新材料
307	四甲基胍（TMG）	山东新华万博化工有限责任公司	淄博	新材料
308	二氮双杂环（DBU）	山东新华万博化工有限责任公司	淄博	新材料
309	镁锆质浸入式整体水口	淄博大正新材料科技有限公司	淄博	新材料
310	300s 纯棉超高支高密面料	鲁泰纺织股份有限公司	淄博	新材料
311	多功能衬衫	鲁泰纺织股份有限公司	淄博	新材料
312	3－二丁氨基－6－甲基－7－苯氨基荧烷（ODB－II）	寿光富康制药有限公司	潍坊	新材料
313	三元乙丙橡胶防水卷材	潍坊市宏源防水材料有限公司	潍坊	新材料
314	三元乙丙橡胶防水卷材	潍坊市宇虹防水材料（集团）有限公司	潍坊	新材料
315	保温混凝土多孔砖	山东鸿泰建设集团有限公司	潍坊	新材料

续表

序号	自主创新产品名称/型号	申请单位名称	申报地区	技术领域
316	GCLURS07 超细改性碳化硅微粉	昌乐鑫源碳化硅微粉有限公司	潍坊	新材料
317	高纯六方氮化硼粉末	潍坊邦德特种材料有限公司	潍坊	新材料
318	丙烯酸酯类 PVC 耐候抗冲改性剂	山东省日科化学有限公司	潍坊	新材料
319	钻井液用增效膨润土	潍坊华潍膨润土有限公司	潍坊	新材料
320	抗紫外线功能窗帘面料	孚日集团股份有限公司	潍坊	新材料
321	丽赛纤维茶染床品面料	孚日集团股份有限公司	潍坊	新材料
322	负离子整理细旦纤维装饰面料	孚日集团股份有限公司	潍坊	新材料
323	独花型大提花产品	孚日集团股份有限公司	潍坊	新材料
324	四色印花巾被产品	孚日集团股份有限公司	潍坊	新材料
325	中空纱毛巾系列产品	孚日集团股份有限公司	潍坊	新材料
326	高压线路复合伞裙耐污盘形悬式瓷绝缘子/FXWP	青州市力王电力科技有限公司	潍坊	新材料
327	全钢载重子午胎 11.00R20TRM08	山东安驰轮胎有限公司	潍坊	新材料
328	等强度车轮/22.5×8.25（9.00）	山东通力车轮有限公司	潍坊	新材料
329	超细纤维合成革	山东同大海岛新材料有限公司	潍坊	新材料
330	碳化硅超细粉体	潍坊六合微粉有限公司	潍坊	新材料
331	单晶硅、多晶硅切割专用碳化硅高精度微粉	潍坊六合微粉有限公司	潍坊	新材料
332	DBS 高效能抗裂防水剂	潍坊大元实业有限公司	潍坊	新材料
333	热传输用铝合金复合带	潍坊三源铝业有限公司	潍坊	新材料
334	高性能反应烧结碳化硅	山东金鸿集团有限公司	潍坊	新材料
335	CSO 型硅微粉	枣庄市晶典硅微粉有限公司	枣庄	新材料
336	2.2 米三微柔性石墨卷材	枣庄新方圆实业有限公司	枣庄	新材料
337	核能级超幅宽柔性石墨纸	枣庄新方圆实业有限公司	枣庄	新材料
338	三微可膨胀石墨及制品	枣庄新方圆实业有限公司	枣庄	新材料
339	多氨基多醚基甲叉膦酸（PAPEMP）	山东省泰和水处理有限公司	枣庄	新材料
340	4－氯邻苯二甲酸单钠盐	山东神工化工集团股份有限公司	枣庄	新材料
341	高档无碱玻璃纤维湿法毡	山东泰山复合材料有限公司	泰安	新材料
342	绿色环保功能性面料	山东齐赛纺织有限责任公司	淄博	新材料
343	保健型粘胶纤维	山东海龙股份有限公司	潍坊	新材料
344	无机阻燃粘胶短纤维	山东海龙股份有限公司	潍坊	新材料
345	高湿模量粘胶纤维	山东海龙股份有限公司	潍坊	新材料
346	20%吡虫啉·三唑锡可湿性粉剂	山东华阳农药化工集团有限公司	泰安	新材料
347	20%水胺硫磷·哒螨酮乳油	山东华阳农药化工集团有限公司	泰安	新材料

十八、

农村综合改革类

国务院农村综合改革工作小组　财政部　农业部关于扩大村级公益事业建设一事一议财政奖补试点的通知

2009 年 5 月 21 日　国农改〔2009〕3 号

各省、自治区、直辖市农村综合改革领导小组办公室、财政厅（局）、农业厅（委、局、办）：

为深化农村综合改革，推进社会主义新农村建设，2008 年，国务院农村综合改革工作小组、财政部、农业部选择在黑龙江、河北、云南三省及其他省份部分地区开展了村级公益事业一事一议财政奖补试点工作（以下简称一事一议财政奖补试点），取得了积极成效，为全国扩大试点积累了经验。根据《中共中央　国务院关于 2009 年促进农业稳定发展农民持续增收的若干意见》（中发〔2009〕1 号）关于“总结试点经验，完善相关政策，扩大农村公益事业一事一议财政奖补试点范围”精神，现就进一步扩大一事一议财政奖补试点工作有关事项通知如下：

一、充分认识扩大一事一议财政奖补试点的重要意义

在当前应对国际金融危机、扩大内需促进经济平衡较快发展的新形势下，扩大一事一议财政奖补试点，具有十分重要的意义。扩大一事一议财政奖补试点，发挥财政资金带动作用，有利于完善和激活一事一议筹资筹劳制度，让农民依靠自己的双手，在政府支持下改善生产生活条件；有利于充分利用农村富余劳动力发展村级公益事业，带动农民就业，拉动农村投资和消费，促进农村经济发展；有利于继续贯彻“多予、少取、放活”的方针，为公共财政覆盖农村开辟新渠道，引导社会资金流入农村，促进城乡公共服务均等化，加快形成城乡经济社会发展一体化新格局；有利于充分发挥农民的主体作用和首创精神，推进以村民大会、村民代表会议为主要形式的村民民主议事决策实践，转变基层政权组织职能，完善乡村治理机制，促进农村基层民主政治建设。

二、扩大一事一议财政奖补试点的指导思想和基本原则

（一）指导思想。扩大一事一议财政奖补试点工作的指导思想是，以邓小平理论和“三个代表”重要思想为指导，全面贯彻落实科学发展观，按照党的十七届三中全会和 2009 年中央一号文件要求，进一步总结经验，改善政策，健全制度，积极扩大试点，探索建立“政府资助、农民参与、社会支持”的村级公益事业建设新机制。

（二）基本原则。一是坚持农民自愿，量力而行。开展一事一议财政奖补试点，要尊重农民主体地位，调动农民参与积极性，坚持农民自愿，量力而行，妥善处理调动农民积极性和减轻农民负担的关系。二是突出重点，注重实效。一事一议财政奖补项目要重点选取那些群众需求最迫切、反映最强烈、利益最直接的村级公益事业作为切入点，力求取得实效。三是因地制宜，分类指导。各地要结合实际，制定财政奖补政策，加强分类指导，确保财政奖补政策切实可行和农民群众直接受益。四是加强管理，规范操作。要规范议事程序，健全各项制度，确保议事和审批过程、政府奖补项目的申报、资金和劳务的使用管理透明、公开，实现管理的精细化和科学化。

三、扩大一事一议财政奖补试点的实施步骤

2009 年，除已在全省开展试点的黑龙江、河北、云南三省以外，从已开展局部试点，具有一定工作基

础和扩大试点愿望的省份中，选择江苏、内蒙古、湖南、安徽、贵州、重庆、宁夏等七个省份在全省范围内开展试点；选择湖北、广西、甘肃、福建、山西、陕西、江西等七个省份在局部扩大试点。上述扩大试点省份的试点工作方案经工作小组会同财政部、农业部审批后实施。目前没有开展试点的省份由各省（自治区、直辖市）选择1～2个县（市）自主开展试点，积累经验。在此基础上，再用1～2年时间，在全国全面推开一事一议财政奖补工作。

四、因地制宜，制定一事一议财政奖补办法

（一）精心制定奖补试点方案。各试点省份要按照中央精神，结合实际，制订切实可行的试点方案。在试点面上，要坚持"普惠制"和"特惠制"相结合，既要集中财力抓重点村的建设，又要保证一定的试点面，让惠民政策的阳光照耀到更多的老百姓。在奖补标准上，要根据经济发展水平、财力状况、建设成本、试点地区的努力程度等因素分类确定，对老少边穷地区予以适当照顾，向投入大、工作实、效果好的地区适当倾斜。在奖补项目选择上，要遵循先易后难的工作原则，优先支持解决群众最需要、见效最快的村内道路（包括农场、林场道路）硬化、村容村貌改造等村内公益事业，让农民群众看见实实在在的效果。在奖补内容上，既可以是资金奖励，也可以是实物补助，只要群众拥护，符合实际、富有成效，都可以大胆尝试。

（二）建立村级公益事业建设稳定的投入机制。各试点省份要调整财政支出结构，增加一事一议财政奖补资金的投入。对中央选择批准试点的省份，中央财政根据地方财政的奖补情况，按照《财政部关于村级公益事业一事一议中央财政奖补事项的通知》（财预〔2009〕5号）有关规定，安排资金予以补助。同时，以新农村建设规划为平台，鼓励有条件的地方，结合实际，将支农专项资金和一事一议奖补资金捆绑使用，分别管理，各记其功，重点解决当前农民最急需、最现实的村级公益事业建设问题。倡导社会捐资赞助，鼓励集体经济投入，引导村民筹资筹劳，形成村级公益事业建设稳定投入机制。

（三）确定简明规范的奖补工作程序。各地要制定一事一议建设项目财政奖补的具体审核管理办法，简化审批程序，提高工作效率。奖补资金的申报原则上实行自下而上，先建后补，由开展一事一议筹资筹劳的村申请，乡镇人民政府对村级申报奖补项目的合规性、可行性和有效性进行初审，县级财政、农业部门按职责复审。对一定限额以下的项目，要充分发挥县乡贴近农村、熟悉基层的优势，由县级审批，省级备案。对一些重点议事建设项目由县级上报省级农村综合改革领导小组办公室、财政、农业部门审核，确定奖补金额。为使试点工作尽快开展起来，各地可先预拨部分奖补资金，一些项目可实行建设和奖补并行，在项目竣工验收合格后办理结算，全部兑现奖补资金。财政奖补资金拨付到县级以后，统一由县级人民政府负责管理，在县级财政部门设立专户，专账管理，列入各级财政"对村级一事一议补助"决算科目，确保专款专用。要坚持实行财政奖补资金报账制。原则上只有在村民筹资、村集体投入、社会捐赠资金到账，具备项目开工条件后，才能由村级提出申请，由县级或乡镇财政部门按工程进度拨付资金。

五、健全一事一议财政奖补试点相关配套措施

（一）建立健全一事一议筹资筹劳制度。按照《国务院办公厅关于转发农业部村民一事一议筹资筹劳管理办法的通知》（国办发〔2007〕4号）要求，引导村民按程序、合理筹资筹劳，防止不顾农民承受能力，加重农民负担。对资金需求量较大的议事项目，可以一次议事，按规定的筹资限额标准筹集两年的资金，但须经全体村民同意，并报省级农民负担监督管理部门审核批准后方可实施，且第二年不准再筹。试点省份和地区根据实际，经省级人民政府批准，可以适当提高筹资筹劳标准。对筹资确有困难的，允许以工折资，或以物料折资；对筹劳确有困难的，在坚持农民自愿的前提下，允许以资代劳。

（二）实行一事一议奖补项目建设情况公示制。全面公开一事一议财政奖补政策、实施办法、办事程

序和服务承诺，由村民代表对一事一议建设项目进行全程监督和管理。已建成的一事一议奖补项目，村级要将筹资筹劳的数量、项目资金（实物）的安排使用等情况进行公示，得到村民认可，提高财政奖补工作的透明度和有效性。

（三）建立档案管理制度。乡镇要将村民一事一议筹资筹劳的会议记录、村民签字方案、奖补项目申请表等原始材料汇总归档，对一些重点奖补的项目和基础数据，省或县也要建档立册，规范管理，夯实工作基础。

（四）建立督促检查制度。加大监督检查和绩效考核力度，不准超出议事适用范围、违反民主议事程序开展村民筹资筹劳，不准借债建设议事项目；不准向农民下达筹资筹劳指标；不准强迫农民筹资筹劳建设政府“形象工程”，加重农民负担。对试点工作成效显著的要予以奖励，对违反一事一议程序、加重农民负担、截留挪用筹集资金和奖补资金的行为要及时责令纠正，追回资金，追究责任。

（五）建立村级公益事业设施管理和养护制度。按照“谁投资、谁受益、谁所有、谁养护”的原则，对一事一议财政奖补项目形成的资产，落实管护责任主体和养护资金来源，提高资产的使用效率和养护水平，发挥资产的长期效用。

六、加强对扩大一事一议财政奖补试点工作的组织领导

村级公益事业建设财政奖补工作，政策性强，牵涉面广，工作量大，既关系着亿万农民群众的切身利益，也事关农村社会经济的长远发展。各试点省份要从落实科学发展观、统筹城乡发展的高度，提高思想认识，坚持主要领导亲自抓，层层落实责任，形成上下联动、左右协调、齐抓共管的工作机制。要加强分类指导，正确处理政府资金奖补和农民筹资筹劳的关系、调动农民建设积极性和减轻农民负担的关系、兴建村级公益事业和设施养护的关系，逐步完善一事一议财政奖补试点相关政策，确保改革试点规范运行。要坚持以县为主组织实施，县级人民政府要切实担负起村级公益事业建设的组织规划、指导协调和管理监督责任，要成立一事一议财政奖补工作领导小组，建立协调制度。乡镇人民政府要加强农村基层组织建设，做好具体组织协调工作；村“两委”干部要发挥好带头和表率作用，发动和组织村民开展一事一议。各级农村综改办、财政、农业等部门要深入调查研究，加强政策宣传，搞好组织协调，发挥各自的职能优势，认真履行职责，及时总结试点经验和做法，确保扩大试点工作顺利推进。

国务院农村综合改革工作小组关于开展清理化解其他公益性乡村债务工作的意见

2009 年 12 月 18 日　国农改〔2009〕21 号

各省、自治区、直辖市、计划单列市人民政府，新疆生产建设兵团：

2007 年以来，清理化解农村义务教育“普九”债务试点工作取得了明显的阶段性成效。根据《国务院关于做好 2004 年深化农村税费改革试点工作的通知》（国发〔2004〕21 号）关于“制止新债、摸清底数、明确责任、分类处理、逐步化解”的总体要求，以及《中共中央　国务院关于 2009 年促进农业稳定发展农民持续增收的若干意见》（中发〔2009〕1 号）的有关精神，为深入推进农村综合改革，进一步贯彻落实中央扩内需、促增长、保稳定、重民生的要求，保证清理化解乡村债务工作的连续性，维护农村和谐稳定和促进农村经济平稳较快发展，经国务院同意，现就做好清理化解其他公益性乡村债务工作提出如下意见：

一、债务范围及化债工作的思路和步骤

（一）债务范围。其他公益性乡村债务是指截至 2005 年 12 月 31 日，除农村义务教育债务以外的公益性乡村债务，包括基层政权机构建设债务、农村公共服务体系建设债务、乡村垫交税费债务等。其中，基层政权机构建设债务是为保障乡村正常运转、发放乡村干部工资和补贴等形成的债务。农村公共服务体系建设债务是乡村为解决突出民生问题、加强社会治安管理、应对突发事件等形成的债务。乡村垫交税费债务是农业税未取消前，乡村干部为完成上级下达税费收缴任务，应对年度干部考核，替村民垫交农业税费形成的“上清下不清”债务。

（二）总体思路。统一政策、分散决策，积极稳妥、先易后难，局部突破、分步推进。各省要在认真总结清理化解农村义务教育债务经验的基础上，积极创造条件，做好化解其他公益性乡村债务和农村义务教育债务的衔接工作，保持相关政策的连续性，稳步推进公益性乡村债务化解工作。

（三）实施步骤。2009 年确定甘肃省、贵州省、重庆市作为第一批在全省、自治区、直辖市（以下简称全省）范围内开展清理化解其他公益性乡村债务的省份；从 2010 年起，由国务院农村综合改革工作小组（以下简称工作小组）根据各地财力状况、工作基础等情况，逐步扩大开展化债省份范围，有计划地推进其他公益性乡村债务清理化解工作。在全省范围内开展化债工作的省份可根据工作基础和财力状况，区分轻重缓急，自主确定化债项目的先后顺序。要优先选择公益性鲜明、与农村干群利益密切相关、债务底数相对清楚的项目，作为首批清理化解的债务进行重点突破。已完成或基本完成首批债务项目化解的，可选择其他公益性债务项目进行化解。未在全省范围内开展化债工作的省份可根据实际情况，自主选择部分县（市、区、旗）进行清理化解，为在全省推开积累经验。

二、基本原则

（一）地方为主负责。其他公益性乡村债务的清理化解工作主要由地方各级人民政府负责。省级人民政府负责统筹规划，市级人民政府负责督促检查，县级人民政府负责组织实施。

（二）先清理后化解。清理核实和审计认定债务是偿还其他公益性乡村债务的基础和前提，必须在完成债务清理核实和审计认定后，才能偿还债务。

（三）先局部后推开。其他公益性乡村债务时间跨度长，数额较大，成因复杂，化解工作应积极稳妥，要在局部启动、积累经验的基础上，完善政策，逐步推开。

（四）先化解后补助。化解其他公益性乡村债务资金应主要由地方财政承担。中央财政建立激励约束机制，采取先化解后补助的办法，对已在全省范围内开展化债的省份给予适当补助，重点支持中西部地区、兼顾东部地区。补助的具体办法由财政部另行制订。

三、资金来源

偿债资金来源主要包括：一是统筹安排地方一般预算收入和上级财力性转移支付资金，以及中央财政拨付的化解其他公益性乡村债务的补助资金；二是地方非税收入中统筹安排一定比例用于偿债；三是通过盘活闲置资产筹集偿债资金；四是社会和民间自愿捐资赞助的偿债资金。地方各级人民政府要调整财政支出结构，积极筹措偿债资金。省级人民政府负责统筹全省偿债资金。偿债资金必须足额安排，不得留有缺口。各地在筹措偿债资金过程中，不得借新债还旧债，不得挤占挪用其他专项资金，严禁向农民摊派增加农民负担。各级财政用于化解其他公益性乡村债务的支出应在预算中单设科目反映，不作为预算安排其他公益事业正常支出的基数。

四、工作要求

（一）明确政策，摸清底数。对乡镇债务和村级债务，要区分性质，分类处理。属于乡镇政府性债务的，要纳入地方政府性债务框架统一管理；属于村级集体组织债务的，由村级组织负责管理。要根据国家有关金融法规，妥善处理债务利息，依法处置高利贷形成的利息。县级人民政府要统一组织相关部门，逐笔清理核实、严格审计，并将结果及时汇总上报。要加强监督，切实做到程序、过程和结果公开。对乡镇债务，要在地方政府性债务报表的基础上，进一步清理核实底数；对村级债务，应充分发挥村民的监督管理作用，实行民主评议、张榜公示、村民认可。要剔除虚假、无效、违规债务，锁定债务数额，并按举债主体、债务来源、债务用途分类管理。省级人民政府要对县级人民政府上报的其他公益性乡村债务的真实性和合法性进行审核认定，可采取由各县清理审计、省级抽查确认，或者由各县自查、省级组织全面审计等方式进行，清理核实情况要及时报工作小组。

（二）制定方案，抓紧实施。开展化债省份要结合实际，尽快研究制定实施方案。实施方案应包括以下内容：清理化解的目标任务、基本原则、主要内容；全省其他公益性乡村债务分县清理核实和审计锁定情况、债务规模及构成；分县化解债务的年度计划；清理化解债务的主要政策，包括债务利息不合理、票据不齐全、不规范等问题的处理政策、优先偿债顺序等；分县偿债资金来源及补助办法；清理化解债务的保障措施，包括制止新债、债务监控、监督检查、组织保障和工作机制等。新疆生产建设兵团类似其他公益性乡村债务化解的办法由工作小组另行制定。地方国有农场、林场等类似其他公益性乡村债务的化解办法由所在省份省级人民政府制定。中央直属农场、林场类似其他公益性乡村债务化解办法由工作小组会同农业部、国家林业局等有关部门另行制定。在全省范围内开展化债省份的实施方案，报工作小组审批。对于偿债资金来源不明确、资金不落实的省份，工作小组将不批准其化债方案。实施方案审批通过后，工作小组将与省级人民政府签订清理化解其他公益性乡村债务责任书，并作为完成化债工作目标任务组织验收的依据。未在全省范围内开展化债的省份，县级化债实施方案由省级人民政府审批，报工作小组备案。

（三）规范管理，偿债销号。地方在偿还其他公益性乡村债务时，要优先偿还生产生活困难、遭受灾害的债权人的债务，优先偿还乡村干部等个人和工程业主的债务，优先偿还债务本金。开展化债省份要根据县级的化债实施方案、审计认定的偿债额度，及时下拨偿债资金，监控化债进度，建立季报制度，并将有关情况报工作小组。偿债资金实行国库集中支付，直接偿还到债权人。偿债资金纳入国库单一账户体系管理，专款专用，分账核算。偿债资金国库集中支付管理参照化解农村义务教育“普九”债务国库集中支付管理办法执行。实行偿债销号制度，偿债主管部门要与财政国库部门及时交换偿债资金支付信息，做到偿还一笔、登记一笔、销号一笔。已销号的债务要及时通知债务人，做好相应的账务处理。省级和县级人民政府要对本行政区域内化债数额的真实性和准确性负责。工作小组将根据清理化解其他公益性乡村债务责任书和工作进度，对开展化债省份化债计划完成情况进行审核验收。

五、保障措施

（一）逐步设立偿债基金，建立化债激励约束机制。有条件的地区，应建立偿债专项基金用于偿还债务。省级财政要建立化债激励约束机制，安排专项资金对化解债务的县、乡、村给予补助，专项用于化解其他公益性乡村债务。同时，对未按规定要求完成化债目标和发生新债的县，将相应扣减其次年的补助资金。

（二）实行债务管控领导责任制，坚决制止发生新债。开展化债省份要严格贯彻落实《国务院办公厅关于坚决制止发生新的乡村债务有关问题的通知》（国办发〔2005〕39号），建立健全新债责任追究制度，并作为领导干部任期经济责任和离任审计的重要内容。地方各级人民政府和有关部门在安排建设项目时，要充分考虑各方面的承受能力，坚持量力而行；要加大对农村公益事业投入力度，尽可能减轻基层配套压力；要继续深化乡镇机构改革，完善村级经费保障机制；要实行债务定期报告制度，及时掌握乡村债务变动情况，从制度上、源头上防止产生新债。

（三）坚持减轻农民负担工作政府主要领导负责制，切实防止农民负担反弹。开展化债省份在化解其他公益性乡村债务过程中，要继续坚持减轻农民负担工作政府主要领导负责制和“谁主管、谁负责”的部门责任制，强化约束机制。坚决制止向农民集资摊派偿还债务的行为，认真执行涉及农民负担案（事）件“责任追究制”，做到预防与查处相结合，确保农民负担不反弹。

（四）加强监督检查，严肃查处违纪违法行为。要严肃工作纪律，对产生新债特别是借新债还旧债，以及不遵守清理化解工作程序引发各种矛盾和问题的单位和个人，要追究有关单位领导和相关人员的责任，视情节轻重，给予必要的纪律处分。为确保偿债资金使用规范、安全和有效，各级农村综合改革领导小组办公室要会同有关部门，建立起事前、事中、事后相结合，检查和抽查相结合的全方位监督体系。对弄虚作假、虚报冒领、截留挪用、套取补助资金、造成资金损失等行为，除追回补助资金外，还要依法依纪追究有关人员的责任；涉嫌犯罪的，移交司法机关处理。

六、加强对化债工作的组织领导

做好清理化解其他公益性乡村债务工作，对消除农民负担反弹隐患，全面深化农村综合改革，促进农村经济健康发展、社会和谐稳定具有重要意义。地方各级人民政府和有关部门必须高度重视，站在全面贯彻落实科学发展观的高度，立足社会稳定和农村发展大局，充分认识清理化解其他公益性乡村债务的重要性、必要性和紧迫性，把化债工作摆上议事日程。要看到这项工作的复杂性、艰巨性和长期性，树立长期作战的思想准备。要强化组织领导，建立领导责任制和部门分工负责制，主要领导亲自抓、负总责，明确目标任务，精心组织实施。地方各级财政、农业、审计、监察、金融等有关部门要各司其职，各负其责，密切配合，共同做好清理核实、审计锁定、化解兑付、检查验收等工作。要深入基层调研，加强指导协调，认真总结经验，不断完善政策，及时解决化债过程中出现的矛盾和问题，及时向上级机关报告重大事项。

国务院农村综合改革工作小组办公室关于做好2009年清理化解农村义务教育债务工作的通知

2009年1月22日　国农改办〔2009〕2号

各省、自治区、直辖市农村综合改革领导小组办公室，新疆生产建设兵团农村综合改革领导小组办公室：

为全面贯彻落实《中共中央　国务院关于2009年促进农业稳定发展农民持续增收的若干意见》（中发〔2009〕1号）文件有关精神，继续做好2009年清理化解农村义务教育债务工作，现将2008年全面农村“普九”化债试点工作进展情况进行通报并对做好下一步化债工作提出以下意见：

一、2008年全国农村“普九”化债试点工作进展顺利，有效扩大了农村社会需求

全国启动清理化解农村“普九”债务试点工作以来，各地按照国务院统一要求，精心组织，周密部署，化债工作起步较快，社会反响良好，取得了阶段性成果。第一批14个试点省份已完成债务清理核实和审计认定工作，全部转入了偿还阶段，累计偿还债务326亿元，占这些省份应偿还债务总额的66.2%，其

中宁夏和内蒙古2个省份已在2008年率先完成化债任务，江苏、黑龙江、四川、贵州等省份的偿债比例也达到了90%以上。各非试点省份认真开展债务清理核实工作，积极筹措偿债资金。截至2008年底，北京、天津、辽宁、浙江、山东、河南、广西、海南、云南、西藏、新疆等11个省份完成了农村“普九”债务的清理核实和审计锁定工作；天津、山西、浙江、河南、广西、海南、云南、西藏、新疆等9个省份已基本明确了省级财政的筹资规模。中央直属垦区、林区和新疆生产建设兵团也积极做好债务清理核实工作。2008年全国农村“普九”化债试点工作取得了积极成果，积累了丰富经验，为顺利完成中央提出的化债任务打下了良好基础。

同时，农村“普九”化债对扩大内需产生了积极的作用。据工作小组办公室对内蒙古等14个省份、73个县（市、区）、373个债权人的抽样调查，截至2008年12月底，373个债权人先后从县级财政国库部门领取偿债资金8115万元（具体情况见下表）。

14省份373个债权人偿债资金使用经济效果抽样调查表

单位：个，万元，%

调查对象	调查个数	领取偿债款总额	用于消费		用于投资		用于储蓄		偿还欠款	
			总额	所占比重	总额	所占比重	总额	所占比重	总额	所占比重
承建商	132	7 159	303	4.2	5 273	73.7	227	3.2	1 356	18.9
教师	106	361	141	39.1	78	21.6	115	31.8	27	7.5
学生家长	65	147	93	63.3	17	11.6	21	14.2	16	10.9
其他个人	70	448	112	25.0	166	37.1	122	27.2	48	10.7
合计	373	8 115	649	8.0	5 534	68.2	485	6.0	1 447	17.8

从表中可以看出，农村各类债权人把得到的化债款主要用于了消费和投资。其中，农村工程承建商和其他债权人领取的偿债款主要用于了投资；教师和学生家长领取的偿债款主要用于了家庭消费。可见，农村“普九”化债不仅取得了良好的社会政治效果，促进了农村和谐稳定，还有效地扩大了农村社会需求，对促进经济发展、加大农业农村基础设施投资、改善农民衣食住行等发挥了积极的作用。

二、继续努力，切实做好2009年清理化解农村义务教育债务工作

虽然到目前全国农村“普九”化债试点工作取得了阶段性成果，但完成全国的化债任务仍相当繁重。2009年，要贯彻中央扩内需、保增长的经济工作方针，加快推进农村“普九”化债工作。各试点省份要继续努力，尽快完成化债任务；各非试点省份要根据党中央、国务院关于在2010年底前基本化解全部农村义务教育债务的任务要求和《国务院农村综合改革工作小组关于做好清理化解农村义务教育“普九”债务试点工作的通知》（国农改〔2008〕3号）化债政策精神，切实加强领导，扎实做好清理核实，积极等措偿债资金，研究制定化债实施方案，为全面推开清理化解农村义务教育债务工作做好准备。

（一）切实加强领导，完善工作机制。各地及有关部门要继续高度重视化债工作，强化组织领导，落实部门分工，完善工作机制，深入开展调查研究，做好督促指导，及时解决化债过程中出现的矛盾和问题，总结推广有益经验，实现“三个确保”：确保农村义务教育债务得到及时全面化解，确保不发生新的农村义务教育债务，确保农村社会和谐稳定。

（二）抓紧清理核实工作，切实锁定实际债务。各地要按照中央要求将农村义务教育其他债务与农村“普九”债务一并纳入清理化解范围。已基本完成债务清理核实的省份，要严把审核确认关，将债务锁定到债权人，建立债务台账和数据库，尽快使用农村义务教育债务监管系统，加强对化债工作的科学监控和实时掌握；尚未完成债务清理核实的省份，要根据国务院化债政策要求，按照县级自查、市级审核汇总、

省级审计确认的工作步骤，抓紧做好债务清理核实和审计锁定工作。

（三）努力筹措偿债资金，规范偿债资金管理。为确保化债工作顺利进行，各地要根据债务规模和偿债计划，积极调整财政支出结构，切实落实各级财政偿债资金来源，确保所筹措的偿债资金与审计锁定的债务余额一致，并做好今年的预算安排。省级政府要充分发挥统筹全省偿债工作的作用，省本级财政应多承担一些，市级财政也要安排一部分，尽可能减少县级财政承担的筹资任务。各级财政安排的偿债资金要纳入国库单一账户体系管理，实行专款专用，分账核算，直接支付到债权人。实行偿债销号制度，逐笔登记债务偿还信息，做到偿还一笔、登记一笔、销号一笔。

（四）严格落实责任，加强监督检查。为落实化债责任，健全约束机制，地方各级政府要层层签订化债责任书。县级政府要负总责，切实将偿债资金偿还到债权人，确保化债工作平稳有序进行。各地要在建立健全监督检查工作机制的同时，严肃工作纪律，加强监督检查。对弄虚作假、虚报冒领、截留挪用、套取补助资金、造成资金损失及产生新债的行为，除追回补助资金外，还要按照有关规定追究直接责任人和有关领导的责任；触犯刑律的，要移送司法机关处理。

农业部　国务院纠风办　财政部　发展改革委　国务院法制办　教育部　新闻出版总署关于做好2009年减轻农民负担工作的意见

2009年3月12日　农经发〔2009〕3号

各省、自治区、直辖市及计划单列市农业厅（局、办、委）、纠正行业不正之风办公室、财政厅（局）、发展改革委、物价局、法制办、教育厅（教委、教育局）、新闻出版局：

2008年各地区、各有关部门认真贯彻落实中央各项减负和强农惠农政策，完善一事一议筹资筹劳管理办法，深入治理农民反映的突出问题，清理整顿涉农价格和收费，切实维护农民合法权益，探索构建农民负担监督管理长效机制，减轻农民负担工作取得新成效。但是，一些地方涉及农民负担的乱收费项目仍然存在，损害农民合法权益问题时有发生，农民负担监管工作任务仍然艰巨。

2009年，是新中国成立60周年，保持经济平稳较快发展、维护社会和谐稳定的任务异常繁重。在这种形势下，更要提高对减负工作重要性、艰巨性的认识，牢固树立常抓不懈的思想，做到思想不松懈，工作不松劲，切实维护农民利益，防止农民负担反弹，确保农村社会稳定，为促进经济发展提供良好环境。根据党的十七届三中全会《决定》要求和中央农村工作会议精神，针对农民负担出现的新情况、新问题，重点做好以下工作：

一、突出重点，切实做好农民负担监督管理工作

近年来，农民负担的构成已发生很大变化。根据农村改革发展的新形势和新要求，当前农民负担监管工作应以维护农民合法权益为中心，重点监管以下四方面情况：一是明确由政府承担的农村公共基础设施、基本公共服务费用和所需劳务，是否转由农民或村集体承担；二是向农民和农民专业合作社收取的各种行政事业性收费、农业生产性费用和其他费用，有无政策依据，是否超标准、超范围收取；三是向农民筹资筹劳，是否符合一事一议筹资筹劳的适用范围、议事程序和限额标准等规定；四是农民应得到的补贴补助和补偿，是否被截留、抵扣或挪用。在农民负担监管中，要把减轻农民负担与推进制度建设、事前预防与事后查处相结合，从源头上控制加重农民负担和损害农民权益的行为。

二、积极探索，完善一事一议筹资筹劳制度

各省（区、市）要根据中央的要求，抓紧完善本地一事一议筹资筹劳管理办法，进一步明确议事范围、议事程序，创新议事形式，强化村民监督。加强组织领导，明确工作责任，切实加强对一事一议筹资筹劳组织实施的指导和监督。采取多种形式，广泛宣传引导，提高基层干部、农民群众参与一事一议筹资筹劳的积极性。进一步推进村级公益事业建设一事一议财政奖补试点工作，已开展一事一议财政奖补试点的省份，要认真总结经验，完善相关政策措施，建立健全有关制度，积极扩大奖补试点范围；未开展试点的省份，要积极创造条件，选择村级领导班子较强、群众基础较好的地方开展试点，逐步在全国形成一事一议开展村级公益事业建设的激励机制，健全国家扶持下的农村新型劳动积累制度。

三、加大力度，深入开展农民负担重点治理

针对农民反映的修建通村公路乱集资、向村级组织和农民专业合作社乱摊派等突出问题，深入开展重点治理。

（一）强化治理重点地区。将农民负担问题较多的县（市）纳入全国重点监控范围，实行综合治理。加强督促检查，对当年未达到治理目标的，继续实施监控，直到农民满意为止。各省（区、市）也要结合当地实际，选择典型县（市）开展农民负担综合治理。

（二）拓展治理重点领域。治理向农民专业合作社的乱收费，各省（区、市）对向合作社收费情况要进行全面调查，并对发现的问题进行分类处理。属于乱收费的项目坚决取消，过高的收费标准坚决降低，为合作社的正常起步和健康发展创造良好的外部环境。治理向村集体的各种摊派集资，严禁将部门或单位的经费缺口以各种名义向村集体转嫁或集资。

（三）深入治理重点项目。各地要结合实际，对修建通村公路向农民或村集体摊派集资、公费订阅报刊超限额、农村中小学乱收费、农民建房乱收费和截留、抵扣、挪用强农惠农补贴资金等问题进行专项治理。要明确治理重点、目标和措施，确保治理取得明显效果。

四、标本兼治，推进农村综合改革

进一步推进农村综合改革，以建立精干高效的基层政权组织为目标，积极推进乡镇机构改革；以健全乡镇财政监管职能、增强基层财力为目标，深入探索县乡财政管理体制改革，从源头上、制度上消除加重农民负担的隐患；推进建立村级组织运转经费保障机制，明确保障责任和范围，防止以各种形式变相增加农民负担；开展减轻农业用水负担综合改革试点，促进减轻农业用水负担。

五、完善制度法规，健全农民负担监督管理长效机制

要坚持和完善涉农收费文件“审核制”、涉农价格和收费“公示制”、农村公费订阅报刊“限额制”、农民负担“监督卡制”、涉及农民负担案（事）件“责任追究制”等五项制度。今年，重点完善“公示制”，创新公示形式，适时更新内容，公示要增加支农惠农政策的内容，同时加强检查监督，狠抓责任落实；完善“责任追究制”，对加重农民负担的违规违纪行为严格责任追究，对典型案例公开通报、曝光。加快研究《农民承担费用和劳务管理条例》修订问题；各地也要加大农民负担监管的立法力度，将农民负担纳入依法监督管理的轨道。

六、落实领导责任，推动减轻农民负担工作深入开展

进一步提高对减轻农民负担工作的认识，切实做到常抓不懈。一是坚持和完善减负工作制度。坚持和完善地方党政主要领导亲自抓、负总责的工作制度。坚持和完善“谁主管、谁负责”的专项治理部门责任制，充分发挥地方各级减负工作领导小组及其办公室的作用，对减负工作中出现的新问题要深入研究解决办法，严格审核涉及农民出钱出物出工的文件，确保减轻农民负担工作的整体合力不减弱。二是完善减负工作考核制度。将减轻农民负担纳入政府工作目标考核，确保减负工作的领导责任、部门责任不缺位。三是强化农民负担联合检查监督制度。完善检查方式，扩大检查范围，实行检查与处理相结合，确保减轻农民负担的高压态势。四是加强减负宣传培训工作。利用多种形式宣传减负和惠农政策，维护农民的知情权；加强对基层干部的培训教育，做到自觉守法、正确执法，确保各项减负惠农政策落到实处，促进农村社会和谐稳定。

省财政厅　省农业厅关于印发《山东省财政补助村级资金管理办法》的通知

2009年12月2日　鲁财农政〔2009〕3号

各市财政局、农业局：

现将《山东省财政补助村级资金管理办法》印发给你们，请认真贯彻执行。执行中有什么问题，请及时报告省财政厅、省农业厅。

附件：山东省财政补助村级资金管理办法

附件：

山东省财政补助村级资金管理办法

第一章　总　　则

第一条　为规范财政补助村级资金（以下简称村级补助资金）管理，确保专款专用和安全、高效运行，保障村级组织正常运转，进一步巩固农村税费改革成果，根据《省委办公厅　省政府办公厅〈关于完善我省村级组织运转经费保障机制的实施意见〉》（鲁办发〔2009〕21号）和《省委组织部　省财政厅〈关于健全完善村党支部书记激励保障机制的意见〉》（鲁组发〔2009〕33号）等有关文件规定，制定本办法。

第二条　村级补助资金是指各级财政安排的专门用于村干部报酬、离任村党支部书记生活补贴、村办公经费和其他必要支出的资金。

第三条　村级补助资金来源主要有以下几方面：一是农村税费改革转移支付资金用于村级补助比例不低于20%部分；二是根据中央组织部和省委组织部健全完善村干部激励保障机制的有关要求，各级财政安排用于提高村干部报酬的补助资金；三是各级政府通过建立奖补机制等方式安排的专项补助资金等。

第四条 各县（市、区）要确保农村税费改革转移支付资金用于村级补助的比例不低于20%。转移支付资金20%用于村级后仍有缺口的，要通过安排专项补助、建立奖补机制等方式，加大对村级的补助力度，确保村干部报酬、离任村党支部书记生活补贴、村办公经费和其他必要支出的需要。

第五条 村级自有收入加上各级财政安排的村级补助资金，应使村级经费达到以下保障水平：大村（2 000 人以上）每村每年3万元、中村（1 000～2 000人）每村每年2万元、小村（1 000人以下）每村每年1.5万元。各级政府应逐步加大对运转困难村级组织的补助力度，确保经费保障水平与当地经济社会发展和农民收入水平相适应。

第六条 各县（市、区）财政部门要坚持有利于深化农村综合改革、减轻农民负担，有利于保障村级组织有效运转，有利于推进基层民主政治建设、强化村民自治、促进农村经济发展和社会进步，有利于推进村组合并、减少享受补贴的村干部人数等原则，根据村级规模、人口、集体经济收入水平等情况，合理分配村级补助资金。不搞平均主义，一般情况下应保持相对稳定。

第二章 使用范围及标准

第七条 村干部报酬，是指对在任的村“两委”班子主要成员给予的固定补贴，分为基本报酬和业绩考核奖励报酬两部分，一般按每个行政村3至5人核定，具体由各地按照行政村规模等因素确定。对村党支部书记的报酬标准，各地要严格按照《省委组织部 省财政厅〈关于健全完善村党支部书记激励保障机制的意见〉》（鲁组发〔2009〕33号）执行；对其他村“两委”班子主要成员，可参照党支部书记报酬，按一定比例发放。经济相对发达、村级集体收入较多的地方，可以适当提高村干部补助标准。

第八条 离任村党支部书记生活补贴，是指对未纳入社会养老保险范围、累计任村主职干部（村党支部书记、村委会主任）10年以上、正常离任的村党支部书记，男性年满60周岁、女性年满55周岁后，经乡镇（街道）党（工）委研究、县（市、区）委组织部审批，每年给予一定的生活补贴。补贴标准由乡镇（街道）党（工）委根据村党支部书记任职年限和贡献情况提出指导性意见，经村民会议或村民代表会议通过后确定。

第九条 村办公经费主要指必要的办公用品费、水电费、报刊征订费等维持村级组织正常运转所必需的开支。其他必要支出主要指村内治安、卫生防疫、垃圾收集等社区管理和服务支出。具体标准由县（市、区）人民政府综合考虑行政村规模和经济社会发展状况等因素确定。报刊费按省委、省政府有关文件规定执行，不得突破规定限额。严禁超标准、超范围使用村办公经费。

第十条 对组干部的误工补贴和其他离任村干部的待遇，由各地结合实际确定。

第十一条 农村五保供养作为社会保障制度的重要内容，其经费已纳入县乡财政预算专项保障，不再列入村级补助资金保障范围。

第十二条 各级政府要鼓励和支持有条件的村利用自身优势，积极发展村集体经济，开辟增收渠道，壮大村集体经济实力，提高村级组织自我发展和自我保障能力。要根据村级规模和管理实际，精简村干部职数，提高村“两委”成员交叉任职比例，降低村级组织运转成本。

第三章 支出管理

第十三条 县乡政府要将村级补助资金列入年度预算，全面实行“乡财县管”和“村财乡代管”等管理方式，确保村级补助资金安全规范使用。

第十四条 县乡财政应于每年12月25日前将村级补助资金全部拨付到位，列各级财政决算“对村民委员会和村党支部的补助”科目。村干部报酬、离任村党支部书记生活补贴，要通过财政涉农补贴“一本通”发放到本人。村办公经费直接拨付到村级账户。

第十五条 村级补助资金的使用，要坚持“量入为出、勤俭节约”的原则，按计划、按比例、按标准，专款专用。年初由村委会提出村级补助资金使用计划，提交村民大会或村民代表大会讨论通过，经乡镇审核批准后执行。年终如有结余，应结转下年继续使用。

第十六条 村委会要实行村民民主议事、民主理财制度，切实加强村级补助资金管理，全面提高村级财务管理水平。要将村级补助资金安排及支出的详细情况，全部纳入村务公开内容，定期张榜公布，接受群众监督。

第十七条 每年1月20日前，村委会要将上年度村级补助资金使用情况，以文字说明和会计报表等形式向乡镇政府报告，乡镇政府应于1月底前汇总报县财政局。

第四章 监督检查

第十八条 各级财政、农业部门要会同党委组织部门和政府民政、监察、审计等相关部门，建立健全村级补助资金的监督检查机制，确保资金落实到位并规范使用。

第十九条 对农村税费改革转移支付中村级补助资金安排比例达不到20%，且不能保证村级组织基本支出需要，以及没有按政策规定将村级补助资金落实到位的县（市、区），要及时查处，限期纠正。

第二十条 严禁任何部门和单位截留、平调、挤占、挪用村级补助资金或抵扣税费、债务等。任何单位和个人不得以任何理由、任何形式冻结或转移村级补助资金。

第二十一条 凡委托村级组织开展工作需要出钱出物的，有关部门要相应安排工作经费，不得向村级组织转嫁负担。

第二十二条 对违反村级补助资金分配、管理和使用规定的行为，一经查实，要按照《财政违法行为处罚处分条例》（国务院令第427号）、《山东省农村集体经济审计条例》及有关法律法规严格处理，并严肃追究有关责任人的责任。

第五章 附 则

第二十三条 各县（市、区）要根据本办法制定具体实施细则，并报省、市财政部门备案。

第二十四条 本办法由省财政厅负责解释。

第二十五条 本办法自发布之日起施行。

省财政厅 省农业厅关于做好2009年村级公益事业建设一事一议财政奖补试点项目申报工作的通知

2009年12月2日 鲁财农改〔2009〕4号

东营、烟台、潍坊、泰安、临沂、德州市财政局、农业局：

为做好2009年村级公益事业建设一事一议财政奖补试点项目申报工作，根据省农村综合改革领导小组办公室、省财政厅、省农业厅《关于开展村级公益事业建设一事一议财政奖补试点工作的通知》（鲁农改办〔2009〕5号）规定，现将有关事项通知如下：

一、申报程序

奖补资金的申报，坚持“自下而上、先筹后补”的原则。以村为单位申报，乡镇审查、县级审核汇总，以市级正式文件上报。具体申报程序和申报条件参见《省农村综合改革领导小组办公室、省财政厅、省农业厅关于开展村级公益事业建设一事一议财政奖补试点工作的通知》规定。

二、申报规模

省财政厅与省农业厅研究确定，2009 年在利津、蓬莱、昌邑、肥城、平邑、夏津等 6 个县（市），开展村级公益事业建设一事一议财政奖补试点工作。各试点县（市）要以村为单位，认真履行一事一议的民主议事、审批备案程序，根据农民群众的意愿，确定项目建设内容和数量，提出奖补项目申报方案。每个试点县（市）选择开展一事一议财政奖补试点村的个数不能超过 100 个，申请省财政奖补资金原则上不得超过 200 万元。

鉴于今年一事一议财政奖补试点工作启动较晚，各试点县（市）申报财政奖补试点项目范围可适当调整，凡今年 7 月 1 日后各试点县（市）减负办批准的一事一议筹资筹劳项目均可申报。各试点县（市）要严格按照《山东省人民政府办公厅关于规范村级一事一议筹资筹劳的意见》（鲁政办发〔2006〕23 号）及《省农村综合改革领导小组办公室、省财政厅、省农业厅关于开展村级公益事业建设一事一议财政奖补试点工作的通知》（鲁农改办〔2009〕5 号）等文件要求，认真把关，严格审核，确保项目申报质量。

三、申报要求

有关市财政、农业部门要以市级正式文件联合申报一事一议财政奖补试点项目，申报文件应包括以下几项内容：

1. 试点县（市）村级公益事业建设一事一议财政奖补试点实施方案。主要包括指导思想、原则、总体规划和试点目标、试点概况（按奖补范围进行分类概述）、工作措施和组织保障措施等。

2. 试点市、县（市）财政部门出具的一事一议奖补资金配套承诺函。

3. 山东省村级一事一议财政奖补项目申请汇总表。为便于省级汇总，此表按一事一议建设内容和试点县（市）行政区划两个口径分别填报。

有关市要于 12 月 15 日前，将申报材料分别报送省财政厅、省农业厅。同时将《山东省村级一事一议财政奖补项目申请汇总表》电子文本（Excel 格式）发送至省财政厅综改办邮箱（sdczzgb@163. com）和省农业厅经管处邮箱（sdnyjfb@163. com）。山东省村级一事一议财政奖补项目申请表和山东省村级一事一议项目财政奖补资金申领表（见附件），不须上报，由县（市）财政局、农业局，乡镇财政所、经管站和项目所在村留存备查。

联系人及电话：省财政厅综改办　宋　磊 0531－82669749

省农业厅经管处　孙明河 0531－67866088

附件：1. 山东省村级一事一议财政奖补资金申请表

2. 山东省村级一事一议项目财政奖补资金申领表

3. 山东省村级一事一议项目财政奖补资金申请汇总表

附件1：

山东省村级一事一议财政奖补资金申请表

年　月　日

申请单位：　　县（市）　　乡（镇）　　村（盖章）　　单位：元

<table>
<tr><td>项目名称</td><td colspan="6"></td><td colspan="2">投资预算</td><td colspan="2"></td></tr>
<tr><td>建设内容</td><td colspan="10"></td></tr>
<tr><td rowspan="2">申请单位基本情况</td><td>人口（人）</td><td colspan="2">其中：劳动力人口（人）</td><td>户数（户）</td><td colspan="2">人均纯收入</td><td colspan="2">耕地面积（亩）</td><td colspan="2">村集体当年收入</td></tr>
<tr><td></td><td colspan="2"></td><td></td><td colspan="2"></td><td colspan="2"></td><td colspan="2"></td></tr>
<tr><td rowspan="4">村级筹资筹劳总计</td><td colspan="8">村民筹资及筹劳折资（日、人、个）</td><td colspan="2">其他来源</td></tr>
<tr><td rowspan="2">合计</td><td colspan="3">村民筹资</td><td colspan="4">村民筹劳折资</td><td rowspan="2">村集体积累投入</td><td rowspan="2">社会捐助</td></tr>
<tr><td>小计</td><td>标准</td><td>人数</td><td>小计</td><td>工日值</td><td>标准</td><td>人数</td></tr>
<tr><td></td><td></td><td></td><td></td><td></td><td></td><td></td><td></td><td></td><td></td></tr>
<tr><td rowspan="2">交存乡镇村级会计委托代理中心专户数额</td><td rowspan="2">申请财政奖补数额</td><td colspan="3">合计</td><td colspan="2">县级</td><td colspan="2">市级</td><td colspan="2">省级</td></tr>
<tr><td colspan="3"></td><td colspan="2"></td><td colspan="2"></td><td colspan="2"></td></tr>
<tr><td colspan="5">乡镇经管站意见：

（盖章）
年　月　日</td><td colspan="6">乡镇财政所意见：

（盖章）
年　月　日</td></tr>
<tr><td colspan="11">县（市）农业局意见：

（盖章）
年　月　日</td></tr>
<tr><td colspan="11">县（市）财政局意见：

（盖章）
年　月　日</td></tr>
</table>

注：本表一式5份，县（市）财政局、农业局，乡镇财政所、经管站和项目所在村各留存1份。

附件2：

山东省村级一事一议项目财政奖补资金申领表

年　月　日

申领单位：　　县（市）　　乡（镇）　　村（盖章）　　单位：元、人

项目名称				项目性质		
项目决算额				申领单位农村人口		
项目完工情况						
项目建设支出内容	合计	人工费	材料费	机械作业费	设备购置费	其他
交存乡镇村民筹资专户额				乡镇村民筹资专户支出额		
项目完工时间			项目验收时间		项目验收结果	
申领奖补金额				同意奖补金额		
乡（镇）经管站意见： （盖章） 年　月　日				乡（镇）财政所意见： （盖章） 年　月　日		
县（市）财政局主管科（股）长意见： （盖章） 年　月　日				县（市）财政局局长意见： （盖章） 年　月　日		

注：本表一式5份，县（市）财政局、农业局，乡镇财政所、经管站和项目所在村各留存1份。“同意奖补数额”由县级财政部门填写。

附件3：

山东省村级一事一议项目财政奖补资金申请汇总表（按建设内容）

填报单位：　　（盖章）　　年　月　日　　单位：元、人、日

序号	建设内容	投资总额	工程总量（米、个、处、亩等）	村民筹资合计	村民筹资筹劳								村集体积累	社会捐助	市县奖补金额			申请省级奖补金额
					小计	筹资			筹劳折资						合计	县级	市级	
						总额	人数	标准	总额	工日值	人数	标准						
一、村内小型水利设施																		
1.	村内水渠																	
2.	堰塘																	
3.	桥涵																	
4.	机电井																	
5.	小型提灌或排灌站																	
二、	村内道路																	

续表

序号	建设内容	投资总额	工程总量（米、个、处、亩等）	村民筹资合计	村民筹资筹劳								村集体积累	社会捐助	市县奖补金额			申请省级奖补金额
					小计	筹资			筹劳折资						合计	县级	市级	
						总额	人数	标准	总额	工日值	人数	标准						
三、	户外村内环卫设施																	
四、	植树造林																	
五、	村容村貌改造																	
六、	其他																	
	……																	

注：此表作为市级正式文件的附件上报省财政厅和省农业厅。

序号	项目所在区域			项目名称	项目所在村总人口		投资总额	村级筹资合计	村民筹资筹劳								村集体积累	社会捐助	市县奖补金额			申请省级奖补金额
	县（市、区）	乡镇	村			其中：劳动力人口			小计	筹资			筹劳折资						合计	县级	市级	
										总额	人数	标准	总额	工日值	人数	标准						
	合计																					

注:此表作为市级正式文件的附件上报省财政厅和省农业厅。

省财政厅　省农业厅关于印发《山东省村级公益事业建设一事一议财政奖补专项资金管理暂行办法》的通知

2009年12月2日　鲁财农改〔2009〕5号

各市财政局、农业局：

现将《山东省村级公益事业建设一事一议财政奖补专项资金管理暂行办法》印发给你们，请认真遵照执行。执行过程中如有问题和建议，请及时向省财政厅、农业厅反映。

附件：山东省村级公益事业建设一事一议财政奖补专项资金管理暂行办法

附件：

山东省村级公益事业建设一事一议财政奖补专项资金管理暂行办法

第一章　总　　则

第一条　为加强村级公益事业建设一事一议财政奖补专项资金（以下简称“奖补资金”）管理，提高资金使用效益，根据《国务院农村综合改革工作小组　财政部　农业部关于开展村级公益事业建设一事一议财政奖补试点工作的通知》（国农改〔2008〕2号）、《关于规范村级一事一议筹资筹劳的意见》（鲁政办发〔2006〕23号）和《关于开展村级公益事业建设一事一议财政奖补试点工作的通知》（鲁农改办〔2009〕5号）等有关规定，特制定本办法。

第二条　本办法所称奖补资金，是指由各级财政预算安排，专项用于对行政村（包括自然村、村民小组和受益主体），通过一事一议筹资筹劳兴办的村级公益事业建设项目给予奖励补助的资金。奖补资金主要用于省确定的试点县（市、区）开展村级公益事业建设。对非试点县（市、区），各级财政部门可根据村级公益事业建设一事一议工作开展情况给予适当奖补。

第三条　奖补资金实行分级负责、县级报账、专款专用的管理方式。财政部门负责编报奖补资金的年度预算，以及资金的分配、使用和管理。农业（经管）部门负责根据一事一议筹资筹劳情况，编报年度项目计划，对项目实施情况进行管理和监督等。

第四条　市、县（市、区）财政部门要根据当地村级公益事业建设规划，增加资金投入，形成政府奖补、农民自愿出资出劳、社会捐助等多元化投入机制。

第二章　奖补对象、范围与标准

第五条　奖补对象是以村民一事一议筹资筹劳为基础、目前支农资金没有覆盖的村级公益事业建设项目。具体包括：村内水渠（灌溉区支渠以下的斗渠、毛渠）、堰塘、桥涵、机电井、小型提灌或排灌站等小型水利设施，村内道路（行政村到自然村或居民点）和户外村内环卫设施、植树造林、村容村貌改造等村级公益事业建设。

第六条 超过《关于规范村级一事一议筹资筹劳的意见》（鲁政办发〔2006〕23号）规定的筹资筹劳限额标准、举债兴办的村内公益事业建设等项目，不得列入奖补范围。一事一议财政奖补项目要与现有支农项目的政策相衔接，既要防止已建成的一事一议村级公益事业项目出现奖补遗漏和空白，又要防止重复补助和奖励。

第七条 奖补资金按照村民筹资筹劳（折款）总额的40%予以奖补，原则上由省、市、县三级分别承担。省财政对东、中、西部地区试点县（市、区），按照财政负担奖补资金的40%、50%、60%比例予以补助，市级财政负担比例由各市自行确定。

第八条 农民自愿以资代劳的，以资代劳工日值计算标准，以县为单位，不得超过上年农民人均纯收入的日平均值。

第三章 奖补资金申报与审批

第九条 各级财政、农业（经管）部门联合组织申报工作，坚持“自下而上、先筹后补”的原则办理。省级奖补资金以行政村为单位申报，乡镇审查、县级审核汇总后，以市财政局、农业局联合上报省财政厅、省农业厅。

第十条 村民委员会提出奖补资金申请，填报《山东省一事一议财政奖补资金申请表》，并附报《山东省村级一事一议筹资筹劳申报表》、一事一议筹资筹劳项目预算方案、省减轻农民负担工作领导小组办公室统一监制的一事一议筹资筹劳专用缴款票据存根、村民所筹资金专户存储的证明等。

第十一条 乡镇财政所、经管站对各村申报项目的合规性、可行性、有效性进行审查，主要查验村级一事一议筹资筹劳是否规范，是否严格执行报经批准的筹资筹劳方案，所筹资金是否真实。

第十二条 县（市、区）财政、农业（经管）部门对乡（镇）上报的材料进行审核汇总，对项目进行实地勘查，将审核结果上报市财政局、农业局。由市财政局、农业局联合以正式文件上报省财政厅和农业厅审批。

第四章 奖补资金的拨付与使用

第十三条 公益事业一事一议项目，实行建设和奖补并行，奖补资金分两次拨付。村民完成筹资筹劳并将所筹资金交存本乡镇“村级会计委托代理中心”后，财政部门预拨50%的奖补资金。其余部分奖补资金在项目竣工验收合格后办理清算，多退少补。

第十四条 省财政厅和农业厅对各市汇总上报的奖补资金申请分类复核后，由省财政厅按省级审定的奖补项目和规定的奖补标准，将奖补资金按预算级次和程序下达到市或“省直管县”财政部门。

第十五条 县级财政部门要建立健全审批制度和岗位责任制，对奖补资金实行统一管理，专账核算。奖补资金纳入地方各级财政预决算，在“对村级一事一议的补助”预算科目中反映。

第十六条 奖补资金是对村级一事一议公益事业建设项目的人工费、材料费、机械作业费和设备购置费等支出的补助，与村民筹资、筹劳折资、村集体经济组织投入和社会捐助等共同专项用于议事范围内的项目建设，切实做到预算安排到项目、支出核算到项目，不得返还给出资人，不得用于一事一议项目以外的事项。

第五章 监督与管理

第十七条 各级财政和农业（经管）部门负责奖补资金的监督和管理。财政部门负责奖补资金使用的全程监管，农业（经管）部门对项目实施过程进行监督。各级财政和农业（经管）部门要结合农民负担年度检查，对实施奖补项目的村庄进行抽查，确保奖补资金专款专用、规范高效。

第十八条 严禁将一事一议变成加重农民负担的新途径，任何单位和个人不得挤占、截留、挪用、拖延兑现奖补资金。对弄虚作假、骗取奖补资金等行为，一经查实，将按照《财政违法行为处罚处分条例》(国务院令第427号)、《山东省农村集体经济审计条例》及有关法律法规严肃处理，及时追回奖补资金，并追究当事人及有关责任人的责任。

第十九条 村民一事一议奖补资金要实行专账核算，纳入本乡镇“村级会计委托代理中心”管理。乡镇“村级会计委托代理中心”依据项目工程竣工验收报告和经公示后群众认可的奖补资金支出明细表，办理结算手续。

第二十条 一事一议财政奖补项目建设的内容、筹资筹劳的数量、招投标情况、奖补金额及其使用情况等，要在乡镇驻地和有关村及时向村民公示，维护农民群众的知情权和监督权。

第二十一条 乡（镇）经管站和县（市、区）农业（经管）部门要将村民一事一议筹资筹劳的会议记录、村民签字表、筹资筹劳方案、奖补资金申请表、施工合同、项目决算书、竣工验收报告等相关原始材料汇总归档，建立规范的档案管理制度。

第六章 附 则

第二十二条 各市可根据本办法，结合本地实际制定实施细则，并报省财政厅、省农业厅备案。

第二十三条 本办法由省财政厅负责解释。

第二十四条 本办法自发布之日起施行。

省财政厅关于印发《山东省农村综合改革工作经费补助资金管理办法》的通知

2009年12月22日 鲁财农改〔2009〕6号

各市财政局、省财政直接管理县（市）财政局：

为加强和规范农村综合改革工作经费补助资金的管理，提高资金使用效益，根据《中央对地方农村综合改革工作经费补助资金管理办法》和财政专项资金管理等有关规定，省财政厅研究制定了《山东省农村综合改革工作经费补助资金管理办法》，现印发给你们，请遵照执行。执行中如有问题或建议，请及时向省财政厅反映。

附件：山东省农村综合改革工作经费补助资金管理办法

附件：

山东省农村综合改革工作经费补助资金管理办法

第一条 为加强农村综合改革工作经费补助资金的管理，规范农村综合改革工作经费补助资金的申请、分配、使用，确保专款专用，提高资金使用效益，根据《中央对地方农村综合改革工作经费补助资金管理办法》和财政专项资金管理等有关规定，制定本办法。

第二条 农村综合改革工作经费补助资金是指由省财政预算安排，专项用于当年各市及省财政直接管理县（市）（以下简称“直管县”）开展农村综合改革工作和完成省财政厅农村综合改革办公室委托有关事项的专项工作经费补助。

第三条 农村综合改革工作经费补助资金的分配根据当前改革承担的工作任务，主要考虑以下因素：

（一）清理化解农村义务教育债务工作情况。综合考虑各市及直管县农村义务教育阶段学校数、辖区面积、化债工作量、工作完成情况等因素综合确定。

（二）村级公益事业建设一事一议财政奖补试点工作情况。主要结合各市及直管县试点范围大小、工作力度、财力状况等因素综合确定。

（三）省财政厅农村综合改革办公室确认的农村综合改革联系村所在市或直管县工作开展情况。

（四）省财政厅农村综合改革办公室委托各市及直管县开展的有关工作，以及日常工作经费补助。比如，召开座谈会、开展课题研究、监督检查、协助蹲点调研、搜集有关信息资料等。

（五）其他有关因素。包括地方财力状况、农业比重、人口、地域面积等，重点向财政欠发达地区倾斜。

第四条 农村综合改革工作经费补助资金的主要用途是，省及各市和直管县开展农村综合改革调研、宣传、业务培训等工作费用，建立农村综合改革业务信息数据库和开展信息交流发生的支出，以及开展农村综合改革专项检查和信访核查工作所需费用等。

第五条 年度终了，享受补助资金的各市及直管县农村综合改革部门要向省财政厅农村综合改革办公室书面报告其工作经费补助资金的管理使用情况，包括支出数额、支出内容、结余等。

第六条 农村综合改革工作经费补助资金下达后，原则上应于当年完成预算，确有原因造成当年未能完成的，应向省财政厅农村综合改革办公室说明情况。

第七条 享受补助资金的各市及直管县农村综合改革部门要按照国家有关财务制度的规定和要求，切实加强对工作经费补助资金的管理，单独核算，专款专用，提高资金使用效益。

第八条 省财政厅农村综合改革办公室将对各市及直管县农村综合改革工作经费补助资金的管理和使用情况进行跟踪问效，并采取直接或委托检查的方式进行监督检查。对弄虚作假、挪用、不按规定使用资金的行为，省财政厅将根据《财政违法行为处罚处分条例》的有关规定进行处理。

第九条 本办法由省财政厅负责解释。

第十条 本办法自公布之日起施行。

省农村综合改革领导小组办公室关于印发《山东省农村综合改革领导小组办公室2009年工作要点》的通知

2009年4月28日 鲁农改办〔2009〕2号

各市农村综合改革领导小组办公室：

现将《山东省农村综合改革领导小组办公室2009年工作要点》印发给你们，供参考。

附件：山东省农村综合改革领导小组办公室2009年工作要点

附件：

山东省农村综合改革领导小组办公室2009年工作要点

2009年全省农村综合改革工作的总体思路是：以邓小平理论和“三个代表”重要思想为指导，深入学习实践科学发展观，积极推进乡镇机构、农村义务教育和县乡财政管理体制等农村综合改革，扎实做好化解农村义务教育债务试点工作，认真落实农村义务教育债务监管措施，建立促进农民增收减负和农村公益事业健康发展的长效机制，加快农村体制机制创新，全面推进社会主义新农村建设，促进城乡经济社会协调发展。

一、进一步推进农村综合改革试点工作。按照省政府《关于进一步做好农村综合改革工作的通知》精神，进一步抓好农村综合改革试点工作，完善政策措施，加大工作力度，鼓励有条件的地方进一步扩大试点范围，全面推进乡镇机构、农村义务教育、县乡财政管理体制等农村综合改革。认真落实《中共中央办公厅、国务院办公厅转发〈中央机构编制委员会办公室关于深化乡镇机构改革的指导意见〉的通知》（中办发〔2009〕4号）精神，按照着力增强社会管理和公共服务职能，进一步推进乡镇机构改革，着力增强公共服务能力和社会管理水平。农村义务教育改革要认真抓好经费保障机制改革各项政策的落实，扩大农村义务教育经费保障机制改革成果，加快推进农村义务教育综合改革，促进农村教育资源的合理配置，提高农村教育质量，促进城乡教育均衡发展。深化县乡财政管理体制改革，进一步完善促进县乡科学发展的体制机制，加大对财政困难县的帮扶力度，着力缓解基层财政困难，提高基层财政保工资、保运转、保民生的能力，促进基本公共服务均等化。进一步落实部门分工责任制，按照改革的总体要求，协调组织农村综合改革各有关责任单位积极做好本部门、本单位应承担的工作，提出深化各项配套改革的实施方案和政策措施，确保农村综合改革取得实质性进展。

二、积极稳妥推进化解农村义务教育债务工作。在2008年摸清底数、锁定债务的基础上，从2009年起全面启动化解农村义务教育债务工作。一是科学制定全省化债工作方案，并按方案要求认真抓好组织实施，确保完成全省化债目标任务。二是召开全省化解农村义务教育债务会议，明确政策界限、工作步骤和目标任务，全面启动化债工作。三是按照“先化解，后奖补”的原则，依据农村中小学在校学生数等因素，制订化解农村义务教育债务财政奖补办法和奖补资金国库集中支付办法，对各地化解农村义务教育债务给予奖励。四是建立农村义务教育债务监管体系，充分利用农村义务教育债务监管系统，对各市、县化债工作进展情况进行动态监管，确保兑付资金及时到位，确保农村社会和谐稳定。

三、积极探索推进其他农村综合改革工作。一是积极开展村级公益事业建设“一事一议”财政奖补试点工作，引导、鼓励农民筹资筹劳建设村级公益事业，调动农民参与公益事业建设的主动性，进一步改善农村生产生活条件。二是完善村级组织运转经费保障机制，逐步建立资金稳定、管理规范、保障有力的村级组织运转经费保障机制，加强村级组织建设，切实提高村级组织社会管理和为农服务能力。三是根据国务院综改办统一部署，改革完善现行农业用水水费政策，进一步减轻农民用水负担，促进水管体制改革和农村水利的良性运转。

四、进一步健全农民负担监管体系。继续全面落实减轻农民负担“四项制度”，加强对各种涉农收费和价格的监管，围绕治理教育乱收费、农村计划生育、报刊征订、规范农村医疗卫生收费等开展专项督查，切实防止农民负担反弹，进一步巩固农村税费改革成果。

五、加强调查研究，搞好信息交流。进一步加强对农村综合改革的热点、难点问题的调查研究，及时提出解决问题的措施和办法。围绕推进农村综合改革，促进统筹城乡发展等问题，深入基层开展调查研究，并提出相关政策建议。完善农村综合改革信息员制度，继续做好《山东省农村综合改革信息》编报工作，及时总结各地的好经验和好做法，推动农村综合改革取得新进展，全面推进社会主义新农村建设。

省农村综合改革领导小组办公室关于印发全省化解农村义务教育债务工作电视会议有关文件的通知

2009年5月15日　鲁农改办〔2009〕3号

各市、县（市、区）农村综合改革领导小组办公室，省直有关部门：

5月14日，省委、省政府召开全省化解农村义务教育债务工作电视会议，以科学发展观为指导，深入贯彻党的十七大、十七届三中全会和省委九届七次全委会精神，全面部署我省化解农村义务教育债务工作。会上，省委副书记、省农村综合改革领导小组副组长刘伟同志作了重要讲话。副省长王随莲同志主持会议并讲话；省农村综合改革领导小组办公室主任、省财政厅厅长尹慧敏同志，就化解农村义务教育债务工作有关政策问题作了说明；省教育厅副厅长陈光华同志，对各级教育部门配合做好化债工作提出具体要求。现将讲话稿印发给你们，请认真学习贯彻。

附件：1. 在全省化解农村义务教育债务工作电视电话会议上的讲话（刘伟）

2. 在全省化解农村义务教育债务工作电视会议上的讲话（王随莲）

3. 高度重视　周密组织扎实做好化解农村义务教育债务工作（尹慧敏）

4. 在全省化解农村义务教育债务工作电视电话会议上的讲话（陈光华）

附件1：

在全省化解农村义务教育债务工作电视电话会议上的讲话

（2009年5月14日）

刘　伟

同志们：

这次会议是省委、省政府研究决定召开的。省委副书记、省长姜大明同志对切实做好化解农村义务教育债务工作提出了明确要求。会议的主要任务是，深入贯彻落实党的十七大、十七届三中全会精神，深入贯彻落实胡锦涛总书记视察山东时的重要讲话精神，深入贯彻落实科学发展观，深入贯彻省九届七次全委会精神，研究部署我省化解农村义务教育债务工作，进一步巩固农村税费改革成果，促进农村教育事业健康发展，进一步巩固我省农村经济社会平稳较快发展的好局面。

关于下一步清理化解工作的具体要求，慧敏同志还要作出部署和安排；光华同志对教育部门做好化债工作还要提出要求；随莲同志还要讲重要意见。希望同志们认真学习领会，抓好贯彻落实。下面，我讲几点意见。

一、充分认识化解农村义务教育债务工作的重要意义

省委、省政府对做好农村义务教育债务的清理化解工作一直高度重视。2005年以来，按照中央提出的“制止新债、摸清旧债、明确责任、分类处理、逐步化解”的总体要求，我省先后制定采取了一系列逐步化解农村义务教育债务、制止发生新债的措施和办法。为进一步推进这项工作，2007年，省委、省政府在莱州、莒县、阳谷3个县（市）进行了清理化解农村义务教育债务试点，先后清理化解债务1.87亿元，

收到明显成效，为全省面上推进化债工作探索了做法，积累了宝贵经验。2008 年，我省全面启动了清理核实农村义务教育债务工作，采取县级清理、市级初核、省级终审、逐级确认的方法，经过近 7 个月的扎实工作，摸清了全省农村义务教育债务底数，最后锁定了全省债务余额。按照中央要求，到 2010 年底要基本完成农村义务教育债务化解工作。省委、省政府根据中央的要求，决定今明两年要全部化解我省农村义务教育债务，确保如期实现中央提出的目标任务。如期保质保量完成这项工作，任务相当艰巨，希望各级各部门一定要进一步增强责任感和紧迫感，把思想和行动切实统一到中央和省委、省政府的部署要求上来。

一要把清理化解农村义务教育债务作为深入贯彻落实科学发展观的重要举措来抓。这些年来，农村义务教育债务不但给债务人、债权人造成很大负担，而且使乡镇政府、农村集体、基层干部、农村中小学背上了沉重的包袱，围绕欠债、偿债带来的经济压力、思想压力、工作压力日益增加，成为影响农村经济社会科学发展、又好又快发展的一个重要因素。从前段开展深入学习实践科学发展观活动的情况看，这也是基层干部群众反映比较强烈的一个突出问题。把这个问题解决好，本身就是贯彻落实科学发展观，突出实践特色，让人民群众得实惠的实际行动。

二要把清理化解农村义务教育债务作为扩大内需的重要举措来抓。去年以来，国际金融危机席卷全球，对我国、我省经济发展带来了严重影响。在党中央、国务院和省委、省政府坚强领导下，全省上下全力抓好保增长、保民生、保稳定各项措施的落实，全省经济运行正发生积极变化，但保持经济平稳较快发展任务艰巨。我们经常讲，启动消费，最大市场在农村；扩大内需，最大潜力在农村；平稳较快发展，基础支撑在农业；改善民生，重点难点在农民。据测算，每投放 1 亿元的偿债资金，将拉动增加内需 4 亿多元，既增加农村投资，又有效拉动农村消费，乘数效应明显，对促进全省经济平稳较快发展将发挥重要作用。

三要把清理化解农村义务教育债务作为统筹城乡发展的重要举措来抓。党的十七届三中全会对深入贯彻落实科学发展观、推进农村改革发展作出全面部署，强调要统筹城乡发展，缩小城乡之间、区域之间公共服务差距，促进城乡义务教育均衡发展。清理化解农村义务教育债务，有利于减轻基层和学校的债务负担、解除基层政府和学校的后顾之忧，有利于保证农村义务教育经费的正常需要、促进农村义务教育事业健康协调发展，有利于促进统筹城乡发展、加快推进社会主义新农村建设。

四要把清理化解农村义务教育债务作为促进农村社会和谐稳定的重要举措来抓。农村税费改革以后，农民负担大幅度减轻，为农村经济和社会各项事业发展注入了新的生机和活力。但乡村债务问题始终没有得到根本解决，一些地方的债务额还有逐步增加的趋势。农村义务教育债务虽然在整个债务总额中所占比例不大，但涉及面广、影响大。清理化解农村义务教育债务，可以有效消除因债务问题引发的各种矛盾，防止农民负担反弹，维护学校正常教学秩序，促进农村社会和谐稳定。

总之，化解好农村义务教育债务问题是一项事关农村改革发展稳定的重要工作。我们山东历来就有重视教育、支持教育、办好教育的好传统，再难不能难教育，再穷不能穷孩子。现在各级财力上确实也非常困难，但再难我们也不能在化解债务上有畏难情绪，一定要想尽千方百计、尽最大努力把这个历史遗留问题解决好。在这个问题上希望我们上上下下的认识都要统一到中央和省委、省政府的部署要求上来，更加自觉地把化解农村义务教育债务的任务完成好。

二、明确化解农村义务教育债务工作的基本要求

整个化解农村义务教育债务工作，要按照省委、省政府的总体部署，科学制定方案，健全各项制度，规范工作程序，确保如期完成任务。具体工作中，要坚持“明确一个目标，把握三项原则，抓好三个关键环节”。

（一）明确一个目标：即按照“制止新债，摸清旧债，明确责任，分类处理，逐步化解”的总体要求，在全面清理锁定农村义务教育债务余额的基础上，从 2009 年 1 月起，到 2010 年底全面完成农村义务教育债务化解工作，同时建立起制止发生新的农村义务教育债务的有效机制。

（二）把握三项原则：一是以县为主组织实施。按照中央规定，农村义务教育债务清理化解工作实行以县为主，由县级人民政府具体实施，省、市给予工作指导和资金补助。

二是按锁定额逐步化解。按照锁定的债务，确定化债的优先顺序，区分轻重缓急，逐步化解。2008 年

清理核实工作中未经审核登记造册的债务，不纳入这次化解范围。

三是先化解后补助。为调动各地化解农村义务教育债务的积极性，省财政建立激励约束机制，对各地化解债务实行奖补。奖补资金由省财政厅根据各县（市、区）农村义务教育阶段学校、学生数、办学成本，以及财政困难程度等因素计算确定，不与各地债务额直接挂钩，以体现“债多不多补，债少不少补”的原则。

（三）抓好三个关键：一是落实化债资金来源。债务清理核实以后，能否按期完成化解任务，关键要落实好资金来源。对化债资金来源，中央已提出了明确的筹资渠道，主要包括财政预算安排、整合地方现有教育专项资金、盘活闲置校产、统筹非税收入，以及社会捐赠等。省财政在财力十分紧张的情况下，准备安排专项资金，加上中央财政奖补资金，专项用于支持化解农村义务教育债务。各市也要积极筹措资金，确保配套一块，一并用于化解债务。各县（市、区）要不等不靠，千方百计筹集落实化解债务的资金。

二是确保化债资金支付到债权人。这是清理化解债务的最后一环，也是重要一环。各级要严格化债工作步骤，规范操作程序，确保化债资金落实到每个债权人。各市要根据实际情况，研究确定本市总体化债安排和年度化债计划，并把年度计划分解到各县。各县（市、区）偿债资金要实行国库集中支付。在偿债过程中，要优先偿还对教师、学生家长和工程队的欠债，优先偿还因病致贫、遭受灾害的农村债权人的债务。要认真落实偿债销号制度，逐笔登记债务偿还信息，做到偿还一笔、登记一笔、销号一笔。

三是坚决制止发生新债。坚决制止发生新的农村义务教育债务，严防债务“滚雪球”式增长，这是完成化解农村义务教育债务目标任务的必要条件。如果新债控制不住，扎不住“口子”，全面化解农村义务教育债务就无从谈起，效果也会大打折扣。各级要认真落实国务院和省委、省政府关于坚决制止乡村新增债务的规定，进一步完善配套措施，实行债务控管领导责任制，强化债务约束，坚决制止新债的发生。今后在安排农村义务教育建设项目时，要充分考虑乡村经济发展水平和承受能力，决不能负债搞建设，更不能搞集资摊派，加重农民负担。要进一步深化农村义务教育经费保障机制改革，积极推进教育综合改革，加强学校预算、财务管理，不批准有资金缺口的学校基建项目，坚决制止发生新的农村义务教育债务，切实巩固化债成果。

三、加强组织领导确保化债工作顺利进行

农村义务教育债务清理化解工作，政策性强、涉及面广、情况复杂、工作难度大，是一项系统工程。各级各部门要加强组织领导，完善工作机制，确保各项工作顺利推进。

一要加强领导，落实责任。各级各有关部门要高度重视，切实把这项工作摆上重要议事日程，建立健全领导责任制，主要领导要亲自抓、负总责。各市和县（市、区）要成立清理化解农村义务教育债务领导小组和工作班子，把化债任务目标层层分解，落到实处。各县（市、区）要抓紧研究制定具体实施方案，报市级批准。各市要指导所属县（市、区）做好方案制定工作，并汇总形成本市化债工作方案，6月底前报省农村综合改革领导小组审批。省农村综合改革领导小组将与各市人民政府签订责任书，进一步强化各市化债工作责任。

二要加强协调，合力推进。各有关部门要结合各自工作职责，搞好调查研究，完善政策措施，加强对化解工作的具体指导。各级财政部门要做好牵头协调工作，制定有关政策措施和具体方案，积极调整支出结构，确保偿债资金安全，并及时拨付到位。教育部门要进一步深化农村义务教育体制改革，提高学校财务管理水平。农业部门要研究制定加强村级财务管理和村级公益事业建设筹资管理的具体措施，加强农民负担管理，防止各种集资摊派加重农民负担。审计、监察部门要做好债务偿还的审核监督工作，对违纪违规行为进行严肃查处。金融监管部门要认真履行职责，维护良好的农村金融秩序。各部门要加强协调配合，形成工作合力，确保化解农村义务教育债务各项措施落到实处。

三要加强监管，严肃纪律。各级要建立事前、事中、事后相结合，日常检查和重点抽查相结合的化债工作监督制约机制。要进一步严肃工作纪律，增强工作透明度，实行阳光操作，规范运作，自觉接受群众和社会的监督。省里要组织财政、审计和监察等部门，在加强化债日常指导和监督的同时，开展随机抽查

和全面检查。对弄虚作假、冒领化债资金以及截留、挪用、套取奖补资金的，要严肃处理，追究有关负责人和直接责任人的责任。在这里，我特别强调一下，化解农村义务教育债务工作一定要实事求是、实实在在，该配套的资金一定要到位，该偿还的债务一定要还清，欠多少、还多少、什么时候还，都要一清二楚，立说立行，如实兑现，不能光说不做，或者说得多、做得少，要真正把这个历史遗留问题干净、彻底、妥善地解决好。

四要加强引导，维护稳定。化解农村义务教育债务工作，涉及许多政策和法律问题，涉及广大人民群众切身利益，情况复杂，各方面都很关注，处理不好很容易引起连锁反应和新的矛盾。各级一定要把问题考虑得更复杂一些，把应对措施准备得更充分一些，准确把握政策要求，讲究工作方式方法，及时发现和解决工作中出现的新情况、新问题、新苗头，妥善处理好各方面的利益关系，对可能引发的各种矛盾纠纷，要高度重视，早做预案，妥善处理，防止出现不稳定的问题。要正确把握舆论导向，准确把握宣传尺度，规范宣传内容和范围，注重宣传效果，做好舆论引导工作，避免引发矛盾。要深入细致地做好思想政治工作，做好各方面的防范工作，严防发生影响学校正常教学秩序的问题，确保农村社会和谐稳定。

同志们，开展清理化解农村义务教育债务工作，是我省农村综合改革和农村义务教育发展中的一件大事。我们要深入贯彻落实党的十七大、十七届三中全会精神，深入贯彻落实胡锦涛总书记视察山东时的重要讲话精神，深入贯彻落实科学发展观，按照省九届七次全委会的部署要求，高度负责，扎实工作，努力把好事办好、实事办实，为建设社会主义新农村、办好人民群众满意的教育，为促进全省经济社会平稳较快发展、加快推进经济文化强省建设作出新的更大贡献。

附件2：

在全省化解农村义务教育债务工作电视会议上的讲话

（2009年5月14日）

王随莲

同志们：

刚才，刘伟书记代表省委、省政府作了重要讲话。刘伟书记的讲话，从学习实践科学发展观，巩固农村税费改革成果，深化农村综合改革，加快推进农村教育事业发展，促进经济平稳较快发展的高度，深刻阐述了化解农村义务教育债务工作的重要意义，对全省化解农村义务教育债务工作提出了明确要求，对做好这项工作作了全面部署。尹慧敏同志就化解农村义务教育债务工作有关政策问题作了具体说明，陈光华同志对各级教育部门配合做好化债工作讲了具体意见。各级各部门要认真学习、深刻领会刘伟书记的讲话精神，尽快把思想统一到中央和省委、省政府的要求上来，精心组织，扎实工作，确保全省化解农村义务教育债务工作顺利实施。下面，我就贯彻落实好刘伟书记重要讲话和这次会议精神，讲三点意见。

一、要高度重视化解农村义务教育债务工作。经过两年多的县级化债试点和去年全省范围内的债务核实锁定，我省清理化解农村义务教育债务工作，取得了重要的阶段性成果，趟出了路子，积累了经验，为全面启动化债工作奠定了良好的基础。但也应当看到，由于农村义务教育债务形成原因复杂，跨度时间长，涉及面广，要确保这项工作顺利推进，并达到预期目的，任务还非常艰巨，还需要做大量艰苦细致的工作。各级都要把化解农村义务教育债务工作，作为一项重要的民生工程来抓，切实摆到重要议事日程，按照全省统一部署，思想上更加重视，措施上更加扎实，确保把这项惠民政策落到实处，确保把好事办好。

二、要抓紧制定化债工作实施方案。各地的化债实施方案，是做好化债工作的重要指导性文件。要按这次会议统一要求，结合实际，抓紧制定化债工作实施方案，重点是要落实好化债资金来源，排出化债时间表。各县（市、区）方案经各市汇总后，要于6月底前报省农村综合改革领导小组审批。省农村综合改革领导小组将与各市政府签订责任书。各地要按照实施方案规划，精心安排，周密组织，狠抓落实，确保化债工作顺利进行。同时，要以化解农村义务教育债务为契机，加快推进农村综合改革，大力扩大农村消费和投资，促进农村经济社会平稳较快发展。

三、要注意研究解决化债工作中遇到的新情况和新问题。化解农村义务教育债务工作，政策性强，操作程序复杂，稍有不慎，就容易出现问题。各地务必增强政治敏锐性，把握好政策，吃透文件精神，及时发现和解决在化债工作中出现的新情况和新问题，对可能出现的问题，要早做预案，妥善处理，主动化解矛盾，确保社会稳定。要建立通畅的信息渠道，健全化债信息报告制度，加强化债工作情况交流。各市、县（市、区）都要安排专人负责信息上报工作，及时向省农村综合改革领导小组办公室报告本地化债工作进展、成效和问题等情况。近期各地要尽快将联络员及分管领导的名单上报省农村综合改革领导小组办公室。

附件3：

高度重视　周密组织扎实做好化解农村义务教育债务工作

（2009年5月14日）

尹慧敏

同志们：

刚才，刘伟副书记对我省化解农村义务教育债务工作进行了全面部署，明确了目标任务，提出了具体要求。各级财政部门一定要认真学习领会，充分发挥财政职能作用，切实抓好贯彻落实，确保圆满完成化解农村义务教育债务工作任务。下面，我就化解农村义务教育债务有关政策问题，简要说明如下：

一、把握政策，尽快制定化债实施方案。制定化债实施方案，是确保化债工作顺利进行的重要前提。按照中央统一要求，化解农村义务教育债务实施方案，自下而上，逐级汇总形成。各县（市、区）要结合实际，尽快研究制定化债实施方案。实施方案的主要内容包括：农村义务教育债务的清理核实和锁定情况，化债总体规划和年度计划；化解农村义务教育债务的相关政策；偿债资金来源、偿还程序、债务核销办法，以及控制新债的措施等。上报方案的具体要求，会后将印发各市、县。各县（市、区）化债实施方案形成后，按程序报市农村综合改革领导小组审批。各市要加强工作指导，在审核各县（市、区）方案的基础上，汇总形成全市化债实施方案，6月底前报省农村综合改革领导小组审批。省将与各市人民政府签订清理化解农村义务教育债务责任书，并在化债目标任务完成后，组织验收。

二、拓展筹资渠道，落实化债资金来源。根据国办发〔2007〕70号文件精神，偿债资金主要从以下渠道筹集：一是统筹安排地方一般预算收入以及上级财力性转移支付资金；二是从地方征收且作为地方收入的教育附加及其他基金中安排一定比例用于偿债；三是进一步整合地方现有教育专项资金；四是通过盘活闲置校产筹集偿债资金；五是通过统筹非税收入筹集偿债资金；六是社会和民间自愿捐资赞助的偿债资金。为保证偿债资金安全可靠，各地不能借新债还旧债，不能挤占挪用其他必保的专项资金，不能向农民摊派，不能影响农村义务教育经费保障机制改革的顺利推进。

为鼓励和推动清理化解农村义务教育债务的开展，中央和省将安排专项资金，建立考核激励机制，实行“以奖代补”，在财力上对基层给予适当支持。化解农村义务教育债务奖补资金的分配，主要根据各县（市）、区农村义务教育阶段学生数、学校数、办学成本和财政困难程度等客观因素，计算确定理论债务额，并对东、中、西部地区分别按30%、45%、60%的比例给予奖补，不与各地的实际债务余额挂钩，以体现“债多不多补、债少不少补”的原则，确保补助资金分配的客观公正和统一规范。这次会议之后，省里将尽快把奖补资金额度下达各地。为充分体现对化债工作的支持，中央和省奖补资金将根据各市、县（市、区）化债总体规划和年度计划，实行提前预拨，年终再根据实际化解数额进行清算。同时，根据

"先化解后补助"的原则，省级将预留部分资金，待整个化债工作结束、中央和省考核验收后拨付。

需要说明的是，当前受国际金融危机的影响，财政收入增长受到很大制约。除中央和省里安排的奖补资金外，各市要积极调整支出结构，多渠道筹措资金，对县（市、区）化债工作进行补助，以减轻县级筹资压力。特别是对财政困难县，要进一步加大支持力度，确保2010年底全部完成化债目标任务。

三、规范管理，确保偿债资金安全高效。严格偿债资金管理，规范资金运作程序，确保按规定将化债资金及时支付给每一个债权人，是清理化解债务工作的关键环节。各级财政部门要切实加强偿债资金管理，严格按程序拨付资金，确保资金安全，确保资金及时兑付到位。

一是偿债资金纳入国库单一账户体系管理。中央和省级偿债资金通过省级财政专项资金零余额账户拨付和管理，市、县偿债资金纳入同级财政专项转移支付资金特设专户（以下简称特设专户）统一管理。各级不单独设立偿债资金账户。

二是偿债资金实行国库集中支付。各级财政安排和筹集的偿债资金归集到县级财政，通过县级特设专户统一支付到债权人账户。各地要完善工作机制，规范偿债资金支付程序，建立债权人申请制度和偿债资金拨付审核制度，按照国库集中支付的有关要求，及时、准确地拨付偿债资金。

三是实行偿债销号制度。各地要依托农村义务教育债务监管系统，建立债务偿还台账，及时登记债务偿还信息，对已偿还债务，要逐笔销号。同时，对已销号的债务要通知学校等有关单位，做好相应的账务处理。

四是加强对化债进度的监控。各县（市、区）要依托农村义务教育债务监管系统和国库集中支付系统，根据化债试点实施方案、已锁定的偿债额度，及时拨付偿债资金，即时监控化债进度。省里将根据各地化债试点实施方案，采取检查、抽查等方式，对各市化债计划完成情况进行审核。

四、加强财政财务管理，坚决制止新增债务。从2005年开始，国务院就要求坚决制止发生新的乡村债务，明确了"约法三章"和"两项制度"。各级在扎实稳妥化解"旧债"的同时，要坚决防止产生新的债务，确保化债成果。要加强农村中小学财务管理，规范学校经费支出，严禁将用于偿还农村义务教育债务的收入挪作他用。大力推进农村义务教育经费保障机制改革，为农村义务教育发展提供财力保障。各县（市、区）要建立偿债准备金制度，财政预算要安排一定资金，专项用于应对化解农村义务教育债务试点工作中可能出现的突发事件，确保化债工作顺利推进。

五、发挥信息系统作用，建立健全债务监管体系。为保障清理化解农村义务教育债务工作顺利开展，按照国务院要求，我省已建立了"农村义务教育债务监管系统"。利用这套系统，我们已对全省农村义务教育债务底数进行了锁定，并建立了债务数据库。今后对农村义务教育债务的日常监管、化解农村义务教育债务的进度控制、偿还义务教育债务的补助奖励等工作，都将依托这套系统进行。各县（市、区）要指定专人负责，运用好监管系统，认真做好数据接收、填报年度还款计划、债务偿还销号等工作，切实加强对化债工作的监督管理，确保化解农村义务教育债务工作顺利进行。

附件4：

在全省化解农村义务教育债务工作电视电话会议上的讲话

（2009年5月14日）

陈光华

各位领导、同志们：

刚才听取了刘伟副书记关于全省化解农村义务教育债务工作的重要讲话，对我省化解农村义务教育债务工作作出了部署；省财政厅尹慧敏厅长对有关化解农村义务教育债务政策做了说明。会后我们要认真学习领会，切实抓好贯彻落实。为此，对各市、县教育部门如何做好化解农村义务教育债务工作，提出以下要求：

一、统一思想，提高认识，增强清理化解农村义务教育债务工作的责任感和紧迫感

农村义务教育债务是一个历史遗留问题。1986年全国人民代表大会颁布的《义务教育法》，明确了我国实施九年义务教育，经费投入实行国务院和地方各级人民政府根据职责共同负担，省、自治区、直辖市人民政府负责统筹落实的体制，并由各级人民政府根据国务院的规定分项目、按比例分担。由于我省各市、县经济发展不平衡，农村学生数量多，教育投入需求大，在推进农村“普九”过程中，各地形成了沉重的债务负担，影响了农村经济发展和社会稳定，也影响了农村中小学正常的教育教学秩序。长期以来，省委、省政府一直非常重视农村义务教育债务清理工作。2007年，在莱州、莒县、阳谷3个县（市）进行了清理化解农村义务教育债务试点。2008年，我省全面启动了化解农村义务教育债务的相关工作，并取得了一定的成效。下一步，我省各级教育部门和学校要认真学习刘伟副书记的重要讲话和国家、省的文件精神，统一思想，提高认识，增强清理化解农村义务教育债务工作的责任感和紧迫感，把农村义务教育债务化解工作作为落实科学发展观，推动城乡义务教育和谐发展的一件大事来抓。

二、积极主动，密切配合，确保如期完成农村义务教育债务化解任务

清理化解农村义务教育债务工作的基本目标是：“制止新债、摸清旧债、明确责任、分类处理、逐步化解”。全省各级教育部门和学校，要在准确把握清理化解政策、坚持正确的化解导向的基础上，积极配合财政等有关部门，将农村义务教育债务化解工作落到实处。

一是积极配合有关部门摸清旧债。各级教育部门和学校将在“普九”过程中，形成的债务理清，将债务当事人、证明材料等相关证据向有关部门积极反映，锁定债务。

二是积极配合有关部门化解债务。根据化解债务以县为主组织实施的原则，县级教育部门和学校要在当地政府的统一领导下，严格工作步骤，规范操作程序，积极主动配合做好化解债务工作。

三是绝不能产生新的债务。各教育部门和学校在化解债务的基础上，确保农村中小学教育教学活动的正常开展，通过不断强化财务预算管理工作，使中小学的所有收支都要严格按预算执行，决不在预算之外再出现新的债务。

三、明确责任，完善制度，进一步加强中小学财务管理工作

为确保我省农村义务教育债务化解工作落实到位，真正把这个历史遗留问题彻底解决好。各级教育部门和学校在积极主动、密切配合的同时，还要进一步明确责任，完善制度，加强中小学财务管理工作。

一是强化财务集中核算工作。各市、县教育部门要严格按照农村义务教育实行“以县为主”管理体制的要求，对农村中小学经费实行“校财局管”，实行“统一管理、集中核算”。

二是强化财务预算管理工作。建立健全科学规范的中小学预算制度，是实现中小学财务收支目标的有力保障。要按照中央和省中小学预算编制的要求，完善和细化预算内容，收支要全、数据要实、安排要细，能清晰地反映学校所有收支项目，做到完整准确、公开透明。要将教师工资和应享受的津补贴、学校公用经费、校舍建设和维修改造、资助家庭经济困难学生等各项资金全部纳入财政预算。

三是强化财务收支管理工作。农村中小学的资金要全部纳入教育财务“核算中心”管理，各县（市、区）在“核算中心”负责学校的账务核算工作，管好用好学校的各项教育经费。同时做好政府采购工作，对列入政府统一采购目录的全部商品，各市、县教育部门及学校要严格按照规定，认真配合有关部门做好招投标和协议购货等工作，最大限度地节约教育经费，充分发挥教育资金的使用效益。

四是强化财会队伍建设工作。各市、县教育部门要切实加强中小学财会队伍建设，坚持以人为本，采取“集中培训、分别指导、一帮一、熟带生”等措施，多层次、多形式进行会计业务培训和继续教育，不断提高财务人员业务水平，使财务人员尽快适应本职工作。

五是强化财务监督机制。健全财务监督机制，加强对义务教育经费预算执行、会计核算、学校收费、经费管理及资产管理等方面的监督检查。通过建立和完善责任追究制度、考核评价制度、教育督导制度，调研和内部审计等制度，不断完善“事前防范、事中把关、事后检查”的监管机制，确保教育经费的安全、合理使用。

同志们，清理化解农村义务教育债务工作政策性强，时间紧、任务重、责任大。希望我省各级教育部门统一思想，严格落实政策，明确目标，细化工作，确保全面完成化解农村义务教育债务工作，为深入推进农村综合改革和我省义务教育又好又快发展做出更大贡献。

省农村综合改革领导小组办公室关于规范各市化解农村义务教育债务实施方案有关问题的通知

2009 年 5 月 15 日　鲁农改办〔2009〕4 号

市农村综合改革领导小组办公室：

为进一步做好化解农村义务教育债务方案制定、报批等工作，规范各市化解农村义务教育债务实施方案上报格式，现将有关问题通知如下：

一、方案标题

标题统一为：××市人民政府化解农村义务教育债务实施方案

二、方案内容

主要包括以下内容：

（一）化债的范围、内容、基本原则和主要目标。

（二）全市分县（市、区）农村义务教育债务清理核实和审计锁定情况，包括债务规模及其构成等。其中：各市分县（市、区）最终锁定债务余额以市政府签字确认数额为准，与《农村义务教育债务监管系统》中省级审核签字数据一致；债务分类构成情况（包括以债务主体划分、以债务用途划分、以债务来源划分等），以《农村义务教育债务监管系统》中经省级审核后形成的相应报表数据为准。以上数据已经各级审核确认，一律不再改动。

（三）全市分县（市、区）化债总体规划和年度计划。

（四）化解农村义务教育债务的相关政策，包括如何处理“白条”和债务利息，如何确定偿债的优先顺序等。

（五）各市、县（市、区）安排的化债资金数额、资金来源，以及市对县（市、区）补助办法。省对市化债补助资金总额度已经明确，各市、县（市、区）要按照“不留缺口”的原则，分别确定市对县补助资金数额及县（市、区）负担化债资金数额，由市级汇总后，一并报省审批。

（六）各市对债务偿还程序、债务核销办法等的具体要求。

（七）化债保障措施，主要包括控制新债、监管体系、监督检查、组织保障和工作机制等。

三、方案上报时间

（一）各市化解农村义务教育债务实施方案，要在 6 月底前以市政府名义，报省农村综合改革领导小组办公室审批。各市农村综合改革领导小组办公室要加强对各县（市、区）的工作指导和调度，切实做好县（市、区）化债实施方案审批工作。

（二）各市上报正式方案前，应先报省农村综合改革领导小组办公室预审。

附件：××市农村义务教育债务规模及偿债资金安排情况表（不发）

省农村综合改革领导小组办公室　省财政厅　省农业厅关于开展村级公益事业建设一事一议财政奖补试点工作的通知

2009年10月9日　鲁农改办〔2009〕5号

各市农村综合改革领导小组办公室、财政局、农业局：

按照国务院农村综合改革工作小组、财政部、农业部的有关要求，结合我省实际，现就我省开展村级公益事业建设一事一议财政奖补试点工作（以下简称一事一议财政奖补试点）有关问题通知如下。

一、开展一事一议财政奖补试点的基本原则

一是民主决策，筹补结合。一事一议财政奖补项目必须尊重民意，以村民民主决策、自愿出资出劳为前提，政府给予奖励补助，使政府投入和农民出资出劳相结合，共同推进村级公益事业建设。二是直接受益，注重实效。一事一议财政奖补项目必须考虑村级集体经济组织、农民和地方财政的承受能力，县乡政府要加大规划指导力度，重点支持农民需求最迫切、反映最强烈、利益最直接的村级公益事业建设项目，适当向贫困村倾斜，提高项目效用，防止盲目攀比。三是规范管理，阳光操作。建立健全各项制度，确保筹资筹劳方案的制定、村民议事过程、政府奖补项目的申请、资金和劳务使用管理公开透明、公平公正，接受群众监督。

二、一事一议财政奖补的范围和奖补标准

（一）一事一议财政奖补范围。主要包括以村民一事一议筹资筹劳为基础、目前支农资金没有覆盖的村内水渠（灌溉区支渠以下的斗渠、毛渠）、堰塘、桥涵、机电井、小型提灌或排灌站等小型水利设施，村内道路（行政村到自然村或居民点）和户外村内环卫设施、植树造林、村容村貌改造等村级公益事业建设。

超过山东省人民政府办公厅《关于规范村级一事一议筹资筹劳的意见》（鲁政办发〔2006〕23号）的筹资筹劳限额标准、举债兴办的村内公益事业建设等项目，不得列入奖补范围。一事一议财政奖补项目要与现有支农项目的政策相衔接，既要防止已建成的一事一议村级公益事业项目出现奖补遗漏和空白，也要防止重复补助和奖励。

（二）一事一议财政奖补标准。按照村民筹资筹劳（折款）总额的40%予以奖补，奖补资金原则上由省、市、县三级分别承担。奖补资金分两次拨付，村民完成筹资筹劳并将所筹资金交存本乡镇“村级会计委托代理中心”后，财政部门预拨50%的奖补资金，实行建设和奖补并行，其余部分奖补资金在项目竣工验收合格后办理清算，多退少补。一事一议财政奖补资金列入地方各级财政决算“对村级一事一议的补助”科目中反映。

三、一事一议财政奖补试点的实施步骤

村级公益事业建设点多面广，情况复杂，一事一议财政奖补工作需要先行试点，总结经验，逐步扩大。按照积极引导、慎重试点、稳妥推进的原则，2009 年省里确定在东营、烟台、潍坊、泰安、临沂、德州等六个市，每市选择一个县（市），开展一事一议财政奖补试点。2010 年总结试点经验，完善政策，逐步扩大试点范围。试点县要结合本地实际，制定一事一议财政奖补的具体实施方案，并报省农村综合改革领导小组办公室、省财政厅和省农业厅备案。

四、一事一议财政奖补资金申报程序

财政奖补资金的申报坚持自下而上、先筹后补的原则，由各级农村综合改革领导小组办公室和财政、农业部门联合组织申报工作。以村为单位申报，乡镇审查、县级审核汇总、以市级正式文件上报。具体程序如下：

（一）村民委员会提出奖补资金申请，填报《山东省一事一议财政奖补资金申请表》，并附报《山东省村级一事一议筹资筹劳申报表》、一事一议筹资筹劳项目预算方案、省减轻农民负担工作领导小组办公室统一监制的一事一议筹资筹劳专用缴款票据存根、村民所筹资金专户存储的证明。

（二）乡镇财政所、经管站对各村申报项目的合规性、可行性、有效性进行审查，主要查验村级一事一议筹资筹劳是否规范，是否严格执行报经批准的筹资筹劳方案，所筹资金是否真实。

（三）县（市、区）财政、农业部门对乡（镇）上报的材料进行审核汇总，对项目进行实地勘查，将审核结果上报市农村综合改革领导小组办公室和财政局、农业局，由其汇总后，以正式文件上报省农村综合改革领导小组办公室和省财政厅、省农业厅审批。

（四）奖补资金由县级人民政府统一管理，通过财政集中拨付到承担一事一议财政奖补项目的村集体账上。经县（市、区）财政局和农业局批准，一事一议项目可跨年度施工，但建设期限最长不得超过 12 个月。

五、一事一议财政奖补试点县应具备的条件

为确保试点工作顺利实施，试点县（市、区）应具备以下条件：

（一）根据本县（市、区）村级公益事业发展现状，制定了具体可行的一事一议村级公益事业建设规划和试点实施方案。

（二）一事一议的范围、筹资筹劳的标准和程序，符合《山东省人民政府办公厅关于规范村级一事一议筹资筹劳的意见》（鲁政办发〔2006〕23 号）规定。

（三）市、县（市、区）配套资金必须保证及时到位，由财政部门出具配套资金承诺函。

（四）县乡两级重视村级公益事业建设，贯彻惠农政策有力，成效显著；试点村领导班子健全，热心为民办事，号召力、凝聚力强；保障措施到位，能确保按计划完成任务。

（五）按照群众自愿原则，试点村的建设项目须经村民会议或村民代表会议审议和表决，并经三分之二以上村民或村民代表签字同意，建设项目要经得起检查、验收。

六、建立健全一事一议财政奖补资金监管制度

一是建立财务公开制度。一事一议财政奖补项目建设的内容、筹资筹劳的数量、招投标情况、奖补金额及其使用情况等，要在乡镇驻地和有关村及时向村民公示，维护农民群众的知情权和监督权。村民一事一议筹补资金要实行专账核算，纳入本乡镇"村级会计委托代理中心"管理。乡镇"村级会计委托代理中心"依据项目工程竣工验收报告和经公示后群众认可的奖补资金支出明细表，办理结

算手续。

二是建立档案制度。乡（镇）农村经济管理部门、县（市、区）农民负担监督管理部门，对村民一事一议的原始材料汇总归档，并将村民一事一议筹资筹劳的会议记录、村民签字表、筹资筹劳方案、奖补资金申请表、施工合同、项目决算书、竣工验收报告等相关原始材料汇总归档，建立村民一事一议筹资筹劳奖补项目档案。

三是建立监督检查制度。各级农村综合改革领导小组办公室、财政和农业部门负责对村民一事一议筹资筹劳奖补资金的监督和管理，确保发挥资金使用效益。任何单位和个人不得挤占、截留、挪用、拖延兑现一事一议奖补资金。对弄虚作假、骗取补助资金的要追究当事人及相关责任人的责任，并及时追回补助资金。严禁将一事一议变成加重农民负担的新途径，严禁平调、挪用筹集的资金、劳务及财政奖补资金，防止将一事一议财政奖补项目变成上级补助、农民配套的“钓鱼工程”，防止将一事一议财政奖补项目变成劳民伤财的“形象工程”。各级农业部门对一事一议财政奖补项目实施过程进行监督。省农村综合改革领导小组办公室、省财政厅和省农业厅要组成联合检查组，结合农民负担工作年度检查对实施奖补项目的村庄进行抽查。

四是建立村级公益设施管护制度。凡是通过一事一议途径形成的工程项目，必须结转村集体固定资产，明确管护责任，按照“谁投资、谁受益、谁所有、谁养护”的原则，明确责任主体，建立管护模式和管护目标，落实管护经费，逐步建立起村级公益设施的管护网络，以加强公益项目的后续管理。

七、加强对一事一议财政奖补试点工作的组织领导

各级农村综合改革领导小组办公室和财政、农业部门要从落实科学发展、统筹城乡发展的高度，切实加强对一事一议筹资筹劳财政奖补工作的组织领导，层层落实领导责任制。试点县人民政府全面负责本地一事一议财政奖补工作，要加强领导，做好项目规划、业务指导、组织协调。乡镇人民政府要进一步落实村务公开、财务公开等制度，努力做好具体组织工作，鼓励和引导农民开展好一事一议筹资筹劳。

省农业厅　省政府纠风办　省财政厅　省发展和改革委员会　省政府法制办　省教育厅　省新闻出版局　省物价局　转发农业部等七部委关于切实解决部分领域农民不合理负担问题的通知

2009年11月6日　鲁农经管字〔2009〕11号

各市农业局（农委）、纠风办、财政局、发展改革委、物价局、法制办、教育局、新闻出版局，省减轻农民负担工作领导小组各成员单位：

现将《农业部、国务院纠风办、财政部、发展改革委、国务院法制办、教育部、新闻出版总署关于切实解决部分领域农民不合理负担问题的通知》（农经发〔2009〕12号）转发给你们，请结合实际认真抓好落实。

各地要认真贯彻落实中央、国务院和省委、省政府的各项减负和惠农补贴政策，坚持减轻农民负担工作一把手负总责、党政领导亲自抓的工作机制不动摇，积极开展农民建房、计划生育、农村义务教育、畜

牧兽医检验检疫等涉农乱收费问题的专项治理，严肃查处擅自设立收费项目、扩大收费范围、提高收费标准和收费不开具合法票据的行为；规范开展一事一议筹资筹劳，加强对一事一议筹资筹劳组织实施的指导和监督；引黄灌区要严格按照省物价局、省水利厅、省减负办核定的终端水价最高限价标准向农民收取水费，严禁用惠农补贴资金抵扣水费和搭车加码收取其他税费；加强部门之间的沟通协调，形成合力，妥善解决农民信访反映的问题；加大涉及农民负担案件的查处力度，按照涉及农民负担案（事）件责任追究制的有关规定，对屡禁不止、顶风而上的案件要进行严肃处理，追究有关责任人的责任并予以通报。通过解决部分领域农民不合理负担问题，切实维护农民合法权益，防止农民负担反弹，进一步巩固我省减轻农民负担工作所取得的成果，为促进我省农村经济社会和谐稳定做出积极贡献。

附件：农业部　国务院纠风办　财政部　发展改革委　国务院法制办　教育部　新闻出版总署关于切实解决部分领域农民不合理负担问题的通知

附件：

农业部　国务院纠风办　财政部　发展改革委　国务院法制办　教育部　新闻出版总署关于切实解决部分领域农民不合理负担问题的通知

2009 年 8 月 27 日　农经发〔2009〕12 号

各省、自治区、直辖市及计划单列市农业厅（局、办、委）、纠正行业不正之风办公室、财政厅（局）、发展改革委、物价局、法制办、教育厅（教委、教育局）、新闻出版局：

今年以来，各地各部门在农民负担监督管理方面做了大量工作，农民负担水平不断下降，保持了整体平稳的态势。但是，一些地方一事一议筹资筹劳、农村义务教育、部分涉农行政事业性收费、农业灌溉水费电费、农村基础设施建设等领域农民不合理负担问题仍然存在，而且乱收费的手段和方式在不断翻新，更具隐蔽性。对此，国务院领导同志高度重视，近日对解决部分领域农民的不合理负担问题作出重要批示。各地各部门要按照中央的要求，进一步加强对减负工作的领导，再接再厉，持之以恒地把减负工作抓紧抓实抓好，绝不能掉以轻心和有丝毫松懈。要把切实解决好部分领域农民不合理负担问题作为当前的工作重点，立足当前，兼顾长远，尽快研究采取有效的解决办法，确保农民负担不反弹，切实巩固减负工作成果，保持农村社会和谐稳定，维护经济社会发展全局。经国务院减轻农民负担联席会议研究，现就有关问题通知如下：

一、开展乱收费问题的专项治理。各地要针对农民反映的突出问题，特别是计划生育、殡葬、农民外出务工经商办证、农村义务教育代收费等乱收费问题，年内集中时间、集中人力开展一次专项治理。要坚决纠正越权设立农村义务教育收费项目、违规制定收费标准的行为，严禁将讲义费、取暖费、电子阅览费等教学管理范围内的事项作为服务性收费或代收费事项收费，严禁学校强制服务并收费，或只收费不服务，严肃查处教育乱收费行为。对收取涉及计划生育、殡葬、农民外出务工经商办证等涉农行政事业性收费，必须依据法律、法规和国务院规定，严禁超标准、超范围收取，不得强行代收其他费用。对农村经营服务性收费，必须遵循公开、合理、自愿的原则，禁止强行服务、强行收费或只收费不服务，禁止将政府对农民的公益性无偿服务变为有偿服务。专项治理由地方政府统一部署，有关责任部门具体组织实施，农业、监察（纠风）、财政、价格、法制等部门加强督促检查。在专项治理中，对涉及农民出钱出物出劳的文件要组织有关部门严格审核，对突出问题要采取切实可行的解决办法和措施，对各种违规行为要严肃查处，对有关制度要进一步充实完善。治理结果要组织严格检查，确保治理工作取得明显实效。

二、规范一事一议筹资筹劳。要进一步完善一事一议筹资筹劳管理办法，加强对基层一事一议组织实施的指导，积极引导农民按民主程序议事，按民主决策事项出资出劳。要加强对一事一议筹资筹劳及一事一议财政奖补试点组织实施的监管，对超出议事适用范围、违反民主议事程序、超过限额标准的议事项目，不得列入一事一议筹资筹劳范围；对县级未按一事一议规定程序复审的议事项目，要坚决予以制止；对以自愿名义强行要求村民出资或强行以资代劳、平调或挪用筹集资金及财政奖补资金等违规违纪行为，要及时予以纠正；对私分、贪污筹集资金及财政奖补资金的，要坚决查处。

三、积极推进农村相关改革。尽快启动减轻农业用水负担综合改革试点，清理取消有关农业用水不合法、不合理收费，合理确定农业水费负担水平，规范集体或个人经营小型水利工程水费，农业用水负担较重地区农民负担要有明显减轻；统筹推进水利工程管理体制改革，加大农田水利投入，推进农业节约用水，强化农业用水负担监管，从根本上减轻农业用水负担，促进农村水利事业持续健康发展。加大农村电网改造力度，继续推进农村电力体制改革，降低农村电网线损和维护成本；根据农网改造和农电体制改革进程，加快推进城乡各类用电同价，切实降低农村用户电费负担。加快农民负担监督管理法规的修订工作，建立健全农民负担监管长效机制。

四、实施重点地区的综合治理。当前部分领域农民不合理负担问题主要集中在部分地区，各省（区、市）要结合当地实际，选择一个或几个农民负担问题较多的县（市、区）纳入重点监控范围，实行综合治理，着力解决区域性、综合性的农民负担问题。在综合治理中，要坚持同级政府主要领导亲自抓、负总责的工作制度，实行排查、处理、整改全程督办，对县域内所有涉及农民负担的问题要全面排查，对不该收或多收的钱物要如数退还，对相关责任人处理要及时到位，对相关制度要进一步完善。当年未达到治理目标的，要继续实施监控，直到农民群众满意为止。要通过治理，切实解决县域内农民反应强烈的突出问题，探索建立农民负担监管的长效机制和村级公益事业建设投入的新机制，以点带面推动全省（区、市）减轻农民负担工作。

五、认真解决农民信访反映的问题。各地要认真落实中央关于信访工作的统一部署，在近期尤其是国庆前后要切实加强农民负担信访工作，公布联系方式，加强协调配合。对信访事项要严格依照国家有关规定处理，不得置之不理或者推诿、敷衍、拖延，不得虚报处理结果。对农民反复上访、长期难以解决的问题，要跟踪督办，妥善解决。对国家有关部门交办、转办的涉及农民负担的重点信访件，省级有关部门要派人实地督办，处理到位。对领导批示或线索较清晰、社会影响较大的信访案件，有关部门要组成联合调查组直接查办，一经查实，必须严肃处理。

六、加大涉及农民负担案件的查处力度。各级监察（纠风）部门要把案件查处和严格责任追究作为推动减负工作开展的重要手段，认真查处违反减轻农民负担政策、侵害农民切身利益的行为，严肃追究直接责任人和有关党政领导干部的责任，并给予相应的党纪、政纪处分。对情节严重、性质恶劣、严重损害农民利益的问题要予以公开曝光，起到警示和威慑作用。同时，要通过查处问题，深入分析原因，进而采取更加有效的措施，标本兼治，纠建并举，不断深化减轻农民负担工作。

七、组织搞好今年的农民负担检查。今年年底前，各省（区、市）要普遍开展一次农民负担检查。要将涉农价格和收费、一事一议筹资筹劳、农村公共基础设施和基本公共服务所需费用与劳务的筹集、相关支农惠农政策执行情况、减轻农民负担各项制度落实情况等内容有机结合，全面检查。要采取县乡两级自查、省市两级抽查的方式进行，查清、查细、查实，实行检查与处理相结合，保证检查效果。国务院减负联席会议组织重点抽查。要通过检查，有效遏制涉农乱收费、乱罚款、乱集资和各种摊派现象的发生，确保不出现涉及农民负担的恶性案（事）件。